KB118584

생명과학 Ⅰ

600제

완자 기출 PICK 차례

Ⅰ 생명 과학의 이해

Ⅱ 사람의 물질대사

Ⅲ 항상성과 몸의 조절

유전

Ⅴ 생태계와 상호 작용

완자 기출 PICK 구성 - 기출 문제를 분석하여 핵심을 빠짐 없이 담았다!

PICK 1 핵심 정리

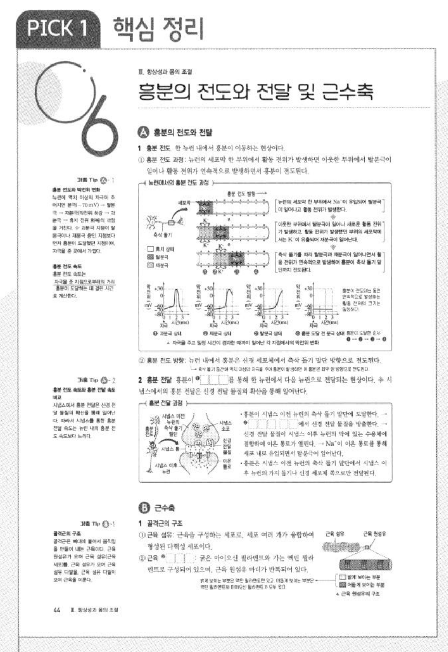

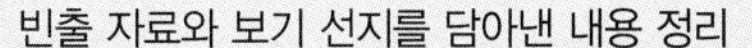

빈출 자료와 보기 선지를 담아낸 내용 정리

PICK 2 필수 기출

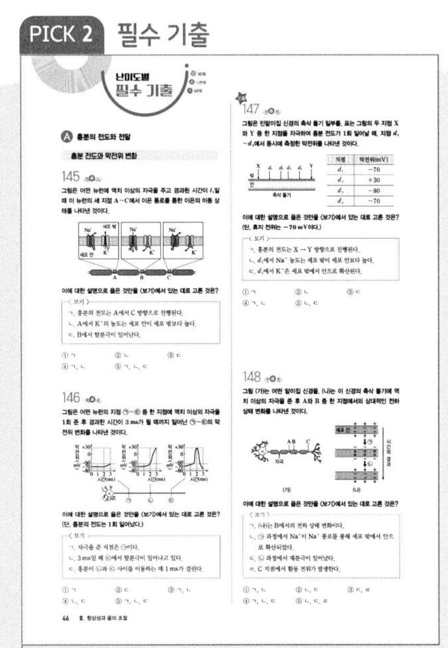

빈출 문제를 주제별, 난이도별로 구성

PICK 3 도전 기출

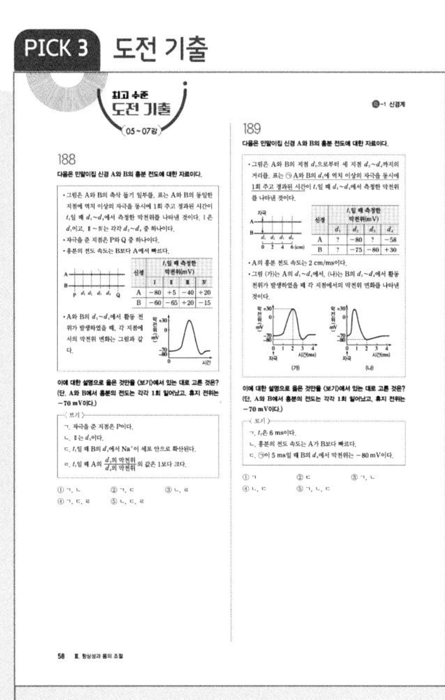

1등급 달성을 위해 꼭 풀어봐야 하는 도전 문제

생물의 특성

Ⓐ 생물의 특성

1 세포로 구성 모든 생물은 세포로 구성되어 있다.

① **단세포 생물**: 하나의 세포로 이루어진 생물 예 대장균, 짚신벌레, 아메바

② **다세포 생물**: 수많은 세포로 이루어진 생물 예 사람, 코끼리, 소나무

기출 Tip Ⓐ

생물의 특성 구분
- 개체 유지 현상: 세포로 구성, 물질대사, 자극에 대한 반응과 항상성, 발생과 생장
- 종족 유지 현상: 생식과 유전, 적응과 진화

2 물질대사 생명체에서 일어나는 모든 화학 반응으로, 생물은 물질대사를 통해 몸에 필요한 물질과 에너지를 얻어 생명을 유지한다.

① 물질대사 과정에는 효소가 관여하며, 에너지가 흡수되거나 방출된다. (효소는 동화 작용과 이화 작용에 모두 관여한다.)

② 물질대사에는 동화 작용과 이화 작용이 있다.

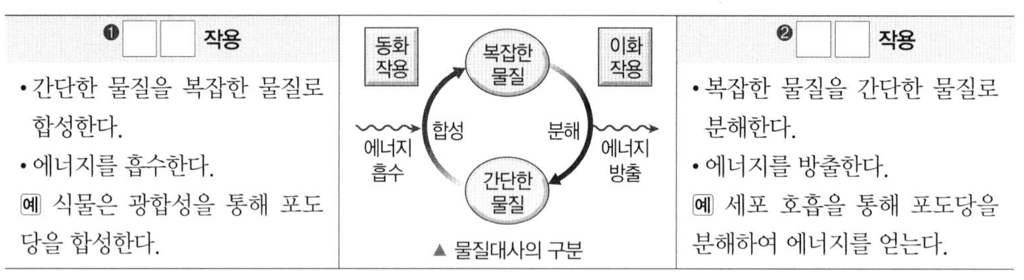

❶☐☐ 작용		❷☐☐ 작용
• 간단한 물질을 복잡한 물질로 합성한다. • 에너지를 흡수한다. 예 식물은 광합성을 통해 포도당을 합성한다.	 ▲ 물질대사의 구분	• 복잡한 물질을 간단한 물질로 분해한다. • 에너지를 방출한다. 예 세포 호흡을 통해 포도당을 분해하여 에너지를 얻는다.

3 자극에 대한 반응과 항상성

① **자극에 대한 반응**: 생물은 빛, 온도, 접촉 등 환경 변화를 자극으로 받아들이고, 이에 대해 적절히 ❸☐☐한다.

예 미모사는 잎에 물체가 닿으면 잎을 접는다. 밝은 곳에서는 동공이 작아진다.

② **항상성**: 생물은 환경이 변해도 체내 상태를 항상 일정하게 유지하려는 성질(항상성)이 있다.

예 더울 때 땀을 흘려 체온을 조절한다. 물을 많이 마시면 오줌의 양이 늘어난다.

4 발생과 생장

① ❹☐☐: 수정란이 세포 분열을 통해 세포 수를 늘리고, 조직과 기관을 형성하여 하나의 개체로 되는 과정이다.

예 개구리의 수정란이 올챙이를 거쳐 어린 개구리가 된다.

② **생장**: 어린 개체가 세포 분열을 통해 세포 수를 늘려 몸집이 커지고 무게가 증가하는 과정이다.

예 어린 개구리가 성체 개구리로 된다. 어린아이가 자라서 어른이 된다.

기출 Tip Ⓐ-5

생식 방법
- 무성 생식: 암수 생식세포의 수정 없이 개체 수를 늘린다.
  예 짚신벌레의 분열법, 히드라의 출아법
- 유성 생식: 암수 생식세포의 수정을 통해 자손을 만든다.

5 생식과 유전

① **생식**: 생물이 종족을 유지하기 위해 자신과 닮은 자손을 만드는 현상이다.

예 짚신벌레는 분열법으로 번식한다. 치타는 생식세포의 수정으로 자손을 만든다.

② ❺☐☐: 생식 과정에서 어버이의 형질이 자손에게 전해지는 현상이다. (생식 과정에서 유전 물질이 자손에게 전해진다.)

예 어머니가 적록 색맹이면 아들도 적록 색맹이다.

6 적응과 진화

① ❻☐☐: 생물이 환경과 상호 작용하면서 서식 환경에 적합하도록 몸의 형태와 기능, 생활 습성 등이 변화하는 현상이다.

② **진화**: 생물이 오랜 세월에 걸쳐 환경 변화에 적응하면서 집단의 유전자 구성이 변화하여 새로운 종이 나타나는 과정이다.

③ **적응과 진화의 예**: 사막에 사는 선인장은 잎이 가시로 변해 수분 증발을 막는다. 추운 곳에 사는 북극여우는 사막여우에 비해 몸집이 크고 말단 부위가 작아 체온을 유지하는 데 유리하다.

I

(화성 생명체 탐사 실험)

그림은 화성 토양에 생명체가 있는지 알아보는 실험이다.

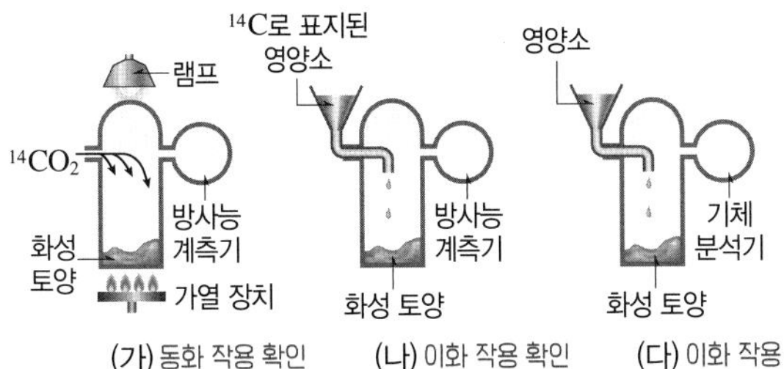

- 실험에서 전제하는 생물의 특성: 모든 생명체는 물질대사를 한다.
- (가)는 동화 작용(광합성)을 하는 생명체가 있는지, (나)와 (다)는 이화 작용(세포 호흡)을 하는 생명체가 있는지 확인하는 실험이다.

(가)	화성 토양에 방사성 기체($^{14}CO_2$)를 넣고 빛을 비춘 후, 기체를 제거하고 토양을 가열하여 방사성 기체의 발생 여부를 확인한다. ➔ 광합성을 하는 생명체가 있다면 ^{14}C를 포함한 유기물이 합성되고, 이것을 가열하면 방사성 기체가 발생할 것이다.
(나)	화성 토양에 방사성 영양소를 주입하고 방사성 기체의 발생 여부를 확인한다. ➔ 세포 호흡을 하는 생명체가 있다면 방사성 영양소가 분해되어 방사성 기체($^{14}CO_2$)가 발생할 것이다.
(다)	화성 토양에 영양소를 주입하고 용기에 혼합 기체를 넣은 후 기체 조성이 변하는지 조사한다. ➔ 세포 호흡을 하는 생명체가 있다면 용기 내 기체 조성이 변할 것이다.

- 결과: (가), (나), (다)에서 아무런 변화가 나타나지 않았다. ➔ 화성 토양에는 ❼ ☐☐☐☐를 하는 생명체가 존재하지 않는다.

기출 Tip Ⓑ-2

박테리오파지의 증식

박테리오파지는 세균 표면에 부착하여 유전 물질인 DNA를 세균 안으로 침투시킨 후, 세균의 효소를 이용하여 자신의 유전 물질을 복제하고 새로운 단백질 껍질을 만들어 증식한다.

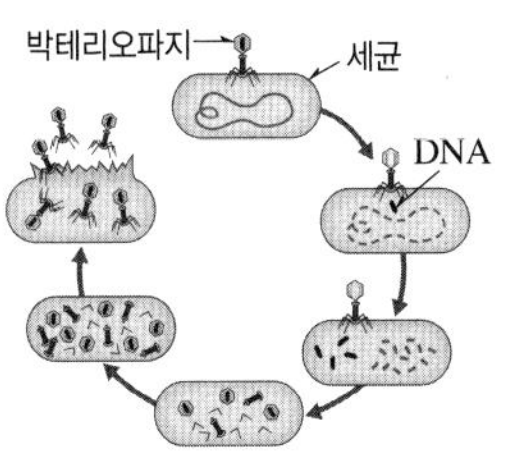

바이러스가 최초의 생명체가 아닌 까닭

바이러스는 반드시 살아 있는 세포에 기생해야 물질대사를 하고 증식할 수 있으므로, 바이러스는 지구상에 나타난 최초의 생명체로 볼 수 없다.

Ⓑ 바이러스

1 바이러스 세균보다 크기가 작은 감염성 병원체로, 유전 물질인 핵산(DNA 또는 RNA)과 단백질 껍질로 구성된다.

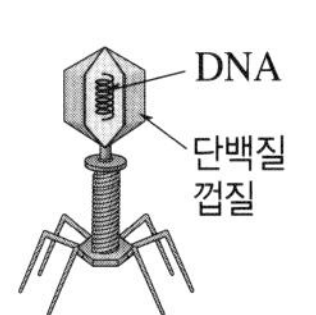

▲ 박테리오파지

2 바이러스의 특성 바이러스는 생물적 특성과 비생물적 특성을 모두 나타낸다.

생물적 특성	• 유전 물질인 핵산이 ❽ ☐☐. • 숙주 세포 내에서 물질대사를 하고, 자신의 유전 물질을 복제하여 증식한다. • 증식 과정에서 돌연변이가 일어나 환경에 적응하며 진화한다.
비생물적 특성	• 세포의 구조를 갖추지 못하였다. → 세포 소기관이 없다. • 숙주 세포 밖에서는 입자 상태로 존재하며, 스스로 물질대사를 하거나 증식할 수 없다.

답 ❶ 동화 ❷ 이화 ❸ 반응 ❹ 발생 ❺ 유전 ❻ 적응 ❼ 물질대사 ❽ 있다

빈출 자료 보기

정답과 해설 2쪽

1 다음은 페니실린에 대한 자료이다.

페니실린은 ㉠ 세균의 세포벽 합성을 억제하는 항생제이다. 과거에는 세균에 페니실린을 처리하면 대부분의 세균이 죽었으나, ㉡ 현재에는 페니실린에 죽는 세균의 비율이 크게 줄었다.

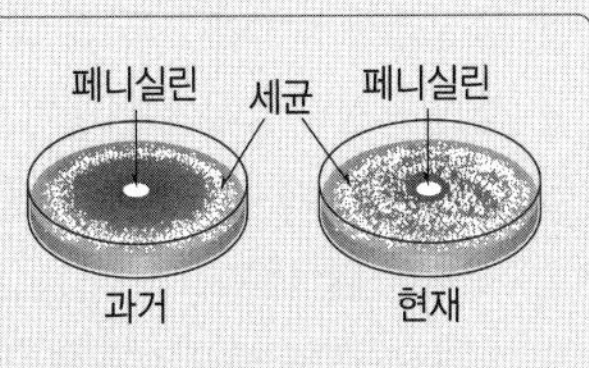

이에 대한 설명으로 옳은 것은 ○, 옳지 않은 것은 ×로 표시하시오.

(1) ㉠과 가장 관련이 깊은 생물의 특성은 물질대사이다. ( )

(2) ㉡과 가장 관련이 깊은 생물의 특성은 항상성이다. ( )

(3) ㉠에 나타난 생물의 특성의 예로 '사람의 체온은 일정하게 유지된다.'를 들 수 있다. ( )

(4) ㉡에 나타난 생물의 특성의 예로 '갈라파고스 군도에 사는 핀치는 먹이의 종류에 따라 부리 모양이 서로 다르다.'를 들 수 있다. ( )

상 3문항
중 22문항
하 5문항

A 생물의 특성

생물의 특성

2 하 중 상

생물을 비생물과 구분하는 특성으로 옳지 않은 것은?

① 자극에 대해 반응한다.
② 세포 분열을 통해 생장한다.
③ 자신과 닮은 자손을 만든다.
④ 몸이 복잡한 구조로 되어 있다.
⑤ 체내 상태를 항상 일정하게 유지한다.

3 하 중 상

생물의 특성에 대한 설명으로 옳지 않은 것은?

① 모든 생물은 세포로 되어 있다.
② 은행나무는 다세포 생물에 속한다.
③ 어버이의 형질이 자손에게 전달되는 현상은 유전과 관계가 깊다.
④ 진화란 생물이 오랜 시간에 걸쳐 환경 변화에 적응하면서 집단의 유전자 구성이 변화하는 것이다.
⑤ 하나의 수정란이 세포 분열을 통해 세포 수를 늘리고, 조직과 기관을 형성하여 하나의 개체가 되는 과정을 생장이라고 한다.

4 하 중 상

생물의 특성 중 물질대사에 대한 설명으로 옳은 것만을 〈보기〉에서 있는 대로 고른 것은?

〈 보기 〉
ㄱ. 생물은 물질대사를 통해 몸에 필요한 물질과 에너지를 얻는다.
ㄴ. 물질대사가 일어날 때는 에너지가 흡수되거나 방출된다.
ㄷ. 동화 작용에는 효소가 관여하지만, 이화 작용에는 효소가 관여하지 않는다.

① ㄱ ② ㄷ ③ ㄱ, ㄴ
④ ㄴ, ㄷ ⑤ ㄱ, ㄴ, ㄷ

5 하 중 상

그림은 생물의 특성 중 일부를 개체 유지 현상과 종족 유지 현상으로 분류하여 나타낸 것이다. A와 B는 각각 유전과 항상성 중 하나이다.

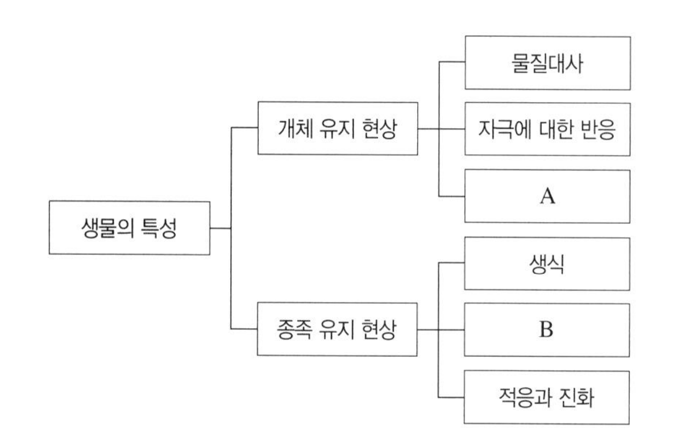

A와 B에 해당하는 생물의 특성과 가장 관련이 깊은 예를 〈보기〉에서 골라 옳게 짝 지은 것은?

〈 보기 〉
ㄱ. 개구리의 수정란이 올챙이를 거쳐 개구리가 된다.
ㄴ. 사람은 더울 때 땀을 흘려 체온을 정상으로 유지한다.
ㄷ. 적록 색맹인 어머니에게서 적록 색맹인 아들이 태어났다.

	A	B		A	B
①	ㄱ	ㄴ	②	ㄱ	ㄷ
③	ㄴ	ㄱ	④	ㄴ	ㄷ
⑤	ㄷ	ㄱ			

생물의 특성 예

6 하 중 상 多 보기

생물의 특성과 예를 옳게 짝 지은 것이 아닌 것은?

① 생장 – 어린 개구리가 성체 개구리로 된다.
② 항상성 – 식사 후 인슐린의 분비량이 증가한다.
③ 물질대사 – 콩은 저장된 양분을 이용하여 발아한다.
④ 생식 – 장구벌레는 번데기 시기를 거쳐 모기가 된다.
⑤ 적응과 진화 – 겨울이 되면 눈신토끼의 털 색이 회색에서 흰색으로 변한다.
⑥ 자극에 대한 반응 – 미모사의 잎을 건드리면 잎이 접히고 잎자루가 처진다.

7 하 중 상

다음은 생물의 특성에 대한 예를 나타낸 것이다.

(가) 선인장의 가시는 잎이 변한 것이다.
(나) 물을 많이 마시면 오줌의 양이 늘어난다.
(다) 뜨거운 물체에 손이 닿으면 반사적으로 손을 뗀다.

(가)~(다)에 해당하는 생물의 특성과 가장 관련이 깊은 것은?

	(가)	(나)	(다)
①	항상성	적응과 진화	자극에 대한 반응
②	항상성	생식과 유전	적응과 진화
③	적응과 진화	항상성	자극에 대한 반응
④	적응과 진화	자극에 대한 반응	항상성
⑤	발생과 생장	항상성	적응과 진화

8 하 중 상

다음은 조류의 발에 관련된 설명이다.

독수리의 발톱은 강하고 날카로워 먹이를 공격하여 잡거나 들어올리는 데 적합하다. 오리는 발가락 사이에 물갈퀴가 있어 헤엄치는 데 유리하다. 꿩은 발가락이 발달하여 땅 위에서 걷는 데 유리하다.

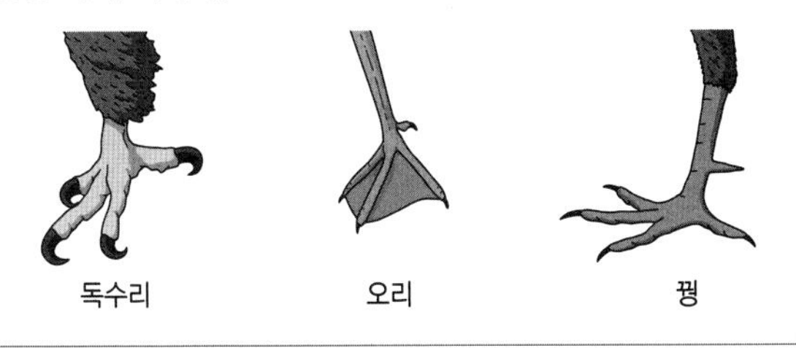

생물의 특성 중 이와 가장 관련이 깊은 것은?

① 세포로 구성　② 항상성　③ 발생과 생장
④ 생식과 유전　⑤ 적응과 진화

9 하 중 상

그림은 영희의 하루 동안 체온의 변화를 나타낸 것이다.

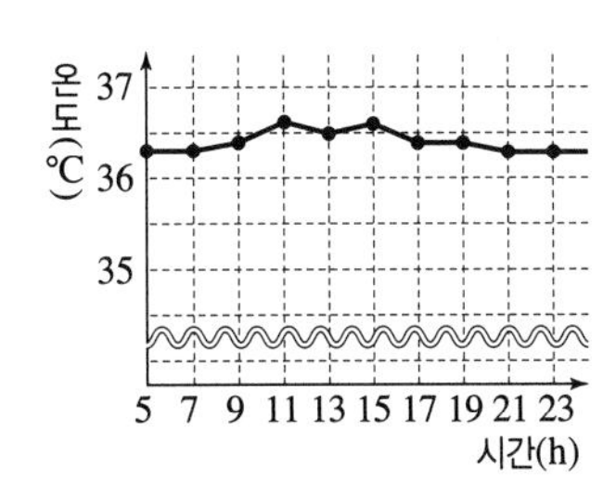

이와 가장 관련이 깊은 생물의 특성을 쓰시오.

10 하 중 상

다음은 식충 식물인 파리지옥에 대한 설명이다.

파리지옥의 잎에는 3쌍의 감각모가 있어서 ㉠ 잎에 곤충이 앉으면 잎이 갑자기 접히며, 안쪽의 돋은 선에서 ㉡ 산과 소화액을 분비하여 곤충을 분해한다.

㉠과 ㉡에 나타난 생물의 특성과 가장 관련이 깊은 것은?

	㉠	㉡
①	물질대사	발생과 생장
②	적응과 진화	물질대사
③	적응과 진화	발생과 생장
④	자극에 대한 반응	물질대사
⑤	자극에 대한 반응	적응과 진화

11 하 중 상

다음은 결핵균에 대한 설명이다.

결핵은 결핵균이 폐에 감염되어 발생하는 질병으로, 항생제를 투여하여 치료할 수 있다. 그러나 최근 ㉠ 항생제를 투여해도 죽지 않는 결핵균이 나타나 결핵 치료가 점점 어려워지고 있다.

㉠에 나타난 생물의 특성과 가장 관련이 깊은 것은?

① 어린아이가 어른으로 자란다.
② 식물은 광합성으로 포도당을 합성한다.
③ 짚신벌레는 분열법으로 개체 수를 늘린다.
④ 박쥐는 빛을 비추면 어두운 곳으로 이동한다.
⑤ 갈라파고스 군도의 여러 섬에는 먹이의 종류에 따라 부리 모양이 서로 다른 여러 종의 핀치가 서식한다.

12 하 중 상

그림은 어두운 곳에서 눈에 빛을 비추었을 때 동공의 크기 변화를 나타낸 것이다.

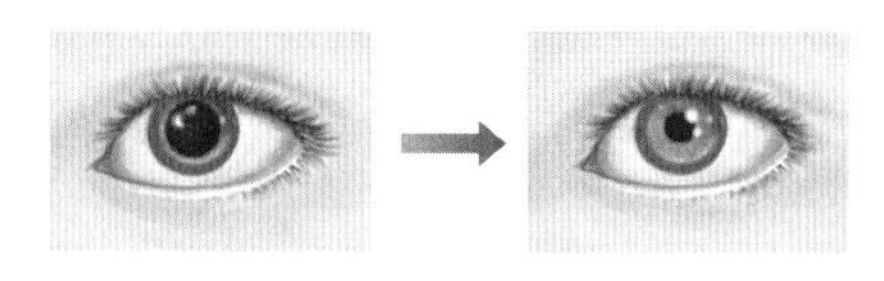

이 자료에 나타난 생물의 특성과 가장 관련이 깊은 것만을 〈보기〉에서 있는 대로 고른 것은?

〈 보기 〉

ㄱ. 동백나무는 꽃이 피고 종자를 맺는다.
ㄴ. 짠 음식을 많이 먹으면 물을 많이 마신다.
ㄷ. 몸 쪽으로 공이 날아오면 몸을 즉시 피한다.
ㄹ. 지렁이에게 빛을 비추면 지렁이는 빛이 없는 곳으로 이동한다.

① ㄱ, ㄴ　② ㄱ, ㄷ　③ ㄴ, ㄷ
④ ㄴ, ㄹ　⑤ ㄷ, ㄹ

13 하 중 상

다음은 여우에 대해 조사한 내용이다.

추운 지방에 사는 북극여우는 더운 지방에 사는 사막여우에 비해 몸집이 크고 귀, 꼬리 등의 말단 부위가 작다.

북극여우　　사막여우

이 자료에 나타난 생물의 특성과 가장 관련이 깊은 것은?

① 나방은 밝은 빛이 있는 곳으로 이동한다.
② 운동을 하면 근육 세포에서 세포 호흡이 증가한다.
③ 벌새는 비행할 때 지방을 분해하여 에너지를 얻는다.
④ 혈액형이 AB형인 부모로부터 B형인 자녀가 태어날 수 있다.
⑤ 가랑잎벌레는 몸의 형태와 색깔이 주변 식물의 잎과 비슷하여 천적으로부터 자신을 보호하기에 적합하다.

14 하 중 상

다음은 민물고기에 대한 설명이다.

민물고기의 경우 아가미와 체표를 통해 많은 물이 체내로 유입되기 때문에 체액의 염분 농도가 낮아진다. 민물고기는 부족한 염분을 아가미를 통해 흡수하고 먹이를 통해 섭취할 뿐만 아니라, 묽은 오줌을 배설하여 염분의 손실을 줄여 체액의 삼투압을 일정하게 유지한다.

이 자료에 나타난 생물의 특성과 가장 관련이 깊은 것은?

① 어린 죽순이 큰 대나무로 자란다.
② 미모사의 잎을 건드리면 잎이 접힌다.
③ 나비의 애벌레는 번데기를 거쳐 나비가 된다.
④ 체온이 정상보다 낮아지면 몸을 떨어 열을 발생시킨다.
⑤ 호박씨가 발아할 때 영양소가 분해되면서 열이 발생한다.

15 하 중 상

다음은 서로 다른 환경에서 서식하는 펭귄의 특징을 나타낸 것이다.

서식지	적도 부근	위도 45° 부근	남극
생김새			
평균 신장	약 50 cm	약 67 cm	약 120 cm
평균 몸무게	약 2.5 kg	약 6 kg	약 22 kg~50 kg

이 자료에 나타난 생물의 특성과 가장 관련이 깊은 것은?

① 짚신벌레는 단세포 생물이다.
② 아버지의 특정 형질이 딸에게 전해진다.
③ 벼는 빛에너지를 흡수하여 양분을 합성한다.
④ 치타는 생식세포의 수정을 통해 자손을 만든다.
⑤ 연꽃의 잎 표면에는 방수 물질과 미세돌기 구조가 있어 연잎이 물에 젖지 않고 떠 있을 수 있다.

16 하 중 상

다음은 거미와 하마에 대한 설명이다.

(가) ㉠ 거미는 먹이가 거미줄에 걸리면 발생하는 진동을 감지하여 먹이를 향해 다가간다.
(나) ㉡ 하마는 콧구멍이 코 윗부분에 있어 몸이 물에 잠긴 상태에서도 숨을 쉴 수 있다.

이에 대한 설명으로 옳은 것만을 〈보기〉에서 있는 대로 고른 것은?

〈 보기 〉
ㄱ. ㉠과 ㉡은 모두 세포로 구성된다.
ㄴ. (가)에 해당하는 생물의 특성은 자극에 대한 반응이다.
ㄷ. 사막에 서식하는 선인장이 가시 형태의 잎을 갖는 것은 (나)와 같은 생물의 특성과 관련이 깊다.

① ㄱ ② ㄷ ③ ㄱ, ㄴ
④ ㄴ, ㄷ ⑤ ㄱ, ㄴ, ㄷ

화성 생명체 탐사 실험

[17~18] 그림은 화성 토양에 생명체가 존재하는지 알아보기 위한 실험 (가)와 (나)를 나타낸 것이다.

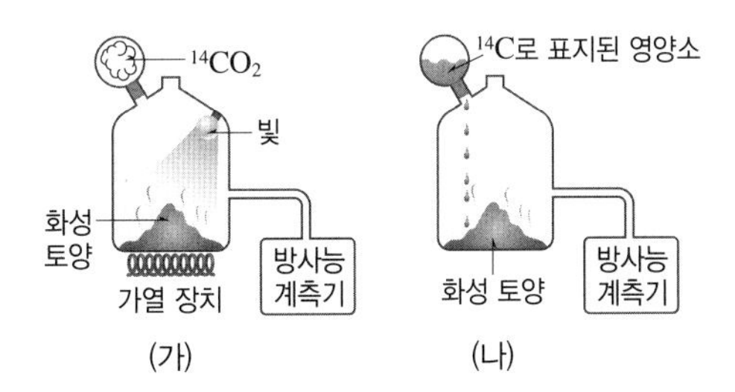

17 하 중 상

이에 대한 설명으로 옳은 것만을 〈보기〉에서 있는 대로 고른 것은?

〈 보기 〉
ㄱ. (가)는 동화 작용을 하는 생명체가 있는지 확인하는 실험이다.
ㄴ. (나)는 이화 작용을 하는 생명체가 있는지 확인하는 실험이다.
ㄷ. 화성 토양에 광합성을 하는 생명체가 있다면 (가)에서 방사성 기체가 검출될 것이다.

① ㄱ ② ㄷ ③ ㄱ, ㄴ
④ ㄴ, ㄷ ⑤ ㄱ, ㄴ, ㄷ

18 하 중 상 서술형

(가)와 (나)의 결과 모두 방사성 기체가 검출되지 않았다면 어떤 결론을 내릴 수 있는지 생물의 특성 중 한 가지를 언급하여 서술하시오.

19 하 중 상

그림은 화성에 생명체가 존재하는지 확인하기 위해 화성 탐사선에서 실시한 실험을 나타낸 것이다.

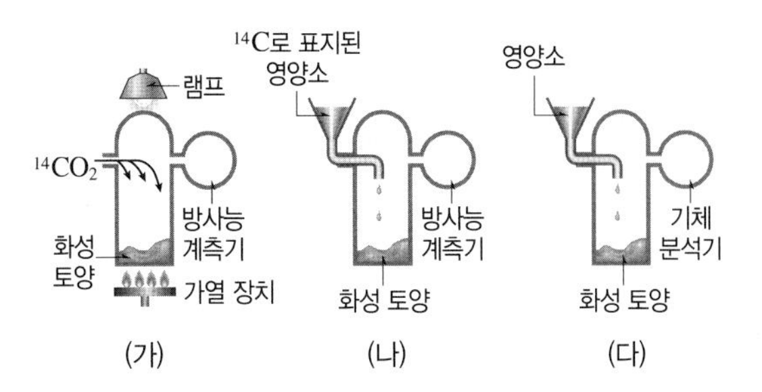

이에 대한 설명으로 옳은 것만을 〈보기〉에서 있는 대로 고른 것은?

〈 보기 〉
ㄱ. (가)는 열에 강한 생명체의 존재를 확인하기 위한 것이다.
ㄴ. (나)와 (다)는 세포 호흡을 하는 생명체의 존재를 확인하기 위한 것이다.
ㄷ. (나)에서 방사능 계측기는 $^{14}CO_2$의 발생을 확인하기 위한 것이다.
ㄹ. (가)~(다)에서 전제로 한 생물의 특성은 항상성 유지이다.

① ㄱ, ㄴ ② ㄱ, ㄷ ③ ㄴ, ㄷ
④ ㄴ, ㄹ ⑤ ㄷ, ㄹ

20 하 중 상

그림 (가)는 생명체 내에서 일어나는 물질대사 과정을, (나)는 화성 토양에 생명체가 존재하는지 알아보는 실험 장치를 나타낸 것이다.

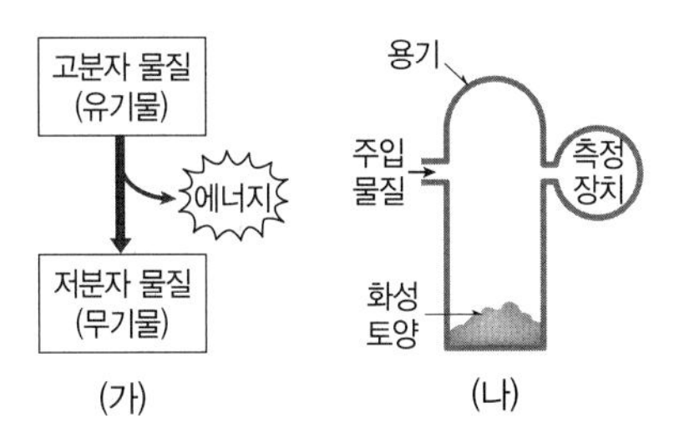

(가) 과정을 확인하기 위해 (나)의 실험 장치에서 반드시 수행해야 할 실험 내용으로 옳은 것만을 〈보기〉에서 있는 대로 고른 것은?

〈 보기 〉
ㄱ. $^{14}CO_2$를 용기에 주입한다.
ㄴ. ^{14}C를 포함한 유기물을 용기에 주입한다.
ㄷ. 램프로 빛을 비추고 반응을 관찰한다.
ㄹ. 방사능 계측기로 $^{14}CO_2$의 발생을 측정한다.

① ㄱ, ㄴ ② ㄱ, ㄷ ③ ㄴ, ㄷ
④ ㄴ, ㄹ ⑤ ㄷ, ㄹ

B 바이러스

21 하 중 상

••서술형

바이러스의 비생물적 특성을 두 가지만 서술하시오.

22 하 중 상

바이러스에 대한 설명으로 옳은 것만을 〈보기〉에서 있는 대로 고른 것은?

〈 보기 〉
ㄱ. 독립적으로 물질대사를 하지 못한다.
ㄴ. 지구상에 출현한 최초의 생명체이다.
ㄷ. 살아 있는 숙주 내에서 세포 분열을 통해 증식한다.

① ㄱ ② ㄷ ③ ㄱ, ㄴ ④ ㄴ, ㄷ ⑤ ㄱ, ㄴ, ㄷ

23 하 중 상

다음은 여러 바이러스에 대해 조사한 내용이다.

(가) 인플루엔자 바이러스는 세균 여과기를 통과한다.
(나) 담배 모자이크 바이러스는 생물체 밖에서 단백질 결정체로 존재한다.
(다) 조류 독감 바이러스를 닭에게 주입했더니 변형된 조류 독감 바이러스가 나타났다.
(라) 박테리오파지의 DNA는 대장균 안으로 들어가 복제되어 새로운 박테리오파지를 만든다.

바이러스의 생물적 특성과 관련 있는 것만을 있는 대로 고른 것은?

① (가), (나) ② (가), (다) ③ (나), (다)
④ (나), (라) ⑤ (다), (라)

24 하 중 상

그림 (가)는 박테리오파지를, (나)는 대장균을 나타낸 것이다.

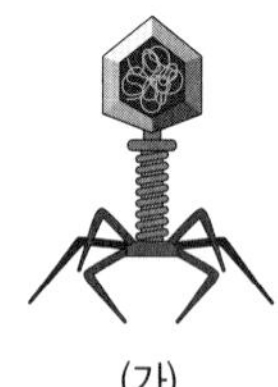
(가)

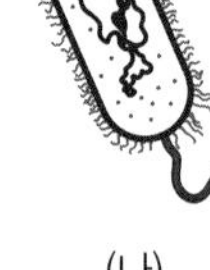
(나)

이에 대한 설명으로 옳은 것만을 〈보기〉에서 있는 대로 고른 것은?

〈 보기 〉
ㄱ. (가)와 (나)는 모두 유전 물질을 가진다.
ㄴ. (가)는 스스로 물질대사를 하지 못한다.
ㄷ. (가)는 증식 과정에서 돌연변이가 일어날 수 있다.

① ㄱ ② ㄷ ③ ㄱ, ㄴ ④ ㄴ, ㄷ ⑤ ㄱ, ㄴ, ㄷ

빈출

25 하 중 상

그림은 짚신벌레와 독감 바이러스의 공통점과 차이점을 나타낸 것이다.

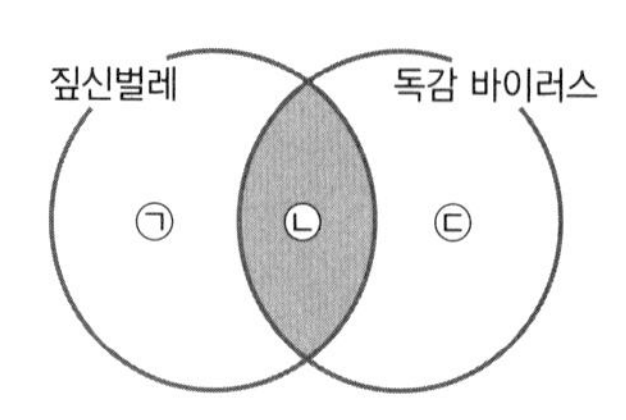

이에 대한 설명으로 옳은 것만을 〈보기〉에서 있는 대로 고른 것은?

〈 보기 〉
ㄱ. '세포로 되어 있다.'는 ㉠에 해당한다.
ㄴ. '핵산을 가지고 있다.'는 ㉡에 해당한다.
ㄷ. '숙주 세포 밖에서는 증식하지 못한다.'는 ㉢에 해당한다.

① ㄱ ② ㄴ ③ ㄱ, ㄷ
④ ㄴ, ㄷ ⑤ ㄱ, ㄴ, ㄷ

26 하 중 상

표는 식물 세포와 코로나 바이러스에서 특성 (가)~(다)의 유무를 나타낸 것이다.

구분	(가)	(나)	(다)
식물 세포	○	○	×
코로나 바이러스	○	×	○

(○: 있음, ×: 없음)

이에 대한 설명으로 옳은 것만을 〈보기〉에서 있는 대로 고른 것은?

〈 보기 〉
ㄱ. '세포의 구조를 가지고 있다.'는 (가)에 해당하는 특성이다.
ㄴ. '스스로 물질대사가 가능하다.'는 (나)에 해당하는 특성이다.
ㄷ. '세포벽을 가진다.'는 (다)에 해당하는 특성이다.

① ㄱ ② ㄴ ③ ㄷ
④ ㄱ, ㄴ ⑤ ㄴ, ㄷ

27 (하 중 상)

그림은 A가 B 내에서 증식하는 과정을 나타낸 것이다. A와 B는 각각 대장균과 박테리오파지 중 하나이다.

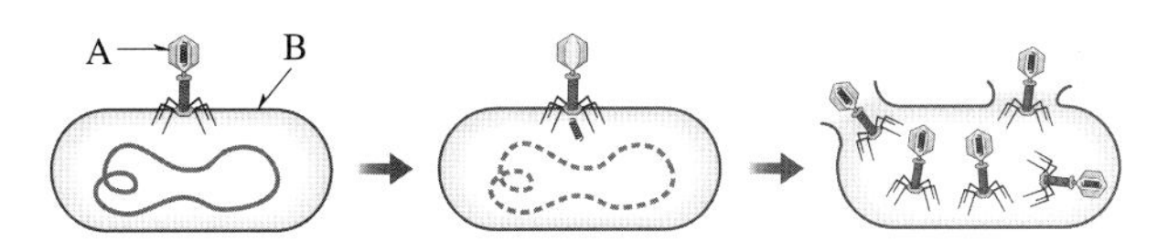

이에 대한 설명으로 옳은 것만을 〈보기〉에서 있는 대로 고른 것은?

〈 보기 〉

ㄱ. A와 B는 유전 물질을 가지고 있다.
ㄴ. A와 B는 세포 분열을 통해 증식한다.
ㄷ. A는 세포 소기관을 가지고 있다.

① ㄱ ② ㄴ ③ ㄷ
④ ㄱ, ㄴ ⑤ ㄴ, ㄷ

28 (하 중 상) ••서술형

박테리오파지의 증식을 위해 대장균이 필요한 까닭을 물질대사와 연관지어 서술하시오.

29 (하 중 상)

다음은 병원체 X가 동물 세포의 밖에 있을 때와 안에 있을 때의 특성을 비교한 것이다. X는 세균과 바이러스 중 하나이다.

• 동물 세포 밖에서는 개체 수가 증가하지 않고, 단백질 결정체로 존재한다.
• 동물 세포 안에서는 개체 수가 증가한다.

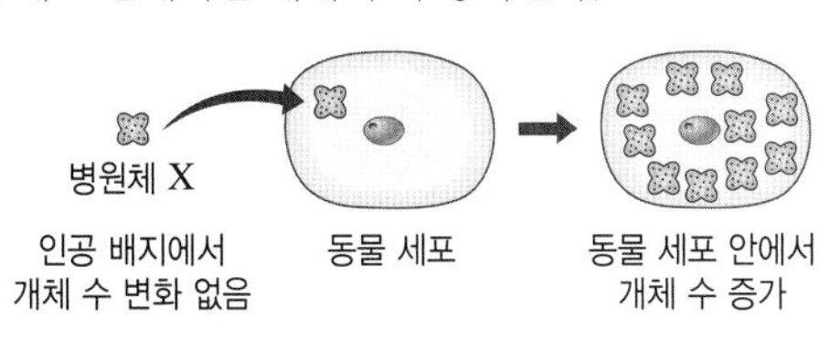

병원체 X에 대한 설명으로 옳은 것만을 〈보기〉에서 있는 대로 고른 것은?

〈 보기 〉

ㄱ. 병원체 X는 바이러스이다.
ㄴ. 스스로 물질대사를 할 수 있다.
ㄷ. 증식 과정에서 돌연변이가 일어나기도 한다.

① ㄱ ② ㄴ ③ ㄱ, ㄷ
④ ㄴ, ㄷ ⑤ ㄱ, ㄴ, ㄷ

30 (하 중 상)

그림은 A~C의 공통점과 차이점을, 표는 특성 ㉠~㉢을 순서 없이 나타낸 것이다. A와 C는 세균과 바이러스 중 하나이고, B는 메뚜기이다.

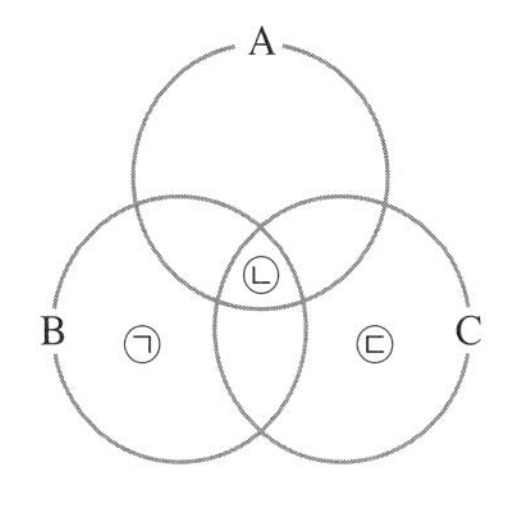

특성 ㉠~㉢
• 유전 물질이 있다. • 조직과 기관이 있다. • 분열을 통해 증식한다.

이에 대한 설명으로 옳은 것만을 〈보기〉에서 있는 대로 고른 것은?

〈 보기 〉

ㄱ. A는 세균, C는 바이러스이다.
ㄴ. '조직과 기관이 있다.'는 ㉠에 해당한다.
ㄷ. '분열을 통해 증식한다.'는 ㉢에 해당한다.

① ㄱ ② ㄴ ③ ㄷ
④ ㄱ, ㄴ ⑤ ㄴ, ㄷ

31 (하 중 상)

표 (가)는 A~C에서 특성 ㉠~㉢의 유무를, (나)는 특성 ㉠~㉢을 순서 없이 나타낸 것이다. A~C는 각각 대장균, 참새, 담배 모자이크 바이러스 중 하나이다.

구분	㉠	㉡	㉢
A	×	?	ⓑ
B	ⓐ	○	?
C	○	×	○

(○: 있음, ×: 없음)

(가)

특성 ㉠~㉢
• 돌연변이가 일어난다. • 발생과 생장을 한다. • 세포로 이루어져 있다.

(나)

이에 대한 설명으로 옳은 것만을 〈보기〉에서 있는 대로 고른 것은?

〈 보기 〉

ㄱ. ⓐ는 '○', ⓑ는 '×'이다.
ㄴ. ㉠은 '발생과 생장을 한다.'이다.
ㄷ. C는 자체 효소를 가지고 있어 스스로 물질대사를 할 수 있다.

① ㄱ ② ㄷ ③ ㄱ, ㄴ
④ ㄴ, ㄷ ⑤ ㄱ, ㄴ, ㄷ

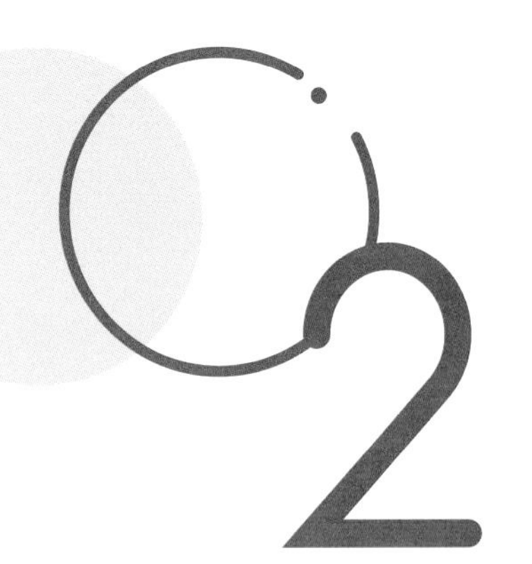

생명 과학의 특성과 탐구 방법

Ⓐ 생명 과학의 특성

생명 과학	• 생명 과학은 생물의 특성과 생명 현상을 연구하여 생명의 본질을 밝히고, 그 성과를 인류의 생존과 복지에 응용하는 종합적인 학문이다. • 생명 과학은 다른 학문 분야와 서로 영향을 주고받으며 융합적으로 발달한다.
생명 과학의 연구 대상	• 생물의 구성 물질에서부터 세포, 조직, 기관, 개체, 개체군, 군집, 생태계에 이르기까지 생명 현상과 관련된 모든 단계가 생명 과학의 연구 대상이다. • 생명 과학의 연구 분야: 세포학, 발생학, 생리학, 유전학, 분류학, 생태학 등

Ⓑ 생명 과학의 탐구 방법

1 귀납적 탐구 방법 관찰, 측정 등으로 수집한 자료를 분석하고 종합하여 원리나 법칙을 이끌어 내는 탐구 방법이다.

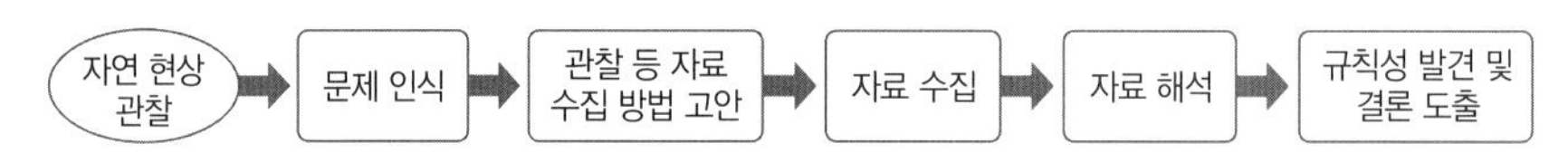

2 연역적 탐구 방법 자연 현상에서 문제를 인식하고 ❶☐☐을 세워 이를 실험을 통해 검증하는 탐구 방법이다.

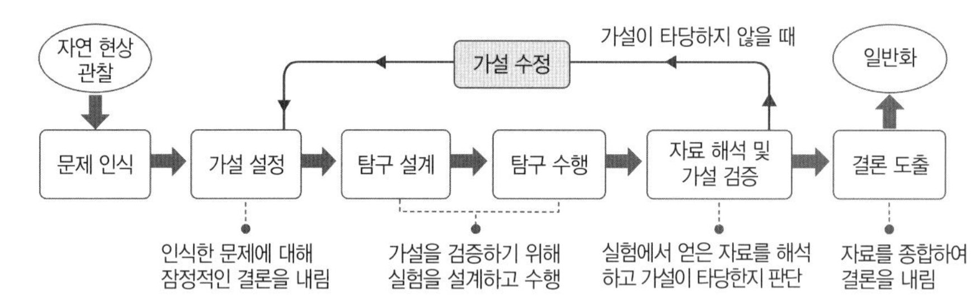

① 대조 실험: 탐구를 수행할 때는 실험 결과의 타당성을 높이기 위해 ❷☐☐☐을 설정하여 실험군과 비교하는 대조 실험을 한다.

❸☐☐☐	실험 조건(검증하려는 요인)을 인위적으로 변화시킨 집단
대조군	실험군과 비교하기 위해 실험 조건을 변화시키지 않은 집단

② 변인 통제: 조작 변인을 제외한 모든 독립변인은 일정하게 유지해야 한다.

독립변인	• ❹☐☐ ☐☐: 가설 검증을 위해 실험에서 의도적으로 변화시킨 변인 • 통제 변인: 실험에서 일정하게 유지시키는 변인
종속변인	조작 변인에 따라 변하는 변인으로, 실험 결과에 해당한다.

기출 Tip Ⓑ

귀납적 탐구 방법과 연역적 탐구 방법의 차이점
연역적 탐구 방법은 귀납적 탐구 방법과 달리 문제에 대한 잠정적인 답인 가설을 설정하고 이를 검증하는 실험을 한다.

기출 Tip Ⓑ-1

귀납적 탐구 방법을 이용한 사례
- 가젤 영양의 특이한 뜀뛰기 행동에 대한 연구
- 구달의 침팬지 행동 연구
- 슐라이덴의 세포설 확립
- 왓슨과 크릭의 DNA 구조 발견

기출 Tip Ⓑ-2

연역적 탐구 방법을 이용한 사례
- 플레밍의 페니실린 발견: 두 개의 세균 배양 접시 중 하나에만 푸른곰팡이를 접종하고 세균 증식 여부를 관찰
- 파스퇴르의 탄저병 연구: 양을 두 집단으로 나누어 한 집단에만 탄저병 백신을 주사하고 이후 두 집단에 모두 탄저균을 주사한 후 탄저병 발병 여부를 관찰
- 에이크만의 각기병 연구: 닭을 두 집단으로 나누어 각각 현미와 백미를 먹여 기르면서 각기병 발병 여부를 관찰

답 ❶ 가설 ❷ 대조군 ❸ 실험군 ❹ 조작 변인

빈출 자료 보기

정답과 해설 4쪽

32 다음은 라이소자임에 대한 탐구 과정을 순서 없이 나타낸 것이다.

(가) 라이소자임은 세균을 죽게 한다.
(나) 라이소자임은 세균을 죽게 할 것이라고 생각하였다.
(다) 라이소자임을 처리한 배지는 세균이 사라졌으나 라이소자임을 처리하지 않은 배지는 세균이 그대로 남아 있었다.
(라) 10개의 멸균 배지에 세균을 배양하고 그 중 5개의 배지에만 라이소자임을 주입한 후 일정 시간 동안 적당한 온도를 유지하였다.

이에 대한 설명으로 옳은 것은 ○, 옳지 않은 것은 ×로 표시하시오.

(1) 연역적 탐구 방법을 사용하고 있다. ( )
(2) 라이소자임을 처리한 배지는 대조군이다. ( )
(3) 조작 변인은 라이소자임의 처리 여부이다. ( )
(4) 종속변인은 세균의 생존 여부이다. ( )
(5) 배지의 크기, 배양 온도 등은 모두 같게 유지해야 한다. ( )
(6) 이 탐구 과정은 (나) → (가) → (다) → (라)로 이루어진다. ( )

A 생명 과학의 특성

33 하 중 상

다음은 생명 과학의 특성에 대한 학생 A~C의 발표 내용이다.

> 학생 A: 생명 과학에서 비생물적 요인은 연구 대상에 해당하지 않아.
> 학생 B: 생명 과학의 연구 분야에는 세포학, 발생학, 생리학 등이 있어.
> 학생 C: 생명 과학은 다른 학문 분야에 영향을 받지 않고 독자적으로 발달해.

발표 내용이 옳은 학생만을 있는 대로 고른 것은?

① A ② B ③ C
④ A, B ⑤ B, C

34 하 중 상

생명 과학에 대한 설명으로 옳지 않은 것은?

① 생명의 본질을 밝히는 것을 유일한 목적으로 하는 학문이다.
② 생물의 구성 물질부터 생태계에 이르기까지 생명 현상과 관련된 모든 단계가 연구 대상이다.
③ 생명 과학의 성과는 다른 학문 분야에 영향을 미친다.
④ 생명 과학은 물리학, 공학, 정보학 등과 밀접하게 연계되어 있다.
⑤ 사람의 유전체를 분석할 때 생명 과학, 컴퓨터 공학, 화학, 물리학 등의 학문 분야가 이용된다.

35 하 중 상

생명 과학의 분야와 연구 대상에 대한 설명으로 옳지 않은 것은?

① 분류학은 생물의 분류 체계를 세우고 생물의 계통을 밝힌다.
② 생리학은 생물의 기능이 나타나는 과정이나 원인을 분석한다.
③ 세포학은 세포의 구조와 세포에서 일어나는 생명 현상을 연구한다.
④ 생태학은 생물 상호 간의 관계 및 생물과 환경의 관계를 연구한다.
⑤ 유전학은 수정란이 개체로 발생하는 과정에서 일어나는 형태 형성을 연구한다.
⑥ 분자 생물학은 생명 현상을 분자 수준에서 연구한다.

B 생명 과학의 탐구 방법

귀납적 탐구 방법과 연역적 탐구 방법

36 하 중 상

그림은 두 가지 탐구 방법 (가)와 (나)를 나타낸 것이다.

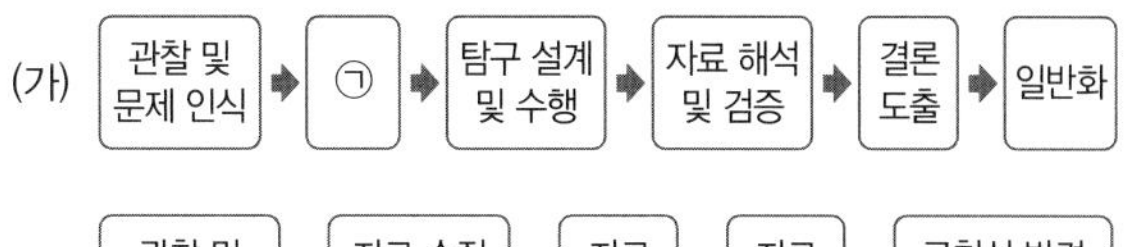

이에 대한 설명으로 옳은 것만을 〈보기〉에서 있는 대로 고른 것은?

〈 보기 〉
ㄱ. (가)는 귀납적 탐구 방법이다.
ㄴ. (나)에서 대조 실험을 수행한다.
ㄷ. ㉠은 가설 설정이다.

① ㄱ ② ㄴ ③ ㄷ
④ ㄱ, ㄴ ⑤ ㄴ, ㄷ

37 하 중 상

다음은 생명 과학의 탐구 방법이 이용된 두 가지 사례이다.

> (가) 구달은 오랜 시간 동안 침팬지의 다양한 행동을 관찰하였다. 관찰된 여러 특성을 종합한 결과 침팬지는 도구를 사용한다고 결론을 내렸다.
> (나) 레디는 2개의 병에 작은 고기 조각을 넣은 후 한 병은 입구를 막지 않고, ㉠ 다른 한 병은 천으로 입구를 막았다. 며칠 후 입구를 막지 않은 병의 고기 조각에만 구더기가 발생하였다. 이를 통해 고기 조각에 생긴 구더기는 파리로부터 발생하였다는 결론을 내렸다.

이에 대한 설명으로 옳은 것만을 〈보기〉에서 있는 대로 고른 것은?

〈 보기 〉
ㄱ. (가)에는 귀납적 탐구 방법이 사용되었다.
ㄴ. (나)의 탐구 과정에서는 대조 실험이 이루어졌다.
ㄷ. (나)의 탐구 과정에서는 가설을 설정하고 검증한다.
ㄹ. ㉠은 대조군이다.

① ㄱ, ㄴ ② ㄴ, ㄷ ③ ㄷ, ㄹ
④ ㄱ, ㄴ, ㄷ ⑤ ㄴ, ㄷ, ㄹ

38 하중상

다음은 가젤 영양의 뜀뛰기 행동에 대한 연구 과정의 일부를 나타낸 것이다.

> 어떤 동물학자가 밀림에서 가젤 영양을 관찰하던 중 가젤 영양이 엉덩이를 치켜드는 이상한 뜀뛰기 행동을 하는 것을 발견하였다. 의문을 갖고 가젤 영양을 관찰한 결과 ㉠ 주변에 치타와 같은 포식자가 나타날 때마다 엉덩이를 치켜드는 뜀뛰기 행동을 한다는 것을 확인할 수 있었다. 이 동물학자는 반복된 관찰 내용을 바탕으로 (　　　㉡　　　)라고 결론을 내렸다.

이에 대한 설명으로 옳은 것만을 〈보기〉에서 있는 대로 고른 것은?

〈 보기 〉
- ㄱ. 이 연구 과정은 귀납적 탐구 방법이다.
- ㄴ. ㉠은 대조 실험을 통해 확인되었다.
- ㄷ. ㉡은 '가젤 영양은 주변에 포식자가 나타나면 엉덩이를 치켜드는 뜀뛰기 행동을 한다.'가 적절하다.

① ㄱ　② ㄴ　③ ㄱ, ㄷ　④ ㄴ, ㄷ　⑤ ㄱ, ㄴ, ㄷ

연역적 탐구 방법

39 하중상

다음은 연역적 탐구 과정을 나타낸 것이다.

> 문제 인식 → (㉠) → (㉡) → 자료 해석 → 결론 도출

이에 대한 설명으로 옳은 것만을 〈보기〉에서 있는 대로 고른 것은?

〈 보기 〉
- ㄱ. ㉠은 문제에 대한 잠정적인 답을 제시하는 단계이다.
- ㄴ. ㉡에서는 실험군과 대조군을 설정하여 비교하는 대조 실험을 해야 한다.
- ㄷ. 실험 결과가 가설과 일치하지 않을 경우 ㉡ 단계로 돌아가 탐구를 다시 진행한다.

① ㄱ　② ㄷ　③ ㄱ, ㄴ　④ ㄴ, ㄷ　⑤ ㄱ, ㄴ, ㄷ

40 하중상

영희는 상한 우유에서 세균 A가 많이 발견되는 것을 관찰하였다. 다음은 세균이 우유를 상하게 하는지 알아보기 위해 영희가 수행한 탐구 과정을 순서 없이 나타낸 것이다.

> (가) 세균 A는 우유를 상하게 한다.
> (나) 세균 A가 우유를 상하게 하였을 것이라고 가정하였다.
> (다) 세균 A를 넣은 우유는 상하였고 세균 A가 많이 발견되었으나, 세균 A를 넣지 않은 우유에서는 아무런 변화가 없었다.
> (라) 완전히 멸균된 우유가 들어 있는 병 두 개를 준비하여 한 병에만 상한 우유에서 분리한 세균 A를 넣고 두 병 모두 적당한 온도를 유지하였다.

위 탐구 과정을 순서대로 옳게 나열하시오.

41 하중상

다음은 탄저병 백신에 대한 탐구 과정이다.

> [가설] 탄저병 백신은 탄저병을 예방할 것이다.
> [탐구 설계 및 수행]
> (가) 동일한 조건의 양 50마리를 집단 A와 B로 나눈다.
> (나) 집단 A에는 탄저병 백신을 주사하고, 집단 B에는 탄저병 백신을 주사하지 않는다.
> (다) 2주 후 탄저균을 집단 A와 B에 주사한 후 탄저병 발병 여부를 확인한다.
>
> 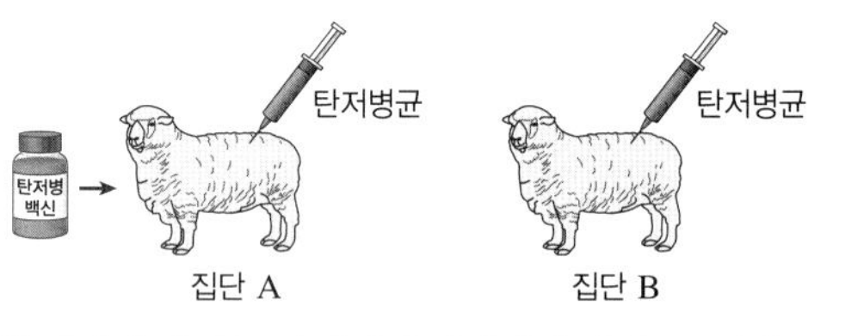
>
>
> [결과] 집단 A에서는 탄저병이 발병하지 않았고, 집단 B에서는 탄저병이 발병하였다.

이에 대한 설명으로 옳은 것만을 〈보기〉에서 있는 대로 고른 것은?

〈 보기 〉
- ㄱ. 집단 A는 실험군에 해당한다.
- ㄴ. 조작 변인은 탄저병 발병 여부이다.
- ㄷ. 백신 접종을 제외한 모든 독립변인은 동일하게 변인 통제해야 한다.

① ㄱ　② ㄴ　③ ㄱ, ㄷ　④ ㄴ, ㄷ　⑤ ㄱ, ㄴ, ㄷ

42 하중상

다음은 페니실린을 발견한 플레밍의 탐구 과정이다.

> 플레밍은 세균을 배양하던 접시에서 푸른곰팡이가 핀 부분 주변에는 세균이 증식하지 못하는 것을 관찰하고, 푸른곰팡이가 세균의 증식을 억제하는 물질을 만들 것이라고 생각하였다. 이를 확인하기 위해 두 개의 세균 배양 접시 A와 B 중 A에는 푸른곰팡이를 접종하고 B에는 푸른곰팡이를 접종하지 않고 세균을 배양하였다. 그 결과 A에서는 세균이 증식하지 않았고, B에서만 세균이 증식하였다.

이에 대한 설명으로 옳은 것만을 〈보기〉에서 있는 대로 고른 것은?

〈 보기 〉
ㄱ. 연역적 탐구 방법을 사용하였다.
ㄴ. A는 대조군, B는 실험군이다.
ㄷ. 종속변인은 푸른곰팡이의 접종 여부이다.

① ㄱ ② ㄴ ③ ㄷ
④ ㄱ, ㄴ ⑤ ㄴ, ㄷ

43 하중상

••서술형

다음은 에이크만이 각기병에 대해 탐구한 과정을 나타낸 것이다.

> (가) 각기병 증상을 보이던 닭이 나은 것을 보고 각기병이 낫게 된 까닭이 무엇인지 궁금하였다.
> (나) 의문을 해결하기 위해 닭의 주변 환경을 조사한 결과 모이를 주는 병사가 바뀐 것을 알아냈다. 모이를 주는 병사가 바뀌기 전에는 닭의 모이가 백미였지만, 바뀐 후에는 현미였다.
> (다) (㉠)라고 가설을 세웠다.
> (라) 닭을 두 집단 A와 B로 나누어 집단 A에는 백미를 먹이고, 집단 B에는 현미를 먹여 기르면서 각기병의 발병 여부를 관찰하였다.
> (마) 집단 A에서는 각기병이 발병하였지만, 집단 B에서는 각기병이 발병하지 않았다.
> (바) 실험 결과를 토대로 '현미에는 각기병을 예방하는 물질이 들어 있다.'는 결론을 내렸다.

(1) (다)의 ㉠에 들어갈 가설을 서술하시오.

(2) 이 실험에서 실험군과 대조군을 각각 쓰시오.

(3) 이 실험에서 조작 변인과 종속변인을 각각 쓰시오.

44 하중상

다음은 인삼의 암 억제 효과를 알아보기 위한 실험 과정을 순서 없이 나타낸 것이다.

> (가) 품종, 성별, 나이, 암의 진행 정도 등이 같은 암에 걸린 흰 쥐 100마리를 준비한다.
> (나) 인삼은 암의 억제에 효과가 있을 것이라고 가정하였다.
> (다) 두 집단의 흰 쥐에서 인삼 성분 투여 여부에 따른 암의 크기, 암으로 인한 사망 시간을 비교한다.
> (라) 암에 걸린 100마리의 흰 쥐 중 50마리는 인삼 성분을 투여하지 않고, 50마리는 인삼 성분을 투여하여 암의 진행 상태를 관찰한다.

이에 대한 설명으로 옳은 것만을 〈보기〉에서 있는 대로 고른 것은?

〈 보기 〉
ㄱ. 인삼 성분을 투여한 집단이 대조군이다.
ㄴ. 조작 변인은 인삼 성분 투여 여부이다.
ㄷ. 흰 쥐의 품종, 성별, 나이, 암의 진행 정도는 통제 변인이다.
ㄹ. 탐구 과정은 (나) → (가) → (다) → (라)이다.

① ㄱ, ㄴ ② ㄱ, ㄷ ③ ㄴ, ㄷ
④ ㄴ, ㄹ ⑤ ㄷ, ㄹ

45 하중상

다음은 어떤 식물에서 세균 X와 Y가 식물의 생장에 미치는 영향을 알아보기 위한 실험이다.

[가설] 세균 X와 Y는 함께 있을 때 식물의 생장을 촉진시킬 것이다.

[실험 과정 및 결과]

실험	세균 처리 조건	식물 생장 변화
Ⅰ	감염 없음	생장 변화 없음
Ⅱ	X 감염	생장 변화 없음
Ⅲ	Y 감염	생장 변화 없음
Ⅳ	X, Y 감염	생장 촉진됨

[결론] (㉠)

이에 대한 설명으로 옳은 것만을 〈보기〉에서 있는 대로 고른 것은?

〈 보기 〉
ㄱ. 실험 Ⅰ은 대조군이다.
ㄴ. 식물 생장 변화는 통제 변인이다.
ㄷ. 결론 ㉠은 '세균 X와 Y는 함께 있을 때 식물의 생장을 촉진시킨다.'가 적절하다.

① ㄱ ② ㄴ ③ ㄷ
④ ㄱ, ㄷ ⑤ ㄴ, ㄷ

46 하 중 상

철수는 봉숭아의 광합성 정도를 알아보기 위하여 밀폐된 **4**개의 용기에 봉숭아의 식물 부분을 넣고 표와 같이 처리한 뒤 **10**시간 후 남아 있는 이산화 탄소의 양을 측정하였다. 단, 모든 용기 속에는 처음에 같은 양의 이산화 탄소가 들어 있었다.

용기	식물 부분	빛	온도
A	잎	청색광	20 ℃
B	잎	청색광	25 ℃
C	줄기	청색광	25 ℃
D	잎	적색광	25 ℃

빛 색깔이 식물의 광합성에 미치는 영향을 알아보기 위해 비교해야 할 용기는?

① A와 C ② A와 D ③ B와 C
④ B와 D ⑤ C와 D

47 하 중 상 ••서술형

다음은 소화 효소의 녹말 분해 작용을 알아보는 탐구이다.

[가설] 소화 효소 X는 녹말을 분해할 것이다.
[탐구 설계 및 수행] 같은 양의 녹말 용액이 들어 있는 시험관 Ⅰ과 Ⅱ에 표와 같이 물질을 첨가하여 반응시킨다.

시험관	첨가한 물질	온도
Ⅰ	증류수	37 ℃
Ⅱ	㉠	㉡

[탐구 결과] Ⅰ에서는 녹말이 분해되지 않았고, Ⅱ에서는 녹말이 분해되었다.
[결론] 소화 효소 X는 녹말을 분해한다.

(1) 시험관 Ⅱ에 첨가한 물질 ㉠과 온도 ㉡을 각각 쓰시오.

(2) 이 실험에서 조작 변인과 종속변인을 각각 쓰시오.

48 하 중 상

다음은 장티푸스균을 이용한 실험이다.

[실험 과정] 같은 종의 쥐 30마리로 이루어진 집단 A~C에 장티푸스균을 각기 다른 기간 동안 공기 중에 방치한 후 주입하였다.
[결과]

집단	주입 시기	결과
A	즉시	모두 병에 걸리고, 26마리가 죽음
B	3일 후	모두 병에 걸리고, 15마리가 죽음
C	3주 후	모두 가벼운 병에 걸렸다가 금방 회복됨

이 실험의 결론으로 가장 적합한 것은?

① 쥐의 면역성은 장티푸스균의 독성에 비례한다.
② 공기 중에 방치된 장티푸스균은 백신으로 이용될 수 있다.
③ 공기 중에 방치되는 기간이 길수록 장티푸스균의 독성은 강해진다.
④ 장티푸스균의 독성에 대한 쥐의 저항력은 주입 시기가 빠를수록 강해진다.
⑤ 공기 중에 방치된 장티푸스균은 쥐의 체내에서 항체 생산 능력을 약화시킨다.

49 하 중 상

어떤 소화제의 설명서에서 '단백질을 분해하는 효소가 들어 있고 소장에서 작용한다.'는 것을 읽고, 효소의 단백질 분해 작용을 확인하기 위해 소화제를 증류수에 녹여 효소액을 만든 후 표와 같이 실험하였다.

시험관	넣은 물질	온도	30분 후 검출 반응
A	달걀 흰자 희석액 5 mL +효소액 3 mL	5 ℃	단백질 검출 반응
B	달걀 흰자 희석액 5 mL +증류수 3 mL	5 ℃	단백질 검출 반응

이 실험 설계에서 보완해야 할 점으로 옳은 것만을 〈보기〉에서 있는 대로 고른 것은?(단, 소장 내 **pH**는 8이다.)

〈 보기 〉
ㄱ. 각 시험관을 체온과 비슷한 온도로 유지한다.
ㄴ. 시험관 A에 염기성 물질을 소량 첨가한다.
ㄷ. 시험관 B에 넣는 물질을 증류수 8 mL로 바꾼다.

① ㄱ ② ㄴ ③ ㄷ
④ ㄱ, ㄴ ⑤ ㄴ, ㄷ

정답과 해설 6쪽

50

다음은 담배 모자이크 바이러스(TMV)의 특성을 알아보기 위한 실험이다.

> (가) 담배 모자이크병에 걸린 담뱃잎의 즙을 세균 여과기에 걸러 여과액을 얻었다.
> (나) 이 여과액에서 TMV를 추출하였다.
> (다) TMV를 인공 배지에 넣었더니 아무런 변화가 일어나지 않았다.
> (라) TMV를 건강한 담뱃잎에 발라 주었더니 담배 모자이크병이 나타났다.

이 실험을 통해 알 수 있는 것만을 〈보기〉에서 있는 대로 고른 것은?

〈 보기 〉
ㄱ. TMV는 돌연변이를 일으킨다.
ㄴ. TMV는 세균보다 크기가 작다.
ㄷ. TMV는 살아 있는 세포 내에서만 증식할 수 있다.

① ㄱ　② ㄴ　③ ㄷ
④ ㄱ, ㄴ　⑤ ㄴ, ㄷ

51

서술형

다음은 담배 연기가 쥐에게 미치는 영향을 알아보기 위해 수행한 탐구 과정의 일부를 나타낸 것이다.

> (가) 담배 연기는 쥐의 판단 능력에 어떤 영향을 미칠지 궁금해졌다.
> (나) 담배 연기에 노출된 쥐는 판단 능력이 저하될 것이라고 생각하였다.
> (다) 담배 연기에 노출된 적이 없는 같은 종의 쥐 20마리를 20분 동안 담배 연기에 노출시킨 후 한 마리씩 미로를 빠져나오게 하고 미로를 완전히 빠져나올 때까지 걸린 시간을 측정하여 평균값을 구하였다.
> (라) 쥐가 담배 연기에 노출되면 미로를 빠져나오는 데 오랜 시간이 걸린다는 결론을 내렸다.

(1) 이 탐구 과정에서 어떤 문제점이 있는지 서술하시오.

(2) 이 탐구의 타당성을 높이기 위해 필요한 추가 실험을 서술하시오.

[52~53] 다음은 영수가 수행한 탐구이다.

> (가) 영수는 ㉠ 겨울에는 흰색이었던 눈신토끼의 털 색이 여름에는 회색인 것을 관찰하였다.
> (나) 영수는 왜 눈신토끼의 털 색이 변하는지 의문이 생겼다.
> (다) 영수는 (　　　㉡　　　)라는 가설을 세웠다.
> (라) 같은 연령의 눈신토끼 A와 B를 준비하여 A와 B 모두 등쪽 털을 제거하였다.
> (마) 같은 재질의 주머니를 준비하여 하나는 얼음을 담고, 다른 하나는 실온의 물을 담았다.
> (바) 그림과 같이 A는 얼음을 담은 주머니를, B는 실온의 물을 담은 주머니를 등에 고정시킨 후 주머니의 온도가 유지되도록 주기적으로 주머니를 교체하면서 새로 자라는 털의 색을 관찰하였다.

A
등 쪽 털을 제거한 후 얼음 주머니를 묶어 둔다.

B
등 쪽 털을 제거한 후 물 주머니를 묶어 둔다.

52

㉠에 해당하는 생물의 특성과 가장 관련이 깊은 것은?

① 사람의 간에서 암모니아가 요소로 전환된다.
② 효모는 포도당을 분해하여 알코올을 생성한다.
③ 낙타는 혹 속의 지방을 분해하여 물과 에너지를 얻는다.
④ 수정란이 세포 분열을 하여 세포의 종류와 기능이 다양해진다.
⑤ 뱀은 머리뼈의 관절에서 아래턱을 분리하여 큰 먹이를 삼킬 수 있다.

53

이 탐구에 대한 설명으로 옳은 것만을 〈보기〉에서 있는 대로 고른 것은?

〈 보기 〉
ㄱ. 주머니의 재질은 조작 변인에 해당한다.
ㄴ. (나)는 관찰된 현상에 대한 문제 인식 단계이다.
ㄷ. '눈신토끼의 피부에서 감각하는 온도가 다르면 다른 색의 털이 자랄 것이다.'는 ㉡에 들어갈 가설로 적절하다.

① ㄱ　② ㄷ　③ ㄱ, ㄴ
④ ㄴ, ㄷ　⑤ ㄱ, ㄴ, ㄷ

생명 활동과 에너지

A 생명 활동과 물질대사

1 물질대사 생명체 내에서 일어나는 모든 화학 반응으로, 우리 몸은 물질대사를 통해 생명 활동에 필요한 물질을 합성하고, 에너지를 얻는다.

① 물질대사 과정에는 반드시 에너지의 출입이 따른다.

② ❶□□가 관여한다. 따라서 체온 정도의 낮은 온도에서 반응이 일어난다.

③ 반응이 단계적으로 일어난다. 따라서 에너지가 여러 단계에 걸쳐 조금씩 출입한다.

2 물질대사의 구분

동화 작용	이화 작용
작고 간단한 물질을 크고 복잡한 물질로 ❷□□하는 과정으로, 에너지가 흡수된다(흡열 반응). 예 광합성, 단백질 합성, DNA 합성 등	크고 복잡한 물질을 작고 간단한 물질로 ❸□□하는 과정으로, 에너지가 방출된다(발열 반응). 예 세포 호흡, 녹말 소화 등

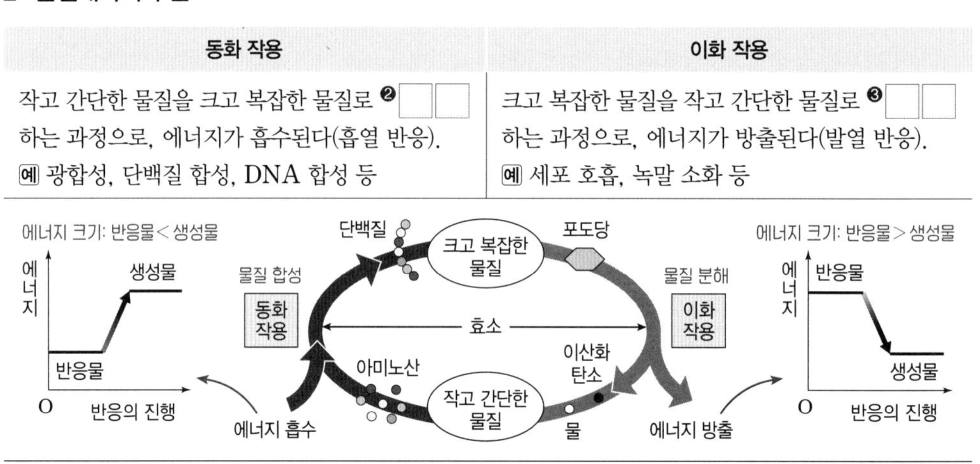

기출 Tip A-1

세포 호흡(물질대사)과 연소의 비교

- 세포 호흡: 효소가 관여하여 체온 정도의 낮은 온도에서 일어난다. 반응이 단계적으로 일어나 에너지가 여러 단계에 걸쳐 조금씩 방출된다.

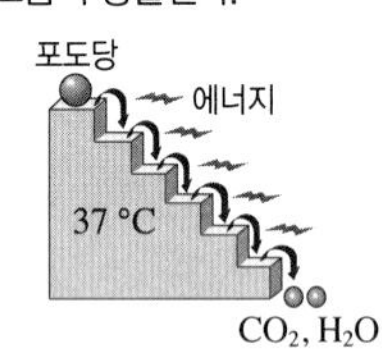

- 연소: 효소가 관여하지 않으며, 높은 온도에서 일어난다. 반응이 한꺼번에 일어나 에너지가 한꺼번에 다량 방출된다.

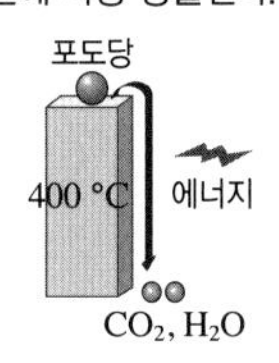

B 에너지의 전환과 이용

1 세포 호흡 세포에서 영양소를 분해하여 생명 활동에 필요한 에너지를 얻는 과정이다.

① 주로 세포의 ❹□□□□□□에서 일어난다.

② 포도당이 산소와 반응하여 이산화 탄소와 ❺□로 분해되면서 에너지가 방출된다. ➜ 방출된 에너지의 일부는 ❻□□□에 저장되고, 나머지는 열로 방출된다.

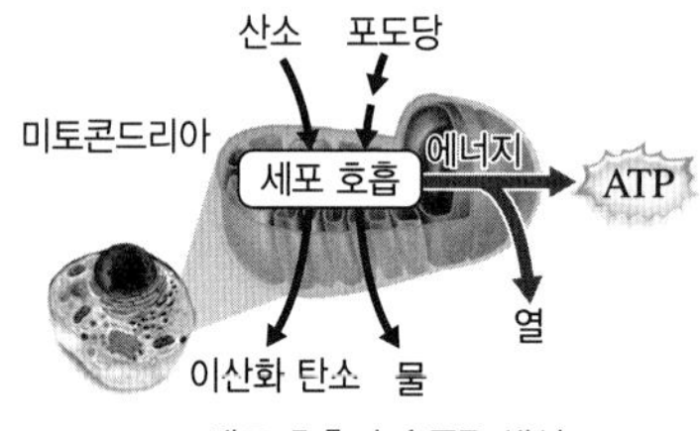

▲ 세포 호흡과 ATP 생성

$$C_6H_{12}O_6(\text{포도당}) + O_2 \xrightarrow{\text{세포 호흡}} CO_2 + H_2O + \text{에너지}$$

2 ATP 생명 활동에 직접적으로 사용되는 에너지 저장 물질이다.

① ATP의 구조: 아데노신(아데닌 + 리보스)에 3개의 인산기가 결합된 구조이며, 인산기와 인산기 사이의 결합에 많은 에너지가 저장되어 있다.

② ATP의 분해와 합성

ATP는 ADP보다 인산 결합의 수가 더 많다.

ATP 분해	ATP는 끝에 있는 인산 결합이 끊어지면서 에너지를 ❼□□하고, ADP와 무기 인산으로 분해된다. ➜ 방출된 에너지는 다양한 생명 활동에 사용된다.	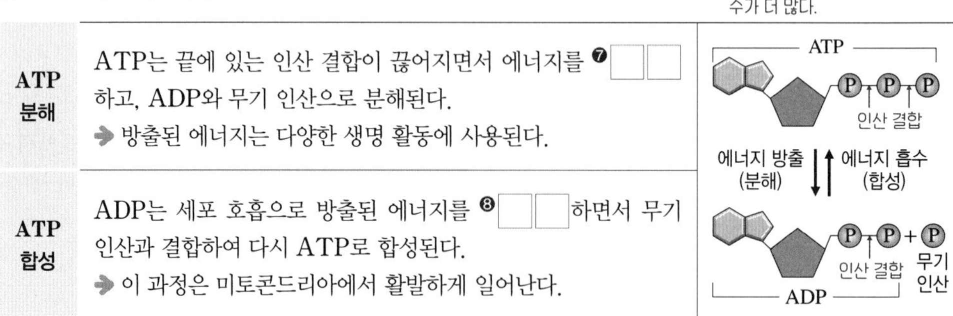
ATP 합성	ADP는 세포 호흡으로 방출된 에너지를 ❽□□하면서 무기 인산과 결합하여 다시 ATP로 합성된다. ➜ 이 과정은 미토콘드리아에서 활발하게 일어난다.	

기출 Tip A-2

광합성과 세포 호흡의 비교

- 광합성: 엽록체에서 일어난다. 동화 작용이며, 에너지를 흡수한다.
- 세포 호흡: 미토콘드리아에서 일어난다. 이화 작용이며, 에너지를 방출한다.

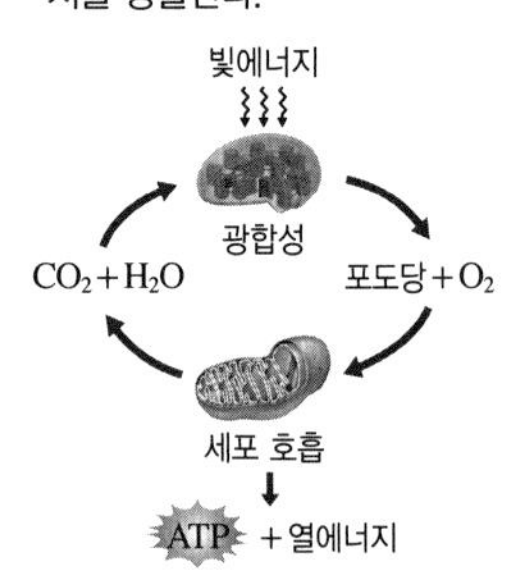

▲ 광합성과 세포 호흡의 과정

3 에너지의 전환과 이용 세포 호흡에 의해 포도당의 화학 에너지는 ATP의 화학 에너지로 전환되고, ATP의 화학 에너지는 여러 형태의 에너지로 전환되어 다양한 생명 활동에 이용된다.

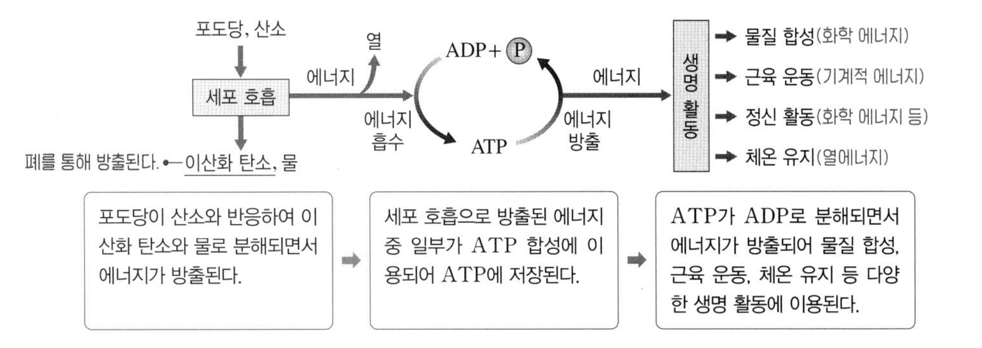

효모의 이산화 탄소 방출량 비교하기

1. 발효관 1~4에 다음과 같이 증류수나 음료수를 넣은 뒤, 효모액을 넣는다.
   - 발효관 1: 증류수 15 mL+효모액 15 mL
   - 발효관 2: 음료수 A 15 mL+효모액 15 mL
   - 발효관 3: 음료수 B 15 mL+효모액 15 mL
   - 발효관 4: 음료수 C 15 mL+효모액 15 mL

2. 발효관의 입구를 솜 마개로 막은 후 30 ℃~35 ℃의 항온 수조에 넣는다.

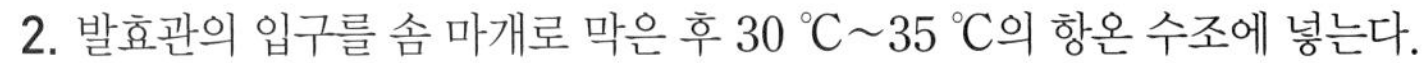

3. 일정 시간 간격으로 각 발효관에서 발생한 기체의 부피를 관찰한다.

발효관	1	2	3	4
발생한 기체의 부피	발생 안 함	++	+	+++

(+가 많을수록 기체 발생량이 많음)

➡ 발효관 2~4에서는 효모가 음료수에 포함된 당을 이용하여 세포 호흡과 발효를 한 결과 기체가 발생하였다. 효모는 산소가 있을 때는 세포 호흡을 하고, 산소가 부족해지면 발효를 한다.

➡ 기체 발생량은 발효관 4>발효관 2>발효관 3이다. 음료수에 당이 많을수록 효모의 세포 호흡과 발효가 많이 일어나 기체 발생량이 많아지므로, 음료수의 당 함량은 발효관 4>발효관 2>발효관 3이다.

4. 발효관 내부 용액의 일부를 덜어내고, 수산화 칼륨(KOH) 수용액을 넣은 후 변화를 관찰한다.

➡ 맹관부에 모인 기체의 부피가 감소하여 수면의 높이가 높아진다. 이는 수산화 칼륨(KOH)이 이산화 탄소를 흡수하기 때문으로, 맹관부에 모인 기체가 ❾□□□ □□라는 것을 알 수 있다.

기출 Tip B-3

ATP에 저장되는 에너지
세포 호흡으로 방출된 에너지가 모두 ATP에 저장되는 것은 아니다.

기출 Tip B

효모를 이용한 다른 실험
발효관 A~C에 다음과 같이 용액을 넣고, 발생한 기체의 부피를 관찰한다.
- A: 10 % 포도당 용액 20 mL +증류수 15 mL
- B: 10 % 포도당 용액 20 mL +효모액 15 mL
- C: 5 % 포도당 용액 20 mL+ 효모액 15 mL

[결과]

발효관	기체의 부피
A	0 mL
B	13 mL
C	6.5 mL

➡ 발효관 B와 C에서 효모가 세포 호흡과 발효를 한 결과 이산화 탄소가 발생하였다.
➡ 발효관 B와 C의 결과가 다르게 나타난 까닭: B가 C보다 효모의 세포 호흡과 발효에 이용되는 포도당의 양이 더 많기 때문이다.

답 ❶ 효소 ❷ 합성 ❸ 분해 ❹ 미토콘드리아 ❺ 물 ❻ ATP ❼ 방출 ❽ 흡수 ❾ 이산화 탄소

빈출 자료 보기

정답과 해설 7쪽

54 그림 (가)는 사람에서 세포 호흡을 통해 포도당으로부터 최종 분해 산물과 에너지가 생성되는 과정을, (나)는 ATP와 ADP 사이의 전환을 나타낸 것이다. ㉠과 ㉡은 각각 O_2와 CO_2 중 하나이다.

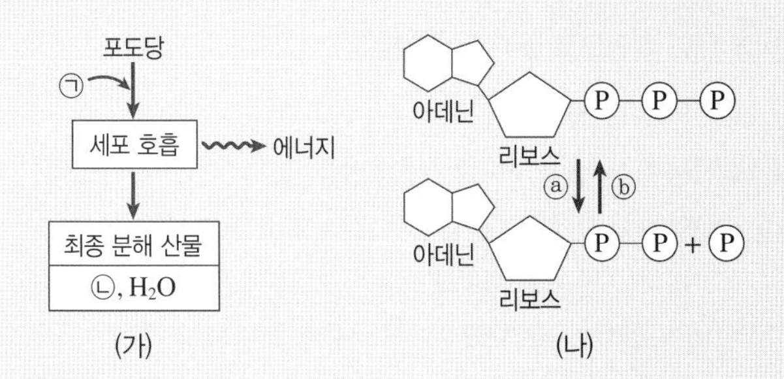

이에 대한 설명으로 옳은 것은 ○, 옳지 않은 것은 ×로 표시하시오.

(1) ㉠은 O_2, ㉡은 CO_2이다. ( )
(2) (가)는 주로 미토콘드리아에서 일어난다. ( )
(3) (가)에서 방출된 에너지는 모두 ⓑ에 사용된다. ( )
(4) 미토콘드리아에서 ⓑ 과정이 일어난다. ( )
(5) ⓑ 과정에서 에너지가 흡수된다. ( )
(6) ⓐ 과정을 통해 ADP가 ATP로 전환된다. ( )
(7) 근육 운동을 할 때 ⓐ를 통해 방출된 에너지가 이용된다. ( )

상 2문항
중 20문항
하 3문항

A 생명 활동과 물질대사

55 하 중 상 多 보기

물질대사에 대한 설명으로 옳지 않은 것은?

① 생명체에서 일어나는 화학 반응이다.
② 효소가 관여하는 반응이다.
③ 동화 작용과 이화 작용으로 구분한다.
④ 생명체에서 일어나는 물질의 합성과 분해 반응이다.
⑤ 물질대사 과정에는 반드시 에너지의 출입이 일어난다.
⑥ 세포는 물질대사를 통해 단백질과 같은 물질을 합성한다.
⑦ 세포는 주로 동화 작용을 통해 생명 활동에 필요한 에너지를 얻는다.

56 하 중 상 서술형

다음은 물질대사와 관련한 학생들의 대화 내용이다. 밑줄 친 부분에서 틀린 내용을 찾아 옳은 문장으로 서술하시오.

- 한솔: 동화 작용이란 작고 간단한 물질을 크고 복잡한 물질로 합성하는 과정을 말하는데, 이때 에너지를 방출해.
- 상원: 광합성은 빛에너지를 이용하여 포도당을 물과 이산화 탄소로 분해하는 과정이므로, 이화 작용에 해당돼.

57 하 중 상

다음은 우리 몸에서 일어나는 물질대사의 예이다.

(가) 포도당을 이산화 탄소와 물로 분해하는 세포 호흡
(나) 뉴클레오타이드를 결합하여 DNA를 합성하는 과정
(다) 지방을 지방산과 모노글리세리드로 소화하는 과정

이화 작용에 해당하는 것을 모두 고르시오.

58 하 중 상

그림은 사람에서 일어나는 물질대사 Ⅰ과 Ⅱ를 나타낸 것이다.

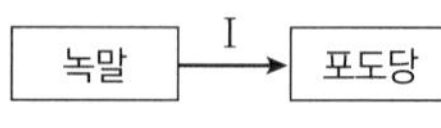

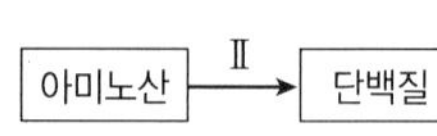

이에 대한 설명으로 옳은 것만을 〈보기〉에서 있는 대로 고른 것은?

〈 보기 〉
ㄱ. Ⅰ은 이화 작용이다.
ㄴ. Ⅱ의 과정에서 에너지가 흡수된다.
ㄷ. 소화계에서 Ⅰ이 일어난다.

① ㄱ ② ㄷ ③ ㄱ, ㄴ ④ ㄴ, ㄷ ⑤ ㄱ, ㄴ, ㄷ

59 하 중 상

그림은 간에서 일어나는 물질의 변화를 나타낸 것이다.

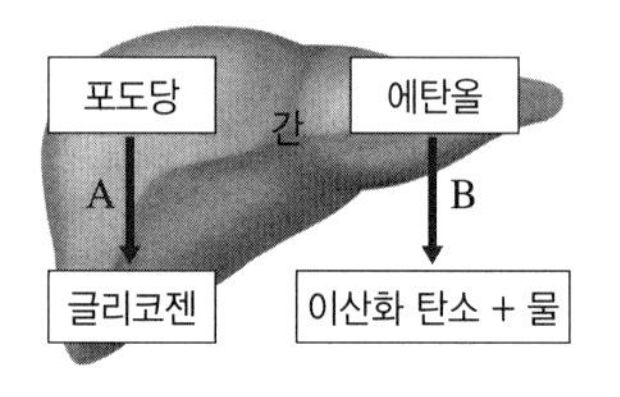

이에 대한 설명으로 옳은 것만을 〈보기〉에서 있는 대로 고른 것은?

〈 보기 〉
ㄱ. A는 동화 작용, B는 이화 작용이다.
ㄴ. A 과정은 발열 반응이다.
ㄷ. B 과정은 효소가 관여하지 않는다.

① ㄱ ② ㄴ ③ ㄷ ④ ㄱ, ㄴ ⑤ ㄴ, ㄷ

60 하 중 상

그림은 생명체에서 일어나는 물질대사를 나타낸 것이다.

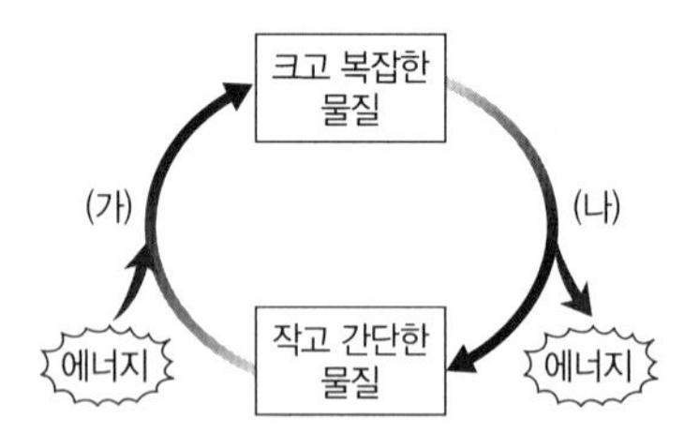

이에 대한 설명으로 옳지 않은 것은?

① (가)는 동화 작용이다.
② (가)는 흡열 반응, (나)는 발열 반응이다.
③ (가)와 (나) 반응이 일어날 때 모두 효소가 관여한다.
④ (나)에서는 반응물보다 생성물이 가진 에너지양이 더 많다.
⑤ 단백질 합성과 광합성은 모두 (가)에 해당된다.

61 하 중 상

그림은 광합성과 세포 호흡에서의 에너지와 물질의 이동을 나타낸 것이다. (가)와 (나)는 각각 광합성과 세포 호흡 중 하나이다.

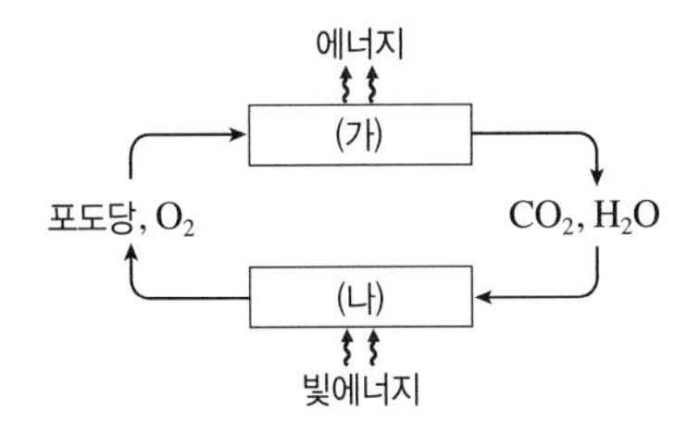

이에 대한 설명으로 옳지 않은 것은?

① (가)는 세포 호흡이다.
② (나)는 식물의 엽록체에서 일어난다.
③ (가)와 (나)에서 모두 효소가 이용된다.
④ 식물에서는 (가)와 (나) 과정이 모두 일어난다.
⑤ (가)에서 방출된 에너지는 모두 ATP에 저장된다.

63 하 중 상

그림 (가)와 (나)는 물질대사의 두 종류에서 반응물과 생성물의 에너지 변화를 각각 나타낸 것이다.

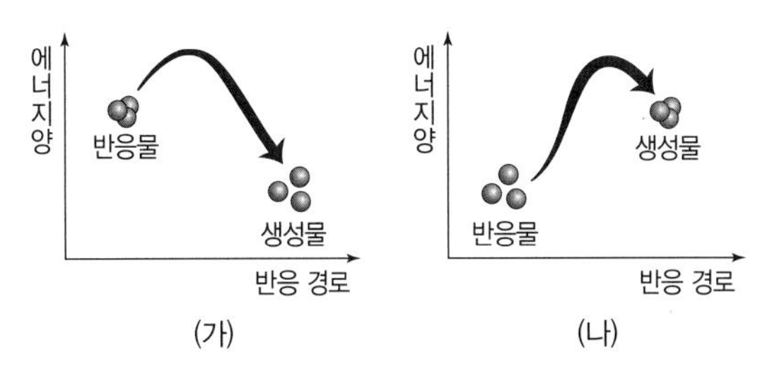

이에 대한 설명으로 옳은 것만을 〈보기〉에서 있는 대로 고른 것은?

〈 보기 〉
ㄱ. (가)는 발열 반응이 일어날 때의 에너지 변화이다.
ㄴ. (가)의 예로 광합성, (나)의 예로 세포 호흡이 있다.
ㄷ. 녹말이 포도당으로 분해될 때는 (가)와 같은 에너지 변화가 나타난다.

① ㄱ ② ㄴ ③ ㄱ, ㄷ
④ ㄴ, ㄷ ⑤ ㄱ, ㄴ, ㄷ

빈출 62 하 중 상

그림 (가)와 (나)는 물질대사가 일어날 때 반응 경로에 따른 에너지 변화를 나타낸 것이다.

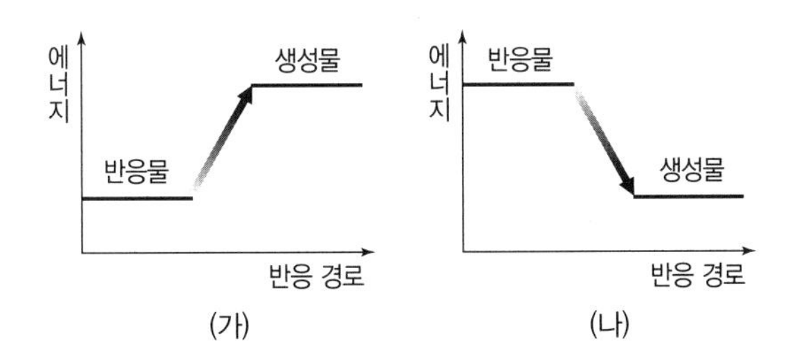

이에 대한 설명으로 옳은 것만을 〈보기〉에서 있는 대로 고른 것은?

〈 보기 〉
ㄱ. (가)는 동화 작용에서 일어난다.
ㄴ. (나)에서는 에너지가 흡수된다.
ㄷ. (가)는 물질을 합성하는 과정에서 나타난다.

① ㄱ ② ㄴ ③ ㄱ, ㄷ
④ ㄴ, ㄷ ⑤ ㄱ, ㄴ, ㄷ

64 하 중 상

그림 (가)는 물질대사 ㉠이 일어날 때 반응 경로에 따른 에너지 변화를, (나)는 ㉠과 관련된 물질 A와 B의 양을 시간에 따라 나타낸 것이다. A와 B는 각각 반응물과 생성물 중 하나이다.

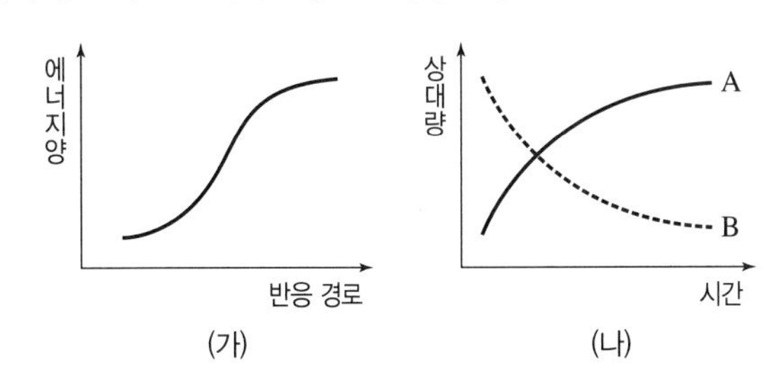

이에 대한 설명으로 옳은 것만을 〈보기〉에서 있는 대로 고른 것은?

〈 보기 〉
ㄱ. A는 생성물, B는 반응물이다.
ㄴ. ㉠의 반응 경로에서 에너지가 흡수된다.
ㄷ. A의 에너지양은 B의 에너지양보다 적다.

① ㄱ ② ㄷ ③ ㄱ, ㄴ
④ ㄴ, ㄷ ⑤ ㄱ, ㄴ, ㄷ

B 에너지의 전환과 이용

세포 호흡

65 하 중 상

다음은 생명체 내에서 일어나는 어떤 물질대사의 반응식을 나타낸 것이다.

$$C_6H_{12}O_6 + 6O_2 \longrightarrow 6CO_2 + 6H_2O + \text{에너지}$$
(포도당)

이 과정에 대한 설명으로 옳지 않은 것은?

① 발열 반응이다.
② 주로 미토콘드리아에서 일어나는 반응이다.
③ 우리 몸은 이 반응을 통해 에너지를 얻는다.
④ 반응 결과 방출된 에너지는 모두 열에너지로 방출된다.
⑤ 방출된 에너지의 일부는 ATP에 화학 에너지로 저장된다.

66 하 중 상

그림은 어떤 세포 소기관에서 일어나는 세포 호흡을 나타낸 것이다. ⓐ와 ⓑ는 각각 산소와 이산화 탄소 중 하나이다.

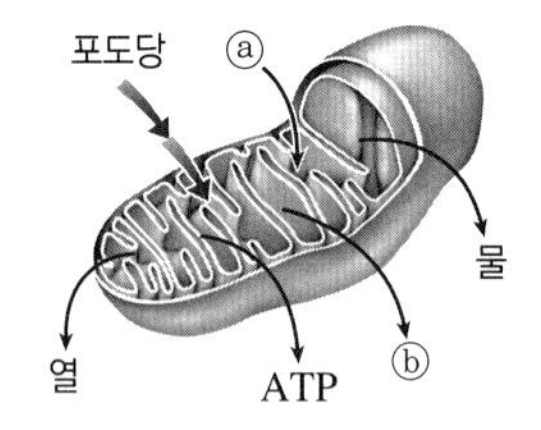

이에 대한 설명으로 옳은 것만을 〈보기〉에서 있는 대로 고른 것은?

〈 보기 〉
ㄱ. ⓐ는 산소, ⓑ는 이산화 탄소이다.
ㄴ. 이 세포 소기관은 동물 세포와 식물 세포에 모두 존재한다.
ㄷ. 포도당이 분해되어 방출된 에너지의 일부는 체온 유지와 근육 운동에 이용된다.

① ㄱ ② ㄷ ③ ㄱ, ㄴ
④ ㄴ, ㄷ ⑤ ㄱ, ㄴ, ㄷ

67 하 중 상

그림은 사람에서 세포 호흡을 통해 포도당으로부터 최종 분해 산물과 에너지가 생성되는 과정을 나타낸 것이다.

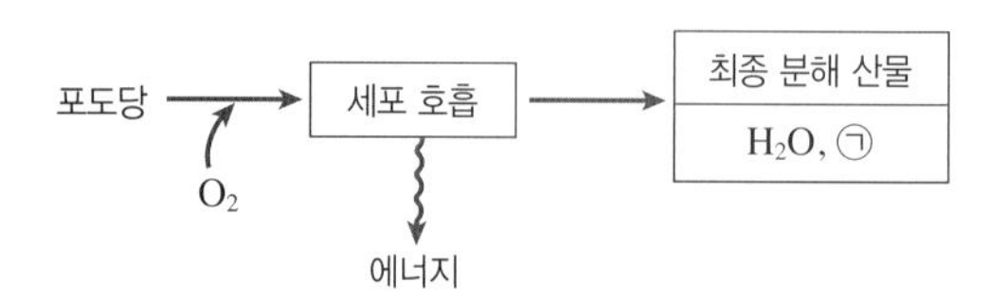

이에 대한 설명으로 옳은 것만을 〈보기〉에서 있는 대로 고른 것은?

〈 보기 〉
ㄱ. ㉠은 암모니아(NH_3)이다.
ㄴ. 이 과정에는 효소가 필요하다.
ㄷ. 이 과정에서 방출된 에너지는 모두 ATP에 저장된다.

① ㄱ ② ㄴ ③ ㄷ
④ ㄱ, ㄴ ⑤ ㄴ, ㄷ

68 하 중 상

그림은 같은 양의 포도당이 각각 세포 호흡과 연소를 통해 분해되는 반응을 순서 없이 나타낸 것이다.

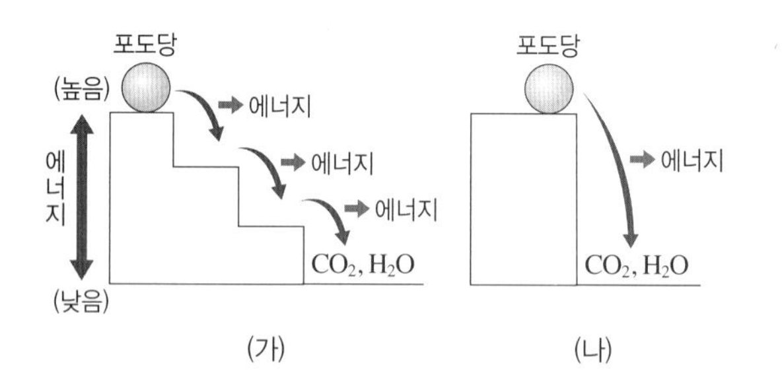

이에 대한 설명으로 옳지 않은 것은?

① (가)는 주로 미토콘드리아에서 일어난다.
② (가)와 (나)에서 모두 산소가 필요하다.
③ (가)는 (나)보다 낮은 온도에서 일어난다.
④ (가)와 (나) 모두 최종 산물은 물과 이산화 탄소이다.
⑤ 세포 호흡을 통해 ATP에 저장되는 에너지양은 연소를 통해 방출되는 에너지양과 같다.

ATP

빈출

69 하 중 상

그림은 ATP와 ADP 사이의 전환을 나타낸 것이다.

(가) 아데닌 리보스 Ⓟ~Ⓟ~Ⓟ

㉠↓↑㉡

(나) 아데닌 리보스 Ⓟ~Ⓟ+Ⓟ

이에 대한 설명으로 옳은 것만을 〈보기〉에서 있는 대로 고른 것은?

〈 보기 〉

ㄱ. (가)는 ATP이다.

ㄴ. 세포 호흡 결과 (나)가 생성된다.

ㄷ. ㉡ 과정에서 에너지가 흡수된다.

ㄹ. 1분자당 저장된 에너지양은 (가)가 (나)보다 많다.

① ㄱ, ㄴ ② ㄱ, ㄷ ③ ㄴ, ㄷ

④ ㄷ, ㄹ ⑤ ㄱ, ㄷ, ㄹ

70 하 중 상

그림은 세포에서 일어나는 ATP와 ADP 사이의 전환을 나타낸 것이다.

Ⓟ~Ⓟ~Ⓟ (가)⇄(나) Ⓟ~Ⓟ+Ⓟ

㉠

이에 대한 설명으로 옳은 것만을 〈보기〉에서 있는 대로 고른 것은?

〈 보기 〉

ㄱ. ㉠은 아데노신이다.

ㄴ. 근육 운동에는 (가)에서 방출된 에너지가 이용된다.

ㄷ. 세포 호흡에서 방출된 에너지의 일부는 (나)에서 ATP에 저장된다.

① ㄱ ② ㄷ ③ ㄱ, ㄴ

④ ㄴ, ㄷ ⑤ ㄱ, ㄴ, ㄷ

71 하 중 상

그림 (가)는 사람의 세포 소기관 X에서 일어나는 세포 호흡을, (나)는 ATP와 ADP 사이의 전환을 나타낸 것이다. ⓐ와 ⓑ는 각각 O_2와 CO_2 중 하나이다.

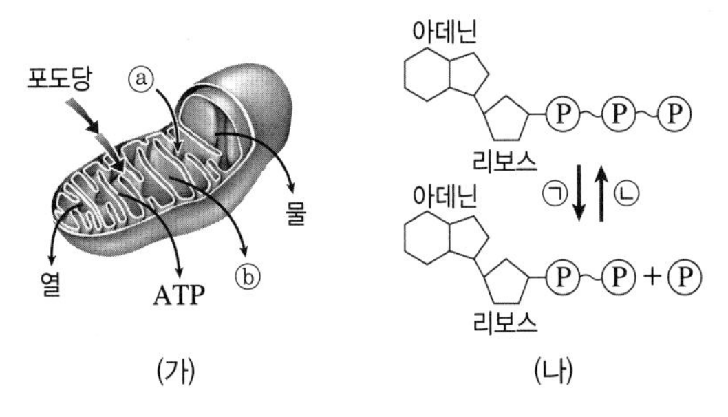

이에 대한 설명으로 옳은 것만을 〈보기〉에서 있는 대로 고른 것은?

〈 보기 〉

ㄱ. ⓑ는 CO_2이다.

ㄴ. X에서 세포 호흡이 일어날 때 ㉠ 과정이 촉진된다.

ㄷ. ㉡ 과정에서 고에너지 인산 결합의 수가 많아진다.

① ㄱ ② ㄴ ③ ㄷ

④ ㄱ, ㄷ ⑤ ㄴ, ㄷ

72 하 중 상

그림 (가)는 광합성과 세포 호흡 사이에서 일어나는 에너지와 물질의 이동을, (나)는 ATP와 ADP 사이의 전환을 나타낸 것이다. ㉠과 ㉡은 각각 세포 호흡과 광합성 중 하나이다.

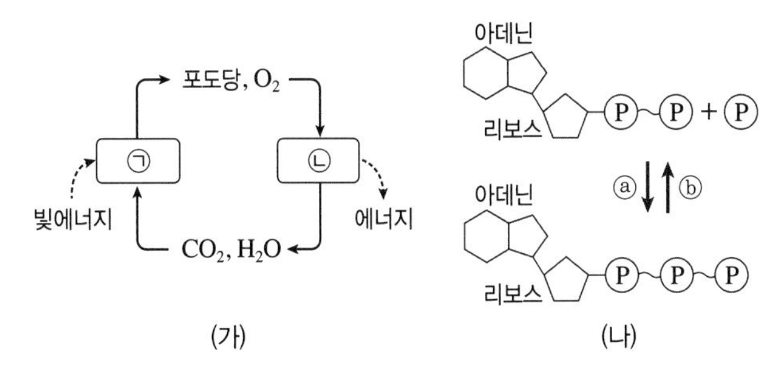

이에 대한 설명으로 옳은 것만을 〈보기〉에서 있는 대로 고른 것은?

〈 보기 〉

ㄱ. ㉠은 동화 작용이다.

ㄴ. ㉡에서 방출된 에너지는 모두 ⓐ 과정에 사용된다.

ㄷ. ⓑ 과정에서 ATP에 저장된 에너지가 방출된다.

ㄹ. $\frac{\text{ATP의 인산기와 인산기 사이의 결합 수}}{\text{ADP의 인산기와 인산기 사이의 결합 수}} = \frac{1}{2}$이다.

① ㄱ, ㄴ ② ㄱ, ㄷ ③ ㄴ, ㄹ

④ ㄱ, ㄴ, ㄷ ⑤ ㄴ, ㄷ, ㄹ

에너지의 전환과 이용

73 하중상

그림은 생물이 세포 호흡으로 포도당을 분해하여 에너지를 얻고 이 에너지를 생명 활동에 이용하는 과정을 나타낸 것이다.

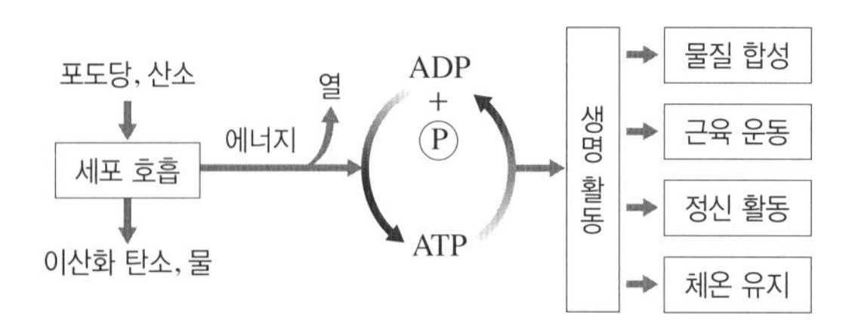

이에 대한 설명으로 옳지 않은 것은?

① 세포 호흡 과정에서 포도당은 물과 이산화 탄소로 분해된다.
② 세포 호흡에서 방출되는 에너지는 모두 ATP에 저장된다.
③ ATP의 에너지는 다양한 형태의 에너지로 전환되어 생명 활동에 사용된다.
④ ADP와 무기 인산으로부터 ATP가 합성된다.
⑤ ATP가 ADP와 무기 인산으로 분해되면서 방출된 에너지가 생명 활동에 사용된다.

74 하중상

그림은 사람의 세포 호흡에서 포도당이 최종 분해 산물로 전환되는 과정과 이 과정에서 생성된 ATP가 생명 활동에 이용되는 과정을 나타낸 것이다.

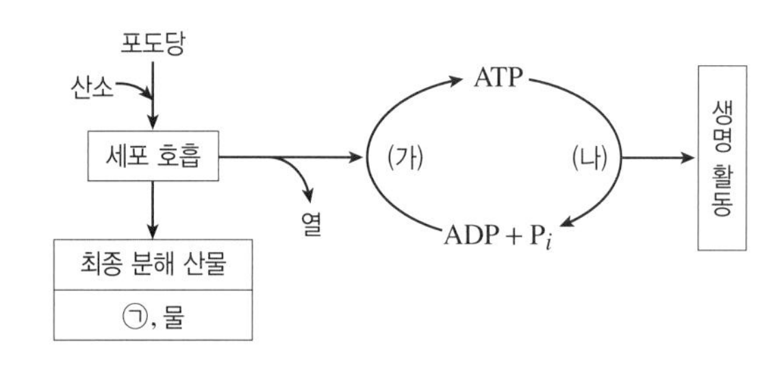

이에 대한 설명으로 옳은 것만을 〈보기〉에서 있는 대로 고른 것은?

〈 보기 〉
ㄱ. (나) 과정에서 에너지가 방출된다.
ㄴ. ㉠은 호흡계를 통해 배출된다.
ㄷ. 폐포의 모세 혈관에서 폐포로 ㉠이 이동하는 과정에는 (나) 과정에서 방출된 에너지가 사용된다.

① ㄱ ② ㄴ ③ ㄷ
④ ㄱ, ㄴ ⑤ ㄴ, ㄷ

75 하중상

그림은 사람이 세포 호흡을 통해 포도당으로부터 ATP를 생성하고, 이 ATP를 생명 활동에 이용하는 과정을 나타낸 것이다. ㉠과 ㉡은 각각 O_2와 H_2O 중 하나이고, ⓐ와 ⓑ는 각각 ATP와 ADP 중 하나이다.

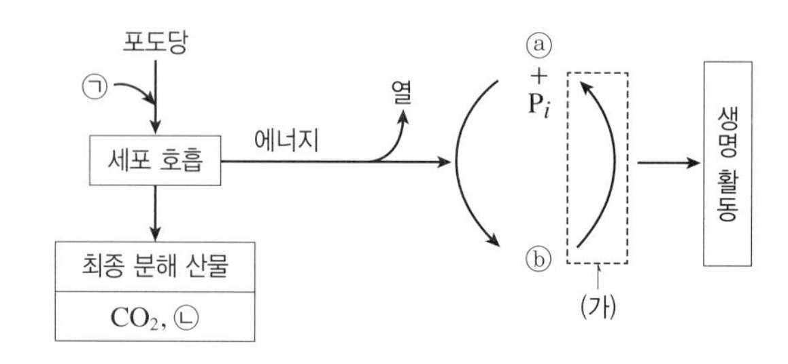

이에 대한 설명으로 옳지 않은 것은?

① ㉠은 O_2, ㉡은 H_2O이다.
② ⓐ는 ATP, ⓑ는 ADP이다.
③ (가)는 이화 작용이다.
④ 고에너지 인산 결합은 ⓑ가 ⓐ보다 많다.
⑤ 포도당의 에너지 일부가 ⓑ에 저장된다.

76 하중상

그림은 광합성과 세포 호흡에서의 에너지와 물질의 이동을 나타낸 것이다. ㉠과 ㉡은 각각 산소와 이산화 탄소 중 하나이고, (가)와 (나)는 각각 광합성과 세포 호흡 중 하나이다.

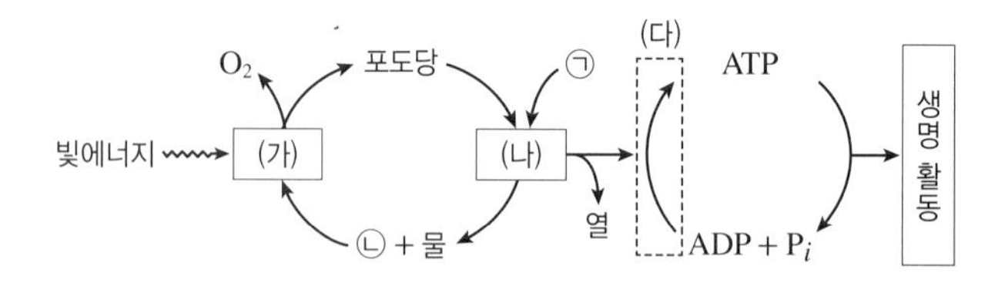

이에 대한 설명으로 옳은 것만을 〈보기〉에서 있는 대로 고른 것은?

〈 보기 〉
ㄱ. (가)는 동화 작용에 해당한다.
ㄴ. (나)에서 방출된 에너지는 (다)에서 모두 ATP에 저장된다.
ㄷ. ㉠은 이산화 탄소이다.

① ㄱ ② ㄷ ③ ㄱ, ㄴ
④ ㄴ, ㄷ ⑤ ㄱ, ㄴ, ㄷ

효모의 이산화 탄소 방출량 비교

77 하 중 상

다음은 효모의 발효를 알아보기 위한 실험 과정을 나타낸 것이다.

(가) 발효관 A와 B에 표와 같이 용액을 넣는다.

발효관	용액
A	증류수 15 mL+효모액 15 mL
B	3 % 포도당 용액 15 mL+효모액 15 mL

(나) 맹관부에 공기가 들어가지 않도록 발효관을 세운 뒤 ㉠ 입구를 솜으로 막고 발생하는 기체의 부피를 측정한다.

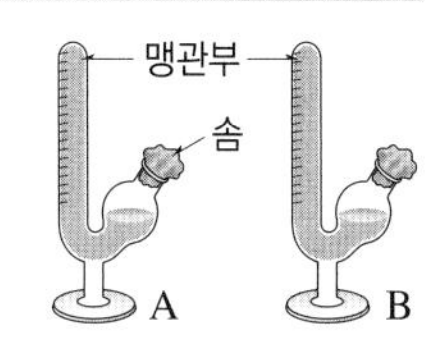

(다) 발효관 B의 맹관부에 기체가 모이면 용액의 일부를 덜어내고 수산화 칼륨 수용액을 넣는다.

이에 대한 설명으로 옳은 것만을 〈보기〉에서 있는 대로 고른 것은?

〈 보기 〉

ㄱ. 효모의 물질대사는 B보다 A에서 활발하게 일어난다.

ㄴ. ㉠은 산소가 발효관 안으로 공급되는 것을 막기 위해서이다.

ㄷ. (다) 과정 결과 발효관 B의 맹관부 속 수면의 높이는 낮아진다.

① ㄱ ② ㄴ ③ ㄷ ④ ㄱ, ㄴ ⑤ ㄴ, ㄷ

78 하 중 상 ••서술형

다음은 효모의 발효 실험이다.

[실험 과정]

(가) 발효관 A~C에 표와 같이 용액을 넣은 후 그림과 같이 발효관 입구를 솜으로 막는다.

A	10 % 포도당 용액 20 mL +증류수 15 mL
B	10 % 포도당 용액 20 mL +효모액 15 mL
C	5 % 포도당 용액 20 mL +효모액 15 mL

(나) 발효관 A~C를 항온기에 넣고 각 발효관에서 일정 시간 동안 ㉠ 발생한 기체의 부피를 측정한다.

[실험 결과]

발효관	A	B	C
기체의 부피(mL)	0	13	6.5

(1) (나)에서 ㉠ 발생한 기체의 종류를 쓰시오.

(2) 발효관 B와 C에서 기체 발생량에 차이가 생기는 까닭을 서술하시오.(단, 효모의 물질대사와 관련지어 서술하시오.)

79 하 중 상

다음은 효모를 이용하여 음료수의 당 함량을 비교하는 실험이다. 효모는 당을 분해하여 에너지를 얻는다.

[실험 과정]

(가) 그림과 같이 4개의 발효관에 증류수 및 음료수와 효모액을 넣고, 맹관부에 공기가 들어가지 않도록 세운 다음 입구를 솜 마개로 막는다.

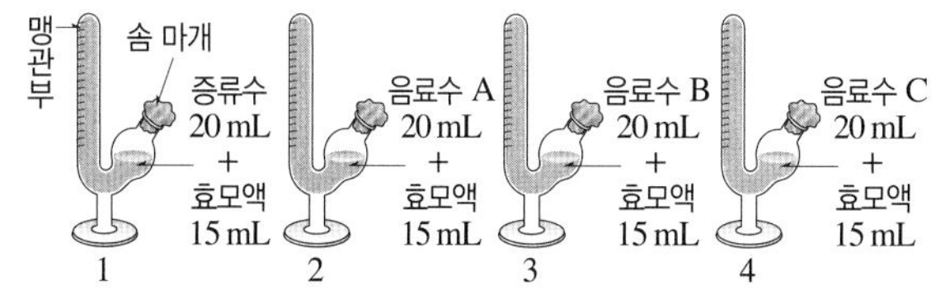

(나) 20분 후 각 발효관에서 발생한 기체의 부피를 측정한다.

(다) 기체의 부피가 더 이상 증가하지 않으면 발효관 내부 용액을 일부 덜어내고, 40 % KOH 수용액을 넣은 후 변화를 관찰한다.(단, KOH은 이산화 탄소를 흡수한다.)

[실험 결과]

발효관	1	2	3	4
(나)의 결과	−	++	+	+++
(다)의 결과	변화 없음	기체가 사라짐	기체가 사라짐	기체가 사라짐

(+가 많을수록 기체 발생량이 많음)

이에 대한 설명으로 옳은 것만을 〈보기〉에서 있는 대로 고른 것은?

〈 보기 〉

ㄱ. 음료수에 들어 있는 당 함량은 C>A>B이다.

ㄴ. 발효관 1에서 효모의 발효가 가장 많이 일어났다.

ㄷ. (다)의 결과로부터 발생한 기체가 이산화 탄소임을 알 수 있다.

① ㄱ ② ㄴ ③ ㄱ, ㄷ ④ ㄴ, ㄷ ⑤ ㄱ, ㄴ, ㄷ

에너지를 얻기 위한 기관계의 통합적 작용

Ⓐ 기관계의 통합적 작용

1 영양소의 흡수(소화계) 음식물이 소화 기관을 지나는 동안 소화 효소에 의해 녹말은 포도당으로, 단백질은 ❶□□□□으로, 지방은 지방산과 모노글리세리드로 최종 분해된다. 분해된 영양소는 소장에서 ❷□□의 모세 혈관이나 암죽관으로 흡수된다.

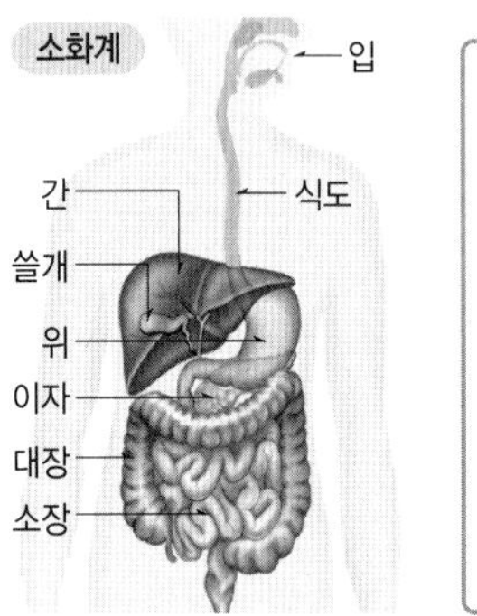

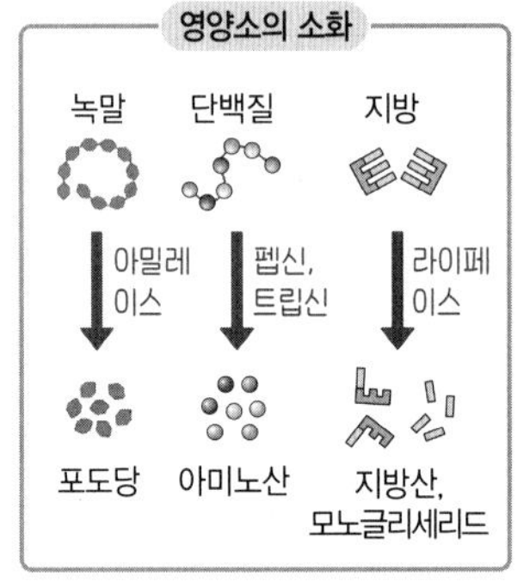

영양소의 흡수

융털 —• 포도당, 아미노산 흡수

모세 혈관

암죽관—• 지방산, 모노글리세리드 흡수

수용성 영양소는 융털의 모세 혈관으로, 지용성 영양소는 융털의 암죽관으로 흡수된다.

▲ 영양소의 소화와 흡수

기출 Tip Ⓐ-1

영양소의 흡수와 이동

- 수용성 영양소(포도당, 아미노산 등): 융털의 모세 혈관으로 흡수된 후, 혈관을 통해 간을 거쳐 심장으로 운반된다.
- 지용성 영양소(지방산, 모노글리세리드 등): 융털의 암죽관으로 흡수된 후, 림프관을 통해 이동하다가 혈액과 합쳐져 심장으로 운반된다.

2 산소의 흡수(호흡계) 숨을 들이쉴 때 폐로 들어온 공기 중의 산소는 ❸□□에서 모세 혈관으로 확산하여 들어오고, 모세 혈관 속 이산화 탄소는 폐포로 확산하여 몸 밖으로 나간다.

- 기체 교환의 원리: 기체의 분압 차이에 의한 ❹□□ ➡ 분압이 높은 곳에서 낮은 곳으로 이동
  - └• 에너지가 소모되지 않는다.

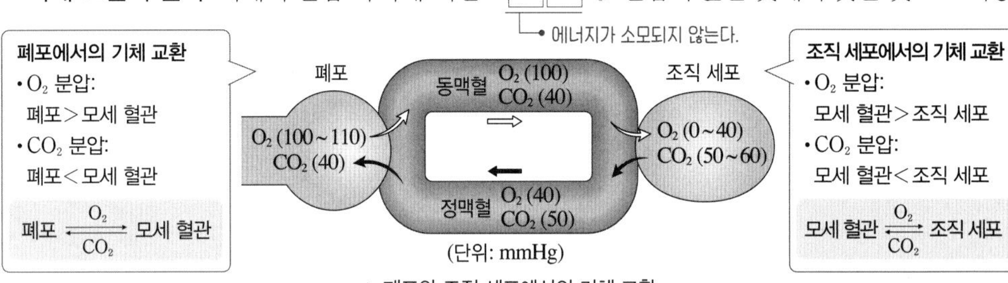

▲ 폐포와 조직 세포에서의 기체 교환

기출 Tip Ⓐ-3

동맥혈

동맥혈은 폐에서 기체 교환을 거친 후 조직 세포에서 기체 교환이 일어나기 전의 혈액으로, 동맥혈은 정맥혈에 비해 산소가 많고, 이산화 탄소가 적다.

3 영양소와 산소의 이동(순환계) 소화계를 통해 흡수된 영양소와 호흡계를 통해 흡수된 산소는 순환계를 통해 온몸의 조직 세포로 운반된다. ➡ 영양소는 혈액의 혈장에 의해, ❺□□는 주로 적혈구에 의해 운반된다.

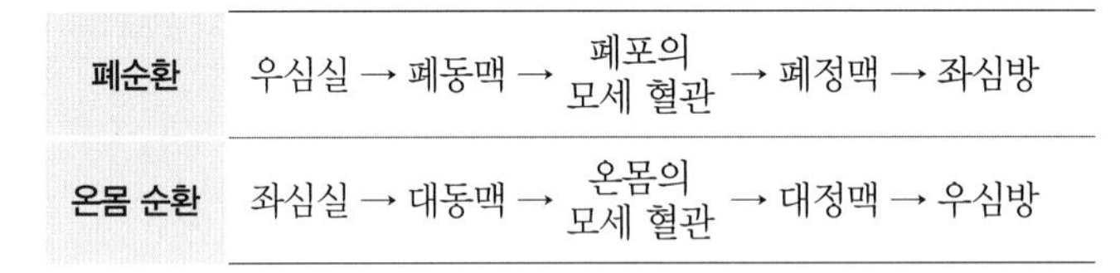

폐순환	우심실 → 폐동맥 → 폐포의 모세 혈관 → 폐정맥 → 좌심방
온몸 순환	좌심실 → 대동맥 → 온몸의 모세 혈관 → 대정맥 → 우심방

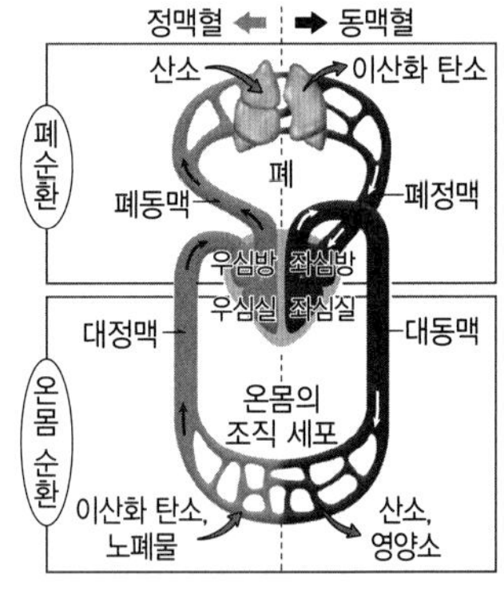

▲ 혈액 순환 경로

기출 Tip Ⓐ-4

영양소의 구성 원소와 생성되는 노폐물

- 탄수화물, 지방: 탄소(C), 수소(H), 산소(O)로 구성 ➡ 이산화 탄소(CO_2), 물(H_2O) 생성
- 단백질: 탄소(C), 수소(H), 산소(O), 질소(N)로 구성 ➡ 이산화 탄소(CO_2), 물(H_2O), 암모니아(NH_3) 생성

생콩즙으로 오줌 속 요소 확인

초록색(중성)의 오줌에 생콩즙을 넣으면 파란색(염기성)으로 변한다. ➡ 생콩즙 속 유레이스가 오줌 속 요소를 분해하여 암모니아를 생성하기 때문이다.

4 노폐물의 생성과 배설(배설계, 호흡계) 영양소가 세포 호흡으로 분해되면 이산화 탄소, 물, ❻□□□□ 같은 노폐물이 생성되고, 노폐물은 순환계에 의해 호흡계와 배설계로 운반되어 몸 밖으로 나간다.

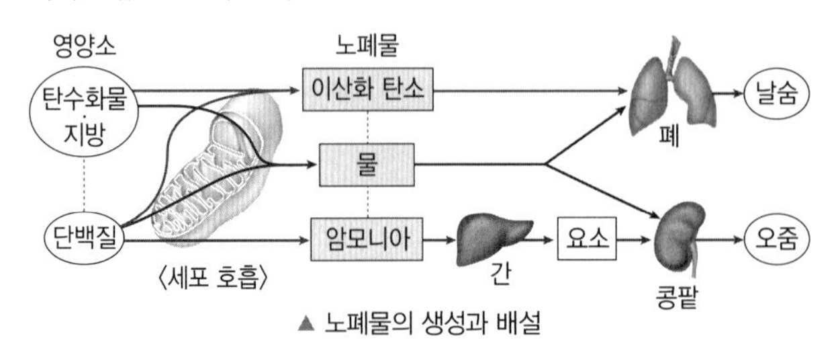

▲ 노폐물의 생성과 배설

- 이산화 탄소: 폐(호흡계)에서 날숨으로 나간다.
- 물: 몸속에서 다시 이용되거나 콩팥(배설계)에서 오줌으로, 폐(호흡계)에서 날숨으로 나간다.
- 암모니아: 간(소화계)에서 요소로 전환된 후 콩팥(배설계)에서 오줌으로 나간다.

5 기관계의 통합적 작용

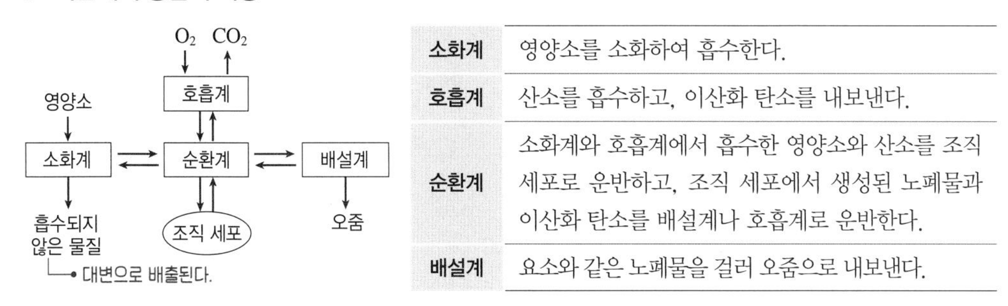

소화계	영양소를 소화하여 흡수한다.
호흡계	산소를 흡수하고, 이산화 탄소를 내보낸다.
순환계	소화계와 호흡계에서 흡수한 영양소와 산소를 조직 세포로 운반하고, 조직 세포에서 생성된 노폐물과 이산화 탄소를 배설계나 호흡계로 운반한다.
배설계	요소와 같은 노폐물을 걸러 오줌으로 내보낸다.

B 물질대사와 건강

1 에너지 대사의 균형 건강을 유지하기 위해서는 에너지 섭취량과 에너지 소비량 사이에 균형이 이루어져야 한다.

영양 부족	영양 균형	영양 과다
에너지 섭취량 < 에너지 소비량 ➔ 체중이 ❼☐☐하고, 영양 실조에 걸릴 수 있다.	에너지 섭취량 = 에너지 소비량 ➔ 에너지 대사의 균형	에너지 섭취량 > 에너지 소비량 ➔ 체중이 ❽☐☐하고, 비만이 될 수 있다.

2 기초 대사량과 1일 대사량

① ❾☐☐ **대사량**: 체온 조절, 심장 박동, 물질 합성 등 생명 활동을 유지하는 데 필요한 최소한의 에너지양

② **활동 대사량**: 기초 대사량 외에 신체 활동을 하는 데 소모되는 에너지양

③ **1일 대사량**: 하루 동안 소비하는 에너지양 → 기초 대사량+활동 대사량+음식물의 소화·흡수에 필요한 에너지양

3 대사성 질환 우리 몸의 물질대사에 이상이 생겨 발생하는 질병이다. 오랜 기간 영양 과잉이나 운동 부족 등으로 에너지 불균형이 지속되어 발생하며, 유전, 스트레스 등에 의해서도 발생한다.

고혈압	혈압이 정상 범위보다 높은 만성 질환이다.
❿☐☐☐	혈당량이 높은 상태가 지속되는 질환으로, 오줌에 당이 섞여 나온다. 이자에서 인슐린을 충분히 만들어 내지 못하거나 몸의 세포가 인슐린에 적절히 반응하지 못해 발생한다.
고지혈증	혈액에 콜레스테롤이나 중성 지방 등이 과다하게 들어 있는 상태이다. 혈관 벽에 지방이 쌓여 동맥 경화를 일으킬 수 있다.

기출 Tip B-2

1일 대사량의 구성비

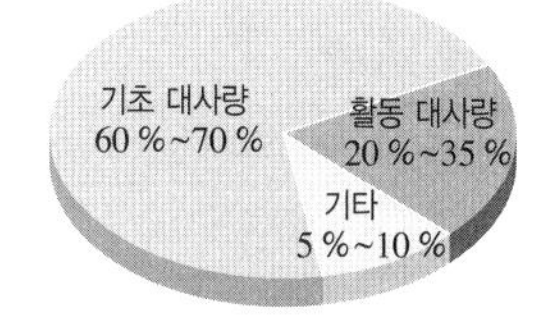

기출 Tip B-3

대사성 질환의 예방

- 식사를 규칙적으로 한다.
- 열량이 높은 음식의 섭취를 줄인다.
- 규칙적으로 운동한다.
- 계단오르기 등 일상생활에서 활동량을 늘린다.

답 ❶ 아미노산 ❷ 융털 ❸ 폐포 ❹ 확산 ❺ 산소 ❻ 암모니아 ❼ 감소 ❽ 증가 ❾ 기초 ❿ 당뇨병

빈출 자료 보기

정답과 해설 10쪽

80 그림은 사람 몸에 있는 각 기관계의 통합적 작용을 나타낸 것이다. A~C는 각각 소화계, 배설계, 호흡계 중 하나이다.

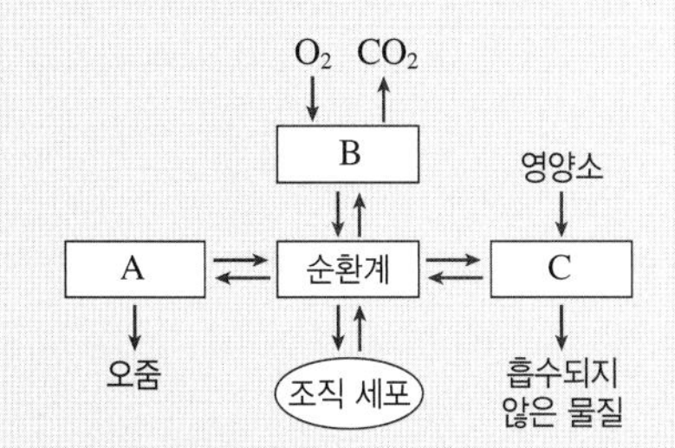

이에 대한 설명으로 옳은 것은 ○, 옳지 않은 것은 ×로 표시하시오.

(1) A는 배설계, B는 호흡계, C는 소화계이다. ( )

(2) 콩팥은 A에, 기관지는 B에 속한다. ( )

(3) C에는 요소를 생성하는 기관이 속해 있다. ( )

(4) C에서 영양소의 소화와 흡수가 일어난다. ( )

(5) B와 C에서 흡수된 물질은 모두 순환계를 통해 조직 세포로 운반된다. ( )

(6) C에서 흡수되지 않은 물질은 A를 통해 배설된다. ( )

A 기관계의 통합적 작용

영양소의 흡수

81 하중상

그림은 사람의 소화계의 일부를 나타낸 것이다. A~C는 각각 간, 소장, 위 중 하나이다.

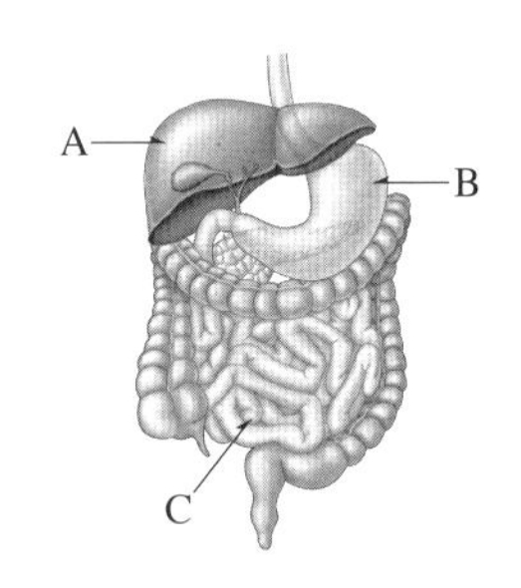

이에 대한 설명으로 옳은 것만을 〈보기〉에서 있는 대로 고른 것은?

〈 보기 〉
ㄱ. A에서 요소가 합성된다.
ㄴ. B에서 소화된 영양소의 흡수가 일어난다.
ㄷ. C는 융털에 의해 표면적이 증가한다.

① ㄱ ② ㄴ ③ ㄱ, ㄷ
④ ㄴ, ㄷ ⑤ ㄱ, ㄴ, ㄷ

82 하중상

그림은 영양소 A와 B의 소화 과정을 나타낸 것이다. A와 B는 각각 녹말과 단백질 중 하나이다.

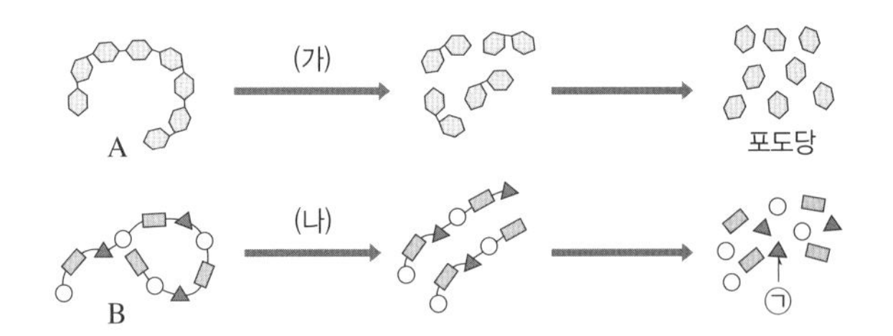

이에 대한 설명으로 옳은 것만을 〈보기〉에서 있는 대로 고른 것은?

〈 보기 〉
ㄱ. A는 녹말, B는 단백질이다.
ㄴ. (가) 과정은 입에서 처음 일어난다.
ㄷ. (나) 과정에 라이페이스가 관여한다.
ㄹ. ㉠은 소장 융털의 모세 혈관으로 흡수된다.

① ㄱ, ㄴ ② ㄴ, ㄷ ③ ㄷ, ㄹ
④ ㄱ, ㄴ, ㄹ ⑤ ㄴ, ㄷ, ㄹ

빈출

83 하중상

그림 (가)는 인체에서 이루어지는 영양소의 소화 과정을, (나)는 소장의 융털을 나타낸 것이다. ㉠~㉢은 각 영양소의 최종 소화 산물이다.

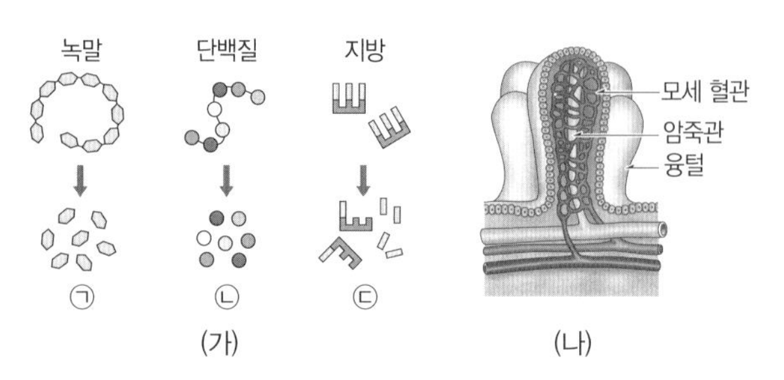

(가) (나)

이에 대한 설명으로 옳은 것만을 〈보기〉에서 있는 대로 고른 것은?

〈 보기 〉
ㄱ. ㉠은 포도당, ㉡은 아미노산, ㉢은 지방산과 모노글리세리드이다.
ㄴ. ㉡과 ㉢은 모두 융털의 암죽관으로 흡수된다.
ㄷ. (가) 과정은 소화 기관에서 이루어진다.

① ㄱ ② ㄴ ③ ㄷ
④ ㄱ, ㄷ ⑤ ㄴ, ㄷ

84 하중상

그림 (가)는 소장 융털의 구조를, (나)는 소장에서 흡수된 영양소가 이동하는 경로를 나타낸 것이다. A와 B는 각각 암죽관과 모세 혈관 중 하나이고, ㉠과 ㉡은 각각 가슴 림프관과 간문맥 중 하나이다.

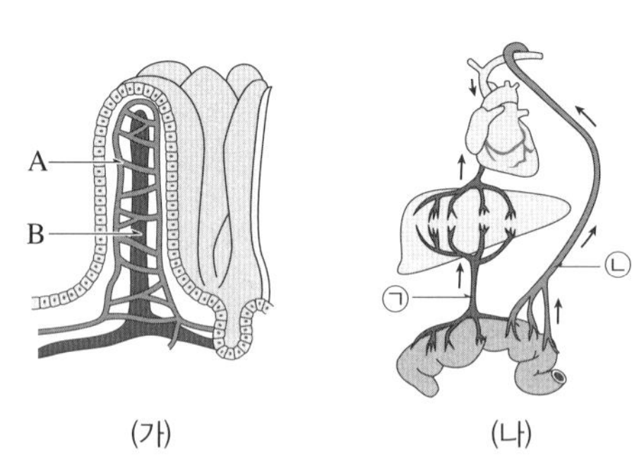

(가) (나)

이에 대한 설명으로 옳은 것만을 〈보기〉에서 있는 대로 고른 것은?

〈 보기 〉
ㄱ. 포도당과 아미노산은 A로 흡수된다.
ㄴ. A를 통해 흡수된 영양소는 ㉡을 통해 이동한다.
ㄷ. 지방산은 B로 흡수되어 순환계를 통해 온몸으로 운반된다.

① ㄱ ② ㄴ ③ ㄱ, ㄷ
④ ㄴ, ㄷ ⑤ ㄱ, ㄴ, ㄷ

산소의 흡수

85 하중상 ••서술형

그림은 소장의 내부와 폐포의 구조를 나타낸 것이다.

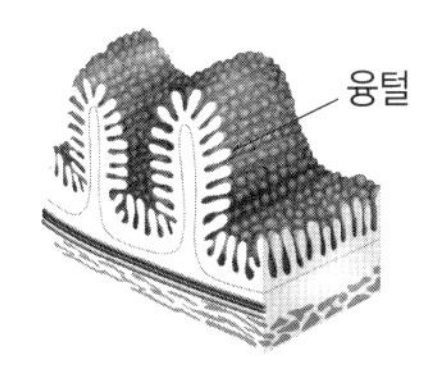

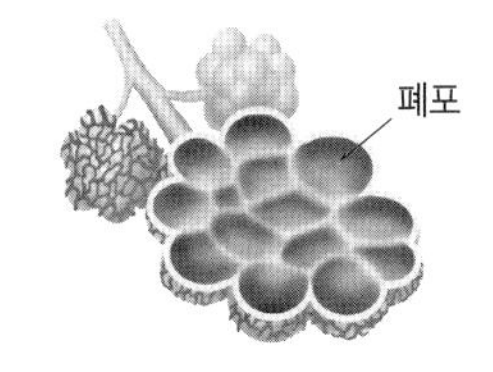

이와 같은 구조가 공통적으로 갖는 장점을 서술하시오.

86 하중상 ••서술형

그림은 사람의 폐포에서 기체가 교환되는 과정을 나타낸 것이다. ㉠과 ㉡은 각각 O_2와 CO_2 중 하나이다.

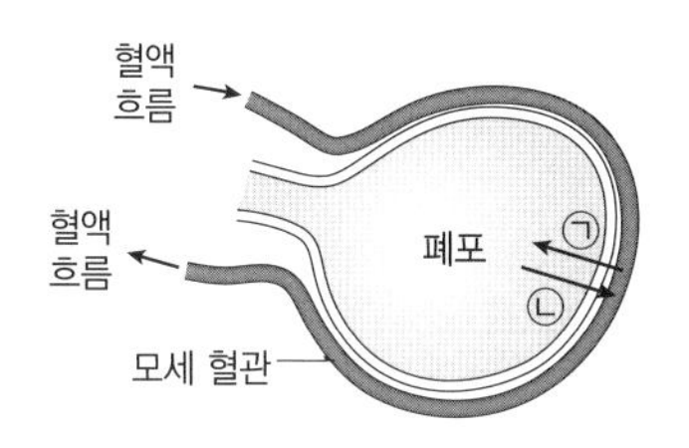

(1) 기체 ㉠과 ㉡은 각각 무엇인지 쓰시오.

(2) 폐포와 모세 혈관 사이에서 기체 ㉠과 ㉡이 교환되는 원리를 기체 ㉠과 ㉡의 분압 크기를 비교하여 서술하시오.

87 하중상

그림은 폐포의 구조를, 표는 폐포 주변 모세 혈관의 두 지점 A와 B를 흐르는 혈액의 O_2 분압과 CO_2 분압을 나타낸 것이다.

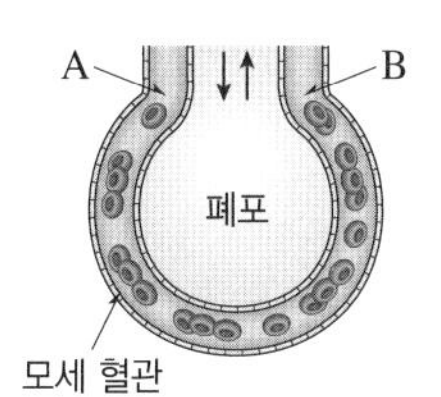

지점	O_2 분압	CO_2 분압
A	40	50
B	100	40

(단위: mmHg)

이에 대한 설명으로 옳은 것만을 〈보기〉에서 있는 대로 고른 것은?

〈 보기 〉
ㄱ. A에는 동맥혈, B에는 정맥혈이 흐른다.
ㄴ. O_2는 모세 혈관에서 폐포로 확산되어 이동한다.
ㄷ. 혈액은 A에서 B 방향으로 흐른다.

① ㄱ ② ㄴ ③ ㄷ
④ ㄱ, ㄴ ⑤ ㄴ, ㄷ

빈출

88 하중상

그림은 사람의 폐포와 조직 세포에서 일어나는 기체 교환 (가)와 (나)를 나타낸 것이다. ㉠과 ㉡은 각각 산소와 이산화 탄소 중 하나이다.

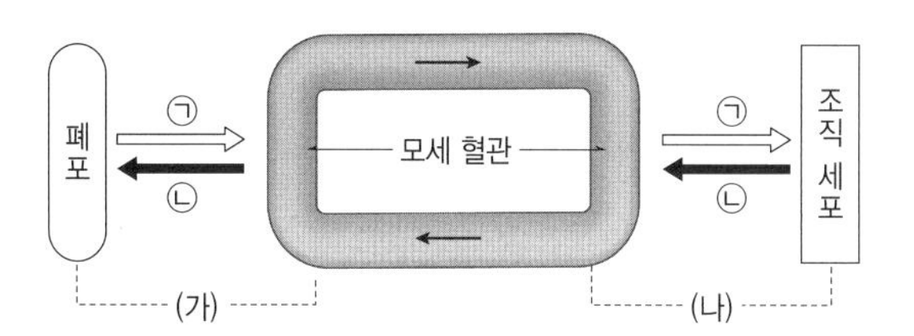

이에 대한 설명으로 옳은 것만을 〈보기〉에서 있는 대로 고른 것은?

〈 보기 〉
ㄱ. ㉠은 산소, ㉡은 이산화 탄소이다.
ㄴ. ㉠은 주로 적혈구에 의해 운반된다.
ㄷ. (가)와 (나)에서 ㉠과 ㉡은 모두 확산에 의해 이동한다.

① ㄱ ② ㄷ ③ ㄱ, ㄴ
④ ㄴ, ㄷ ⑤ ㄱ, ㄴ, ㄷ

89 하중상

그림 (가)는 폐포와 조직 세포에서 일어나는 기체 교환을, (나)는 혈관 A와 B에서 기체 ㉠과 ㉡의 분압을 나타낸 것이다.

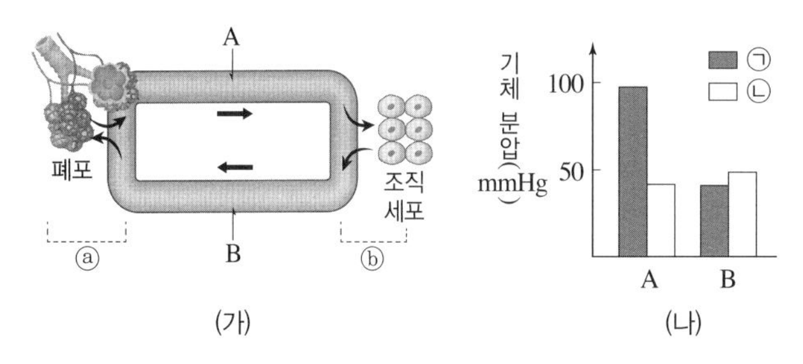

이에 대한 설명으로 옳은 것만을 〈보기〉에서 있는 대로 고른 것은?

〈 보기 〉
ㄱ. ㉠은 O_2이다.
ㄴ. ㉡은 조직 세포로 이동하여 세포 호흡에 사용된다.
ㄷ. 혈액의 단위 부피당 O_2의 양은 A에서가 B에서보다 많다.
ㄹ. ⓐ와 ⓑ에서 ㉠과 ㉡의 이동 과정에 ATP의 에너지가 사용된다.

① ㄱ, ㄷ ② ㄴ, ㄷ ③ ㄷ, ㄹ
④ ㄱ, ㄴ, ㄷ ⑤ ㄴ, ㄷ, ㄹ

영양소와 산소의 이동

90 하중상

그림은 사람의 혈액 순환 과정을 나타낸 것이다. A~D는 각각 대동맥, 대정맥, 폐동맥, 폐정맥 중 하나이다.

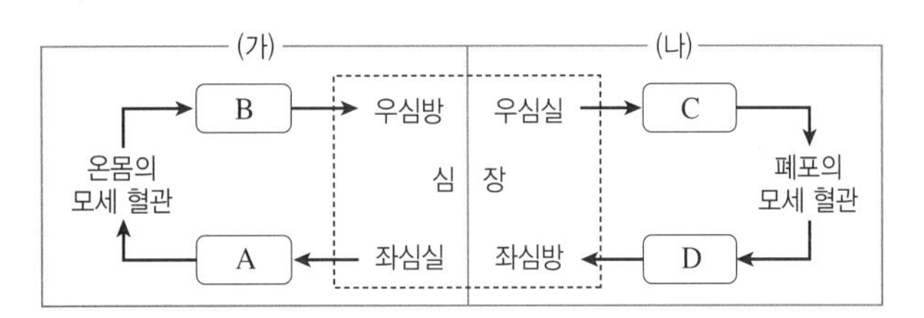

이에 대한 설명으로 옳은 것만을 〈보기〉에서 있는 대로 고른 것은?

〈 보기 〉

ㄱ. (가)는 온몸 순환, (나)는 폐순환이다.
ㄴ. A는 대동맥, C는 폐동맥이다.
ㄷ. B에는 동맥혈이 흐르고, D에는 정맥혈이 흐른다.

① ㄱ ② ㄴ ③ ㄷ
④ ㄱ, ㄴ ⑤ ㄴ, ㄷ

[91~92] 그림은 사람의 혈액 순환 경로 중 일부를 나타낸 것이다. A와 B는 각각 소화 기관과 호흡 기관 중 하나이며, (가)~(라)는 혈관이다.

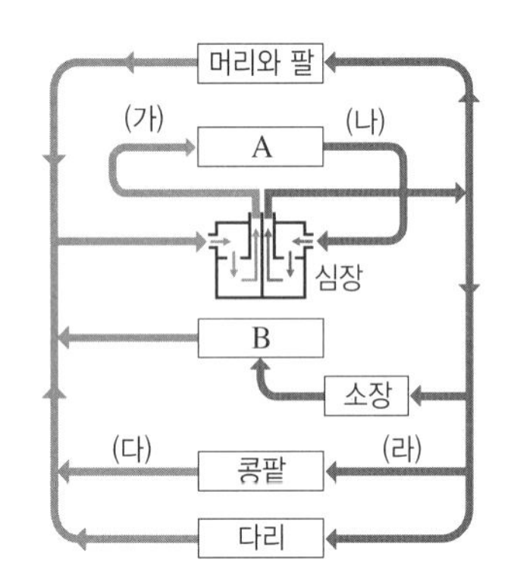

91 하중상

이에 대한 설명으로 옳은 것만을 〈보기〉에서 있는 대로 고른 것은?

〈 보기 〉

ㄱ. A는 폐, B는 간이다.
ㄴ. 단위 부피당 혈액의 요소 농도는 (다)에서보다 (라)에서 높다.
ㄷ. 온몸을 순환한 혈액은 심장을 거쳐 폐로 이동한다.

① ㄱ ② ㄷ ③ ㄱ, ㄴ
④ ㄴ, ㄷ ⑤ ㄱ, ㄴ, ㄷ

92 하중상

서술형

(가)와 (나)에서 단위 부피당 혈액의 산소 농도를 비교하고, 혈액의 산소 농도가 차이가 나는 까닭을 서술하시오.

93 하중상

그림은 사람의 혈액 순환 경로의 일부를 나타낸 것이다. A와 B는 각각 간과 폐 중 하나이고, ㉠과 ㉡은 각각 대동맥과 폐동맥 중 하나이다.

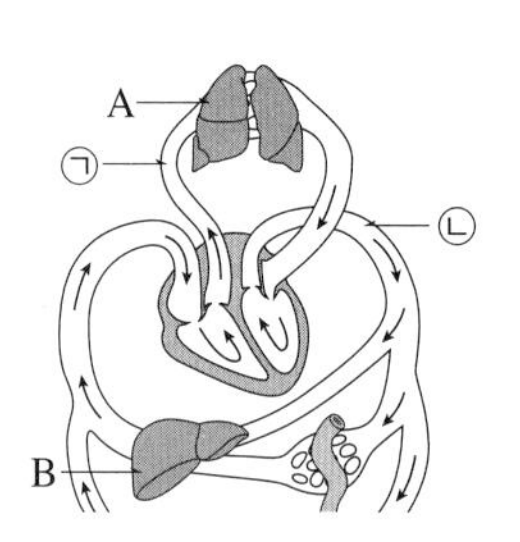

이에 대한 설명으로 옳은 것만을 〈보기〉에서 있는 대로 고른 것은?

〈 보기 〉

ㄱ. A는 심장과 같은 기관계에 속한다.
ㄴ. B에서 암모니아가 요소로 전환된다.
ㄷ. ㉠에는 정맥혈이, ㉡에는 동맥혈이 흐른다.

① ㄱ ② ㄷ ③ ㄱ, ㄴ
④ ㄴ, ㄷ ⑤ ㄱ, ㄴ, ㄷ

94 하중상

多 보기

그림은 사람의 혈액 순환 경로를 나타낸 것이다. A~D는 각각 간, 폐, 콩팥, 심장 중 하나이고, ㉠~㉣은 혈관이다.

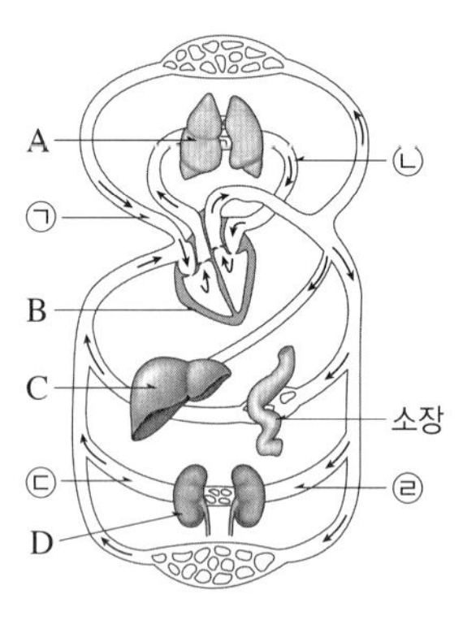

이에 대한 설명으로 옳은 것은?

① A는 소화계, B는 순환계에 속한다.
② C와 D는 모두 배설계에 속한다.
③ C에서 생성된 요소는 A를 통해 몸 밖으로 나간다.
④ ㉠은 폐동맥이다.
⑤ 혈액의 단위 부피당 O_2의 양은 ㉡에서보다 ㉠에서 많다.
⑥ 혈액의 단위 부피당 $\frac{O_2\text{의 양}}{CO_2\text{의 양}}$은 ㉠에서보다 ㉡에서 크다.
⑦ 혈액의 단위 부피당 요소의 양은 ㉣에서보다 ㉢에서 많다.

노폐물의 생성과 배설

95 (하 중 상)

그림은 노폐물의 생성과 배설 과정을 나타낸 것이다. A~C는 각각 물, 요소, 이산화 탄소 중 하나이다.

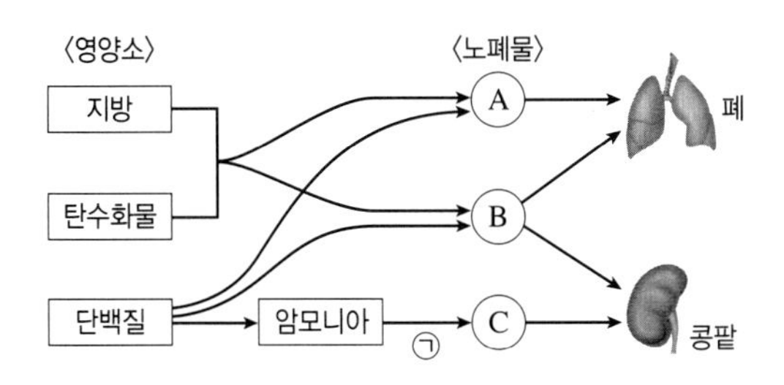

이에 대한 설명으로 옳은 것만을 〈보기〉에서 있는 대로 고른 것은?

〈 보기 〉
ㄱ. A는 이산화 탄소이다.
ㄴ. B는 호흡계를 통해 몸 밖으로 배출되기도 한다.
ㄷ. C는 암모니아보다 독성이 약한 물질이다.
ㄹ. ㉠ 과정은 주로 배설계에서 일어난다.

① ㄱ, ㄴ　② ㄴ, ㄷ　③ ㄷ, ㄹ
④ ㄱ, ㄴ, ㄷ　⑤ ㄴ, ㄷ, ㄹ

[96~97] 그림은 사람의 체내에서 일어나는 물질대사 과정의 일부를 나타낸 것이다. ㉠과 ㉡은 각각 ATP와 H_2O 중 하나이다.

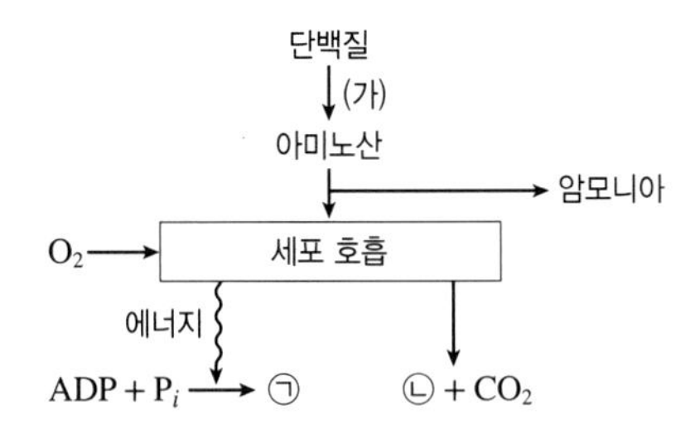

96 (하 중 상)

이에 대한 설명으로 옳은 것만을 〈보기〉에서 있는 대로 고른 것은?

〈 보기 〉
ㄱ. (가)는 소화계에서 일어난다.
ㄴ. ㉠에 저장된 에너지는 생명 활동에 이용된다.
ㄷ. ㉡은 호흡계와 배설계를 통해 배출된다.

① ㄱ　② ㄷ　③ ㄱ, ㄴ
④ ㄴ, ㄷ　⑤ ㄱ, ㄴ, ㄷ

97 (하 중 상)

••서술형

세포에서 단백질이 분해되어 생성된 암모니아는 어떤 과정을 거쳐 몸 밖으로 나가는지 서술하시오.

98 (하 중 상)

다음은 생콩즙을 이용한 오줌 성분 확인 실험이다.

[실험 과정]
(가) 비커 A~C에 표와 같이 용액을 넣고 색 변화를 관찰한다.

비커	용액
A	오줌 20 mL+BTB 용액 10 mL
B	오줌 20 mL+BTB 용액 10 mL
C	2 % 요소 용액 20 mL+BTB 용액 10 mL

(나) (가)의 A에 증류수 5 mL를, B와 C에 각각 생콩즙 5 mL를 넣고 30분 후 용액의 색 변화를 관찰한다.

[실험 결과]

비커	(가)의 결과	(나)의 결과
A	초록색	㉠
B	초록색	파란색
C	초록색	파란색

이에 대한 설명으로 옳은 것만을 〈보기〉에서 있는 대로 고른 것은?(단, BTB 용액은 산성에서는 노란색, 중성에서는 초록색, 염기성에서는 파란색을 나타낸다.)

〈 보기 〉
ㄱ. ㉠은 노란색이다.
ㄴ. C에서는 생콩즙 속 효소의 작용으로 요소가 분해되어 암모니아가 생성되었다.
ㄷ. 실험 결과를 통해 오줌 속에는 요소가 들어 있음을 알 수 있다.

① ㄱ　② ㄴ　③ ㄷ　④ ㄱ, ㄴ　⑤ ㄴ, ㄷ

99 (하 중 상)

표 (가)는 구성 원소와 이를 포함하는 물질 ⓐ~ⓓ를, (나)는 기관계 ㉠과 ㉡ 각각에 속하는 기관을 나타낸 것이다. ⓐ~ⓓ는 각각 물, 암모니아, 이산화 탄소, 단백질 중 하나이다.

구성 원소	물질
질소(N)	ⓐ, ⓑ
산소(O)	ⓐ, ⓒ, ⓓ
수소(H)	ⓐ, ⓑ, ⓓ

(가)

기관계	㉠	㉡
기관	위	콩팥

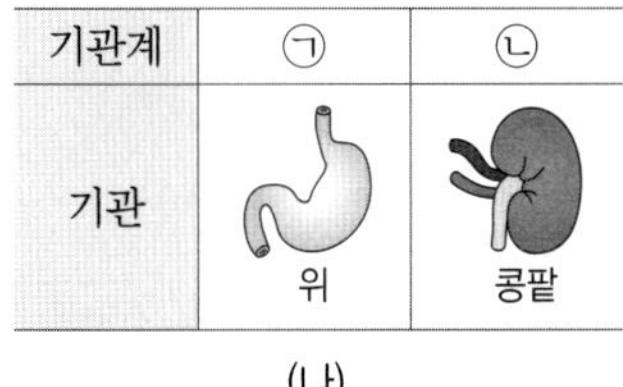

(나)

이에 대한 설명으로 옳은 것만을 〈보기〉에서 있는 대로 고른 것은?

〈 보기 〉
ㄱ. ⓐ는 물, ⓒ는 단백질이다.
ㄴ. ⓓ는 ㉡을 통해 몸 밖으로 배출된다.
ㄷ. ㉠에서 ⓐ의 분해가 일어난다.

① ㄱ　② ㄷ　③ ㄱ, ㄴ　④ ㄴ, ㄷ　⑤ ㄱ, ㄴ, ㄷ

기관계의 통합적 작용

100 하중상

표는 사람의 기관계 A~C와 각 기관계에 속하는 기관의 예를 나타낸 것이다. A~C는 각각 호흡계, 소화계, 배설계 중 하나이다.

기관계	기관의 예
A	위, 소장
B	폐, 기관지
C	콩팥, 방광

이에 대한 설명으로 옳은 것만을 〈보기〉에서 있는 대로 고른 것은?

〈 보기 〉

ㄱ. A는 배설계이다.
ㄴ. 대장은 C에 속한다.
ㄷ. C는 질소 노폐물을 몸 밖으로 내보내는 역할을 한다.

① ㄱ ② ㄴ ③ ㄷ ④ ㄱ, ㄴ ⑤ ㄴ, ㄷ

101 하중상

그림 (가)~(라)는 사람의 소화계, 순환계, 호흡계, 배설계를 순서 없이 나타낸 것이다.

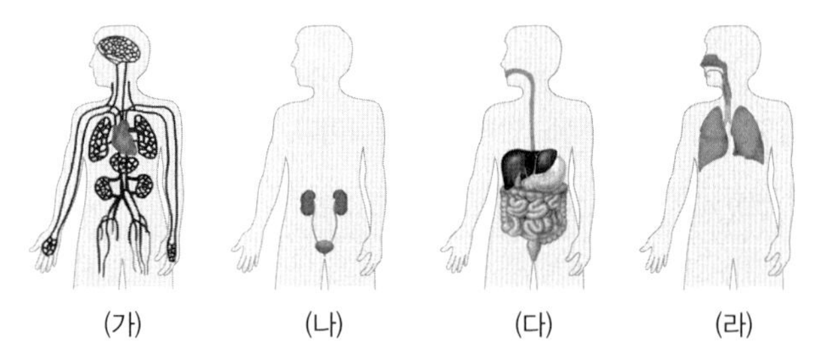

이에 대한 설명으로 옳은 것만을 〈보기〉에서 있는 대로 고른 것은?

〈 보기 〉

ㄱ. (다)에는 암모니아를 요소로 전환하는 기관이 있다.
ㄴ. (다)에서 흡수되지 않은 물질은 (나)를 통해 배출된다.
ㄷ. 세포 호흡에 필요한 산소는 (라)에서 흡수되어 (가)로 이동한다.

① ㄱ ② ㄴ ③ ㄱ, ㄷ ④ ㄴ, ㄷ ⑤ ㄱ, ㄴ, ㄷ

빈출
102 하중상

그림은 사람 몸에 있는 각 기관계의 통합적 작용을 나타낸 것이다. A~C는 각각 호흡계, 소화계, 순환계 중 하나이다.

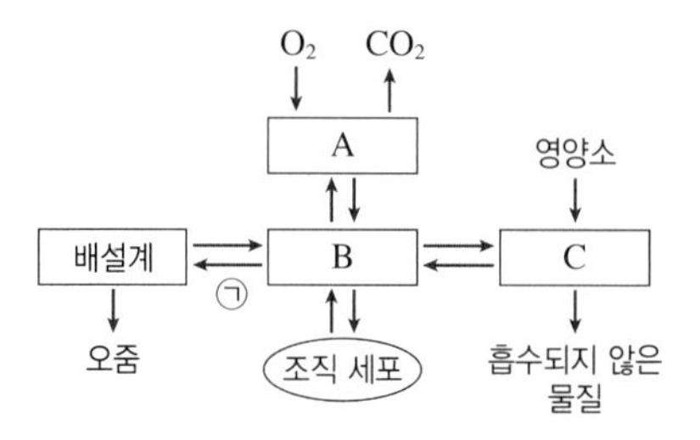

이에 대한 설명으로 옳은 것만을 〈보기〉에서 있는 대로 고른 것은?

〈 보기 〉

ㄱ. 기관지는 A, 심장은 B에 속한다.
ㄴ. 영양소는 C로 흡수되어 B를 통해 조직 세포로 운반된다.
ㄷ. ㉠에는 물, 요소의 이동이 포함된다.

① ㄱ ② ㄷ ③ ㄱ, ㄴ ④ ㄴ, ㄷ ⑤ ㄱ, ㄴ, ㄷ

빈출
103 하중상

그림은 사람 몸에 있는 각 기관계의 통합적 작용을 나타낸 것이다. (가)~(다)는 각각 배설계, 소화계, 호흡계 중 하나이다.

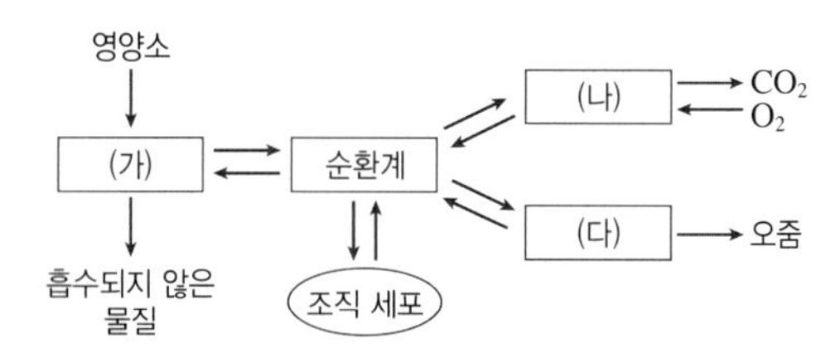

이에 대한 설명으로 옳은 것만을 〈보기〉에서 있는 대로 고른 것은?

〈 보기 〉

ㄱ. (가)에서 이화 작용이 일어난다.
ㄴ. (나)는 호흡계이다.
ㄷ. (다)를 통해 물과 이산화 탄소가 함께 배출된다.

① ㄱ ② ㄴ ③ ㄷ ④ ㄱ, ㄴ ⑤ ㄴ, ㄷ

104 하중상

그림은 사람 몸에 있는 기관계의 통합적 작용을 나타낸 것이다. (가)~(라)는 각각 배설계, 소화계, 순환계, 호흡계 중 하나이며, ㉠과 ㉡은 각각 O_2와 CO_2 중 하나이다.

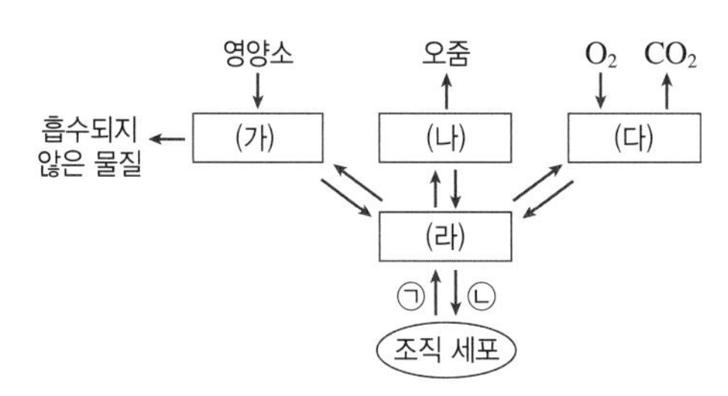

이에 대한 설명으로 옳은 것만을 〈보기〉에서 있는 대로 고른 것은?

〈 보기 〉

ㄱ. ㉠은 CO_2, ㉡은 O_2이다.

ㄴ. (다)와 (라) 사이에 일어나는 기체 교환에 ATP가 사용된다.

ㄷ. 세포 호흡으로 생성된 노폐물은 모두 (나)를 통해 몸 밖으로 나간다.

① ㄱ ② ㄴ ③ ㄷ
④ ㄱ, ㄴ ⑤ ㄴ, ㄷ

105 하중상

그림은 사람의 기관계 A~D를 나타낸 것이다. A~D는 각각 호흡계, 소화계, 순환계, 배설계 중 하나이다.

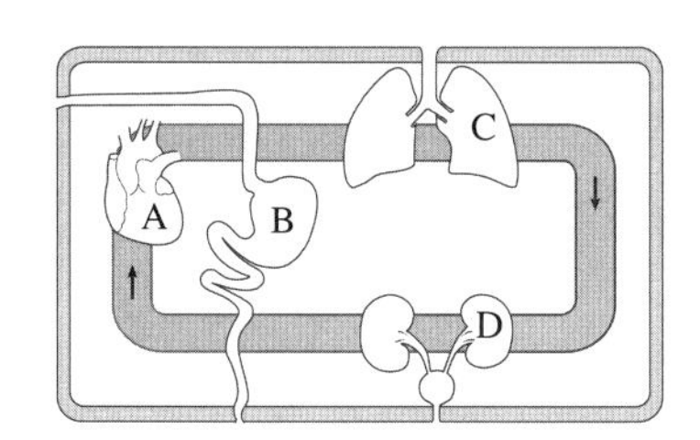

이에 대한 설명으로 옳은 것만을 〈보기〉에서 있는 대로 고른 것은?

〈 보기 〉

ㄱ. B에는 소화 효소를 가진 기관들이 속해 있다.

ㄴ. C에서 흡수한 물질은 A를 거쳐 조직 세포로 운반된다.

ㄷ. 단백질이 분해될 때 생성되는 암모니아는 모두 D에서 요소로 전환된다.

① ㄱ ② ㄷ ③ ㄱ, ㄴ
④ ㄴ, ㄷ ⑤ ㄱ, ㄴ, ㄷ

B 물질대사와 건강

106 하중상

그림은 에너지 섭취량과 에너지 소비량을 비교하여 나타낸 것이다.

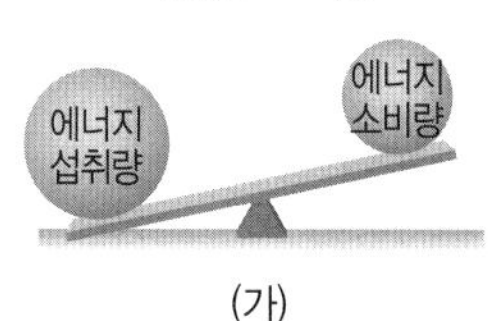

(가)

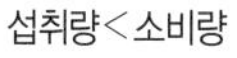

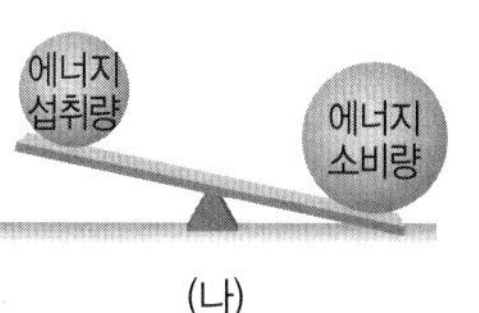

(나)

이에 대한 설명으로 옳은 것만을 〈보기〉에서 있는 대로 고른 것은?

〈 보기 〉

ㄱ. (가) 상태가 지속되면 체중이 감소한다.

ㄴ. (가) 상태가 오래 지속되면 대사성 질환에 걸릴 확률이 높아진다.

ㄷ. (나) 상태가 오래 지속되면 비만이 될 수 있다.

① ㄱ ② ㄴ ③ ㄷ
④ ㄱ, ㄴ ⑤ ㄴ, ㄷ

107 하중상

에너지 대사에 대한 설명으로 옳지 않은 것은?

① 기초 대사량은 성별, 연령 등에 관계없이 모두 같다.
② 1일 대사량은 기초 대사량과 활동 대사량을 포함한다.
③ 1일 대사량은 하루 동안 소비하는 총에너지양이다.
④ 생명 활동을 유지하는 데 필요한 최소한의 에너지양을 기초 대사량이라고 한다.
⑤ 활동 대사량은 기초 대사량 외에 다양한 신체 활동을 하는 데 필요한 에너지양이다.

108 하중상

그림은 물질대사의 중요성에 대한 학생 A~C의 대화 내용을 나타낸 것이다.

가만히 누워서 쉬고 있을 때에도 에너지를 소비하고 있어.

체온 조절에 필요한 에너지양은 활동 대사량에 포함돼.

에너지 섭취량이 에너지 소비량보다 많은 상태가 지속되면 비만이 될 가능성이 높아.

대화 내용이 옳은 학생만을 있는 대로 고른 것은?

① A ② C ③ A, B
④ A, C ⑤ B, C

109 하중상

그림은 사람의 1일 대사량의 구성비를 나타낸 것이다. ㉠과 ㉡은 각각 기초 대사량과 활동 대사량 중 하나이며, ㉠에는 심장 박동에 필요한 에너지양이 포함된다.

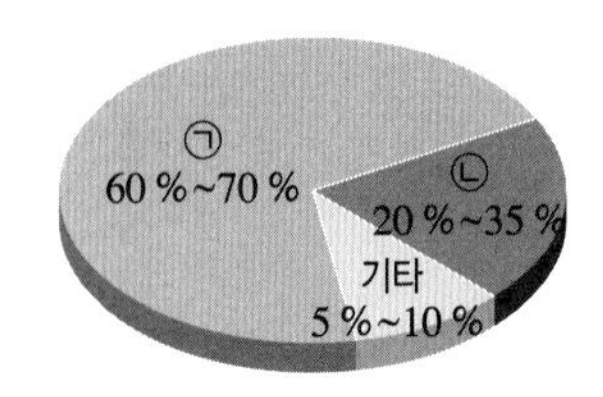

이에 대한 설명으로 옳은 것만을 <보기>에서 있는 대로 고른 것은?

〈 보기 〉
ㄱ. ㉠은 기초 대사량이다.
ㄴ. 키가 크고 체표면적이 클수록 ㉠이 적어진다.
ㄷ. ㉡은 운동하기, 독서하기 등의 활동에 필요한 에너지양이다.

① ㄱ ② ㄴ ③ ㄷ
④ ㄱ, ㄷ ⑤ ㄴ, ㄷ

110 하중상

표는 대사성 질환 (가)~(다)의 특징을 나타낸 것이다. (가)~(다)는 각각 고혈압, 고지혈증, 당뇨병 중 하나이다.

질환	특징
(가)	혈액에 콜레스테롤이나 중성 지방이 많은 상태로, 지질 성분이 혈관 내벽에 쌓이게 된다.
(나)	혈당량이 높은 상태가 지속되는 질환으로, 오줌에 당이 섞여 나온다.
(다)	혈압이 정상 범위보다 높은 만성 질환으로, 심혈관계 질환의 원인이 된다.

이에 대한 설명으로 옳은 것만을 <보기>에서 있는 대로 고른 것은?

〈 보기 〉
ㄱ. (다)는 당뇨병이다.
ㄴ. (가)가 오래 지속되면 동맥 경화로 진행될 수 있다.
ㄷ. (나)는 인슐린의 분비가 부족하거나 몸의 세포가 인슐린에 적절히 반응하지 못해 발생한다.

① ㄱ ② ㄴ ③ ㄷ
④ ㄴ, ㄷ ⑤ ㄱ, ㄴ, ㄷ

111 하중상

多 보기

대사성 질환에 대한 설명으로 옳지 않은 것은?

① 물질대사에 이상이 생겨 발생하는 질환이다.
② 유전적 요인과 생활 습관이 함께 작용하여 발생한다.
③ 대사성 질환에는 당뇨병, 고혈압, 고지혈증 등이 있다.
④ 영양 과잉이나 운동 부족으로 에너지의 불균형이 지속되면 나타날 수 있다.
⑤ 예방을 위해 균형 잡힌 식사와 규칙적인 운동 등 올바른 생활 습관이 필요하다.
⑥ 에너지 소비량보다 에너지 섭취량이 많으면 남는 영양소가 주로 단백질로 전환되어 비만이 될 수 있다.

112 하중상

표는 철수와 영희가 하루 동안 섭취한 주영양소의 평균 섭취량과 하루 평균 소비한 에너지양을 나타낸 것이다.

• 1일 평균 섭취량

구분	철수	영희
탄수화물	450 g	300 g
단백질	150 g	100 g
지방	60 g	200 g

• 1일 평균 소비한 에너지양은 철수는 3500 kcal이고, 영희는 2800 kcal이다.

이에 대한 설명으로 옳은 것만을 <보기>에서 있는 대로 고른 것은? (단, 탄수화물과 단백질은 각각 1 g당 4 kcal, 지방은 1 g당 9 kcal의 에너지를 낸다.)

〈 보기 〉
ㄱ. 철수가 하루 동안 탄수화물, 단백질, 지방을 통해 섭취한 에너지양은 2940 kcal이다.
ㄴ. 영희가 하루 동안 탄수화물, 단백질, 지방을 통해 섭취한 에너지양은 하루 평균 소비한 에너지양보다 많다.
ㄷ. 철수와 영희 모두 하루 동안 탄수화물로부터 가장 많은 에너지를 얻었다.
ㄹ. 철수와 영희가 이와 같은 에너지 섭취량과 소비량을 지속할 경우 대사성 질환에 걸릴 확률이 높은 사람은 철수이다.

① ㄱ, ㄴ ② ㄴ, ㄷ ③ ㄷ, ㄹ
④ ㄱ, ㄴ, ㄷ ⑤ ㄴ, ㄷ, ㄹ

113

그림은 같은 양의 포도당이 산소 호흡과 발효를 통해 분해되는 과정을 나타낸 것이다.

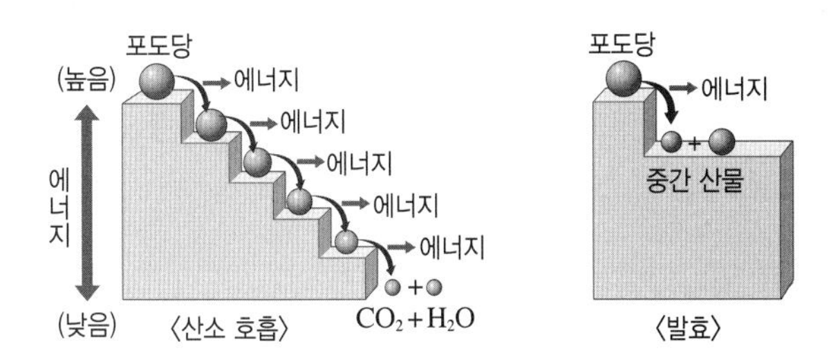

이에 대한 설명으로 옳은 것만을 〈보기〉에서 있는 대로 고른 것은?

〈 보기 〉
ㄱ. 산소 호흡보다 발효에서 더 많은 에너지가 생성된다.
ㄴ. 산소 호흡과 발효 모두 효소가 이용된다.
ㄷ. 산소 호흡과 발효 모두 산소가 필요하다.

① ㄱ ② ㄴ ③ ㄷ
④ ㄱ, ㄴ ⑤ ㄴ, ㄷ

114

그림은 건강한 사람의 콩팥에서 오줌이 생성되는 과정을, 표는 세 지점 A~C에서 검출되는 물질 (가)~(다)의 농도를 나타낸 것이다.

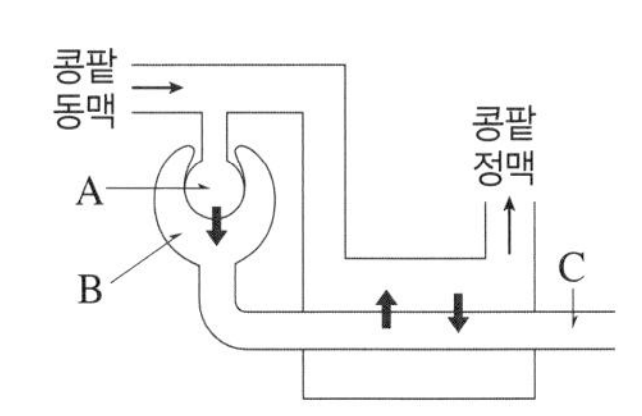

구분	(가)	(나)	(다)
A	0.03	0.10	8.00
B	0.03	0.10	0.00
C	2.00	0.00	0.00

(단위: %)

이에 대한 설명으로 옳은 것만을 〈보기〉에서 있는 대로 고른 것은?

〈 보기 〉
ㄱ. (가)의 농도는 콩팥 동맥보다 콩팥 정맥에서 높다.
ㄴ. (나)는 100 % 재흡수되는 물질이다.
ㄷ. (다)는 A에서 B로 여과되지 않는다.
ㄹ. (나)와 (다)는 모두 오줌에서 발견되지 않는다.

① ㄱ, ㄴ ② ㄴ, ㄷ ③ ㄷ, ㄹ
④ ㄱ, ㄴ, ㄹ ⑤ ㄴ, ㄷ, ㄹ

115

그림은 우리 몸에서 물질 ㉠~㉣의 이동 과정 일부를 나타낸 것이다. ㉠~㉣은 각각 물, 산소, 포도당, 이산화 탄소 중 하나이며, ㉠은 혈장에 의해 조직 세포로 이동한다.

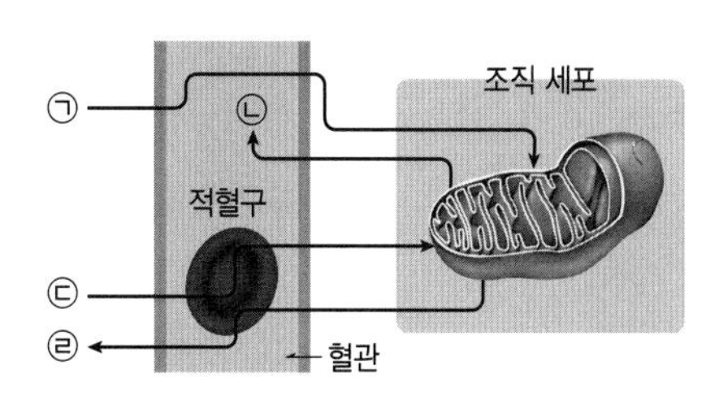

이에 대한 설명으로 옳은 것만을 〈보기〉에서 있는 대로 고른 것은?

〈 보기 〉
ㄱ. ㉠은 소장 융털을 통해 체내로 흡수된다.
ㄴ. ㉡과 ㉣은 모두 세포 호흡 결과 생성된 물질이다.
ㄷ. ㉢이 모세 혈관에서 조직 세포로 이동할 때 ATP가 사용된다.

① ㄱ ② ㄷ ③ ㄱ, ㄴ ④ ㄴ, ㄷ ⑤ ㄱ, ㄴ, ㄷ

116

••서술형

다음은 체중이 60 kg인 어떤 남학생 A의 하루 평균 섭취한 에너지양과 소비한 에너지양을 나타낸 것이다. 탄수화물과 단백질의 에너지양은 각각 4 kcal/g, 지방은 9 kcal/g이다.

• 1일 평균 에너지 섭취량(kcal)

1일 평균 섭취량	탄수화물	450 g
	단백질	100 g
	지방	㉠ g
1일 평균 에너지 섭취량		2650 kcal

• 활동에 따른 에너지 소비량(kcal/kg·h)

활동	에너지 소비량 (kcal/kg·h)	활동 시간(h)
잠자기	1.0	8
식사하기	1.5	4
걷기	3.5	4
공부하기	1.5	5
줄넘기	8.5	1
휴식	1.1	2

* 기초 대사량은 활동에 의해 소비되는 에너지에 포함됨

(1) ㉠은 몇 g인지 풀이 과정과 함께 구하시오.

(2) A의 1일 에너지 소비량을 풀이 과정과 함께 구하시오.

(3) A가 이와 같은 에너지 섭취량과 소비량을 지속할 경우 A의 체중 변화와 발생할 수 있는 문제점을 서술하시오.

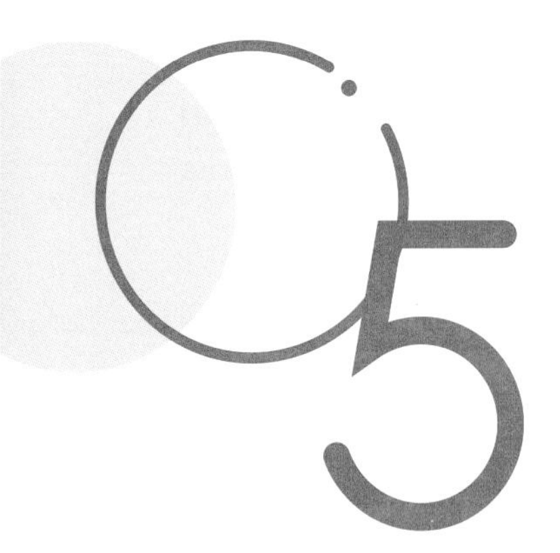

뉴런과 흥분의 발생

Ⓐ 뉴런

1 뉴런(신경 세포) 신경계를 구성하는 기본 단위가 되는 신경 세포

① **신경 세포체:** 핵과 세포 소기관이 있으며, 물질대사를 담당한다.

② **가지 돌기:** 다른 뉴런이나 세포에서 오는 신호를 받아들인다.

③ ❶□□ □□: 다른 뉴런이나 세포로 신호를 전달한다.

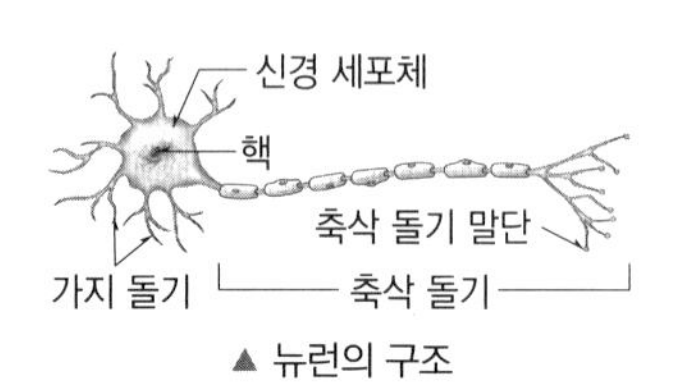

▲ 뉴런의 구조

2 뉴런의 종류

① **말이집 유무에 따른 구분:** 말이집 신경과 민말이집 신경으로 구분된다.

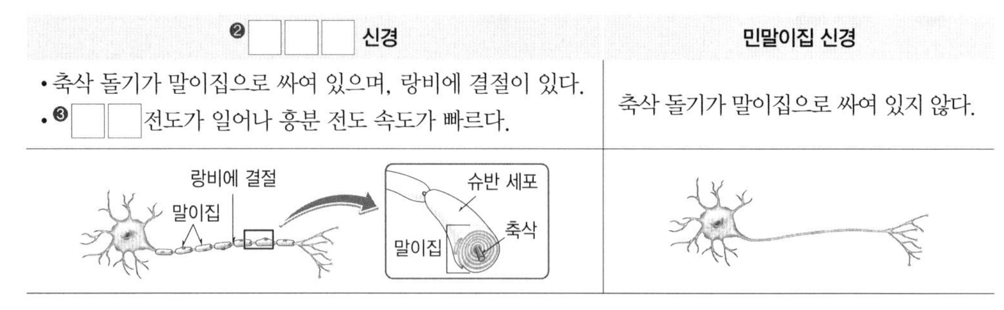

❷□□□ 신경	민말이집 신경
• 축삭 돌기가 말이집으로 싸여 있으며, 랑비에 결절이 있다. • ❸□□ 전도가 일어나 흥분 전도 속도가 빠르다.	축삭 돌기가 말이집으로 싸여 있지 않다.

② **기능에 따른 구분:** 구심성 뉴런, 연합 뉴런, 원심성 뉴런으로 구분된다.

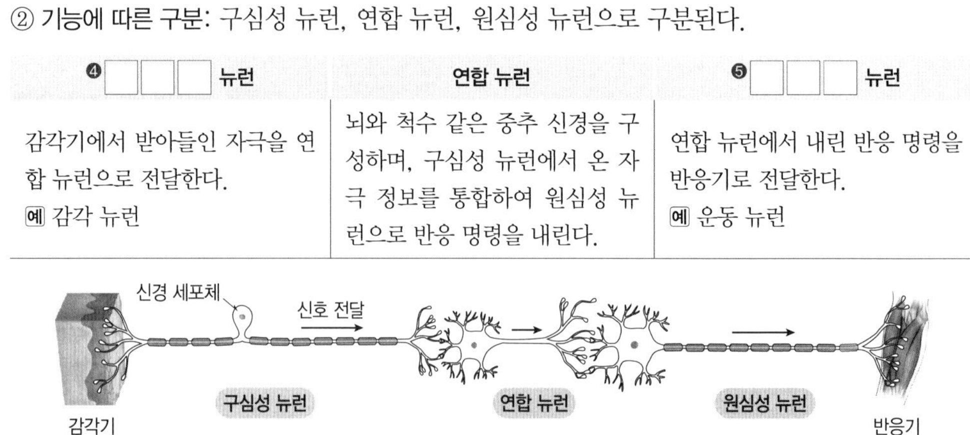

❹□□□ 뉴런	연합 뉴런	❺□□□ 뉴런
감각기에서 받아들인 자극을 연합 뉴런으로 전달한다. 예 감각 뉴런	뇌와 척수 같은 중추 신경을 구성하며, 구심성 뉴런에서 온 자극 정보를 통합하여 원심성 뉴런으로 반응 명령을 내린다.	연합 뉴런에서 내린 반응 명령을 반응기로 전달한다. 예 운동 뉴런

[신호 전달 경로] 자극 → 감각기 → 구심성 뉴런 → 연합 뉴런 → 원심성 뉴런 → 반응기

기출 Tip Ⓐ-2

말이집
슈반 세포의 세포막이 길게 늘어나 축삭 돌기를 싸고 있는 것으로, 신호 전달 과정에서 절연체 역할을 한다. ➜ 이 부분에서는 활동 전위가 나타나지 않는다.

흥분 전도 속도
• 말이집 신경에서는 도약전도가 일어나 민말이집 신경보다 흥분 전도 속도가 빠르다. ➜ 사람의 감각 뉴런과 운동 뉴런은 말이집 신경이므로 도약전도가 일어나 흥분 전도 속도가 빠르다.

〈말이집 신경〉 말이집 랑비에 결절
흥분 전도 (도약전도) 축삭
〈민말이집 신경〉

• 축삭 돌기의 지름이 클수록 저항을 적게 받기 때문에 흥분 전도 속도가 빠르다.

Ⓑ 흥분의 발생

1 뉴런의 세포막에서 이온의 이동 뉴런의 세포막에는 Na^+ 통로, K^+ 통로, Na^+-K^+ 펌프가 있으며, 이를 통해 Na^+과 K^+이 세포 안팎으로 이동한다.

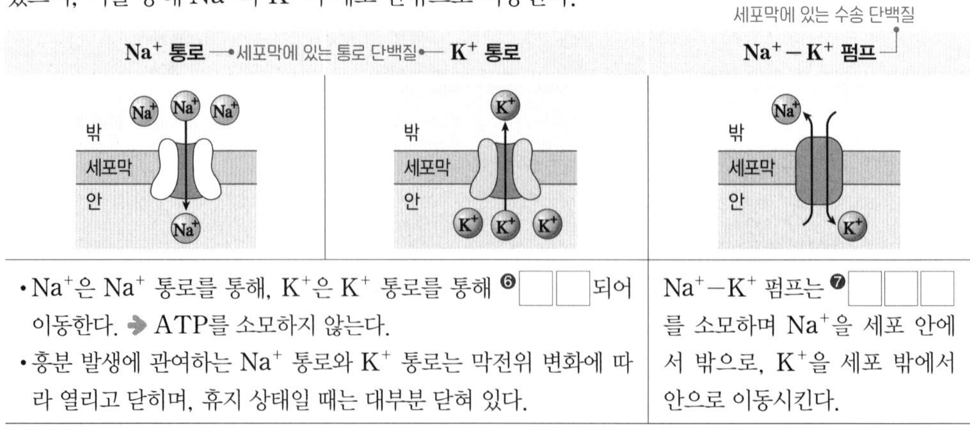

Na^+ 통로 / K^+ 통로	Na^+-K^+ 펌프
• Na^+은 Na^+ 통로를 통해, K^+은 K^+ 통로를 통해 ❻□□되어 이동한다. ➜ ATP를 소모하지 않는다. • 흥분 발생에 관여하는 Na^+ 통로와 K^+ 통로는 막전위 변화에 따라 열리고 닫히며, 휴지 상태일 때는 대부분 닫혀 있다.	Na^+-K^+ 펌프는 ❼□□□를 소모하며 Na^+을 세포 안에서 밖으로, K^+을 세포 밖에서 안으로 이동시킨다.

2 흥분의 발생 ❽ □□ → ❾ □□□ → ❿ □□□ 으로 진행된다.

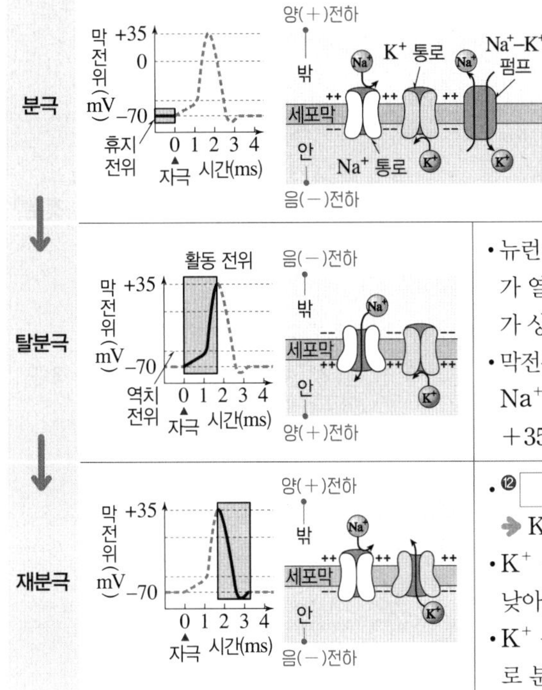

분극
- Na^+-K^+ 펌프에 의해 Na^+은 세포 밖으로, K^+은 세포 안으로 이동한다. ➜ Na^+ 농도는 세포 밖이 높고, K^+ 농도는 세포 안이 높다.
- Na^+ 통로와 K^+ 통로는 대부분 닫혀 있다.
- 약 −70 mV의 휴지 전위를 나타낸다.

탈분극
- 뉴런이 역치 이상의 자극을 받으면 ⓫ □ 통로가 열린다. ➜ Na^+이 세포 안으로 확산되어 막전위가 상승한다.
- 막전위가 역치 전위에 이르면 많은 Na^+ 통로가 열려 Na^+이 세포 안으로 급격히 확산되어 막전위가 약 +35 mV까지 상승한다. ➜ 활동 전위가 발생한다.

재분극
- ⓬ □ 통로는 닫히고, ⓭ □ 통로가 열린다. ➜ K^+이 세포 밖으로 확산되어 막전위가 하강한다.
- K^+ 통로는 천천히 닫혀 막전위가 휴지 전위보다 낮아지는 과분극이 일어난다.
- K^+ 통로가 모두 닫히면 Na^+-K^+ 펌프의 작용으로 분극 상태의 이온 분포를 회복한다.

흥분 발생 시 막전위와 이온의 막 투과도 변화

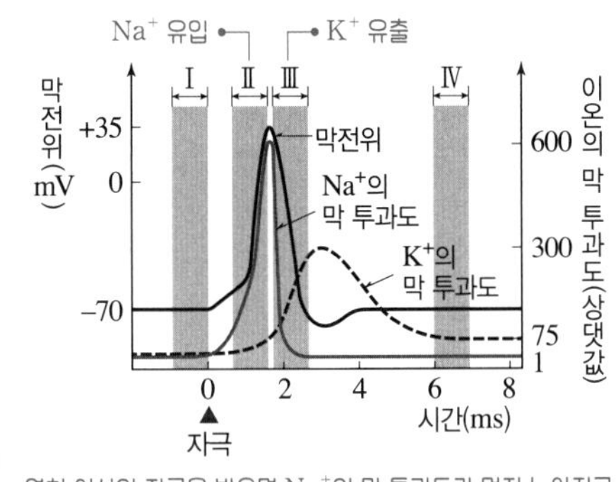

역치 이상의 자극을 받으면 Na^+의 막 투과도가 먼저 높아지고, 이어서 K^+의 막 투과도가 높아진다.

- 구간 Ⅰ과 Ⅳ(분극): Na^+-K^+ 펌프에 의해 Na^+은 세포 안에서 밖으로, K^+은 세포 밖에서 안으로 이동한다.
- 구간 Ⅱ(탈분극): Na^+ 통로가 열려 Na^+의 막 투과도가 높아진다. ➜ ⓮ □ 이 세포 안으로 유입되어 막전위가 상승한다.
- 구간 Ⅲ(재분극): Na^+ 통로가 닫혀 Na^+의 막 투과도는 낮아지고, K^+ 통로가 열려 K^+의 막 투과도가 높아진다. ➜ ⓯ □ 이 세포 밖으로 유출되어 막전위가 하강한다.

기출 Tip Ⓑ-2

뉴런에서 이온의 농도
뉴런에서 세포막을 경계로 Na^+의 농도는 항상 세포 밖이 세포 안보다 높고, K^+의 농도는 항상 세포 안이 세포 밖보다 높다.

자극의 세기에 따른 활동 전위의 변화
- 자극의 세기가 강할수록 활동 전위의 발생 빈도가 증가한다.
- 역치 이상의 자극일 때 막전위 크기는 자극의 세기와 관계없이 일정하다.

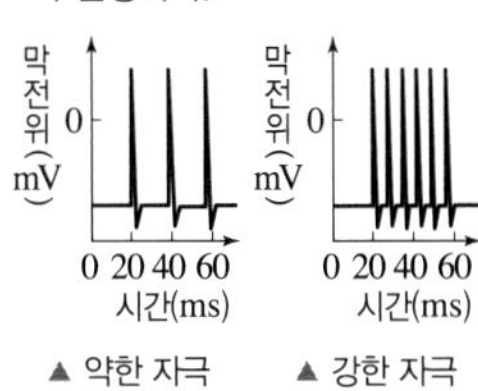

▲ 약한 자극 ▲ 강한 자극

답 ❶ 축삭 돌기 ❷ 말이집 ❸ 도약 ❹ 구심성 ❺ 원심성 ❻ 확산 ❼ ATP ❽ 분극 ❾ 탈분극 ❿ 재분극 ⓫ Na^+ ⓬ Na^+ ⓭ K^+ ⓮ Na^+ ⓯ K^+

빈출 자료 보기

정답과 해설 15쪽

117 그림은 어떤 뉴런에 역치 이상의 자극을 주었을 때 이 뉴런의 축삭 돌기 한 지점에서 측정한 막전위 변화를 나타낸 것이다.

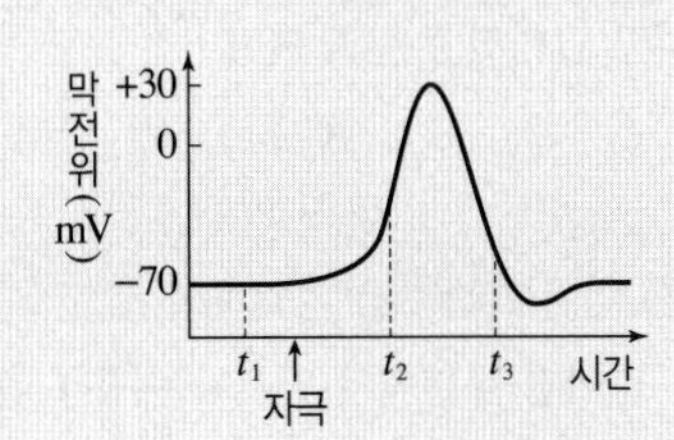

이에 대한 설명으로 옳은 것은 ○, 옳지 않은 것은 ×로 표시하시오.

(1) t_1일 때 휴지 전위가 측정된다. ( )
(2) t_1일 때 Na^+-K^+ 펌프가 작동한다. ( )
(3) t_1일 때 세포막을 통한 이온의 이동은 없다. ( )
(4) t_2일 때 탈분극이 일어나고 있다. ( )
(5) t_2일 때 Na^+이 세포 밖에서 안으로 확산된다. ( )
(6) t_3일 때 K^+의 농도는 세포 밖이 세포 안보다 높다. ( )
(7) Na^+ 통로를 통한 Na^+의 이동은 t_2일 때보다 t_3일 때 많다. ( )

A 뉴런

118 하 중 상

뉴런의 구조에 대한 설명으로 옳지 않은 것은?

① 가지 돌기 – 다른 뉴런이나 세포에서 오는 신호를 받아들인다.
② 축삭 돌기 – 다른 뉴런이나 세포로 신호를 전달한다.
③ 신경 세포체 – 핵과 세포 소기관이 있으며, 물질대사가 활발하게 일어난다.
④ 말이집 – 절연체 역할을 하여 흥분 전도 속도를 느리게 한다.
⑤ 랑비에 결절 – 말이집과 말이집 사이에 축삭 돌기가 겉으로 드러난 부분이다.

119 하 중 상

그림은 어떤 뉴런의 구조를 나타낸 것이다.

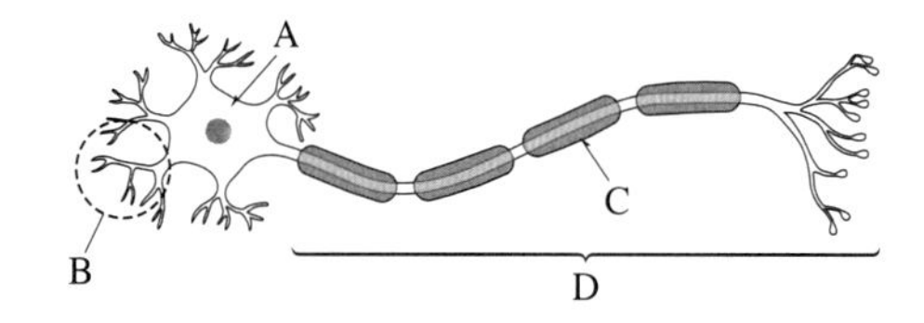

이에 대한 설명으로 옳지 않은 것은?

① 이 뉴런은 말이집 신경이다.
② A는 신경 세포체이다.
③ B는 다른 뉴런으로부터 자극을 수용한다.
④ C는 절연체 역할을 한다.
⑤ 역치 이상의 자극을 받으면 D의 전체에서 흥분이 발생한다.

120 하 중 상

그림은 말이집 신경(A)과 민말이집 신경(B)의 공통점과 차이점을 나타낸 것이다.
이에 대한 설명으로 옳은 것만을 〈보기〉에서 있는 대로 고른 것은?

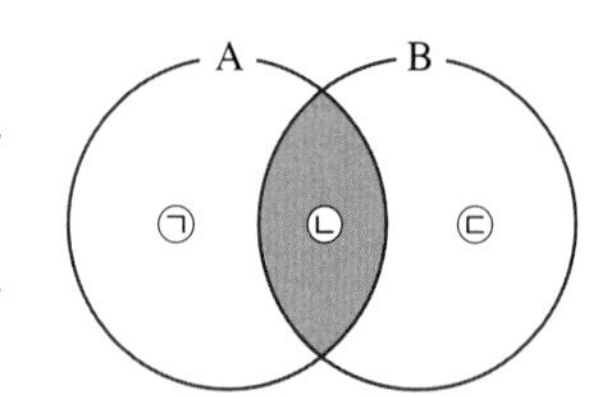

〈 보기 〉
ㄱ. '축삭 돌기가 말이집으로 싸여 있다.'는 ㉠에 해당한다.
ㄴ. '도약전도가 일어난다.'는 ㉡에 해당한다.
ㄷ. '랑비에 결절이 존재한다.'는 ㉢에 해당한다.

① ㄱ ② ㄴ ③ ㄷ
④ ㄱ, ㄴ ⑤ ㄴ, ㄷ

121 하 중 상

그림은 어떤 뉴런의 구조를 나타낸 것이다. A와 B는 각각 말이집과 축삭 돌기 중 하나이다.

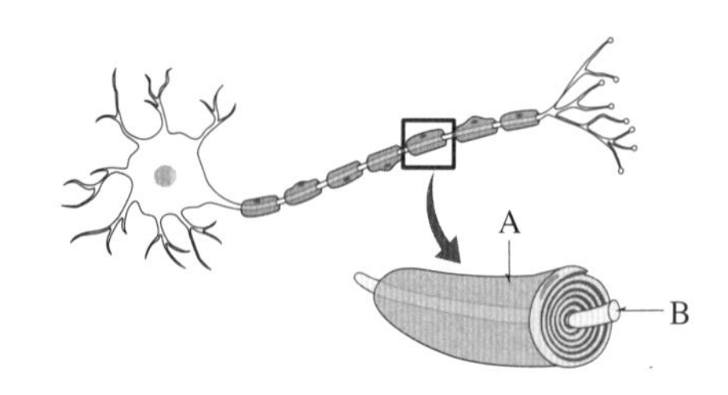

이에 대한 설명으로 옳은 것만을 〈보기〉에서 있는 대로 고른 것은?

〈 보기 〉
ㄱ. A는 B가 늘어난 구조이다.
ㄴ. B는 인접한 다른 뉴런에 흥분을 전달한다.
ㄷ. 뉴런에서 흥분이 전도될 때 A에서는 활동 전위가 발생하지 않는다.

① ㄱ ② ㄷ ③ ㄱ, ㄴ
④ ㄴ, ㄷ ⑤ ㄱ, ㄴ, ㄷ

122 하 중 상

••서술형

그림은 인접한 뉴런 A와 B를 나타낸 것이다. A와 B의 길이는 서로 같고, 각각 민말이집 뉴런과 말이집 뉴런 중 하나이다.

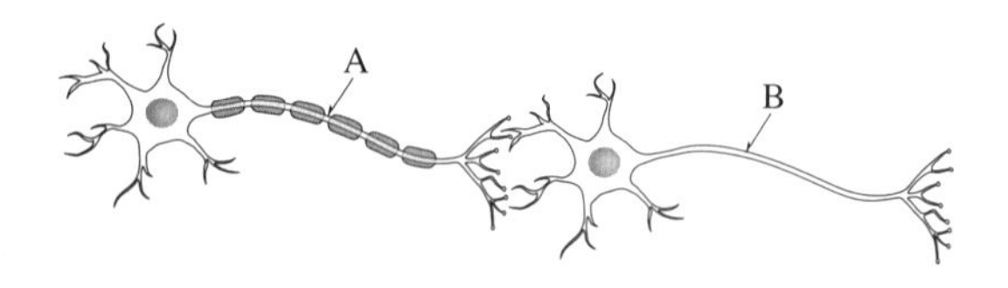

(1) A와 B는 각각 말이집 뉴런과 민말이집 뉴런 중 무엇인지 쓰시오.

(2) A와 B의 흥분 전도 속도를 비교하여 쓰고, 그 까닭을 서술하시오.(단, 말이집 뉴런에서 일어나는 흥분 전도 방식을 나타내는 용어를 포함할 것)

123 하중상

••서술형

표는 뉴런 A~C의 축삭 지름과 말이집 유무를 나타낸 것이다.

뉴런	축삭 지름(μm)	말이집 유무
A	1~10	없음
B	11~20	있음
C	11~20	없음

뉴런 A~C를 흥분 전도 속도가 빠른 순서대로 쓰고, 그 까닭을 서술하시오.(단, A~C의 전체 길이는 모두 같다.)

124 하중상

그림은 우리 몸에서 자극에 의한 흥분을 전달하는 뉴런 (가)~(다)를 나타낸 것이다.

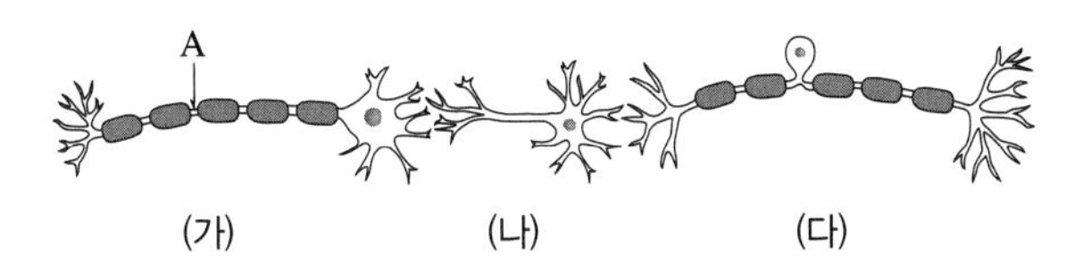

이에 대한 설명으로 옳은 것은?

① 감각 뉴런은 (다)에 해당한다.
② (가)는 중추 신경을 구성하는 뉴런이다.
③ (나)와 (다)는 모두 말초 신경계에 속한다.
④ 흥분은 (가) → (나) → (다)로 전달된다.
⑤ A에 역치 이상의 자극을 주면 (나)에서 활동 전위가 발생한다.

125 하중상

그림은 시냅스로 연결된 뉴런 (가)~(다)를 나타낸 것이다. (가)~(다)는 각각 감각 뉴런, 연합 뉴런, 운동 뉴런 중 하나이다.

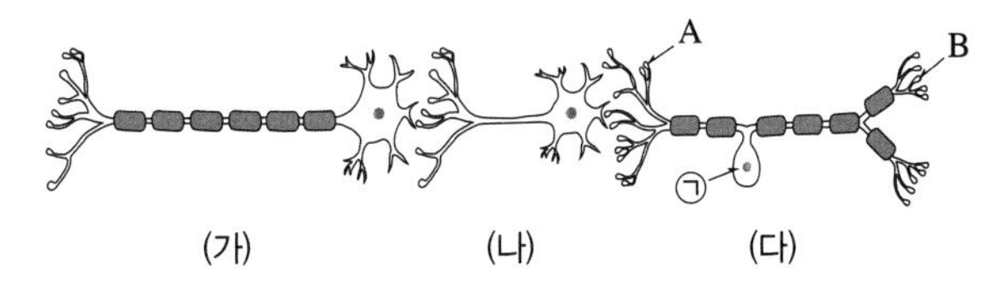

이에 대한 설명으로 옳은 것만을 〈보기〉에서 있는 대로 고른 것은?

〈 보기 〉
ㄱ. (가)는 원심성 뉴런이다.
ㄴ. (나)에서는 도약전도가 일어난다.
ㄷ. ㉠은 신경 세포체이다.
ㄹ. 시냅스 소포는 A보다 B에 많이 존재한다.

① ㄱ, ㄷ ② ㄴ, ㄷ ③ ㄷ, ㄹ
④ ㄱ, ㄴ, ㄷ ⑤ ㄴ, ㄷ, ㄹ

126 하중상

그림은 시냅스로 연결된 뉴런 (가)와 (나)에서 지점 A~D를 나타낸 것이다. 구간 A~B의 거리와 구간 C~D의 거리는 서로 같다.

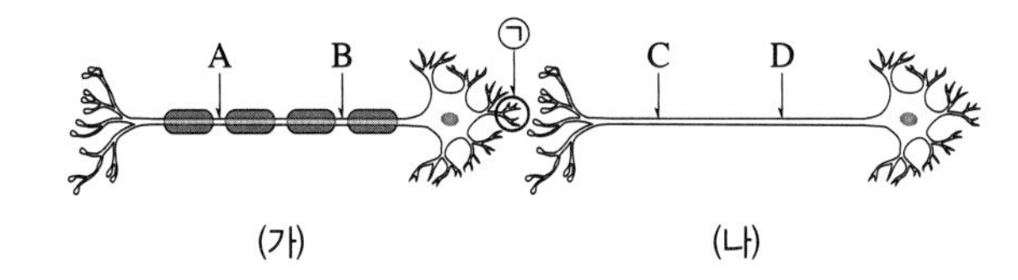

이에 대한 설명으로 옳은 것만을 〈보기〉에서 있는 대로 고른 것은? (단, (가)와 (나)에서 말이집 유무 이외의 조건은 모두 동일하다.)

〈 보기 〉
ㄱ. 흥분 전도 속도는 구간 A~B에서가 구간 C~D에서보다 느리다.
ㄴ. B에 역치 이상의 자극을 주면 ㉠에서 신경 전달 물질이 분비된다.
ㄷ. C에 역치 이상의 자극을 주면 B에서 활동 전위가 발생한다.

① ㄱ ② ㄴ ③ ㄷ
④ ㄱ, ㄴ ⑤ ㄴ, ㄷ

B 흥분의 발생

127 하중상

뉴런의 분극 상태에 대한 설명으로 옳은 것만을 〈보기〉에서 있는 대로 고른 것은?

〈 보기 〉
ㄱ. 휴지 전위가 나타난다.
ㄴ. Na^+ 농도는 세포 안이 세포 밖보다 높다.
ㄷ. Na^+-K^+ 펌프에 의해 Na^+과 K^+이 세포 안팎으로 이동한다.

① ㄱ ② ㄴ ③ ㄱ, ㄷ
④ ㄴ, ㄷ ⑤ ㄱ, ㄴ, ㄷ

128 하 중 상

그림은 뉴런의 세포막에 있는 이온 통로를 통한 이온의 이동 방식 Ⅰ과 Ⅱ를 나타낸 것이다. ⓐ와 ⓑ는 각각 세포 밖과 세포 안 중 하나이다.

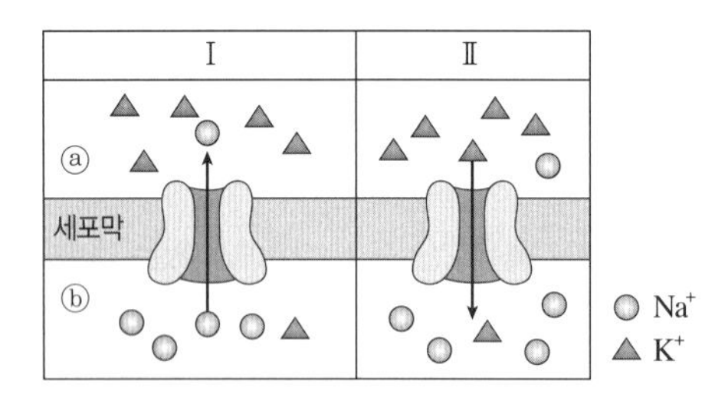

이에 대한 설명으로 옳은 것만을 〈보기〉에서 있는 대로 고른 것은?

〈 보기 〉

ㄱ. ⓐ는 세포 안, ⓑ는 세포 밖이다.
ㄴ. Na^+이 Ⅰ의 방식으로 이동할 때 에너지가 필요하다.
ㄷ. 탈분극이 일어날 때 Ⅱ의 방식으로 이온이 이동한다.

① ㄱ ② ㄷ ③ ㄱ, ㄴ
④ ㄴ, ㄷ ⑤ ㄱ, ㄴ, ㄷ

막전위 변화

129 하 중 상

••서술형

그림은 어떤 뉴런에 역치 이상의 자극을 주었을 때 이 뉴런의 축삭 돌기 한 지점에서 시간에 따른 막전위를 나타낸 것이다.

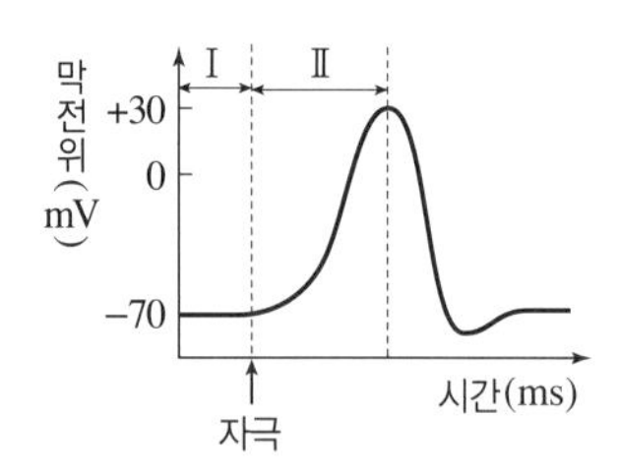

(1) 구간 Ⅰ에서 세포 안과 밖의 상대적인 전하 상태를 쓰시오.

(2) 구간 Ⅱ에서 막전위가 변화하는 까닭을 다음 내용을 모두 포함하여 서술하시오.

이온 통로의 종류, 이온의 종류, 이온의 이동 방향, 이온의 이동 원리

130 하 중 상

그림은 어떤 뉴런에 역치 이상의 자극을 주었을 때 이 뉴런의 축삭 돌기 한 지점에서 측정한 막전위 변화를 나타낸 것이다.

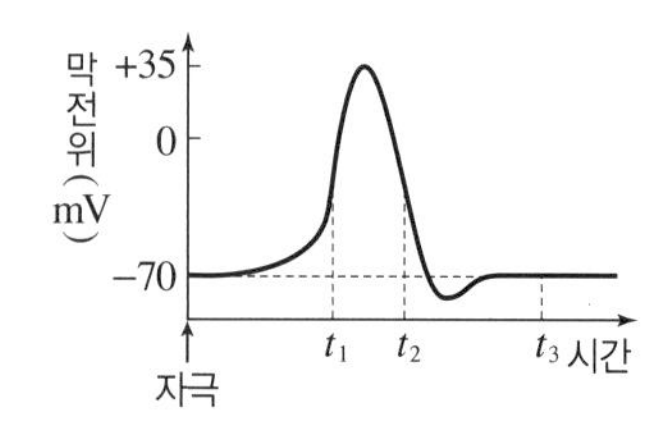

이에 대한 설명으로 옳은 것만을 〈보기〉에서 있는 대로 고른 것은?

〈 보기 〉

ㄱ. t_1일 때 뉴런은 탈분극 상태이다.
ㄴ. t_2일 때 Na^+ 통로를 통해 Na^+이 세포 안에서 밖으로 이동한다.
ㄷ. t_3일 때 세포막에서 ATP의 에너지를 이용하여 이온의 이동이 일어난다.

① ㄱ ② ㄴ ③ ㄷ
④ ㄱ, ㄷ ⑤ ㄴ, ㄷ

131 하 중 상

多 보기

그림은 어떤 뉴런에 역치 이상의 자극을 주었을 때 이 뉴런의 축삭 돌기 한 지점에서 시간에 따른 막전위를 나타낸 것이다.

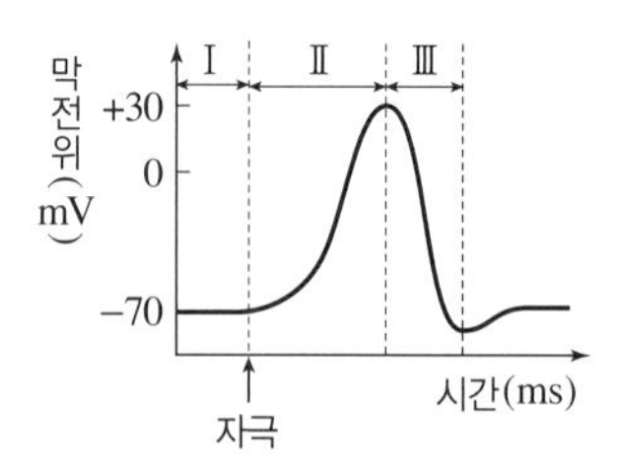

이에 대한 설명으로 옳은 것은?

① 구간 Ⅰ에서 휴지 전위가 측정된다.
② 구간 Ⅰ에서 재분극이 일어나고 있다.
③ 구간 Ⅱ에서 K^+이 세포 밖에서 안으로 확산된다.
④ 구간 Ⅲ에서 Na^+ 통로는 열려 있고 K^+ 통로는 닫힌다.
⑤ 열린 K^+ 통로의 수는 구간 Ⅲ에서보다 구간 Ⅱ에서 많다.
⑥ Na^+ 통로를 통한 Na^+의 이동은 구간 Ⅱ에서보다 구간 Ⅲ에서 많다.

132 하 중 상

그림 (가)는 어떤 신경 세포의 축삭 돌기에서 지점 A~C를, (나)는 (가)의 A에 역치 이상의 자극을 준 후 지점 B와 C 중 한 지점에서의 막전위 변화를 나타낸 것이다.

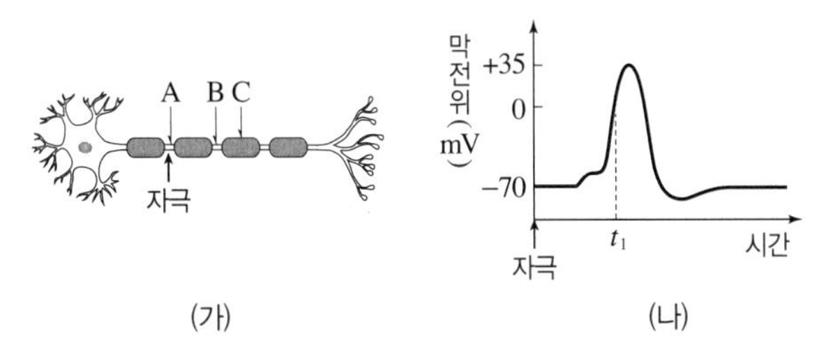

(가) (나)

이에 대한 설명으로 옳은 것만을 〈보기〉에서 있는 대로 고른 것은?

〈 보기 〉

ㄱ. (나)는 B에서의 막전위 변화이다.

ㄴ. (나)에서 t_1일 때 ATP를 사용하여 Na^+이 세포 밖에서 안으로 이동한다.

ㄷ. (나)에서 t_1일 때 C에서 재분극이 일어난다.

① ㄱ ② ㄷ ③ ㄱ, ㄴ
④ ㄴ, ㄷ ⑤ ㄱ, ㄴ, ㄷ

133 하 중 상

그림 (가)는 어떤 뉴런에 역치 이상의 자극을 주었을 때 시간에 따른 막전위를, (나)는 이 뉴런에 물질 X를 처리하고 역치 이상의 자극을 주었을 때 시간에 따른 막전위를 나타낸 것이다. X는 세포막에 있는 이온 통로를 통한 Na^+과 K^+의 이동 중 하나를 억제한다.

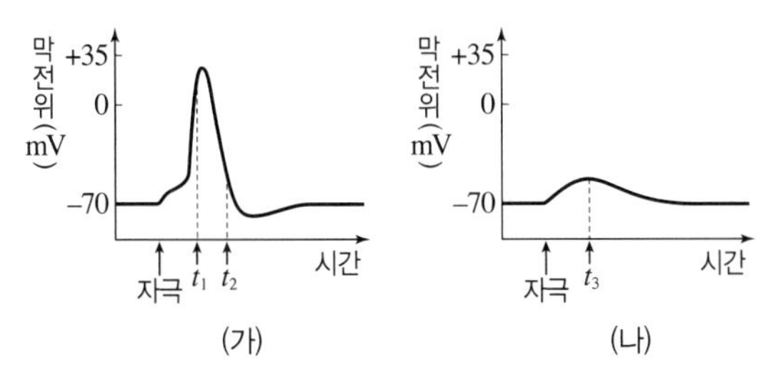

(가) (나)

이에 대한 설명으로 옳은 것만을 〈보기〉에서 있는 대로 고른 것은?

〈 보기 〉

ㄱ. 물질 X는 Na^+의 이동을 억제한다.

ㄴ. t_3일 때 K^+ 농도는 세포 밖이 세포 안보다 높다.

ㄷ. t_1~t_3 중 Na^+의 막 투과도가 가장 높은 시기는 t_1이다.

① ㄱ ② ㄴ ③ ㄱ, ㄷ
④ ㄴ, ㄷ ⑤ ㄱ, ㄴ, ㄷ

134 하 중 상

그림은 뉴런에서 물질 X의 처리 여부에 따른 막전위 변화를 나타낸 것이다. 물질 X는 세포막에 있는 이온 통로를 통한 Na^+과 K^+의 이동 중 하나를 억제한다.

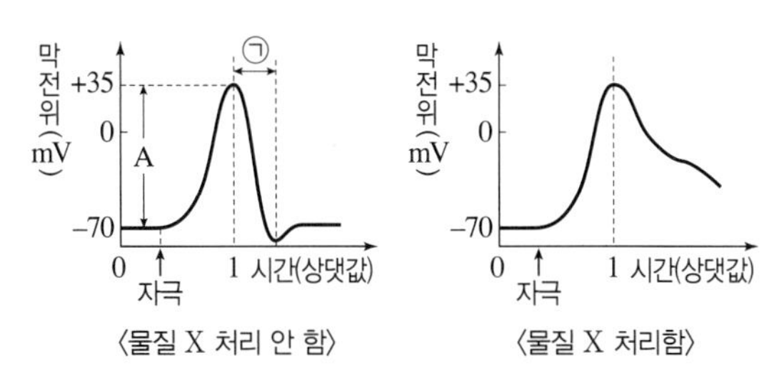

〈물질 X 처리 안 함〉 〈물질 X 처리함〉

이에 대한 설명으로 옳은 것만을 〈보기〉에서 있는 대로 고른 것은?

〈 보기 〉

ㄱ. 물질 X는 K^+의 이동을 억제한다.

ㄴ. ㉠에서 세포막을 통한 K^+의 이동은 일어나지 않는다.

ㄷ. 그림의 자극보다 더 강한 세기의 자극을 주면 A의 값이 커진다.

① ㄱ ② ㄴ ③ ㄷ
④ ㄱ, ㄴ ⑤ ㄴ, ㄷ

135 하 중 상

그림은 피부의 한 지점에서 세기가 다른 자극 A~C를 같은 시간 동안 각 1회씩 주었을 때 뉴런 X의 막전위 변화를 나타낸 것이다.

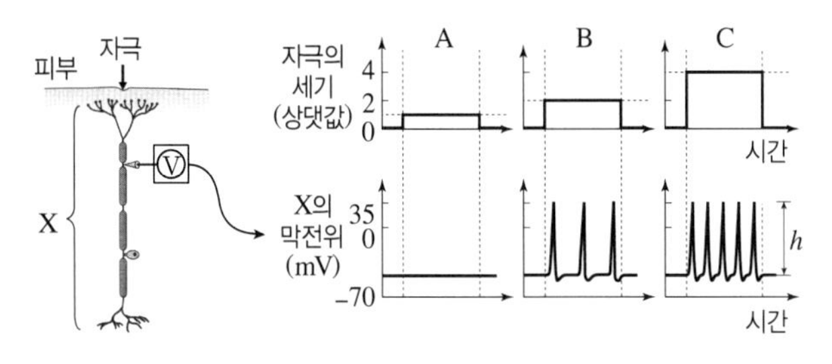

이에 대한 설명으로 옳은 것만을 〈보기〉에서 있는 대로 고른 것은?

〈 보기 〉

ㄱ. X는 구심성 뉴런이다.

ㄴ. 자극 C보다 더 큰 자극을 주면 h의 크기가 커진다.

ㄷ. 자극 A를 줄 때 뉴런 X의 축삭 돌기 말단에서 신경 전달 물질이 방출된다.

① ㄱ ② ㄷ ③ ㄱ, ㄴ
④ ㄴ, ㄷ ⑤ ㄱ, ㄴ, ㄷ

이온의 이동과 막전위 변화

136 하 중 상

그림 (가)는 신경 세포의 축삭 돌기에서 세포막을 경계로 휴지 전위가 유지될 때의 이온 분포를, (나)는 활동 전위가 발생하였을 때 막전위의 변화를 나타낸 것이다. (가)에서 ㉠은 Na^+ 통로, ㉡은 K^+ 통로이다.

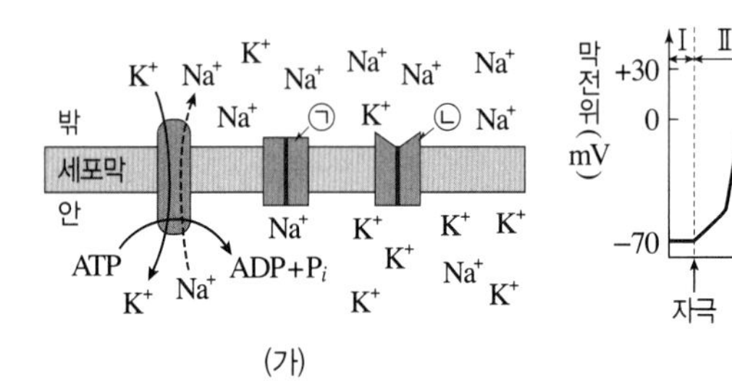

(가) (나)

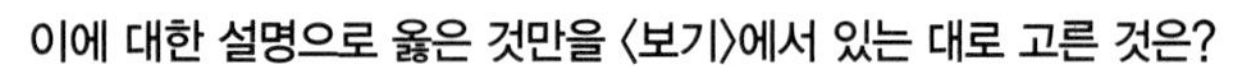

이에 대한 설명으로 옳은 것만을 〈보기〉에서 있는 대로 고른 것은?

〈 보기 〉

ㄱ. 구간 Ⅰ에서 K^+의 농도는 세포 안이 세포 밖보다 높다.
ㄴ. 구간 Ⅱ에서 재분극이 일어난다.
ㄷ. 구간 Ⅱ에서 ATP를 이용해 Na^+이 유입된다.
ㄹ. 구간 Ⅲ에서 ㉡을 통해 K^+이 세포 밖으로 확산된다.

① ㄱ, ㄴ ② ㄱ, ㄹ ③ ㄷ, ㄹ
④ ㄱ, ㄴ, ㄷ ⑤ ㄴ, ㄷ, ㄹ

137 하 중 상

그림 (가)는 자극을 받은 축삭 돌기의 한 지점에서 시간에 따른 막전위를, (나)는 구간 Ⅰ의 세포 밖과 안에서의 이온 ㉠과 ㉡ 농도의 상대적 비율을 나타낸 것이다. ㉠과 ㉡은 각각 Na^+과 K^+ 중 하나이다.

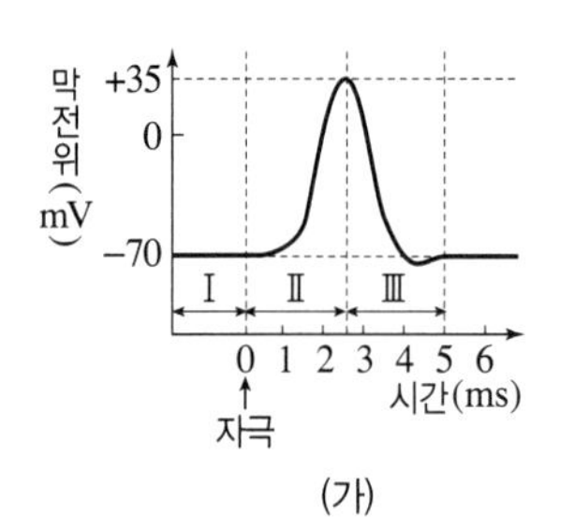

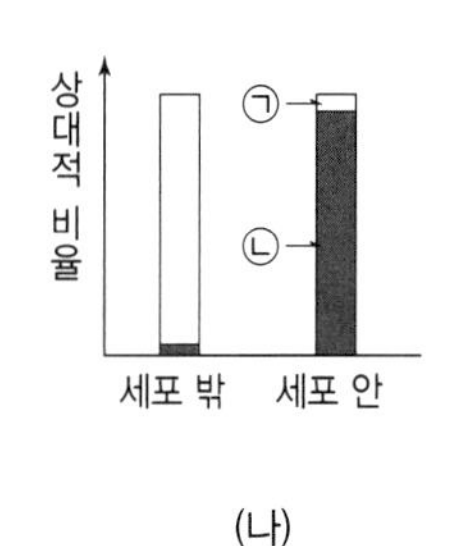

(가) (나)

이에 대한 설명으로 옳은 것만을 〈보기〉에서 있는 대로 고른 것은?

〈 보기 〉

ㄱ. ㉠은 Na^+이다.
ㄴ. 구간 Ⅰ에서 세포막을 통한 ㉡의 이동은 없다.
ㄷ. 구간 Ⅲ에서 ㉡의 막 투과도가 증가하는 시기가 있다.

① ㄱ ② ㄴ ③ ㄱ, ㄷ
④ ㄴ, ㄷ ⑤ ㄱ, ㄴ, ㄷ

빈출

138 하 중 상

그림 (가)는 활동 전위가 발생한 신경 세포의 축삭 돌기 한 지점 X에서 측정한 막전위 변화를, (나)는 t_2일 때 X에서 K^+ 통로를 통한 K^+의 이동을 나타낸 것이다. ㉠과 ㉡은 각각 세포 밖과 세포 안 중 하나이다.

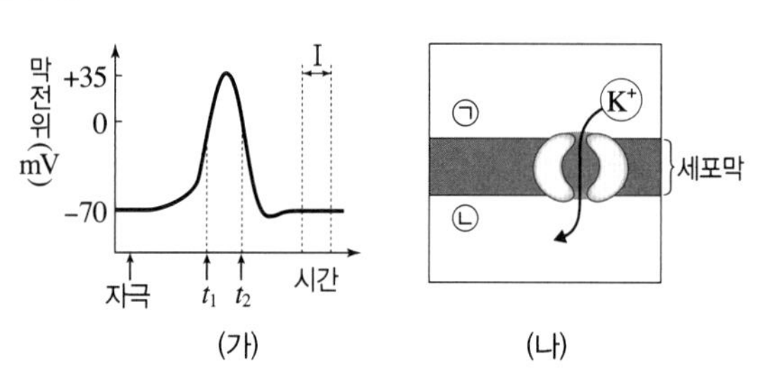

(가) (나)

이에 대한 설명으로 옳은 것만을 〈보기〉에서 있는 대로 고른 것은?

〈 보기 〉

ㄱ. (나)에서 K^+의 이동에는 ATP가 소모된다.
ㄴ. t_1일 때 X에서 Na^+ 통로를 통해 Na^+은 ㉡에서 ㉠으로 이동한다.
ㄷ. 구간 Ⅰ에서 세포막을 통한 K^+의 이동은 일어나지 않는다.

① ㄱ ② ㄴ ③ ㄷ
④ ㄱ, ㄴ ⑤ ㄴ, ㄷ

139 하 중 상

그림 (가)는 어떤 뉴런에 역치 이상의 자극을 주었을 때 막전위 변화를, (나)는 이 뉴런의 세포막에 존재하는 Na^+-K^+ 펌프를 통한 이온의 이동을 나타낸 것이다.

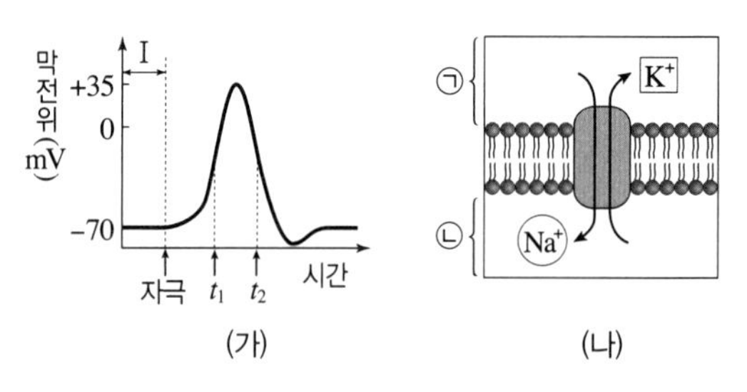

(가) (나)

이에 대한 설명으로 옳은 것만을 〈보기〉에서 있는 대로 고른 것은?

〈 보기 〉

ㄱ. (가)의 구간 Ⅰ에서의 막전위 유지에 (나)가 관여한다.
ㄴ. (가)에서 $\frac{K^+\text{의 막 투과도}}{Na^+\text{의 막 투과도}}$는 t_1일 때가 t_2일 때보다 작다.
ㄷ. (가)의 t_2일 때 Na^+의 농도는 ㉠에서보다 ㉡에서 높다.

① ㄱ ② ㄷ ③ ㄱ, ㄴ
④ ㄴ, ㄷ ⑤ ㄱ, ㄴ, ㄷ

이온의 막 투과도 변화

140 하 중 상

그림은 어떤 뉴런에 역치 이상의 자극을 주었을 때, 이 뉴런 세포막의 한 지점에서 이온 ㉠과 ㉡의 막 투과도 변화를 나타낸 것이다. ㉠과 ㉡은 각각 K^+과 Na^+ 중 하나이다.

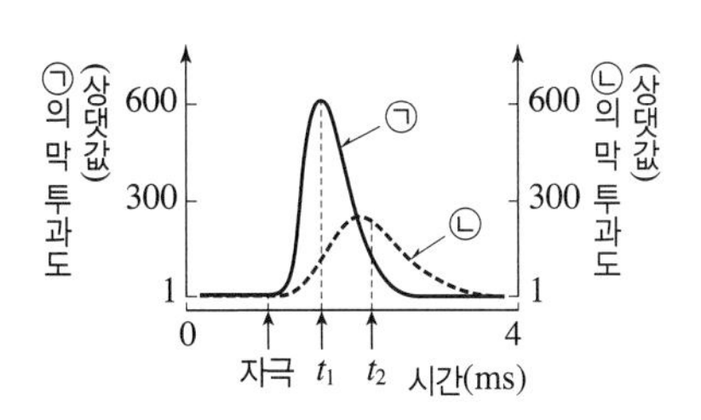

이에 대한 설명으로 옳은 것만을 〈보기〉에서 있는 대로 고른 것은?

〈 보기 〉

ㄱ. ㉠은 Na^+이다.

ㄴ. t_1일 때 이온의 $\frac{\text{세포 안의 농도}}{\text{세포 밖의 농도}}$는 ㉠보다 ㉡이 크다.

ㄷ. t_2일 때 이온 통로를 통한 ㉡의 이동에는 ATP가 사용된다.

① ㄱ ② ㄴ ③ ㄷ
④ ㄱ, ㄴ ⑤ ㄴ, ㄷ

141 하 중 상

그림 (가)는 뉴런 X에 역치 이상의 자극을 주었을 때 X의 세포막 한 지점에서 이온 ㉠과 ㉡의 막 투과도 변화를, (나)는 이 지점에서 ⓐ를 통한 어떤 이온의 확산을 나타낸 것이다. ㉠과 ㉡은 각각 Na^+과 K^+ 중 하나이고, ⓐ는 Na^+ 통로와 K^+ 통로 중 하나이다.

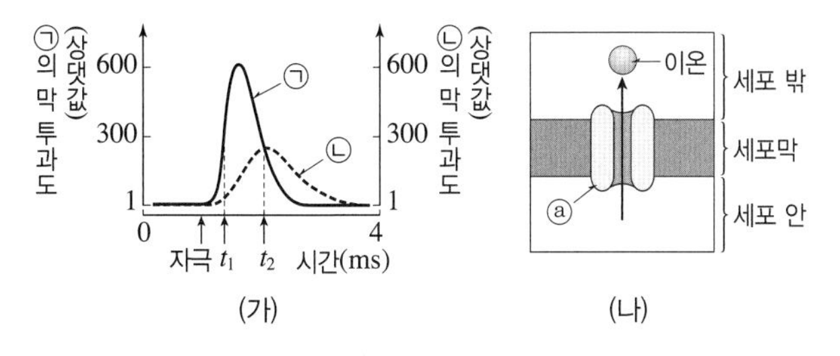

이에 대한 설명으로 옳은 것만을 〈보기〉에서 있는 대로 고른 것은?

〈 보기 〉

ㄱ. ⓐ는 K^+ 통로이다.

ㄴ. t_1일 때 (나)와 같은 이온의 확산이 급격히 일어난다.

ㄷ. t_2일 때 ㉡이 세포 밖에서 안으로 확산된다.

① ㄱ ② ㄷ ③ ㄱ, ㄴ
④ ㄴ, ㄷ ⑤ ㄱ, ㄴ, ㄷ

빈출

142 하 중 상

그림 (가)는 어떤 뉴런에 역치 이상의 자극을 주었을 때의 막전위 변화를, (나)는 이 뉴런 세포막에서 이온 ㉠과 ㉡의 막 투과도 변화를 나타낸 것이다. ㉠과 ㉡은 각각 Na^+과 K^+ 중 하나이다.

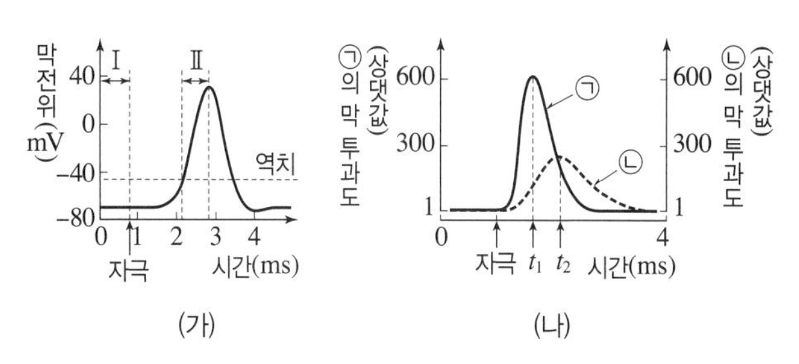

이에 대한 설명으로 옳은 것만을 〈보기〉에서 있는 대로 고른 것은?

〈 보기 〉

ㄱ. Ⅰ 시기에 ATP를 사용하여 ㉠을 세포 밖에서 안으로 이동시킨다.

ㄴ. Ⅱ 시기에 세포막 바깥쪽은 상대적으로 양(+)전하에서 음(−)전하로 바뀐다.

ㄷ. (나)에서 $\frac{K^+\text{의 막 투과도}}{Na^+\text{의 막 투과도}}$는 t_1일 때보다 t_2일 때가 크다.

① ㄱ ② ㄷ ③ ㄱ, ㄴ
④ ㄴ, ㄷ ⑤ ㄱ, ㄴ, ㄷ

143 하 중 상

••서술형

그림 (가)는 신경 세포에 역치 이상의 자극을 주었을 때 막전위 변화를, (나)는 같은 시간 동안 세포막 안팎으로 이동하는 이온의 막 투과도 변화를, (다)의 ㉠과 ㉡은 세포막 안팎으로 이동하는 이온의 이동을 나타낸 것이다. ⓐ와 ⓑ는 각각 Na^+과 K^+ 중 하나이다.

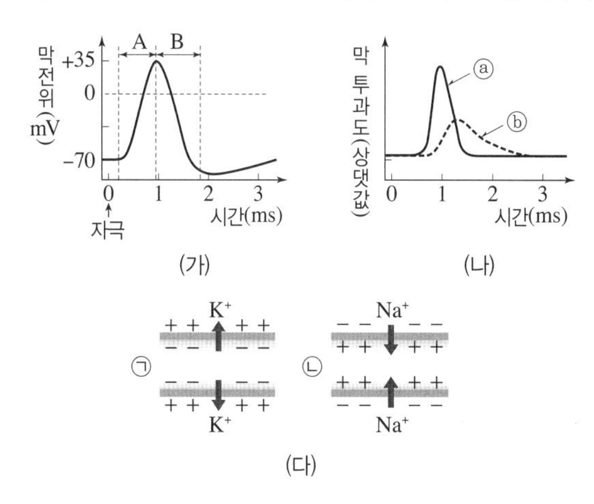

(1) (가)의 A 시기에 나타나는 이온의 막 투과도 변화와 이온의 이동을 (나)의 ⓐ와 ⓑ, (다)의 ㉠과 ㉡을 이용하여 서술하시오.

(2) (가)의 B 시기에 나타나는 이온의 막 투과도 변화와 이온의 이동을 (나)의 ⓐ와 ⓑ, (다)의 ㉠과 ㉡을 이용하여 서술하시오.

흥분의 전도와 전달 및 근수축

A 흥분의 전도와 전달

1 흥분 전도 한 뉴런 내에서 흥분이 이동하는 현상이다.

① 흥분 전도 과정: 뉴런의 세포막 한 부위에서 활동 전위가 발생하면 이웃한 부위에서 탈분극이 일어나 활동 전위가 연속적으로 발생하면서 흥분이 전도된다.

기출 Tip A-1

흥분 전도와 막전위 변화
뉴런에 역치 이상의 자극이 주어지면 분극(−70 mV) → 탈분극 → 재분극(막전위 하강 → 과분극 → 휴지 전위 회복)의 과정을 거친다. ➜ 과분극 지점이 탈분극이나 재분극 중인 지점보다 먼저 흥분이 도달했던 지점이며, 자극을 준 곳에서 가깝다.

흥분 전도 속도
흥분 전도 속도는 $\frac{\text{자극을 준 지점으로부터의 거리}}{\text{흥분이 도달하는 데 걸린 시간}}$로 계산한다.

(뉴런에서의 흥분 전도 과정)

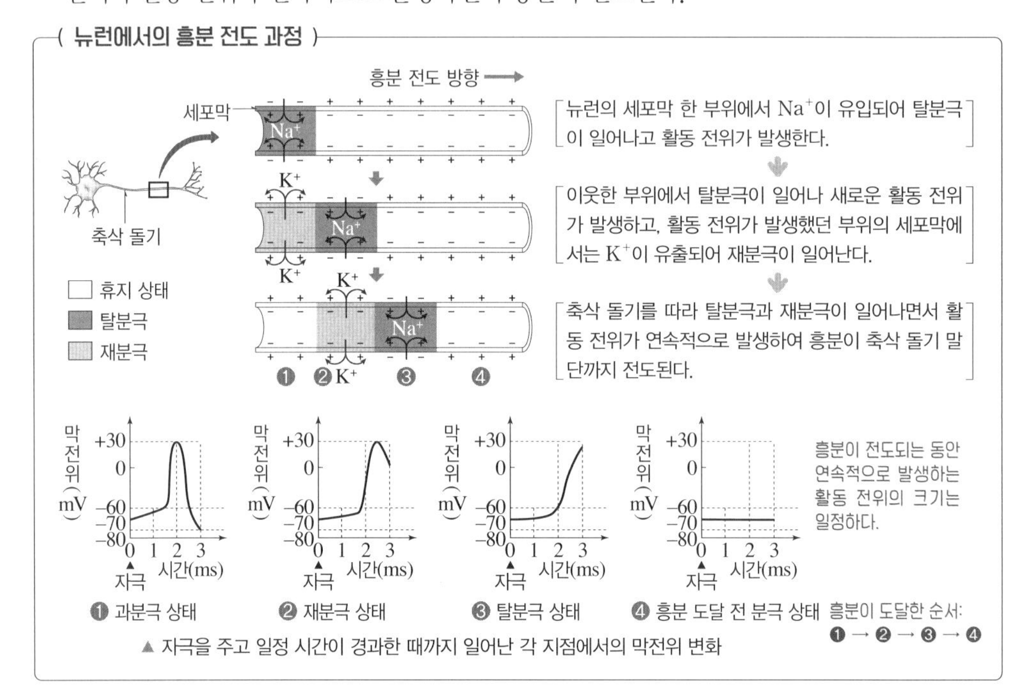

▲ 자극을 주고 일정 시간이 경과한 때까지 일어난 각 지점에서의 막전위 변화

② 흥분 전도 방향: 뉴런 내에서 흥분은 신경 세포체에서 축삭 돌기 말단 방향으로 전도된다.
└ 축삭 돌기 중간에 역치 이상의 자극을 주어 흥분이 발생하면 이 흥분은 좌우 양 방향으로 전도된다.

2 흥분 전달 흥분이 ❶ ☐☐☐를 통해 한 뉴런에서 다음 뉴런으로 전달되는 현상이다. ➜ 시냅스에서의 흥분 전달은 신경 전달 물질의 확산을 통해 일어난다.

기출 Tip A-2

흥분 전도 속도와 흥분 전달 속도 비교
시냅스에서 흥분 전달은 신경 전달 물질의 확산을 통해 일어난다. 따라서 시냅스를 통한 흥분 전달 속도는 뉴런 내의 흥분 전도 속도보다 느리다.

(흥분 전달 과정)

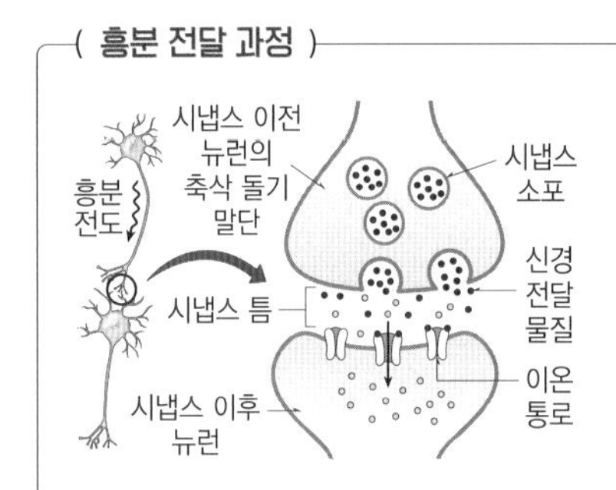

- 흥분이 시냅스 이전 뉴런의 축삭 돌기 말단에 도달한다. → ❷ ☐☐☐ ☐☐에서 신경 전달 물질을 방출한다. → 신경 전달 물질이 시냅스 이후 뉴런의 막에 있는 수용체에 결합하여 이온 통로가 열린다. → Na^+이 이온 통로를 통해 세포 내로 유입되면서 탈분극이 일어난다.
- 흥분은 시냅스 이전 뉴런의 축삭 돌기 말단에서 시냅스 이후 뉴런의 가지 돌기나 신경 세포체 쪽으로만 전달된다.

B 근수축

1 골격근의 구조

① 근육 섬유: 근육을 구성하는 세포로, 세포 여러 개가 융합하여 형성된 다핵성 세포이다.

② 근육 ❸ ☐☐☐: 굵은 마이오신 필라멘트와 가는 액틴 필라멘트로 구성되어 있으며, 근육 원섬유 마디가 반복되어 있다.

기출 Tip B-1

골격근의 구조
골격근은 뼈대에 붙어서 움직임을 만들어 내는 근육이다. 근육 원섬유가 모여 근육 섬유(근육 세포)를, 근육 섬유가 모여 근육 섬유 다발을, 근육 섬유 다발이 모여 근육을 이룬다.

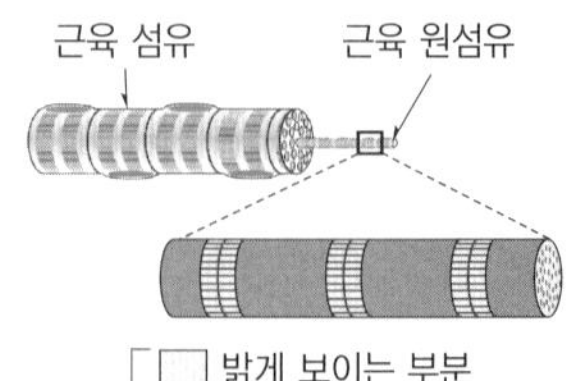

밝게 보이는 부분은 액틴 필라멘트만 있고, 어둡게 보이는 부분은 액틴 필라멘트와 마이오신 필라멘트가 모두 있다.

▲ 근육 원섬유의 구조

③ 근육 원섬유 마디: 근수축이 일어나는 단위이며, ❹☐☐ 필라멘트와 ❺☐☐☐☐ 필라멘트가 일부 겹쳐 배열해 있다.

(근육 원섬유 마디의 구조)

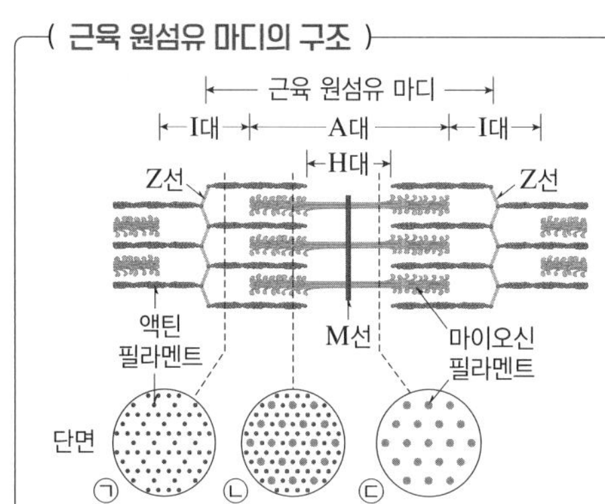

- ❻☐대: 액틴 필라멘트만 있는 부분 ➡ 단면 ㉠
- ❼☐대: 마이오신 필라멘트가 있는 부분 ➡ 이 중 액틴 필라멘트와 마이오신 필라멘트가 겹치는 부분의 단면은 ㉡
- ❽☐대: 마이오신 필라멘트만 있는 부분 ➡ 단면 ㉢

2 근수축

① 근수축 원리: 마이오신 필라멘트가 ATP를 소모하여 액틴 필라멘트를 끌어당기면, 액틴 필라멘트가 마이오신 필라멘트 사이로 미끄러져 들어가 ❾☐☐ ☐☐☐ ☐☐가 짧아지면서 근육이 수축한다.

② 근수축 시 근육 원섬유 마디의 길이 변화: 근수축 시 마이오신 필라멘트와 액틴 필라멘트가 겹치는 구간이 늘어나 근육 원섬유 마디의 길이가 짧아진다. ➡ 마이오신 필라멘트와 액틴 필라멘트의 길이는 변하지 않는다.

(근수축 시 근육 원섬유 마디의 변화)

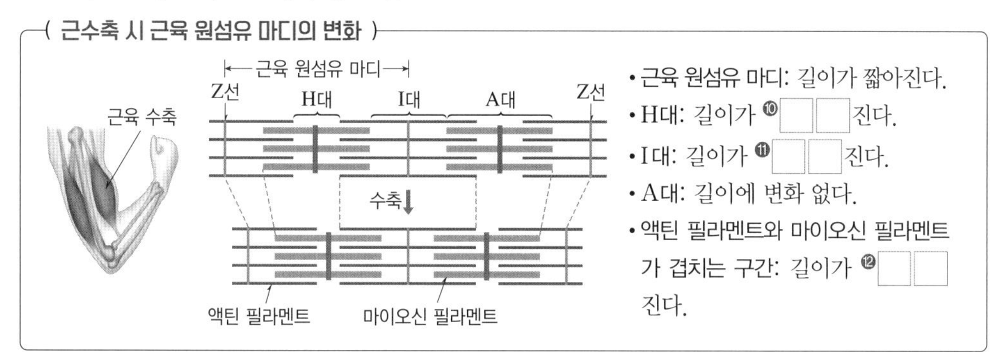

- 근육 원섬유 마디: 길이가 짧아진다.
- H대: 길이가 ❿☐☐진다.
- I대: 길이가 ⓫☐☐진다.
- A대: 길이에 변화 없다.
- 액틴 필라멘트와 마이오신 필라멘트가 겹치는 구간: 길이가 ⓬☐☐진다.

기출 Tip Ⓑ-2

골격근의 수축과 이완

팔과 다리의 뼈대에는 두 가지 근육이 쌍으로 붙어 서로 반대로 수축, 이완함으로써 팔과 다리를 굽히고 편다.

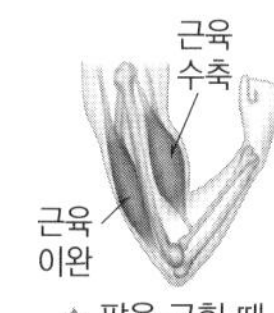

▲ 팔을 굽힐 때

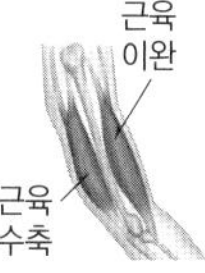

▲ 팔을 펼 때

근수축 시 근육 원섬유 마디 각 부분의 길이 변화

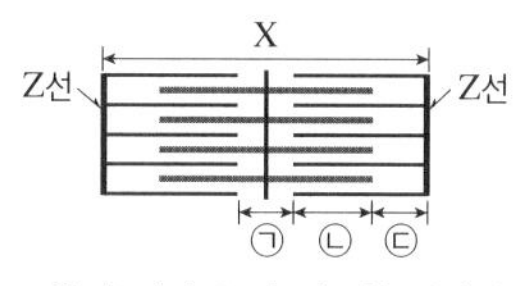

- ㉠의 길이: X의 감소한 길이만큼 감소한다.
- ㉡의 길이: X의 감소한 길이의 절반만큼 증가한다.
- ㉢의 길이: X의 감소한 길이의 절반만큼 감소한다.

답 ❶ 시냅스 ❷ 시냅스 소포 ❸ 원섬유 ❹ 액틴 ❺ 마이오신 ❻ I ❼ A ❽ H ❾ 근육 원섬유 마디 ❿ 짧아 ⓫ 짧아 ⓬ 길어

빈출 자료 보기

정답과 해설 18쪽

144 그림 (가)는 민말이집 신경 A에서 지점 P_1~P_3을, (나)는 P_1~P_3에서 활동 전위가 발생하였을 때 각 지점에서의 막전위 변화를 나타낸 것이다. ㉠ A에 역치 이상의 자극을 1회 주고 경과된 시간이 t_1일 때 P_2에서의 막전위는 +30 mV이며, 흥분 전도 속도는 2 cm/ms이다.

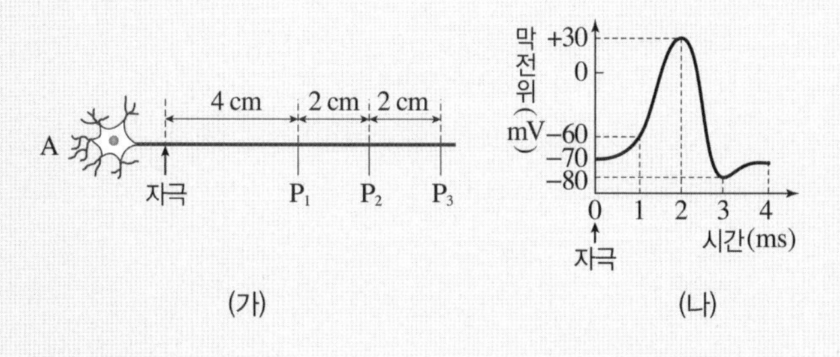

(가) (나)

이에 대한 설명으로 옳은 것은 ○, 옳지 않은 것은 ×로 표시하시오.

(1) t_1은 6 ms이다. ( )

(2) t_1일 때 P_1에서 재분극이 일어나고 있다. ( )

(3) t_1일 때 P_3에서의 막전위는 −80 mV이다. ( )

(4) t_1일 때 P_3에서 Na^+이 Na^+ 통로를 통해 세포 안으로 확산된다. ( )

(5) ㉠이 3 ms일 때 P_1에서의 막전위는 +30 mV이다. ( )

(6) ㉠이 5 ms일 때 $\frac{P_3\text{에서의 막전위}}{P_1\text{에서의 막전위}}$는 1보다 크다. ( )

상 9문항
중 12문항
하 3문항

A 흥분의 전도와 전달

흥분 전도와 막전위 변화

145 하 중 상

그림은 어떤 뉴런에 역치 이상의 자극을 주고 경과된 시간이 t_1일 때 이 뉴런의 세 지점 A~C에서 이온 통로를 통한 이온의 이동 상태를 나타낸 것이다.

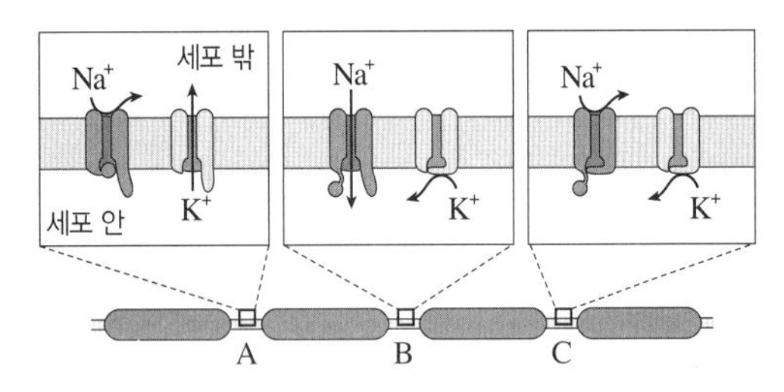

이에 대한 설명으로 옳은 것만을 <보기>에서 있는 대로 고른 것은?

〈 보기 〉

ㄱ. 흥분의 전도는 A에서 C 방향으로 진행된다.
ㄴ. A에서 K^+의 농도는 세포 안이 세포 밖보다 높다.
ㄷ. B에서 탈분극이 일어난다.

① ㄱ ② ㄴ ③ ㄷ
④ ㄱ, ㄴ ⑤ ㄱ, ㄴ, ㄷ

146 하 중 상

그림은 어떤 뉴런의 지점 ㉠~㉢ 중 한 지점에 역치 이상의 자극을 1회 준 후 경과한 시간이 3 ms가 될 때까지 일어난 ㉠~㉢의 막전위 변화를 나타낸 것이다.

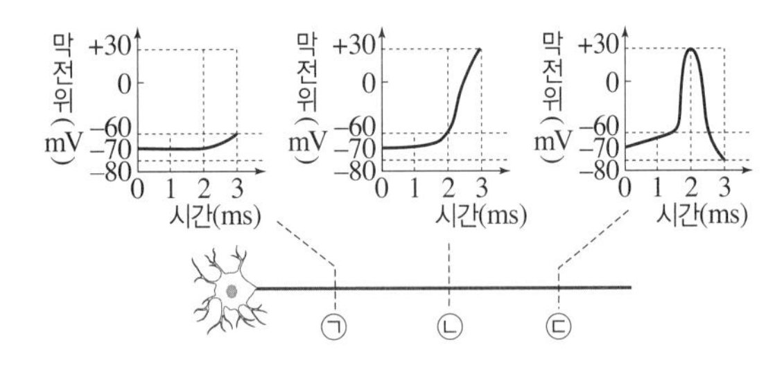

이에 대한 설명으로 옳은 것만을 <보기>에서 있는 대로 고른 것은? (단, 흥분의 전도는 1회 일어났다.)

〈 보기 〉

ㄱ. 자극을 준 지점은 ㉠이다.
ㄴ. 3 ms일 때 ㉢에서 탈분극이 일어나고 있다.
ㄷ. 흥분이 ㉡과 ㉢ 사이를 이동하는 데 1 ms가 걸린다.

① ㄱ ② ㄷ ③ ㄱ, ㄴ
④ ㄴ, ㄷ ⑤ ㄱ, ㄴ, ㄷ

빈출

147 하 중 상

그림은 민말이집 신경의 축삭 돌기 일부를, 표는 그림의 두 지점 X와 Y 중 한 지점을 자극하여 흥분 전도가 1회 일어날 때, 지점 d_1~d_4에서 동시에 측정한 막전위를 나타낸 것이다.

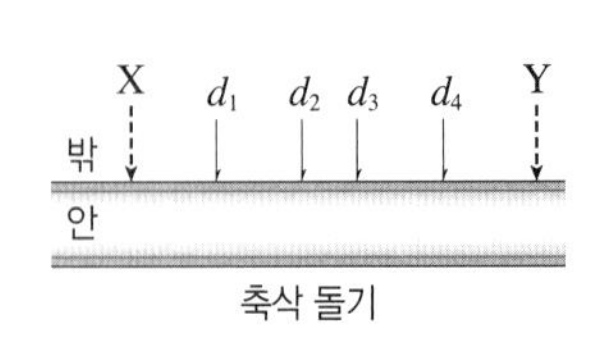

지점	막전위(mV)
d_1	−70
d_2	+30
d_3	−80
d_4	−70

이에 대한 설명으로 옳은 것만을 <보기>에서 있는 대로 고른 것은? (단, 휴지 전위는 −70 mV이다.)

〈 보기 〉

ㄱ. 흥분의 전도는 X → Y 방향으로 진행된다.
ㄴ. d_2에서 Na^+ 농도는 세포 밖이 세포 안보다 높다.
ㄷ. d_3에서 K^+은 세포 밖에서 안으로 확산된다.

① ㄱ ② ㄴ ③ ㄷ
④ ㄱ, ㄴ ⑤ ㄴ, ㄷ

148 하 중 상

그림 (가)는 어떤 말이집 신경을, (나)는 이 신경의 축삭 돌기에 역치 이상의 자극을 준 후 A와 B 중 한 지점에서의 상대적인 전하 상태 변화를 나타낸 것이다.

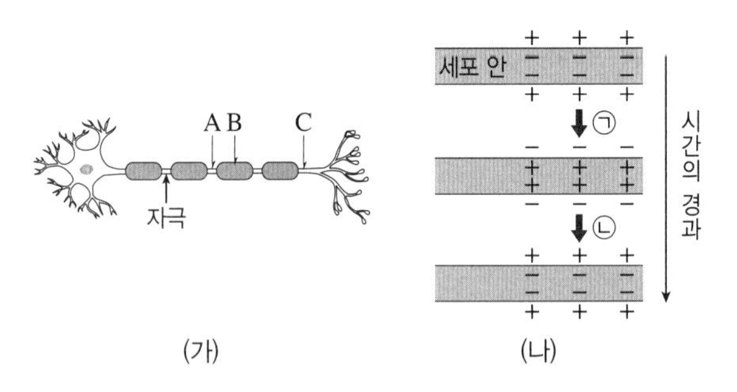

이에 대한 설명으로 옳은 것만을 <보기>에서 있는 대로 고른 것은?

〈 보기 〉

ㄱ. (나)는 B에서의 전하 상태 변화이다.
ㄴ. ㉠ 과정에서 Na^+이 Na^+ 통로를 통해 세포 밖에서 안으로 확산되었다.
ㄷ. ㉡ 과정에서 재분극이 일어났다.
ㄹ. C 지점에서 활동 전위가 발생한다.

① ㄱ, ㄴ ② ㄴ, ㄷ ③ ㄷ, ㄹ
④ ㄱ, ㄴ, ㄷ ⑤ ㄴ, ㄷ, ㄹ

149 하 중 상

그림 (가)는 운동 신경 X에 역치 이상의 자극을 주었을 때 X의 축삭 돌기 한 지점 P에서 측정한 막전위 변화를, (나)는 P에서 발생한 흥분이 X의 축삭 돌기 말단 방향 각 지점에 도달하는 데 경과된 시간을 P로부터의 거리에 따라 나타낸 것이다. Ⅰ과 Ⅱ는 X의 축삭 돌기에서 말이집으로 싸여 있는 부분과 말이집으로 싸여 있지 않은 부분을 순서 없이 나타낸 것이다.

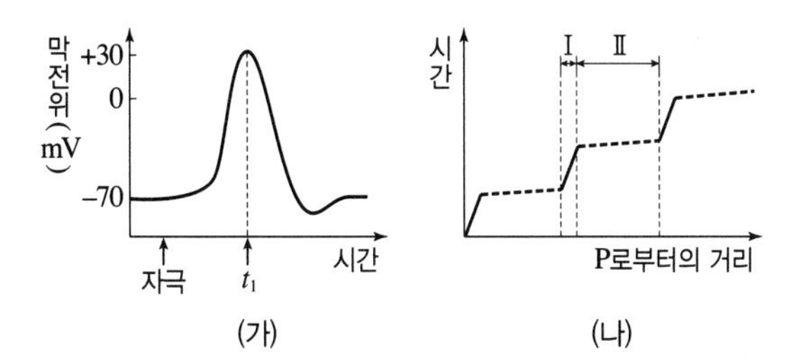

(가) (나)

이에 대한 설명으로 옳은 것만을 <보기>에서 있는 대로 고른 것은? (단, 흥분의 전도는 1회 일어났다.)

〈 보기 〉

ㄱ. Ⅰ에서 활동 전위가 발생하였다.

ㄴ. Ⅱ는 말이집으로 싸여 있는 부분이다.

ㄷ. t_1일 때 이온의 $\frac{\text{세포 안의 농도}}{\text{세포 밖의 농도}}$는 Na^+이 K^+보다 크다.

① ㄱ ② ㄷ ③ ㄱ, ㄴ ④ ㄴ, ㄷ ⑤ ㄱ, ㄴ, ㄷ

150 하 중 상

그림 (가)는 이 신경의 지점 P_1~P_3 중 ㉠ P_2에 역치 이상의 자극을 1회 주고 경과된 시간이 3 ms일 때 P_3에서의 막전위를, (나)는 P_1~P_3에서 활동 전위가 발생하였을 때 각 지점에서의 막전위 변화를 나타낸 것이다. 이 신경에서 흥분 전도 속도는 2 cm/ms이다.

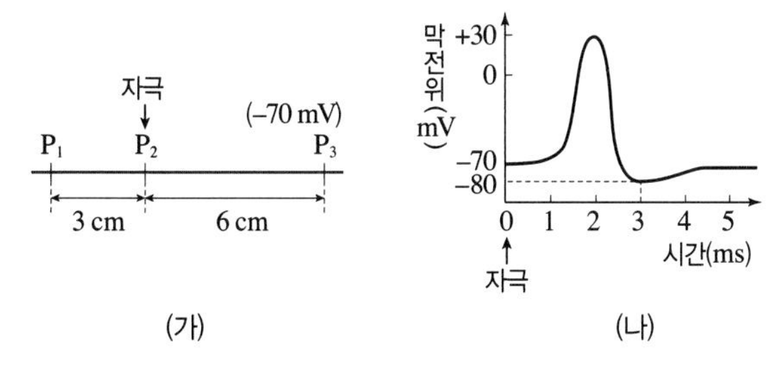

(가) (나)

이에 대한 설명으로 옳은 것만을 <보기>에서 있는 대로 고른 것은? (단, 흥분의 전도는 1회 일어났다.)

〈 보기 〉

ㄱ. ㉠일 때 P_1에서 탈분극이 일어나고 있다.

ㄴ. ㉠일 때 P_2에서 막전위는 -80 mV이다.

ㄷ. ㉠일 때 P_3에서 Na^+이 Na^+ 통로를 통해 세포 밖에서 안으로 유입된다.

① ㄱ ② ㄷ ③ ㄱ, ㄴ ④ ㄴ, ㄷ ⑤ ㄱ, ㄴ, ㄷ

빈출 151 하 중 상

그림 (가)는 ㉠ 뉴런 A의 P와 Q 중 한 지점에 역치 이상의 자극을 1회 주고 경과된 시간이 6 ms일 때 d_1~d_4에서 측정한 막전위를, (나)는 d_1~d_4에서 활동 전위가 발생하였을 때 각 지점에서의 막전위 변화를 나타낸 것이다.

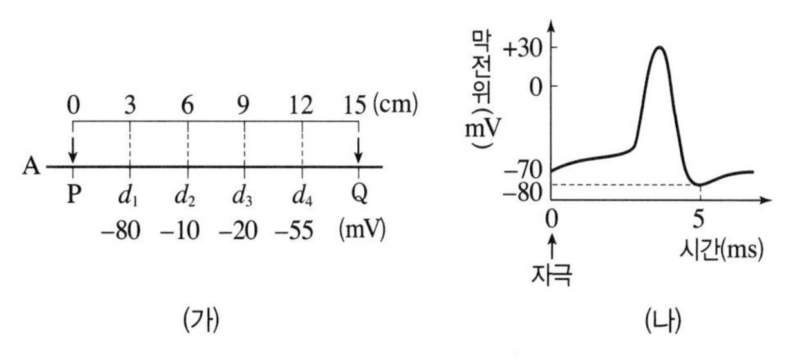

(가) (나)

이에 대한 설명으로 옳은 것만을 <보기>에서 있는 대로 고른 것은? (단, A에서 흥분의 전도는 1회 일어났고, 휴지 전위는 -70 mV이다.)

〈 보기 〉

ㄱ. 역치 이상의 자극이 주어진 지점은 Q이다.

ㄴ. A에서 흥분 전도 속도는 3 cm/ms이다.

ㄷ. ㉠이 6 ms일 때 d_3에서 탈분극이 일어나고 있다.

ㄹ. ㉠이 6 ms일 때 d_4에서 K^+이 세포 밖으로 급격히 확산된다.

① ㄱ, ㄴ ② ㄴ, ㄷ ③ ㄷ, ㄹ
④ ㄱ, ㄴ, ㄷ ⑤ ㄴ, ㄷ, ㄹ

152 하 중 상

••서술형

그림 (가)는 민말이집 신경 A와 B에 역치 이상의 자극을 동시에 1회 주고 경과된 시간이 t_1일 때 지점 P_1~P_4에서 측정한 막전위를, (나)는 P_1~P_4에서 활동 전위가 발생하였을 때 각 지점에서의 막전위 변화를 나타낸 것이다. B의 흥분 전도 속도는 1 cm/ms이다.

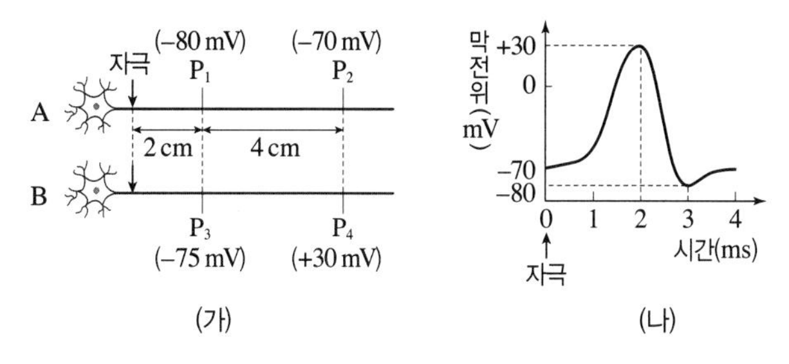

(가) (나)

(1) t_1은 얼마인지 풀이 과정과 함께 구하시오.

(2) A의 흥분 전도 속도를 풀이 과정과 함께 구하시오.

153

다음은 민말이집 신경 **A**와 **B**에서 흥분의 전도에 대한 자료이다.

• 그림은 신경 A와 B의 P 지점으로부터 d_1~d_3까지의 거리를, 표는 ㉠A와 B의 P 지점에 역치 이상의 자극을 동시에 1회 주고 경과된 시간이 5 ms일 때 d_1~d_3에서 측정한 막전위를 나타낸 것이다.

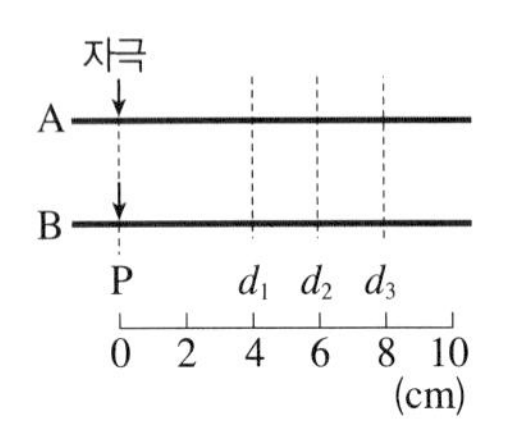

신경	5 ms일 때 측정한 막전위(mV)		
	d_1	d_2	d_3
A	−80	?	?
B	−70	−80	?

• A와 B는 흥분의 전도 속도가 다르며, A와 B 중 한 신경에서의 흥분의 전도는 1 ms당 2 cm씩 이동한다.

• A와 B 각각에서 활동 전위가 발생하였을 때, 그림과 같은 막전위 변화가 나타났다.

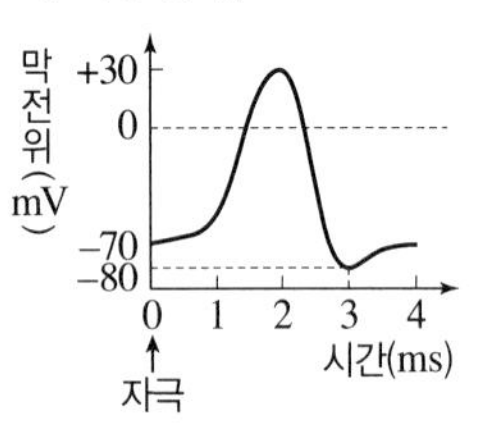

이에 대한 설명으로 옳은 것만을 〈보기〉에서 있는 대로 고른 것은? (단, **A**와 **B**에서 흥분의 전도는 각각 **1**회 일어났고, 휴지 전위는 **−70 mV**이다.)

〈 보기 〉
ㄱ. 흥분의 전도 속도는 A가 B보다 빠르다.
ㄴ. ㉠이 4 ms일 때 A의 d_2에서 Na^+의 막 투과도가 증가한다.
ㄷ. ㉠이 6 ms일 때 B의 d_3에서 막전위는 −70 mV보다 높다.

① ㄱ ② ㄴ ③ ㄷ ④ ㄱ, ㄴ ⑤ ㄴ, ㄷ

흥분 전달

154

그림은 시냅스에서의 흥분 전달 과정을 나타낸 것이다.
이에 대한 설명으로 옳은 것만을 〈보기〉에서 있는 대로 고른 것은?

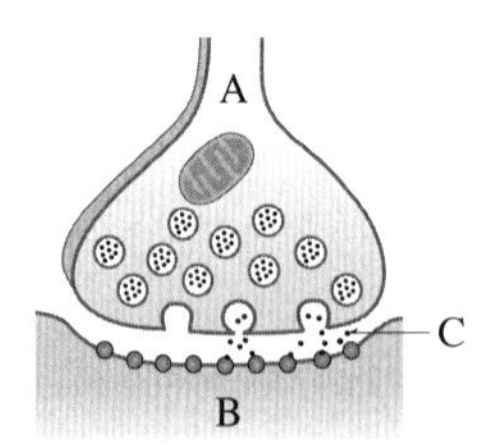

〈 보기 〉
ㄱ. A는 뉴런의 축삭 돌기 말단이다.
ㄴ. 물질 C는 B를 탈분극시킨다.
ㄷ. 시냅스에서 흥분의 전달은 B에서 A로 일어난다.

① ㄱ ② ㄷ ③ ㄱ, ㄴ ④ ㄴ, ㄷ ⑤ ㄱ, ㄴ, ㄷ

155

그림은 시냅스로 연결된 뉴런 **A**와 **B**에서 흥분이 전달되는 과정을 나타낸 것이다. ㉠과 ㉡은 각각 신경 전달 물질과 Na^+ 중 하나이다.

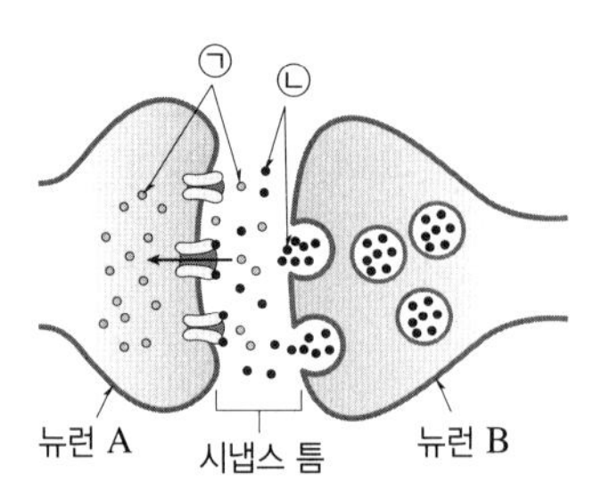

이에 대한 설명으로 옳은 것만을 〈보기〉에서 있는 대로 고른 것은?

〈 보기 〉
ㄱ. ㉠은 Na^+이다.
ㄴ. ㉡은 뉴런 A에서 탈분극이 일어나도록 한다.
ㄷ. 뉴런 B는 시냅스 이후 뉴런이다.

① ㄱ ② ㄷ ③ ㄱ, ㄴ
④ ㄴ, ㄷ ⑤ ㄱ, ㄴ, ㄷ

156

그림 (가)는 시냅스로 연결된 두 개의 뉴런을, (나)는 (가)의 한 지점에 역치 이상의 자극을 **1**회 주었을 때 지점 d_2에서의 막전위 변화를 나타낸 것이다.

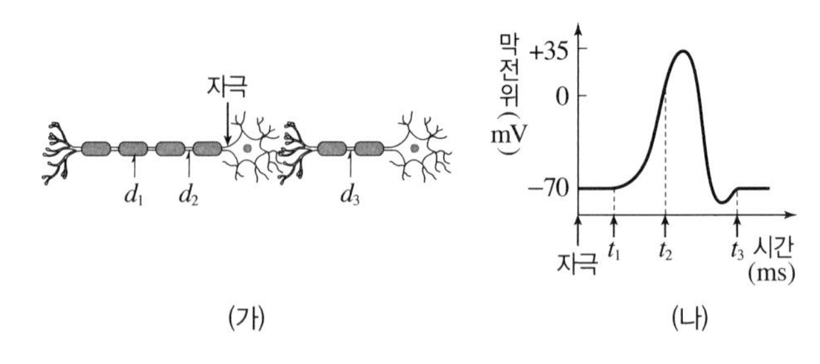

이에 대한 설명으로 옳은 것만을 〈보기〉에서 있는 대로 고른 것은?

〈 보기 〉
ㄱ. d_1은 t_1 이후에 탈분극이 일어난다.
ㄴ. d_2에서 Na^+의 막 투과도는 t_2일 때가 t_3일 때보다 높다.
ㄷ. t_3 이후에 d_3에서 활동 전위가 발생한다.

① ㄱ ② ㄴ ③ ㄷ
④ ㄱ, ㄴ ⑤ ㄴ, ㄷ

B 근수축

근육 원섬유 마디의 구조와 근수축 시 변화

빈출

157 하중상 多 보기

그림은 골격근을 구성하는 근육 원섬유의 구조를 나타낸 것이다. X는 근육 원섬유 마디이며, ㉠은 A대와 I대 중 하나이다. ⓐ와 ⓑ는 각각 마이오신 필라멘트와 액틴 필라멘트 중 하나이다.

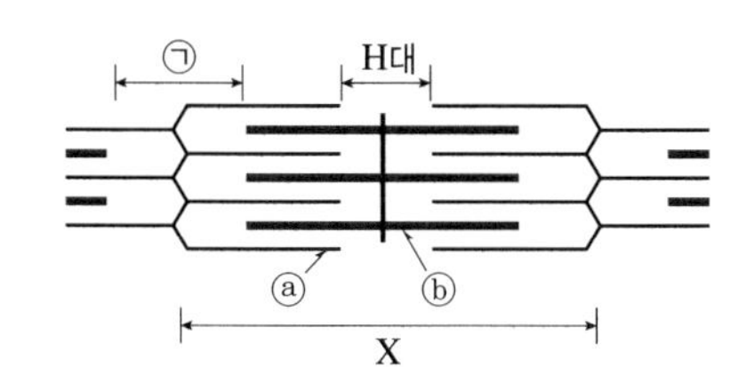

이에 대한 설명으로 옳지 않은 것은?

① ㉠은 I대이다.
② ㉠은 밝게 관찰되는 부분이다.
③ ⓐ는 액틴 필라멘트이다.
④ 근육 원섬유 마디의 길이는 ㉠과 A대를 더한 값과 같다.
⑤ 골격근이 수축하면 H대의 길이는 짧아진다.
⑥ 골격근이 이완하면 ⓑ의 길이는 길어진다.

158 하중상

그림 (가)~(다)는 근육 원섬유 마디 X의 서로 다른 세 지점의 단면 구조를 나타낸 것이다.

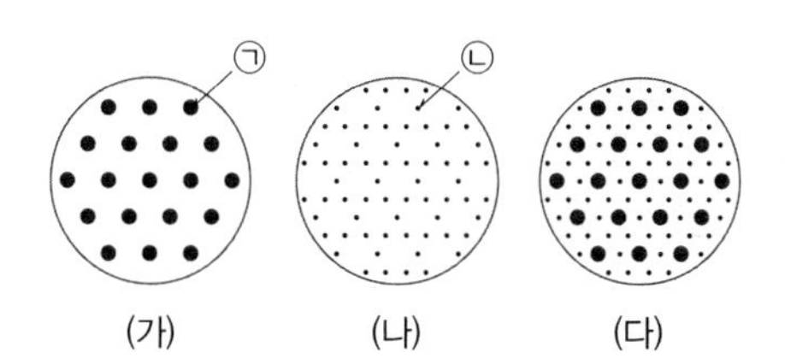

이에 대한 설명으로 옳은 것만을 〈보기〉에서 있는 대로 고른 것은?

〈 보기 〉
ㄱ. ㉠은 마이오신 필라멘트, ㉡은 액틴 필라멘트이다.
ㄴ. (다)는 A대에서 관찰되는 단면이다.
ㄷ. 근육이 수축할 때 ㉠이 ㉡ 사이로 미끄러져 들어간다.

① ㄱ ② ㄴ ③ ㄷ
④ ㄱ, ㄴ ⑤ ㄴ, ㄷ

159 하중상

그림은 팔을 굽혔을 때 근육 ㉠을 구성하는 근육 원섬유의 구조를 나타낸 것이다.

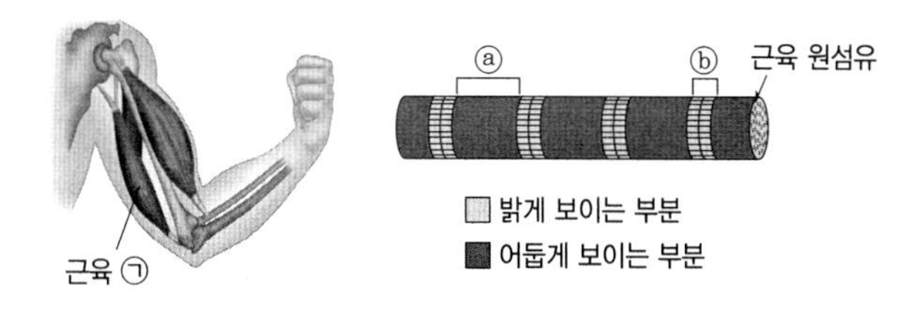

이에 대한 설명으로 옳은 것만을 〈보기〉에서 있는 대로 고른 것은?

〈 보기 〉
ㄱ. ⓐ와 ⓑ에는 모두 마이오신 필라멘트가 있다.
ㄴ. 'ⓐ의 길이+ⓑ의 길이'는 근육 원섬유 마디의 길이와 같다.
ㄷ. 팔을 펼 때 근육 ㉠에서 ⓑ의 길이는 짧아진다.

① ㄱ ② ㄷ ③ ㄱ, ㄴ
④ ㄴ, ㄷ ⑤ ㄱ, ㄴ, ㄷ

160 하중상

그림 (가)는 근육 ㉠과 ㉡을, (나)는 근육 원섬유의 구조를 나타낸 것이다.

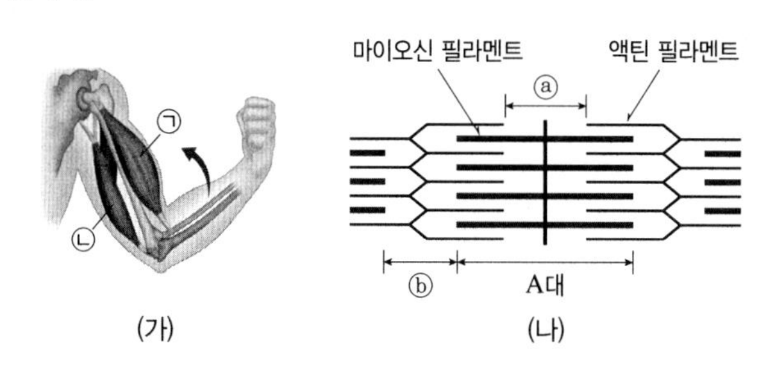

이에 대한 설명으로 옳은 것만을 〈보기〉에서 있는 대로 고른 것은?

〈 보기 〉
ㄱ. ⓐ는 H대이다.
ㄴ. 팔을 굽힐 때 ㉠에서 $\frac{\text{ⓐ의 길이}}{\text{A대의 길이}}$는 작아진다.
ㄷ. ㉡에서 ⓐ+ⓑ의 길이는 팔을 굽혔을 때가 팔을 폈을 때보다 길다.

① ㄱ ② ㄷ ③ ㄱ, ㄴ
④ ㄴ, ㄷ ⑤ ㄱ, ㄴ, ㄷ

161 하 중 상

그림 (가)는 근육 원섬유 마디 X가 이완된 상태를, (나)의 A~C는 X의 서로 다른 세 지점 ㉠~㉢을 ⓐ 방향으로 자른 단면을 순서 없이 나타낸 것이다.

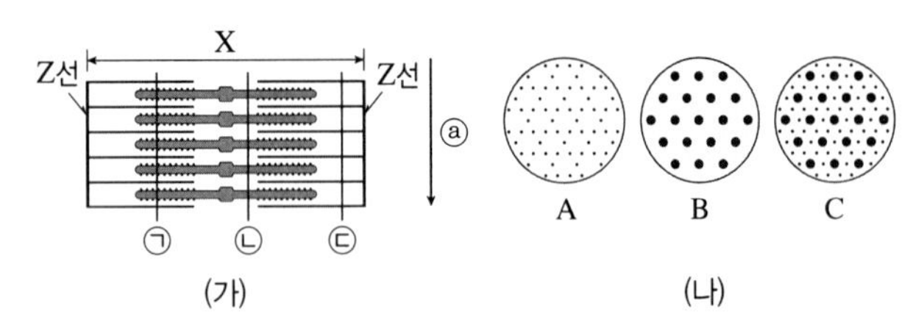

(가) (나)

이에 대한 설명으로 옳은 것만을 〈보기〉에서 있는 대로 고른 것은?

〈 보기 〉
ㄱ. B는 ㉡을 자른 단면이다.
ㄴ. 근육이 수축하면 C와 같은 단면을 갖는 부분의 길이는 짧아진다.
ㄷ. X의 길이가 5 μm 증가하면 B와 같은 단면을 갖는 부분의 길이도 5 μm 증가한다.

① ㄱ ② ㄴ ③ ㄱ, ㄷ
④ ㄴ, ㄷ ⑤ ㄱ, ㄴ, ㄷ

162 하 중 상

••서술형

그림 (가)는 근육 원섬유 마디 X가 이완된 상태를, (나)의 A~C는 X의 서로 다른 세 지점에서 ⓐ 방향으로 잘랐을 때 관찰되는 단면의 모양을 나타낸 것이다. X는 좌우 대칭이다.

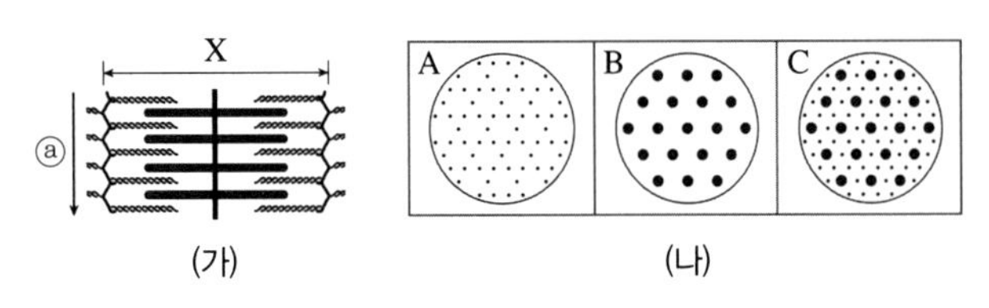

(가) (나)

(1) A~C 중 A대에서 관찰되는 단면의 모양을 모두 고르시오.

(2) 골격근이 이완할 때, A~C와 같은 단면을 갖는 부분의 길이 변화를 각각 서술하시오.

근수축 시 근육 원섬유 마디 각 부분의 길이 변화

163 하 중 상

다음은 어떤 근육에 대한 자료이다.

• 표는 골격근 수축 과정의 두 시점 (가)와 (나)일 때 근육 원섬유 마디 X의 H대와 A대의 길이를 나타낸 것이다.

시점	H대	A대
(가)	0.4 μm	1.4 μm
(나)	㉠	㉡

• (나)에서 액틴 필라멘트와 겹치지 않고 마이오신 필라멘트로만 이루어진 부분의 길이는 0.6 μm이다.

이에 대한 설명으로 옳은 것만을 〈보기〉에서 있는 대로 고른 것은?

〈 보기 〉
ㄱ. ㉠과 ㉡의 합은 2.0 μm이다.
ㄴ. X의 길이는 (가)에서가 (나)에서보다 길다.
ㄷ. 액틴 필라멘트의 길이는 (나)에서가 (가)에서보다 길다.

① ㄱ ② ㄴ ③ ㄷ ④ ㄱ, ㄴ ⑤ ㄴ, ㄷ

164 하 중 상

다음은 골격근의 수축 과정에 대한 자료이다.

• 표는 골격근 수축 과정의 두 시점 ⓐ와 ⓑ일 때 근육 원섬유 마디 X의 길이를, 그림은 ⓑ일 때 X의 구조를 나타낸 것이다. X는 좌우 대칭이다.

시점	X의 길이
ⓐ	2.4 μm
ⓑ	3.2 μm

X
Z선 Z선
㉠ ㉡ ㉢ 1.0 μm

• 구간 ㉠은 액틴 필라멘트만 있는 부분이고, ㉡은 액틴 필라멘트와 마이오신 필라멘트가 겹치는 부분이며, ㉢은 마이오신 필라멘트만 있는 부분이다.
• ⓑ일 때 A대의 길이는 1.6 μm이다.

이에 대한 설명으로 옳은 것만을 〈보기〉에서 있는 대로 고른 것은?

〈 보기 〉
ㄱ. ⓑ에서 ⓐ로 될 때 ATP의 에너지가 사용된다.
ㄴ. ⓐ일 때 H대의 길이는 0.4 μm이다.
ㄷ. ⓑ일 때 ㉠의 길이는 0.8 μm이다.
ㄹ. ㉡의 길이는 ⓐ일 때가 ⓑ일 때보다 0.2 μm 길다.

① ㄱ, ㄴ ② ㄴ, ㄷ ③ ㄷ, ㄹ
④ ㄱ, ㄴ, ㄷ ⑤ ㄴ, ㄷ, ㄹ

165 하/중/상

표는 골격근 수축 과정의 두 시점 t_1과 t_2일 때 근육 원섬유 마디 X와 ㉡의 길이를, 그림은 t_1일 때 X의 구조를 나타낸 것이다. X는 좌우 대칭이다.

시점	X의 길이	㉡의 길이
t_1	?	0.4 μm
t_2	2.0 μm	0.2 μm

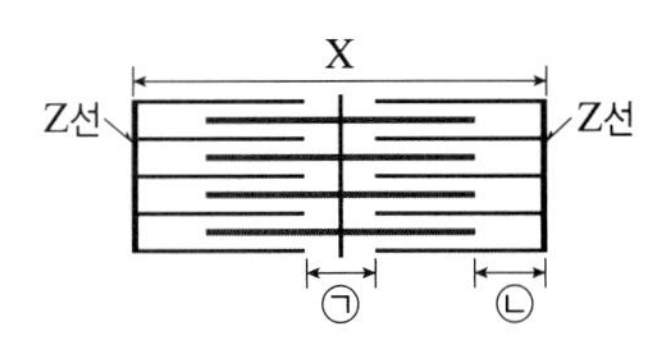

이에 대한 설명으로 옳은 것만을 〈보기〉에서 있는 대로 고른 것은?

〈 보기 〉
ㄱ. t_1일 때 X의 길이는 2.2 μm이다.
ㄴ. ㉠의 길이는 t_1일 때가 t_2일 때보다 길다.
ㄷ. A대의 길이는 t_1일 때가 t_2일 때보다 짧다.

① ㄱ ② ㄴ ③ ㄱ, ㄷ
④ ㄴ, ㄷ ⑤ ㄱ, ㄴ, ㄷ

166 하/중/상

다음은 골격근의 수축 과정에 대한 자료이다.

• 그림은 근육 원섬유 마디 X의 구조를, 표는 골격근 수축 과정의 두 시점 t_1과 t_2일 때 ㉠의 길이와 ㉡의 길이를 나타낸 것이다. X는 좌우 대칭이며, A대의 길이는 1.8 μm이다.

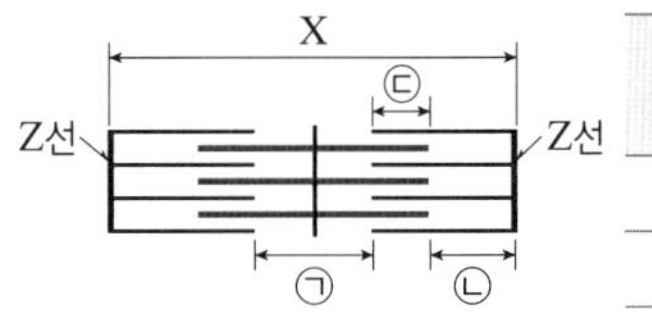

시점	㉠의 길이	㉡의 길이
t_1	0.8 μm	0.6 μm
t_2	?	0.4 μm

• 구간 ㉠은 마이오신 필라멘트만 있는 부분이고, ㉡은 액틴 필라멘트만 있는 부분이며, ㉢은 액틴 필라멘트와 마이오신 필라멘트가 겹치는 부분이다.

이에 대한 설명으로 옳은 것만을 〈보기〉에서 있는 대로 고른 것은?

〈 보기 〉
ㄱ. t_2일 때 ㉠의 길이는 0.6 μm이다.
ㄴ. X의 길이는 t_1일 때가 t_2일 때보다 0.4 μm 짧다.
ㄷ. ㉢의 길이는 t_1일 때가 t_2일 때보다 짧다.

① ㄱ ② ㄴ ③ ㄷ
④ ㄱ, ㄴ ⑤ ㄴ, ㄷ

167 하/중/상

다음은 골격근의 수축 과정에 대한 자료이다.

• 그림은 근육 원섬유 마디 X의 구조를, 표는 골격근 수축 과정의 두 시점 t_1과 t_2일 때 ㉠의 길이, ㉡의 길이와 ㉢의 길이를 더한 값(㉡+㉢)을 나타낸 것이다. X는 좌우 대칭이다.

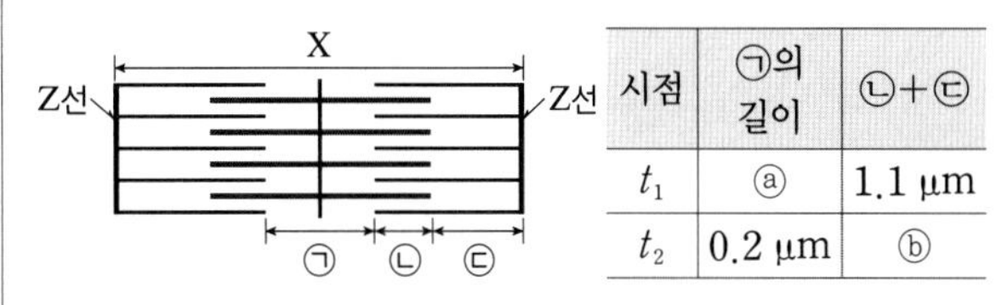

시점	㉠의 길이	㉡+㉢
t_1	ⓐ	1.1 μm
t_2	0.2 μm	ⓑ

• 구간 ㉠은 마이오신 필라멘트만 있는 부분이고, ㉡은 액틴 필라멘트와 마이오신 필라멘트가 겹치는 부분이며, ㉢은 액틴 필라멘트만 있는 부분이다.

• t_1일 때 X의 길이는 2.8 μm이다.

이에 대한 설명으로 옳은 것만을 〈보기〉에서 있는 대로 고른 것은?

〈 보기 〉
ㄱ. ⓐ+ⓑ의 값은 1.7이다.
ㄴ. X의 길이는 t_1일 때가 t_2일 때보다 0.4 μm 길다.
ㄷ. X의 길이에서 ㉠의 길이를 뺀 값은 t_1일 때와 t_2일 때가 같다.

① ㄱ ② ㄷ ③ ㄱ, ㄴ
④ ㄴ, ㄷ ⑤ ㄱ, ㄴ, ㄷ

168 하/중/상

••서술형

그림은 시점 ⓐ일 때 근육 원섬유 마디 X를, 표는 세 시점 ⓐ~ⓒ일 때 근육 원섬유 마디 각 부분의 길이를 나타낸 것이다. X는 좌우 대칭이며, 구간 ㉠은 액틴 필라멘트만 있는 부분, ㉡은 액틴 필라멘트와 마이오신 필라멘트가 겹치는 부분, ㉢은 마이오신 필라멘트만 있는 부분이다.

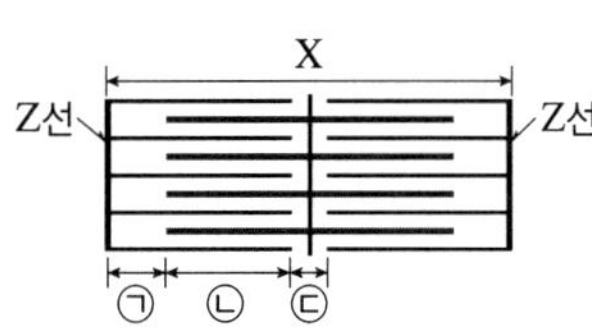

시점	X의 길이	㉠의 길이	㉢의 길이
ⓐ	2.0	?	?
ⓑ	2.4	0.5	?
ⓒ	2.8	?	1.0

(단위: μm)

(1) A대의 길이를 ㉠, ㉡, ㉢ 중 일부를 이용하여 나타내시오.

(2) ⓐ에서 ⓑ로 변할 때 H대의 길이 변화를 까닭과 함께 구하시오.

(3) ⓒ일 때 ㉠의 길이를 구하고, 그렇게 생각한 까닭을 서술하시오.

신경계

Ⓐ 중추 신경계

1 뇌 대뇌, 소뇌, 간뇌, 뇌줄기(중간뇌, 뇌교, 연수)로 구성된다.

구분	특징
❶ □□	•좌우 두 개의 반구로 나누어져 있다. •겉질과 속질로 구분되며, 겉질은 신경 세포체가 모인 회색질, 속질은 축삭 돌기가 모인 백색질이다. •정신 활동을 담당하고, 감각과 수의 운동의 중추이다.
소뇌	•좌우 두 개의 반구로 나누어져 있다. •내이의 평형 감각 기관에서 오는 감각 정보를 받아 대뇌와 함께 수의 운동을 조절하고 몸의 평형을 유지한다. (평형 감각 기관 → 전정 기관, 반고리관)
❷ □□	•시상과 시상 하부로 구분된다. •시상 하부는 혈당량, 체온, 혈장 삼투압의 조절 중추로, 항상성 유지에 관여한다.
뇌줄기 – 중간뇌	•소뇌와 함께 몸의 평형을 유지한다. •안구 운동과 동공의 크기를 조절한다. ➔ ❸ □□ 반사의 조절 중추
뇌줄기 – 뇌교	대뇌와 소뇌 사이의 정보를 전달하는 통로이며, 연수와 함께 호흡 운동을 조절한다.
뇌줄기 – ❹ □□	•신경의 좌우 교차가 일어난다. •심장 박동, 호흡 운동, 소화 운동, 소화액 분비 등의 조절 중추이다. •기침, 재채기, 하품, 눈물 분비 등과 같은 반사의 중추이다.

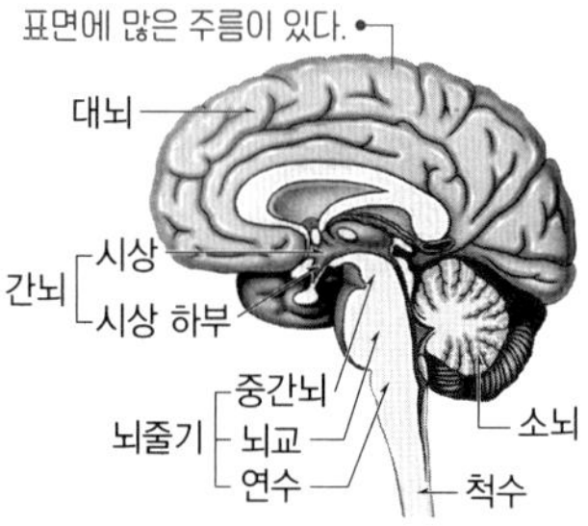

2 척수 연수에 이어져 척추 속으로 뻗어 있으며, 뇌와 말초 신경계를 연결한다.

구분	특징
구조	•겉질이 백색질, 속질이 회색질이다. ➔ 운동 뉴런의 신경 세포체는 척수의 속질(회색질)에 있다. •척수의 등 쪽에서 나오는 후근은 구심성 신경(감각 신경)의 다발이고, 배 쪽에서 나오는 전근은 원심성 신경(운동 신경)의 다발이다.
기능	•뇌와 말초 신경계 사이의 신호를 전달하는 통로 역할을 한다. •배변·배뇨 반사, 무릎 반사, 회피 반사의 중추이다.

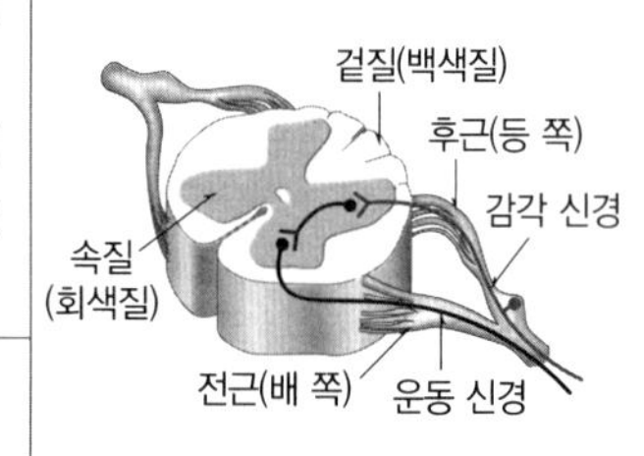

3 의식적인 반응과 무조건 반사

① 의식적인 반응: 대뇌의 판단과 명령에 따라 일어나는 반응이다.

예 날아오는 공을 보고 야구 방망이로 친다.

[반응 경로] 자극 → 감각기 → 감각 신경 → 중추 신경(대뇌) → 운동 신경 → 반응기 → 반응

② ❺ □□□ □□: 의지와 관계없이 무의식적으로 일어나는 반응으로, 자극이 대뇌로 전달되기 전에 일어나므로 반응 속도가 빨라 위험으로부터 우리 몸을 보호할 수 있다.

(회피 반사)

날카로운 물체에 손이 닿았을 때 손을 무의식적으로 뗀다.

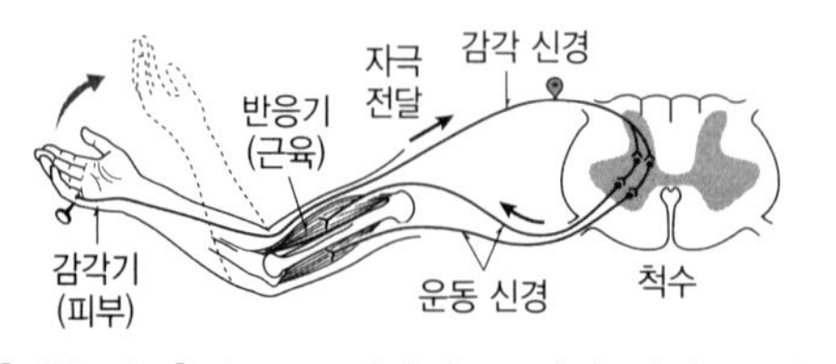

[반응 경로] 자극 → 감각기 → 감각 신경 → 중추 신경(척수) → 운동 신경 → 반응기 → 반응

(무릎 반사)

무릎뼈 아래를 고무망치로 가볍게 치면 다리가 살짝 올라간다.

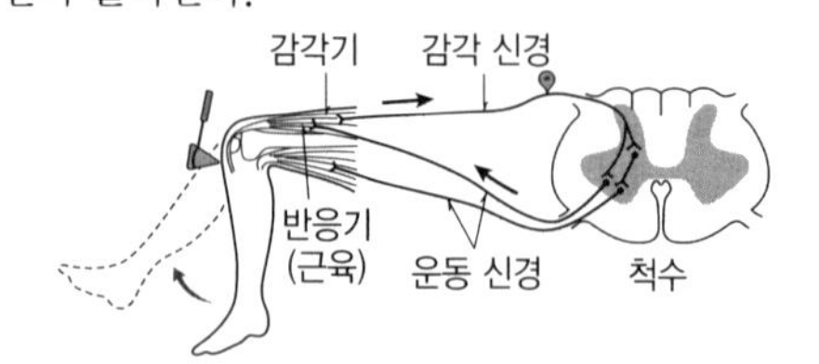

[반응 경로] 자극 → 감각기 → 감각 신경 → 중추 신경(척수) → 운동 신경 → 반응기 → 반응

기출 Tip Ⓐ

사람의 신경계 구성

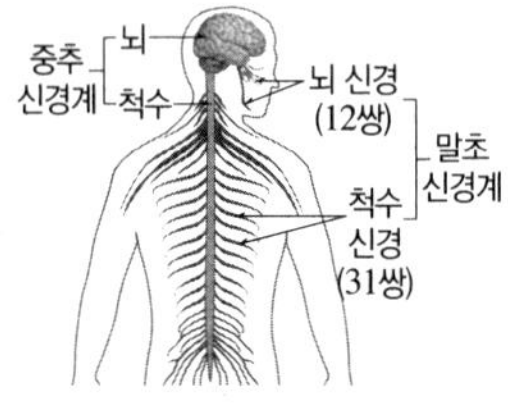

중추 신경계는 뇌와 척수로 구성되며, 말초 신경계는 뇌에 연결된 뇌 신경 12쌍과 척수에 연결된 척수 신경 31쌍으로 이루어진다.

기출 Tip Ⓐ-1

동공 반사

중간뇌는 주변의 밝기에 따라 홍채를 확대 또는 축소시켜 동공의 크기를 조절한다.

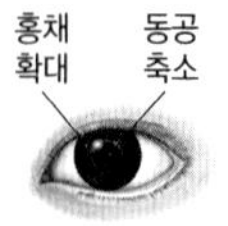

▲ 밝은 곳

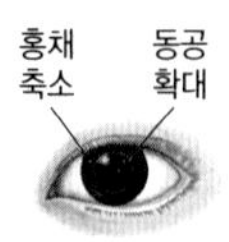

▲ 어두운 곳

기출 Tip Ⓐ-3

얼굴에서 일어나는 반응의 경로

눈으로 들어온 자극은 척수를 거치지 않고 뇌로 전달되며, 얼굴 부위의 반응기로 전달되는 뇌의 명령도 척수를 거치지 않는다.

회피 반사와 무릎 반사 시 근육의 수축

회피 반사와 무릎 반사 시 근육이 수축할 때 근육 원섬유 마디의 길이가 짧아지고, I대와 H대의 길이도 짧아진다.

Ⓑ 말초 신경계

1 말초 신경계의 구성 감각기에서 받아들인 자극 정보를 중추 신경계로 전달하는 구심성 신경과 중추 신경계의 반응 명령을 반응기로 전달하는 원심성 신경으로 구성된다. 원심성 신경은 체성 신경계와 자율 신경계로 구분된다.

중추 신경계
구심성 신경 — 감각 신경
원심성 신경 — 체성 신경계 (운동 신경), 자율 신경계 (교감 신경, 부교감 신경)

▲ 말초 신경계의 기능적 구성

2 체성 신경계 운동 신경으로 구성되며, ❻☐☐의 지배를 받아 의식적인 골격근의 반응을 조절한다.

3 자율 신경계 대뇌의 영향을 직접 받지 않는다.

① 중추에서 나와 반응기에 이르기까지 2개의 뉴런이 신경절에서 시냅스를 이룬다.

② 교감 신경과 부교감 신경으로 구성되어 있다.

❼☐☐ 신경	• 신경절 이전 뉴런이 신경절 이후 뉴런보다 짧다. • 척수의 중간 부분에서 나온다.	신경절에서 아세틸콜린, 신경 말단에서 노르에피네프린 분비
❽☐☐☐ 신경	• 신경절 이전 뉴런이 신경절 이후 뉴런보다 길다. • 중간뇌, 연수, 척수의 꼬리 부분에서 나온다.	신경절과 신경 말단에서 모두 아세틸콜린 분비

③ 교감 신경과 부교감 신경은 주로 같은 기관에 분포하며 서로 반대 효과를 나타내는 길항 작용을 한다. ➔ 교감 신경은 몸을 긴장 상태로, 부교감 신경은 몸을 안정 상태로 만든다.

구분	동공	기관지	심장 박동	소화	방광
교감 신경	확대	확장	❾☐☐	억제	확장
부교감 신경	축소	수축	❿☐☐	촉진	수축

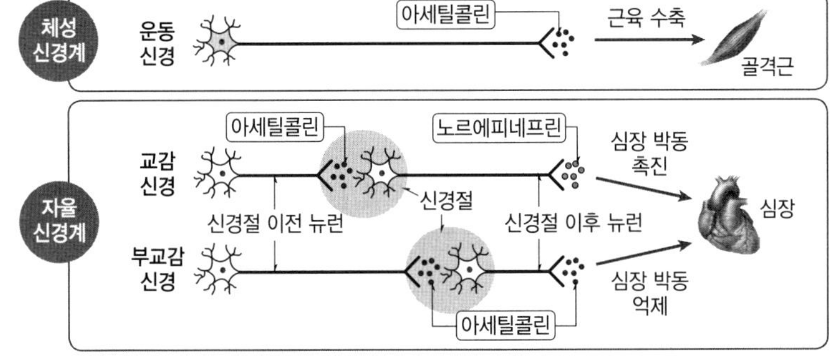

체성 신경은 시냅스 없이 하나의 뉴런으로 연결된다.

자율 신경은 2개의 뉴런이 신경절에서 시냅스를 이룬다.

▲ 체성 신경계와 자율 신경계의 구조

기출 Tip Ⓑ-3

교감 신경과 부교감 신경의 분포

- 교감 신경은 신경절 이전 뉴런의 신경 세포체가 모두 척수에 있다.
- 동공에 분포한 부교감 신경은 신경절 이전 뉴런의 신경 세포체가 중간뇌에 있다.
- 기관지, 심장, 위, 쓸개에 분포한 부교감 신경은 신경절 이전 뉴런의 신경 세포체가 연수에 있다.
- 방광에 분포한 부교감 신경은 신경절 이전 뉴런의 신경 세포체가 척수의 꼬리 부분에 있다.

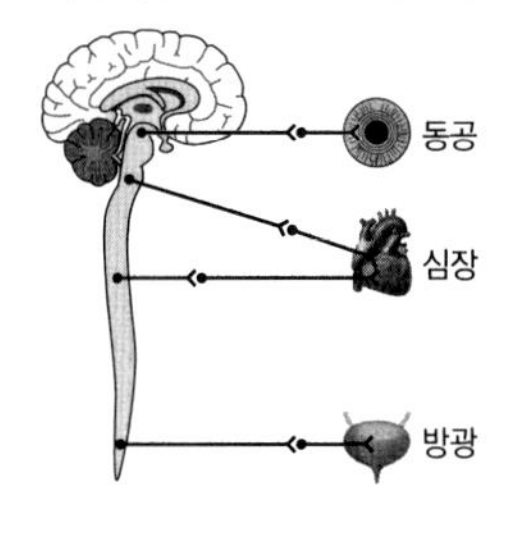

답 ❶ 대뇌 ❷ 간뇌 ❸ 동공 ❹ 연수 ❺ 무조건 반사 ❻ 대뇌 ❼ 교감 ❽ 부교감 ❾ 촉진 ❿ 억제

빈출 자료 보기

정답과 해설 22쪽

169 그림은 중추 신경계와 골격근, 심장, 방광을 연결하는 신경 A~C를 나타낸 것이다. A~C는 각각 교감 신경, 부교감 신경, 체성 신경 중 하나이다.

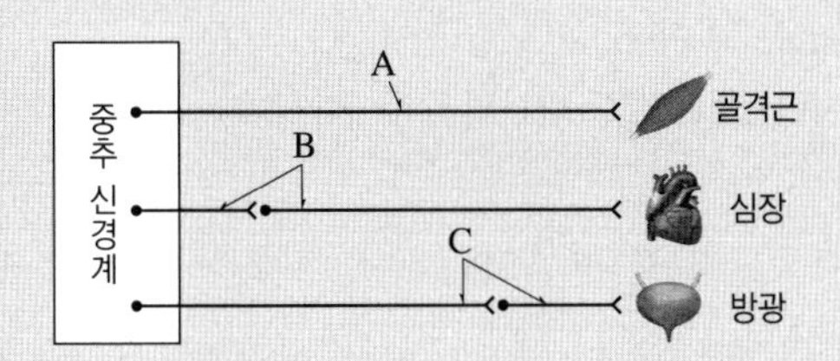

이에 대한 설명으로 옳은 것은 ○, 옳지 않은 것은 ×로 표시하시오.

(1) A는 체성 신경계에 속한다. ( )

(2) B가 흥분하면 심장 박동이 촉진된다. ( )

(3) C가 흥분하면 방광이 수축된다. ( )

(4) B와 C는 모두 대뇌의 영향을 직접 받지 않는다. ( )

(5) B의 신경절 이전 뉴런의 신경 세포체는 연수에 있다. ( )

(6) B와 C의 신경절 이후 뉴런의 말단에서 분비되는 신경 전달 물질은 모두 아세틸콜린이다. ( )

A 중추 신경계

170 하중상

사람의 신경계에 대한 설명으로 옳은 것은?

① 뇌 신경은 31쌍으로 이루어져 있다.
② 자율 신경계는 대뇌의 지배를 받는다.
③ 대뇌는 골격근의 수의 운동을 조절한다.
④ 대뇌 겉질은 축삭 돌기가 모인 백색질이다.
⑤ 중추 신경계는 뇌 신경과 척수 신경으로 구성된다.

뇌와 척수

171 하중상

사람의 뇌에 대한 설명으로 옳지 않은 것은?

① 간뇌는 시상과 시상 하부로 구분된다.
② 기침, 재채기, 하품의 중추는 연수이다.
③ 안구 운동과 시각의 중추는 중간뇌이다.
④ 소뇌는 몸의 자세와 몸의 평형 유지의 중추이다.
⑤ 대뇌는 두 개의 반구로 구성되며, 표면에는 많은 주름이 있다.

[172~173] 그림은 사람 뇌의 구조를 나타낸 것이다. A~E는 각각 간뇌, 대뇌, 소뇌, 연수, 중간뇌 중 하나이다.

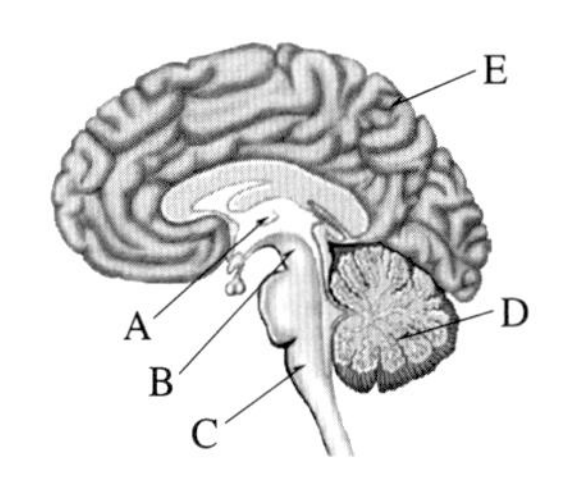

172 하중상

多 보기

이에 대한 설명으로 옳은 것은?

① A는 체온과 혈당량을 조절하는 항상성 유지의 중추이다.
② B는 시상 하부가 존재한다.
③ C는 홍채의 크기를 조절한다.
④ D에서 신경의 좌우 교차가 일어난다.
⑤ E의 속질에 주로 신경 세포체가 존재한다.
⑥ A, B, C는 모두 뇌줄기를 구성한다.

173 하중상

C 부위가 손상된 환자에게서 나타날 가능성이 가장 높은 증상은?

① 체온 조절이 잘 되지 않는다.
② 심장 박동이 매우 느려진다.
③ 동공 반사가 일어나지 않는다.
④ 무릎 반사가 일어나지 않는다.
⑤ 몸의 균형을 유지하기가 어렵다.

174 하중상

표는 중추 신경계를 구성하는 구조 A~C에서 두 가지 특징의 유무를 나타낸 것이다. A~C는 중간뇌, 소뇌, 연수를 순서 없이 나타낸 것이다.

특징 \ 구조	A	B	C
뇌줄기를 구성한다.	없음	있음	있음
동공 반사의 중추이다.	없음	없음	㉠

이에 대한 설명으로 옳은 것만을 〈보기〉에서 있는 대로 고른 것은?

〈보기〉
ㄱ. ㉠은 '있음'이다.
ㄴ. A는 연수이다.
ㄷ. B는 혈장 삼투압 조절의 중추이다.

① ㄱ ② ㄴ ③ ㄷ
④ ㄱ, ㄴ ⑤ ㄴ, ㄷ

175 하중상

표 (가)는 사람의 중추 신경계를 구성하는 구조 A~C에서 특징 ㉠~㉢의 유무를, (나)는 ㉠~㉢을 순서 없이 나타낸 것이다. A~C는 각각 연수, 간뇌, 척수 중 하나이다.

구분	㉠	㉡	㉢
A	?	×	○
B	○	○	?
C	○	ⓐ	○

(○: 있음, ×: 없음)

(가)

특징 ㉠~㉢
• 뇌를 구성한다. • 연합 뉴런으로 구성된다. • 소화 운동과 소화액 분비를 조절하는 중추이다.

(나)

이에 대한 설명으로 옳은 것만을 〈보기〉에서 있는 대로 고른 것은?

〈보기〉
ㄱ. ㉠은 '연합 뉴런으로 구성된다.'이다.
ㄴ. ⓐ는 '×'이다.
ㄷ. A는 배변·배뇨 반사의 중추이다.

① ㄱ ② ㄴ ③ ㄷ
④ ㄱ, ㄴ ⑤ ㄴ, ㄷ

의식적인 반응과 무조건 반사

176 하 중 상

그림은 사람의 신경계에서 일어나는 흥분 전달 경로를 나타낸 것이다. ㉠은 뉴런이다.

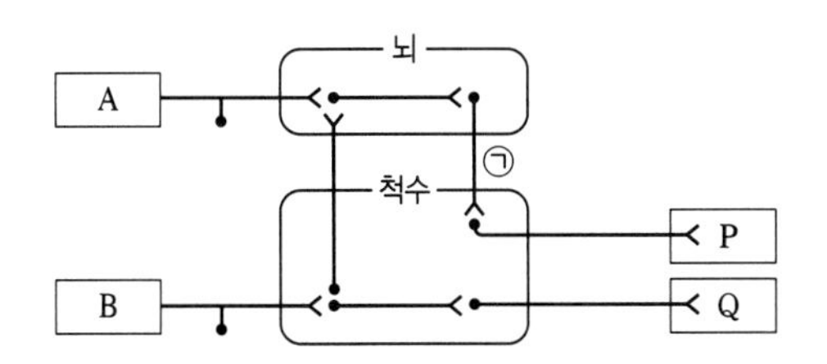

이에 대한 설명으로 옳은 것만을 〈보기〉에서 있는 대로 고른 것은?

〈 보기 〉

ㄱ. 날아오는 공을 보고 손으로 잡는 과정은 A → P이다.
ㄴ. 뜨거운 것을 만졌을 때 자신도 모르게 손을 떼는 과정은 B → Q이다.
ㄷ. 무릎 반사가 일어나는 과정에 ㉠이 관여한다.

① ㄱ ② ㄷ ③ ㄱ, ㄴ
④ ㄴ, ㄷ ⑤ ㄱ, ㄴ, ㄷ

177 하 중 상

그림은 자극에 의한 반사가 일어나 근육 ⓐ가 수축할 때 흥분 전달 경로를 나타낸 것이다.

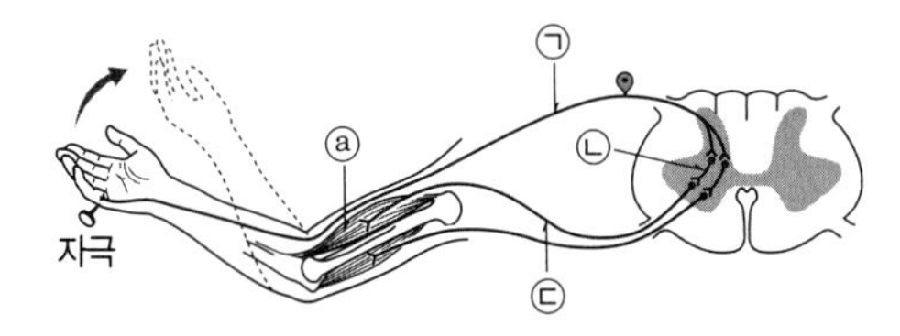

이에 대한 설명으로 옳은 것만을 〈보기〉에서 있는 대로 고른 것은?

〈 보기 〉

ㄱ. ㉠은 척수의 전근을 이룬다.
ㄴ. ㉡은 연합 뉴런이다.
ㄷ. ㉢의 신경 세포체는 척수의 속질에 존재한다.
ㄹ. 근육 ⓐ가 수축하면 ⓐ의 근육 원섬유 마디에서 I대와 H대가 모두 짧아진다.

① ㄱ, ㄴ ② ㄴ, ㄷ ③ ㄷ, ㄹ
④ ㄱ, ㄴ, ㄷ ⑤ ㄴ, ㄷ, ㄹ

178 하 중 상

그림은 무릎 반사가 일어나는 과정에서 흥분 전달 경로를 나타낸 것이다.

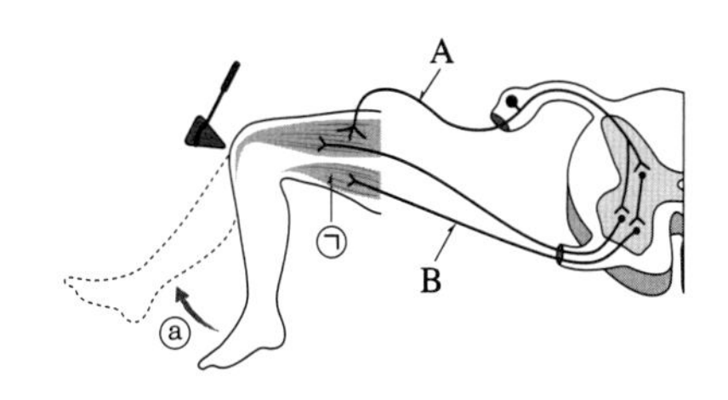

이에 대한 설명으로 옳은 것만을 〈보기〉에서 있는 대로 고른 것은?

〈 보기 〉

ㄱ. A는 구심성 뉴런이다.
ㄴ. B는 체성 신경이며, ㉠으로 아세틸콜린을 분비한다.
ㄷ. ⓐ가 일어날 때 ㉠의 근육 원섬유 마디에서 마이오신 필라멘트의 길이는 길어진다.

① ㄱ ② ㄷ ③ ㄱ, ㄴ
④ ㄴ, ㄷ ⑤ ㄱ, ㄴ, ㄷ

B 말초 신경계

179 하 중 상

그림은 말초 신경계의 구성을 나타낸 것이다. (가)와 (나)는 각각 원심성 신경과 구심성 신경 중 하나이다.

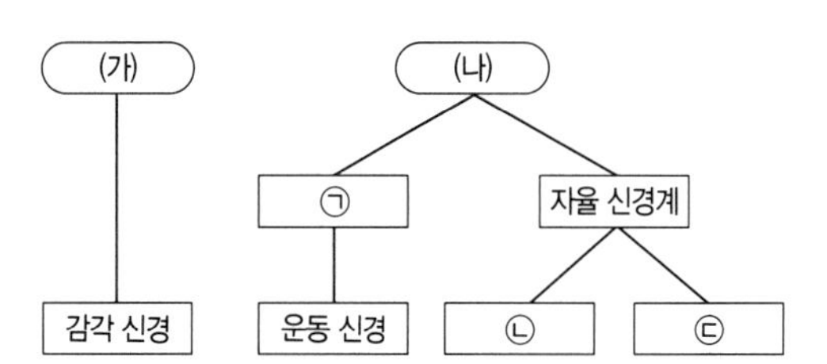

이에 대한 설명으로 옳은 것만을 〈보기〉에서 있는 대로 고른 것은?

〈 보기 〉

ㄱ. (가)는 구심성 신경이다.
ㄴ. ㉠은 중추에서 반응기까지 2개의 뉴런으로 연결되어 있다.
ㄷ. ㉡과 ㉢은 길항 작용으로 기관의 기능을 적절히 조절한다.

① ㄱ ② ㄴ ③ ㄱ, ㄷ
④ ㄴ, ㄷ ⑤ ㄱ, ㄴ, ㄷ

체성 신경과 자율 신경

180 하 **중** 상

그림은 중추 신경계와 홍채, 심장, 골격근을 연결하는 신경 A～C를 나타낸 것이다.

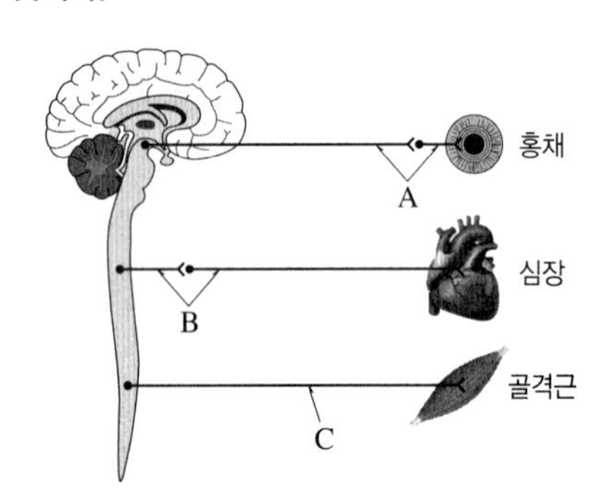

이에 대한 설명으로 옳은 것만을 〈보기〉에서 있는 대로 고른 것은?

〈 보기 〉
ㄱ. A는 대뇌의 영향을 직접 받지 않는다.
ㄴ. B는 심장 박동을 억제한다.
ㄷ. C는 체성 신경계에 속한다.

① ㄱ ② ㄴ ③ ㄷ
④ ㄱ, ㄷ ⑤ ㄴ, ㄷ

181 하 **중** 상

그림은 중추 신경계와 기관 A와 B를 연결하는 뉴런 ㉠～㉢을 나타낸 것이다. A와 B는 각각 팔 골격근과 소장 중 하나이다.

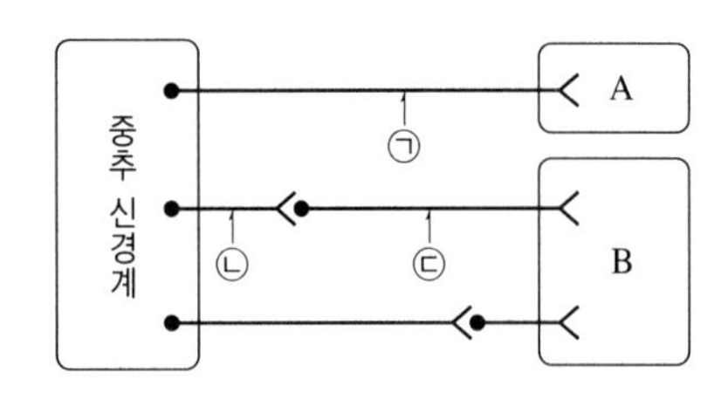

이에 대한 설명으로 옳은 것만을 〈보기〉에서 있는 대로 고른 것은?

〈 보기 〉
ㄱ. A는 팔 골격근, B는 소장이다.
ㄴ. ㉠은 척수의 전근을 통해 나온다.
ㄷ. ㉡과 ㉢의 말단에서 모두 아세틸콜린이 분비된다.

① ㄱ ② ㄷ ③ ㄱ, ㄴ
④ ㄴ, ㄷ ⑤ ㄱ, ㄴ, ㄷ

182 하 **중** 상

그림 (가)는 중추 신경계에서 뻗어 나와 방광에 연결된 말초 신경 A와 B를, (나)는 중추 신경계에서 뻗어 나와 다리 골격근에 연결된 말초 신경 C와 D를 나타낸 것이다.

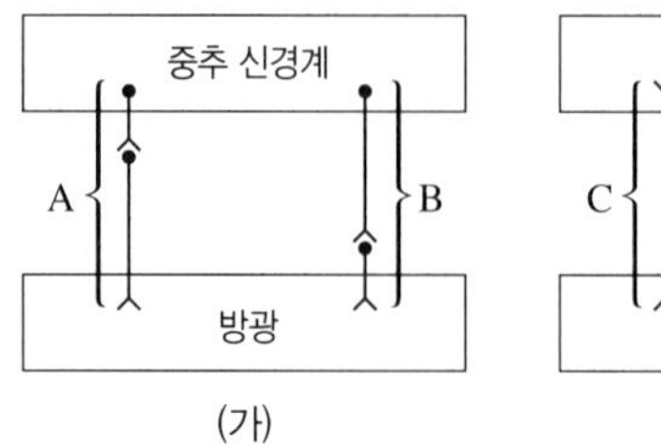

(가)

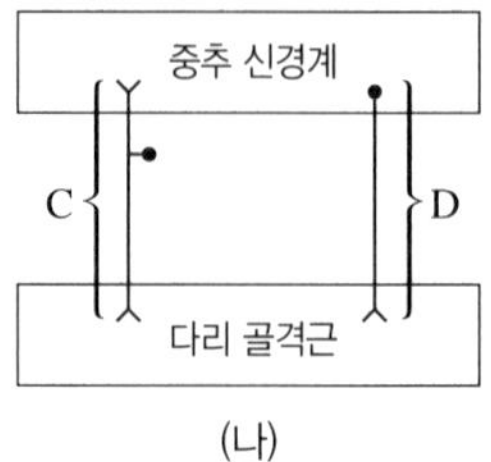

(나)

이에 대한 설명으로 옳은 것만을 〈보기〉에서 있는 대로 고른 것은?

〈 보기 〉
ㄱ. A는 교감 신경으로, 흥분하면 방광이 수축된다.
ㄴ. A와 B의 신경절 이전 뉴런의 신경 세포체는 모두 척수에 있다.
ㄷ. C와 D에서 흥분의 이동 방향은 서로 반대이다.

① ㄱ ② ㄴ ③ ㄷ
④ ㄱ, ㄷ ⑤ ㄴ, ㄷ

자율 신경

183 **하** 중 상 •서술형

그림은 철수가 길에서 사나운 개를 만났을 때의 모습을 나타낸 것이다.

이와 같은 위기 상황일 때 흥분하는 자율 신경의 종류를 쓰고, 이 신경이 작용할 때 몸에서 나타나는 변화를 다음 용어를 모두 이용하여 서술하시오.

동공, 심장 박동, 소화액 분비, 방광

184 하 중 상

그림은 위에 연결된 신경 A와 B를 나타낸 것이다. 신경 A와 B는 각각 교감 신경과 부교감 신경 중 하나이다.

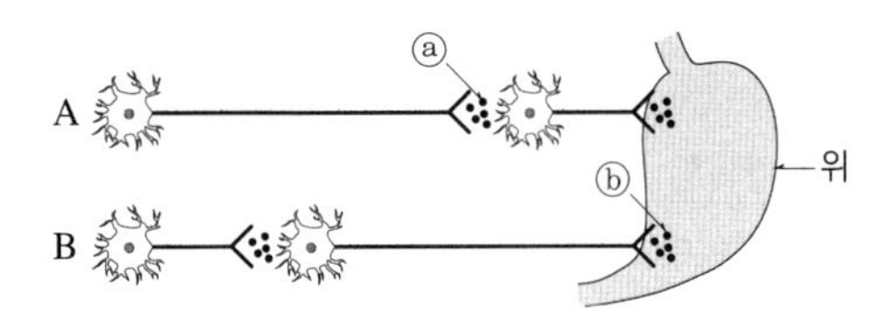

이에 대한 설명으로 옳은 것만을 〈보기〉에서 있는 대로 고른 것은?

〈 보기 〉
ㄱ. A는 부교감 신경이다.
ㄴ. B가 흥분하면 위의 소화 작용이 촉진된다.
ㄷ. 뉴런의 축삭 돌기 말단에서 분비되는 신경 전달 물질인 ⓐ와 ⓑ는 서로 같은 종류의 물질이다.

① ㄱ ② ㄷ ③ ㄱ, ㄴ
④ ㄴ, ㄷ ⑤ ㄱ, ㄴ, ㄷ

185 하 중 상

그림은 자율 신경 A와 B가 홍채에 연결된 것을 나타낸 것이다. ⓐ와 ⓑ 각각에 하나의 신경절이 있고, ㉠과 ㉣의 말단에서 분비되는 신경 전달 물질은 서로 같다.

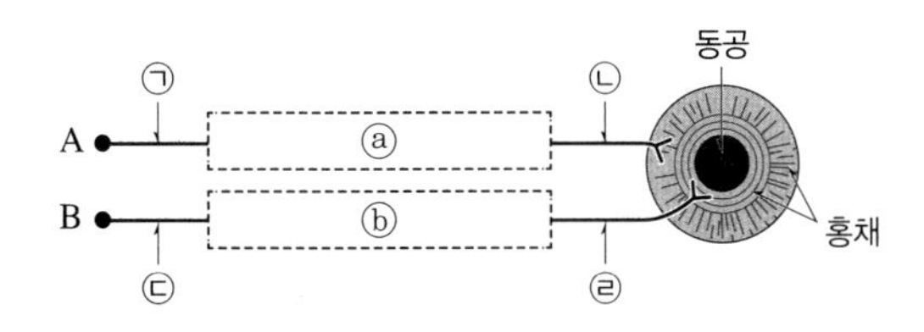

이에 대한 설명으로 옳은 것만을 〈보기〉에서 있는 대로 고른 것은?

〈 보기 〉
ㄱ. A는 교감 신경이다.
ㄴ. ㉡이 흥분하면 동공이 확대된다.
ㄷ. ㉢의 신경 세포체는 중간뇌에 있다.

① ㄱ ② ㄷ ③ ㄱ, ㄴ
④ ㄴ, ㄷ ⑤ ㄱ, ㄴ, ㄷ

186 하 중 상

그림은 심장에 연결된 자율 신경 A와 B를, 표는 어떤 건강한 사람에서 (가)와 (나)일 때 심장 박동과 기관지의 변화를 나타낸 것이다. A와 B는 각각 교감 신경과 부교감 신경 중 하나이고, (가)와 (나)는 각각 교감 신경의 활동 전위 발생 빈도가 증가할 때와 부교감 신경의 활동 전위 발생 빈도가 증가할 때이다.

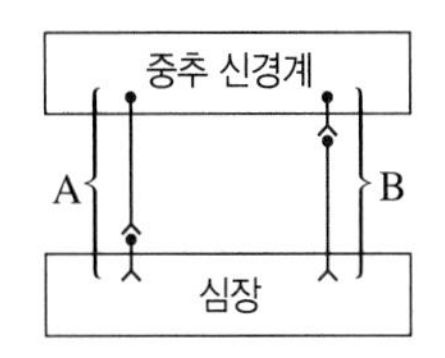

구분	심장	기관지
(가)	박동 촉진	㉠
(나)	박동 억제	?

이에 대한 설명으로 옳은 것만을 〈보기〉에서 있는 대로 고른 것은?

〈 보기 〉
ㄱ. A의 활동 전위 발생 빈도가 증가할 때는 (나)이다.
ㄴ. B의 신경절 이전 뉴런의 신경 세포체는 연수에 있다.
ㄷ. ㉠은 '수축'이다.

① ㄱ ② ㄴ ③ ㄷ
④ ㄱ, ㄴ ⑤ ㄴ, ㄷ

187 하 중 상

심장 박동은 자율 신경 A와 B에 의해 조절된다. 그림 (가)는 A를, (나)는 B를 자극했을 때 심장 세포에서 활동 전위가 발생하는 빈도의 변화를 나타낸 것이다.

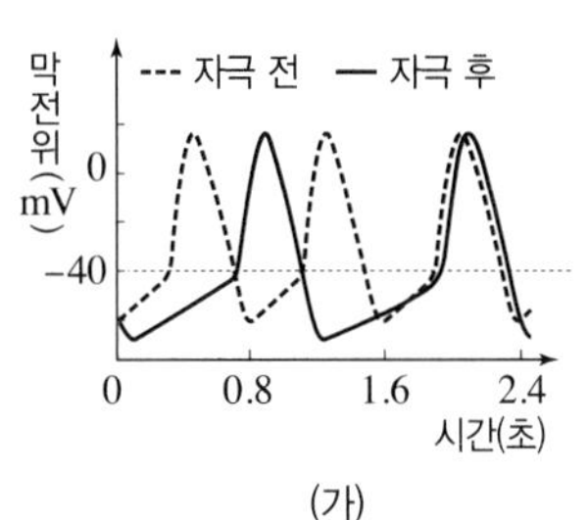

(가)

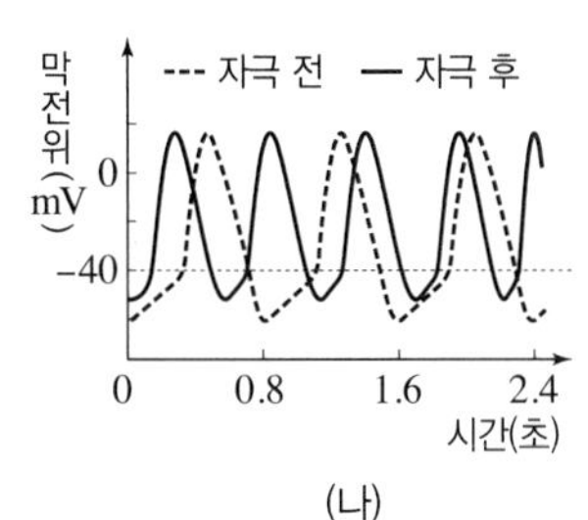

(나)

이에 대한 설명으로 옳은 것만을 〈보기〉에서 있는 대로 고른 것은?

〈 보기 〉
ㄱ. A는 신경절 이전 뉴런의 길이보다 신경절 이후 뉴런의 길이가 짧다.
ㄴ. B의 신경절 이전 뉴런의 신경 세포체는 척수에 있다.
ㄷ. B의 신경절 이후 뉴런의 말단에서 분비되는 신경 전달 물질은 체성 신경의 말단에서 분비되는 신경 전달 물질과 같다.

① ㄱ ② ㄴ ③ ㄷ
④ ㄱ, ㄴ ⑤ ㄴ, ㄷ

188

다음은 민말이집 신경 A와 B의 흥분 전도에 대한 자료이다.

- 그림은 A와 B의 축삭 돌기 일부를, 표는 A와 B의 동일한 지점에 역치 이상의 자극을 동시에 1회 주고 경과된 시간이 t_1일 때 d_1~d_4에서 측정한 막전위를 나타낸 것이다. Ⅰ은 d_1이고, Ⅱ~Ⅳ는 각각 d_2~d_4 중 하나이다.
- 자극을 준 지점은 P와 Q 중 하나이다.
- 흥분의 전도 속도는 B보다 A에서 빠르다.

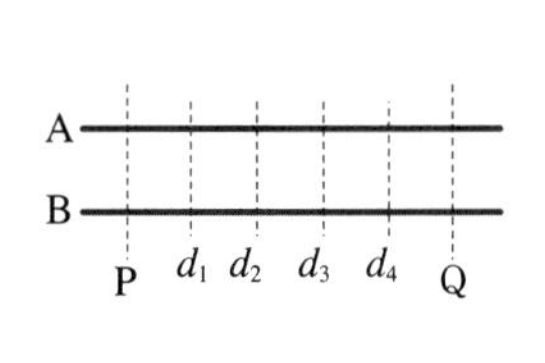

신경	t_1일 때 측정한 막전위(mV)			
	Ⅰ	Ⅱ	Ⅲ	Ⅳ
A	−80	+5	−40	+20
B	−60	−65	+20	−15

- A와 B의 d_1~d_4에서 활동 전위가 발생하였을 때, 각 지점에서의 막전위 변화는 그림과 같다.

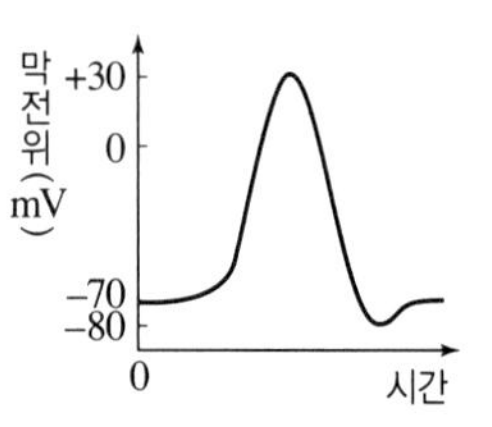

이에 대한 설명으로 옳은 것만을 〈보기〉에서 있는 대로 고른 것은? (단, A와 B에서 흥분의 전도는 각각 1회 일어났고, 휴지 전위는 −70 mV이다.)

〈 보기 〉

ㄱ. 자극을 준 지점은 P이다.
ㄴ. Ⅱ는 d_3이다.
ㄷ. t_1일 때 B의 d_4에서 Na^+이 세포 안으로 확산된다.
ㄹ. t_1일 때 A의 $\frac{d_3\text{의 막전위}}{d_4\text{의 막전위}}$의 값은 1보다 크다.

① ㄱ, ㄴ ② ㄱ, ㄷ ③ ㄴ, ㄹ
④ ㄱ, ㄷ, ㄹ ⑤ ㄴ, ㄷ, ㄹ

189

다음은 민말이집 신경 A와 B의 흥분 전도에 대한 자료이다.

- 그림은 A와 B의 지점 d_1으로부터 세 지점 d_2~d_4까지의 거리를, 표는 ㉠ A와 B의 d_1에 역치 이상의 자극을 동시에 1회 주고 경과된 시간이 t_1일 때 d_1~d_4에서 측정한 막전위를 나타낸 것이다.

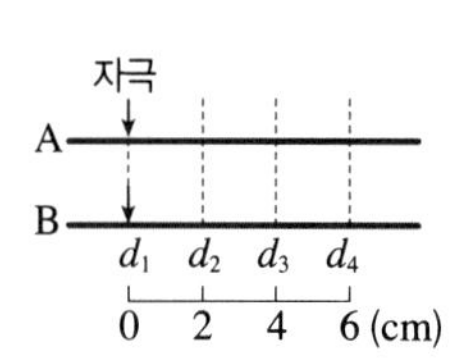

신경	t_1일 때 측정한 막전위(mV)			
	d_1	d_2	d_3	d_4
A	?	−80	?	−58
B	?	−75	−80	+30

- A의 흥분 전도 속도는 2 cm/ms이다.
- 그림 (가)는 A의 d_1~d_4에서, (나)는 B의 d_1~d_4에서 활동 전위가 발생하였을 때 각 지점에서의 막전위 변화를 나타낸 것이다.

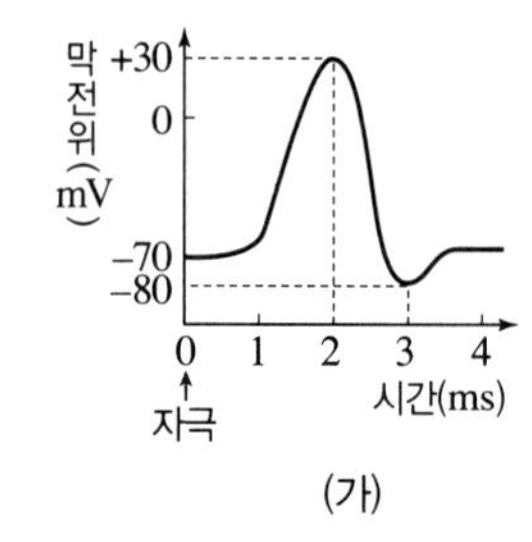

(가)

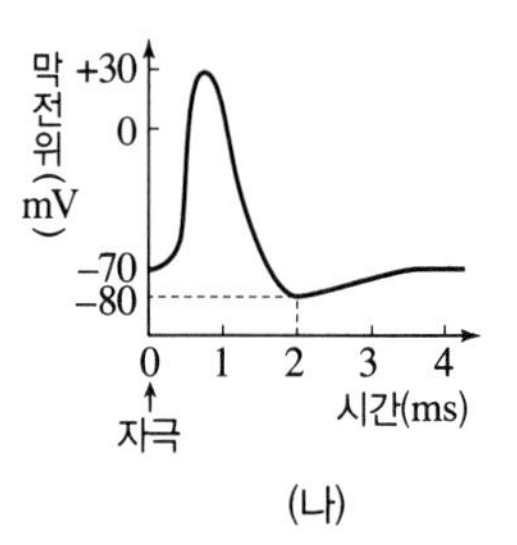

(나)

이에 대한 설명으로 옳은 것만을 〈보기〉에서 있는 대로 고른 것은? (단, A와 B에서 흥분의 전도는 각각 1회 일어났고, 휴지 전위는 −70 mV이다.)

〈 보기 〉

ㄱ. t_1은 6 ms이다.
ㄴ. 흥분의 전도 속도는 A가 B보다 빠르다.
ㄷ. ㉠이 5 ms일 때 B의 d_4에서 막전위는 −80 mV이다.

① ㄱ ② ㄷ ③ ㄱ, ㄴ
④ ㄴ, ㄷ ⑤ ㄱ, ㄴ, ㄷ

190

다음은 시냅스로 연결된 신경 ㉠과 ㉡의 흥분 이동에 대한 자료이다.

• 그림은 민말이집 신경 ㉠과 ㉡에서 지점 P_1~P_6 사이의 거리를 나타낸 것이다.

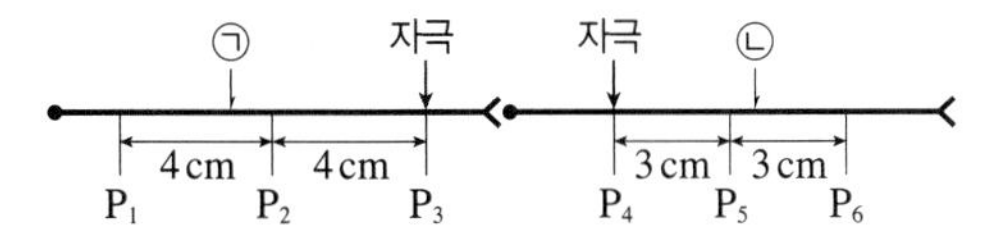

• P_3에 역치 이상의 자극을 1회 주고 경과된 시간이 7 ms일 때 P_1과 P_4에서의 막전위는 모두 −80 mV이다.

• P_4에 역치 이상의 자극을 1회 주고 경과된 시간이 4 ms일 때 P_6에서의 막전위는 +30 mV이다.

• P_1~P_6에서 활동 전위가 발생하였을 때, 각 지점에서의 막전위 변화는 그림과 같다.

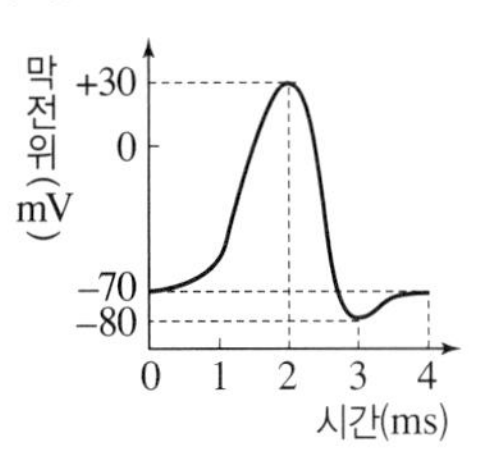

이에 대한 설명으로 옳은 것만을 〈보기〉에서 있는 대로 고른 것은? (단, ㉠과 ㉡에서 흥분의 전도는 각각 1회 일어났고, 휴지 전위는 −70 mV이다.)

〈 보기 〉

ㄱ. 흥분의 전도 속도는 ㉡에서보다 ㉠에서 빠르다.

ㄴ. P_3에 역치 이상의 자극을 1회 주고 경과된 시간이 7 ms 일 때 P_5에서의 막전위는 +30 mV이다.

ㄷ. P_4에 역치 이상의 자극을 1회 주고 경과된 시간이 3 ms 일 때 $\frac{P_2\text{에서의 막전위}}{P_6\text{에서의 막전위}}=1$이다.

① ㄱ ② ㄴ ③ ㄱ, ㄷ
④ ㄴ, ㄷ ⑤ ㄱ, ㄴ, ㄷ

191

그림은 근육 원섬유 마디 X의 구조를, 표는 두 시점 ⓐ와 ⓑ일 때 (가)~(다)의 길이를 나타낸 것이다. ㉠은 액틴 필라멘트만 있는 부분, ㉡은 액틴 필라멘트와 마이오신 필라멘트가 겹치는 부분, ㉢은 마이오신 필라멘트만 있는 부분이고, (가)~(다)는 ㉠~㉢을 순서 없이 나타낸 것이다. X는 좌우 대칭이다.

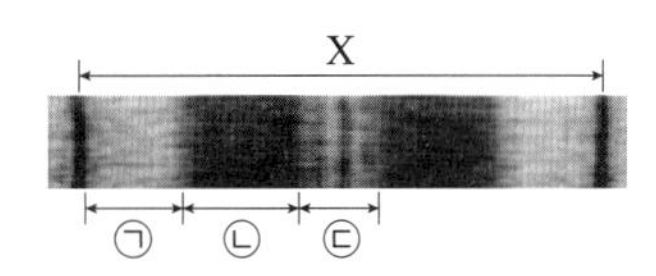

시점	(가)	(나)	(다)
ⓐ	0.6	0.6	0.4
ⓑ	1.2	0.3	0.7

(단위: μm)

이에 대한 설명으로 옳은 것만을 〈보기〉에서 있는 대로 고른 것은?

〈 보기 〉

ㄱ. (가)는 ㉢, (나)는 ㉡, (다)는 ㉠이다.

ㄴ. ⓑ일 때 A대의 길이는 1.8 μm이다.

ㄷ. ⓐ일 때 X의 길이는 3.2 μm이다.

① ㄱ ② ㄴ ③ ㄷ
④ ㄱ, ㄴ ⑤ ㄴ, ㄷ

192

다음은 자율 신경과 함께 떼어 낸 심장을 이용한 실험이다.

(가) 그림과 같이 자율 신경 ㉠이 붙어 있는 심장 Ⅰ과 ㉠을 제거한 심장 Ⅱ를 각각 생리 식염수에 담그고 밸브를 잠근다.

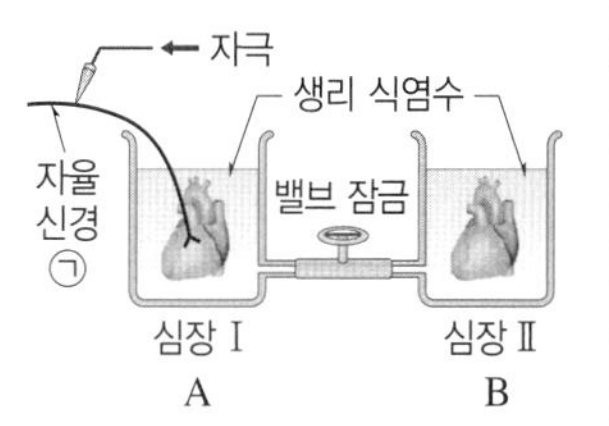

(나) ㉠에 역치 이상의 자극을 주면서 심장 Ⅰ의 박동 속도 변화를 관찰한다.

(다) (나)가 끝난 후 밸브를 열어 생리 식염수가 통하게 한 후 심장 Ⅱ의 박동 속도 변화를 관찰한다.

[실험 결과]

실험 과정	(나)	(다)
심장 박동 속도	ⓐ	빨라짐

이에 대한 설명으로 옳은 것만을 〈보기〉에서 있는 대로 고른 것은?

〈 보기 〉

ㄱ. ⓐ는 '느려짐'이다.

ㄴ. ㉠의 신경절 이전 뉴런의 신경 세포체는 연수에 있다.

ㄷ. B에서 심장 Ⅱ의 박동 속도가 빨라진 것은 A에서 B로 노르에피네프린이 이동하였기 때문이다.

① ㄱ ② ㄷ ③ ㄱ, ㄴ
④ ㄴ, ㄷ ⑤ ㄱ, ㄴ, ㄷ

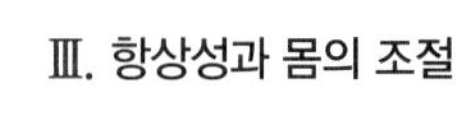

호르몬과 항상성 유지

Ⓐ 호르몬

1 호르몬 내분비샘에서 생성·분비되어 특정 조직이나 기관의 생리 작용을 조절하는 화학 물질이다.
(내분비샘: 호르몬을 생성하고 분비하는 조직이나 기관)

2 호르몬의 특징

① ❶□□□□에서 생성되어 별도의 분비관 없이 주변의 ❷□□으로 분비된다.

② 혈액을 따라 이동하다가 ❸□□ □□에 작용한다.

③ 매우 적은 양으로 작용하지만, 결핍증과 과다증이 있다.

3 호르몬과 신경의 비교 호르몬과 신경은 신호를 전달한다는 공통점이 있지만, 작용 범위와 효과의 지속성 등에 차이가 있다.

구분	신호 전달 매체	신호 전달 속도	작용 범위	효과의 지속성	특징
호르몬	혈액	비교적 느림	❹□□	오래 지속됨	표적 세포에 작용
신경	뉴런	❺□□	좁음	빨리 사라짐	한 방향으로 전달

(호르몬에 의한 신호 전달)

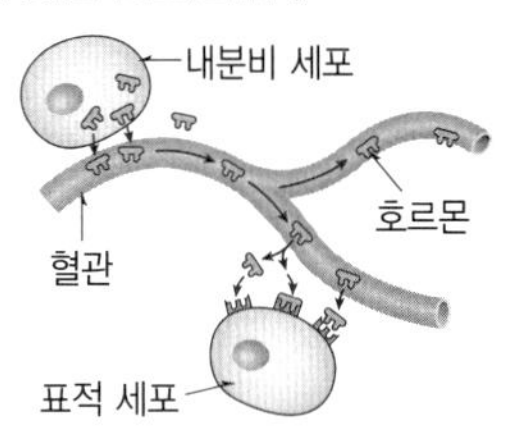

호르몬은 혈액을 통해 온몸에 전달되어 호르몬의 수용체가 있는 모든 표적 세포에 작용하므로 넓은 범위에 신호를 전달한다.

(신경에 의한 신호 전달)

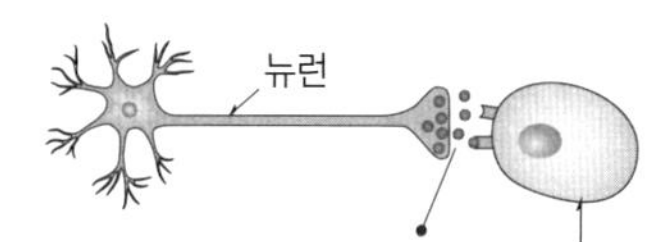

뉴런을 통해 신호가 빠르게 전달되지만, 뉴런이 연결되는 좁은 범위에만 신호를 전달한다.

기출 Tip Ⓐ-4

기능에 따른 호르몬의 구분

- 혈당량 조절 호르몬: 인슐린, 글루카곤, 에피네프린
- 서로 길항 작용을 하는 호르몬: 인슐린, 글루카곤
- 다른 내분비샘을 자극하는 호르몬(모두 뇌하수체 전엽에서 분비): 갑상샘 자극 호르몬, 생식샘 자극 호르몬, 부신 겉질 자극 호르몬

4 사람의 내분비샘과 주요 호르몬

뇌하수체

- 전엽
  - **생장 호르몬**: 생장 촉진
  - **갑상샘 자극 호르몬(TSH)**: 티록신 분비 촉진
  - **생식샘 자극 호르몬**: 성호르몬 분비 촉진
  - **부신 겉질 자극 호르몬(ACTH)**: 당질 코르티코이드 분비 촉진
- 후엽
  - **항이뇨 호르몬**: 콩팥에서 수분 재흡수 촉진
  - **옥시토신**: 자궁 수축 촉진

정소

테스토스테론: 남자의 2차 성징 발현

난소

- **에스트로젠**: 여자의 2차 성징 발현
- **프로게스테론**: 배란 억제, 자궁 내막을 두껍게 유지

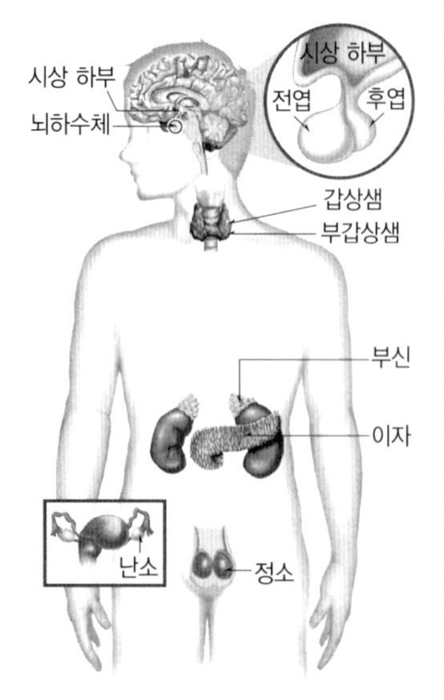

갑상샘

- **티록신**: 물질대사 촉진
- **칼시토닌**: 혈장 내 칼슘 농도 감소

부갑상샘

파라토르몬: 혈장 내 칼슘 농도 증가

부신

- 겉질
  - **당질 코르티코이드**: 혈당량 증가
  - **무기질 코르티코이드(알도스테론)**: 콩팥에서 나트륨 재흡수 촉진
- 속질 – **에피네프린**: 혈당량 증가, 심장 박동 촉진

이자

- **인슐린**: 혈당량 감소
- **글루카곤**: 혈당량 증가

(인슐린, 글루카곤: 간에 작용)

5 호르몬 분비 이상에 따른 질환(내분비계 질환)

호르몬	결핍/과다	질환	증상
티록신	❻ □□	갑상샘 기능 항진증	물질대사가 항진되는 상태로, 체온이 상승하고 체중이 감소한다. → 안구 돌출 현상이 나타나기도 한다.
	❼ □□	갑상샘 기능 저하증	물질대사 저하로, 추위를 잘 느끼고 체중이 증가한다.
❽ □□ 호르몬	과다	거인증	키가 비정상적으로 크게 자란다.
		말단 비대증	생장이 끝난 후 손, 발, 코 등 몸의 말단부가 커진다.
	결핍	소인증	키가 비정상적으로 작다.
항이뇨 호르몬	결핍	요붕증	콩팥에서 물의 재흡수가 저하되어, 많은 양의 오줌이 자주 나온다.
인슐린	결핍	❾ □□□	혈당량이 높게 유지되며, 오줌에 포도당이 섞여 나온다.

Ⓑ 항상성 유지

1 항상성 체내·외의 환경 변화에 관계없이 체온, 혈당량, 혈장 삼투압 등의 체내 상태를 일정하게 유지하려는 성질이다.

2 항상성 유지 원리 신경계와 내분비계에 의해 조절되며, ❿ □□ □□□과 길항 작용으로 항상성이 유지된다.

① 음성 피드백(음성 되먹임): 어떤 원인으로 인해 나타난 결과가 원인을 억제하는 조절 원리이다.

예 갑상샘에서의 티록신 분비 조절

(음성 피드백에 의한 티록신 분비 조절)

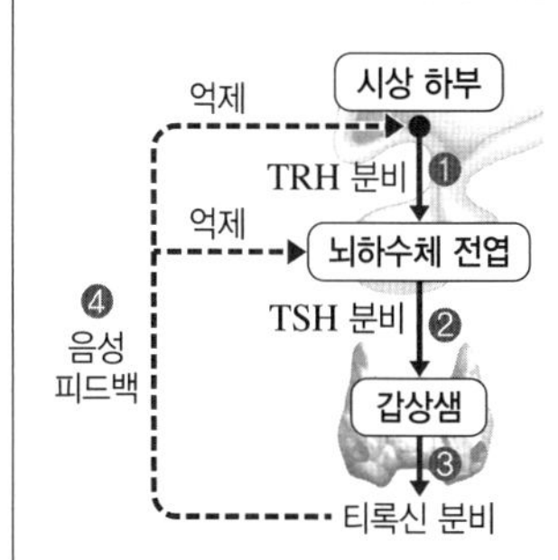

❶ 시상 하부에서 TRH가 분비되어 뇌하수체 전엽을 자극하면
└ 갑상샘 자극 호르몬 방출 호르몬

❷ 뇌하수체 전엽에서 TSH가 분비되어 갑상샘을 자극하고
└ 갑상샘 자극 호르몬

❸ 갑상샘에서 티록신 분비가 촉진되어 분비량이 ⓫ □□한다.

❹ 혈중 티록신 농도가 높아지면 시상 하부와 뇌하수체 전엽에서 각각 TRH와 TSH의 분비가 억제되고, 그 결과 티록신의 분비가 억제되어 분비량이 줄어든다. ➜ 티록신의 분비량은 음성 피드백으로 조절되어 혈중 티록신의 농도가 일정하게 유지된다.

② 길항 작용: 한 기관에 두 가지 요인이 서로 반대로 작용하여 한 요인이 기관의 기능을 촉진하면, 다른 요인은 기관의 기능을 억제하는 조절 작용이다.

예 인슐린과 글루카곤의 혈당량 조절, 교감 신경과 부교감 신경의 심장 박동 조절

기출 Tip Ⓑ-2

호르몬의 농도와 분비 조절

- 혈중 티록신 농도가 낮을 때: TRH 분비량 증가(농도 높아짐) → TSH 분비량 증가(농도 높아짐) → 티록신 분비량 증가(농도 높아짐)
- 혈중 티록신 농도가 높을 때: TRH 분비량 감소(농도 낮아짐) → TSH 분비량 감소(농도 낮아짐) → 티록신 분비량 감소(농도 낮아짐)

답 ❶ 내분비샘 ❷ 혈관 ❸ 표적 세포 ❹ 넓음 ❺ 빠름 ❻ 과다 ❼ 결핍 ❽ 생장 ❾ 당뇨병 ❿ 음성 피드백 ⓫ 증가

빈출 자료 보기

정답과 해설 26쪽

193 그림은 정상인에서 티록신의 분비 조절 방식을 나타낸 것이다.

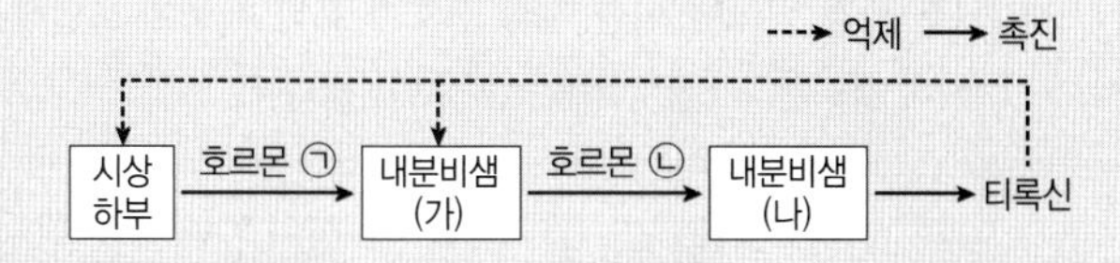

이에 대한 설명으로 옳은 것은 ○, 옳지 않은 것은 ×로 표시하시오.

(1) 내분비샘 (가)는 뇌하수체 전엽이다. ( )

(2) 호르몬 ㉠은 TSH, 호르몬 ㉡은 TRH이다. ( )

(3) 티록신의 분비는 음성 피드백을 통해 조절된다. ( )

(4) 혈중 티록신 농도가 높아지면 호르몬 ㉠과 ㉡의 분비가 각각 억제된다. ( )

(5) 내분비샘 (가)에 이상이 생기면 티록신 분비에 이상이 생긴다. ( )

Ⓐ 호르몬

호르몬의 특징

194 하중상 多 보기

호르몬에 대한 설명으로 옳지 않은 것은?

① 호르몬은 외분비샘에서 생성되어 분비된다.
② 호르몬은 혈액을 따라 이동한다.
③ 호르몬은 표적 세포 또는 표적 기관에만 작용한다.
④ 호르몬은 매우 적은 양으로 생리 작용을 조절한다.
⑤ 호르몬의 분비량이 너무 적으면 결핍증이 나타난다.
⑥ 호르몬 중에는 체내 환경을 일정하게 유지하는 데 관여하는 것도 있다.

195 하중상

그림은 기관 A에서 호르몬 X가 분비되어 이동한 후 표적 세포에 작용하는 과정을 나타낸 것이다.

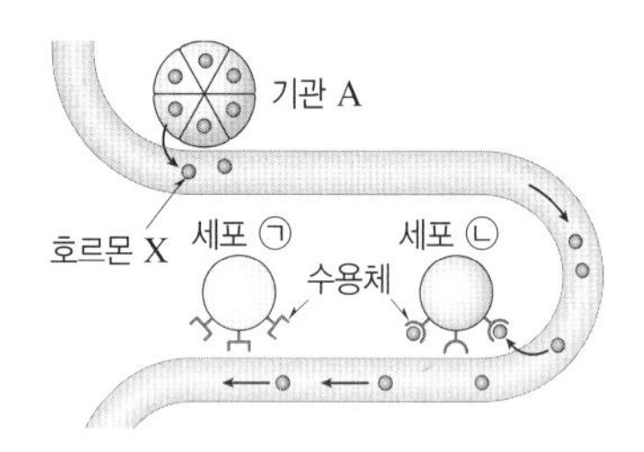

이에 대한 설명으로 옳은 것만을 〈보기〉에서 있는 대로 고른 것은?

〈 보기 〉
ㄱ. 호르몬 X는 기관 A의 분비관을 통해 분비된다.
ㄴ. 호르몬 X는 혈액을 따라 온몸으로 이동한다.
ㄷ. 호르몬 X의 표적 세포는 ㉡이다.

① ㄱ ② ㄷ ③ ㄱ, ㄴ ④ ㄴ, ㄷ ⑤ ㄱ, ㄴ, ㄷ

196 하중상

신경(신경계)과 호르몬(내분비계)의 공통점과 차이점에 대한 설명으로 옳은 것만을 〈보기〉에서 있는 대로 고른 것은?

〈 보기 〉
ㄱ. 호르몬은 신경에 비해 신호 전달 속도는 느리지만 효과가 오래 지속된다.
ㄴ. 신경은 뉴런이 연결되는 좁은 범위에만 신호를 전달하지만, 호르몬은 멀리 떨어진 표적 세포에도 신호를 전달한다.
ㄷ. 신경계와 내분비계의 작용에 의해 항상성이 조절된다.

① ㄱ ② ㄷ ③ ㄱ, ㄴ ④ ㄴ, ㄷ ⑤ ㄱ, ㄴ, ㄷ

197 하중상

그림 (가)와 (나)는 신경에 의한 신호 전달과 호르몬에 의한 신호 전달을 순서 없이 나타낸 것이다.

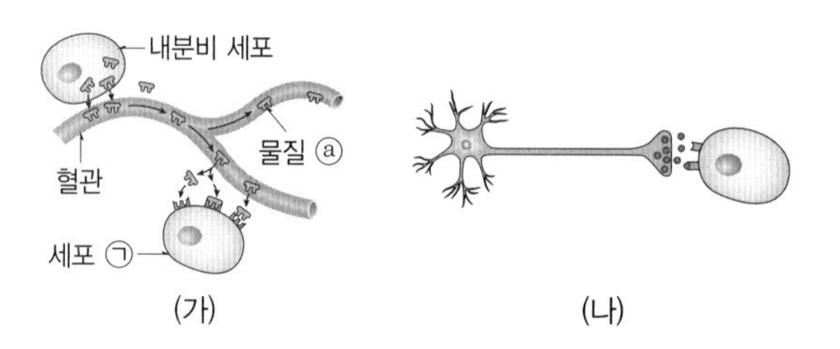

이에 대한 설명으로 옳은 것만을 〈보기〉에서 있는 대로 고른 것은?

〈 보기 〉
ㄱ. 물질 ⓐ는 내분비샘에서 생성된다.
ㄴ. 세포 ㉠은 물질 ⓐ에 대한 수용체가 있다.
ㄷ. (가)는 혈액을 통해, (나)는 뉴런을 통해 신호가 전달된다.

① ㄱ ② ㄷ ③ ㄱ, ㄴ
④ ㄴ, ㄷ ⑤ ㄱ, ㄴ, ㄷ

198 하중상

그림은 우리 몸에서 일어나는 신호 전달 방식 (가)와 (나)를 나타낸 것이다. (가)와 (나)는 각각 신경에 의한 신호 전달과 호르몬에 의한 신호 전달 중 하나이고, 물질 A와 B는 각각 호르몬과 신경 전달 물질 중 하나이다.

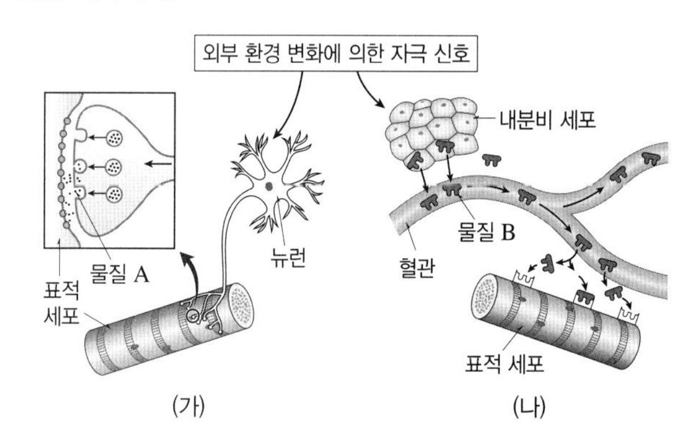

이에 대한 설명으로 옳은 것만을 〈보기〉에서 있는 대로 고른 것은?

〈 보기 〉
ㄱ. 물질 A는 뉴런의 축삭 돌기 말단에서 분비된다.
ㄴ. 물질 B는 수용체 유무와 관계없이 모든 조직 세포에 광범위하게 작용한다.
ㄷ. 신호 전달 효과는 (가)가 (나)보다 지속적이다.
ㄹ. 외부 환경 변화에 의한 자극 신호가 표적 세포에 도달하는 데 걸리는 시간은 (가)가 (나)보다 짧다.

① ㄱ, ㄹ ② ㄴ, ㄷ ③ ㄷ, ㄹ
④ ㄱ, ㄴ, ㄷ ⑤ ㄴ, ㄷ, ㄹ

사람의 호르몬

199 하중상

사람의 내분비샘과 각 내분비샘에서 분비되는 호르몬을 옳게 짝 지은 것이 아닌 것은?

	내분비샘	호르몬
①	이자	글루카곤
②	갑상샘	티록신
③	시상 하부	생장 호르몬
④	뇌하수체 전엽	갑상샘 자극 호르몬
⑤	부신 겉질	당질 코르티코이드

200 하중상

••서술형

사람의 내분비샘인 뇌하수체 전엽, 부신 속질, 부갑상샘에서 분비되는 호르몬을 각각 한 가지씩 쓰시오.

201 하중상

다음은 호르몬의 분비량이 과다 또는 결핍되었을 때 발생하는 질환의 증상을 나타낸 것이다.

> (가) 생장이 끝난 후에도 생장 호르몬이 과다 분비되어 몸의 말단부가 커진다.
> (나) 인슐린 분비가 부족하여 혈당량이 정상 범위보다 높게 유지되며, 포도당이 오줌으로 배설된다.
> (다) 티록신이 과다 분비되어 체온이 상승하고 체중이 감소하며, 안구 돌출 현상이 나타나기도 한다.

(가)~(다)에 해당하는 질환으로 옳은 것은?

	(가)	(나)	(다)
①	소인증	요붕증	갑상샘 기능 항진증
②	거인증	요붕증	갑상샘 기능 저하증
③	말단 비대증	요붕증	갑상샘 기능 항진증
④	말단 비대증	당뇨병	갑상샘 기능 저하증
⑤	말단 비대증	당뇨병	갑상샘 기능 항진증

202 하중상

표는 호르몬 분비 이상에 따른 질환의 특징을 나타낸 것이다.

질환	관련 호르몬	분비 이상	증상
갑상샘 기능 항진증	티록신	㉠	안구 돌출, 체중 감소, 맥박 수 증가
소인증	㉡	결핍증	정상인보다 매우 작은 키
요붕증	항이뇨 호르몬	결핍증	㉢

㉠~㉢에 해당하는 것으로 가장 적절한 것은?

	㉠	㉡	㉢
①	결핍증	생장 호르몬	오줌의 양 증가
②	과다증	생장 호르몬	오줌의 양 증가
③	결핍증	에피네프린	오줌의 양 감소
④	과다증	에피네프린	오줌의 양 증가
⑤	과다증	생장 호르몬	오줌의 양 감소

203 하중상

그림은 사람의 내분비샘 중 일부를 나타낸 것이다. A~D는 각각 부신, 이자, 갑상샘, 뇌하수체 전엽 중 하나이다.

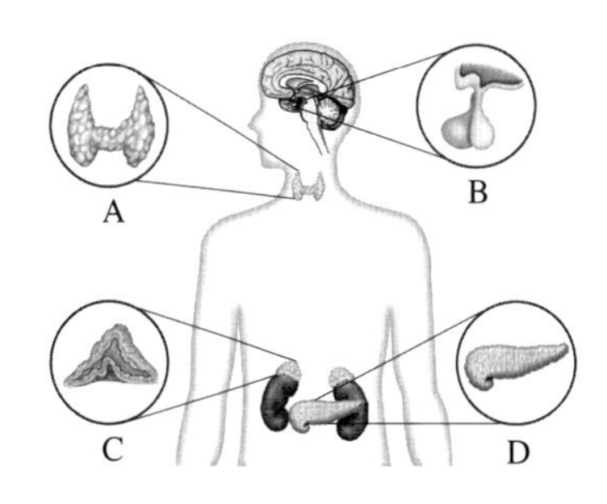

이에 대한 설명으로 옳은 것만을 〈보기〉에서 있는 대로 고른 것은?

> 〈 보기 〉
> ㄱ. A에서 티록신이 분비된다.
> ㄴ. B에서 A를 자극하는 호르몬이 분비된다.
> ㄷ. C에서 혈당량을 감소시키는 호르몬이 분비된다.
> ㄹ. D에서 길항 작용을 하는 두 호르몬이 분비된다.

① ㄱ, ㄴ　② ㄴ, ㄷ　③ ㄷ, ㄹ
④ ㄱ, ㄴ, ㄹ　⑤ ㄴ, ㄷ, ㄹ

204 하중상

그림은 호르몬 A~C의 공통점과 차이점을 나타낸 것이다. A~C는 각각 에피네프린, 인슐린, 글루카곤 중 하나이며, ㉠은 '이자에서 분비된다.'이다.

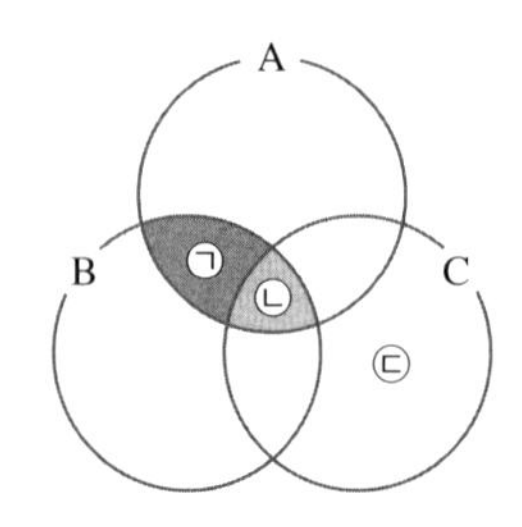

이에 대한 설명으로 옳은 것만을 〈보기〉에서 있는 대로 고른 것은?

〈 보기 〉

ㄱ. C는 에피네프린이다.
ㄴ. '글리코젠의 분해를 촉진한다.'는 ㉡에 해당한다.
ㄷ. '부신 속질에서 분비된다.'는 ㉢에 해당한다.

① ㄱ ② ㄴ ③ ㄱ, ㄷ
④ ㄴ, ㄷ ⑤ ㄱ, ㄴ, ㄷ

빈출 205 하중상

표 (가)는 사람 몸에서 분비되는 호르몬 A~C에서 특징 ㉠~㉢의 유무를, (나)는 ㉠~㉢을 순서 없이 나타낸 것이다. A~C는 각각 인슐린, 글루카곤, 항이뇨 호르몬 중 하나이다.

호르몬 \ 특징	㉠	㉡	㉢
A	○	ⓐ	○
B	×	○	×
C	○	○	ⓑ

(○: 있음, ×: 없음)

(가)

특징 ㉠~㉢
• 혈당량을 증가시킨다. • 혈액을 따라 이동한다. • 표적 세포가 간에 존재한다.

(나)

이에 대한 설명으로 옳은 것만을 〈보기〉에서 있는 대로 고른 것은?

〈 보기 〉

ㄱ. ⓐ는 '×', ⓑ는 '○'이다.
ㄴ. A는 뇌하수체에서 분비된다.
ㄷ. ㉡은 '혈액을 따라 이동한다.'이다.

① ㄱ ② ㄴ ③ ㄷ
④ ㄱ, ㄴ ⑤ ㄴ, ㄷ

빈출 206 하중상

표는 호르몬 분비 이상으로 인한 내분비계 질환을 나타낸 것이다.

질환	관련 호르몬	결핍증
당뇨병	A	혈당량이 높게 유지되어 오줌에 포도당이 섞여 나온다.
요붕증	B	많은 양의 오줌을 자주 누며, 물을 많이 마신다.
갑상샘 기능 저하증	C	물질대사가 활발하지 못하여 추위를 잘 느끼고 체중이 증가한다.

이에 대한 설명으로 옳은 것만을 〈보기〉에서 있는 대로 고른 것은?

〈 보기 〉

ㄱ. A의 표적 기관은 콩팥이다.
ㄴ. B는 뇌하수체 전엽에서 분비된다.
ㄷ. C가 과다하게 분비될 경우 체온이 상승하고 체중이 감소하며, 맥박 수가 증가한다.

① ㄱ ② ㄷ ③ ㄱ, ㄴ
④ ㄴ, ㄷ ⑤ ㄱ, ㄴ, ㄷ

207 하중상

그림은 호르몬 A와 B의 분비 경로를 나타낸 것이다. ㉠과 ㉡은 자극 전달 경로이고, A와 B는 각각 당질 코르티코이드와 에피네프린 중 하나이다.

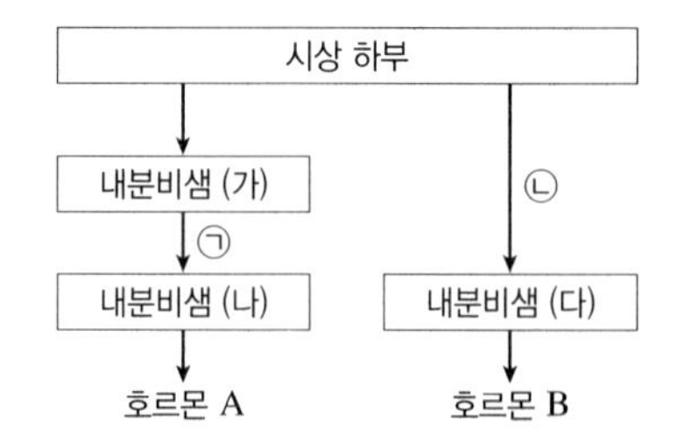

이에 대한 설명으로 옳은 것만을 〈보기〉에서 있는 대로 고른 것은?

〈 보기 〉

ㄱ. ㉠은 호르몬, ㉡은 신경에 의한 신호 전달 경로이다.
ㄴ. 내분비샘 (나)에서 항이뇨 호르몬도 분비된다.
ㄷ. 호르몬 B는 에피네프린이다.

① ㄱ ② ㄴ ③ ㄱ, ㄷ
④ ㄴ, ㄷ ⑤ ㄱ, ㄴ, ㄷ

B 항상성 유지

208 하 중 상

그림은 항상성이 유지되는 과정에 작용하는 방식 (가)와 (나)를 나타낸 것이다. A~D는 각각 서로 다른 종류의 호르몬이며, (가)와 (나)는 길항 작용과 음성 피드백을 순서 없이 나타낸 것이다.

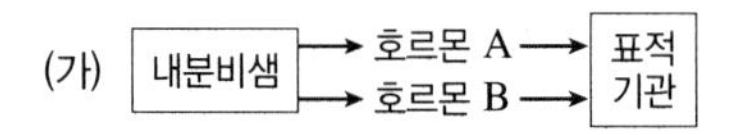

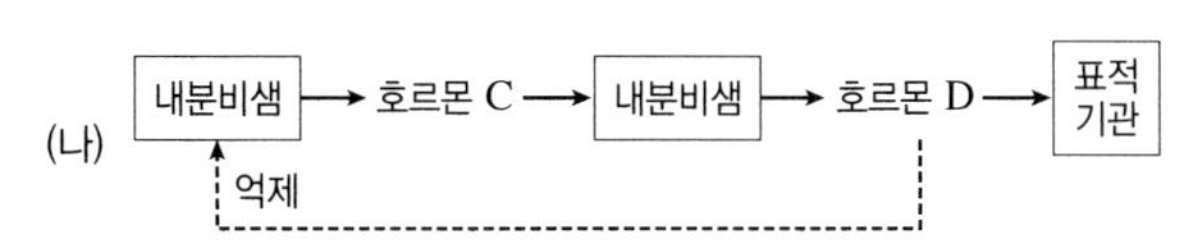

이에 대한 설명으로 옳은 것만을 〈보기〉에서 있는 대로 고른 것은?

〈 보기 〉

ㄱ. (가)는 음성 피드백에 의해 항상성이 유지되는 과정이다.
ㄴ. (나)의 예로는 인슐린과 글루카곤에 의한 혈당량 조절이 있다.
ㄷ. 혈중 호르몬 D의 농도가 높아지면 호르몬 C의 분비량이 감소한다.

① ㄱ ② ㄷ ③ ㄱ, ㄴ
④ ㄴ, ㄷ ⑤ ㄱ, ㄴ, ㄷ

209 하 중 상

그림은 티록신의 분비 조절 방식을 나타낸 것이다. ㉠과 ㉡은 각각 뇌하수체 전엽과 갑상샘 중 하나이다.

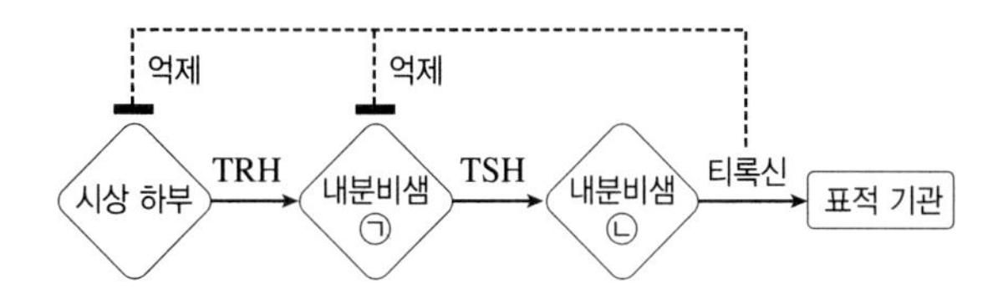

이에 대한 설명으로 옳은 것만을 〈보기〉에서 있는 대로 고른 것은?

〈 보기 〉

ㄱ. ㉠은 TRH의 표적 기관이다.
ㄴ. ㉡은 뇌하수체 전엽이다.
ㄷ. 혈중 티록신의 농도가 정상 범위보다 높아지면 TRH와 TSH의 분비가 억제된다.

① ㄱ ② ㄴ ③ ㄱ, ㄷ
④ ㄴ, ㄷ ⑤ ㄱ, ㄴ, ㄷ

210 하 중 상

그림은 정상인의 체내에서 혈중 티록신의 농도가 조절되는 경로를, 표는 사람 A~C의 TRH, TSH, 티록신의 혈중 농도를 정상인과 비교하여 나타낸 것이다. (가)~(다)는 각각 갑상샘, 시상 하부, 뇌하수체 전엽 중 하나이며, A~C는 (가)~(다) 중 서로 다른 한 곳에만 이상이 생겨 티록신이 과다 분비되는 사람이다.

(가) ─TRH→ (나) ─TSH→ (다) ─티록신→ 표적 기관
억제 억제

호르몬 \ 사람	정상인	A	B	C
TRH	정상	높음	㉠	낮음
TSH	정상	높음	낮음	높음
티록신	정상	높음	높음	높음

이에 대한 설명으로 옳은 것만을 〈보기〉에서 있는 대로 고른 것은?

〈 보기 〉

ㄱ. (가)는 시상 하부, (나)는 뇌하수체 전엽이다.
ㄴ. ㉠은 '높음'이다.
ㄷ. C는 (다)에 이상이 생긴 사람이다.

① ㄱ ② ㄴ ③ ㄱ, ㄷ
④ ㄴ, ㄷ ⑤ ㄱ, ㄴ, ㄷ

211 하 중 상

그림은 정상인에게서 나타나는 티록신 분비 조절 과정을, 표는 시상 하부, 뇌하수체, 갑상샘 중 서로 다른 어느 한 부위에만 이상이 있는 환자 (가)~(다)의 혈중 호르몬 ㉠~㉢의 농도를 나타낸 것이다. 이상이 있는 부위에서는 정상인보다 적은 양의 호르몬이 분비되며, ㉠~㉢은 각각 TRH, TSH, 티록신 중 하나이다.

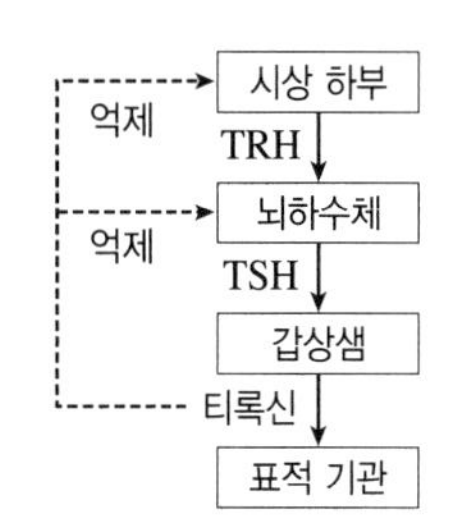

호르몬 \ 환자	(가)	(나)	(다)
㉠	+	−	−
㉡	+	+	−
㉢	−	−	−

(+: 정상인보다 높음, −: 정상인보다 낮음)

이에 대한 설명으로 옳은 것만을 〈보기〉에서 있는 대로 고른 것은?

〈 보기 〉

ㄱ. (가)는 갑상샘에 이상이 있는 사람이다.
ㄴ. ㉡은 뇌하수체 전엽에서 분비된다.
ㄷ. ㉢의 분비는 길항 작용을 통해 조절된다.

① ㄱ ② ㄷ ③ ㄱ, ㄴ
④ ㄴ, ㄷ ⑤ ㄱ, ㄴ, ㄷ

항상성 유지의 예

Ⓐ 혈당량 조절

혈당량의 변화에 따라 인슐린, 글루카곤의 분비량을 조절하여 혈당량을 일정하게 유지한다.

혈당량이 높을 때	이자섬의 β세포에서 ❶☐☐☐ 분비 증가 → 간에서 포도당을 글리코젠으로 합성 촉진, 체세포의 포도당 흡수 촉진 → 혈당량 감소
혈당량이 낮을 때	이자섬의 α세포에서 ❷☐☐☐☐ 분비 증가, 부신 속질에서 ❸☐☐☐☐☐ 분비 증가 → 간에서 글리코젠을 포도당으로 분해 촉진 → 혈당량 증가

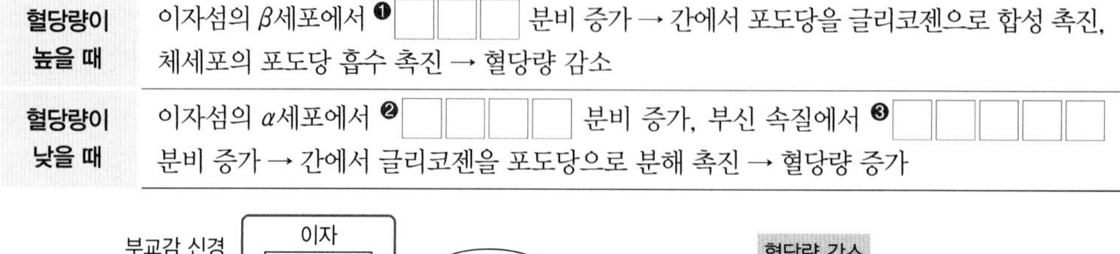

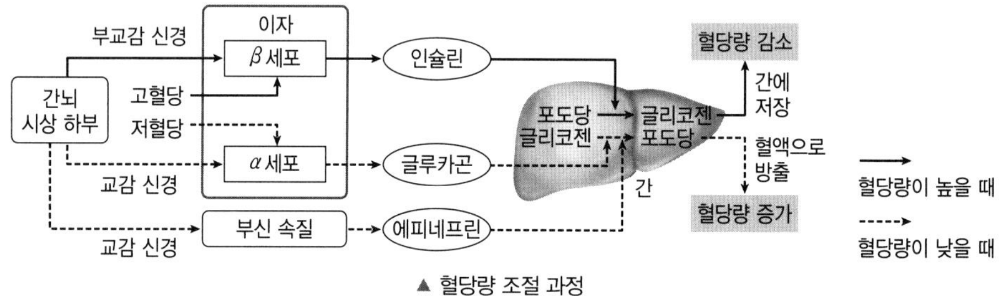

▲ 혈당량 조절 과정

기출 Tip Ⓐ

이자섬

이자섬의 α세포에서 글루카곤을, β세포에서 인슐린을 분비한다.

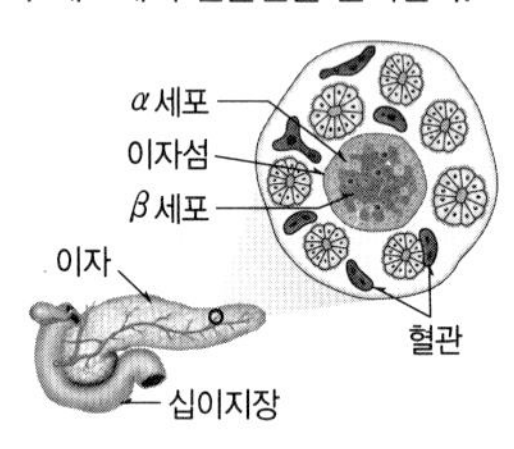

(혈당량 조절)

그림은 탄수화물 위주의 식사 후 혈당량과 혈중 인슐린, 글루카곤의 농도 변화를 나타낸 것이다.

- 식사 후 혈당량이 높아지면(소장을 통해 포도당이 흡수되기 때문) 혈중 인슐린 농도는 ❹☐☐하고, 글루카곤 농도는 ❺☐☐한다. ➔ 인슐린은 혈당량을 감소시키고, 글루카곤은 혈당량을 증가시키는 호르몬이다.
- 혈당량이 높아지면 인슐린의 분비를 촉진하여 혈당량을 낮춘다. 반대로, 혈당량이 낮아지면(운동 시) 글루카곤의 분비를 촉진하여 혈당량을 높인다.

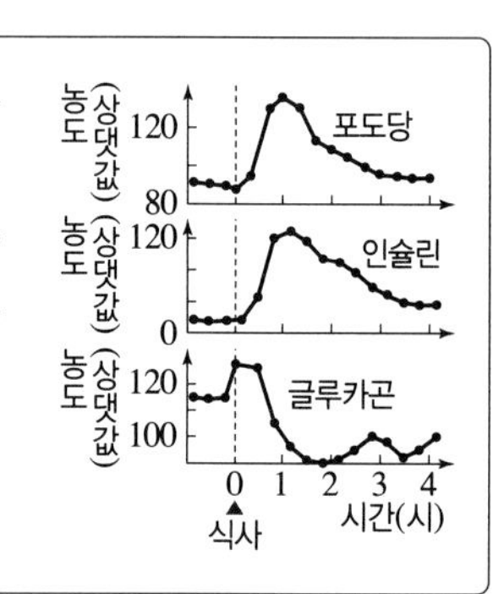

Ⓑ 체온 조절

체온의 변화에 따라 열 발생량(열 생산량)과 열 발산량(열 방출량)을 조절하여 체온을 유지한다.

추울 때	**열 발생량 증가**	• 티록신과 에피네프린 분비량 ❻☐☐ → 간과 근육 등에서 물질대사 촉진 • 몸 떨림과 같은 근육 운동 촉진
	열 발산량 감소	교감 신경의 작용 강화 → 피부 근처 혈관 ❼☐☐ → 피부 근처로 흐르는 혈액량 감소
더울 때	**열 발생량 감소**	티록신과 에피네프린 분비량 ❽☐☐ → 간과 근육 등에서 물질대사 감소
	열 발산량 증가	• 교감 신경의 작용 완화 → 피부 근처 혈관 ❾☐☐ → 피부 근처로 흐르는 혈액량 증가 • 땀 분비 증가

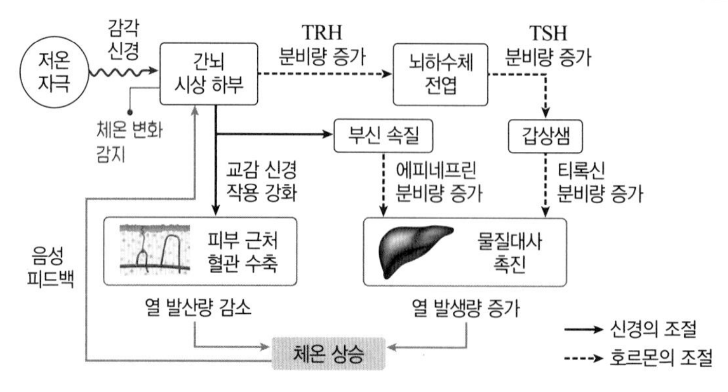

▲ 추울 때 체온 조절 과정

기출 Tip Ⓑ

추울 때와 더울 때 피부 혈관의 변화

- 추울 때: 교감 신경의 작용이 강화되어 피부 근처 혈관이 수축하고, 피부 근처로 흐르는 혈액의 양이 감소하여 열 발산량이 감소한다.
- 더울 때: 교감 신경의 작용이 완화되어 피부 근처 혈관이 확장하고, 피부 근처로 흐르는 혈액의 양이 증가하여 열 발산량이 증가한다.

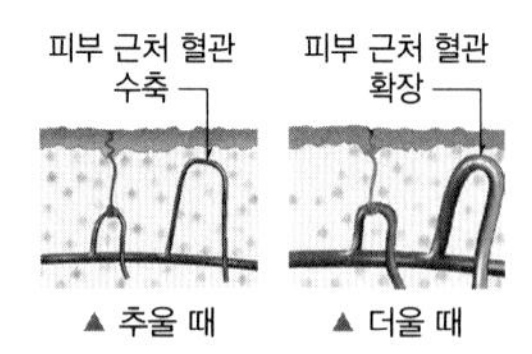

▲ 추울 때 ▲ 더울 때

Ⓒ 삼투압 조절

혈장 삼투압의 변화에 따라 ⑩□□□ □□□(ADH)의 분비량을 조절하여 혈장 삼투압을 일정하게 유지한다.

혈장 삼투압이 높을 때	시상 하부가 뇌하수체 후엽 자극 → 뇌하수체 후엽에서 항이뇨 호르몬(ADH) 분비량 증가 → 콩팥에서 수분 재흡수량 ⑪□□ → 오줌 생성량 ⑫□□, 오줌 삼투압 높아짐 → 혈장 삼투압 낮아짐
혈장 삼투압이 낮을 때	시상 하부가 뇌하수체 후엽 자극 감소 → 뇌하수체 후엽에서 항이뇨 호르몬(ADH) 분비량 감소 → 콩팥에서 수분 재흡수량 ⑬□□ → 오줌 생성량 ⑭□□, 오줌 삼투압 낮아짐 → 혈장 삼투압 높아짐

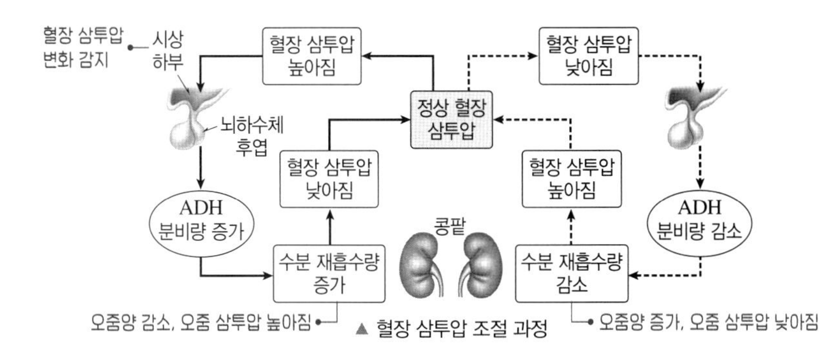

▲ 혈장 삼투압 조절 과정

(삼투압 조절)

그림 (가)는 건강한 사람의 혈장 삼투압 변화에 따른 항이뇨 호르몬(ADH)의 농도 변화를, (나)는 물 1 L를 섭취했을 때 단위 시간당 오줌 생성량을 나타낸 것이다.

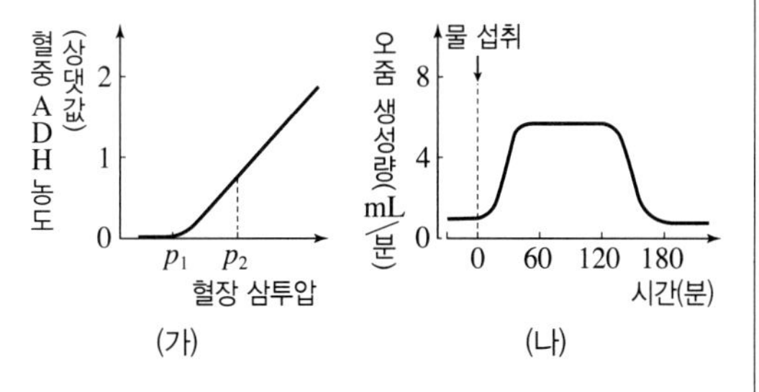

- 혈장 삼투압이 높아질수록 혈중 항이뇨 호르몬의 농도가 증가한다. ➜ 혈장 삼투압이 높아지면 항이뇨 호르몬의 분비가 촉진된다.
- 물을 섭취하면 단위 시간당 오줌 생성량이 증가한다. ➜ 물을 섭취하면 혈장 삼투압이 낮아지므로 항이뇨 호르몬의 분비량이 감소하여 콩팥에서 수분 재흡수량이 ⑮□□하기 때문이다.

기출 Tip Ⓒ

혈장 삼투압 변화
- 짠 음식을 먹거나 땀을 많이 흘린 경우 혈장 삼투압이 높아진다.
- 물을 많이 마신 경우 혈장 삼투압이 낮아진다.

항이뇨 호르몬(ADH)
뇌하수체 후엽에서 분비되어 콩팥에서 수분 재흡수를 촉진하는 호르몬이다.

물 섭취 시 혈장과 오줌의 삼투압 변화

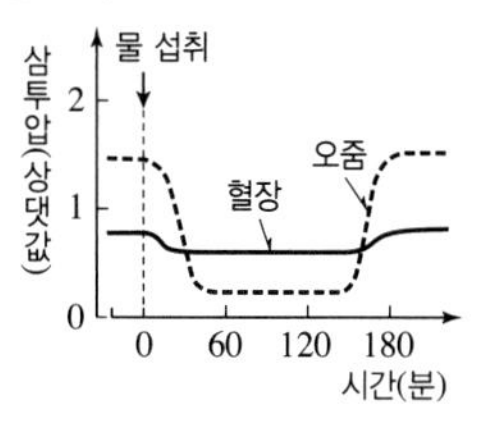

물을 섭취하면 혈장 삼투압이 낮아지고, 콩팥에서 수분 재흡수량이 감소하여 오줌 생성량이 증가하므로 오줌 삼투압도 낮아진다.(오줌 삼투압은 오줌 생성량과 반비례한다.)

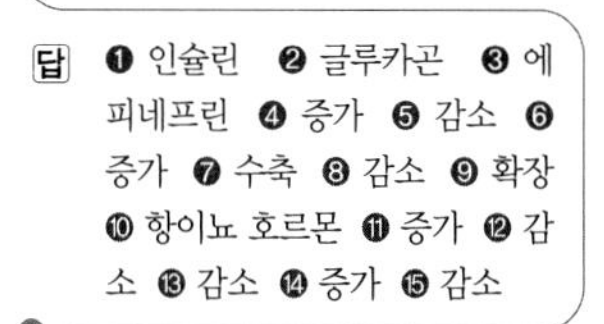
답 ❶ 인슐린 ❷ 글루카곤 ❸ 에피네프린 ❹ 증가 ❺ 감소 ❻ 증가 ❼ 수축 ❽ 감소 ❾ 확장 ❿ 항이뇨 호르몬 ⓫ 증가 ⓬ 감소 ⓭ 감소 ⓮ 증가 ⓯ 감소

빈출 자료 보기

정답과 해설 28쪽

212 그림 (가)는 혈당량에 따른 혈액 내 호르몬 A와 B의 농도를, (나)는 간에서 호르몬 A와 B에 의해 일어나는 ㉠과 ㉡ 사이의 전환을 나타낸 것이다. A와 B는 각각 인슐린과 글루카곤 중 하나이고, ㉠과 ㉡은 각각 글리코젠과 포도당 중 하나이다.

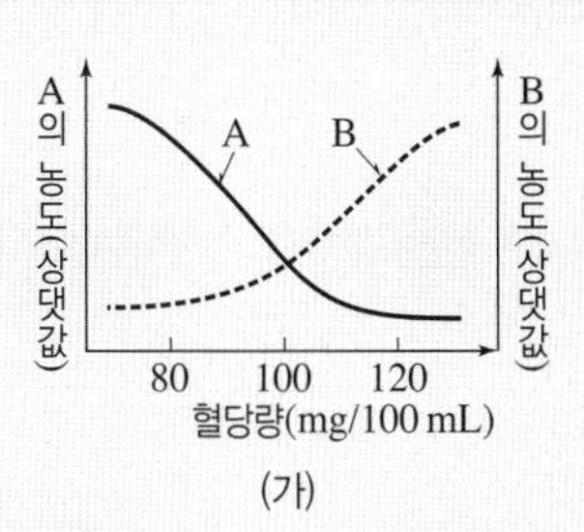

(가)

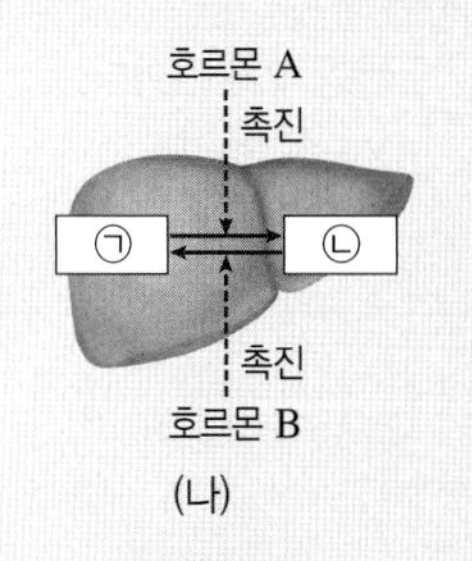

(나)

이에 대한 설명으로 옳은 것은 ○, 옳지 않은 것은 ×로 표시하시오.

(1) A는 인슐린, B는 글루카곤이다. ( )
(2) ㉠은 글리코젠, ㉡은 포도당이다. ( )
(3) A는 이자의 β세포에서 분비된다. ( )
(4) B는 혈당량이 정상 범위보다 높을 때 분비되어 혈당량을 감소시킨다. ( )
(5) 이자에 연결된 교감 신경이 흥분하면 A의 분비가 촉진된다. ( )

A 혈당량 조절

혈당량 조절 과정

213 하 중 상

그림은 혈당량 조절에 관여하는 중추 신경에 의한 호르몬의 분비 경로를 나타낸 것이다.

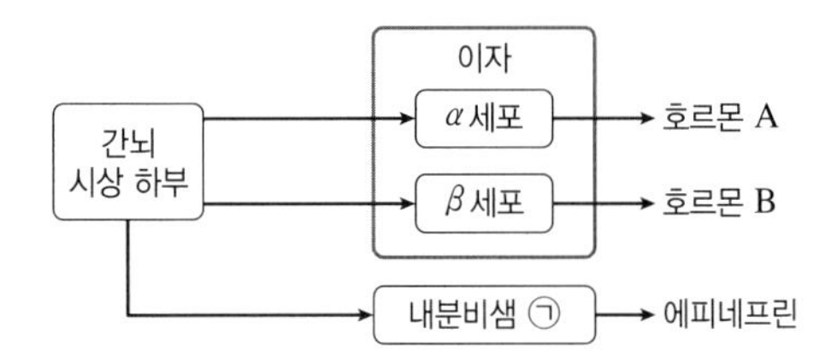

이에 대한 설명으로 옳은 것만을 〈보기〉에서 있는 대로 고른 것은?

〈 보기 〉
ㄱ. A는 혈당량을 증가시킨다.
ㄴ. B는 간에서 글리코젠의 합성을 촉진한다.
ㄷ. ㉠은 부신 겉질이다.

① ㄱ ② ㄷ ③ ㄱ, ㄴ
④ ㄴ, ㄷ ⑤ ㄱ, ㄴ, ㄷ

214 하 중 상

그림은 자율 신경 ㉠과 ㉡을 통한 혈당량 조절 경로를 나타낸 것이다. ㉠과 ㉡은 각각 교감 신경과 부교감 신경 중 하나이고, 호르몬 X와 Y는 각각 인슐린과 글루카곤 중 하나이다.

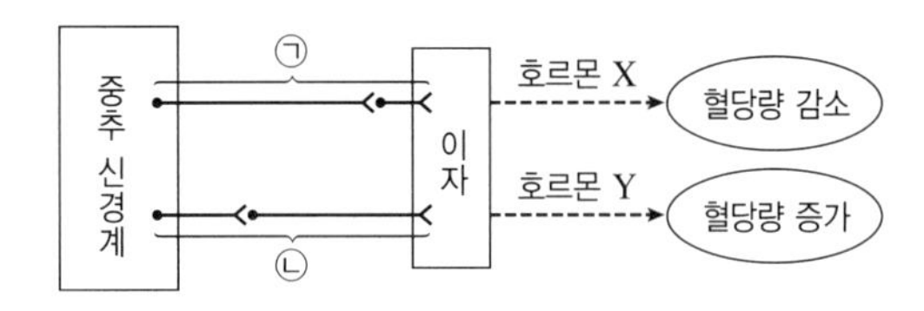

이에 대한 설명으로 옳은 것만을 〈보기〉에서 있는 대로 고른 것은?

〈 보기 〉
ㄱ. ㉠은 교감 신경, ㉡은 부교감 신경이다.
ㄴ. X는 체세포의 포도당 흡수를 촉진한다.
ㄷ. X와 Y는 길항 작용으로 혈당량을 조절한다.

① ㄱ ② ㄷ ③ ㄱ, ㄴ
④ ㄴ, ㄷ ⑤ ㄱ, ㄴ, ㄷ

빈출 215 하 중 상

그림은 이자의 내분비샘에서 분비되는 혈당량 조절 호르몬 A와 B에 의한 혈당량 조절 과정을 나타낸 것이다. ㉠과 ㉡은 각각 포도당과 글리코젠 중 하나이다.

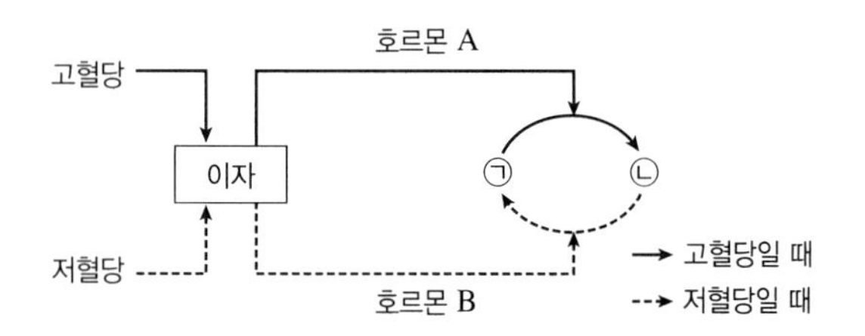

이에 대한 설명으로 옳은 것만을 〈보기〉에서 있는 대로 고른 것은?

〈 보기 〉
ㄱ. A는 이자섬의 β세포에서 분비된다.
ㄴ. ㉠은 포도당이다.
ㄷ. 간에서 호르몬 A와 B에 의한 물질 ㉠과 ㉡의 전환이 일어난다.

① ㄱ ② ㄴ ③ ㄷ
④ ㄱ, ㄴ ⑤ ㄱ, ㄴ, ㄷ

호르몬의 농도 변화

216 하 중 상

그림 (가)는 이자에서 분비되는 혈당량 조절 호르몬 ㉠과 ㉡을, (나)는 혈당량에 따른 호르몬 X의 혈중 농도를 나타낸 것이다. X는 호르몬 ㉠과 ㉡ 중 하나이다.

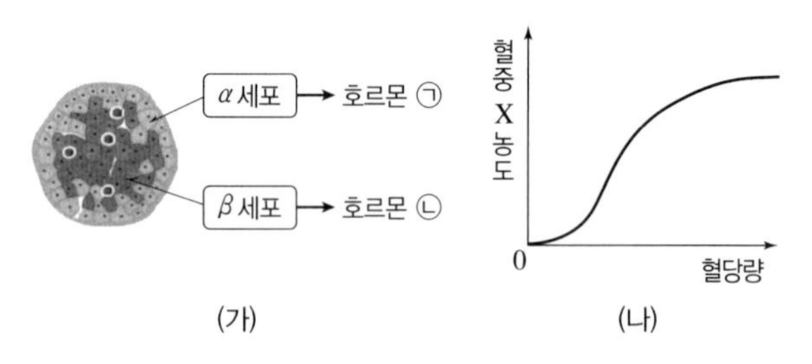

이에 대한 설명으로 옳은 것만을 〈보기〉에서 있는 대로 고른 것은?

〈 보기 〉
ㄱ. ㉠은 인슐린이다.
ㄴ. X는 ㉡이다.
ㄷ. 이자에 연결된 교감 신경은 ㉡의 분비를 촉진한다.

① ㄱ ② ㄴ ③ ㄷ
④ ㄱ, ㄴ ⑤ ㄴ, ㄷ

217 하 중 상

그림은 정상인의 혈중 포도당 농도에 따른 ㉠과 ㉡의 혈중 농도를 나타낸 것이다. ㉠과 ㉡은 각각 인슐린과 글루카곤 중 하나이다.

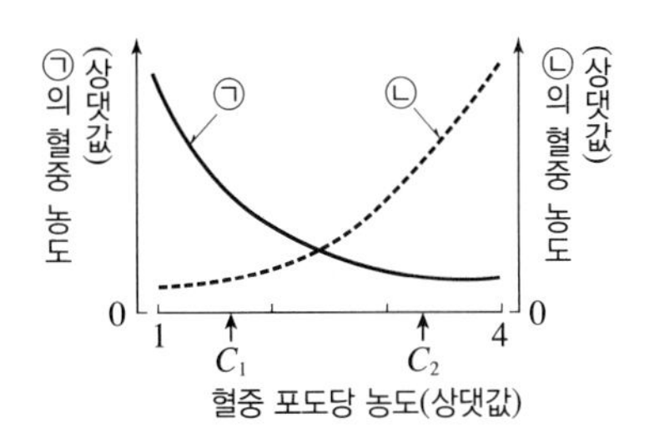

이에 대한 설명으로 옳은 것만을 〈보기〉에서 있는 대로 고른 것은?

〈 보기 〉
ㄱ. ㉠은 이자섬의 β세포에서 분비된다.
ㄴ. ㉡은 간에서 포도당을 글리코젠으로 합성하여 저장하는 과정을 촉진한다.
ㄷ. 혈중 인슐린 농도는 C_2일 때가 C_1일 때보다 높다.

① ㄱ ② ㄷ ③ ㄱ, ㄴ
④ ㄴ, ㄷ ⑤ ㄱ, ㄴ, ㄷ

218 하 중 상

그림은 정상인에서 식사 후 시간에 따른 혈당량 및 호르몬 분비 변화를 나타낸 것이다. ㉠과 ㉡은 이자에서 분비되는 혈당량 조절 호르몬이다.

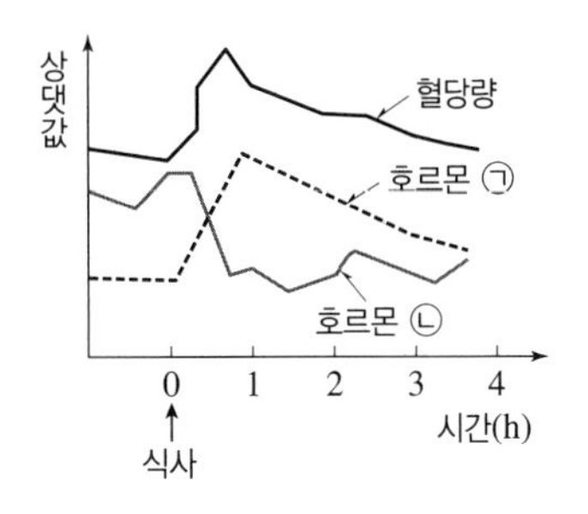

이에 대한 설명으로 옳은 것만을 〈보기〉에서 있는 대로 고른 것은?

〈 보기 〉
ㄱ. ㉠은 인슐린이다.
ㄴ. ㉡은 혈당량을 감소시킨다.
ㄷ. ㉠과 ㉡의 분비에는 뇌하수체 전엽이 관여한다.

① ㄱ ② ㄷ ③ ㄱ, ㄴ
④ ㄴ, ㄷ ⑤ ㄱ, ㄴ, ㄷ

219 하 중 상

그림 (가)는 식사 후 시간에 따른 호르몬 A와 B의 혈중 농도를, (나)는 사람의 체내에서 일어나는 포도당과 글리코젠 사이의 전환을 나타낸 것이다. A와 B는 이자에서 분비되는 혈당량 조절 호르몬이다.

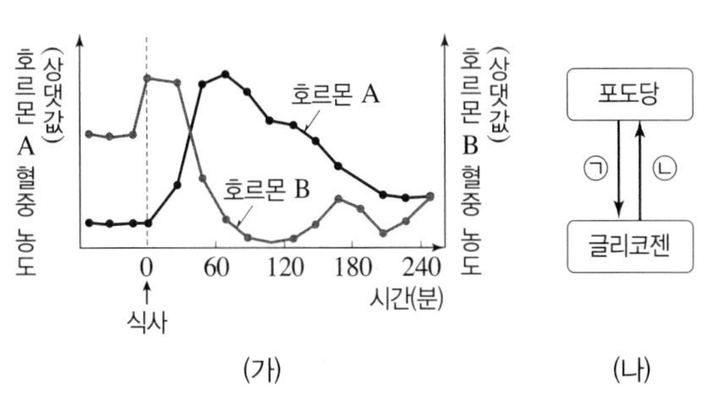

이에 대한 설명으로 옳은 것만을 〈보기〉에서 있는 대로 고른 것은?

〈 보기 〉
ㄱ. A는 이자섬의 α세포에서 분비된다.
ㄴ. 간은 A와 B의 표적 기관에 해당한다.
ㄷ. B는 혈당량이 낮을 때 ㉡ 과정을 촉진한다.

① ㄱ ② ㄴ ③ ㄷ
④ ㄱ, ㄴ ⑤ ㄴ, ㄷ

빈출

220 하 중 상

그림 (가)는 정상인의 식사 후 시간에 따른 포도당, 호르몬 A, 호르몬 B의 혈중 농도 변화를, (나)는 운동을 하는 동안 시간에 따른 호르몬 B의 혈중 농도 변화를 나타낸 것이다. 호르몬 A와 B는 각각 인슐린과 글루카곤 중 하나이다.

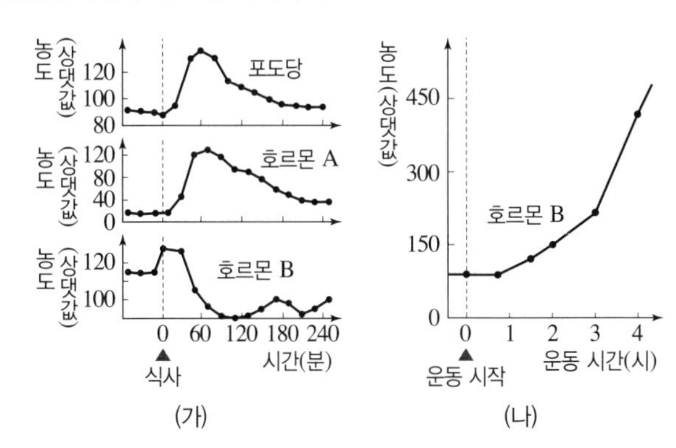

이에 대한 설명으로 옳은 것만을 〈보기〉에서 있는 대로 고른 것은?

〈 보기 〉
ㄱ. A는 혈당량을 증가시킨다.
ㄴ. B는 글루카곤이다.
ㄷ. B는 글리코젠을 포도당으로 분해하는 과정을 촉진한다.

① ㄱ ② ㄷ ③ ㄱ, ㄴ
④ ㄴ, ㄷ ⑤ ㄱ, ㄴ, ㄷ

B 체온 조절

221 하중상 多 보기

더울 때 일어나는 체온 조절 과정에 대한 설명으로 옳은 것을 모두 고르면?(2개)

① 땀 분비가 촉진된다.
② 교감 신경이 흥분한다.
③ 피부 근처 혈관이 확장된다.
④ 간과 근육에서 물질대사가 촉진된다.
⑤ 골격근을 수축시켜 몸을 떨리게 한다.
⑥ 갑상샘에서 티록신의 분비가 촉진된다.
⑦ 부신 속질에서 에피네프린의 분비가 촉진된다.

[222~223] 그림은 저온 자극이 주어졌을 때 일어나는 체온 조절 과정을 나타낸 것이다. ㉠~㉢은 자극의 전달 경로이다.

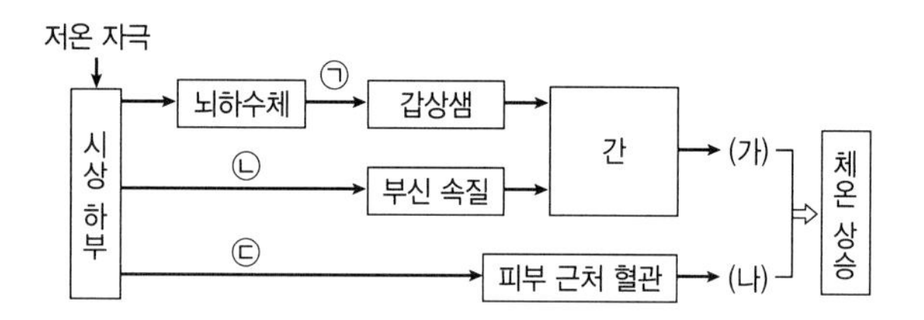

222 하중상

이에 대한 설명으로 옳은 것만을 〈보기〉에서 있는 대로 고른 것은?

〈 보기 〉
ㄱ. ㉠은 호르몬에 의한 자극 전달 경로이다.
ㄴ. (가)에서 물질대사가 촉진되어 열 발생량이 증가한다.
ㄷ. (나)에서 피부 근처 혈관이 확장되어 피부 근처로 흐르는 혈액의 양이 증가한다.

① ㄱ ② ㄴ ③ ㄷ
④ ㄱ, ㄴ ⑤ ㄴ, ㄷ

223 하중상 서술형

㉠~㉢ 중 신호 전달 속도가 가장 느린 경로를 쓰고, 그 까닭을 서술하시오.

224 하중상

그림은 사람에서 어떤 온도 자극 X가 주어졌을 때 체온이 조절되는 과정의 일부를 나타낸 것이다. ㉠~㉢은 자극이 전달되는 경로이고, (가)와 (나)는 각각 '열 발생량 증가'와 '열 발산량 감소' 중 하나이다. 자극 X는 고온 자극과 저온 자극 중 하나이다.

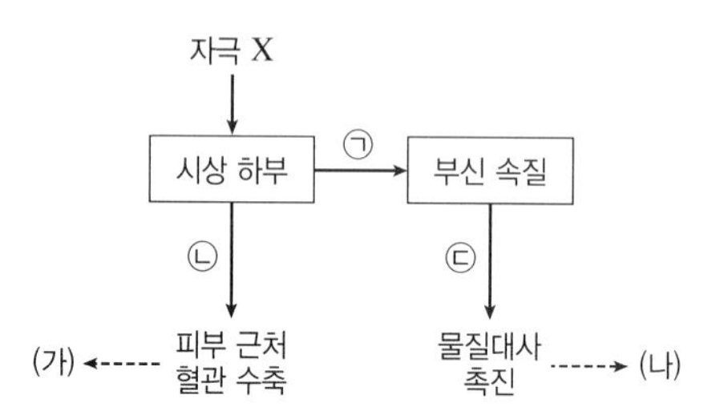

이에 대한 설명으로 옳은 것만을 〈보기〉에서 있는 대로 고른 것은?

〈 보기 〉
ㄱ. X는 저온 자극이다.
ㄴ. (나)는 '열 발산량 감소'이다.
ㄷ. ㉠은 교감 신경에 의한 자극 전달 경로이다.
ㄹ. 신호 전달 속도는 경로 ㉡이 경로 ㉢보다 빠르다.

① ㄱ, ㄴ ② ㄴ, ㄷ ③ ㄷ, ㄹ
④ ㄱ, ㄷ, ㄹ ⑤ ㄴ, ㄷ, ㄹ

225 하중상

그림은 체온 변화에 따른 피부 근처 혈관의 변화를 나타낸 것이다.

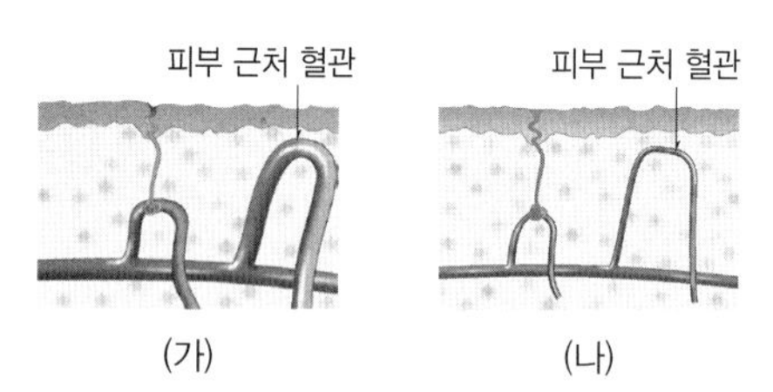

이에 대한 설명으로 옳은 것만을 〈보기〉에서 있는 대로 고른 것은?

〈 보기 〉
ㄱ. 저온 자극을 받으면 피부 근처 혈관이 (가)와 같이 변한다.
ㄴ. 피부 근처 혈관에 연결된 교감 신경이 흥분하면 피부 근처 혈관이 (나)와 같이 변한다.
ㄷ. 열 발산량은 (가)일 때보다 (나)일 때 적다.
ㄹ. (가)의 결과 체온이 내려간다.

① ㄱ, ㄴ ② ㄴ, ㄷ ③ ㄷ, ㄹ
④ ㄱ, ㄷ, ㄹ ⑤ ㄴ, ㄷ, ㄹ

226 하 중 상

그림은 어떤 사람의 시상 하부에 설정된 온도 변화에 따른 체온 변화를 나타낸 것이다.

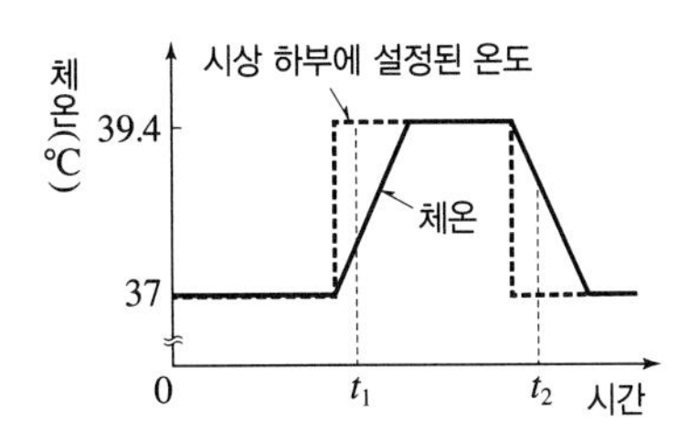

이에 대한 설명으로 옳은 것만을 〈보기〉에서 있는 대로 고른 것은?

〈 보기 〉
ㄱ. 체온 조절 중추는 간뇌의 시상 하부이다.
ㄴ. 티록신의 분비량은 t_2일 때보다 t_1일 때가 많다.
ㄷ. 피부에서의 열 발산량은 t_1일 때보다 t_2일 때가 많다.

① ㄱ ② ㄷ ③ ㄱ, ㄴ
④ ㄴ, ㄷ ⑤ ㄱ, ㄴ, ㄷ

227 하 중 상

그림은 체온이 38 ˚C인 어떤 항온 동물에서 시상 하부의 온도를 변화시킨 후 시간에 따른 체온 변화를 측정한 결과이다.

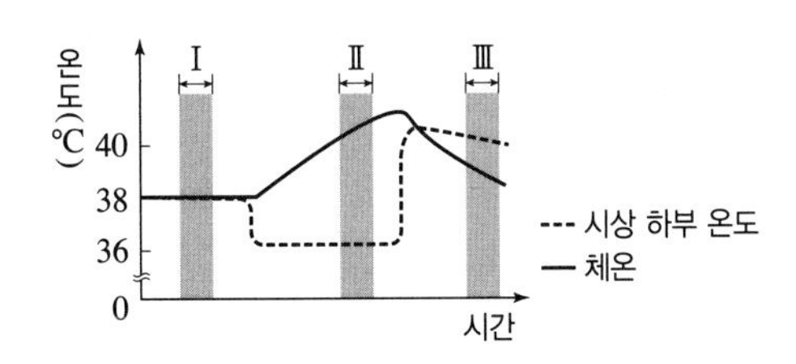

이에 대한 설명으로 옳은 것만을 〈보기〉에서 있는 대로 고른 것은?

〈 보기 〉
ㄱ. 시상 하부의 온도가 38 ℃보다 낮아지면 이 동물의 대사량이 증가한다.
ㄴ. 단위 시간당 $\frac{\text{열 발산량}}{\text{열 발생량}}$은 구간 Ⅰ에서가 구간 Ⅱ에서보다 크다.
ㄷ. 단위 시간당 피부 근처 혈관에 흐르는 혈액량은 구간 Ⅲ에서가 구간 Ⅱ에서보다 적다.

① ㄱ ② ㄷ ③ ㄱ, ㄴ
④ ㄴ, ㄷ ⑤ ㄱ, ㄴ, ㄷ

C 삼투압 조절

228 하 중 상

••서술형

짠 음식을 많이 먹었을 때 체내 삼투압 조절 과정을 다음 조건에 맞게 서술하시오.

• 간뇌의 시상 하부에서 시작할 것
• 분비되는 호르몬의 명칭과 기능을 포함할 것
• 호르몬의 분비로 나타나는 결과를 세 가지 이상 포함할 것

빈출

229 하 중 상

그림 (가)는 호르몬 X의 분비와 작용을, (나)는 건강한 사람의 평상시와 운동 시 시간당 수분 배출량을 비교한 것이다.

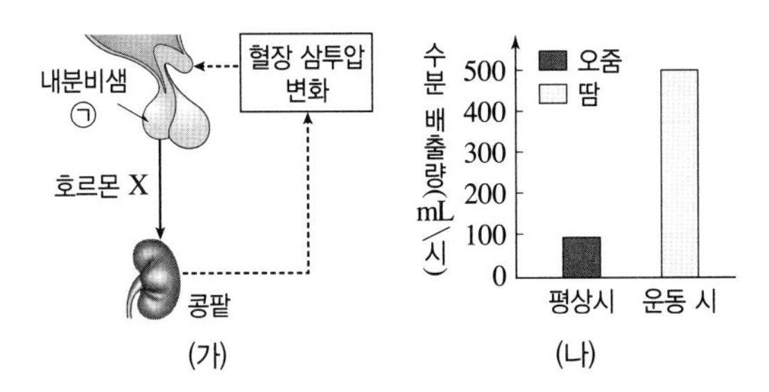

이에 대한 설명으로 옳지 않은 것은?(단, 제시된 자료 이외에 체내 수분량에 영향을 미치는 요인은 고려하지 않는다.)

① ㉠은 뇌하수체 후엽이다.
② X는 항이뇨 호르몬이다.
③ 콩팥은 X의 표적 기관이다.
④ X의 분비량이 증가하면 생성되는 오줌의 양이 감소한다.
⑤ 운동 시에는 평상시에 비해 X의 분비량이 감소한다.

230 하 중 상

그림은 정상인에서 혈장 삼투압에 따른 혈중 항이뇨 호르몬(ADH)의 농도를 나타낸 것이다.
이에 대한 설명으로 옳은 것만을 〈보기〉에서 있는 대로 고른 것은?

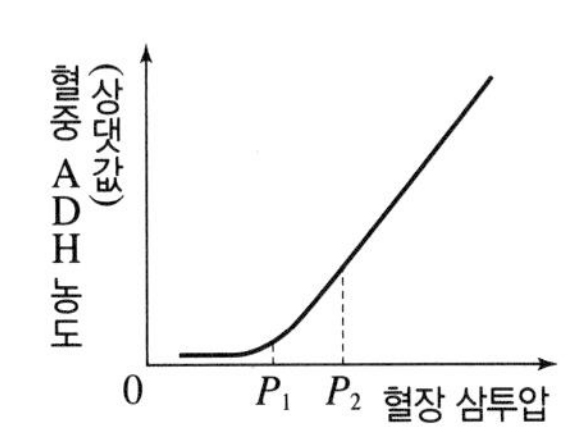

〈 보기 〉
ㄱ. 항이뇨 호르몬(ADH)은 뇌하수체 후엽에서 분비된다.
ㄴ. 정상 상태일 때 콩팥에서 단위 시간당 물의 재흡수량은 P_1일 때가 P_2일 때보다 적다.
ㄷ. 생성되는 오줌의 양은 P_1일 때가 P_2일 때보다 많다.

① ㄱ ② ㄷ ③ ㄱ, ㄴ
④ ㄴ, ㄷ ⑤ ㄱ, ㄴ, ㄷ

빈출

231 하 중 상

그림 (가)와 (나)는 정상인에서 각각 ㉠과 ㉡이 변할 때 혈중 ADH의 농도 변화를 나타낸 것이다. ㉠과 ㉡은 각각 혈압과 혈장 삼투압 중 하나이다.

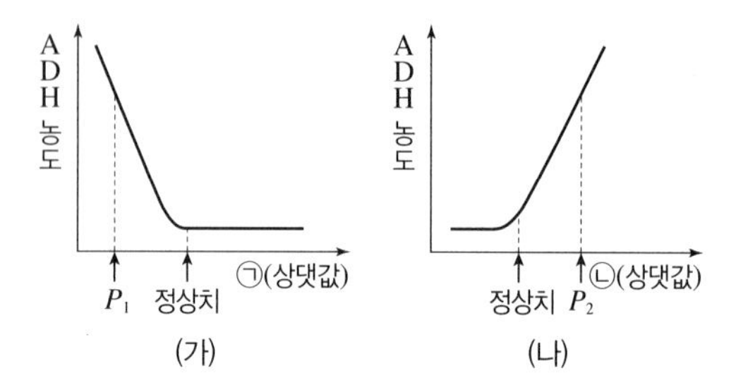

이에 대한 설명으로 옳은 것만을 〈보기〉에서 있는 대로 고른 것은? (단, 제시된 자료 이외에 체내 수분량에 영향을 미치는 요인은 없다.)

〈 보기 〉

ㄱ. ㉠은 혈압이다.

ㄴ. 콩팥에서 단위 시간당 물의 재흡수량은 P_1일 때가 정상치일 때보다 많다.

ㄷ. 생성되는 오줌의 삼투압은 P_2일 때가 정상치일 때보다 낮다.

① ㄱ ② ㄷ ③ ㄱ, ㄴ
④ ㄴ, ㄷ ⑤ ㄱ, ㄴ, ㄷ

232 하 중 상

그림은 어떤 정상인이 ㉠과 ㉡을 섭취하였을 때 단위 시간당 오줌 생성량을 시간에 따라 나타낸 것이다. ㉠과 ㉡은 각각 물과 소금물 중 하나이다.

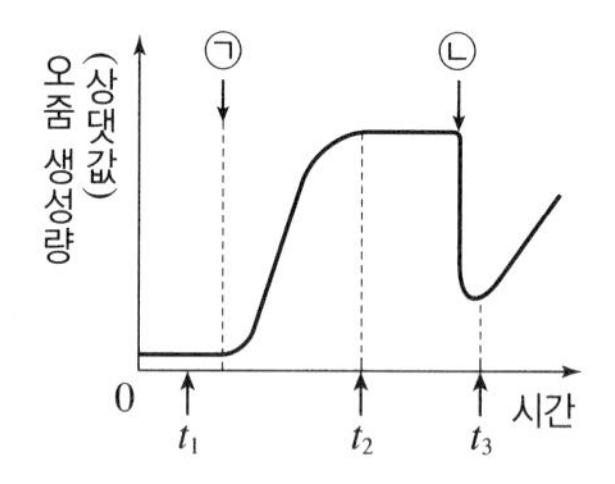

이에 대한 설명으로 옳은 것만을 〈보기〉에서 있는 대로 고른 것은? (단, 제시된 조건 이외에 체내 수분량에 영향을 미치는 요인은 없다.)

〈 보기 〉

ㄱ. ㉠은 물이다.

ㄴ. 혈중 항이뇨 호르몬의 농도는 t_2일 때가 t_1일 때보다 높다.

ㄷ. 생성되는 오줌의 삼투압은 t_3일 때가 t_2일 때보다 높다.

① ㄱ ② ㄷ ③ ㄱ, ㄴ
④ ㄴ, ㄷ ⑤ ㄱ, ㄷ

빈출

233 하 중 상

그림은 건강한 사람이 물 1 L를 섭취한 후 ㉠과 ㉡의 변화를 나타낸 것이다. ㉠과 ㉡은 각각 혈장 삼투압과 단위 시간당 오줌 생성량 중 하나이다.

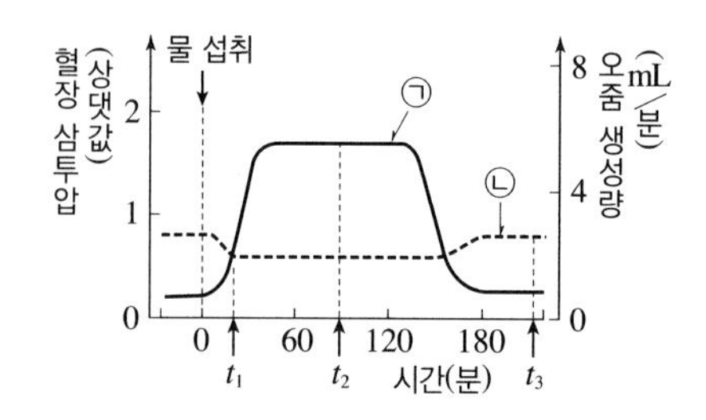

이에 대한 설명으로 옳은 것만을 〈보기〉에서 있는 대로 고른 것은? (단, 오줌양 이외에 체내 수분량에 영향을 미치는 요인은 없다.)

〈 보기 〉

ㄱ. ㉡은 혈장 삼투압이다.

ㄴ. 생성되는 오줌의 삼투압은 t_2일 때가 t_1일 때보다 높다.

ㄷ. t_3일 때 땀을 많이 흘린다면 생성되는 오줌의 양이 증가한다.

① ㄱ ② ㄴ ③ ㄷ
④ ㄱ, ㄴ ⑤ ㄴ, ㄷ

234 하 중 상

그림은 정상인이 1 L의 물을 섭취한 후 시간에 따른 혈장 삼투압과 오줌 삼투압을 나타낸 것이다. ㉠과 ㉡은 각각 오줌과 혈장 중 하나이다.

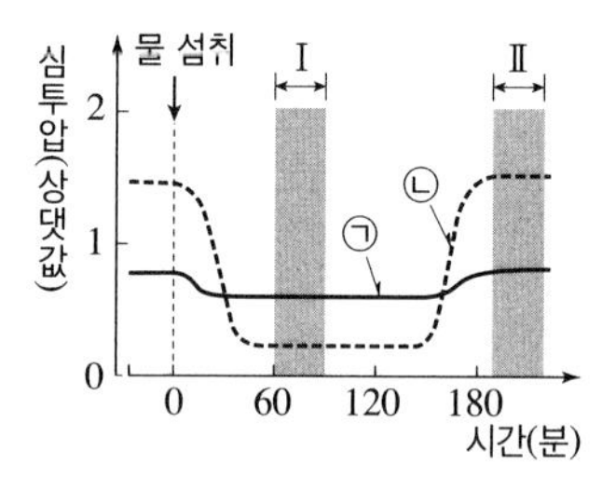

이에 대한 설명으로 옳은 것만을 〈보기〉에서 있는 대로 고른 것은? (단, 오줌양 이외에 체내 수분량에 영향을 미치는 요인은 없다.)

〈 보기 〉

ㄱ. ㉠은 오줌이다.

ㄴ. $\frac{\text{오줌 생성량}}{\text{혈장 삼투압}}$은 구간 Ⅰ에서가 구간 Ⅱ에서보다 크다.

ㄷ. 혈중 항이뇨 호르몬(ADH)의 농도는 구간 Ⅱ에서가 구간 Ⅰ에서보다 높다.

① ㄱ ② ㄴ ③ ㄷ
④ ㄱ, ㄴ ⑤ ㄴ, ㄷ

235

그림은 정상인, 제1형 당뇨병 환자, 제2형 당뇨병 환자에게 포도당을 투여한 후 시간에 따른 혈액 속 호르몬 X의 농도를 나타낸 것이다. 호르몬 X는 이자에서 분비되는 호르몬이다.

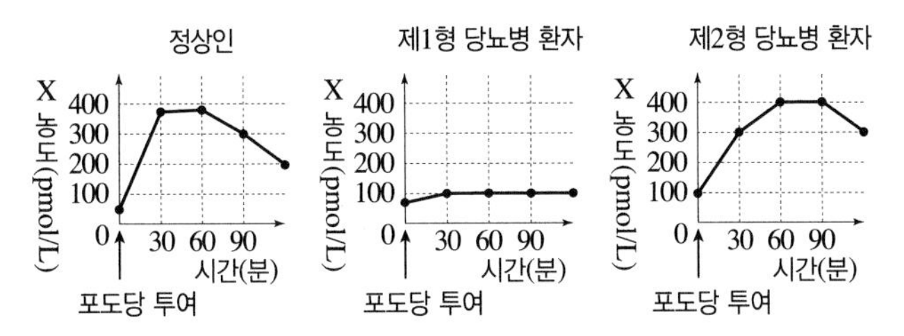

이에 대한 설명으로 옳은 것만을 〈보기〉에서 있는 대로 고른 것은?

〈 보기 〉

ㄱ. X는 인슐린이다.
ㄴ. 제1형 당뇨병은 이자의 β세포가 파괴된 것이 원인이다.
ㄷ. 제2형 당뇨병은 체세포와 간세포가 인슐린에 적절히 반응하지 못하는 것이 원인이다.
ㄹ. 제2형 당뇨병의 경우 인슐린을 주기적으로 투여하면 완치된다.

① ㄱ, ㄴ ② ㄱ, ㄹ ③ ㄴ, ㄷ
④ ㄱ, ㄴ, ㄷ ⑤ ㄴ, ㄷ, ㄹ

236

그림은 정상인과 항이뇨 호르몬(ADH)의 분비에 이상이 있는 어떤 사람 A가 소금물을 섭취했을 때와 ADH를 주사했을 때 시간에 따른 오줌의 삼투압을 나타낸 것이다.

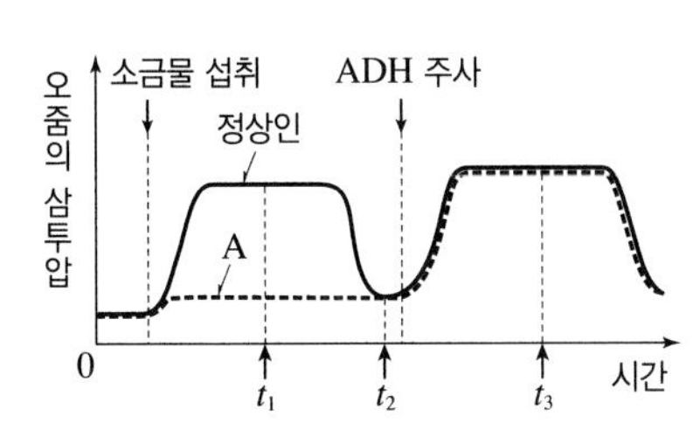

이에 대한 설명으로 옳은 것만을 〈보기〉에서 있는 대로 고른 것은? (단, 제시된 조건 이외에 체내 수분량에 영향을 미치는 요인은 없다.)

〈 보기 〉

ㄱ. t_1일 때 A는 정상인에 비해 ADH의 분비량이 적다.
ㄴ. 정상인의 혈장 삼투압은 t_1일 때가 t_2일 때보다 높다.
ㄷ. A의 콩팥에서 단위 시간당 물의 재흡수량은 t_1일 때가 t_3일 때보다 많다.

① ㄱ ② ㄷ ③ ㄱ, ㄴ ④ ㄴ, ㄷ ⑤ ㄱ, ㄴ, ㄷ

237

그림은 생쥐에 각기 다른 액체를 주입하였을 때 시간에 따른 오줌 생성량을 나타낸 것이다. A와 B는 각각 소금물과 증류수 중 하나를 주입한 것이고, C는 뇌하수체 호르몬 X가 포함된 액체를 주입한 것이다.

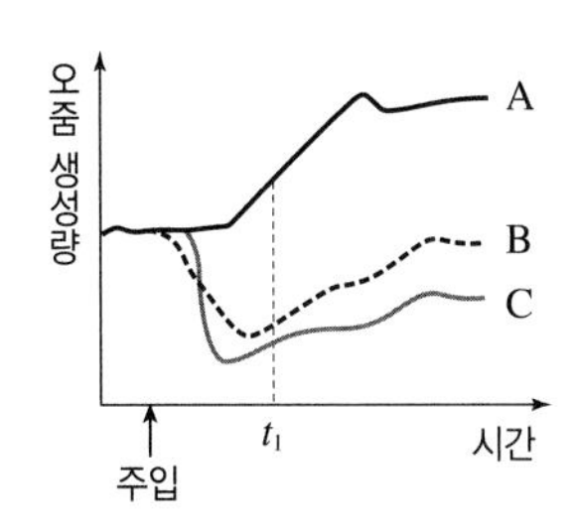

이에 대한 설명으로 옳은 것만을 〈보기〉에서 있는 대로 고른 것은? (단, 생쥐의 실험 전 혈장 삼투압은 A~C에서 모두 동일하다.)

〈 보기 〉

ㄱ. X의 표적 기관은 콩팥이다.
ㄴ. 소금물을 주입한 것은 A이다.
ㄷ. A에서 혈장 삼투압은 주입 전보다 t_1일 때가 높다.
ㄹ. t_1일 때 혈중 ADH 농도는 A에서가 B에서보다 낮다.

① ㄱ, ㄴ ② ㄱ, ㄹ ③ ㄴ, ㄷ
④ ㄴ, ㄹ ⑤ ㄷ, ㄹ

238

그림 (가)는 혈중 ADH 농도에 따른 ㉡의 삼투압에 대한 ㉠의 삼투압 비를, (나)는 사람에서 전체 혈액량이 정상 상태일 때와 A일 때 ㉡의 삼투압에 따른 혈중 ADH 농도를 나타낸 것이다. ㉠과 ㉡은 각각 오줌과 혈장 중 하나이고, A는 전체 혈액량이 정상보다 증가한 상태와 감소한 상태 중 하나이다.

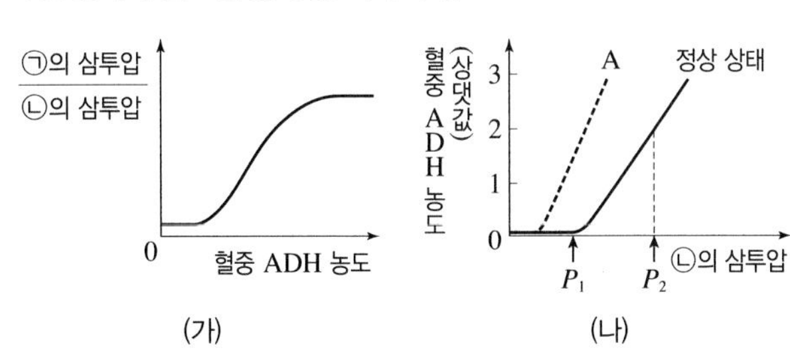

(가) (나)

이에 대한 설명으로 옳은 것만을 〈보기〉에서 있는 대로 고른 것은? (단, 제시된 자료 이외에 체내 수분량에 영향을 미치는 요인은 없다.)

〈 보기 〉

ㄱ. ㉠은 오줌이다.
ㄴ. A는 전체 혈액량이 정상보다 증가한 상태이다.
ㄷ. 정상 상태일 때 단위 시간당 오줌 생성량은 P_1일 때가 P_2일 때보다 적다.

① ㄱ ② ㄴ ③ ㄷ
④ ㄱ, ㄴ ⑤ ㄴ, ㄷ

Ⅲ. 항상성과 몸의 조절

질병과 인체의 방어 작용

A 질병과 병원체

1 질병의 구분

감염성 질병	비감염성 질병
• ❶ □□□에 감염되어 발생하는 질병이다. • 다른 사람에게 전염될 수 있다. 예 결핵, 감기, 독감, 홍역, 무좀, 말라리아	• 병원체 없이 발생하는 질병이다. → 유전 요인이나 환경 요인이 복합적으로 작용하여 발생한다. • 다른 사람에게 전염되지 않는다. 예 당뇨병, 고혈압, 뇌졸중, 혈우병

2 병원체의 종류

❷ □□	• 단세포 원핵생물로, 핵막이 없으며 세포벽이 있다. • 효소가 있어 물질대사를 할 수 있다. • 대부분 분열법으로 번식하며, 인체에 침입한 뒤 증식하여 세포를 파괴하거나 독소를 분비하여 질병을 일으킨다. • 일으키는 질병 예: 결핵, 폐렴, 파상풍, 콜레라, 탄저병 → 항생제로 치료 (그림: 세포벽, 세포막, DNA — ▲ 세균의 구조)
❸ □□□□	• 세포의 구조를 갖추지 않고, 유전 물질(핵산)과 단백질 껍질로 구성되어 있다. • 독립적으로 물질대사를 하지 못하고, 살아 있는 숙주 세포 내에서만 증식할 수 있다. • 일으키는 질병 예: 감기, 독감, 홍역, 간염, 후천성 면역 결핍증(AIDS), 코로나 바이러스 감염증 → 항바이러스제로 치료, 백신으로 예방 가능
원생생물	• 단세포 진핵생물로, 핵막이 있다. • 오염된 음식물이나 매개 생물(모기, 쥐 등)을 통해 감염된다. • 일으키는 질병 예: 말라리아, 수면병
곰팡이	• 다세포 진핵생물로, 핵막이 있고 세포벽이 있다. • 일으키는 질병 예: 무좀
변형 프라이온	• 단백질로만 구성된 입자로, 유전 물질이 없다. • 일으키는 질병 예: 소의 광우병, 양의 스크래피, 사람의 크로이츠펠트·야코프병

기출 Tip A

세균과 바이러스의 비교

[공통점]
• 유전 물질(핵산)이 있다.
• 병원체이다.

[차이점]
• 세균은 독립적으로 물질대사를 하지만, 바이러스는 효소가 없어 독립적으로 물질대사를 하지 못한다.
• 세균은 세포 구조를 갖추었지만, 바이러스는 세포 구조를 갖추지 못하였다.
• 세균은 항생제로 치료하지만, 바이러스는 항바이러스제로 치료한다.

감염성 질병의 감염 경로와 예방
• 감염 경로: 호흡 및 환자와의 접촉, 병원체에 오염된 물이나 음식 섭취, 모기나 파리 등 매개 동물에 의해 감염
• 예방: 손 씻기, 마스크 쓰기, 물이나 음식을 가열해서 섭취, 백신 접종 등

B 인체의 방어 작용

1 비특이적 방어 작용 병원체의 종류를 구분하지 않고 동일한 방식으로 일어난다. → 신속하고 광범위하게 일어난다.

① **피부와 점막:** 피부에서 분비되는 땀과 점막에서 분비되는 점액에는 ❹ □□□□□이 있어 세균의 세포벽을 파괴하여 세균의 침입을 막는다. → 피부는 병원체를 막는 물리적 장벽 역할도 한다.

② **식균 작용(식세포 작용):** 백혈구(대식 세포)가 병원체를 세포 안으로 끌어들여 분해하는 작용이다.

③ ❺ □□ **반응:** 피부나 점막이 손상되어 병원체가 몸속으로 침입하였을 때 일어나는 방어 작용으로, 발열, 부어오름, 붉어짐, 통증 등의 증상이 나타난다.

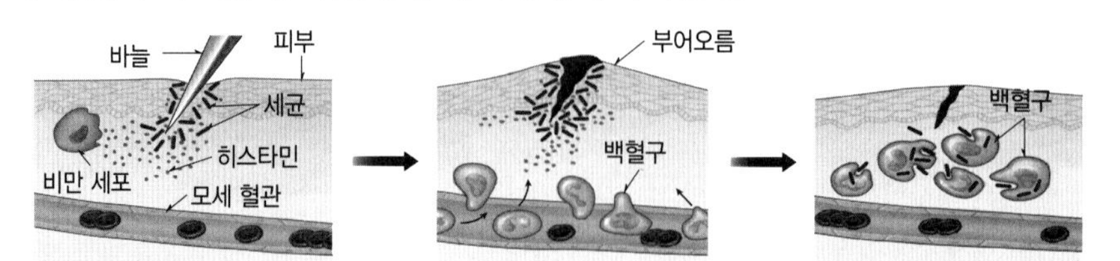

상처가 생겨 세균이 몸속으로 들어오면 비만 세포에서 히스타민이 방출된다. → 히스타민이 모세 혈관을 확장시킨다.

혈관벽을 통해 백혈구와 혈장이 빠져나와 상처 부위로 모인다. → 상처 부위가 붉어지고 열이 나며 부어오른다.

상처 부위로 모인 백혈구(대식 세포)가 식균 작용으로 세균을 제거한다.

2 특이적 방어 작용 항원의 종류를 인식하여 제거하는 과정으로, 세포성 면역과 체액성 면역으로 구분된다.
(→ 병원체의 종류를 인식하고 반응하는 데 시간이 걸린다.)

① ❻□□□ 면역: 세포독성 T림프구가 병원체에 감염된 세포를 직접 제거하는 과정이다.

② 체액성 면역: B 림프구가 형질 세포로 분화한 후 형질 세포에서 ❼□□를 만들어 항원을 제거하는 과정이다.

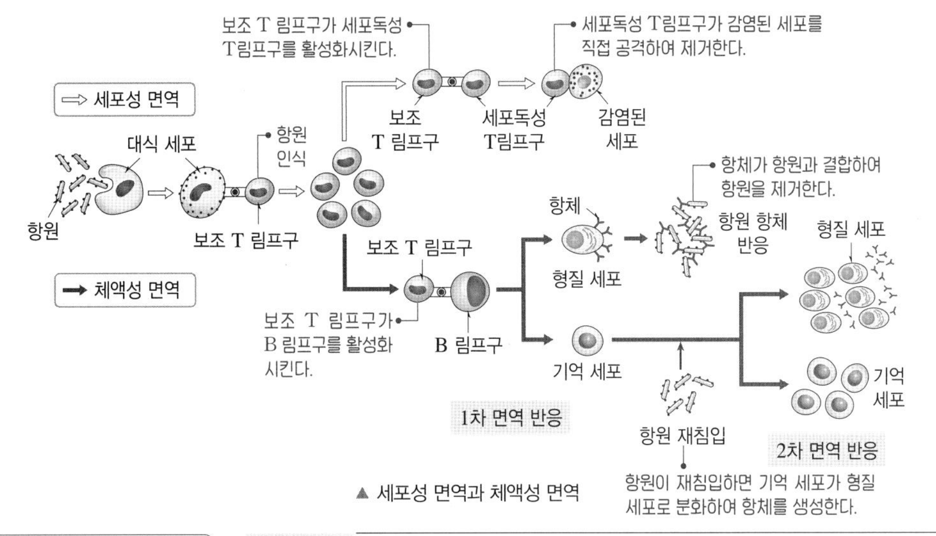

▲ 세포성 면역과 체액성 면역

항원을 잡아먹은 대식 세포가 항원 조각을 세포 표면에 제시 → 제시된 항원을 보조 T 림프구가 인식	세포성 면역 과정	항원을 인식한 보조 T 림프구가 세포독성 T림프구를 활성화 → 세포독성 T림프구가 감염된 세포를 직접 공격하여 제거
	체액성 면역 과정	항원을 인식한 보조 T 림프구가 B 림프구를 활성화 → B 림프구가 형질 세포와 기억 세포로 분화 → ❽□□ 세포에서 항체가 만들어지고, 항체가 항원과 결합하여 항원을 제거

(림프구의 생성과 분화)

림프구는 백혈구의 일종으로 골수에서 만들어진다.
- B 림프구: 골수에서 만들어져 골수에서 성숙한다.
- T 림프구: 골수에서 만들어진 후 ❾□□□에서 성숙한다.

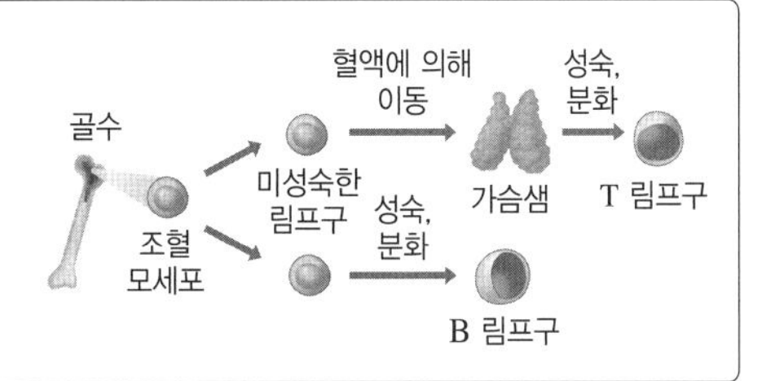

기출 Tip B-2

항원 항체 반응
- 항원이 몸속으로 들어오면 항체가 생성되고, 항체가 항원과 결합하는 항원 항체 반응이 일어나 항원을 무력화한다.
- 항원 항체 반응의 특이성: 항체는 항원 결합 부위와 입체 구조가 맞는 특정 항원하고만 결합한다.

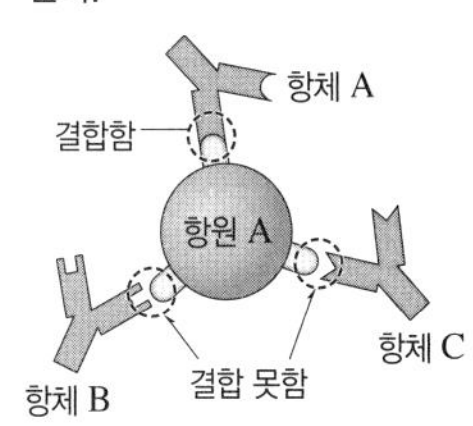

답 ❶ 병원체 ❷ 세균 ❸ 바이러스 ❹ 라이소자임 ❺ 염증 ❻ 세포성 ❼ 항체 ❽ 형질 ❾ 가슴샘

빈출 자료 보기

정답과 해설 33쪽

239 그림은 어떤 사람이 세균 X에 처음 감염된 후 일어나는 면역 반응을 순차적으로 나타낸 것이다. ㉠~㉢은 각각 B 림프구, 대식 세포, 보조 T 림프구 중 하나이다.

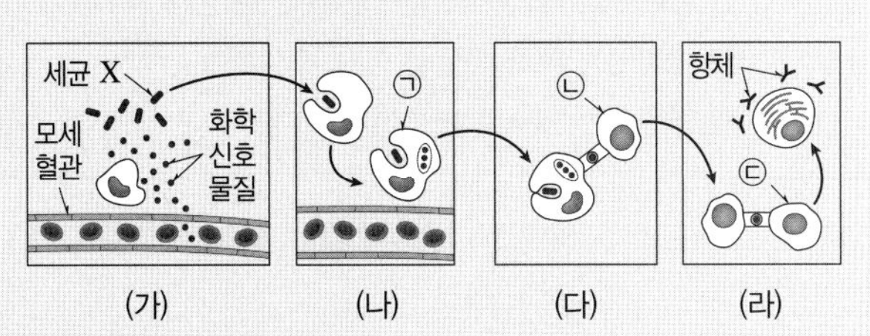

이에 대한 설명으로 옳은 것은 ○, 옳지 않은 것은 ×로 표시하시오.

(1) ㉠은 대식 세포, ㉢은 B 림프구이다. ( )
(2) ㉡은 가슴샘에서 성숙한다. ( )
(3) ㉢은 형질 세포와 기억 세포로 분화한다. ( )
(4) (가)에서 화학 신호 물질은 모세 혈관을 축소시킨다. ( )
(5) (나)는 세균 X에 대한 특이적 방어 작용이다. ( )
(6) (라)에서 만들어진 항체는 세균 X와 결합한다. ( )

A 질병과 병원체

질병의 구분

240 하 중 상

다음은 어떤 종류의 병원체에 대한 설명이다.

- 세균보다 크기가 작다.
- 유전 물질과 단백질 껍질로 구성되어 있다.
- 스스로 물질대사를 하지 못하고, 숙주 세포 내에서만 증식할 수 있다.

이와 같은 종류의 병원체에 감염되었을 때 유발될 수 있는 질병은?

① 결핵 ② 무좀 ③ 콜레라
④ 감기 ⑤ 수면병

241 하 중 상

소의 광우병이나 양의 스크래피, 사람의 크로이츠펠트·야코프병을 일으키는 병원성 단백질의 이름을 쓰시오.

242 하 중 상

다음은 여러 가지 질병에 대한 설명이다.

(가) 매개 곤충을 통해 감염된다.
(나) 환자의 기침이나 재채기를 통해 방출된 병원체가 호흡기를 통해 침입하여 감염된다.
(다) 유전 요인이나 환경 요인이 복합적으로 작용하여 나타난다.

(가)~(다)에 해당하는 질병을 옳게 짝 지은 것은?

	(가)	(나)	(다)
①	파상풍	말라리아	감기
②	파상풍	탄저병	말라리아
③	감기	탄저병	당뇨병
④	말라리아	독감	당뇨병
⑤	당뇨병	독감	말라리아

243 하 중 상

감염성 질병을 예방하는 방법으로 옳지 않은 것은?

① 외출 시 마스크를 착용한다.
② 백신 접종으로 인체의 방어 능력을 높인다.
③ 비누를 이용해 손을 흐르는 물에 자주 씻는다.
④ 기침을 할 때 팔꿈치 안쪽으로 코와 입을 가린다.
⑤ 물이나 음식은 가능한 가열하지 않고 섭취한다.

244 하 중 상

그림은 질병 예방 홍보 포스터의 일부를, 표는 사람에게 나타나는 4가지 질병을 A~C로 구분하여 나타낸 것이다.

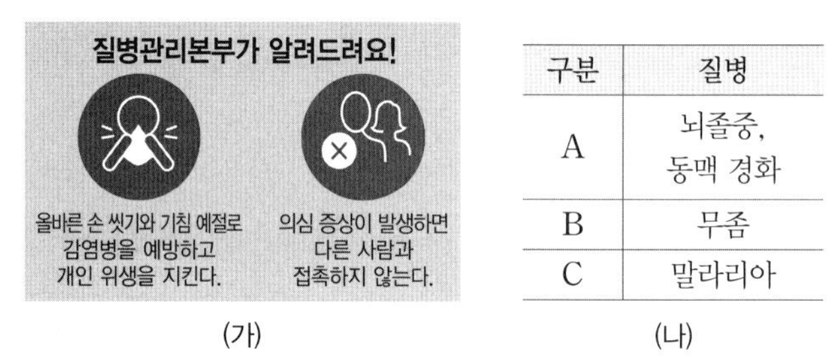

(가)

구분	질병
A	뇌졸중, 동맥 경화
B	무좀
C	말라리아

(나)

이에 대한 설명으로 옳은 것만을 〈보기〉에서 있는 대로 고른 것은?

〈 보기 〉
ㄱ. (가)를 통해 A~C를 모두 예방할 수 있다.
ㄴ. B는 바이러스성 질병이다.
ㄷ. C의 병원체는 핵이 있는 진핵생물이다.

① ㄱ ② ㄷ ③ ㄱ, ㄴ
④ ㄴ, ㄷ ⑤ ㄱ, ㄴ, ㄷ

245 하 중 상

그림은 사람의 6가지 질병을 (가)~(다)로 구분하여 나타낸 것이다.

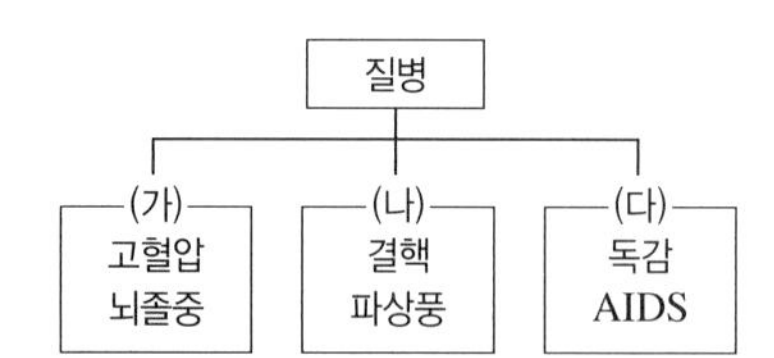

이에 대한 설명으로 옳은 것만을 〈보기〉에서 있는 대로 고른 것은?

〈 보기 〉
ㄱ. (가)는 다른 사람에게 전염될 수 있다.
ㄴ. (나)의 병원체는 세포 분열을 통해 증식한다.
ㄷ. (다)의 병원체는 세포로 이루어져 있다.

① ㄱ ② ㄴ ③ ㄷ
④ ㄱ, ㄴ ⑤ ㄴ, ㄷ

246 하중상

그림은 구분 기준에 따라 사람의 3가지 질병을 구분하는 과정을 나타낸 것이다.

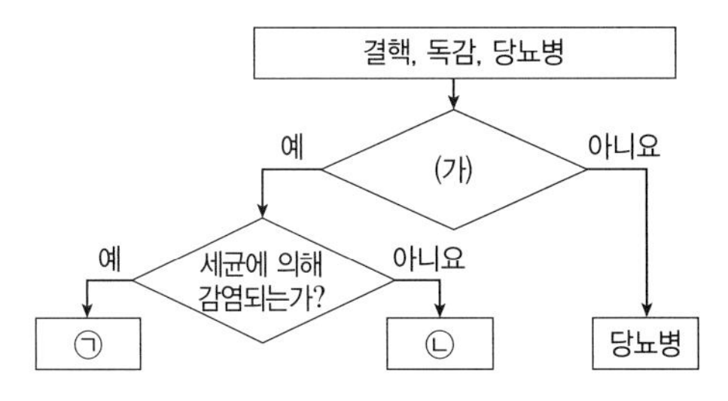

이에 대한 설명으로 옳은 것만을 〈보기〉에서 있는 대로 고른 것은?

〈 보기 〉
ㄱ. '감염성 질병인가?'는 (가)에 해당한다.
ㄴ. ㉠을 치료하는 데 항생제를 사용한다.
ㄷ. ㉡은 백신으로 예방할 수 있다.

① ㄱ ② ㄷ ③ ㄱ, ㄴ
④ ㄴ, ㄷ ⑤ ㄱ, ㄴ, ㄷ

247 하중상

그림은 홍역과 파상풍의 공통점과 차이점을 나타낸 것이다.

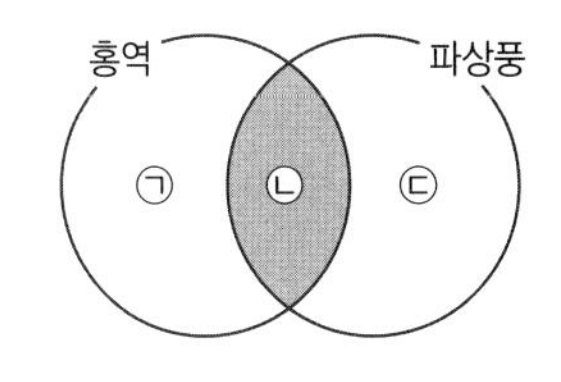

이에 대한 설명으로 옳은 것만을 〈보기〉에서 있는 대로 고른 것은?

〈 보기 〉
ㄱ. '병원체가 세포의 구조를 가진다.'는 ㉠에 해당한다.
ㄴ. '감염성 질병이다.'는 ㉡에 해당한다.
ㄷ. '병원체가 독립적으로 물질대사를 한다.'는 ㉢에 해당한다.

① ㄱ ② ㄷ ③ ㄱ, ㄴ
④ ㄴ, ㄷ ⑤ ㄱ, ㄴ, ㄷ

빈출

248 하중상

표 (가)는 질병 A~C에서 특징 ㉠~㉢의 유무를, (나)는 ㉠~㉢을 순서 없이 나타낸 것이다. A~C는 각각 탄저병, 감기, 혈우병 중 하나이다.

질병 \ 특징	㉠	㉡	㉢
A	×	×	○
B	×	○	ⓐ
C	?	○	×

(○: 있음, ×: 없음)

(가)

특징 ㉠~㉢
• 비감염성 질병이다. • 병원체가 핵산을 가지고 있다. • 병원체가 세포벽을 가지고 있다.

(나)

이에 대한 설명으로 옳은 것만을 〈보기〉에서 있는 대로 고른 것은?

〈 보기 〉
ㄱ. ⓐ는 '○'이다.
ㄴ. ㉡은 '병원체가 핵산을 가지고 있다.'이다.
ㄷ. C의 병원체는 항생제를 통해 증식을 억제할 수 있다.

① ㄱ ② ㄷ ③ ㄱ, ㄴ
④ ㄴ, ㄷ ⑤ ㄱ, ㄴ, ㄷ

병원체의 종류

249 하중상

그림은 어떤 병원체의 구조를 나타낸 것이다.

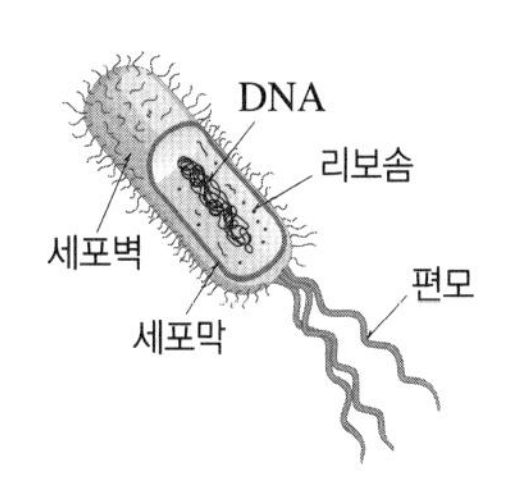

이에 대한 설명으로 옳은 것만을 〈보기〉에서 있는 대로 고른 것은?

〈 보기 〉
ㄱ. 핵막이 없는 단세포 생물이다.
ㄴ. 인체에 침입하여 세포를 파괴하거나 독소를 분비하여 질병을 일으킨다.
ㄷ. 이 병원체에 의한 질병은 항생제를 사용하여 치료할 수 있다.

① ㄱ ② ㄷ ③ ㄱ, ㄴ
④ ㄴ, ㄷ ⑤ ㄱ, ㄴ, ㄷ

250 하중상

그림은 구분 기준에 따라 3가지 병원체를 구분하는 과정을 나타낸 것이다.

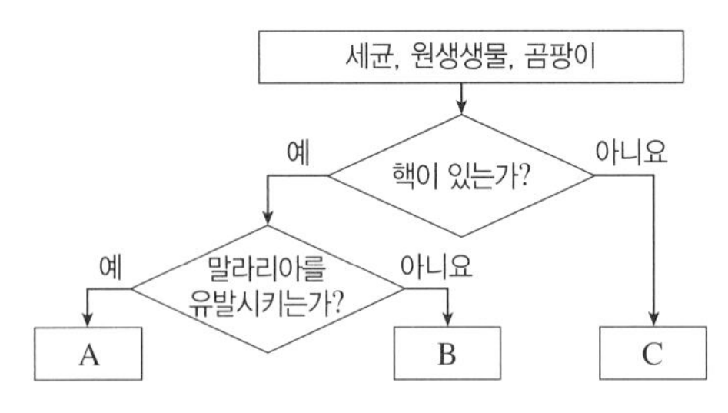

이에 대한 설명으로 옳은 것만을 〈보기〉에서 있는 대로 고른 것은?

〈 보기 〉
ㄱ. A는 원생생물이다.
ㄴ. B에 감염되어 발생하는 질병에는 소의 광우병이 있다.
ㄷ. C에 감염되어 발생하는 질병의 치료에 항생제를 사용한다.

① ㄱ　② ㄴ　③ ㄱ, ㄷ
④ ㄴ, ㄷ　⑤ ㄱ, ㄴ, ㄷ

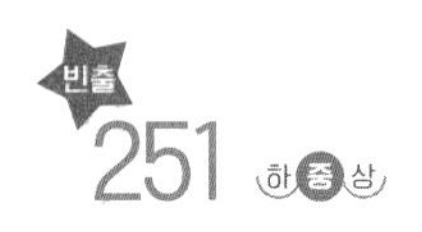

251 하중상

그림은 독감을 유발하는 병원체 A, 결핵을 유발하는 병원체 B, 무좀을 유발하는 병원체 C의 공통점과 차이점을 나타낸 것이다.

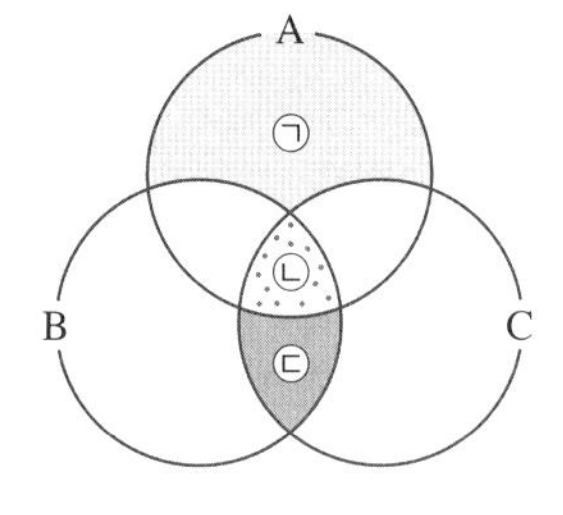

이에 대한 설명으로 옳은 것만을 〈보기〉에서 있는 대로 고른 것은?

〈 보기 〉
ㄱ. '세포 구조로 되어 있다.'는 ㉠에 해당한다.
ㄴ. '유전 물질을 가지고 있다.'는 ㉡에 해당한다.
ㄷ. '핵막을 가진다.'는 ㉢에 해당한다.

① ㄱ　② ㄴ　③ ㄷ
④ ㄱ, ㄴ　⑤ ㄴ, ㄷ

B 인체의 방어 작용

비특이적 방어 작용

252 하중상

다음은 비특이적 방어 작용에 대한 설명이다.

• 땀, 침, 눈물, 콧물 속에는 (㉠)이 포함되어 있어 세균의 (㉡)을 파괴하여 세균의 침입을 막는다.
• 점막에서 분비되는 점액에는 (㉠)이 포함되어 있어 세균의 침입을 막는다.

㉠과 ㉡에 해당하는 용어를 각각 쓰시오.

253 하중상

인체의 방어 작용에 대한 설명으로 옳지 않은 것을 모두 고르면? (2개)

① 비특이적 방어 작용은 병원체의 종류를 구분하지 않고 동일한 방식으로 일어난다.
② 비특이적 방어 작용은 이전에 침입한 병원체를 기억할 수 있다.
③ 특이적 방어 작용은 비특이적 방어 작용에 비해 느리게 진행된다.
④ 대식 세포의 식균 작용(식세포 작용)은 특이적 방어 작용이다.
⑤ 피부는 병원체가 몸속으로 들어오는 것을 막는 물리적 장벽 역할을 한다.
⑥ 항체의 항원 결합 부위는 항체의 종류에 따라 다르며, 입체 구조가 맞는 항원에만 결합할 수 있다.

254 하중상

그림은 염증 반응이 일어나는 과정을 나타낸 것이다.
이에 대한 설명으로 옳은 것만을 〈보기〉에서 있는 대로 고른 것은?

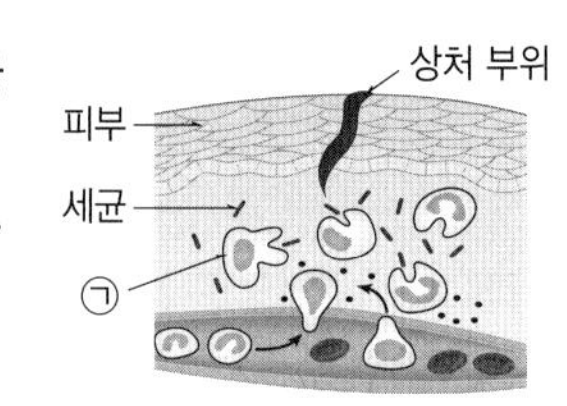

〈 보기 〉
ㄱ. 특이적 방어 작용이다.
ㄴ. ㉠은 식균 작용(식세포 작용)을 한다.
ㄷ. 염증 반응으로 상처 부위가 붉게 부어오른다.

① ㄱ　② ㄷ　③ ㄱ, ㄴ
④ ㄴ, ㄷ　⑤ ㄱ, ㄴ, ㄷ

255 하 중 상

그림은 어떤 사람의 피부 조직이 손상되어 세균 X에 감염된 후 일어나는 방어 작용을 나타낸 것이다.

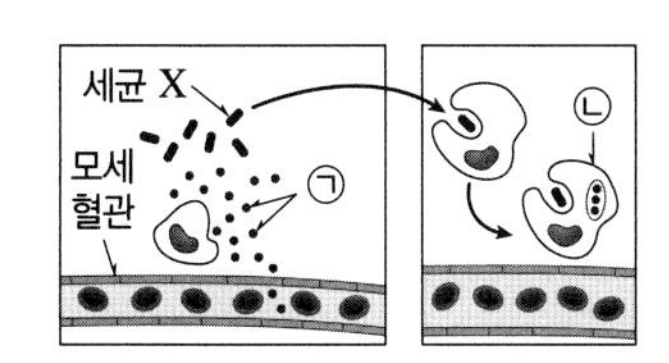

이에 대한 설명으로 옳은 것만을 <보기>에서 있는 대로 고른 것은?

〈 보기 〉
ㄱ. ㉠은 비만 세포가 분비한 물질이다.
ㄴ. ㉠이 분비되면 상처 부위가 붉게 부어오른다.
ㄷ. ㉡은 식균 작용(식세포 작용)으로 세균 X를 제거한다.
ㄹ. 이 작용은 세균 X에 대해서만 특이적으로 일어난다.

① ㄱ, ㄴ ② ㄴ, ㄷ ③ ㄷ, ㄹ
④ ㄱ, ㄴ, ㄷ ⑤ ㄴ, ㄷ, ㄹ

256 하 중 상

서술형

그림은 피부에 상처가 발생하였을 때 일어나는 염증 반응을 나타낸 것이다.

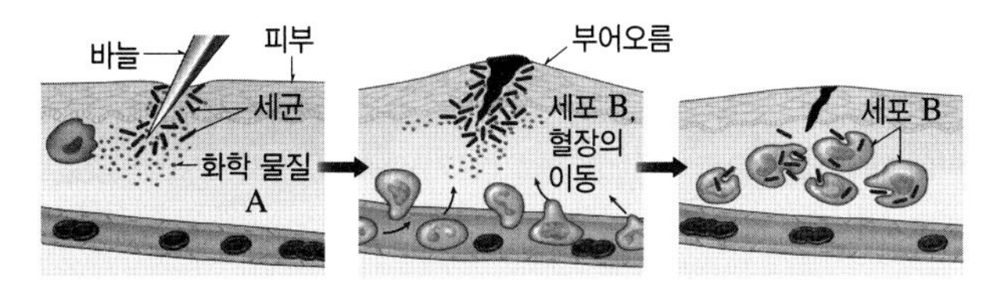

손상된 피부로 세균이 침입하였을 때 염증 반응이 일어나 세균이 제거되는 과정을 다음 내용을 모두 포함하여 서술하시오.

• 화학 물질 A의 명칭과 이를 분비하는 세포의 명칭
• 화학 물질 A의 작용으로 나타나는 모세 혈관의 변화
• 세포 B의 명칭과 역할

특이적 방어 작용

257 하 중 상

서술형

항원 항체 반응의 특이성에 대해 간단히 서술하시오.

258 하 중 상

세포성 면역과 체액성 면역에 대한 설명으로 옳지 않은 것은?

① 세포성 면역과 체액성 면역은 모두 특이적 방어 작용에 해당한다.
② 세포성 면역은 세포독성 T림프구에 의한 면역이다.
③ 체액성 면역은 B 림프구에 의한 면역으로, 항체를 생산한다.
④ 세포성 면역은 병원체에 감염된 세포를 직접 제거하는 작용이다.
⑤ 세포성 면역에 관여하는 림프구는 항원을 제거한 후 기억 세포로 분화한다.

259 하 중 상

그림은 면역을 담당하는 두 종류의 세포 (가)와 (나)의 생성과 분화 과정을 나타낸 것이다.

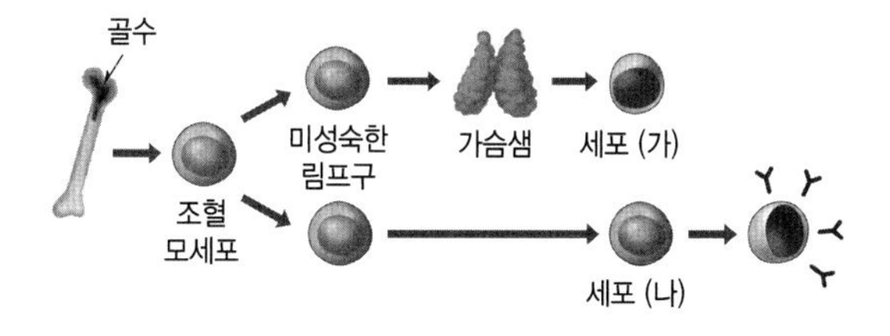

이에 대한 설명으로 옳은 것만을 <보기>에서 있는 대로 고른 것은?

〈 보기 〉
ㄱ. 세포 (가)는 모두 체액성 면역에 관여한다.
ㄴ. 세포 (나) 중 일부는 기억 세포로 분화한다.
ㄷ. 보조 T 림프구는 세포 (나)의 분화를 촉진한다.

① ㄱ ② ㄴ ③ ㄷ
④ ㄱ, ㄴ ⑤ ㄴ, ㄷ

260 (하중상)

그림은 방어 작용에 관여하는 3종류의 세포 A~C의 공통점과 차이점을, 표는 특징 ㉠~㉢을 순서 없이 나타낸 것이다. A~C는 대식 세포, B 림프구, 세포독성 T림프구 중 하나이다.

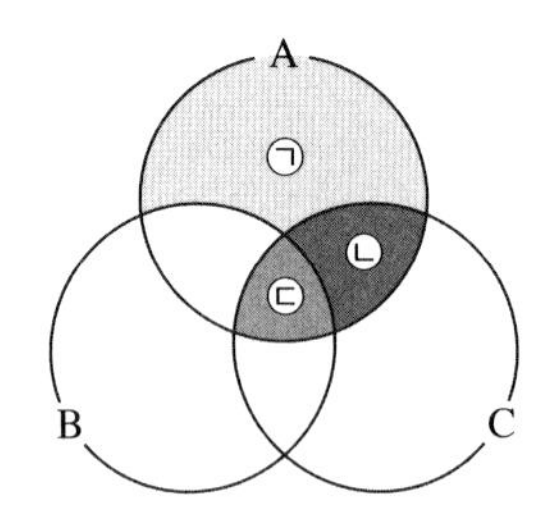

특징 ㉠~㉢
• 백혈구에 속한다. • 가슴샘에서 성숙한다. • 보조 T 림프구에 의해 활성화된다.

이에 대한 설명으로 옳은 것만을 〈보기〉에서 있는 대로 고른 것은?

〈 보기 〉

ㄱ. A는 세포독성 T림프구이다.

ㄴ. C는 형질 세포로 분화하여 항체를 생성한다.

ㄷ. ㉡은 '가슴샘에서 성숙한다.'이다.

① ㄱ ② ㄴ ③ ㄷ
④ ㄱ, ㄴ ⑤ ㄴ, ㄷ

261 (하중상)

그림 (가)와 (나)는 체액성 면역과 세포성 면역을 순서 없이 나타낸 것이다. ㉠~㉢은 각각 기억 세포, B 림프구, 세포독성 T림프구 중 하나이다.

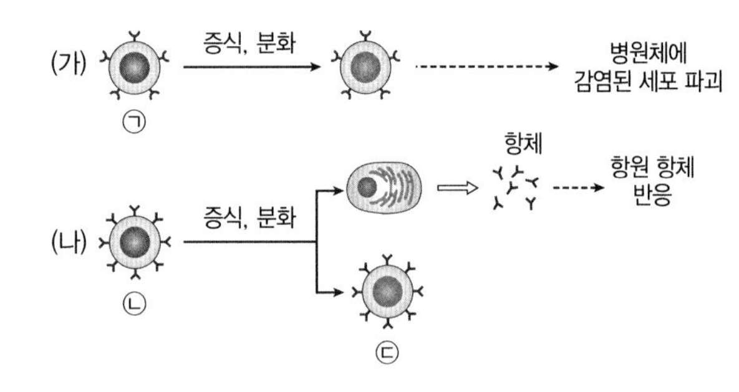

이에 대한 설명으로 옳은 것만을 〈보기〉에서 있는 대로 고른 것은?

〈 보기 〉

ㄱ. (가)는 세포성 면역, (나)는 체액성 면역이다.

ㄴ. ㉠과 ㉡은 모두 보조 T 림프구에 의해 활성화된다.

ㄷ. ㉢은 동일한 항원의 재침입 시 형질 세포로 분화할 수 있다.

① ㄱ ② ㄷ ③ ㄱ, ㄴ
④ ㄴ, ㄷ ⑤ ㄱ, ㄴ, ㄷ

262 (하중상)

그림은 항원 X가 인체에 침입했을 때 일어나는 방어 작용의 일부를 나타낸 것이다.

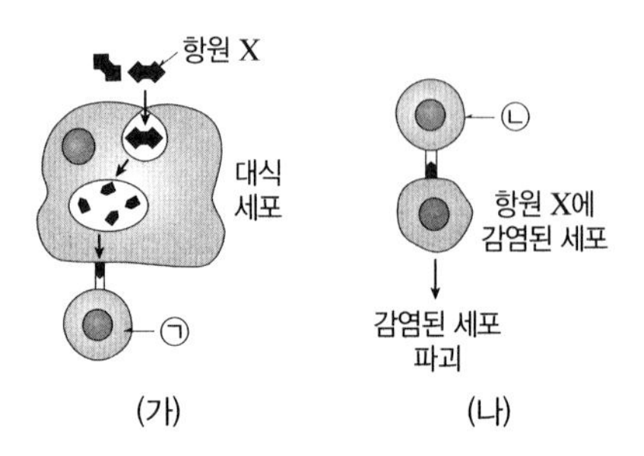

이에 대한 설명으로 옳은 것만을 〈보기〉에서 있는 대로 고른 것은?

〈 보기 〉

ㄱ. ㉠과 ㉡은 모두 골수에서 생성되어 골수에서 성숙한다.

ㄴ. ㉠은 대식 세포 표면의 항원 X 조각을 인식한다.

ㄷ. (가)가 (나)보다 먼저 일어난다.

ㄹ. (나)에서 세포성 면역이 일어난다.

① ㄱ, ㄴ ② ㄴ, ㄷ ③ ㄷ, ㄹ
④ ㄱ, ㄴ, ㄷ ⑤ ㄴ, ㄷ, ㄹ

263 (하중상)

그림은 어떤 사람이 항원 X에 감염되었을 때 일어나는 방어 작용의 일부를 나타낸 것이다. ㉠~㉢은 각각 기억 세포, 형질 세포, 보조 T 림프구 중 하나이다.

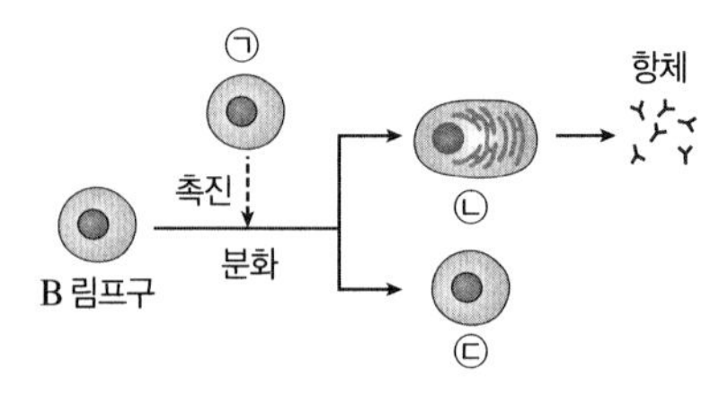

이에 대한 설명으로 옳은 것만을 〈보기〉에서 있는 대로 고른 것은?

〈 보기 〉

ㄱ. ㉠은 가슴샘에서 성숙한다.

ㄴ. ㉠은 B 림프구가 ㉡으로 분화하는 과정을 촉진한다.

ㄷ. ㉢은 형질 세포이다.

ㄹ. 같은 항원이 재침입하면 ㉡이 ㉢으로 분화한다.

① ㄱ, ㄴ ② ㄴ, ㄷ ③ ㄷ, ㄹ
④ ㄱ, ㄴ, ㄷ ⑤ ㄴ, ㄷ, ㄹ

빈출

264 하 중 상

그림 (가)와 (나)는 어떤 사람이 세균 X에 처음 감염된 후 일어나는 면역 반응을 순차적으로 나타낸 것이다. ㉠과 ㉡은 각각 B 림프구와 보조 T 림프구 중 하나이다.

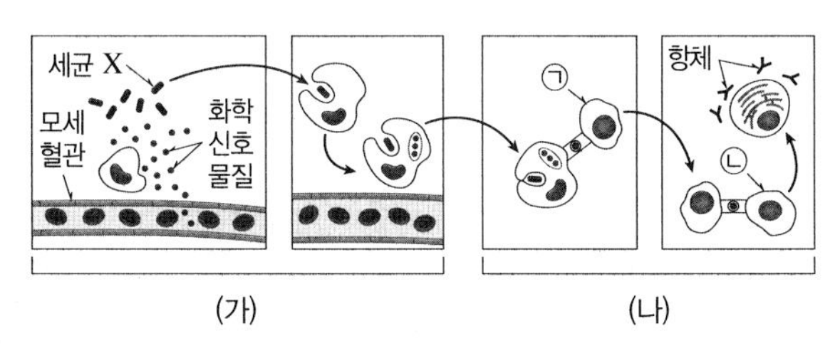

이에 대한 설명으로 옳은 것만을 〈보기〉에서 있는 대로 고른 것은?

〈 보기 〉
ㄱ. ㉠과 ㉡은 모두 골수에서 성숙한다.
ㄴ. (나)에서 세균 X에 대한 체액성 면역이 일어났다.
ㄷ. (나)에서 만들어진 항체는 세균 X와 특이적으로 결합한다.

① ㄱ ② ㄷ ③ ㄱ, ㄴ
④ ㄴ, ㄷ ⑤ ㄱ, ㄴ, ㄷ

265 하 중 상

그림 (가)~(라)는 체내에 항원 A가 1차 침입할 때 일어나는 방어 작용의 일부를 순서 없이 나타낸 것이다. 세포 ㉠~㉢은 각각 대식 세포, B 림프구, T 림프구 중 하나이다.

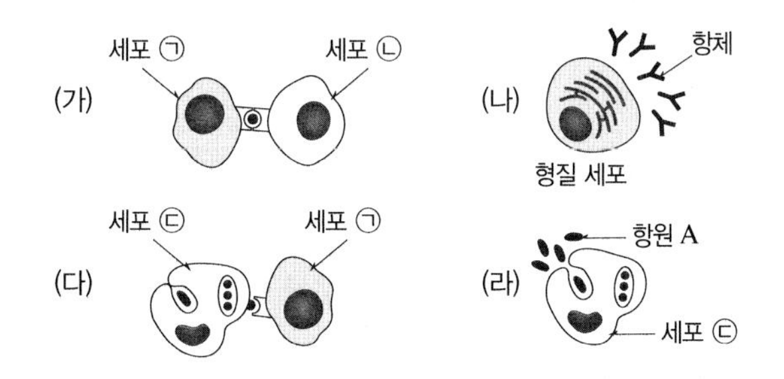

이에 대한 설명으로 옳은 것만을 〈보기〉에서 있는 대로 고른 것은?

〈 보기 〉
ㄱ. 방어 작용은 (라) → (다) → (가) → (나) 순으로 일어난다.
ㄴ. (나)는 특이적 방어 작용에 해당한다.
ㄷ. (라)의 ㉢에서 히스타민이 분비된다.

① ㄱ ② ㄷ ③ ㄱ, ㄴ
④ ㄴ, ㄷ ⑤ ㄱ, ㄴ, ㄷ

266 하 중 상

그림은 체내에 항원이 침입했을 때 일어나는 방어 작용을 나타낸 것이다.

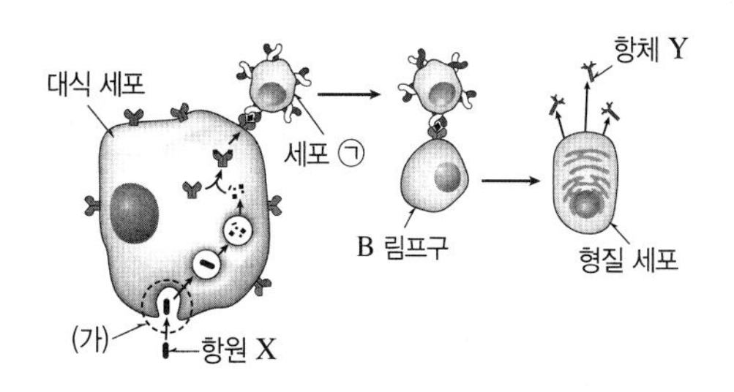

이에 대한 설명으로 옳은 것만을 〈보기〉에서 있는 대로 고른 것은?

〈 보기 〉
ㄱ. (가)는 항원에 대해 특이적으로 일어나는 반응이다.
ㄴ. 대식 세포는 세포 ㉠에 항원을 제시한다.
ㄷ. 항체 Y는 항원 X에 결합할 수 있다.

① ㄱ ② ㄷ ③ ㄱ, ㄴ
④ ㄴ, ㄷ ⑤ ㄱ, ㄴ, ㄷ

267 하 중 상

그림 (가)와 (나)는 어떤 사람이 세균 X에 처음 감염되었을 때 일어나는 방어 작용의 일부를 나타낸 것이다. ㉠~㉢은 각각 기억 세포, 형질 세포, 보조 T 림프구 중 하나이다.

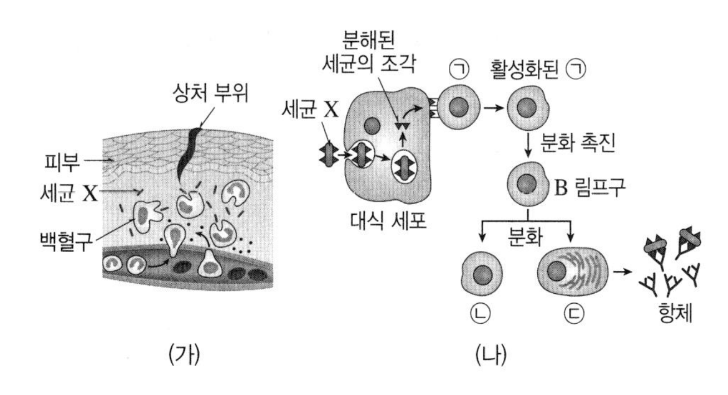

이에 대한 설명으로 옳은 것만을 〈보기〉에서 있는 대로 고른 것은?

〈 보기 〉
ㄱ. (가)는 1차 면역 반응, (나)는 2차 면역 반응이다.
ㄴ. (나)에서 체액성 면역이 일어난다.
ㄷ. ㉠은 보조 T 림프구이다.

① ㄱ ② ㄴ ③ ㄷ
④ ㄱ, ㄴ ⑤ ㄴ, ㄷ

11 면역 반응과 혈액의 응집 반응

A 면역 반응

1 1차 면역 반응과 2차 면역 반응 항원이 처음 침입하면 ❶☐차 면역 반응이 일어나고, 같은 항원이 재침입하면 ❷☐차 면역 반응이 일어나 항원을 효과적으로 제거한다.

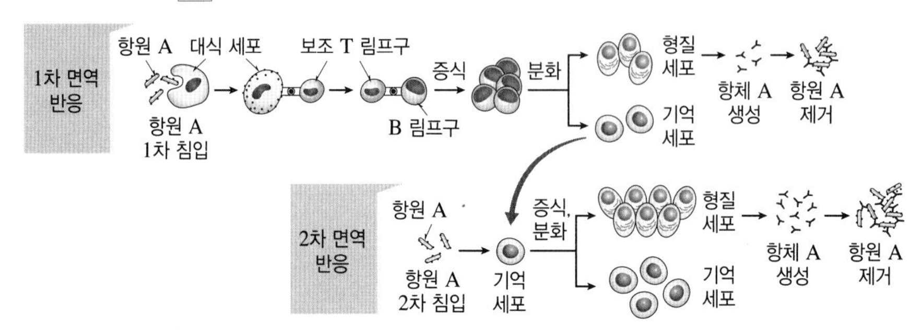

1차 면역 반응 (항원 처음 침입)	항원의 종류를 인식한 보조 T 림프구의 도움으로 ❸☐ ☐☐☐가 형질 세포와 기억 세포로 분화 → 형질 세포에서 항체 생성·분비 → 항원 제거 ➡ 잠복기 있음
2차 면역 반응 (항원 재침입)	❹☐☐ ☐☐가 빠르게 증식하여 형질 세포로 분화 → 형질 세포에서 다량의 항체 생성·분비 → 항원 제거 ➡ 잠복기 없이 항체의 혈중 농도가 빠르게 증가

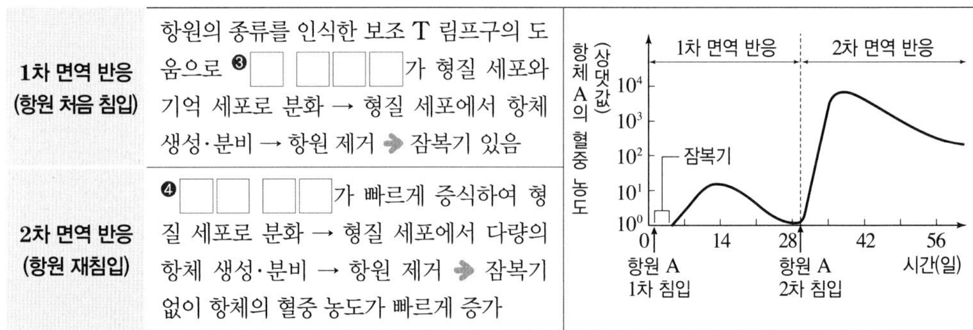

(생쥐의 방어 작용 실험)

그림은 생쥐를 이용하여 항원 X에 대한 면역 반응을 알아보는 실험을 나타낸 것이다.(단, 생쥐 A~C는 유전적으로 동일하고 X에 노출된 적이 없다.)

- 혈청을 주사한 생쥐 B에서는 X를 주사하였을 때 1차 면역 반응이 일어난다.
- 기억 세포를 주사한 생쥐 C에서는 X를 주사하였을 때 2차 면역 반응이 일어난다.

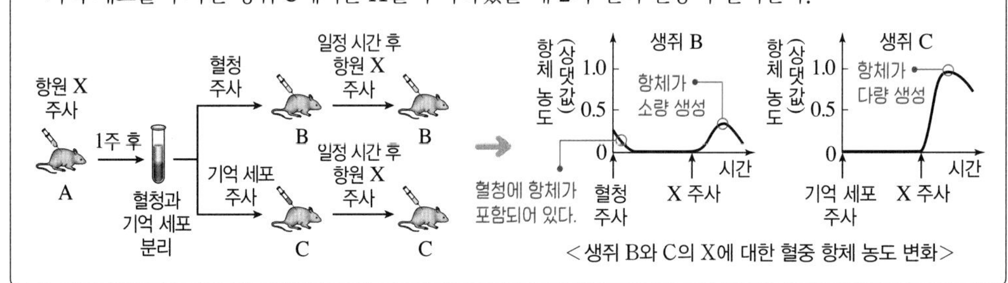

<생쥐 B와 C의 X에 대한 혈중 항체 농도 변화>

2 백신의 작용 원리

① 백신: 질병을 예방하기 위해 체내에 주입하는 항원을 포함한 물질 — 병원성을 제거하거나 약화시킨 병원체 또는 병원체의 독소 등으로 만든다.

② 백신의 원리: 백신을 접종하면 ❺☐차 면역 반응이 일어나 그 병원체에 대한 기억 세포가 형성된다. 이후 같은 병원체가 재침입하면 기억 세포에 의한 ❻☐차 면역 반응이 일어나 다량의 항체가 빠르게 생성되어 질병을 예방한다.

3 면역 관련 질환

알레르기	특정 항원에 대해 면역계가 예민하게 반응하여 나타나는 질환 예 알레르기 비염
자가 면역 질환	면역계가 자기 몸을 구성하는 세포나 조직을 항원으로 인식하여 공격함으로써 나타나는 질환 예 류머티즘 관절염
면역 결핍	면역 담당 세포나 기관에 이상이 생겨 면역 기능이 현저히 저하되는 질환 예 후천성 면역 결핍증(AIDS)

기출 Tip A-1

면역 혈청
면역 혈청은 항원을 동물에 주입하여 항체 생성을 유도한 다음 이 동물의 혈액에서 분리한 혈청으로, 항체가 포함되어 있어 병을 치료하거나 진단하는 데 사용한다.

기출 Tip A-3

후천성 면역 결핍증(AIDS)
사람 면역 결핍 바이러스(HIV)에 감염되면 초기에는 HIV의 수가 크게 줄다가 점차 HIV의 수가 증가하고 보조 T 림프구의 수가 감소한다. ➡ 초기에는 식균 작용 등으로 HIV가 제거되다가 HIV가 보조 T 림프구 내에 증식하여 보조 T 림프구를 파괴하기 때문 ➡ 보조 T 림프구의 감소로 면역 결핍에 이른다.

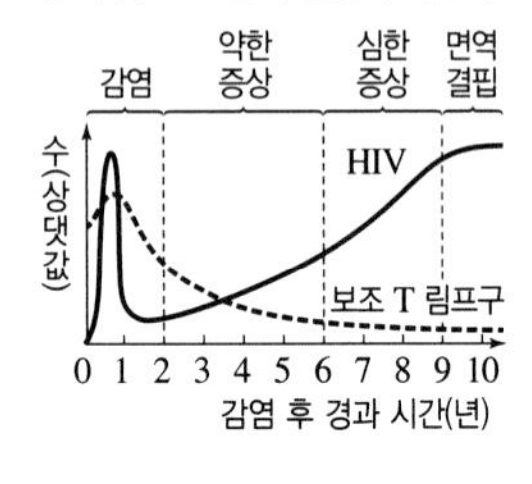

B 혈액의 응집 반응과 혈액형

1 ABO식 혈액형

① ABO식 혈액형의 응집원과 응집소

구분	A형	B형	❼ ☐☐형	❽ ☐형
응집원	A	B	A, B	없음
응집소	β	α	없음	α, β

② ABO식 혈액형의 판정: 항 A 혈청과 항 B 혈청에 대한 응집 반응으로 판정한다.

구분	❾ ☐형(응집원 A)	❿ ☐형(응집원 B)	AB형(응집원 A, B)	O형(응집원 없음)
항 A 혈청 (응집소 α)	A, α 응집 ○	B, α 응집 ×	A, α, B 응집 ○	α 응집 ×
항 B 혈청 (응집소 β)	A, β 응집 ×	B, β 응집 ○	B, β, A 응집 ○	β 응집 ×

2 Rh식 혈액형

① Rh식 혈액형의 응집원과 응집소: Rh^+형은 응집원이 있지만, Rh^-형은 응집원이 없다. 또한, Rh^+형은 응집소가 없지만, Rh^-형은 응집원에 노출되면 응집소가 생성된다.

② Rh식 혈액형의 판정: 항 Rh 혈청에 대한 응집 반응으로 판정한다.

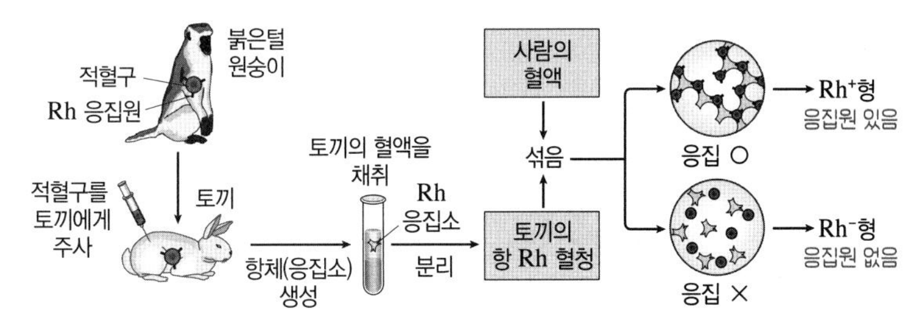

3 혈액형과 수혈 관계

다량 수혈은 혈액형이 같은 사람끼리만 가능하다. 혈액을 주는 쪽의 응집원과 받는 쪽의 응집소 사이에 응집 반응이 일어나지 않으면 서로 다른 혈액형이라도 소량 수혈이 가능하다.

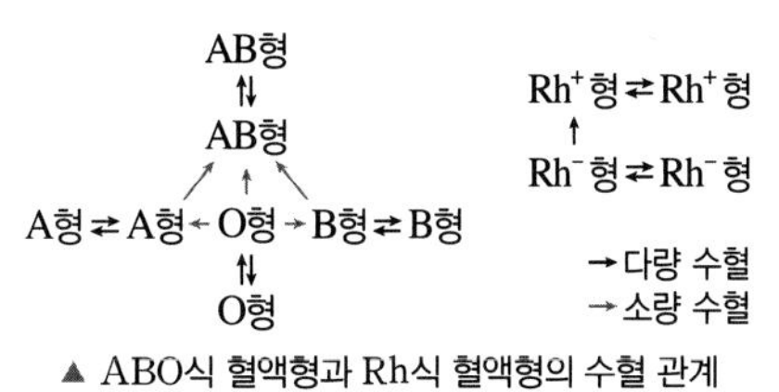

▲ ABO식 혈액형과 Rh식 혈액형의 수혈 관계

기출 Tip B

응집원과 응집소가 있는 위치

혈액을 원심 분리하였을 때 혈구가 있는 아랫부분에 응집원이 있고, 혈장이 있는 윗부분에 응집소가 있다.

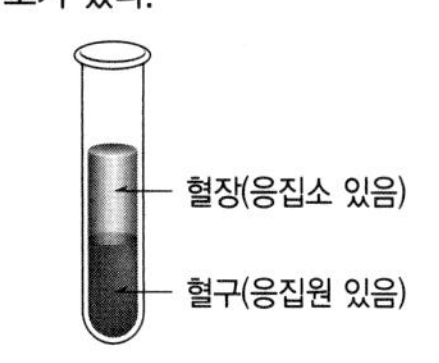

혈액형 판정

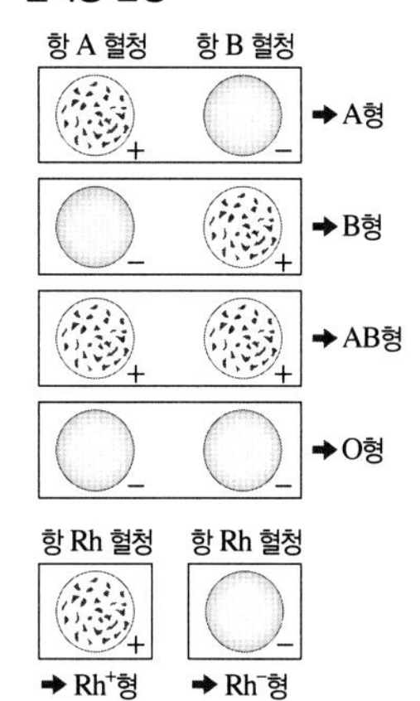

O형과 AB형의 수혈

O형은 응집소 α, β가 모두 있어 다른 혈액형의 혈액을 수혈받지 못하지만, 응집원이 없어 다른 혈액형에 소량 수혈할 수 있다. AB형은 응집원 A, B가 모두 있어 다른 혈액형에 수혈할 수 없지만, 응집소가 없어 다른 혈액형에서 소량 수혈받을 수 있다.

답 ❶ 1 ❷ 2 ❸ B 림프구 ❹ 기억 세포 ❺ 1 ❻ 2 ❼ AB ❽ O ❾ A ❿ B

빈출 자료 보기

정답과 해설 36쪽

268 그림은 항원 A와 B에 노출된 적이 없는 생쥐에 항원 A를 주사한 뒤 4주 후 A와 B를 주사하였을 때 혈중 항체 농도 변화를 나타낸 것이다.

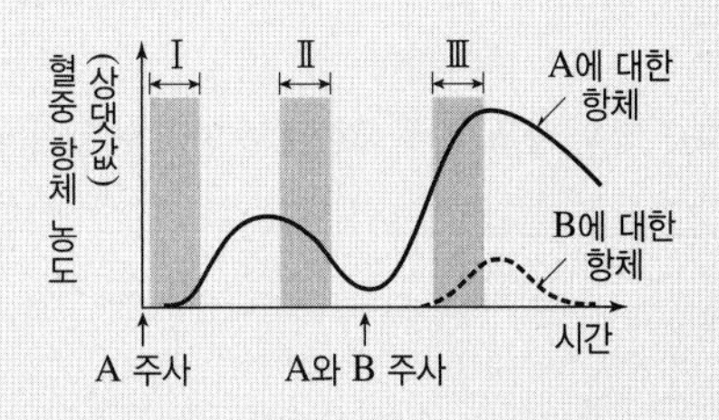

이에 대한 설명으로 옳은 것은 ○, 옳지 않은 것은 ×로 표시하시오.

(1) 구간 Ⅰ에서 A에 대한 비특이적 방어 작용이 일어난다. ( )

(2) 구간 Ⅱ에서 A에 대한 형질 세포의 수가 감소한다. ( )

(3) 구간 Ⅲ에서 B에 대한 체액성 면역이 일어난다. ( )

(4) 구간 Ⅲ에서 B에 대한 2차 면역 반응이 일어난다. ( )

(5) 구간 Ⅲ에서 A와 B에 대한 기억 세포가 모두 존재한다. ( )

(6) 구간 Ⅲ에서 B에 대한 형질 세포가 기억 세포로 분화한다. ( )

상 8문항
중 20문항
하 1문항

A 면역 반응

혈중 항체 농도 변화

빈출

269 하중상

그림 (가)는 항원 X가 침입했을 때 일어나는 방어 작용의 일부를, (나)는 항원 X가 침입했을 때 혈중 항체 농도 변화를 나타낸 것이다. 과정 ㉠과 ㉡은 각각 구간 Ⅰ과 Ⅱ 중 하나에서 일어난다.

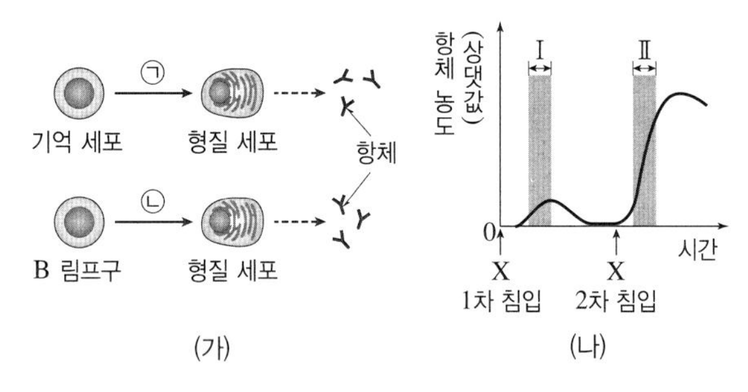

이에 대한 설명으로 옳은 것만을 〈보기〉에서 있는 대로 고른 것은?

〈 보기 〉

ㄱ. ㉠은 구간 Ⅱ에서 일어난다.
ㄴ. X에 대한 형질 세포의 수는 구간 Ⅰ에서가 구간 Ⅱ에서보다 많다.
ㄷ. 구간 Ⅱ에서 기억 세포가 B 림프구로 분화한다.

① ㄱ ② ㄷ ③ ㄱ, ㄴ
④ ㄴ, ㄷ ⑤ ㄱ, ㄴ, ㄷ

270 하중상 서술형

그림은 어떤 사람의 체내에 항원 A와 B가 침입했을 때 시간에 따른 항체 a와 b의 농도 변화를 나타낸 것이다. a와 b는 각각 항원 A와 B에 대한 항체이다.

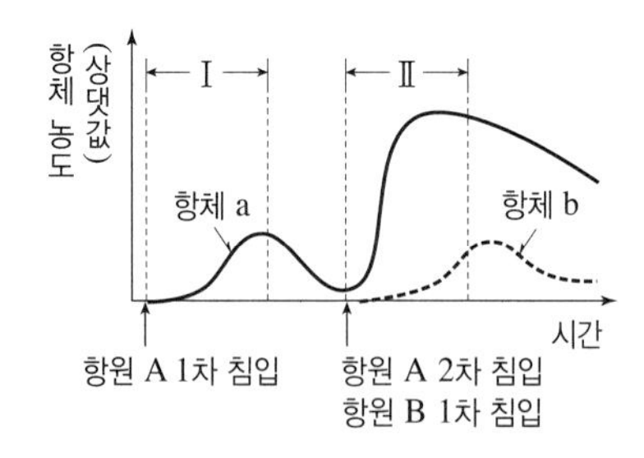

(1) 구간 Ⅰ과 구간 Ⅱ에서 항체 a의 농도가 서로 다르게 나타나는 까닭을 서술하시오.

(2) 구간 Ⅱ에서 항체 a와 b의 농도가 서로 다르게 나타나는 까닭을 서술하시오.

빈출

271 하중상

그림은 항원 X와 Y에 노출된 적이 없는 사람에게 항원 X를 1차, 2차 주사한 후 항원 Y를 1차 주사하였을 때 시간에 따른 X와 Y에 대한 항체 농도 변화를 나타낸 것이다.

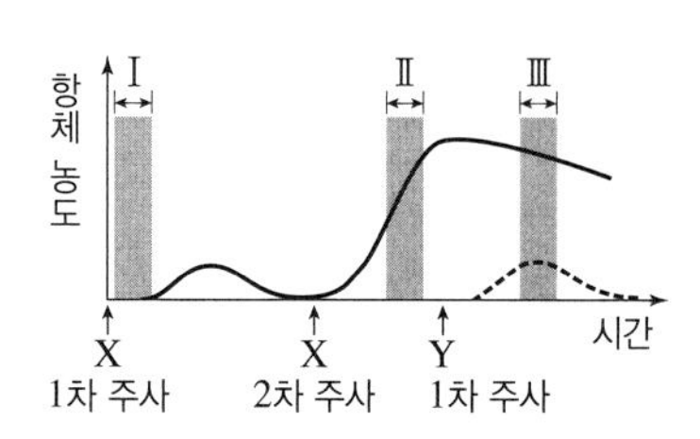

이에 대한 설명으로 옳은 것만을 〈보기〉에서 있는 대로 고른 것은?

〈 보기 〉

ㄱ. 구간 Ⅰ에서 비특이적 방어 작용이 일어난다.
ㄴ. 구간 Ⅱ에서 X에 대한 2차 면역 반응이 일어난다.
ㄷ. 구간 Ⅲ에서 Y에 대한 기억 세포는 존재하지 않는다.
ㄹ. 구간 Ⅲ에서 X에 대한 항체 농도가 감소하는 것은 X에 대한 형질 세포의 수가 감소하기 때문이다.

① ㄱ, ㄴ ② ㄴ, ㄷ ③ ㄷ, ㄹ
④ ㄱ, ㄴ, ㄹ ⑤ ㄴ, ㄷ, ㄹ

272 하중상

그림은 항원 X와 Y가 인체에 침입한 이후 시간에 따른 항체 농도 변화를 나타낸 것이다. 항체 X와 Y는 각각 항원 X와 Y에 의해 생성된다.

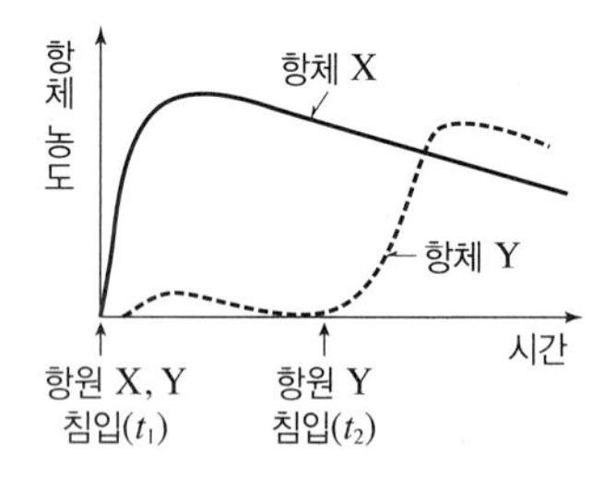

이에 대한 설명으로 옳은 것만을 〈보기〉에서 있는 대로 고른 것은?

〈 보기 〉

ㄱ. 항원 X와 Y는 모두 t_1 시기에 처음 침입한 것이다.
ㄴ. t_1 시기에 항원 X에 대한 기억 세포와 항원 Y에 대한 기억 세포가 모두 존재한다.
ㄷ. t_2 시기 직후 항원 Y에 대한 2차 면역 반응이 일어난다.

① ㄱ ② ㄴ ③ ㄷ
④ ㄱ, ㄴ ⑤ ㄴ, ㄷ

방어 작용 실험

빈출

273 하 중 상

다음은 항원 X에 대한 생쥐의 방어 작용 실험이다.

[실험 과정]
(가) 유전적으로 동일하고 X에 노출된 적이 없는 생쥐 A와 B를 준비한다.
(나) A에 X를 2회에 걸쳐 주사한다.
(다) 일정 시간이 지난 후 (나)의 A에서 ㉠ 혈청을 분리하여 B에 주사한다.
(라) 일정 시간이 지난 후 B에 X를 1차 주사하고, 다시 일정 시간이 지난 후 B에 X를 2차 주사한다.
[실험 결과]
B의 X에 대한 혈중 항체 농도 변화는 그림과 같다.

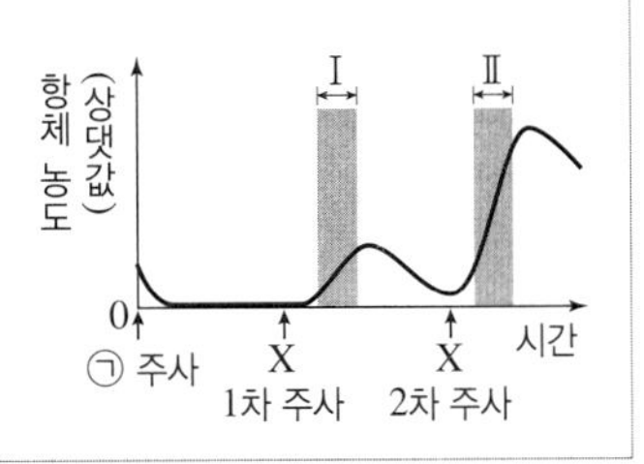

이에 대한 설명으로 옳은 것만을 〈보기〉에서 있는 대로 고른 것은?

〈 보기 〉
ㄱ. ㉠에는 X에 대한 항체가 들어 있다.
ㄴ. 구간 Ⅰ에서는 X에 대한 기억 세포가 존재하지 않는다.
ㄷ. 구간 Ⅱ에서는 X에 대한 2차 면역 반응이 일어났다.

① ㄱ ② ㄴ ③ ㄱ, ㄷ
④ ㄴ, ㄷ ⑤ ㄱ, ㄴ, ㄷ

274 하 중 상

그림 (가)는 생쥐 A가 항원 X에 감염되었을 때 일어나는 방어 작용의 일부를, (나)는 A와 유전적으로 동일하며 항원 X에 감염된 적이 없는 생쥐 B에 ⓐ를 주사하고, 일정 시간 후 항원 X를 주사한 실험의 일부를 나타낸 것이다. ⓐ는 X에 대한 기억 세포와 혈청 중 하나이다.

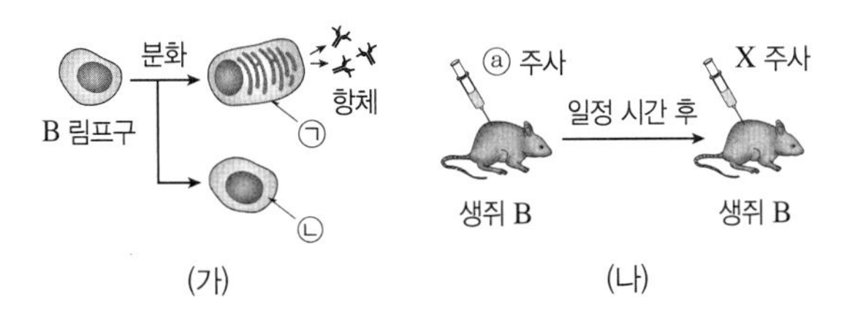

항원 X를 주사한 생쥐 B에서 측정한 X에 대한 혈중 항체 농도 변화는 그림과 같다.

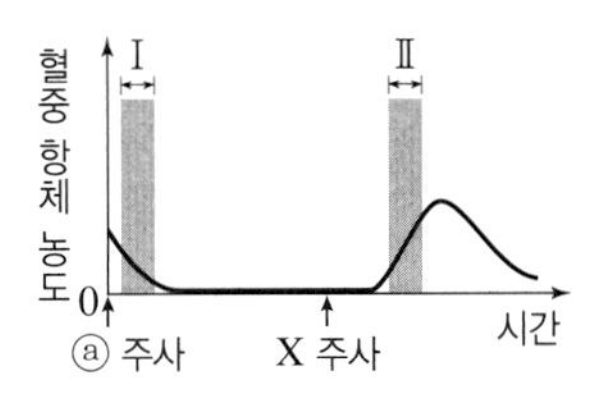

이에 대한 설명으로 옳은 것만을 〈보기〉에서 있는 대로 고른 것은?

〈 보기 〉
ㄱ. (나)에서 생쥐 B에 주사한 것은 ㉡이다.
ㄴ. 구간 Ⅰ에서 B의 체내에 항원 항체 반응이 일어난다.
ㄷ. 구간 Ⅱ에서 B의 체내에 ㉠의 수가 증가한다.

① ㄱ ② ㄷ ③ ㄱ, ㄴ
④ ㄴ, ㄷ ⑤ ㄱ, ㄴ, ㄷ

275 하 중 상

다음은 항원 X에 대한 생쥐의 방어 작용 실험이다.

[실험 과정]
(가) 유전적으로 동일하고 X에 노출된 적이 없는 생쥐 A, B, C를 준비한다.
(나) A에 X를 2회에 걸쳐 주사한다.
(다) 1주 후 (나)의 A에서 ⓐ와 ⓑ를 각각 분리한다. ⓐ와 ⓑ는 각각 혈청과 X에 대한 기억 세포 중 하나이다.
(라) B에 ⓐ를, C에 ⓑ를 각각 주사한다.
(마) 일정 시간이 지난 후 B와 C에 X를 각각 주사한다.
[실험 결과]
B와 C의 X에 대한 혈중 항체 농도 변화는 그림과 같다.

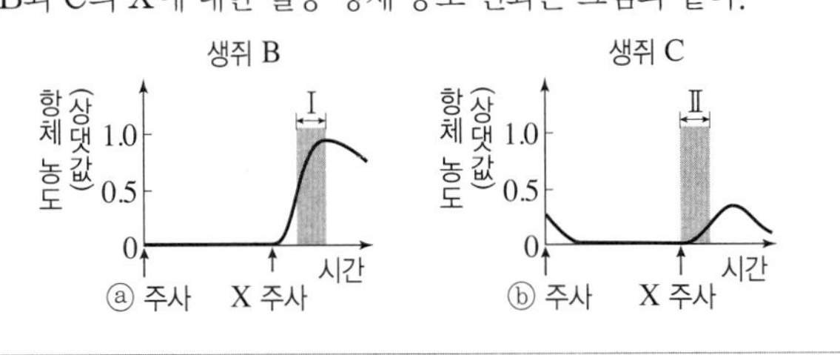

이에 대한 설명으로 옳은 것만을 〈보기〉에서 있는 대로 고른 것은?

〈 보기 〉
ㄱ. ⓐ는 혈청, ⓑ는 기억 세포이다.
ㄴ. 생쥐 B에서 X에 대한 2차 면역 반응이 일어났다.
ㄷ. 구간 Ⅰ과 Ⅱ에서 모두 X에 대한 기억 세포가 형질 세포로 분화한다.

① ㄱ ② ㄴ ③ ㄷ
④ ㄱ, ㄴ ⑤ ㄴ, ㄷ

백신

276 하중상

••서술형

백신은 무엇인지 쓰고, 백신으로 질병을 예방할 수 있는 원리를 서술하시오.

277 하중상

다음은 병원체 X에 대한 백신을 개발하기 위한 실험이다.

• X에 노출된 적이 없는 생쥐 A에 X를 주사한 지 1일 후 A가 죽었다.

[실험 과정]

(가) X의 병원성을 약화시켜 X*를 만든다.

(나) A와 유전적으로 동일하고 X에 노출된 적이 없는 생쥐 B에 X*를 1차 주사하고, 4주 후 X*를 2차 주사한다.

(다) 4주 후 B에 X를 주사하고 1일 후 B의 생존 여부를 확인한다.

[실험 결과]

B의 X*에 대한 혈중 항체 농도 변화는 그림과 같으며, (다)에서 B는 생존하였다.

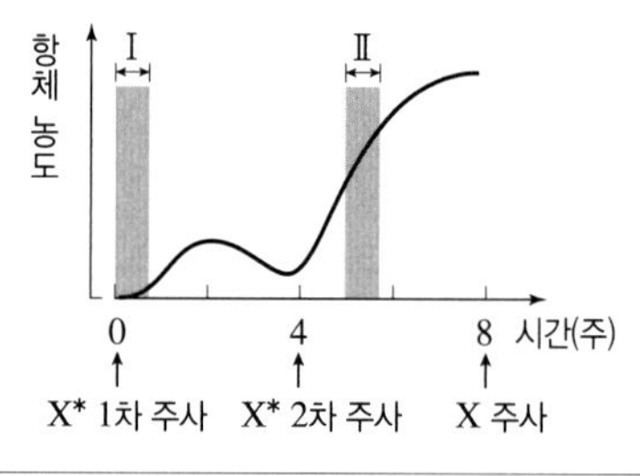

이에 대한 설명으로 옳은 것만을 〈보기〉에서 있는 대로 고른 것은?

〈 보기 〉

ㄱ. X*은 생쥐에게 백신으로 사용 가능하다.

ㄴ. 구간 Ⅰ에서 X*에 대한 체액성 면역 반응이 일어났다.

ㄷ. 구간 Ⅱ에서 X*에 대한 기억 세포가 만들어진다.

① ㄱ ② ㄷ ③ ㄱ, ㄴ ④ ㄴ, ㄷ ⑤ ㄱ, ㄴ, ㄷ

278 하중상

그림은 바이러스 A를 이용한 닭의 면역 반응 실험을 나타낸 것이다. ㉠은 A에서 추출한 단백질이다.

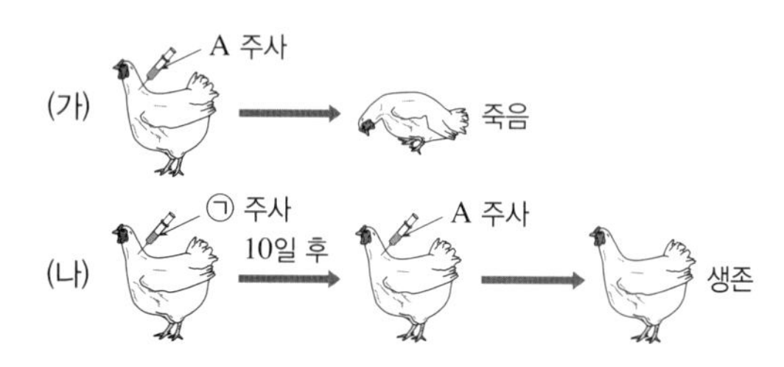

이에 대한 설명으로 옳은 것만을 〈보기〉에서 있는 대로 고른 것은?

〈 보기 〉

ㄱ. ㉠은 A에 대한 백신 역할을 하였다.

ㄴ. ㉠을 주사하였을 때 A에 대한 기억 세포가 형성되었다.

ㄷ. A를 주사하였을 때 (가)와 (나)에서 모두 2차 면역 반응이 일어났다.

① ㄱ ② ㄴ ③ ㄷ ④ ㄱ, ㄴ ⑤ ㄴ, ㄷ

279 하중상

다음은 병원성 세균 A에 대한 백신을 개발하기 위한 실험이다.

(가) A로부터 두 종류의 물질 ㉠과 ㉡을 얻는다.

(나) 유전적으로 동일하고 A, ㉠, ㉡에 노출된 적이 없는 생쥐 Ⅰ~Ⅴ를 준비한다.

(다) 표와 같이 주사액을 Ⅰ~Ⅲ에 주사하고 일정 시간 후, 생쥐의 생존 여부를 확인한다.

생쥐	주사액의 조성	생존 여부
Ⅰ	물질 ㉠	산다.
Ⅱ	물질 ㉡	산다.
Ⅲ	세균 A	죽는다.

(라) 2주 후 (다)의 Ⅰ에서 혈청 ⓐ를, Ⅱ에서 혈청 ⓑ를 얻어 표와 같이 주사액을 Ⅳ와 Ⅴ에 주사하고 1일 후 생쥐의 생존 여부를 확인한다.

생쥐	주사액의 조성	생존 여부
Ⅳ	혈청 ⓐ+세균 A	죽는다.
Ⅴ	혈청 ⓑ+세균 A	산다.

이에 대한 설명으로 옳은 것만을 〈보기〉에서 있는 대로 고른 것은? (단, 제시된 조건 이외는 고려하지 않는다.)

〈 보기 〉

ㄱ. 혈청 ⓑ에는 A에 대한 형질 세포가 포함되어 있다.

ㄴ. (다)의 Ⅱ에서 항원 항체 반응이 일어났다.

ㄷ. (라)의 Ⅴ에서 A에 대한 2차 면역 반응이 일어났다.

① ㄱ ② ㄴ ③ ㄱ, ㄷ ④ ㄴ, ㄷ ⑤ ㄱ, ㄴ, ㄷ

면역 관련 질환

빈출

280 하중상

다음은 사람의 면역 관련 질환 (가)~(다)에 대한 설명이다.

(가) 특정 항원에 대해 면역계가 예민하게 반응한다.
(나) 면역계의 이상으로 면역 기능이 현저히 저하된다.
(다) 면역계가 자기 몸을 구성하는 세포나 조직을 공격한다.

(가)~(다)에 해당하는 질환을 옳게 짝 지은 것은?

	(가)	(나)	(다)
①	AIDS	류머티즘 관절염	알레르기 비염
②	AIDS	알레르기 비염	류머티즘 관절염
③	알레르기 비염	AIDS	류머티즘 관절염
④	알레르기 비염	류머티즘 관절염	AIDS
⑤	류머티즘 관절염	알레르기 비염	AIDS

281 하중상

서술형

다음은 환자 A에 대한 설명이다.

환자 A는 HIV에 감염되어 AIDS를 앓고 있다. 환자 A와 정상인이 동일한 결핵균에 감염되었을 때 A는 ㉠ 정상인에 비해 항체 생성 속도가 현저하게 느렸다. A와 정상인은 모두 이전에 결핵균에 감염된 적이 없다.

A에서 ㉠과 같은 현상이 나타나는 까닭을 보조 T 림프구의 역할 및 체액성 면역 과정과 연관 지어 서술하시오.

282 하중상

그림은 사람 면역 결핍 바이러스(HIV)에 감염된 사람의 혈액에 있는 HIV 항체 농도와 물질 ㉠, ㉡의 수를 시간에 따라 나타낸 것이다. ㉠과 ㉡은 각각 보조 T 림프구와 HIV 중 하나이다.

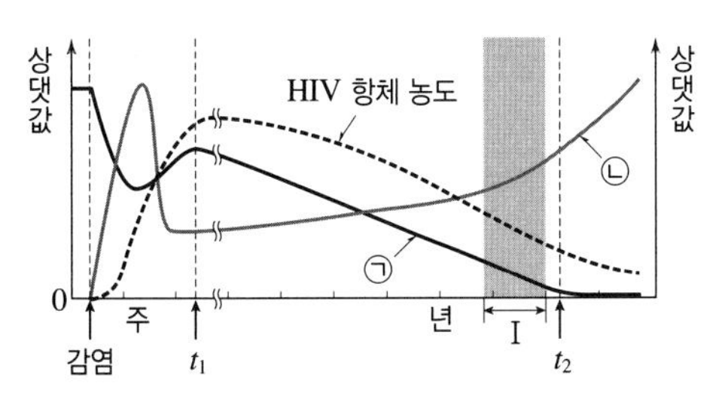

이에 대한 설명으로 옳은 것만을 〈보기〉에서 있는 대로 고른 것은?

〈 보기 〉
ㄱ. t_1일 때 ㉡에 대한 체액성 면역 반응이 일어난다.
ㄴ. 구간 I 에서 보조 T 림프구의 수는 증가한다.
ㄷ. t_1일 때보다 t_2일 때 병원체에 의한 질병에 걸리기 쉽다.

① ㄱ ② ㄴ ③ ㄱ, ㄷ ④ ㄴ, ㄷ ⑤ ㄱ, ㄴ, ㄷ

B 혈액의 응집 반응과 혈액형

응집원과 응집소

283 하중상

표는 ABO식 혈액형이 모두 다른 사람 ㉠~㉣의 혈액에 존재하는 응집원과 응집소를 나타낸 것이다.

구분	응집원		응집소	
	A	B	α	β
㉠	?	?	○	×
㉡	○	×	?	?
㉢	?	?	○	○
㉣	?	?	?	?

(○: 있음, ×: 없음)

이에 대한 설명으로 옳은 것만을 〈보기〉에서 있는 대로 고른 것은?

〈 보기 〉
ㄱ. ㉠의 혈액형은 B형, ㉡의 혈액형은 A형이다.
ㄴ. ㉣의 혈구에는 응집원 A와 B가 모두 없다.
ㄷ. ㉢의 혈구와 ㉣의 혈장을 섞으면 응집 반응이 일어나지 않는다.

① ㄱ ② ㄴ ③ ㄱ, ㄷ
④ ㄴ, ㄷ ⑤ ㄱ, ㄴ, ㄷ

284 하중상

그림은 ABO식 혈액형이 O형인 사람과 A형인 사람의 혈액을 섞었을 때 일어나는 현상을 모식적으로 나타낸 것이다. ㉠은 응집원, ㉡과 ㉢은 응집소이다.

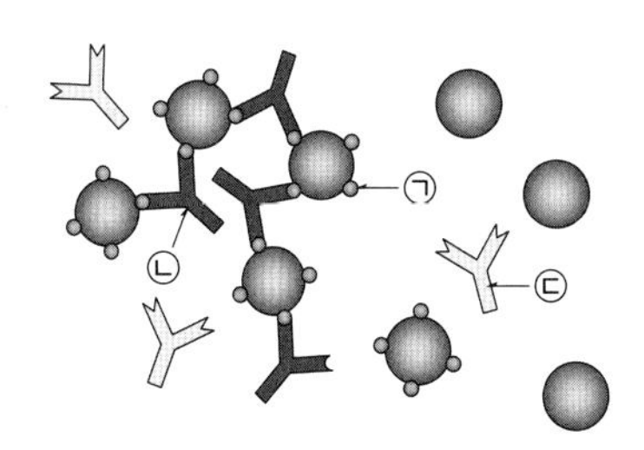

이에 대한 설명으로 옳은 것만을 〈보기〉에서 있는 대로 고른 것은?

〈 보기 〉
ㄱ. ㉠은 A형인 사람의 적혈구 세포막에 존재한다.
ㄴ. ㉡은 응집소 β이다.
ㄷ. ㉢은 A형인 사람과 O형인 사람의 혈액 속에 모두 들어 있다.

① ㄱ ② ㄴ ③ ㄱ, ㄷ
④ ㄴ, ㄷ ⑤ ㄱ, ㄴ, ㄷ

혈액형 판정

285 하 중 상

그림은 Rh식 혈액형의 판정 과정을, 표는 사람 (가)와 (나)의 Rh식 혈액형 판정 결과를 나타낸 것이다. (가)와 (나)는 ABO식 혈액형이 서로 같고, 다른 사람으로부터 수혈을 받은 적이 없다.

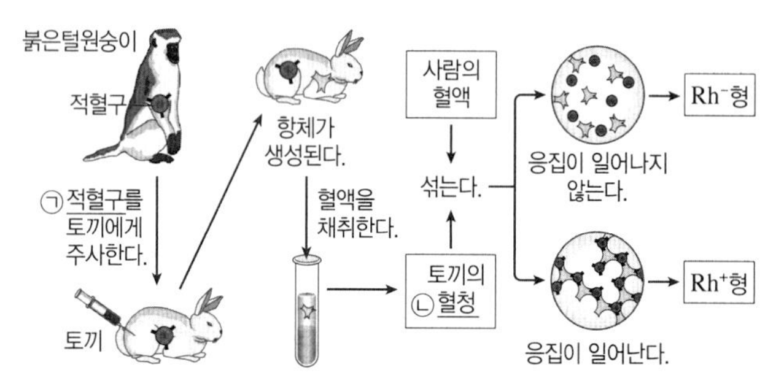

구분	사람 (가)	사람 (나)
항 Rh 혈청	응집됨	응집 안 됨

이에 대한 설명으로 옳은 것만을 〈보기〉에서 있는 대로 고른 것은?

〈 보기 〉

ㄱ. ㉠에 Rh 응집원이 있다.

ㄴ. ㉠과 ㉡을 섞으면 응집 반응이 일어난다.

ㄷ. (가)와 (나)의 혈액을 섞으면 응집 반응이 일어난다.

① ㄱ ② ㄷ ③ ㄱ, ㄴ

④ ㄴ, ㄷ ⑤ ㄱ, ㄴ, ㄷ

286 하 중 상

그림은 철수의 아버지와 어머니의 ABO식 혈액형 판정 결과를 나타낸 것이다.

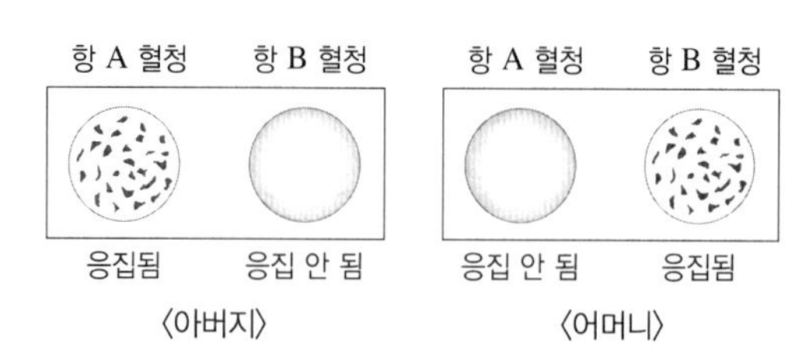

이에 대한 설명으로 옳은 것만을 〈보기〉에서 있는 대로 고른 것은? (단, ABO식 혈액형만 고려한다.)

〈 보기 〉

ㄱ. 아버지의 혈액형은 A형이다.

ㄴ. 어머니의 혈액에는 응집소 β가 있다.

ㄷ. 아버지의 혈액을 어머니에게 수혈할 수 있다.

① ㄱ ② ㄷ ③ ㄱ, ㄴ

④ ㄴ, ㄷ ⑤ ㄱ, ㄴ, ㄷ

287 하 중 상

그림은 철수와 영희의 혈액형 판정 결과를 나타낸 것이다.

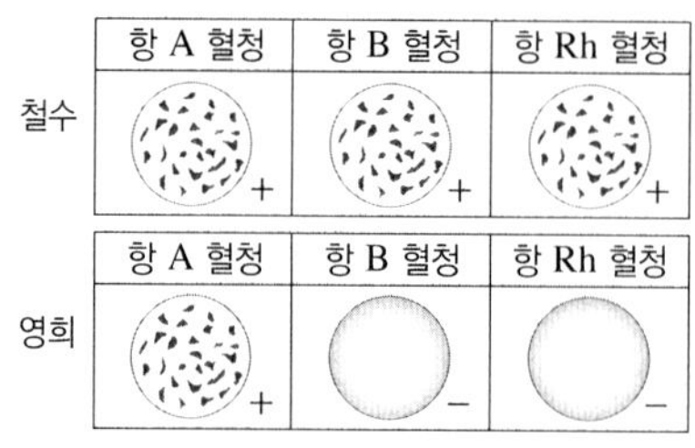

(+: 응집됨, −: 응집 안 됨)

이에 대한 설명으로 옳은 것만을 〈보기〉에서 있는 대로 고른 것은? (단, 수혈 시 ABO식 혈액형만 고려한다.)

〈 보기 〉

ㄱ. 철수는 Rh 응집소를 가지고 있지 않다.

ㄴ. 영희의 적혈구 표면에는 응집원 A가 있다.

ㄷ. 철수의 혈액을 영희에게 수혈할 수 있다.

① ㄱ ② ㄷ ③ ㄱ, ㄴ

④ ㄴ, ㄷ ⑤ ㄱ, ㄴ, ㄷ

288 하 중 상

그림은 민수네 가족의 혈액형 판정 결과를 나타낸 것이다. 민수네 가족은 모두 4명이며, 이들의 ABO식 혈액형은 모두 다르다.

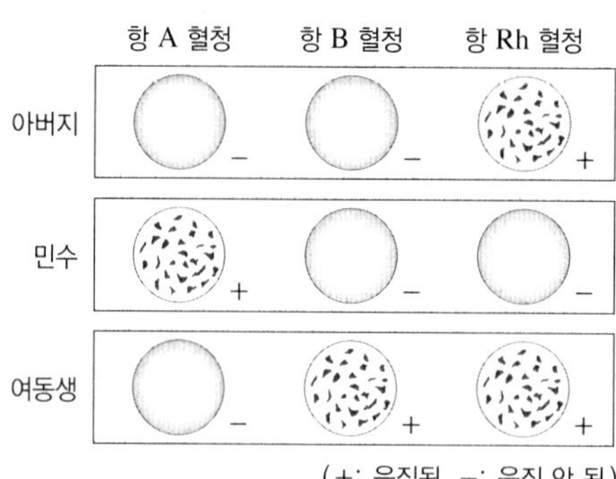

(+: 응집됨, −: 응집 안 됨)

이에 대한 설명으로 옳은 것만을 〈보기〉에서 있는 대로 고른 것은?

〈 보기 〉

ㄱ. 아버지는 응집소 α와 β를 모두 가진다.

ㄴ. 민수의 혈액형은 A형, Rh^-형이다.

ㄷ. 민수의 적혈구와 어머니의 혈장을 섞으면 응집 반응이 일어난다.

① ㄱ ② ㄷ ③ ㄱ, ㄴ

④ ㄴ, ㄷ ⑤ ㄱ, ㄴ, ㄷ

[289~290] 표는 영희네 가족의 ABO식 혈액형과 Rh식 혈액형의 판정 결과를 나타낸 것이다. 영희네 가족의 ABO식 혈액형은 모두 다르며, 영희네 가족은 모두 수혈받은 적이 없다.

구분	항 A 혈청	항 B 혈청	항 Rh 혈청
아버지	−	+	+
어머니	+	−	+
영희	㉠	−	+
남동생	+	+	−

(+: 응집됨, −: 응집 안 됨)

289 하 중 상

이에 대한 설명으로 옳은 것만을 〈보기〉에서 있는 대로 고른 것은?

〈 보기 〉

ㄱ. ㉠은 '−'이다.

ㄴ. 어머니의 혈액에는 응집원 A와 Rh 응집원이 있다.

ㄷ. 영희의 적혈구와 남동생의 혈장을 섞으면 응집 반응이 일어난다.

① ㄱ ② ㄷ ③ ㄱ, ㄴ ④ ㄴ, ㄷ ⑤ ㄱ, ㄴ, ㄷ

290 하 중 상

서술형

표에 제시된 구성원 중 어머니에게 소량이라도 수혈해 줄 수 있는 사람을 쓰고, 그 까닭을 혈액의 응집 반응과 관련하여 서술하시오. (단, Rh식 혈액형은 고려하지 않는다.)

291 하 중 상

그림은 사람 (가)와 (나)의 혈액을 혈구와 혈장으로 분리한 결과를, 표는 (가)와 (나)의 ABO식 혈액형 판정 결과를 나타낸 것이다.

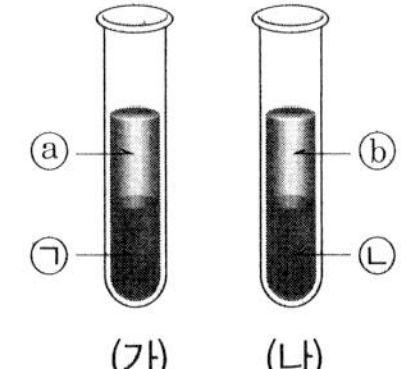

구분	항 A 혈청	항 B 혈청
(가)	−	−
(나)	+	+

(+: 응집됨, −: 응집 안 됨)

이에 대한 설명으로 옳은 것만을 〈보기〉에서 있는 대로 고른 것은? (단, ABO식 혈액형만 고려한다.)

〈 보기 〉

ㄱ. ㉠에 응집원 A와 B가 없다.

ㄴ. ㉡과 ⓐ를 섞으면 응집 반응이 일어나지 않는다.

ㄷ. ⓑ와 항 A 혈청을 섞으면 응집 반응이 일어난다.

① ㄱ ② ㄷ ③ ㄱ, ㄴ ④ ㄴ, ㄷ ⑤ ㄱ, ㄴ, ㄷ

292 하 중 상

그림은 슬기와 나래의 혈액을 혈구와 혈장으로 분리한 결과를, 표는 슬기와 나래의 혈구를 항 B 혈청과 혈장 ⓐ, ⓑ에 각각 섞었을 때 응집 반응 결과를 나타낸 것이다.

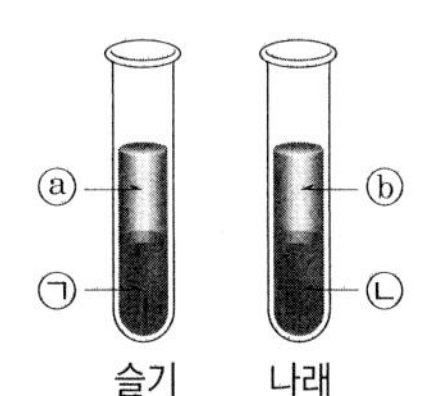

혈구	항 B 혈청	혈장	
		ⓐ	ⓑ
㉠	+	−	+
㉡	−	+	−

(+: 응집됨, −: 응집 안 됨)

이에 대한 설명으로 옳은 것만을 〈보기〉에서 있는 대로 고른 것은? (단, ABO식 혈액형만 고려한다.)

〈 보기 〉

ㄱ. ⓐ에 응집소 β가 있다.

ㄴ. ㉡과 항 A 혈청을 섞으면 응집 반응이 일어난다.

ㄷ. 나래는 슬기에게 소량 수혈이 가능하다.

① ㄱ ② ㄴ ③ ㄱ, ㄷ ④ ㄴ, ㄷ ⑤ ㄱ, ㄴ, ㄷ

293 하 중 상

표는 사람 (가)~(라) 사이의 ABO식 혈액형에 대한 혈액 응집 반응 결과를, 그림은 (나)의 혈액과 (다)의 혈장을 섞은 결과를 나타낸 것이다. (가)~(라)의 ABO식 혈액형은 모두 다르다.

구분	(가)의 혈장	(나)의 혈장
(다)의 적혈구	+	+
(라)의 적혈구	+	?

(+: 응집됨, −: 응집 안 됨)

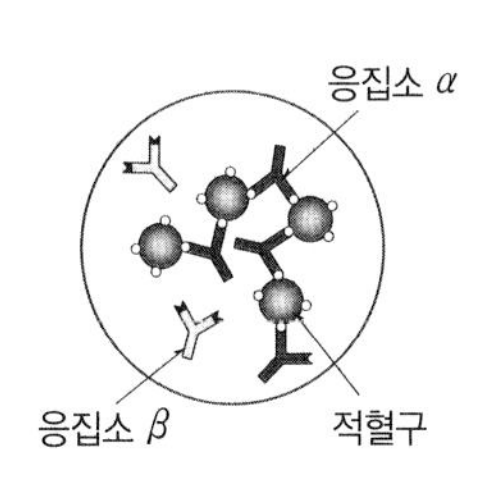

이에 대한 설명으로 옳은 것만을 〈보기〉에서 있는 대로 고른 것은? (단, ABO식 혈액형만 고려한다.)

〈 보기 〉

ㄱ. (다)의 혈액형은 B형이다.

ㄴ. (나)의 혈액에는 응집소 α와 β가 모두 존재한다.

ㄷ. (나)의 혈구와 (라)의 혈장을 섞으면 응집 반응이 일어난다.

① ㄱ ② ㄷ ③ ㄱ, ㄴ ④ ㄴ, ㄷ ⑤ ㄱ, ㄴ, ㄷ

III

294 하/중/상

표는 사람 (가)~(다)의 혈구와 혈장을 각각 섞었을 때의 응집 여부를, 그림은 (가)의 ABO식 혈액형 판정 결과를 나타낸 것이다.

혈장 \ 혈구	(가)	(나)	(다)
(가)	−	+	+
(나)	−	−	−
(다)	+	㉠	−

(+: 응집됨, −: 응집 안 됨)

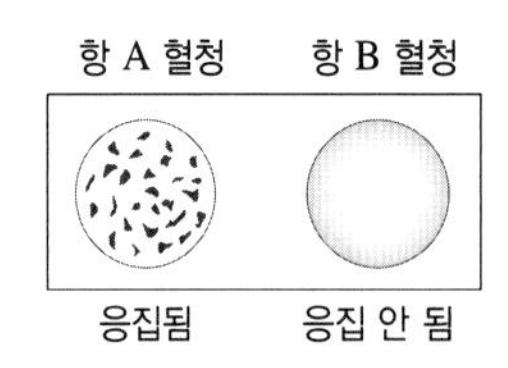

이에 대한 설명으로 옳은 것만을 〈보기〉에서 있는 대로 고른 것은? (단, ABO식 혈액형만 고려한다.)

〈 보기 〉

ㄱ. (가)의 혈액형은 A형이다.
ㄴ. (나)와 (다)의 혈장에는 동일한 종류의 응집소가 있다.
ㄷ. ㉠은 '+'이다.

① ㄱ ② ㄴ ③ ㄷ
④ ㄱ, ㄷ ⑤ ㄴ, ㄷ

295 하/중/상

다음은 사람 (가)~(다)의 ABO식 혈액형에 대한 자료이다.

- (가)~(다)의 ABO식 혈액형은 모두 다르며, (다)는 응집원 A를 갖는다.
- (가)의 혈구를 (나)의 혈장과 섞으면 응집 반응이 일어나지 않고, (다)의 혈장과 섞으면 응집 반응이 일어난다.
- 표는 (나)와 (다)의 혈액에서 ㉠~㉣의 유무를 나타낸 것이다. ㉠~㉣은 응집원 A, 응집원 B, 응집소 α, 응집소 β를 순서 없이 나타낸 것이다.

구분	㉠	㉡	㉢	㉣
(나)	×	×	○	○
(다)	×	○	○	×

(○: 있음, ×: 없음)

이에 대한 설명으로 옳은 것만을 〈보기〉에서 있는 대로 고른 것은? (단, ABO식 혈액형만 고려한다.)

〈 보기 〉

ㄱ. ㉢은 응집소 β이다.
ㄴ. (가)의 혈액에는 ㉡이 있다.
ㄷ. (나)의 혈액과 항 A 혈청을 섞으면 응집 반응이 일어난다.

① ㄱ ② ㄷ ③ ㄱ, ㄴ
④ ㄴ, ㄷ ⑤ ㄱ, ㄴ, ㄷ

응집원과 응집소 유무 조사

296 하/중/상

그림은 영수의 혈액형 판정 결과를 나타낸 것이고, 표는 200명의 학생으로 구성된 집단을 대상으로 ABO식 혈액형에 대한 응집원 ㉠과 응집소 ㉡의 유무를 조사한 것이다. 이 집단에는 영수가 포함되지 않으며, A형, B형, AB형, O형이 모두 있다.

항 A 혈청 항 B 혈청

응집됨 응집됨

구분	사람 수
응집원 ㉠이 있는 사람	79
응집소 ㉡이 있는 사람	111
응집원 ㉠과 응집소 ㉡이 모두 있는 사람	57

이에 대한 설명으로 옳은 것만을 〈보기〉에서 있는 대로 고른 것은? (단, ABO식 혈액형만 고려한다.)

〈 보기 〉

ㄱ. 영수의 혈액형은 AB형이다.
ㄴ. 응집소 α와 β가 모두 없는 사람의 수는 22이다.
ㄷ. O형인 사람 수보다 AB형인 사람 수가 더 많다.

① ㄱ ② ㄷ ③ ㄱ, ㄴ
④ ㄴ, ㄷ ⑤ ㄱ, ㄴ, ㄷ

297 하/중/상

표는 100명의 사람으로 구성된 집단을 대상으로 ABO식 혈액형에 대한 응집원 ㉠와 ㉡, 응집소 ㉢의 유무를 조사한 것이다. 이 집단에는 A형, B형, AB형, O형이 모두 있다.

구분	사람 수
응집원 ㉠이 있는 사람	50
응집원 ㉡이 있는 사람	36
응집원 ㉠과 응집소 ㉢이 모두 있는 사람	32

이에 대한 설명으로 옳은 것만을 〈보기〉에서 있는 대로 고른 것은?

〈 보기 〉

ㄱ. 혈액형 판정 시 항 A 혈청과 항 B 혈청에 모두 응집하는 사람의 수는 18이다.
ㄴ. ABO식 혈액형에 대한 응집원을 갖지 않는 사람의 수는 18이다.
ㄷ. 응집소 ㉢이 있는 사람의 수는 32이다.

① ㄱ ② ㄷ ③ ㄱ, ㄴ
④ ㄴ, ㄷ ⑤ ㄱ, ㄴ, ㄷ

298

다음은 항원 A~C에 대한 생쥐의 방어 작용 실험이다.

[실험 과정]

(가) 유전적으로 동일하고 A, B, C에 노출된 적이 없는 생쥐 Ⅰ~Ⅳ를 준비한다.

(나) Ⅰ에 A를, Ⅱ에 ㉠을, Ⅲ에 ㉡을, Ⅳ에 생리 식염수를 1회 주사한다. ㉠과 ㉡은 B와 C를 순서 없이 나타낸 것이다.

(다) 2주 후, Ⅰ에서 기억 세포를 분리하여 Ⅱ에 주사하고, Ⅲ에서 기억 세포를 분리하여 Ⅳ에 주사한다.

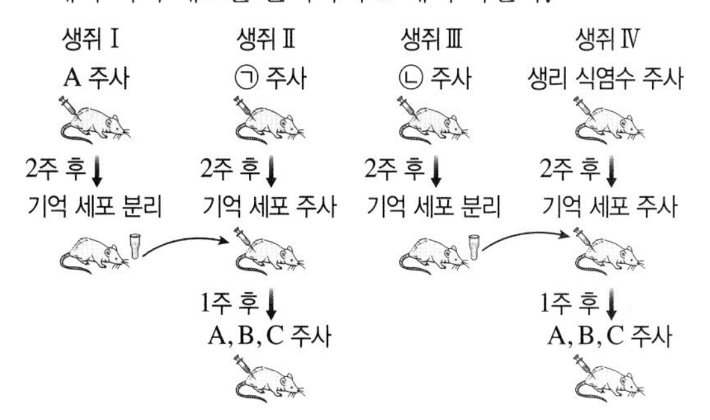

(라) 1주 후, Ⅱ와 Ⅳ에 일정 시간 간격으로 A, B, C를 주사한다.

[실험 결과]

Ⅱ와 Ⅳ에서 A, B, C에 대한 혈중 항체 농도 변화는 그림과 같다.

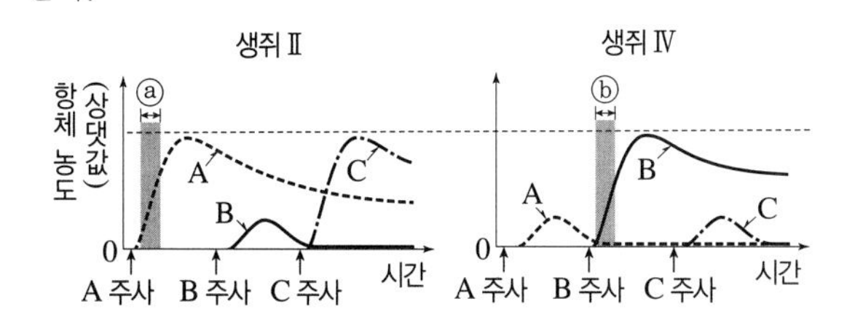

이에 대한 설명으로 옳은 것만을 〈보기〉에서 있는 대로 고른 것은?

〈 보기 〉

ㄱ. ㉡은 B이다.

ㄴ. 구간 ⓐ에서 A에 대한 형질 세포가 기억 세포로 분화되었다.

ㄷ. 구간 ⓑ에서 B에 대한 특이적 방어 작용이 일어났다.

① ㄱ ② ㄴ ③ ㄷ ④ ㄱ, ㄷ ⑤ ㄴ, ㄷ

299

그림은 알레르기 반응이 일어나는 과정의 일부를 나타낸 것이다.

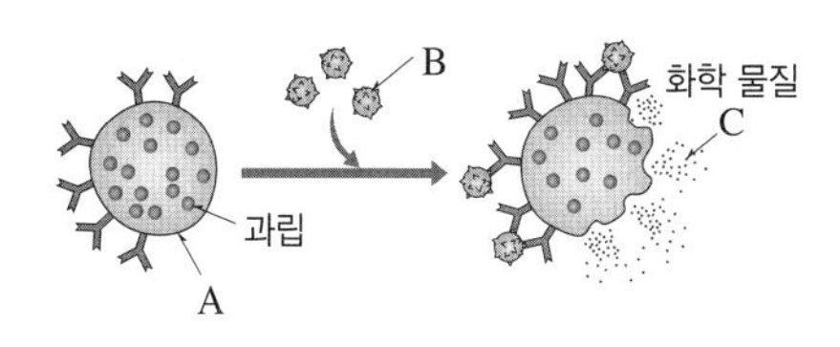

이에 대한 설명으로 옳은 것만을 〈보기〉에서 있는 대로 고른 것은?

〈 보기 〉

ㄱ. A는 비만 세포이다.

ㄴ. B는 처음 침입한 항원이다.

ㄷ. 화학 물질 C는 히스타민이다.

ㄹ. 화학 물질 C는 알레르기 증상을 유발한다.

① ㄱ, ㄴ ② ㄴ, ㄷ ③ ㄷ, ㄹ ④ ㄱ, ㄴ, ㄷ ⑤ ㄱ, ㄷ, ㄹ

300

그림은 주희의 혈액형 판정 결과를, 표는 주희를 제외한 100명의 학생으로 구성된 집단을 대상으로 ABO식 혈액형에 대한 응집원 ㉠과 ㉡, 응집소 ㉢과 ㉣을 이용하여 학생 수의 비율을 조사한 것이다. 주희의 혈액에는 응집원 ㉠과 응집소 ㉣이 있고, 이 집단에는 A형, B형, AB형, O형이 모두 있다.

항 A 혈청	항 B 혈청
응집 안 됨	응집됨

구분	학생 수의 비율
응집원 ㉠이 있는 사람 / 응집원 ㉡이 있는 사람	$\frac{5}{6}$
응집소 ㉢이 있는 사람 / 응집소 ㉣이 있는 사람	$\frac{5}{4}$

이에 대한 설명으로 옳은 것만을 〈보기〉에서 있는 대로 고른 것은? (단, ABO식 혈액형만 고려한다.)

〈 보기 〉

ㄱ. 응집소 ㉣이 있는 사람은 50명이다.

ㄴ. 항 B 혈청에 응집되는 혈액을 가진 사람은 50명이다.

ㄷ. 주희의 혈장을 섞었을 때 응집 반응이 일어나는 혈액을 가진 사람은 60명이다.

① ㄱ ② ㄷ ③ ㄱ, ㄴ ④ ㄴ, ㄷ ⑤ ㄱ, ㄴ, ㄷ

12

Ⅳ. 유전

염색체와 세포 주기

A 염색체

1 염색체 분열하는 세포에서 막대 모양으로 관찰되며, DNA와 히스톤 단백질로 구성된다.
→ 분열하지 않는 세포에서는 핵 속에 실과 같은 모양으로 풀어져 있다.

❶ □□□□□	DNA가 히스톤 단백질 주위를 감싸고 있는 구조이다.
DNA	유전 정보를 저장하고 있는 유전 물질이며, ❷ □□□□□□□가 단위체로 이중 나선 구조이다.
유전자	생물의 형질을 결정하는 유전 정보가 저장된 DNA의 특정 부분이다. ➜ 염색체 하나를 구성하고 있는 DNA에는 수많은 유전자가 있다.

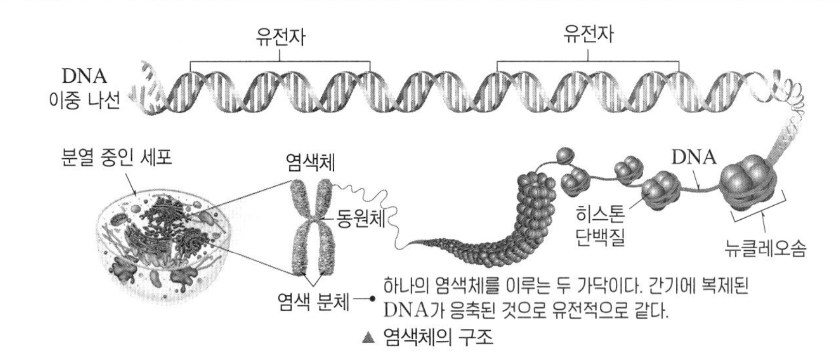

▲ 염색체의 구조

기출 Tip A-1

DNA를 구성하는 기본 단위
DNA를 구성하는 기본 단위는 뉴클레오타이드이며, 뉴클레오타이드는 염기 : 당(디옥시리보스) : 인산이 1 : 1 : 1의 비율로 결합되어 있다. → RNA를 구성하는 당은 리보스이다.

2 상동 염색체와 대립유전자

① 상동 염색체: 체세포에 들어 있는 모양과 크기가 같은 한 쌍의 염색체이다. 상동 염색체 중 하나는 부계에게서, 다른 하나는 모계에게서 물려받은 것이다.

② 대립유전자: ❸ □□ □□□의 같은 위치에 존재하며, 하나의 형질을 결정한다. ➜ 대립유전자 쌍이 같은 경우를 동형 접합성, 서로 다른 경우를 이형 접합성이라고 한다.

(상동 염색체와 염색 분체의 유전자 구성)

- 상동 염색체: 대립유전자는 같을 수도 있고 다를 수도 있다. ➜ 상동 염색체는 부모에게서 하나씩 물려받은 것이기 때문이다.
- 염색 분체: 유전자 구성이 ❹ □□. ➜ 한 염색체의 두 염색 분체는 DNA가 복제되어 만들어진 것이기 때문이다.

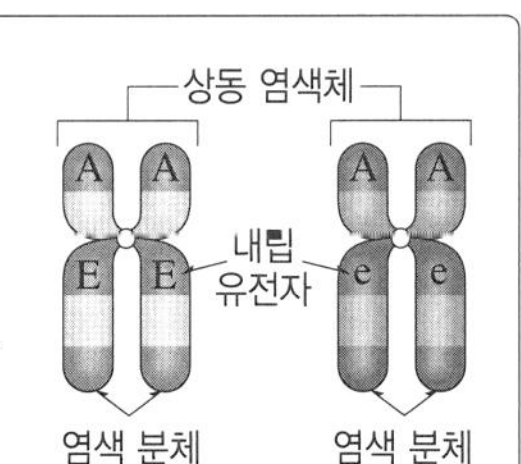

대립유전자는 A와 A로 같을 수도 있고, E와 e로 다를 수도 있다. ▲ 대립유전자의 구성 예

기출 Tip A-3

사람의 정자와 난자의 핵형 분석
- 정자에는 22개의 상염색체와 1개의 X 염색체 또는 22개의 상염색체와 1개의 Y 염색체가 있다.
- 난자에는 22개의 상염색체와 1개의 X 염색체가 있다.

생물종에 따른 염색체 수

생물	염색체 수	생물	염색체 수
사람	46개	초파리	8개
침팬지	48개	완두	14개
개	78개	감자	48개

염색체 수가 같아도 염색체의 모양과 크기에 차이가 있으면 핵형이 다르다.

3 사람의 핵형 분석 핵형 분석은 세포의 핵형을 조사하는 것으로, 핵형 분석을 통해 성별, 염색체 수의 이상 등을 알 수 있다. → 유전 형질이나 유전자의 이상은 알 수 없다.
→ 핵형: 한 생물의 체세포에 들어 있는 염색체의 수, 모양, 크기와 같은 염색체의 외형적인 특성이다.(14강에서 자세히 설명)

① 사람의 체세포의 염색체: $2n=46$ ➜ 상동 염색체가 쌍으로 존재하고, 염색체는 총 ❺ □□개이다.

② ❻ □□□□: 남녀 공통으로 있는 1번~22번 염색체 22쌍(44개)이다.

③ 성염색체: 여자는 XX, 남자는 XY ➜ X 염색체는 남녀 공통으로 있는 성염색체이고, Y 염색체는 남자에게만 있는 성염색체이다.

▲ 여자의 핵형 ($2n=44+XX$)

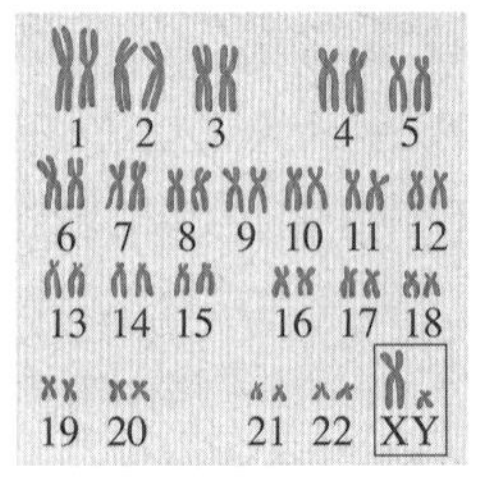

▲ 남자의 핵형 ($2n=44+XY$)

B 세포 주기

1 세포 주기 세포 분열로 생긴 딸세포가 생장하여 다시 세포 분열을 마칠 때까지의 기간으로, 간기와 분열기로 구분한다.

① 간기: 분열기와 분열기 사이의 기간으로 G_1기, ❼ □□, G_2기로 구분된다.

② 분열기(M기): 간기에 비해 짧으며, 핵분열과 세포질 분열이 일어난다.

핵막은 M기의 전기 때 소실되어 핵분열이 완료된 이후에 다시 생성되므로 핵막이 소실된 세포는 M기에서만 있다.

세포를 구성하는 물질이 합성되고, 세포 소기관의 수가 증가한다.

DNA 복제가 일어나 DNA양이 2배로 증가한다.

방추사를 구성하는 단백질이 합성되는 등 세포 분열을 준비한다.

핵분열과 세포질 분열이 일어나 염색 분체가 2개의 딸세포로 나뉘어 들어간다.

간기 / G_1기 / S기 / G_2기 / 세포질 분열 / 핵분열 / 분열기

▲ 세포 주기

기출 Tip B

세포당 DNA양에서 구간별 세포 주기

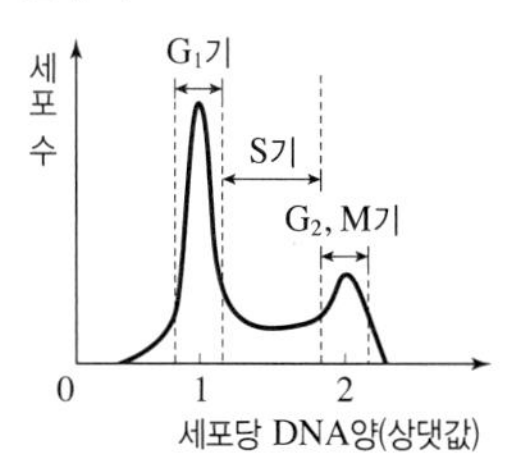

세포당 DNA양이 1인 세포는 G_1기의 세포이고, 세포당 DNA양이 1~2인 세포는 S기의 세포이며, 세포당 DNA양이 2인 세포는 G_2기와 M기의 세포이다.

C 체세포 분열

1 체세포 분열 몸을 구성하는 세포의 수를 늘리는 체세포 분열은 생물의 생장과 조직의 재생 과정에서 일어난다.

① 핵분열과 세포질 분열이 일어나며, 핵분열은 ❽ □□□의 모양과 행동에 따라 전기, 중기, 후기, 말기로 구분된다.

② 모세포 1개가 나누어져 딸세포 2개가 만들어진다. ➔ 유전 정보가 같은 ❾ □□ □□가 분리되어 들어간 딸세포 2개는 모세포와 유전 정보가 ❿ □□.

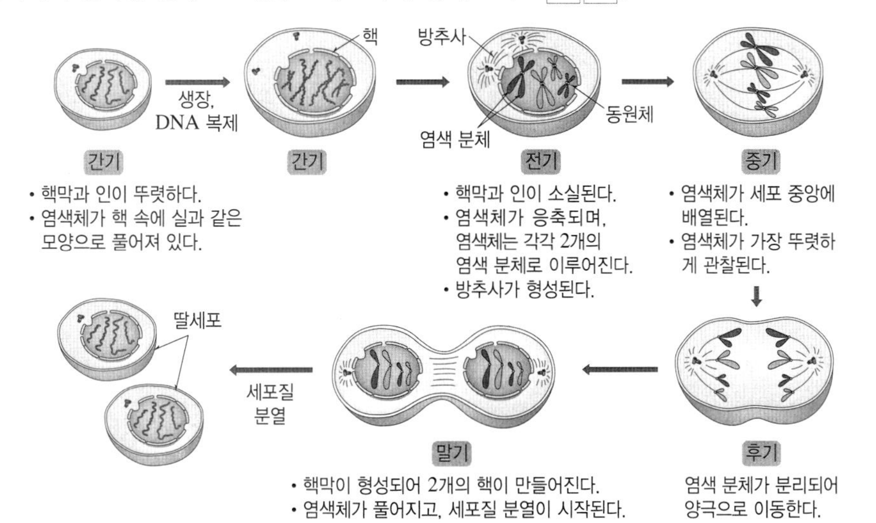

▲ 체세포 분열 과정

기출 Tip C

체세포 분열 과정에서 DNA양 변화

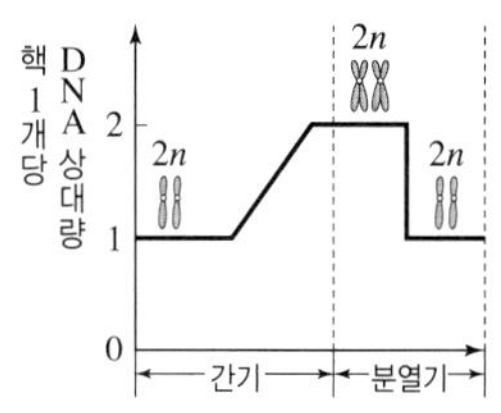

간기에 DNA를 1회 복제한 후 1회 분열(염색 분체 분리)하므로 딸세포와 G_1기 모세포는 염색체 수와 DNA양이 서로 같다.

답 ❶ 뉴클레오솜 ❷ 뉴클레오타이드 ❸ 상동 염색체 ❹ 같다 ❺ 46 ❻ 상염색체 ❼ S기 ❽ 염색체 ❾ 염색 분체 ❿ 같다

빈출 자료 보기

정답과 해설 42쪽

301 그림 (가)는 사람에서 체세포의 세포 주기를, (나)는 사람의 체세포에 있는 염색체의 구조를 나타낸 것이다. ㉠~㉢은 각각 G_1기, S기, M기 중 하나이다.

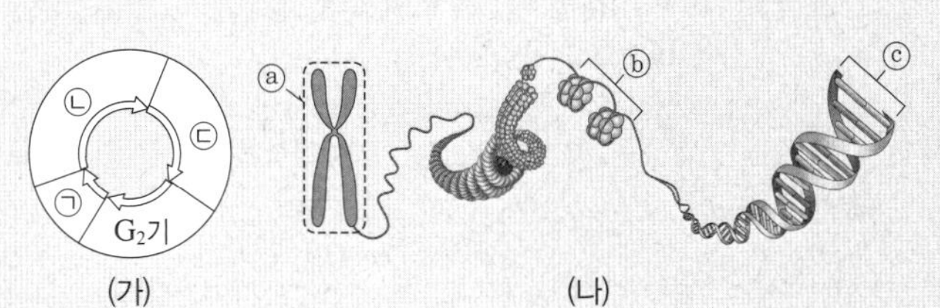

이에 대한 설명으로 옳은 것은 ○, 옳지 않은 것은 ×로 표시하시오.

(1) ㉠에 ⓐ가 관찰된다. ( )

(2) ㉠에 방추사가 관찰된다. ( )

(3) ㉡과 ㉢에 핵막이 존재한다. ( )

(4) 핵 1개당 DNA양은 G_2기 세포가 ㉡ 세포의 2배이다. ( )

(5) ⓑ가 ⓐ로 응축되는 시기는 ㉡이다. ( )

(6) ⓒ의 기본 단위는 뉴클레오솜이다. ( )

A 염색체

염색체의 구조

302 하 중 상

유전자, DNA, 염색체에 대한 설명으로 옳은 것은?

① 염색체 수가 같으면 같은 종이다.
② 같은 종의 생물은 모두 핵형이 동일하다.
③ 염색체는 간기의 핵 속에서 막대 모양으로 관찰된다.
④ 사람의 염색체에서 가장 길이가 긴 상염색체를 1번으로 한다.
⑤ 한 사람의 신경 세포와 간세포에 각각 들어 있는 DNA의 유전자 구성은 다르다.

303 하 중 상 빈출 多 보기

그림은 염색체의 구조를 나타낸 것이다.

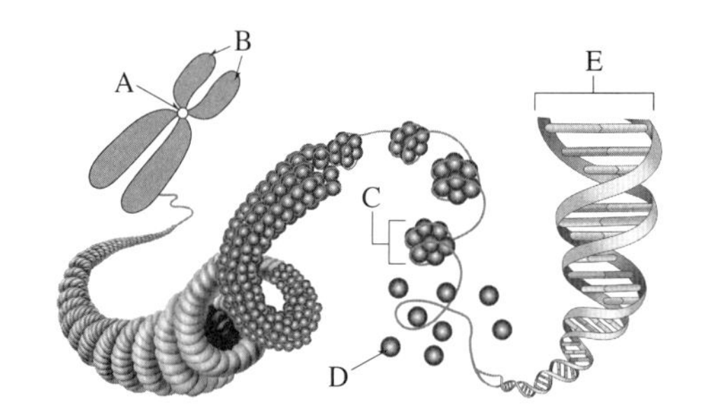

이에 대한 설명으로 옳지 않은 것만을 모두 고르면?(2개)

① A에 세포 분열 시 방추사가 결합한다.
② B의 두 가닥에 있는 유전자 구성은 같을 수도 있고 다를 수도 있다.
③ C는 뉴클레오솜이다.
④ D는 펩타이드 결합으로 이루어져 있다.
⑤ E에는 생물의 형질을 결정하는 유전자가 있다.
⑥ 한 가닥의 E에는 하나의 유전자가 있다.

304 하 중 상

그림은 어떤 사람의 체세포에 있는 염색체의 구조를 나타낸 것이다. 이 사람의 어떤 형질에 대한 유전자형은 Aa이다.

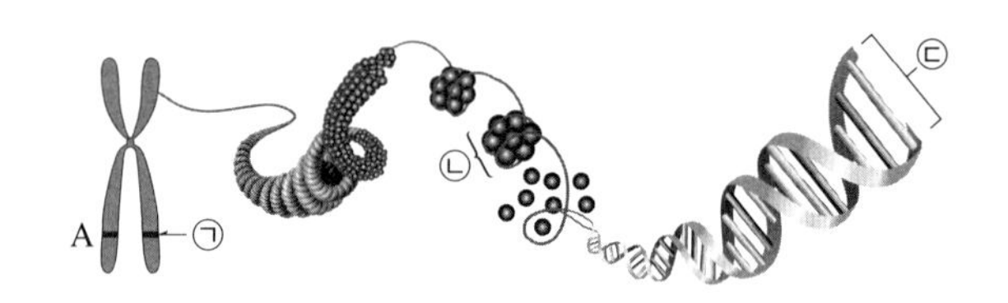

이에 대한 설명으로 옳은 것만을 〈보기〉에서 있는 대로 고른 것은?

〈 보기 〉
ㄱ. ㉠은 a이다.
ㄴ. ㉡은 단백질과 DNA로 구성되어 있다.
ㄷ. ㉢에는 생물의 형질을 결정하는 유전자가 있다.

① ㄱ ② ㄷ ③ ㄱ, ㄴ
④ ㄴ, ㄷ ⑤ ㄱ, ㄴ, ㄷ

305 하 중 상

그림 (가)는 어떤 사람의 체세포에 있는 염색체의 구조를, (나)는 이 세포가 1회 분열할 때 핵 1개당 DNA 상대량의 변화를 나타낸 것이다.

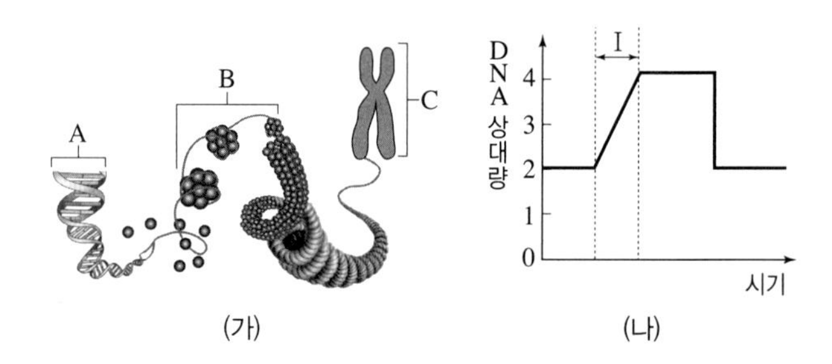

이에 대한 설명으로 옳은 것만을 〈보기〉에서 있는 대로 고른 것은?

〈 보기 〉
ㄱ. A의 기본 단위는 염기 : 당 : 인산의 비율이 1 : 1 : 1인 구조이다.
ㄴ. Ⅰ 시기에 B가 C로 응축된다.
ㄷ. C는 세포 분열 시 광학 현미경으로 관찰할 수 있다.

① ㄱ ② ㄷ ③ ㄱ, ㄴ
④ ㄱ, ㄷ ⑤ ㄴ, ㄷ

상동 염색체와 대립유전자

306 하 중 상 多 보기

그림은 어떤 사람의 체세포에 들어 있는 상동 염색체 한 쌍을 나타낸 것이다. 이 사람의 어떤 형질에 대한 유전자형은 Aa이다.

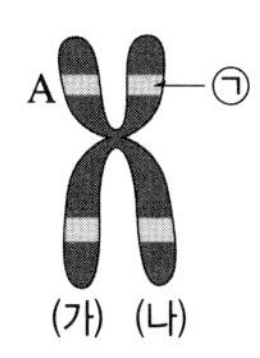

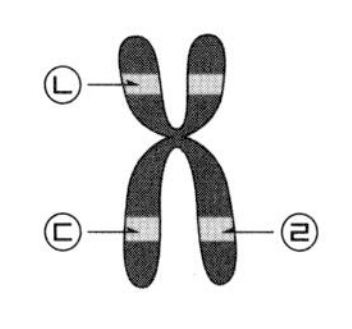

이에 대한 설명으로 옳은 것은?

① ㉠은 a이다.
② ㉡은 A이다.
③ ㉢과 ㉣에는 같은 유전자가 있다.
④ (가)와 (나)는 상동 염색체이다.
⑤ (가)와 (나)는 체세포 분열 시 분리되지 않는다.
⑥ (가)를 아버지에게서 물려받았다면 (나)는 어머니에게서 물려받았다.

307 하 중 상 서술형

그림은 어떤 사람의 3번 염색체에 존재하는 유전자 중 일부를 나타낸 것이다. ㉠과 ㉡에 있는 대립유전자 두 가지를 각각 쓰고, 그 까닭을 서술하시오.

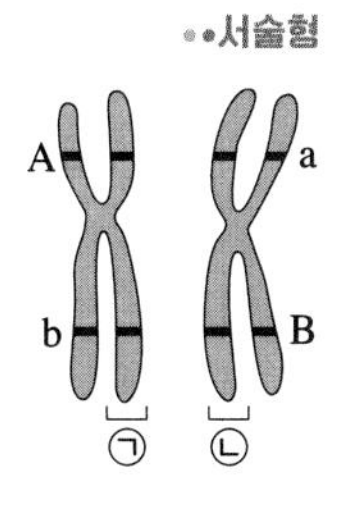

308 하 중 상

그림은 어떤 사람의 체세포에 들어 있는 상동 염색체 중 2쌍만을 나타낸 것이다. 이에 대한 설명으로 옳은 것만을 〈보기〉에서 있는 대로 고른 것은?(단, 돌연변이와 교차는 고려하지 않는다.)

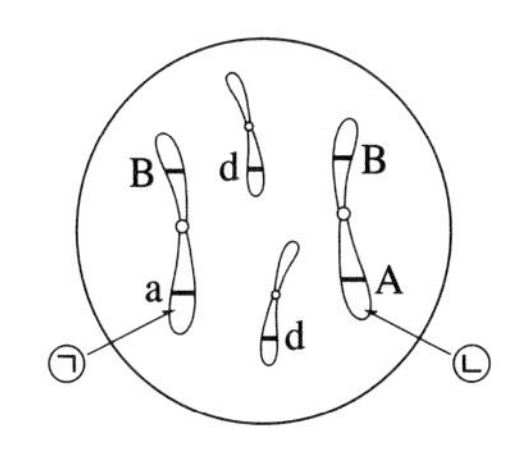

〈 보기 〉
ㄱ. 이 사람이 만드는 모든 생식세포는 B를 갖는다.
ㄴ. ㉠이 복제되어 ㉡이 형성되었다.
ㄷ. 이 사람에게서 A, B, d를 모두 갖는 생식세포가 형성될 수 있다.

① ㄱ ② ㄴ ③ ㄷ
④ ㄱ, ㄷ ⑤ ㄴ, ㄷ

309 하 중 상

그림은 유전자형이 AaBbDD인 사람이 가지고 있는 염색체 중 하나를, 표는 이 사람의 체세포 (가)에 들어 있는 유전자 a, B, D의 DNA 상대량을 나타낸 것이다. A와 a, B와 b, D와 d는 각각 대립유전자이고, (가)는 중기의 세포이다.

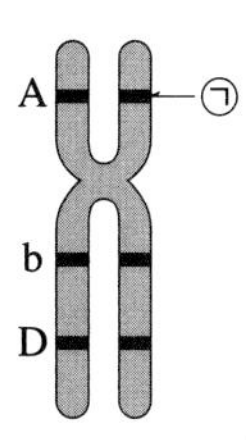

세포	DNA 상대량		
	a	B	D
(가)	ⓐ	2	ⓑ

이에 대한 설명으로 옳은 것만을 〈보기〉에서 있는 대로 고른 것은? (단, 돌연변이와 교차는 고려하지 않는다.)

〈 보기 〉
ㄱ. ㉠은 A이다.
ㄴ. ⓐ+ⓑ는 4이다.
ㄷ. 이 사람에게서 생식세포 분열이 일어날 때, A와 B는 항상 같은 딸세포로 들어간다.

① ㄱ ② ㄷ ③ ㄱ, ㄴ
④ ㄴ, ㄷ ⑤ ㄱ, ㄴ, ㄷ

사람의 핵형 분석

310 하 중 상 

그림은 어떤 사람의 체세포를 핵형 분석한 결과를 나타낸 것이다.

이에 대한 설명으로 옳은 것은?

① 이 사람의 성별은 여자이다.
② 핵형 분석에는 간기의 세포를 이용한다.
③ 체세포의 핵상과 염색체 수는 $2n=46$이다.
④ 이 핵형 분석을 통해 ABO식 혈액형을 알 수 있다.
⑤ 상염색체는 번호가 커질수록 염색체의 크기가 커진다.
⑥ 이 핵형 분석 결과에서 관찰되는 상염색체의 염색 분체 수는 46이다.

311 하 중 상

그림은 사람 (가)와 (나)의 핵형 일부를 나타낸 것이다. (가)의 특정 형질에 대한 유전자형은 Aa이다.

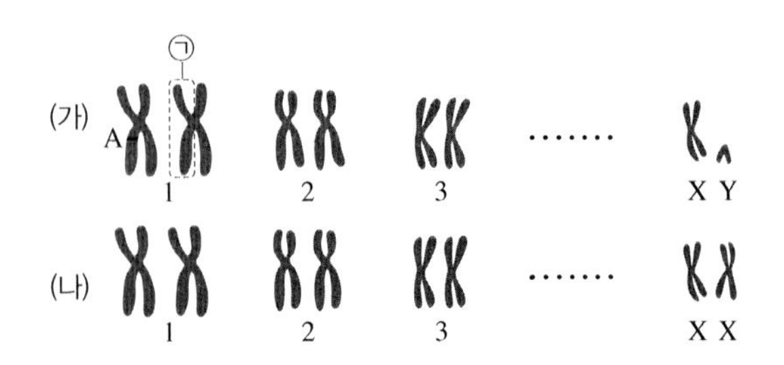

이에 대한 설명으로 옳은 것만을 <보기>에서 있는 대로 고른 것은? (단, 돌연변이와 교차는 고려하지 않는다.)

〈 보기 〉
ㄱ. (가)와 (나)의 핵형은 동일하다.
ㄴ. ㉠에는 A가 있다.
ㄷ. (가)의 정자에 존재하는 상염색체는 22개이다.
ㄹ. (나)에서 $\frac{\text{상염색체의 염색 분체 수}}{\text{X 염색체 수}}$는 44이다.

① ㄱ, ㄴ ② ㄱ, ㄷ ③ ㄷ, ㄹ
④ ㄱ, ㄴ, ㄹ ⑤ ㄴ, ㄷ, ㄹ

312 하 중 상

그림은 어떤 사람의 핵형 분석 결과와 염색체의 구조를 나타낸 것이다.

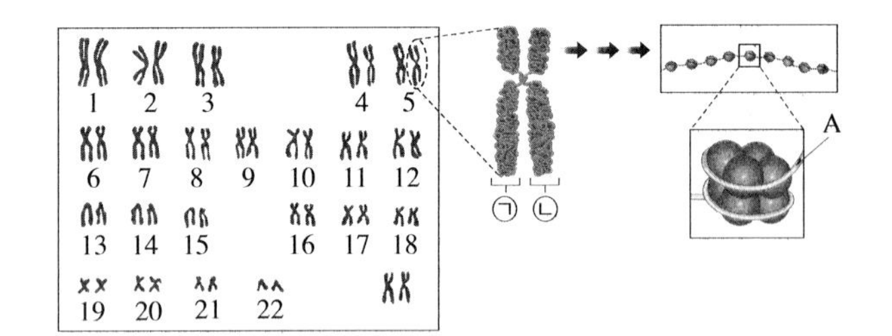

이에 대한 설명으로 옳은 것만을 <보기>에서 있는 대로 고른 것은?

〈 보기 〉
ㄱ. 이 핵형 분석을 통해 적록 색맹 여부를 알 수 있다.
ㄴ. ㉠과 ㉡은 부모로부터 하나씩 물려받은 것이다.
ㄷ. A에는 디옥시리보스가 있다.

① ㄱ ② ㄴ ③ ㄷ
④ ㄱ, ㄴ ⑤ ㄱ, ㄴ, ㄷ

313 하 중 상

그림은 어떤 생물 A~C 중 한 개체의 핵형 분석 결과를, 표는 서로 다른 생물종에 속하는 개체 A~C의 체세포 1개당 염색체 수를 나타낸 것이다. A~C에서 한 개체는 성염색체로 XY를, 나머지 두 개체는 성염색체로 XX를 갖는다.

ⓐ ⓑ
1 2 3 4 5
6 7 8 9 10 11 12
13 14 15 16 17 18
19 20 21 22 ㉠

개체	염색체 수
A	24
B	46
C	78

이에 대한 설명으로 옳은 것만을 <보기>에서 있는 대로 고른 것은?

〈 보기 〉
ㄱ. ⓐ와 ⓑ는 상동 염색체이다.
ㄴ. ㉠은 부계로부터 물려받은 염색체이다.
ㄷ. A~C 중 체세포 1개당 $\frac{\text{상염색체 수}}{\text{X 염색체 수}}$가 가장 큰 개체는 C이다.

① ㄱ ② ㄴ ③ ㄷ
④ ㄱ, ㄴ ⑤ ㄱ, ㄴ, ㄷ

생물종에 따른 염색체 수

314 하 중 상

표는 여러 생물의 체세포 1개에 들어 있는 염색체 수를 나타낸 것이다.

생물종	벼	토마토	감자	토끼	침팬지
염색체 수(개)	24	24	48	44	48

이에 대한 설명으로 옳은 것만을 <보기>에서 있는 대로 고른 것은?

〈 보기 〉
ㄱ. 벼와 토마토의 체세포의 핵상과 염색체 수는 같다.
ㄴ. 감자와 침팬지의 핵형은 동일하다.
ㄷ. 토끼의 생식세포 1개에 들어 있는 상염색체 수는 21이다.

① ㄱ ② ㄴ ③ ㄷ
④ ㄱ, ㄴ ⑤ ㄱ, ㄷ

B 세포 주기

세포 주기

빈출

315 하 중 상 多 보기

그림은 사람에서 체세포의 세포 주기를 나타낸 것이다. ㉠~㉢은 각각 G_2기, M기, S기 중 하나이다.

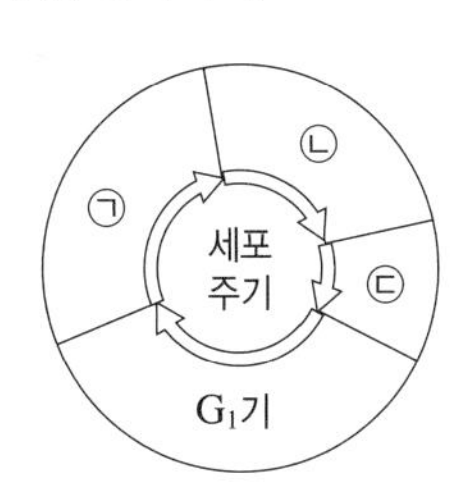

이에 대한 설명으로 옳은 것만을 모두 고르면?(2개)

① ㉠에 핵막이 소실된다.
② ㉡에 DNA가 복제된다.
③ 세포 1개당 $\frac{㉡의\ DNA양}{G_1기의\ DNA양}$은 1보다 크다.
④ ㉢에 2가 염색체가 관찰된다.
⑤ ㉢은 간기에 속한다.
⑥ ㉢에 상동 염색체의 접합이 일어난다.
⑦ ㉢에 방추사가 나타난다.

317 하 중 상

그림 (가)는 동물 P에서 체세포의 세포 주기를, (나)는 P의 체세포 분열 과정 중 어느 한 시기에서 관찰되는 세포를 나타낸 것이다. ㉠~㉢은 각각 G_2기, M기, S기 중 하나이다.

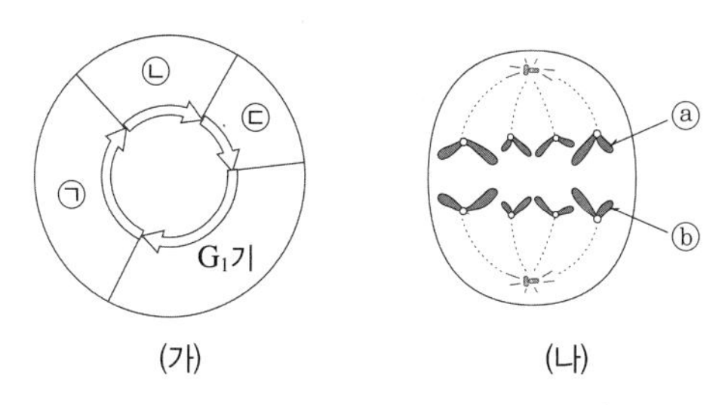

(가) (나)

이에 대한 설명으로 옳은 것만을 〈보기〉에서 있는 대로 고른 것은?

〈 보기 〉
ㄱ. (나)는 ㉡에서 관찰된다.
ㄴ. 핵상은 ㉠의 세포가 ㉢의 세포의 2배이다.
ㄷ. ⓐ와 ⓑ의 유전자 구성은 같다.

① ㄱ ② ㄷ ③ ㄱ, ㄴ
④ ㄴ, ㄷ ⑤ ㄱ, ㄴ, ㄷ

빈출

316 하 중 상

그림 (가)는 사람에서 체세포의 세포 주기를, (나)는 사람의 체세포에 있는 염색체의 구조를 나타낸 것이다. ㉠~㉢은 각각 G_1기, G_2기, M기 중 하나이다.

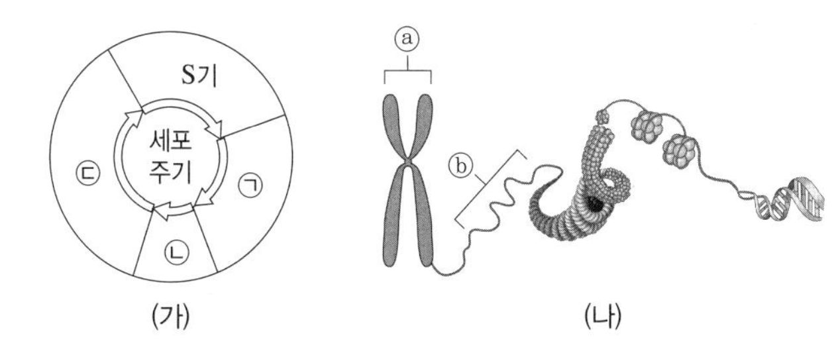

(가) (나)

이에 대한 설명으로 옳은 것만을 〈보기〉에서 있는 대로 고른 것은?

〈 보기 〉
ㄱ. ㉠에 핵막이 존재한다.
ㄴ. ⓑ가 ⓐ로 응축되는 시기는 ㉡이다.
ㄷ. 핵 1개당 DNA양은 ㉢ 세포가 ㉠ 세포의 2배이다.

① ㄱ ② ㄷ ③ ㄱ, ㄴ
④ ㄴ, ㄷ ⑤ ㄱ, ㄴ, ㄷ

318 하 중 상

그림 (가)는 사람에서 체세포의 세포 주기를, (나)는 체세포가 분열하는 동안 핵 1개당 DNA양을 나타낸 것이다. Ⅰ~Ⅲ에는 각각 ㉠~㉢의 세포 중 하나가 있고, ㉠~㉢은 각각 G_1기, M기, S기 중 하나이다.

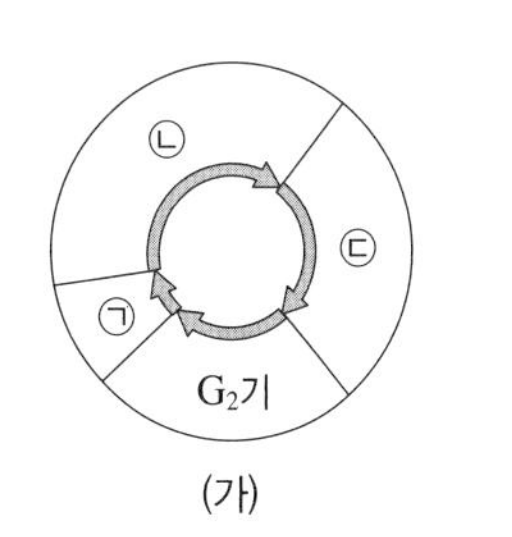

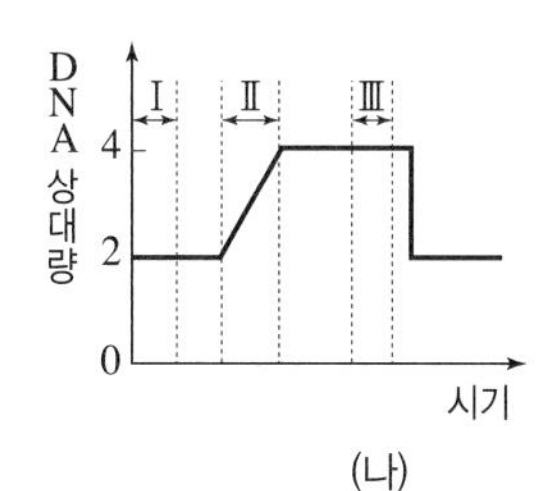

(가) (나)

이에 대한 설명으로 옳은 것만을 〈보기〉에서 있는 대로 고른 것은?

〈 보기 〉
ㄱ. 구간 Ⅰ에는 ㉡의 세포가 있다.
ㄴ. 구간 Ⅲ에서 방추사가 관찰된다.
ㄷ. 핵막을 갖는 세포의 수는 ㉠에서가 ㉢에서보다 많다.

① ㄱ ② ㄷ ③ ㄱ, ㄴ
④ ㄴ, ㄷ ⑤ ㄱ, ㄴ, ㄷ

체세포 배양 후 세포당 DNA양에 따른 세포 수

빈출

319 하 중 상

多 보기

그림은 어떤 동물의 체세포를 배양한 후 세포당 DNA양에 따른 세포 수를 나타낸 것이다.

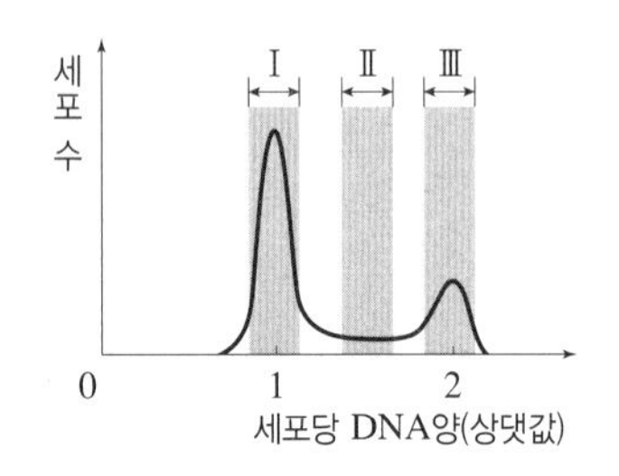

이에 대한 설명으로 옳지 않은 것은?

① 구간 Ⅰ에는 G_1기의 세포가 있다.
② 구간 Ⅱ에는 DNA 복제가 일어나는 세포가 있다.
③ 구간 Ⅱ에는 핵막을 가진 세포가 있다.
④ 구간 Ⅲ에는 방추사가 있는 세포가 있다.
⑤ 구간 Ⅲ에는 염색 분체의 분리가 일어나는 시기의 세포가 있다.
⑥ $\frac{G_1\text{기 세포 수}}{G_2\text{기 세포 수}}$는 1보다 작다.

320 하 중 상

그림 (가)는 어떤 동물의 체세포 Q를 배양한 후 세포당 DNA양에 따른 세포 수를, (나)는 Q의 세포 주기를 나타낸 것이다. A~C는 각각 G_1기, G_2기, S기 중 하나이다.

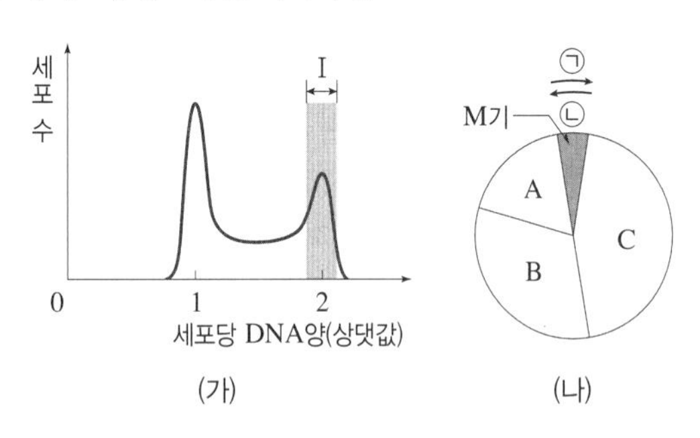

(가) (나)

이에 대한 설명으로 옳은 것만을 〈보기〉에서 있는 대로 고른 것은?

〈 보기 〉

ㄱ. 구간 Ⅰ에는 A의 세포가 있다.
ㄴ. B에서 DNA 복제가 일어난다.
ㄷ. 세포 주기는 ㉡ 방향으로 진행된다.

① ㄱ ② ㄷ ③ ㄱ, ㄴ
④ ㄴ, ㄷ ⑤ ㄱ, ㄴ, ㄷ

321 하 중 상

그림 (가)는 어떤 동물의 체세포를 배양한 후 세포당 DNA양에 따른 세포 수를, (나)는 염색체 구조의 일부를 나타낸 것이다. ⓐ와 ⓑ는 각각 DNA와 뉴클레오솜 중 하나이다.

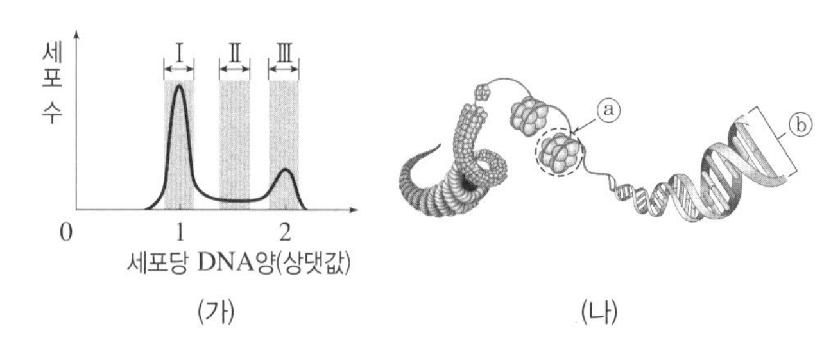

(가) (나)

이에 대한 설명으로 옳은 것만을 〈보기〉에서 있는 대로 고른 것은?

〈 보기 〉

ㄱ. 구간 Ⅰ에 ⓐ가 들어 있는 세포가 있다.
ㄴ. 구간 Ⅱ에 ⓑ의 복제가 일어나는 세포가 있다.
ㄷ. 구간 Ⅲ에 상동 염색체의 분리가 일어나는 세포가 있다.
ㄹ. 핵막을 갖는 세포의 수는 구간 Ⅲ에서가 구간 Ⅰ에서보다 많다.

① ㄱ, ㄴ ② ㄱ, ㄷ ③ ㄷ, ㄹ
④ ㄱ, ㄴ, ㄷ ⑤ ㄴ, ㄷ, ㄹ

322 하 중 상

그림 (가)는 어떤 동물($2n=4$)의 체세포 Q를 배양한 후 세포당 DNA양에 따른 세포 수를, (나)는 Q의 체세포 분열 과정 중 ㉠ 시기에서 관찰되는 세포를 나타낸 것이다. 이 동물의 특정 형질에 대한 유전자형은 Rr이며, R와 r는 대립유전자이다.

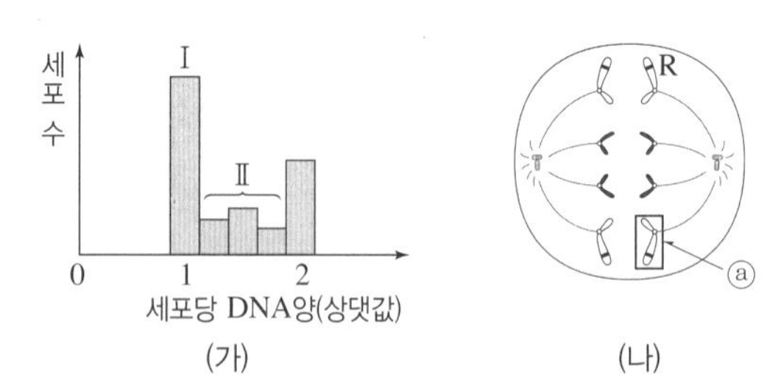

(가) (나)

이에 대한 설명으로 옳은 것만을 〈보기〉에서 있는 대로 고른 것은?

〈 보기 〉

ㄱ. 구간 Ⅰ에는 핵상이 n인 세포가 있다.
ㄴ. 구간 Ⅱ에는 ㉠ 시기의 세포가 있다.
ㄷ. ⓐ에는 r가 있다.

① ㄱ ② ㄷ ③ ㄱ, ㄴ
④ ㄴ, ㄷ ⑤ ㄱ, ㄴ, ㄷ

체세포 분열

323 하 중 상

다음은 체세포 분열에 대한 학생의 설명이다.

> 학생 A: 전기에 핵막이 사라졌다가 말기에 다시 나타나.
> 학생 B: 체세포 분열 후 만들어진 딸세포의 유전 정보는 모세포와 같아.
> 학생 C: 후기에 상동 염색체가 분리되어 양극으로 이동해.

설명이 옳은 학생만을 있는 대로 고른 것은?

① A ② B ③ A, B ④ A, C ⑤ A, B, C

324 하 중 상

그림은 어떤 식물의 체세포 분열 과정에서 관찰할 수 있는 세포의 모습을 나타낸 것이다.

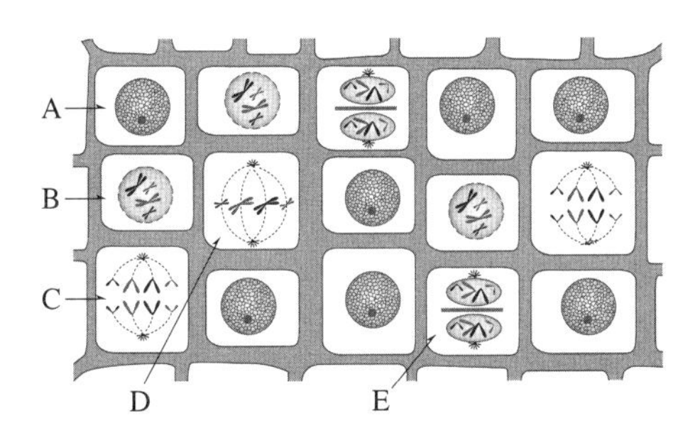

이에 대한 설명으로 옳지 않은 것은?

① A 시기에 DNA양이 일정하게 유지되고 핵막이 사라진다.
② B 시기에 방추사가 형성된다.
③ C 시기에 염색 분체가 분리된다.
④ D 시기의 염색체를 핵형 분석에 이용한다.
⑤ E 시기에 세포질 분열이 일어나며 핵막이 다시 나타난다.

325 하 중 상

그림은 어떤 동물의 세포 분열 중 일부를 나타낸 것이다.
이에 대한 설명으로 옳은 것만을 〈보기〉에서 있는 대로 고른 것은?

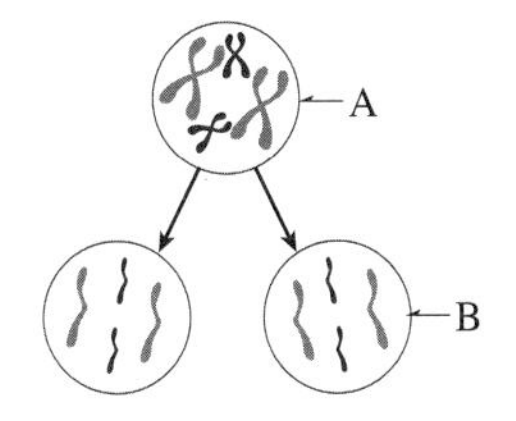

〈 보기 〉
ㄱ. A와 B의 핵상은 같다.
ㄴ. A의 염색 분체 수는 B의 염색체 수의 2배이다.
ㄷ. A에서 B로 될 때 염색 분체가 분리된다.

① ㄱ ② ㄷ ③ ㄱ, ㄴ ④ ㄴ, ㄷ ⑤ ㄱ, ㄴ, ㄷ

326 하 중 상

그림은 체세포 분열이 진행 중인 어떤 동물($2n=4$)의 세포에서 시간에 따른 염색 분체 사이의 거리를, (나)는 이 동물의 체세포 분열 과정에서 관찰된 세포의 방추사와 모든 염색체를 나타낸 것이다.

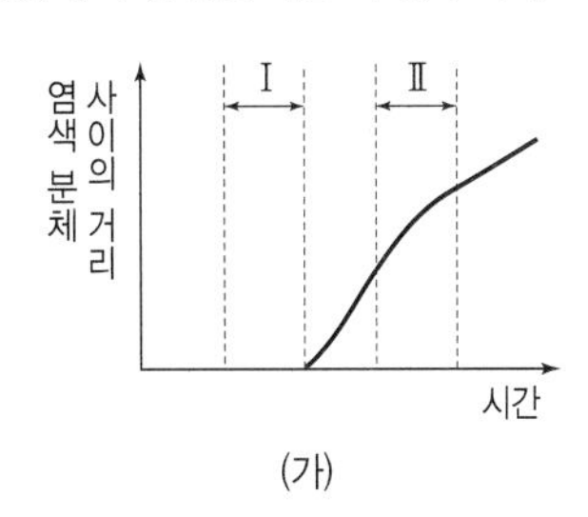

(가)

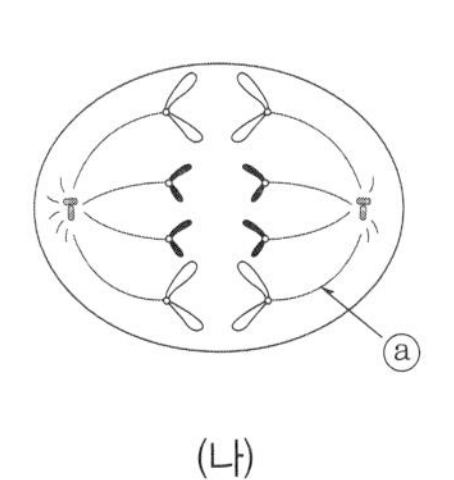

(나)

이에 대한 설명으로 옳은 것만을 〈보기〉에서 있는 대로 고른 것은?

〈 보기 〉
ㄱ. 구간 Ⅰ의 세포는 G_1기에 해당한다.
ㄴ. (나)는 체세포 분열 후기의 세포이다.
ㄷ. (나)는 구간 Ⅱ의 세포에 해당한다.

① ㄱ ② ㄷ ③ ㄱ, ㄴ
④ ㄴ, ㄷ ⑤ ㄱ, ㄴ, ㄷ

327 하 중 상

그림은 어떤 동물의 체세포 분열 과정에서 핵 1개당 DNA 상대량을 나타낸 것이다.

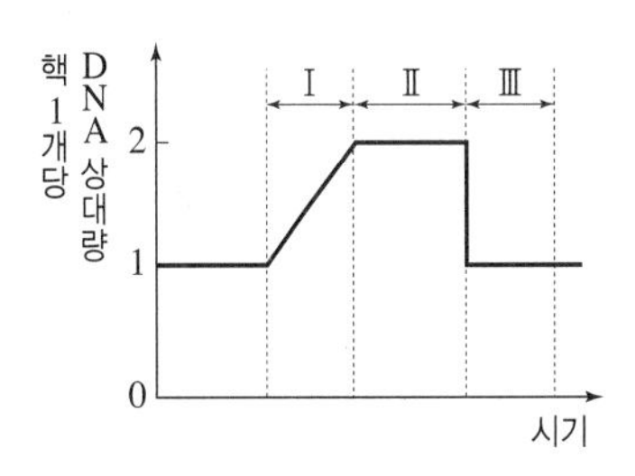

이에 대한 설명으로 옳은 것만을 〈보기〉에서 있는 대로 고른 것은?

〈 보기 〉
ㄱ. 구간 Ⅰ에서 핵막이 사라진 세포가 관찰된다.
ㄴ. 구간 Ⅱ에서 핵상이 $2n$인 세포가 관찰된다.
ㄷ. 구간 Ⅲ은 G_2기에 해당한다.

① ㄱ ② ㄴ ③ ㄷ
④ ㄱ, ㄴ ⑤ ㄴ, ㄷ

생식세포 형성과 유전적 다양성

Ⓐ 생식세포 분열(감수 분열)

1 생식세포 분열 생식세포를 만드는 과정으로, 정소와 난소 등의 생식 기관에서 일어난다.

① 간기의 S기에 DNA가 한 번 복제된 후 분열이 연속해서 2회 일어난다. ➔ ❶□□□ □와 유전 물질 양이 모세포의 반인 딸세포가 4개 만들어진다.

② 감수 1분열: ❷□□ □□□가 분리되어 각각 다른 딸세포로 들어간다. ➔ 딸세포는 모세포의 상동 염색체 중 1개씩만 있게 되어 염색체 수가 반으로 감소한다($2n \rightarrow n$).

③ 감수 2분열: ❸□□ □□가 분리되어 각각 다른 딸세포로 들어간다. ➔ 딸세포의 염색체 수는 변화가 없다($n \rightarrow n$).

기출 Tip Ⓐ-1

2가 염색체
생식세포 분열 시 상동 염색체끼리 접합한 것으로, 감수 1분열 전기와 중기에 볼 수 있다.

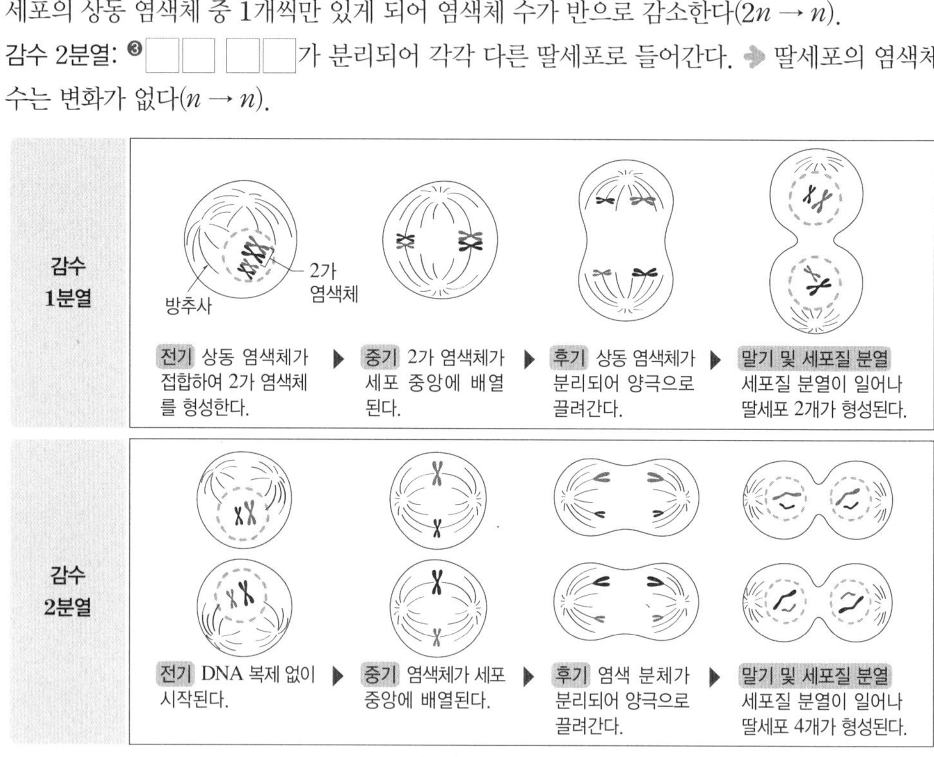

▲ 생식세포 분열 과정

생식세포 분열에서의 염색체 수와 DNA양 변화

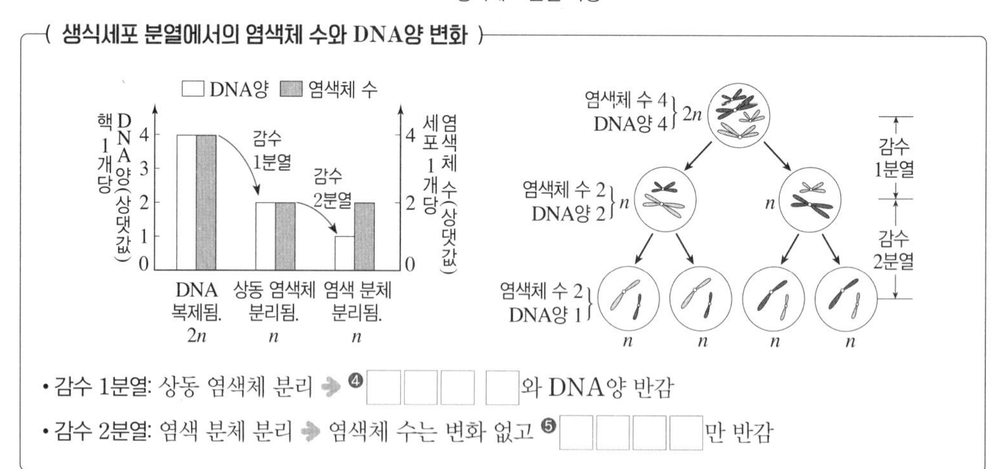

• 감수 1분열: 상동 염색체 분리 ➔ ❹□□□ □와 DNA양 반감

• 감수 2분열: 염색 분체 분리 ➔ 염색체 수는 변화 없고 ❺□□□□만 반감

기출 Tip Ⓐ-2

감수 1분열 중기와 체세포 분열 중기
상동 염색체가 접합하여 세포 중앙에 배열되어 있으면 감수 1분열 중기 세포이고, 상동 염색체가 일렬로 세포 중앙에 배열되어 있으면 체세포 분열 중기 세포이다.

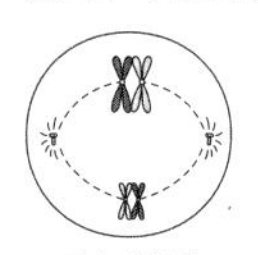
감수 1분열 중기

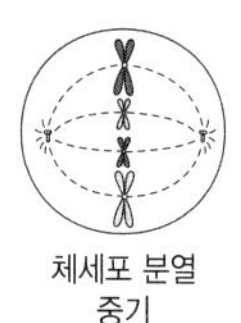
체세포 분열 중기

2 체세포 분열과 생식세포 분열 비교 → 체세포 분열과 생식세포 분열에서 DNA 복제는 모두 간기(S기)에 1회 일어난다.

구분	체세포 분열	생식세포 분열
분열 횟수	1회 ➔ 딸세포 2개 형성	2회 ➔ 딸세포 4개 형성
❻□□ □□□	형성되지 않음	감수 1분열 전기에 형성
염색체 수 변화	변화 없음($2n \rightarrow 2n$)	반으로 감소($2n \rightarrow n$)

(체세포 분열과 생식세포 분열에서의 DNA양 변화 비교)

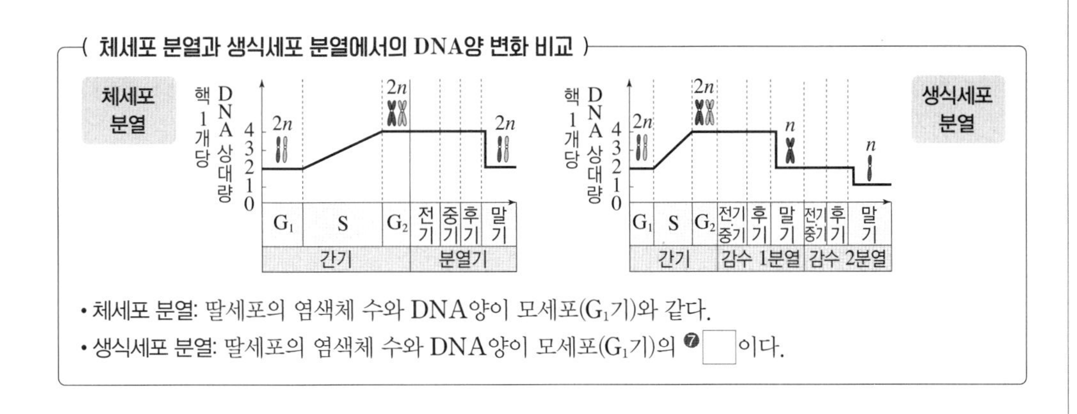

• 체세포 분열: 딸세포의 염색체 수와 DNA양이 모세포(G_1기)와 같다.

• 생식세포 분열: 딸세포의 염색체 수와 DNA양이 모세포(G_1기)의 ❼ ☐ 이다.

기출 Tip Ⓐ-2

체세포 분열과 생식세포 분열 과정

〈체세포 분열〉 〈생식세포 분열〉

2n, 2n, DNA 복제, 2가 염색체 형성, 염색 분체 분리, 상동 염색체 분리, 염색 분체 분리, 2n, 2n, n, n, n, n, n, n

Ⓑ 생식세포 분열과 유전적 다양성

1 생식세포 분열의 의의

① 염색체 수와 유전 물질 양 유지: 염색체 수와 DNA양이 반감된 암수 생식세포가 결합하여 수정란을 형성한다. ➡ 자손의 염색체 수와 유전 물질 양은 부모와 같게 유지된다.

② 유전적 다양성: 생식세포 분열 과정에서 상동 염색체가 ❽ ☐☐☐ 로 배열하고 독립적으로 분리된다. ➡ 한 개체에서 염색체 조합이 다양한 생식세포가 형성될 수 있다.

2 자손의 유전적 다양성 획득 원리

① 상동 염색체의 무작위 배열과 분리: 생식세포 분열에서 상동 염색체의 무작위 배열과 분리에 의해 다양한 생식세포가 형성된다.

② 암수 생식세포의 무작위 ❾ ☐☐: 자손은 암수 생식세포가 무작위로 결합하여 생긴다.

(자손의 유전적 다양성 획득 원리)

체세포의 핵상이 $2n$인 생물에서 만들어질 수 있는 생식세포의 염색체 조합은 이론적으로 2^n가지이다.

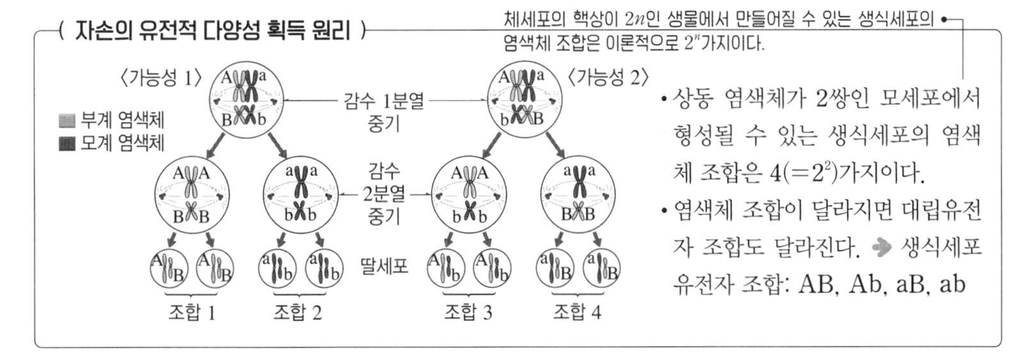

• 상동 염색체가 2쌍인 모세포에서 형성될 수 있는 생식세포의 염색체 조합은 $4(=2^2)$가지이다.

• 염색체 조합이 달라지면 대립유전자 조합도 달라진다. ➡ 생식세포 유전자 조합: AB, Ab, aB, ab

기출 Tip Ⓑ-2

사람의 염색체 조합

2^{23}가지의 정자와 2^{23}가지의 난자가 임의로 수정되어 태어나는 자손의 염색체 조합은 2^{46}가지, 약 70조 가지가 가능하다.

실제로는 염색체의 다양한 조합 외에도 유전적 다양성을 높이는 다른 요인들이 추가로 작용하므로 유전적 다양성은 이보다 높아진다.

답 ❶ 염색체 수 ❷ 상동 염색체 ❸ 염색 분체 ❹ 염색체 수 ❺ DNA양 ❻ 2가 염색체 ❼ 반 ❽ 무작위 ❾ 수정

빈출 자료 보기

정답과 해설 45쪽

328 그림은 유전자형이 AABbDd인 어떤 동물의 G_1기 세포 Ⅰ로부터 생식세포가 형성되는 과정을, 표는 세포 (가)~(다)의 세포 1개당 유전자 A, b, d의 DNA 상대량을 나타낸 것이다. (가)~(다)는 각각 Ⅰ~Ⅲ 중 하나이며, Ⅱ는 중기의 세포이다.

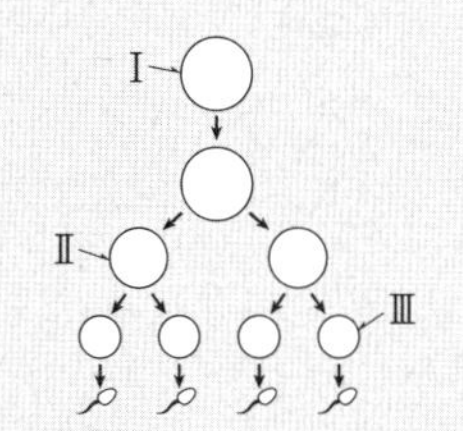

세포	DNA 상대량		
	A	b	d
(가)	2	0	0
(나)	㉠	1	㉡
(다)	2	1	1

이에 대한 설명으로 옳은 것은 ○, 옳지 않은 것은 ×로 표시하시오. (단, 돌연변이와 교차는 고려하지 않으며, A, a, B, b, D, d 각각의 1개당 DNA 상대량은 1이다.)

(1) (가)에 2가 염색체가 있다. ( )

(2) (가)는 Ⅱ이다. ( )

(3) (나)는 Ⅲ이다. ( )

(4) ㉠은 1이다. ( )

(5) ㉡은 0이다. ( )

(6) (나)와 Ⅱ의 핵상은 같다. ( )

A 생식세포 분열(감수 분열)

생식세포 분열

329 하 중 상 多 보기

생식세포 분열에 대한 설명으로 옳지 않은 것은?

① DNA 복제는 1회 일어난다.
② 감수 1분열에서 상동 염색체가 분리된다.
③ 감수 1분열 결과 염색체 수와 DNA양이 모두 반감된다.
④ 감수 2분열에서 염색 분체가 분리된다.
⑤ 감수 2분열 중기에 2가 염색체가 세포의 중앙에 배열한다.
⑥ 1개의 모세포가 감수 분열을 모두 마치면 4개의 딸세포가 형성된다.

330 하 중 상

그림은 어떤 동물의 분열 중인 세포의 모든 염색체를 나타낸 것이다.

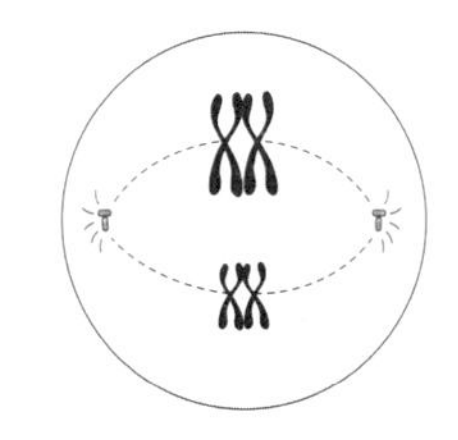

이에 대한 설명으로 옳은 것만을 〈보기〉에서 있는 대로 고른 것은?

〈 보기 〉
ㄱ. 감수 1분열 전기 상태이다.
ㄴ. 2가 염색체를 관찰할 수 있다.
ㄷ. 이 동물에서 생식세포의 염색체 수는 4이다.

① ㄱ ② ㄴ ③ ㄱ, ㄷ
④ ㄴ, ㄷ ⑤ ㄱ, ㄴ, ㄷ

빈출 331 하 중 상

그림은 생식세포 분열 과정을 나타낸 것이다. 상동 염색체 한 쌍만을 나타내었으며, A와 a는 대립유전자이다.

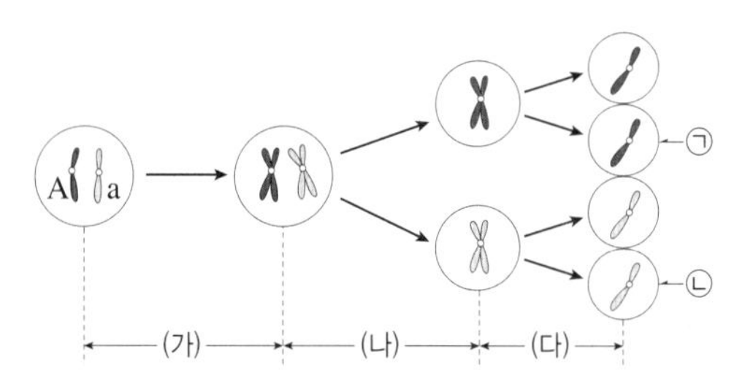

이에 대한 설명으로 옳은 것만을 〈보기〉에서 있는 대로 고른 것은? (단, 돌연변이와 교차는 고려하지 않는다.)

〈 보기 〉
ㄱ. (가)에서 a가 복제된다.
ㄴ. (나)에서 DNA양과 염색체 수가 모두 반감된다.
ㄷ. (다)에서 A와 a가 분리된다.
ㄹ. ㉠과 ㉡의 유전자 구성은 동일하다.

① ㄱ, ㄴ ② ㄱ, ㄷ ③ ㄷ, ㄹ
④ ㄱ, ㄴ, ㄹ ⑤ ㄴ, ㄷ, ㄹ

332 하 중 상

그림 (가)는 어떤 사람의 감수 분열 과정 일부를, (나)는 세포 ㉠~㉢을 나타낸 것이다. ㉠~㉢은 각각 (가)의 세포 B~D 중 하나이며, 세포 A와 ㉠~㉢은 5번과 13번 염색체만을 나타내었다.

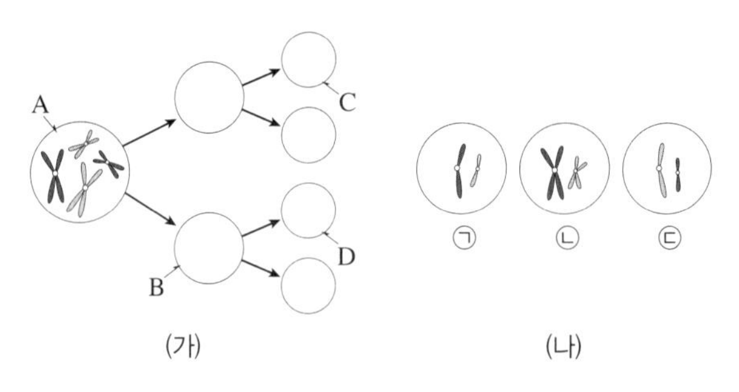

이에 대한 설명으로 옳은 것만을 〈보기〉에서 있는 대로 고른 것은? (단, 돌연변이와 교차는 고려하지 않는다.)

〈 보기 〉
ㄱ. A의 DNA 상대량은 D의 DNA 상대량의 2배이다.
ㄴ. B와 ㉠의 핵상은 서로 같다.
ㄷ. C는 ㉢이다.

① ㄱ ② ㄷ ③ ㄱ, ㄴ
④ ㄱ, ㄷ ⑤ ㄴ, ㄷ

333 하 중 상

그림 (가)는 어떤 동물의 생식세포가 형성될 때의 세포 주기를, (나)는 이 동물의 감수 분열 중인 세포의 모든 염색체를 나타낸 것이다.

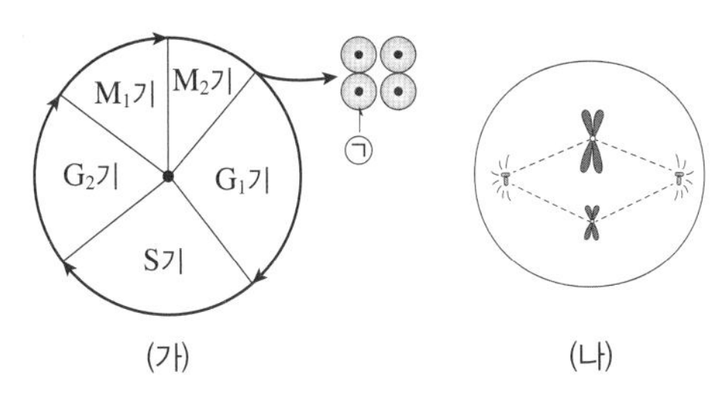

(가) (나)

이에 대한 설명으로 옳은 것만을 〈보기〉에서 있는 대로 고른 것은? (단, M_1은 감수 1분열, M_2는 감수 2분열이다.)

〈 보기 〉

ㄱ. G_1기 세포의 DNA 상대량은 ㉠의 DNA 상대량의 4배이다.
ㄴ. (나)는 (가)의 M_2기에서 관찰된다.
ㄷ. 이 동물의 체세포 염색체 수는 4이다.

① ㄱ ② ㄷ ③ ㄱ, ㄴ
④ ㄴ, ㄷ ⑤ ㄱ, ㄴ, ㄷ

생식세포 분열 과정 시 DNA양 변화

334 하 중 상

그림은 어떤 동물의 생식세포 분열 과정에서 핵 1개당 DNA양 변화를 나타낸 것이다.

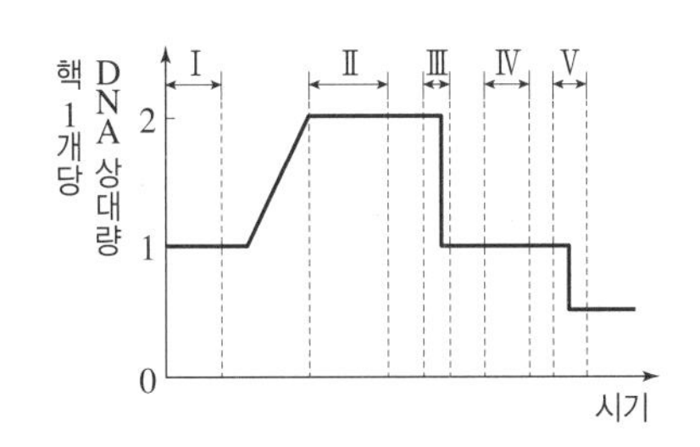

이에 대한 설명으로 옳은 것만을 모두 고르면?(2개)

① 구간 Ⅰ과 Ⅳ에서 관찰되는 세포의 염색체 수와 DNA 상대량은 모두 같다.
② 구간 Ⅱ와 Ⅳ에서 관찰되는 세포의 $\frac{\text{핵 1개당 DNA 상대량}}{\text{염색체 수}}$은 같다.
③ 구간 Ⅲ에서 관찰되는 세포에서 상동 염색체의 무작위 분리가 일어난다.
④ 구간 Ⅳ에서 관찰되는 세포에서 상동 염색체의 접합이 일어난다.
⑤ 구간 Ⅴ에서 관찰되는 세포에서 염색체 수가 반감된다.

335 빈출 하 중 상

그림 (가)는 어떤 동물의 생식세포 분열 과정에서 핵 1개당 DNA 양 변화를, (나)는 (가)의 Ⅰ ~ Ⅲ 중 어느 한 시기에서 관찰되는 세포를 나타낸 것이다.

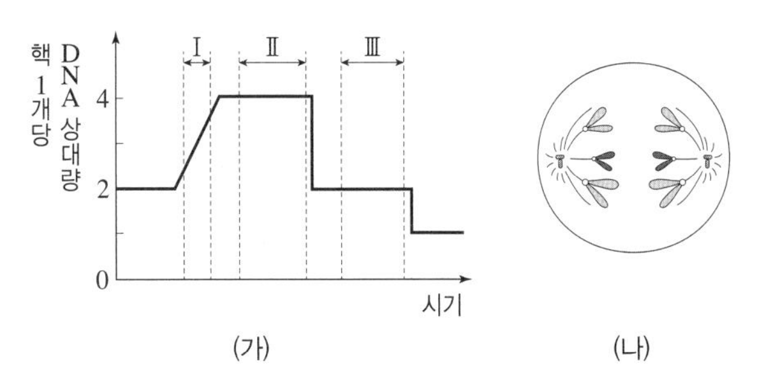

(가) (나)

이에 대한 설명으로 옳은 것만을 〈보기〉에서 있는 대로 고른 것은?

〈 보기 〉

ㄱ. (가)의 구간 Ⅰ에서 방추사가 나타난다.
ㄴ. (나)는 (가)의 구간 Ⅱ에서 관찰된다.
ㄷ. 구간 Ⅰ에서 관찰되는 세포의 핵상과 Ⅲ에서 관찰되는 세포의 핵상은 다르다.

① ㄴ ② ㄷ ③ ㄱ, ㄴ
④ ㄱ, ㄷ ⑤ ㄴ, ㄷ

336 하 중 상

그림 (가)는 어떤 동물의 생식세포 분열 과정에서 핵 1개당 DNA 양 변화를, (나)는 (가)의 Ⅰ ~ Ⅲ 중 어느 한 시기에서 관찰되는 세포의 일부 염색체를 나타낸 것이다. Ⅰ ~ Ⅲ은 각각 감수 1분열, 감수 2분열, 간기 중 하나이다.

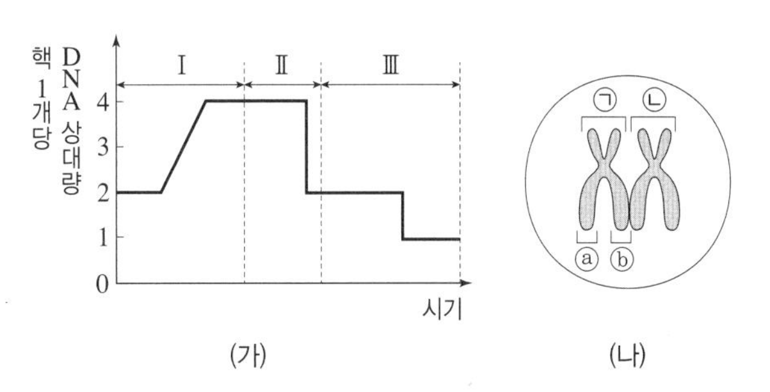

(가) (나)

이에 대한 설명으로 옳은 것만을 〈보기〉에서 있는 대로 고른 것은?

〈 보기 〉

ㄱ. (가)의 구간 Ⅰ에서 (나)의 ㉠이 복제되어 ㉡이 만들어진다.
ㄴ. (나)는 (가)의 구간 Ⅱ에서 관찰된다.
ㄷ. ⓐ와 ⓑ는 구간 Ⅲ에서 분리된다.

① ㄴ ② ㄷ ③ ㄱ, ㄴ
④ ㄱ, ㄷ ⑤ ㄴ, ㄷ

생식세포 분열 과정 시 염색체 수와 DNA양 변화

337 하중상

그림은 어떤 동물($2n$)의 생식세포 분열 과정 중 서로 다른 시기에서 관찰되는 세포 ㉠~㉢의 핵 1개당 DNA 상대량과 세포 1개당 염색체 수를 나타낸 것이다. ㉠~㉢의 순서는 세포 분열의 순서와 관계없으며, ㉠~㉢ 중 2개는 중기의 세포이다.

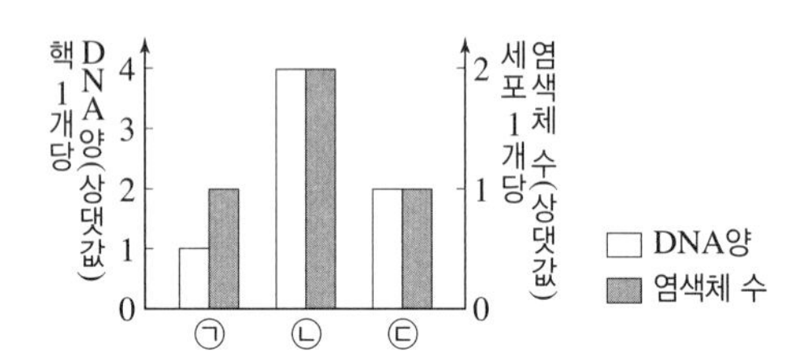

이에 대한 설명으로 옳은 것만을 〈보기〉에서 있는 대로 고른 것은?

〈 보기 〉

ㄱ. ㉡에는 2가 염색체가 있다.
ㄴ. 염색 분체는 ㉡ → ㉢ 과정에서 분리된다.
ㄷ. 생식세포 분열은 ㉡ → ㉢ → ㉠ 순으로 일어난다.

① ㄱ ② ㄴ ③ ㄱ, ㄷ
④ ㄴ, ㄷ ⑤ ㄱ, ㄴ, ㄷ

338 빈출 하중상

그림 (가)는 어떤 동물에서 G_1기의 세포 ㉠으로부터 정자가 형성되는 과정을, (나)는 세포 ⓐ~ⓓ의 세포 1개당 염색체 수와 핵 1개당 DNA 상대량을 나타낸 것이다. ⓐ~ⓓ는 각각 ㉠~㉣ 중 하나이며, ㉡과 ㉢은 중기의 세포이다.

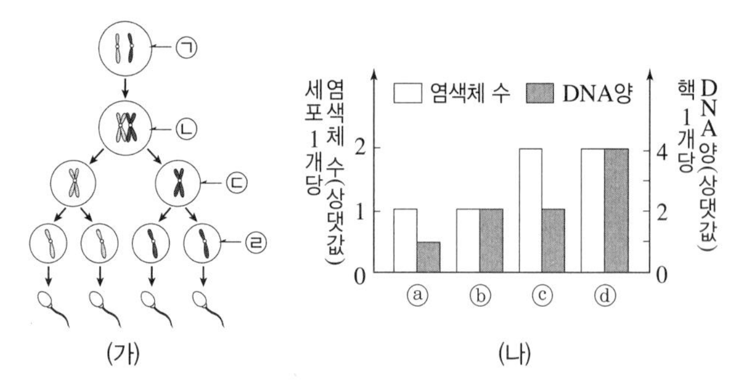

(가) (나)

이에 대한 설명으로 옳은 것만을 〈보기〉에서 있는 대로 고른 것은?

〈 보기 〉

ㄱ. ⓐ는 ㉣이다.
ㄴ. 상동 염색체는 ⓓ → ⓑ 과정에서 분리된다.
ㄷ. ⓒ와 ㉢의 핵 1개당 DNA 상대량은 같다.

① ㄱ ② ㄴ ③ ㄷ
④ ㄱ, ㄴ ⑤ ㄱ, ㄴ, ㄷ

339 하중상

그림 (가)는 어떤 동물의 생식세포 분열 과정에서 핵 1개당 DNA양 변화의 일부를, (나)는 세포 ㉠과 ㉡의 세포 1개당 염색체 수와 핵 1개당 DNA 상대량을 나타낸 것이다. ㉠과 ㉡은 구간 Ⅰ~Ⅲ 중 각각 한 구간에서 관찰된다.

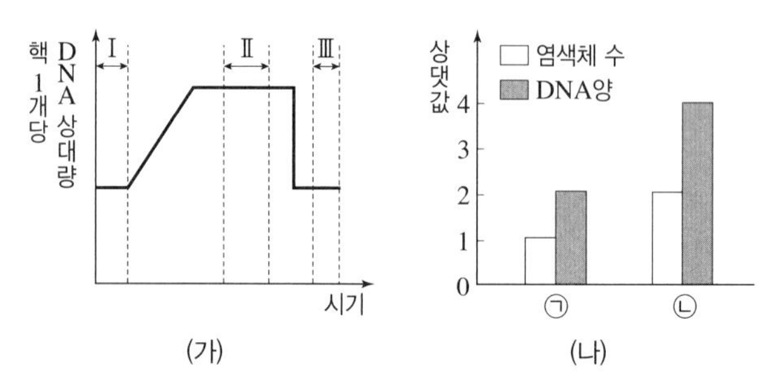

(가) (나)

이에 대한 설명으로 옳은 것만을 〈보기〉에서 있는 대로 고른 것은?

〈 보기 〉

ㄱ. ㉠은 구간 Ⅲ에서 관찰된다.
ㄴ. 구간 Ⅰ에서 구간 Ⅱ로 될 때 염색체 수가 2배로 증가한다.
ㄷ. ㉡이 ㉠으로 될 때 염색 분체가 분리된다.

① ㄱ ② ㄷ ③ ㄱ, ㄴ
④ ㄴ, ㄷ ⑤ ㄱ, ㄴ, ㄷ

340 하중상

표는 어떤 동물($2n=?$)의 생식세포 분열 과정 중 서로 다른 시기에서 관찰되는 세포 A~C의 세포 1개당 염색체 수와 핵 1개당 DNA 상대량을, 그림은 A~C 중 한 세포의 염색체 모습을 나타낸 것이다. A~C의 순서는 세포 분열의 순서와 관계없으며, B와 C는 중기의 세포이다.

세포	세포 1개당 염색체 수	핵 1개당 DNA 상대량
A	4	1
B	4	2
C	8	4

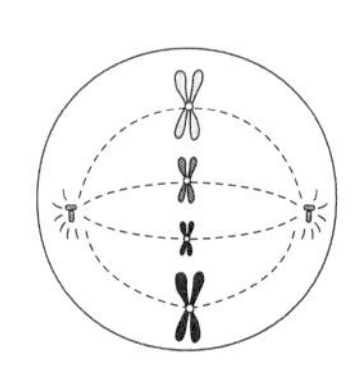

이에 대한 설명으로 옳은 것만을 〈보기〉에서 있는 대로 고른 것은?

〈 보기 〉

ㄱ. 그림은 B의 염색체이다.
ㄴ. A의 세포는 간기의 S기를 거쳐 B의 세포가 된다.
ㄷ. 세포 1개당 $\frac{\text{염색 분체 수}}{\text{염색체 수}}$는 C에서가 B에서의 2배이다.

① ㄱ ② ㄴ ③ ㄷ
④ ㄱ, ㄴ ⑤ ㄱ, ㄴ, ㄷ

341 하 중 상

표는 어떤 동물($2n=?$)의 생식세포 분열 과정 중 서로 다른 시기에서 관찰되는 세포 (가)~(라)의 세포 1개당 염색체 수와 핵 1개당 DNA 상대량을, 그림은 (가)~(라) 중 한 세포의 염색체 모습을 나타낸 것이다. (가)~(라)의 순서는 세포 분열의 순서와 관계없으며, (가)~(라) 중 2개는 중기의 세포이고, 1개는 G_1기의 세포이다.

세포	세포 1개당 염색체 수	핵 1개당 DNA 상대량
(가)	?	1
(나)	㉠	4
(다)	2	?
(라)	4	㉡

이에 대한 설명으로 옳은 것만을 〈보기〉에서 있는 대로 고른 것은?

〈 보기 〉
ㄱ. 그림은 (나)의 염색체이다.
ㄴ. 생식세포 분열은 (나) → (라) → (다) → (가) 순으로 일어난다.
ㄷ. ㉠+㉡=6이다.

① ㄱ ② ㄴ ③ ㄷ
④ ㄱ, ㄷ ⑤ ㄴ, ㄷ

체세포 분열과 생식세포 분열 비교

빈출

342 하 중 상

多 보기

체세포 분열과 생식세포 분열을 비교한 것으로 옳지 않은 것은?

	구분	체세포 분열	생식세포 분열
①	분열 횟수	1회	2회
②	딸세포의 핵상	$2n$	n
③	$\frac{\text{딸세포의 DNA양}}{G_1\text{기 세포의 DNA양}}$	1	2
④	딸세포의 수	2	4
⑤	분열 결과	생장과 재생	생식세포 형성
⑥	분열 장소	온몸	생식 기관

343 하 중 상

다음은 세포 분열에 대한 학생의 설명이다.

DNA 복제는 체세포 분열 시 1회, 생식세포 분열 시 2회 일어나.

상동 염색체의 접합은 체세포 분열과 생식세포 분열에서 모두 관찰할 수 있어.

감수 1분열 후 생성된 딸세포의 유전 정보는 서로 달라.

설명이 옳은 학생만을 있는 대로 고른 것은?

① A ② B ③ C
④ A, C ⑤ A, B, C

344 하 중 상

그림 (가)와 (나)는 어떤 동물에서 두 종류의 분열 중인 세포를 나타낸 것이다.

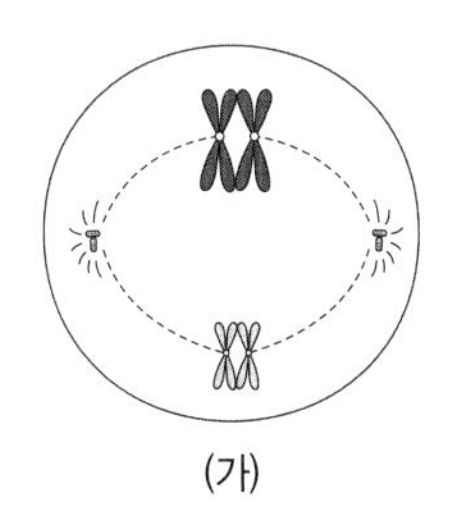
(가)

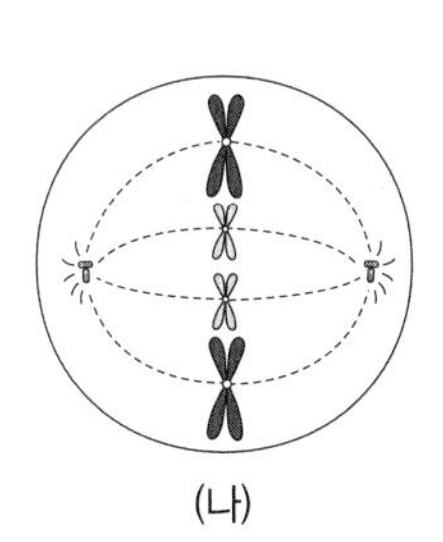
(나)

이에 대한 설명으로 옳은 것만을 〈보기〉에서 있는 대로 고른 것은?

〈 보기 〉
ㄱ. (가)와 (나)의 핵상은 같다.
ㄴ. (가)는 감수 1분열 중기, (나)는 감수 2분열 중기이다.
ㄷ. DNA 상대량은 (가)가 (나)의 2배이다.

① ㄱ ② ㄷ ③ ㄱ, ㄴ
④ ㄴ, ㄷ ⑤ ㄱ, ㄴ, ㄷ

345 하 중 상 ••서술형

그림 (가)~(다)는 어떤 동물($2n=4$)에서 일어나는 감수 1분열, 감수 2분열, 체세포 분열 과정을 순서 없이 나타낸 것이다.

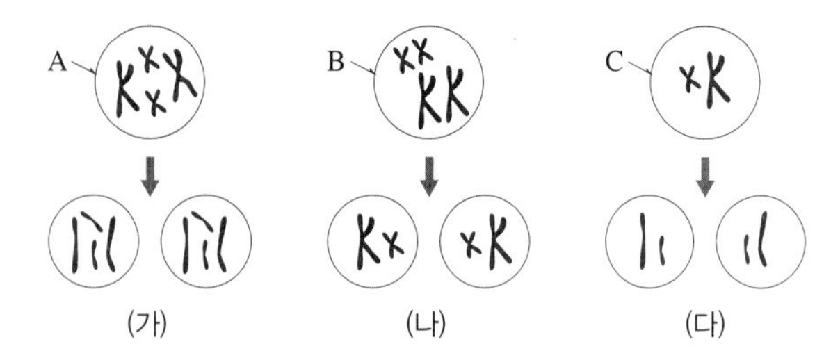

(1) (가)~(다)에 해당하는 분열 과정을 각각 쓰시오.

(2) (가)~(다)에서 A~C와 딸세포의 염색체 수와 DNA 상대량 변화를 각각 서술하시오.

346 하 중 상 빈출

그림 (가)와 (나)는 어떤 동물에서 일어나는 세포 분열 과정 일부를 나타낸 것이다.

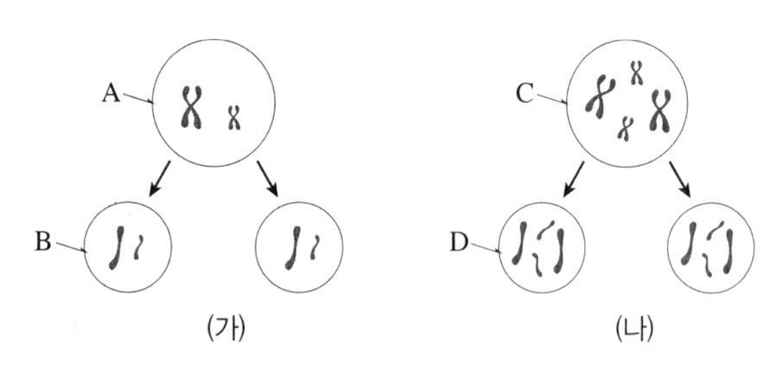

이에 대한 설명으로 옳은 것만을 〈보기〉에서 있는 대로 고른 것은?

〈 보기 〉

ㄱ. A와 D의 DNA 상대량은 같다.

ㄴ. $\frac{\text{염색체 수}}{\text{DNA 상대량}}$는 B가 C의 2배이다.

ㄷ. (가)에서는 핵상의 변화가 있고, (나)에서는 핵상의 변화가 없다.

① ㄱ ② ㄷ ③ ㄱ, ㄴ
④ ㄴ, ㄷ ⑤ ㄱ, ㄴ, ㄷ

347 하 중 상

그림 (가)는 어떤 동물의 체세포 분열 과정에서 핵 1개당 DNA양 변화를, (나)는 이 동물의 생식세포 분열 과정에서 핵 1개당 DNA양 변화를 나타낸 것이다.

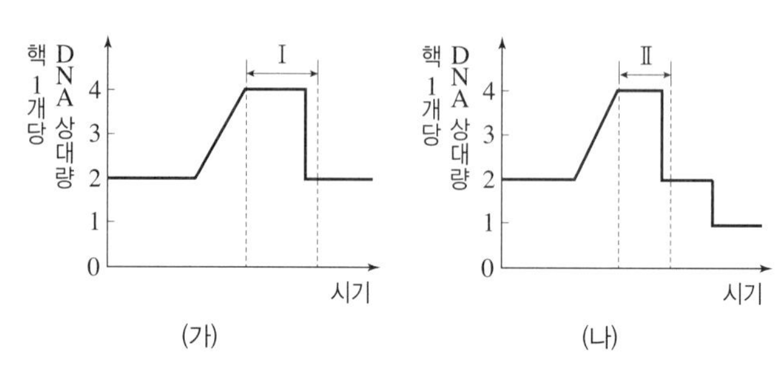

이에 대한 설명으로 옳은 것만을 〈보기〉에서 있는 대로 고른 것은?

〈 보기 〉

ㄱ. 구간 Ⅰ에서 상동 염색체가 분리된다.

ㄴ. 구간 Ⅱ에서 2가 염색체가 관찰된다.

ㄷ. 구간 Ⅰ과 Ⅱ에서 모두 핵상과 DNA 상대량이 반감된다.

① ㄱ ② ㄴ ③ ㄱ, ㄴ
④ ㄱ, ㄷ ⑤ ㄱ, ㄴ, ㄷ

348 하 중 상

그림 (가)는 어떤 동물의 세포 분열 과정과 수정 과정에서 핵 1개당 DNA양 변화를, (나)는 (가)의 t_1~t_4 중 한 시기에서 관찰된 세포를 나타낸 것이다. t_2와 t_3은 중기에 해당한다.

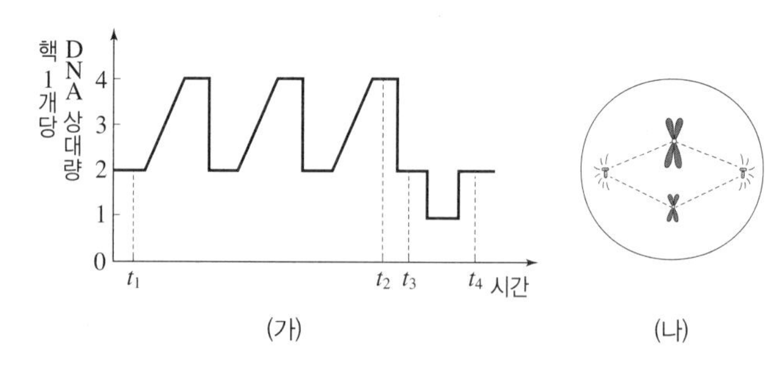

이에 대한 설명으로 옳은 것만을 〈보기〉에서 있는 대로 고른 것은?

〈 보기 〉

ㄱ. t_1~t_4에서 관찰되는 세포의 핵상은 모두 $2n$이다.

ㄴ. (가)에서 3회의 체세포 분열이 일어났다.

ㄷ. (나)는 t_3에서 관찰된다.

① ㄱ ② ㄷ ③ ㄱ, ㄴ
④ ㄴ, ㄷ ⑤ ㄱ, ㄴ, ㄷ

B 생식세포 분열과 유전적 다양성

349 하 중 상

유전적 다양성과 생명의 연속성에 대한 설명으로 옳은 것만을 〈보기〉에서 있는 대로 고른 것은?

〈 보기 〉
ㄱ. 한 사람이 만들 수 있는 생식세포의 염색체 조합은 2^{46}가지이다.
ㄴ. 암수 생식세포의 무작위 수정에 의해 유전적으로 다양한 자손이 태어난다.
ㄷ. 상동 염색체의 무작위 배열과 분리는 유전적 다양성을 감소시키는 요인이다.
ㄹ. 유전적 다양성이 높은 종은 환경 변화에 대한 적응력이 높아 환경이 변하더라도 쉽게 멸종되지 않는다.

① ㄱ, ㄷ ② ㄱ, ㄹ ③ ㄴ, ㄹ
④ ㄱ, ㄴ, ㄷ ⑤ ㄴ, ㄷ, ㄹ

350 하 중 상

그림은 정자와 난자의 형성과 수정 및 발생 과정을 통해 자손이 형성되는 과정을 나타낸 것이다.

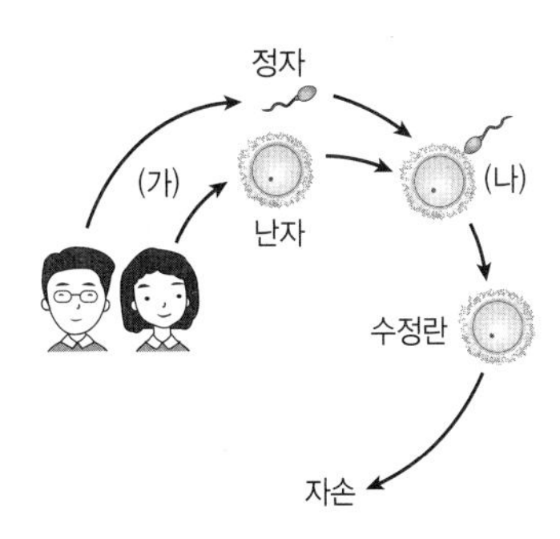

이에 대한 설명으로 옳은 것만을 〈보기〉에서 있는 대로 고른 것은?

〈 보기 〉
ㄱ. (가) 과정에서 한 상동 염색체 쌍의 분리는 다른 상동 염색체 쌍의 분리와 독립적으로 일어난다.
ㄴ. (나) 과정에서 정자와 난자의 수정은 무작위적으로 일어난다.
ㄷ. (가)와 (나) 과정을 통해 태어난 자손의 염색체 수는 부모와 같게 유지될 수 있다.

① ㄱ ② ㄷ ③ ㄱ, ㄴ
④ ㄴ, ㄷ ⑤ ㄱ, ㄴ, ㄷ

351 하 중 상 ••서술형

유성 생식을 하는 생물에서 자손의 유전적 다양성이 증가하는 요인을 다음 조건을 고려하여 서술하시오.

- 돌연변이와 교차는 고려하지 않는다.
- 생식세포 형성과 수정 과정을 모두 포함하여 서술한다.

352 하 중 상

그림은 유전자형이 AaBb인 어떤 생물에서 생식세포가 형성되는 과정을 나타낸 것이다. A와 a, B와 b는 각각 대립유전자이며, A와 B는 각각 서로 다른 염색체에 있다.

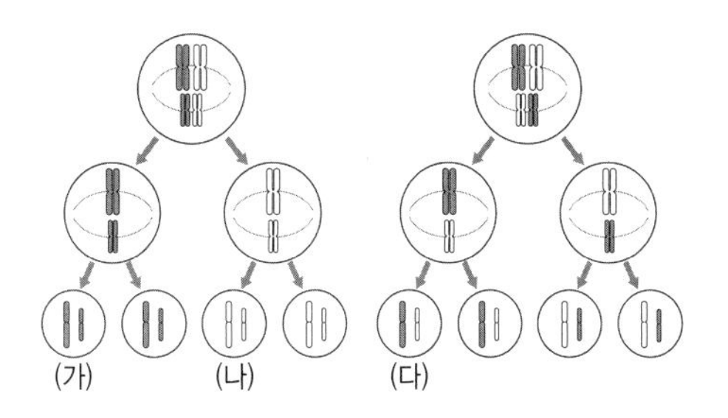

이에 대한 설명으로 옳은 것만을 〈보기〉에서 있는 대로 고른 것은? (단, 돌연변이와 교차는 고려하지 않는다.)

〈 보기 〉
ㄱ. (가)의 유전자 조합이 AB이면 (나)의 유전자 조합은 ab이다.
ㄴ. (가)와 (다)의 유전자 조합은 같다.
ㄷ. 분열 결과 유전자 조합이 서로 다른 8종류의 생식세포가 형성된다.

① ㄱ ② ㄷ ③ ㄱ, ㄴ
④ ㄴ, ㄷ ⑤ ㄱ, ㄴ, ㄷ

353 하 중 상

그림은 유전자형이 AaBb인 어떤 생물에서 유전자가 염색체에 있는 모습을 나타낸 것이다. 이 생물의 생식세포의 유전자형이 aB일 확률을 쓰시오.(단, 돌연변이와 교차는 고려하지 않는다.)

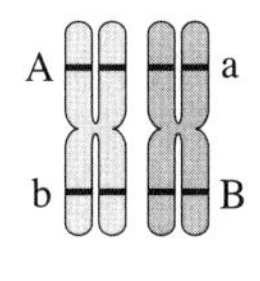

354 하 중 상

유전자형이 AaBbDd인 어떤 생물에서 A와 a, B와 b, D와 d가 각각 3쌍의 상동 염색체에 있는 경우 생식세포 분열 결과 형성될 수 있는 생식세포의 유전자형을 모두 쓰시오.(단, 돌연변이와 교차는 고려하지 않는다.)

생식세포 분열을 다양한 자료로 파악하기

355 하 중 상

표는 유전자형이 **AaBb**인 어떤 사람에 있는 세포 ㉠~㉣의 핵상과 유전자 **A**, **b**의 **DNA** 상대량을 나타낸 것이다. **A**와 **a**, **B**와 **b**는 각각 대립유전자이고, ㉠과 ㉣은 중기의 세포이다.

세포	핵상	DNA 상대량	
		A	b
㉠	?	0	2
㉡	n	1	0
㉢	$2n$	1	1
㉣	?	2	0

이에 대한 설명으로 옳은 것만을 〈보기〉에서 있는 대로 고른 것은? (단, 돌연변이와 교차는 고려하지 않으며, **A**, **a**, **B**, **b** 각각의 **1**개당 **DNA** 상대량은 **1**이다.)

〈 보기 〉
ㄱ. 핵상은 ㉠과 ㉡이 다르다.
ㄴ. ㉣에는 2가 염색체가 있다.
ㄷ. B의 DNA 상대량은 ㉣이 ㉢의 2배이다.

① ㄱ ② ㄷ ③ ㄱ, ㄴ ④ ㄴ, ㄷ ⑤ ㄱ, ㄴ, ㄷ

356 하 중 상

그림은 핵상이 $2n$인 어떤 동물에서 G_1기의 세포 ㉠으로부터 정자가 형성되는 과정을, 표는 세포 ⓐ~ⓓ가 갖는 유전자 **H**와 **t**의 **DNA** 상대량을 나타낸 것이다. ⓐ~ⓓ는 ㉠~㉣을 순서 없이 나타낸 것이고, **H**와 **h**, **T**와 **t**는 각각 대립유전자이고, ㉢은 중기의 세포이다.

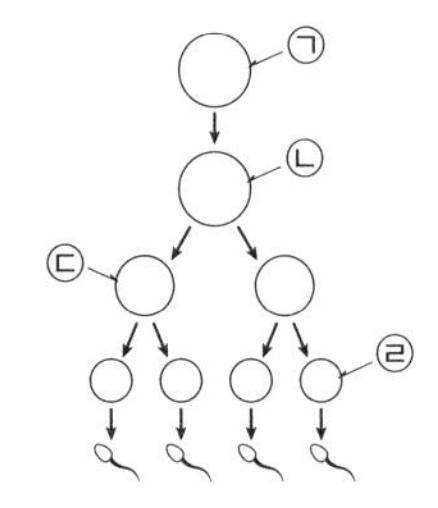

세포	DNA 상대량	
	H	t
ⓐ	?	?
ⓑ	2	2
ⓒ	0	1
ⓓ	1	1

이에 대한 설명으로 옳은 것만을 〈보기〉에서 있는 대로 고른 것은? (단, 돌연변이와 교차는 고려하지 않으며, **H**, **h**, **T**, **t** 각각의 **1**개당 **DNA** 상대량은 **1**이다.)

〈 보기 〉
ㄱ. ㉢은 ⓑ이다.
ㄴ. 세포의 핵상은 ㉡과 ⓓ에서 같다.
ㄷ. ⓐ에 들어 있는 H의 DNA 상대량은 2이다.

① ㄱ ② ㄷ ③ ㄱ, ㄴ
④ ㄴ, ㄷ ⑤ ㄱ, ㄴ, ㄷ

357 하 중 상

그림은 유전자형이 **AaBbDD**인 어떤 동물의 G_1기 세포 Ⅰ로부터 정자가 형성되는 과정을, 표는 세포 (가)~(다)가 갖는 유전자 **a**, **b**, **D**의 **DNA** 상대량을 나타낸 것이다. (가)~(다)는 각각 Ⅰ~Ⅲ 중 하나이며, Ⅱ는 중기의 세포이다.

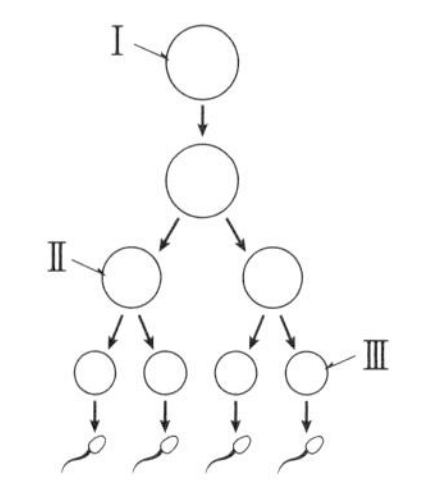

세포	DNA 상대량		
	a	b	D
(가)	0	0	2
(나)	㉠	1	㉡
(다)	1	1	2

이에 대한 설명으로 옳은 것만을 〈보기〉에서 있는 대로 고른 것은? (단, 돌연변이와 교차는 고려하지 않으며, **A**, **a**, **B**, **b**, **D**, **d** 각각의 **1**개당 **DNA** 상대량은 **1**이다.)

〈 보기 〉
ㄱ. (다)는 Ⅰ이다.
ㄴ. ㉠+㉡=3이다.
ㄷ. Ⅱ에는 A가 있다.

① ㄱ ② ㄴ ③ ㄱ, ㄷ ④ ㄴ, ㄷ ⑤ ㄱ, ㄴ, ㄷ

358 하 중 상

어떤 동물 종($2n=6$)의 특정 형질은 **2**쌍의 대립유전자 **H**와 **h**, **T**와 **t**에 의해 결정된다. 표는 이 동물 종의 개체 Ⅰ의 세포 ㉠~㉣이 갖는 **H**, **h**, **T**, **t**의 **DNA** 상대량을, 그림은 Ⅰ의 세포 **P**를 나타낸 것이다. **P**는 ㉠~㉣ 중 하나이며, ㉠~㉣ 중 **2**개는 중기의 세포이다.

세포	DNA 상대량			
	H	h	T	t
㉠	1	?	1	1
㉡	2	2	2	ⓐ
㉢	2	0	0	?
㉣	0	1	ⓑ	0

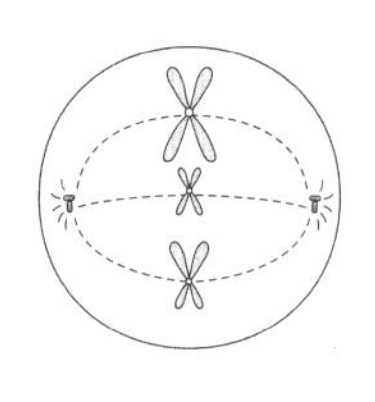

이에 대한 설명으로 옳은 것만을 〈보기〉에서 있는 대로 고른 것은? (단, 돌연변이와 교차는 고려하지 않으며, **H**, **h**, **T**, **t** 각각의 **1**개당 **DNA** 상대량은 **1**이다.)

〈 보기 〉
ㄱ. P는 ㉢이다.
ㄴ. ⓐ+ⓑ=2이다.
ㄷ. Ⅰ의 체세포 분열 중기 세포 1개당 염색 분체 수와 ㉡의 염색 분체 수는 같다.

① ㄱ ② ㄴ ③ ㄱ, ㄷ
④ ㄴ, ㄷ ⑤ ㄱ, ㄴ, ㄷ

359

어떤 동물 종($2n=6$)의 유전 형질 ⓐ는 2쌍의 대립유전자 H와 h, T와 t에 의해 결정된다. 그림은 이 동물 종의 세포 (가)~(라)가 갖는 유전자 ㉠~㉣의 DNA 상대량을 나타낸 것이다. 이 동물 종의 개체 Ⅰ에서는 ㉠~㉣의 DNA 상대량이 (가), (나), (다)와 같은 세포가, 개체 Ⅱ에서는 ㉠~㉣의 DNA 상대량이 (나), (다), (라)와 같은 세포가 형성된다. ㉠~㉣은 H, h, T, t를 순서 없이 나타낸 것이다. 이 동물 종의 성염색체는 암컷이 XX, 수컷이 XY이며, (가)와 (다)는 중기의 세포이다.

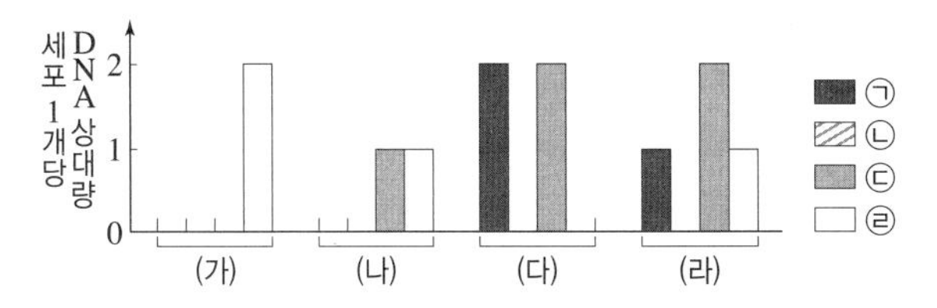

이에 대한 설명으로 옳지 않은 것은?(단, 돌연변이와 교차는 고려하지 않으며, H, h, T, t 각각의 1개당 DNA 상대량은 1이다.)

① Ⅰ은 수컷, Ⅱ는 암컷이다.
② ㉠과 ㉣은 대립유전자이다.
③ ㉡과 ㉢은 X 염색체에 있다.
④ (가)와 (다)의 염색 분체 수는 같다.
⑤ 세포 1개당 $\frac{\text{X 염색체 수}}{\text{상염색체 수}}$는 (라)가 (나)의 2배이다.

360

그림 (가)는 유전자형이 HhTtRr인 사람의 감수 분열 과정에서 세포 1개당 DNA 상대량의 변화를, (나)는 세포 ㉠~㉣이 갖는 세포 1개당 유전자 H, T, r의 수를 나타낸 것이다. ㉠~㉣은 각각 구간 Ⅰ~Ⅳ 중 서로 다른 한 시기의 세포이고 Ⅱ와 Ⅲ은 중기이다. H와 h, T와 t, R와 r는 각각 대립유전자이다.

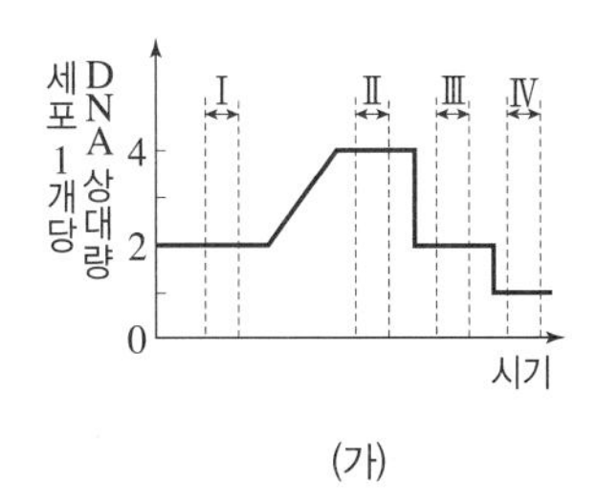

(가)

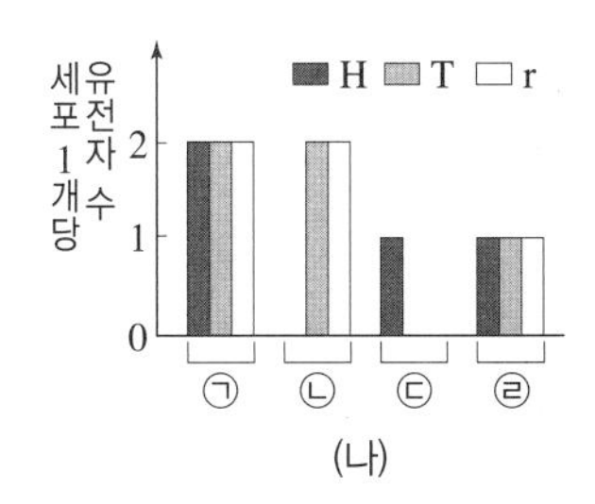

(나)

이에 대한 설명으로 옳은 것만을 〈보기〉에서 있는 대로 고른 것은?(단, 돌연변이와 교차는 고려하지 않는다.)

〈 보기 〉

ㄱ. ㉢은 구간 Ⅳ의 세포이다.
ㄴ. ㉠과 ㉡의 핵상은 모두 $2n$이다.
ㄷ. H와 r는 같은 염색체에 있다.

① ㄱ ② ㄴ ③ ㄱ, ㄷ ④ ㄴ, ㄷ ⑤ ㄱ, ㄴ, ㄷ

361

그림 (가)는 유전자형이 AaBb인 사람의 감수 분열 과정에서 세포 1개당 DNA 상대량의 변화를, (나)는 세포 ㉠~㉣이 갖는 세포 1개당 유전자 A와 b의 수를 나타낸 것이다. ㉠~㉣은 각각 구간 Ⅰ~Ⅳ 중 서로 다른 한 시기의 세포이고, Ⅱ와 Ⅲ은 중기이다. A와 a, B와 b는 각각 대립유전자이다.

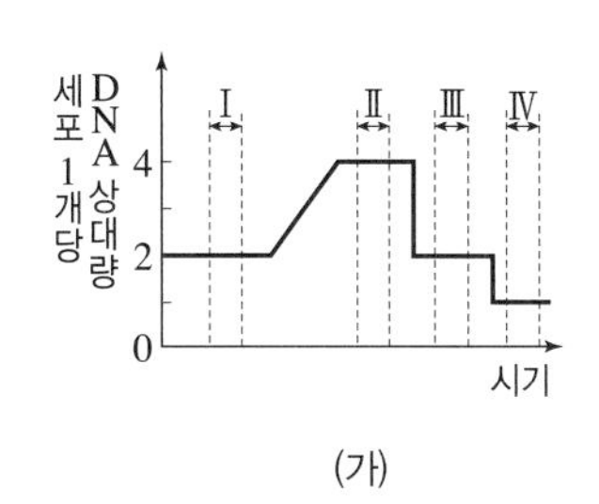

(가)

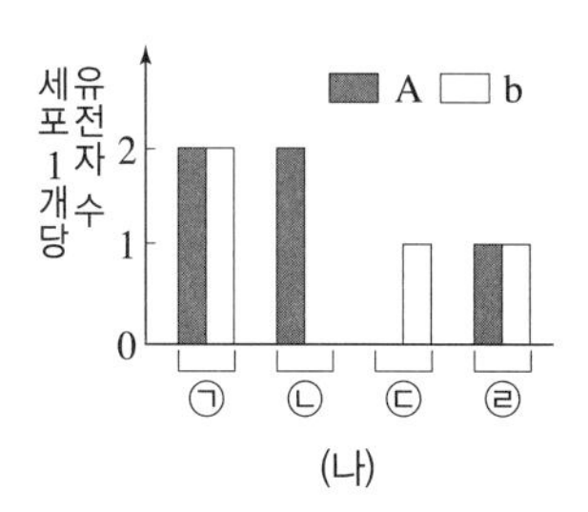

(나)

이에 대한 설명으로 옳은 것은?(단, 돌연변이와 교차는 고려하지 않는다.)

① ㉠은 구간 Ⅲ의 세포이다.
② ㉣의 핵상은 $2n$이다.
③ ㉡에 2가 염색체가 있다.
④ ㉡이 분열하여 ㉢이 된다.
⑤ 구간 Ⅱ의 세포에서 염색 분체 수는 46이다.

빈출

362

사람의 유전 형질 ⓐ는 3쌍의 대립유전자 E와 e, F와 f, G와 g에 의해 결정되며, ⓐ를 결정하는 유전자는 서로 다른 3개의 상염색체에 존재한다. 그림 (가)는 어떤 사람의 G_1기 세포 Ⅰ로부터 정자가 형성되는 과정을, (나)는 이 사람의 세포 ㉠~㉢이 갖는 유전자 E, G의 DNA 상대량을 나타낸 것이다. ㉠~㉢은 Ⅰ~Ⅲ을 순서 없이 나타낸 것이고, Ⅱ는 중기의 세포이다.

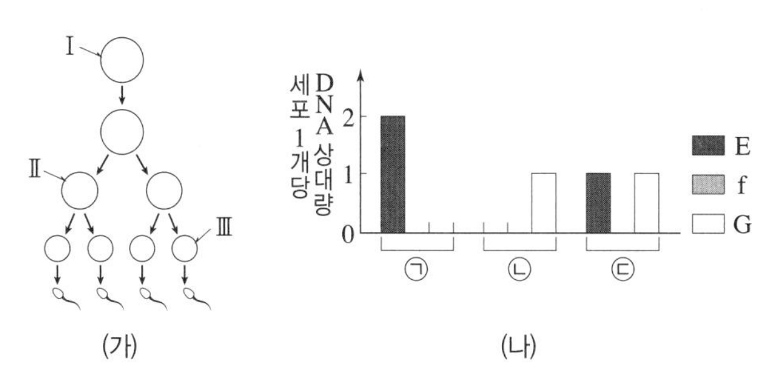

(가) (나)

이에 대한 설명으로 옳은 것만을 〈보기〉에서 있는 대로 고른 것은?(단, 돌연변이와 교차는 고려하지 않으며, E, e, F, f, G, g 각각의 1개당 DNA 상대량은 1이다.)

〈 보기 〉

ㄱ. Ⅰ은 e를 갖는다.
ㄴ. Ⅱ에서 세포 1개당 $\frac{\text{E의 DNA 상대량}+\text{G의 DNA 상대량}}{\text{F의 DNA 상대량}}$은 1이다.
ㄷ. Ⅲ은 ㉢이다.

① ㄱ ② ㄷ ③ ㄱ, ㄴ ④ ㄴ, ㄷ ⑤ ㄱ, ㄴ, ㄷ

14 세포의 염색체 구성

Ⓐ 세포의 염색체 구성

1 핵형 체세포에 들어 있는 염색체의 수, 모양, 크기와 같은 염색체의 외형적인 특징이다.

① 같은 종에서 성별이 같으면 체세포의 핵형은 ❶□□하다.

② 생물종이 다르면 ❷□□도 다르다. ➡ 생물종이 달라도 염색체 수가 같은 경우는 있지만 염색체의 크기나 모양 등은 다르기 때문이다.

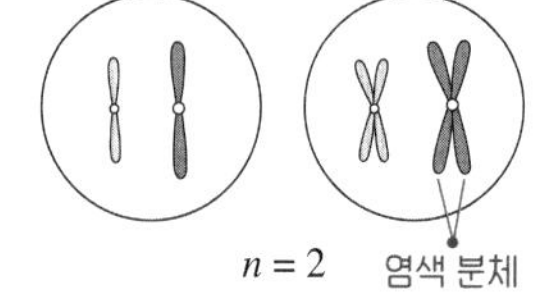

2 핵상 하나의 세포 속에 들어 있는 염색체의 상대적인 수이다. ➡ 상동 염색체가 쌍을 이루고 있으면 ❸□□, 상동 염색체 중 하나씩만 있으면 ❹□으로 표시한다.

상동 염색체는 한 쌍의 염색체이므로 n인 경우 상동 염색체가 없다.

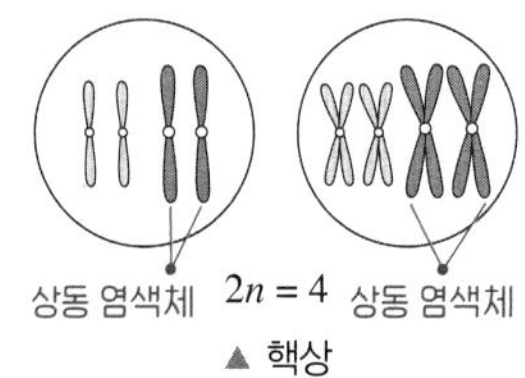

▲ 핵상

기출 Tip Ⓐ-2

체세포와 생식세포의 핵상
- 체세포는 상동 염색체가 쌍을 이루고 있으므로 $2n$으로 표시한다.
- 생식세포는 상동 염색체 중 하나씩만 있어 n으로 표시한다.

3 세포 분열 시 염색체 변화

① 체세포 분열: G_1기 세포에서 DNA가 복제된 후 염색 분체가 분리된다.

② 생식세포 분열: G_1기 세포에서 DNA가 복제된 후 상동 염색체와 염색 분체가 분리된다.

(세포 분열과 염색체 구성)

(가)~(바)는 암컷과 수컷의 G_1기 세포의 염색체 구성이 각각 Ⅰ과 Ⅱ인 어떤 동물에서 세포 분열이 일어날 때 만들어지는 염색체 구성이다. 암컷의 유전자형은 Aa, 수컷의 유전자형은 aa이다.

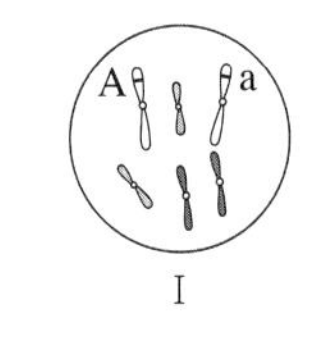

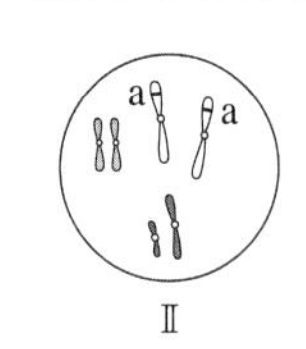

(가) 수컷에만 있는 성염색체가 있다. ➡ 수컷에서 세포 분열 중 DNA가 복제된 상태

(나)
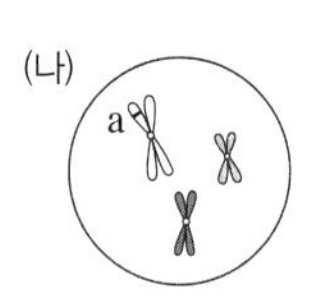

암컷과 수컷에 모두 있는 성염색체와 유전자 a가 있다. ➡ 암컷 또는 수컷의 감수 2분열 중인 세포

(다)
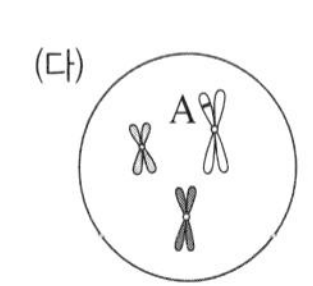

암컷에만 있는 유전자 A가 있다. ➡ ❺□□의 감수 2분열 중인 세포

(라)
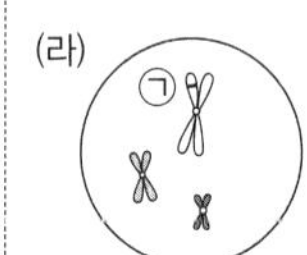

수컷에만 있는 성염색체가 있다. ➡ 수컷의 감수 ❻□분열 중인 세포이고, ㉠은 a이다.

(마)
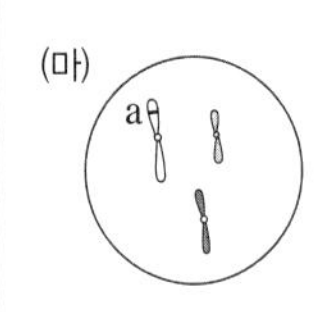

암컷과 수컷에 모두 있는 성염색체와 유전자 a가 있다. ➡ 암컷 또는 수컷의 생식세포

(바)
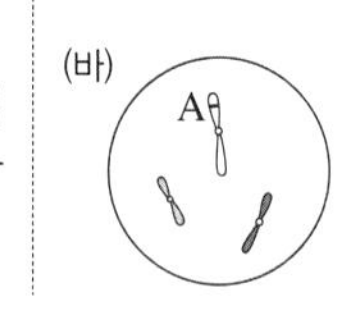

암컷에만 있는 유전자 A가 있다. ➡ 암컷의 생식세포

기출 Tip Ⓐ-3

암컷과 수컷의 염색체

염색체 구성을 파악할 때 같은 종에서 성별이 같으면 체세포의 핵형이 동일하다는 것과 성염색체를 먼저 찾는 것이 중요하다. 암컷의 성염색체가 XX, 수컷의 성염색체가 XY일 때 그림에서 쌍을 이루는 염색체가 모두 모양과 크기가 같으면 암컷의 염색체, 쌍을 이루는 염색체 중 모양과 크기가 다른 것이 있으면 수컷의 염색체이다.

답 ❶ 동일 ❷ 핵형 ❸ $2n$ ❹ n ❺ 암컷 ❻ 2

빈출 자료 보기

정답과 해설 50쪽

363 그림은 세포 (가)~(다)에 들어 있는 모든 염색체를 나타낸 것이다. (가)~(다) 각각은 개체 A($2n=4$)와 B($2n=?$)의 세포 중 하나이다. A와 B의 성염색체는 모두 암컷이 XX, 수컷이 XY이다.

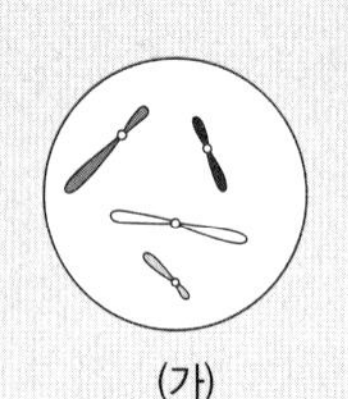
(가)

(나)

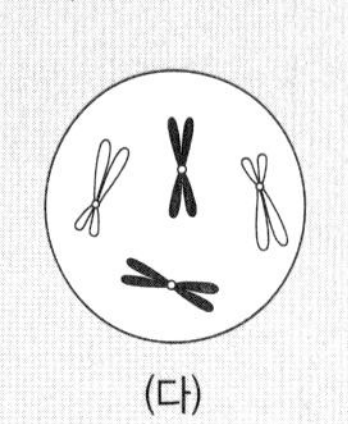
(다)

이에 대한 설명으로 옳은 것은 ○, 옳지 않은 것은 ×로 표시하시오. (단, 돌연변이와 교차는 고려하지 않는다.)

(1) B는 수컷이다. ( )

(2) (다)는 A의 세포이다. ( )

(3) (나)와 (다)의 핵상은 같다. ( )

(4) B의 체세포 염색체 수는 4이다. ( )

(5) (가)와 (나)는 B의 세포이다. ( )

(6) A의 감수 1분열 중기 세포의 염색 분체 수는 8이다. ( )

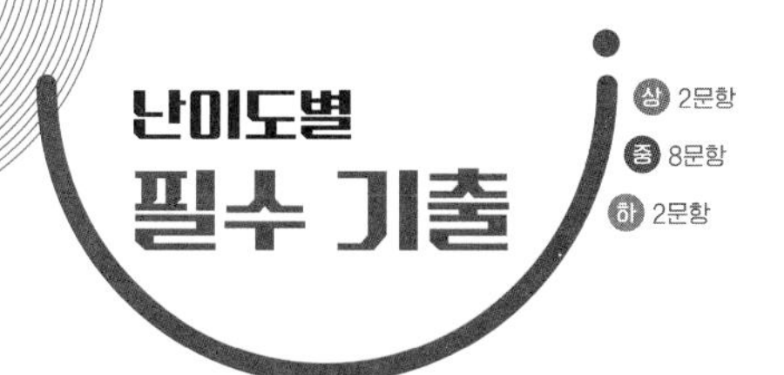

정답과 해설 50쪽

A 세포의 염색체 구성

염색체 구성 파악하기

364 하 중 상

다음 조건을 만족하는 염색체 구성으로 옳은 것은?

- 핵상과 염색체 수가 $2n=6$이다.
- 한 염색체는 염색 분체 2개로 구성된다.
- 성염색체로 XY를 갖는다.

① 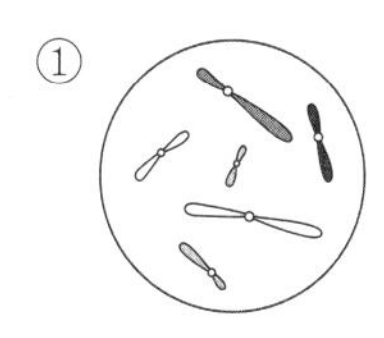
②  
③ 
④ 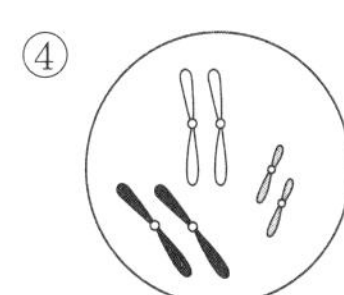
⑤ 

365 하 중 상

그림은 동물 A($2n=?$)의 분열 중인 어떤 세포에 들어 있는 모든 염색체를 나타낸 것이다. 이 세포에서 핵 1개당 DNA 상대량은 2이다.

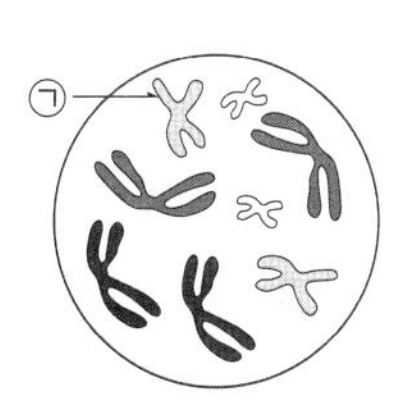

이에 대한 설명으로 옳은 것만을 〈보기〉에서 있는 대로 고른 것은?

〈 보기 〉
ㄱ. ㉠은 성염색체이다.
ㄴ. 체세포 분열 중기의 세포 1개당 염색체 수는 8이다.
ㄷ. G_1기 세포의 핵 1개당 DNA 상대량은 4이다.

① ㄱ ② ㄴ ③ ㄱ, ㄴ
④ ㄱ, ㄷ ⑤ ㄴ, ㄷ

빈출 **366** 하 중 상

그림은 어떤 동물의 세포 (가)~(다)의 염색체를 나타낸 것이다. 이 동물의 성염색체는 XY이다.

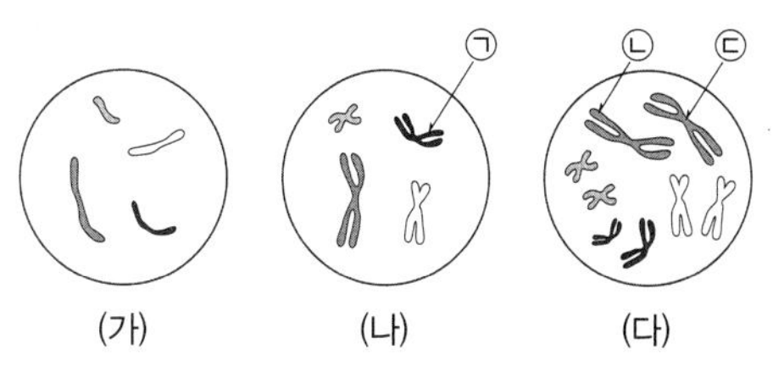

이에 대한 설명으로 옳은 것만을 〈보기〉에서 있는 대로 고른 것은?

〈 보기 〉
ㄱ. (가)와 (나)의 핵상은 같다.
ㄴ. ㉠은 성염색체이다.
ㄷ. ㉡과 ㉢은 모계로부터 물려받은 것이다.

① ㄱ ② ㄷ ③ ㄱ, ㄴ
④ ㄴ, ㄷ ⑤ ㄱ, ㄴ, ㄷ

같은 종에서 수컷과 암컷의 염색체 구성 파악하기

367 하 중 상

표는 사람의 세포 A~C에서 염색체 ㉠~㉢의 유무를, 그림은 ㉠~㉢의 상대적인 크기를 나타낸 것이다. ㉠~㉢은 각각 15번 염색체, X 염색체, Y 염색체 중 하나이며, A~C는 정자, 남자의 체세포, 여자의 체세포를 순서 없이 나타낸 것이다.

세포 \ 염색체	㉠	㉡	㉢
A	○	×	○
B	○	○	×
C	○	○	○

(○: 있음, ×: 없음)

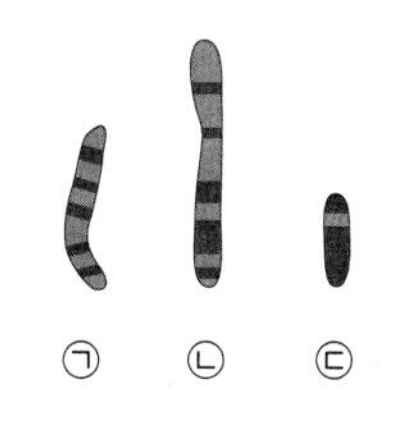

이에 대한 설명으로 옳은 것만을 〈보기〉에서 있는 대로 고른 것은?

〈 보기 〉
ㄱ. ㉢은 Y 염색체이다.
ㄴ. B의 핵상은 n이다.
ㄷ. C는 남자의 체세포이다.

① ㄱ ② ㄷ ③ ㄱ, ㄴ
④ ㄱ, ㄷ ⑤ ㄴ, ㄷ

368 하중상

그림은 어떤 동물의 수컷과 암컷에 들어 있는 체세포의 염색체를 나타낸 것이다.

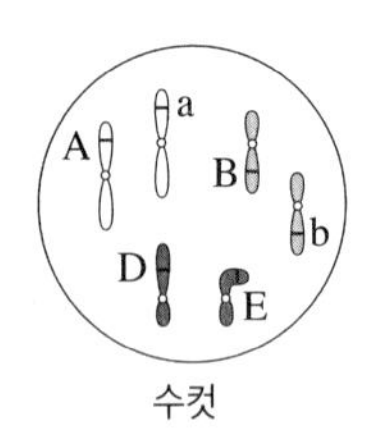

수컷

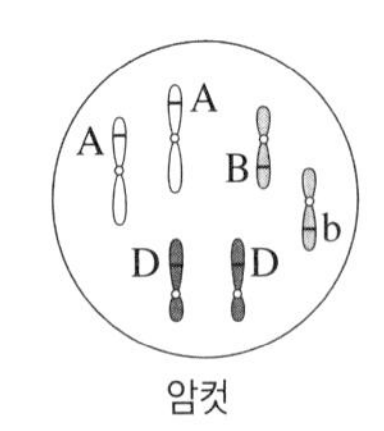

암컷

이에 대한 설명으로 옳은 것만을 〈보기〉에서 있는 대로 고른 것은?(단, 돌연변이와 교차는 고려하지 않는다.)

〈 보기 〉
ㄱ. 암컷에서 만들어지는 모든 난자는 D를 갖는다.
ㄴ. 수컷에서 생식세포 분열 결과 서로 다른 8종류의 생식세포가 형성된다.
ㄷ. 이들의 교배를 통해 유전자형이 AaBbDE인 자손이 태어날 수 있다.

① ㄱ ② ㄷ ③ ㄱ, ㄴ
④ ㄴ, ㄷ ⑤ ㄱ, ㄴ, ㄷ

369 하중상

그림은 세포 (가)~(다)에 들어 있는 모든 염색체를 나타낸 것이다. (가)~(다)는 각각 수컷 A와 암컷 B의 세포 중 하나이다. A와 B는 같은 종이고 A의 성염색체는 XY, B의 염색체는 XX이다.

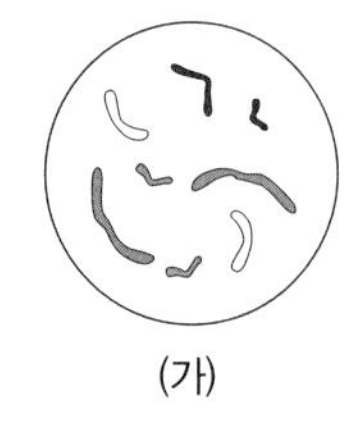
(가)

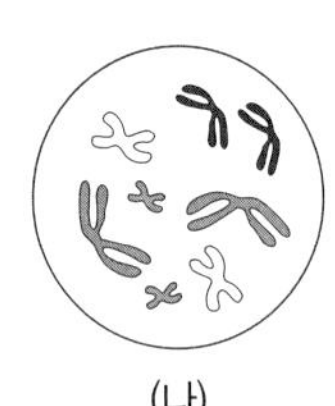
(나)

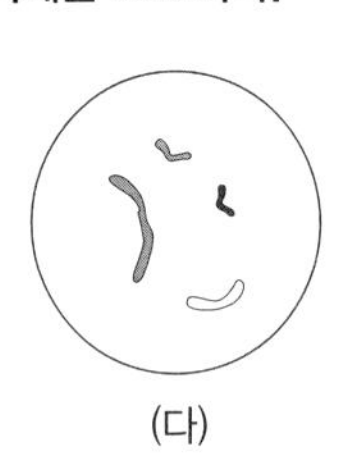
(다)

이에 대한 설명으로 옳은 것만을 〈보기〉에서 있는 대로 고른 것은?(단, 돌연변이와 교차는 고려하지 않는다.)

〈 보기 〉
ㄱ. (가)와 (나)의 핵상은 다르다.
ㄴ. (다)는 B의 세포이다.
ㄷ. $\frac{\text{상염색체 수}}{\text{X 염색체 수}}$는 (가)가 (나)의 2배이다.

① ㄱ ② ㄷ ③ ㄱ, ㄴ
④ ㄴ, ㄷ ⑤ ㄱ, ㄴ, ㄷ

빈출 370 하중상

그림은 같은 종인 동물($2n=6$) Ⅰ과 Ⅱ의 세포 (가)~(라) 각각에 들어 있는 모든 염색체를 나타낸 것이다. (가)~(라) 중 1개만 Ⅰ의 세포이며, 나머지는 Ⅱ의 G_1기 세포로부터 생식세포가 형성되는 과정에서 나타나는 세포이다. 이 동물의 성염색체는 암컷이 XX, 수컷이 XY이다.

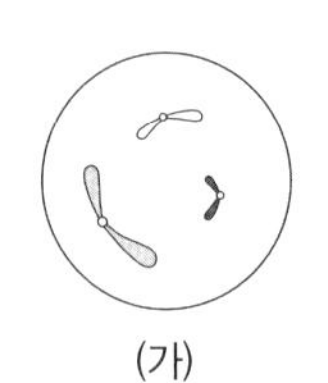
(가)

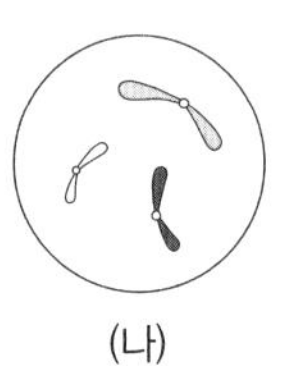
(나)

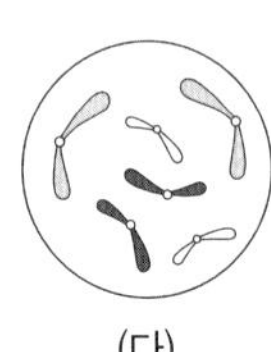
(다)

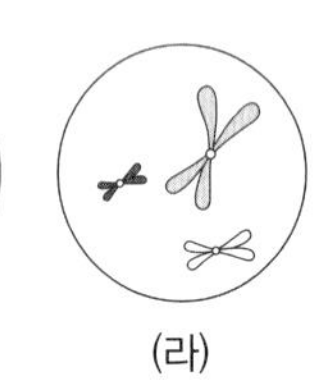
(라)

이에 대한 설명으로 옳은 것만을 〈보기〉에서 있는 대로 고른 것은?(단, 돌연변이와 교차는 고려하지 않는다.)

〈 보기 〉
ㄱ. (가)는 세포 주기의 S기를 거쳐 (라)가 된다.
ㄴ. (나)는 수컷의 세포이다.
ㄷ. (다)는 Ⅰ의 세포이다.

① ㄱ ② ㄷ ③ ㄱ, ㄴ
④ ㄴ, ㄷ ⑤ ㄱ, ㄴ, ㄷ

371 하중상

그림은 같은 종인 동물($2n=6$) Ⅰ과 Ⅱ의 세포 (가)~(라) 각각에 들어 있는 모든 염색체를 나타낸 것이다. (가)~(라) 중 2개는 Ⅰ의 세포이고, 나머지 2개는 Ⅱ의 세포이다. 이 동물의 성염색체는 암컷이 XX, 수컷이 XY이다. 이 동물 종의 특정 형질은 대립유전자 A와 a, B와 b에 의해 결정되며, Ⅰ의 유전자형은 AaBB이고, Ⅱ의 유전자형은 AABb이다. ㉠은 B와 b 중 하나이다.

(가)

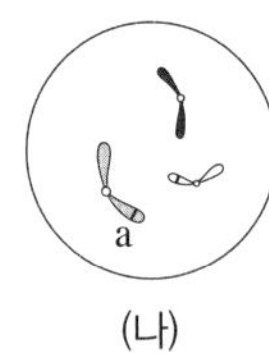

(나)

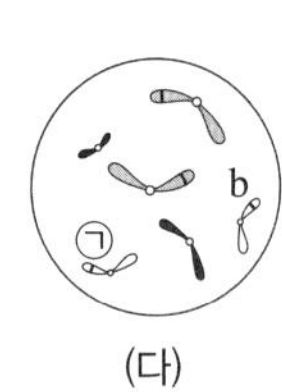

(다)

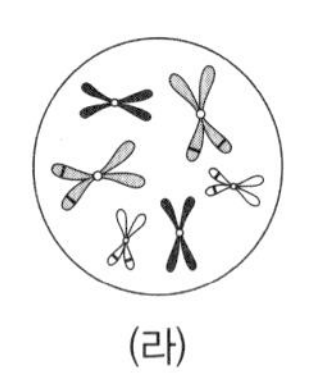
(라)

이에 대한 설명으로 옳지 않은 것은?(단, 돌연변이와 교차는 고려하지 않는다.)

① (가)는 암컷의 세포이다.
② (가)와 (나)의 핵상은 같다.
③ (다)는 Ⅱ의 세포이다.
④ (라)는 Ⅰ의 세포이다.
⑤ ㉠은 B이다.

서로 다른 종의 염색체 구성 파악하기

372 하 중 상

그림 (가)와 (나)는 각각 동물 A와 B의 어떤 세포에 들어 있는 모든 염색체를 나타낸 것이다. A와 B의 성염색체는 XY이다.

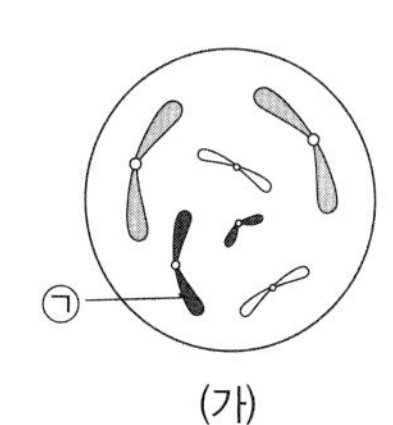

(가)

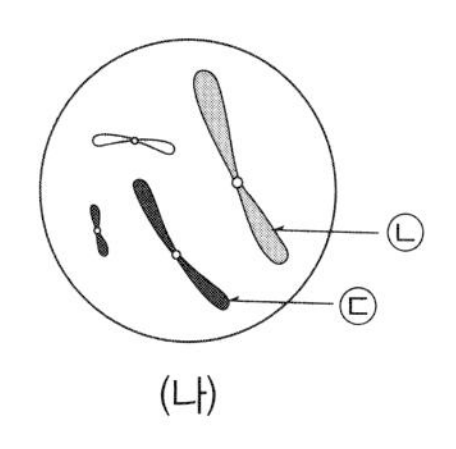

(나)

이에 대한 설명으로 옳은 것만을 〈보기〉에서 있는 대로 고른 것은? (단, 돌연변이와 교차는 고려하지 않는다.)

〈 보기 〉
ㄱ. ㉠은 성염색체이다.
ㄴ. ㉡과 ㉢은 상동 염색체이다.
ㄷ. (가)와 (나)의 핵상은 다르다.
ㄹ. A와 B의 생식세포에 들어 있는 염색체 수는 다르다.

① ㄱ, ㄴ ② ㄱ, ㄷ ③ ㄴ, ㄹ
④ ㄱ, ㄷ, ㄹ ⑤ ㄴ, ㄷ, ㄹ

373 하 중 상

그림은 세포 (가)와 (나) 각각에 들어 있는 모든 염색체를 나타낸 것이다. (가)와 (나)는 각각 동물 A($2n=4$)와 동물 B($2n=?$)의 세포 중 하나이다.

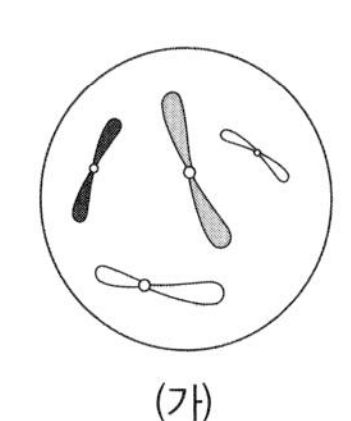
(가)

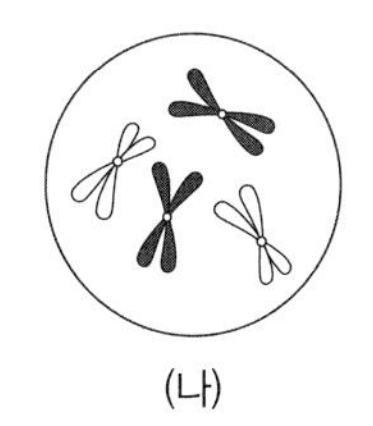
(나)

이에 대한 설명으로 옳은 것만을 〈보기〉에서 있는 대로 고른 것은? (단, 돌연변이와 교차는 고려하지 않는다.)

〈 보기 〉
ㄱ. (가)의 핵상은 n이다.
ㄴ. (나)는 A의 세포이다.
ㄷ. (가)와 (나)의 염색체 수는 같다.
ㄹ. B의 감수 1분열 중기의 세포 1개당 염색 분체 수는 8이다.

① ㄱ, ㄴ ② ㄱ, ㄹ ③ ㄷ, ㄹ
④ ㄱ, ㄴ, ㄷ ⑤ ㄴ, ㄷ, ㄹ

빈출

374 하 중 상

그림은 세포 (가)~(라) 각각에 들어 있는 모든 염색체를 나타낸 것이다. 서로 다른 개체 A, B, C는 2가지 종으로 구분되며, 모두 $2n=8$이다. (가)는 A의 세포이고, (나)는 B의 세포이며, (다)와 (라)는 각각 B의 세포와 C의 세포 중 하나이다. A~C의 성염색체는 암컷이 XX, 수컷이 XY이다.

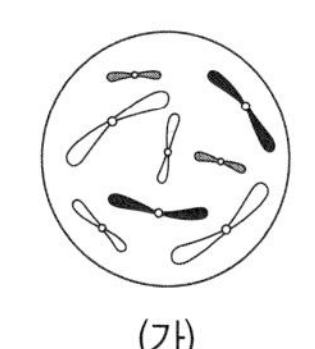
(가)

(나)

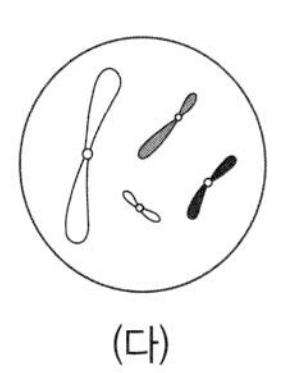
(다)

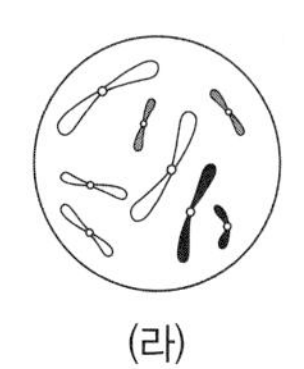
(라)

이에 대한 설명으로 옳은 것만을 〈보기〉에서 있는 대로 고른 것은? (단, 돌연변이와 교차는 고려하지 않는다.)

〈 보기 〉
ㄱ. (가)와 (라)는 같은 종의 세포이다.
ㄴ. (다)는 C의 세포이다.
ㄷ. A와 B는 성이 같다.
ㄹ. X 염색체 수는 (나)가 (라)의 2배이다.

① ㄱ, ㄴ ② ㄱ, ㄷ ③ ㄷ, ㄹ
④ ㄱ, ㄴ, ㄹ ⑤ ㄴ, ㄷ, ㄹ

375 하 중 상

多 보기

그림은 세포 (가)~(마) 각각에 들어 있는 모든 염색체를 나타낸 것이다. 서로 다른 개체 A, B, C는 2가지 종으로 구분되며, 모두 $2n=6$이다. (가)는 A의 세포이고 (나)는 B의 세포이며, (다), (라), (마) 각각은 B와 C의 세포 중 하나이다. A~C의 성염색체는 암컷이 XX, 수컷이 XY이다.

(가)

(나)

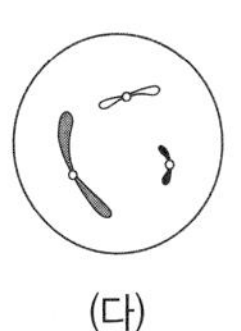
(다)

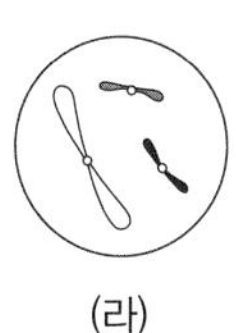
(라)

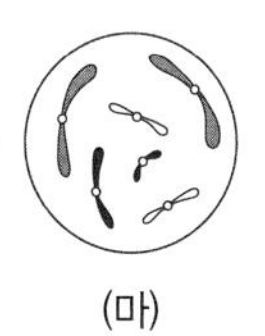
(마)

이에 대한 설명으로 옳지 않은 것은?(단, 돌연변이와 교차는 고려하지 않는다.)

① (가)와 (라)는 같은 종의 세포이다.
② A와 B는 성이 다르다.
③ (나)는 암컷의 세포이다.
④ (라)는 C의 세포이다.
⑤ (나)와 (다)의 핵상은 같다.
⑥ B와 C는 서로 다른 종이다.

376

다음은 세포 주기에 대한 실험이다.

[실험 과정]

(가) 어떤 동물의 체세포를 배양하여 집단 A~C로 나눈다.

(나) B에는 물질 X를, C에는 물질 Y를 각각 처리하고, A~C를 동일한 조건에서 일정 시간 동안 배양한다. X와 Y는 각각 DNA 합성을 저해하는 물질과 방추사 형성을 방해하는 물질 중 하나이다.

(다) 세 집단의 세포를 동시에 고정한 후, 각 집단의 DNA 양에 따른 세포 수를 측정한다.

[실험 결과]

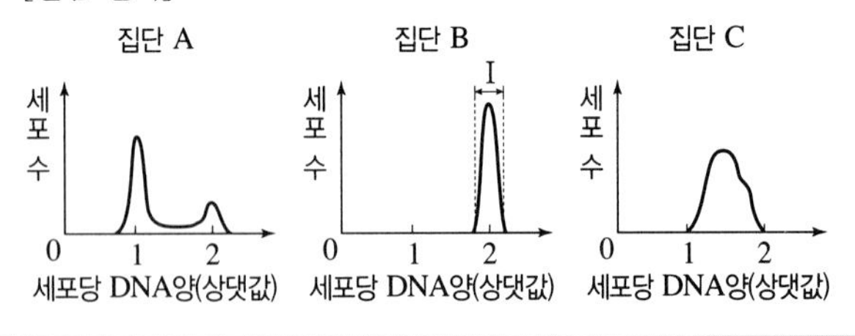

이에 대한 설명으로 옳은 것만을 〈보기〉에서 있는 대로 고른 것은?

〈 보기 〉

ㄱ. A에서 G_2기의 세포 수가 G_1기의 세포 수보다 많다.

ㄴ. 구간 Ⅰ에는 염색 분체가 분리되지 않은 상태의 세포가 있다.

ㄷ. C의 세포는 모두 M기에 있다.

① ㄱ ② ㄴ ③ ㄱ, ㄴ

④ ㄱ, ㄷ ⑤ ㄱ, ㄴ, ㄷ

377

표는 유전자형이 AaBbDd인 어떤 동물($2n=6$)의 세포 (가)~(라)에서 염색체 ㉠~㉣과 유전자 ⓐ~ⓓ의 유무를 나타낸 것이다. ⓐ~ⓓ는 각각 A, a, B, b, D, d 중 하나이며, 3쌍의 대립유전자는 서로 다른 염색체에 있다. (가)~(라)는 모두 중기의 세포이다. A와 a, B와 b, D와 d는 각각 대립유전자이다.

구분	염색체				유전자			
	㉠	㉡	㉢	㉣	ⓐ	ⓑ	ⓒ	ⓓ
(가)	○	○	○	×	○	×	○	○
(나)	×	×	?	○	×	○	?	○
(다)	○	×	○	○	×	×	○	○
(라)	?	×	○	○	×	○	×	○

이에 대한 설명으로 옳은 것만을 〈보기〉에서 있는 대로 고른 것은? (단, 돌연변이와 교차는 고려하지 않는다.)

〈 보기 〉

ㄱ. ㉡에는 ⓐ가 있다.

ㄴ. (라)에 ㉠이 있다.

ㄷ. ⓑ와 ⓒ는 대립유전자이다.

① ㄱ ② ㄴ ③ ㄷ

④ ㄱ, ㄷ ⑤ ㄱ, ㄴ, ㄷ

378

그림 (가)와 (나)는 각각 핵형이 정상인 어떤 남자와 여자의 생식세포 형성 과정을, 표는 세포 ㉠~㉤이 갖는 대립유전자 A, a, B, b의 DNA 상대량을 나타낸 것이다. ㉠~㉤은 Ⅰ~Ⅴ를 순서 없이 나타낸 것이며, Ⅱ, Ⅲ, Ⅳ는 중기의 세포이다. A와 a, B와 b는 각각 대립유전자이며, 2쌍의 대립유전자는 서로 다른 염색체에 있다.

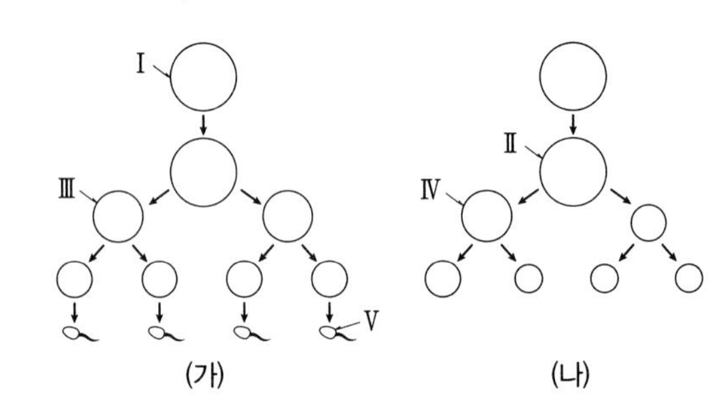

세포	DNA 상대량			
	A	a	B	b
㉠	2	ⓐ	?	?
㉡	1	ⓑ	1	?
㉢	0	2	ⓒ	2
㉣	2	?	1	1
㉤	2	2	2	ⓓ

이에 대한 설명으로 옳은 것만을 〈보기〉에서 있는 대로 고른 것은? (단, 돌연변이와 교차는 고려하지 않는다.)

〈 보기 〉

ㄱ. ㉢은 Ⅲ이다.

ㄴ. ⓐ+ⓑ+ⓒ+ⓓ=2이다.

ㄷ. Ⅰ의 유전자형은 AaBb이다.

① ㄱ ② ㄴ ③ ㄱ, ㄴ

④ ㄱ, ㄷ ⑤ ㄱ, ㄴ, ㄷ

379

사람의 유전 형질 ⓐ는 2쌍의 대립유전자 E와 e, F와 f에 의해 결정되며, E와 e는 9번 염색체에, F와 f는 X 염색체에 있다. 표는 사람 Ⅰ의 세포 (가)~(다)와 사람 Ⅱ의 세포 (라)~(바)에서 유전자 ㉠~㉣의 유무를 나타낸 것이다. ㉠~㉣은 E, e, F, f를 순서 없이 나타낸 것이다.

유전자	Ⅰ의 세포			Ⅱ의 세포		
	(가)	(나)	(다)	(라)	(마)	(바)
㉠	○	○	○	○	○	×
㉡	○	○	×	○	×	○
㉢	○	×	○	×	×	×
㉣	×	×	×	○	×	○

(○: 있음, ×: 없음)

이에 대한 설명으로 옳은 것만을 〈보기〉에서 있는 대로 고른 것은? (단, 돌연변이와 교차는 고려하지 않는다.)

〈 보기 〉

ㄱ. ㉡과 ㉢은 대립유전자이다.

ㄴ. (마)에는 Y 염색체가 있다.

ㄷ. Ⅱ의 ⓐ에 대한 유전자형은 EEFY이다.

① ㄱ ② ㄴ ③ ㄱ, ㄴ
④ ㄱ, ㄷ ⑤ ㄱ, ㄴ, ㄷ

380

어떤 동물($2n=8$)에서 몸 색깔은 한 쌍의 대립유전자 H와 h에 의해 결정되며, 몸 색깔에 대한 유전자형은 Hh이다. 이 동물의 세포 A가 분열하여 세포 B가, 세포 B가 분열하여 세포 C가 형성되었다. C로부터 형성된 정자가 난자와 수정된 후 D가 형성되었으며, 이 정자와 난자는 몸 색깔에 대한 동일한 대립유전자를 가진다. 그림의 세포 (가)~(라)는 각각 A~D 중 하나이며, 표는 A~D가 갖는 H와 h의 DNA 상대량을 나타낸 것이다.

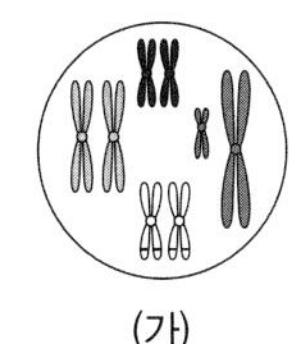
(가)

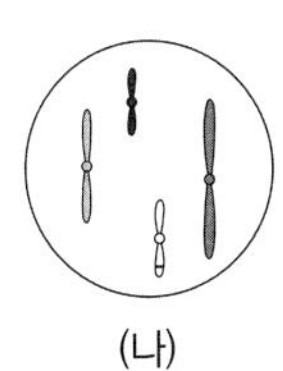
(나)

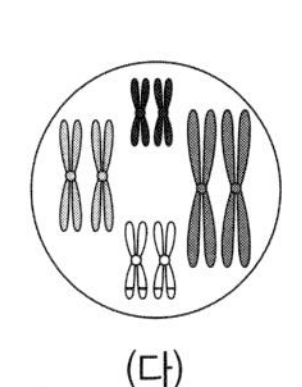
(다)

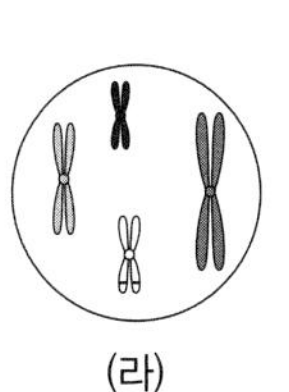
(라)

세포	DNA 상대량	
	H	h
A	2	2
B	0	2
C	0	ⓐ
D	ⓑ	ⓒ

이에 대한 설명으로 옳은 것만을 〈보기〉에서 있는 대로 고른 것은? (단, 돌연변이와 교차는 고려하지 않으며, H와 h 각각의 1개당 DNA 상대량은 1이다.)

〈 보기 〉

ㄱ. ⓐ+ⓑ+ⓒ=4이다.

ㄴ. (다)는 D이다.

ㄷ. 세포 1개당 $\frac{\text{염색체 수}}{\text{h의 DNA 상대량}}$는 (다)와 (라)가 같다.

① ㄱ ② ㄴ ③ ㄱ, ㄷ
④ ㄴ, ㄷ ⑤ ㄱ, ㄴ, ㄷ

381

사람의 유전 형질 ⓐ는 3쌍의 대립유전자 H와 h, R와 r, T와 t에 의해 결정되며, ⓐ의 유전자는 서로 다른 3개의 상염색체에 있다. 표는 사람 (가)의 세포 Ⅰ~Ⅲ에서 h, R, t의 유무를, 그림은 세포 ㉠~㉢의 세포 1개당 H와 T의 DNA 상대량을 더한 값(H+T)을 각각 나타낸 것이다. ㉠~㉢은 Ⅰ~Ⅲ을 순서 없이 나타낸 것이다.

세포	대립유전자		
	h	R	t
Ⅰ	?	○	×
Ⅱ	○	×	?
Ⅲ	×	×	?

(○: 있음, ×: 없음)

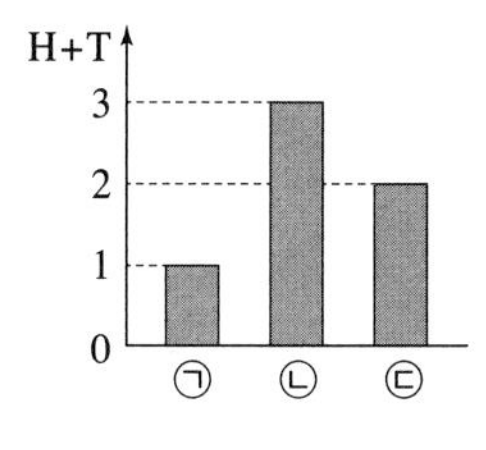

이에 대한 설명으로 옳은 것만을 〈보기〉에서 있는 대로 고른 것은? (단, 돌연변이는 고려하지 않으며, H, h, R, r, T, t 각각의 1개당 DNA 상대량은 1이다.)

〈 보기 〉

ㄱ. (가)의 ⓐ에 대한 유전자형은 HhRrTt이다.

ㄴ. ㉠의 $\frac{\text{T의 DNA 상대량}}{\text{h의 DNA 상대량}+\text{R의 DNA 상대량}}=1$이다.

ㄷ. Ⅲ은 ㉢이다.

① ㄱ ② ㄴ ③ ㄱ, ㄴ
④ ㄱ, ㄷ ⑤ ㄴ, ㄷ

상염색체 유전과 성염색체 유전

Ⓐ 사람의 유전 연구

1 사람의 유전 연구가 어려운 까닭 한 세대가 길다. 자손의 수가 ❶□□. 인위적인 교배 실험이 불가능하다. 형질이 복잡하고 유전자의 수가 많다. 형질 발현에 환경적 요인의 영향을 많이 받는다.

2 사람의 유전 연구 방법

가계도 조사	특정 형질이 있는 집안을 조사하여 이 형질이 유전되는 방식을 분석한다. ➔ 형질의 ❷□□ 관계를 알 수 있고, 앞으로 태어날 자손의 형질을 예측할 수 있다.
집단 조사	여러 가계를 포함하는 집단을 조사하여 얻은 유전 형질의 자료를 통계 처리하여 유전 현상을 연구한다.
쌍둥이 연구	1란성 쌍둥이와 2란성 쌍둥이의 형질 차이를 연구하여 유전자와 ❸□□이 형질에 미치는 영향을 알아본다.
염색체와 유전자 분석	분자 생물학의 발달로 염색체 수나 모양을 조사하는 핵형 분석이나 특정 유전자를 직접 분리하여 염기 서열을 분석하는 방법 등을 통해 유전 현상을 연구한다.

Ⓑ 상염색체 유전

1 상염색체 유전 유전자가 상염색체에 있으면 유전자가 자손에게 전달되는 방식이나 형질이 나타나는 빈도가 성별과 관계없이 같다.

2 대립유전자가 두 가지인 경우(단일 대립 유전) 눈꺼풀, 보조개, 이마선 모양, 귓불 모양 등

① 일반적으로 우성과 열성이 ❹□□□□ 구분된다.

② 형질이 ❺□□에 관계없이 나타난다.

기출 Tip Ⓑ-2

단일 인자 유전

대립유전자 한 쌍으로 형질이 결정되는 유전 현상으로, 표현형이 뚜렷하게 구분된다.

예 귓불 모양, ABO식 혈액형, 적록 색맹

상염색체 유전 형질의 우열 관계

유전 형질	우성	열성
귓불 모양	분리형	부착형
혀 말기	가능	불가능
눈꺼풀	쌍꺼풀	외꺼풀
보조개	있음	없음
이마선 모양	V자형	일자형
엄지손가락 젖혀짐	젖혀짐	곧음

[상염색체 유전에서 가계도 분석 정리]

❶ 특정 형질이 열성으로 유전되는 경우: 형질을 나타내지 않는 부모로부터 형질을 나타내는 자녀가 태어날 수 있고, 부모가 모두 형질을 나타낼 경우 자녀도 모두 형질을 나타낸다.

❷ 특정 형질이 우성으로 유전되는 경우: 형질을 나타내는 부모로부터 형질을 나타내지 않는 자손이 태어날 수 있다.

❸ 상염색체 유전과 성염색체 유전 구분: 정상인 부모 사이에서 유전병인 딸이 태어났을 경우에는 이 유전병 대립유전자는 상염색체에 있고 열성이다.

(귓불 모양 유전 가계도 분석)

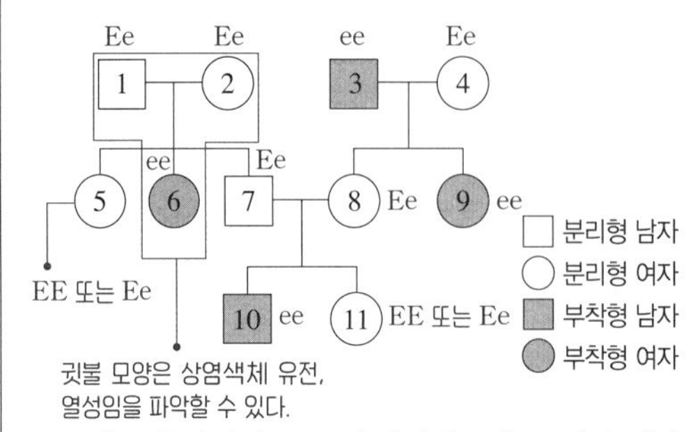

귓불 모양은 상염색체 유전, 열성임을 파악할 수 있다.

1. 우열 관계 파악: 귓불 모양이 분리형인 1과 2 사이에서 부착형인 6이 태어났으므로 분리형이 우성, 부착형이 열성이다.
2. 귓불 모양 유전자형 판단(분리형 대립유전자를 E, 부착형 대립유전자를 e라고 표시한다.)
   - 부착형인 3, 6, 9, 10의 유전자형은 ee이다.
   - 1, 2, 4, 7, 8은 자손에게 부착형 대립유전자를 물려주었으므로 유전자형이 Ee이다.
   - 부모와 본인이 모두 분리형인 5와 11의 유전자형은 EE 또는 Ee로, 확실히 알 수 없다.
3. 자손의 형질 예측: 11의 동생이 태어날 때, 이 아이가 분리형 귓불을 가질 확률은 $\frac{3}{4}$이다(Ee×Ee → EE, Ee, Ee, ee).

3 대립유전자가 세 가지 이상인 경우(복대립 유전)

① 하나의 형질을 결정하는 데 세 가지 이상의 ❻ □□□□□가 관여하는 경우이다.

② ABO식 혈액형 유전

대립유전자	I^A, I^B, i의 세 가지이다. ➡ I^A와 I^B는 우성이고 i는 열성이며, I^A와 I^B 사이에는 우열 관계가 ❼ □□($I^A=I^B>i$).			
표현형과 유전자형	A형, B형, AB형, O형의 4가지 표현형으로 나타나며, 유전자형은 ❽ □가지이다.			
	A형	B형	AB형	O형
	I^A I^A / I^A i	I^B I^B / I^B i	I^A I^B	i i

(ABO식 혈액형 유전 가계도 분석)

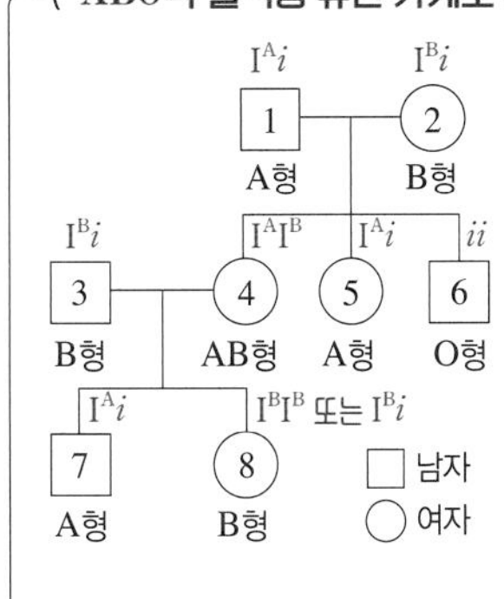

1. AB형과 O형의 유전자형은 각각 한 가지이다. ➡ 4의 유전자형은 I^AI^B, 6의 유전자형은 ii이다.
2. 6의 부모인 1과 2는 대립유전자 i를 가진다. ➡ 1의 유전자형은 I^Ai, 2의 유전자형은 I^Bi이다.
3. 5는 1에게서 대립유전자 I^A, 2에게서 대립유전자 i를 물려받았다. ➡ 5의 유전자형은 I^Ai이다.
4. 7이 A형이 되려면 4에게서 대립유전자 I^A, 3에게서 대립유전자 i를 물려받아야 한다. ➡ 3의 유전자형은 I^Bi, 7의 유전자형은 I^Ai이다.
5. 8의 유전자형은 I^BI^B 또는 I^Bi로, 확실히 알 수 없다.
6. 자손의 형질 예측: 8의 동생이 태어날 때, 이 아이가 A형이고 남자일 확률은 (A형일 확률)×(남자일 확률)이므로 $\frac{1}{4}(I^Bi \times I^AI^B \rightarrow I^AI^B, \underline{I^Ai}, I^BI^B, I^Bi) \times \frac{1}{2} = \frac{1}{8}$이다.

기출 Tip B-3

대립유전자 사이의 우열 관계

대립유전자는 3가지인데 표현형이 4가지인 경우 대립유전자 중 2가지 사이의 우열 관계가 명확하지 않다.

적혈구의 응집원과 ABO식 혈액형

A형	B형
응집원 A	응집원 B
AB형	**O형**
응집원 A, 응집원 B	응집원이 없다.

C 성염색체 유전

1 사람의 성 결정 방식 자녀의 성별은 ❾ □□에 들어 있는 성염색체의 종류로 결정된다.

① 딸(XX): 어머니와 아버지에게서 X 염색체를 하나씩 물려받는다.

② 아들(XY): 어머니에게서 X 염색체를, 아버지에게서 Y 염색체를 물려받는다.

2 성염색체 유전 유전자가 성염색체에 있으면 유전자가 자손에게 전달되는 방식이나 형질이 나타나는 빈도가 ❿ □□에 따라 다르다.

- 반성유전: 형질을 결정하는 유전자가 성염색체에 있어 성별에 따라 형질의 발현 빈도가 다른 유전 현상이다. ➡ 남자의 Y 염색체에는 X 염색체에 있는 유전자에 대한 대립유전자가 없으며, 남자는 열성 대립유전자를 1개만 가져도 ⓫ □□ 형질이 나타난다.

[X 염색체 유전에서 가계도 분석 정리]

❶ 남자는 형질 대립유전자를 하나만 가지면 형질이 나타난다. ➡ 형질이 발현되었을 경우 유전자형은 $X^{발현}Y$이고, 형질이 발현되지 않았을 경우 $X^{미발현}Y$이다.

❷ 아버지의 X 염색체는 딸에게 전해진다. ➡ 아버지의 유전자형이 $X^{발현}Y$이면 딸은 $X^{발현}$ 대립유전자를 가지며, 아버지의 유전자형이 $X^{미발현}Y$이면 딸은 $X^{미발현}$ 대립유전자를 가진다.

❸ 아들은 어머니에게서 X 염색체를 물려받는다. ➡ 아들의 유전자형이 $X^{발현}Y$이면 어머니는 $X^{발현}$ 대립유전자를 가지며, 아들의 유전자형이 $X^{미발현}Y$이면 어머니는 $X^{미발현}$ 대립유전자를 가진다.

기출 Tip C-2

성염색체 유전과 DNA양

남자와 여자에서 유전병 대립유전자의 DNA 상대량이 같지만 표현형이 다를 경우에는 이 유전병 대립유전자는 X 염색체에 존재하고 열성이다.

답 ❶ 적다 ❷ 우열 ❸ 환경 ❹ 뚜렷하게 ❺ 성별 ❻ 대립유전자 ❼ 없다 ❽ 6 ❾ 정자 ❿ 성별 ⓫ 열성

Ⅳ

15 상염색체 유전과 성염색체 유전

3 적록 색맹 유전 적록 색맹 유전자는 X 염색체에 있으며, 열성 유전자이다.

① 우열 관계: 정상 대립유전자(X^R)가 우성, 적록 색맹 대립유전자가(X^r)가 열성이다.

성별	남자		여자		
유전자형	X^RY	X^rY	X^RX^R	X^RX^r	X^rX^r
표현형	정상	적록 색맹	정상	⑫ □□(보인자)	적록 색맹

② 특징: 여자(XX)는 X 염색체 ⑬ □개에 모두 적록 색맹 대립유전자가 있어야(X^rX^r) 적록 색맹이 되고, 남자(XY)는 X 염색체에 적록 색맹 대립유전자가 있으면(X^rY) 적록 색맹이 된다. ➜ 적록 색맹은 여자보다 남자에게서 ⑭ □□ 나타난다.

(적록 색맹 유전 가계도 분석)

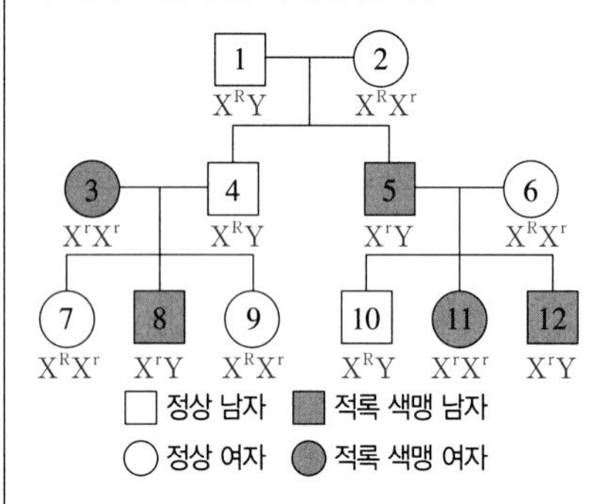

1. 우열 관계 파악: 정상인 1과 2 사이에서 적록 색맹인 5가 태어났으므로 정상이 우성, 적록 색맹이 열성이다.
2. 유전자형 판단(정상 대립유전자를 X^R, 적록 색맹 대립유전자를 X^r라고 표시한다.)
   - 정상 남자(1, 4, 10)의 유전자형은 X^RY, 적록 색맹 남자(5, 8, 12)의 유전자형은 X^rY, 적록 색맹 여자(3, 11)의 유전자형은 X^rX^r이다.
   - 적록 색맹 남자(5)는 어머니(2)에게서 적록 색맹 대립유전자를 물려받았다. ➜ 2는 보인자(X^RX^r)이다.
   - 적록 색맹 여자(11)는 아버지(5)와 어머니(6)에게서 적록 색맹 대립유전자를 하나씩 물려받았다. ➜ 6은 보인자(X^RX^r)이다.
   - 적록 색맹 어머니(3)를 가진 정상 딸(7, 9)은 어머니에게서 적록 색맹 대립유전자를 물려받았다. ➜ 7과 9는 보인자(X^RX^r)이다.
3. 자손의 형질 예측: 12의 동생이 태어날 때, 이 아이가 적록 색맹인 아들일 확률은 $\frac{1}{4}$이다($X^rY \times X^RX^r \rightarrow X^RX^r, X^rX^r, X^RY, \underline{X^rY}$).

기출 Tip Ⓒ-3

적록 색맹의 유전 양상
- 어머니가 적록 색맹(X^rX^r)이면 어머니에게서 X^r를 물려받는 아들은 적록 색맹(X^rY)이다.
- 아버지가 적록 색맹(X^rY)이면 딸은 항상 X^r를 가지게 된다.
- 아들이 적록 색맹(X^rY)일 때 X^r는 어머니에게서 물려받은 것이다.
- 적록 색맹인 딸(X^rX^r)은 아버지와 어머니에게서 X^r를 하나씩 물려받았다.

상염색체 유전 형질과 X 염색체 유전 형질
남자는 상염색체 유전 형질에 대해서는 한 쌍의 대립유전자를 가지지만, X 염색체 유전 형질에 대해서는 1개의 대립유전자만 가진다.

답 ⑫ 정상 ⑬ 2 ⑭ 많이

빈출 자료 보기

정답과 해설 54쪽

382 다음은 어떤 집안의 유전병 ㉠과 ㉡에 대한 자료이다.

- ㉠은 대립유전자 A와 A*에 의해, ㉡은 대립유전자 B와 B*에 의해 결정된다. A는 A*에 대해, B는 B*에 대해 완전 우성이다.
- ㉠의 유전자와 ㉡의 유전자 중 하나는 상염색체에, 다른 하나는 성염색체에 있다.
- 가계도는 구성원 1~8에게서 ㉠과 ㉡의 유무를 나타낸 것이다. 7은 A*를 갖지 않는다.

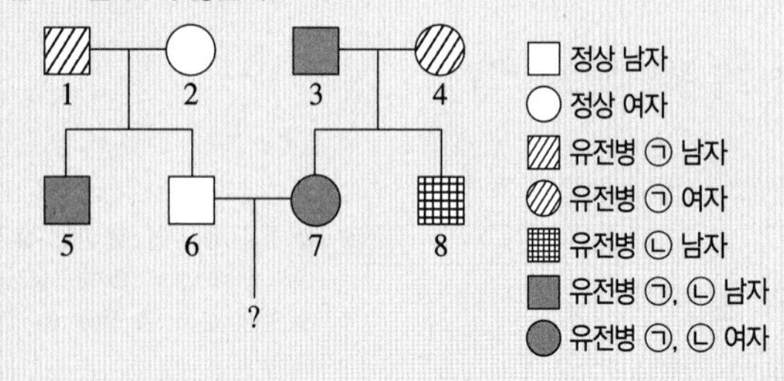

이에 대한 설명으로 옳은 것은 ○, 옳지 않은 것은 ×로 표시하시오. (단, 돌연변이는 고려하지 않는다.)

(1) ㉠의 유전자는 성염색체에 있다. ( )
(2) B와 B*는 상염색체에 있다. ( )
(3) ㉠과 ㉡은 모두 열성 형질이다. ( )
(4) 1~8 중 A와 B를 모두 가진 사람은 2명이다. ( )
(5) 4는 B*를 가지고 있다. ( )
(6) 5는 1에게서 A를 물려받았다. ( )
(7) 8은 4에게서 B*를 물려받았다. ( )
(8) 6과 7 사이에서 아이가 태어날 때, 이 아이에게서 ㉠과 ㉡이 모두 나타날 확률은 $\frac{1}{4}$이다. ( )

A 사람의 유전 연구

383 하 중 상

사람의 유전 연구가 어려운 이유에 대한 설명으로 옳지 않은 것은?

① 한 세대가 길다.
② 자손의 수가 적다.
③ 자유로운 교배 실험이 불가능하다.
④ 대립 형질이 뚜렷하고 유전자 수가 많다.
⑤ 형질 발현에 환경적 요인의 영향을 많이 받는다.

384 하 중 상

다음은 사람의 유전 연구 방법에 대한 설명이다.

(가) 한 집안에서 특정 형질의 유전자가 어떤 경로로 유전되는지 연구한다.
(나) 어느 집단의 유전병 발생 빈도가 지역과 시간에 따라 어떻게 변하는지 연구한다.
(다) 특정 형질에 대해 유전자와 환경이 미치는 영향을 연구한다.

(가)~(다)의 연구 방법을 옳게 짝 지은 것은?

	(가)	(나)	(다)
①	집단 조사	가계도 조사	쌍둥이 연구
②	집단 조사	쌍둥이 연구	가계도 조사
③	쌍둥이 연구	집단 조사	가계도 조사
④	가계도 조사	집단 조사	쌍둥이 연구
⑤	가계도 조사	쌍둥이 연구	집단 조사

B 상염색체 유전

대립유전자가 두 가지인 경우

385 하 중 상

그림은 어떤 집안의 귓불 모양에 대한 가계도를 나타낸 것이다.

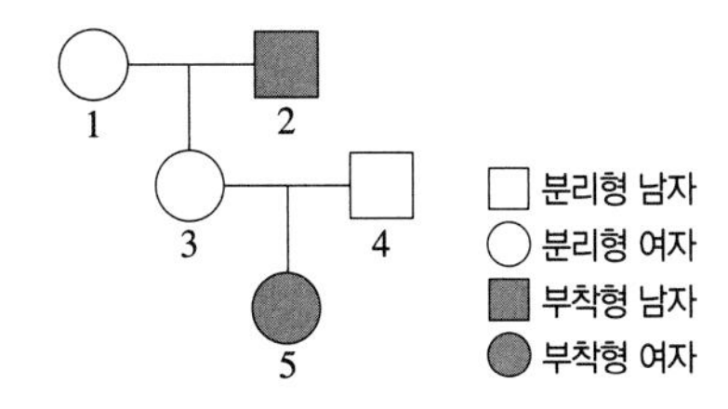

이에 대한 설명으로 옳은 것만을 〈보기〉에서 있는 대로 고른 것은? (단, 돌연변이는 고려하지 않는다.)

〈 보기 〉
ㄱ. 1과 3의 유전자형은 같다.
ㄴ. 부착형 귓불은 열성 형질이다.
ㄷ. 5의 동생이 태어날 때, 이 아이가 분리형 귓불일 확률은 $\frac{3}{4}$이다.

① ㄱ　② ㄷ　③ ㄱ, ㄴ
④ ㄴ, ㄷ　⑤ ㄱ, ㄴ, ㄷ

빈출

386 하 중 상

그림은 어떤 집안의 유전병 (가)에 대한 가계도를 나타낸 것이다. (가)의 유전자는 상염색체에 있다.(단, 돌연변이는 고려하지 않는다.)

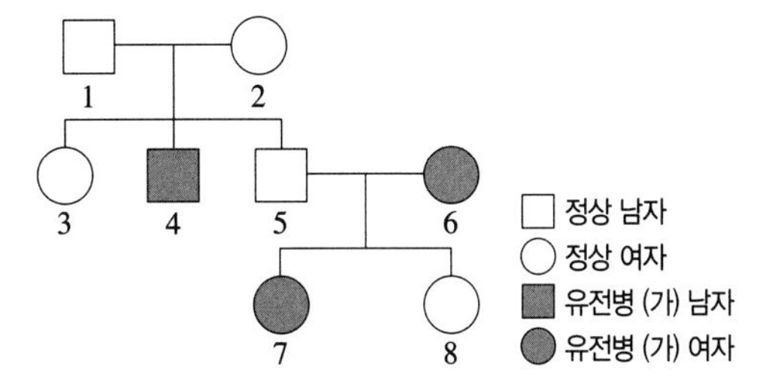

(1) 유전자형이 이형 접합성임이 확실한 사람은 몇 명인지 쓰시오.

(2) 8의 동생이 태어날 때, 이 아이가 유전병 (가)일 확률을 구하시오.

387 하 중 상

표는 철수네 가족의 보조개 유무를 나타낸 것이다.

가족	아버지	어머니	누나	철수
보조개	있음	있음	없음	있음

이에 대한 설명으로 옳은 것만을 〈보기〉에서 있는 대로 고른 것은? (단, 돌연변이는 고려하지 않는다.)

〈 보기 〉

ㄱ. 보조개 있음은 우성 형질이다.
ㄴ. 아버지와 어머니의 보조개 유전자형은 모두 이형 접합성이다.
ㄷ. 누나는 아버지와 어머니로부터 같은 종류의 대립유전자를 물려받았다.

① ㄱ ② ㄷ ③ ㄱ, ㄴ
④ ㄴ, ㄷ ⑤ ㄱ, ㄴ, ㄷ

388 하 중 상

표는 가족 (가)와 (나)의 미맹과 눈꺼풀의 형질을 나타낸 것이다. 미맹과 눈꺼풀을 결정하는 유전자는 서로 다른 상염색체에 있다.

구분	가족 (가)			가족 (나)		
	㉠부	모	자녀 A	부	모	자녀 B
미맹	없음	있음	있음	없음	없음	있음
눈꺼풀	쌍꺼풀	쌍꺼풀	외까풀	외까풀	쌍꺼풀	쌍꺼풀

이에 대한 설명으로 옳은 것만을 〈보기〉에서 있는 대로 고른 것은? (단, 돌연변이는 고려하지 않는다.)

〈 보기 〉

ㄱ. 미맹 없음과 외까풀이 우성 형질이다.
ㄴ. ㉠의 미맹과 눈꺼풀의 유전자형은 모두 이형 접합성이다.
ㄷ. 자녀 A와 B가 결혼하여 아이를 낳을 경우, 이 아이가 미맹이며 외까풀일 확률은 $\frac{1}{2}$이다.

① ㄱ ② ㄴ ③ ㄱ, ㄷ
④ ㄴ, ㄷ ⑤ ㄱ, ㄴ, ㄷ

대립유전자가 세 가지인 경우

389 하 중 상

ABO식 혈액형 유전에 대한 설명으로 옳은 것은?

① 표현형의 종류는 6가지이다.
② 유전자형의 종류는 3가지이다.
③ 혈액형을 결정하는 대립유전자의 종류는 4가지이다.
④ 대립유전자 I^A와 I^B 사이에는 우열 관계가 없다.
⑤ 부모가 모두 A형일 때 O형의 자녀가 태어날 수 없다.

빈출

390 하 중 상

다음은 사람의 유전 형질 (가)에 대한 자료이다.

- (가)는 1쌍의 대립유전자에 의해 결정되며, 대립유전자에는 D, E, F가 있다.
- (가)의 유전자는 상염색체에 있다.
- (가)의 표현형은 4가지이며, 유전자형이 DD인 사람과 DE인 사람의 표현형은 같고, 유전자형이 EF인 사람과 FF인 사람의 표현형은 같다.

이에 대한 설명으로 옳지 않은 것은?(단, 돌연변이는 고려하지 않는다.)

① (가)의 유전은 복대립 유전이다.
② (가)에 대한 유전자형은 6가지이다.
③ D는 F에 대해 우성이다.
④ F는 E에 대해 우성이다.
⑤ 유전자형이 DE와 EF인 부모 사이에서 자녀가 태어날 때, 이 아이에게서 나타날 수 있는 표현형은 최대 4가지이다.

391 하 중 상

그림은 ABO식 혈액형이 모두 다른 가족의 가계도를 나타낸 것이다. 1의 ABO식 혈액형의 유전자형은 동형 접합성이다.

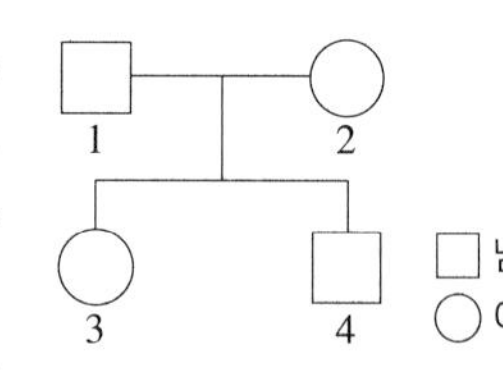

이에 대한 설명으로 옳은 것만을 〈보기〉에서 있는 대로 고른 것은?(단, 돌연변이는 고려하지 않는다.)

〈 보기 〉

ㄱ. 2의 ABO식 혈액형은 AB형이다.
ㄴ. 3의 ABO식 혈액형의 유전자형은 이형 접합성이다.
ㄷ. ABO식 혈액형의 유전은 복대립 유전이다.

① ㄱ ② ㄴ ③ ㄱ, ㄷ ④ ㄴ, ㄷ ⑤ ㄱ, ㄴ, ㄷ

392

다음은 어떤 집안의 ABO식 혈액형에 대한 자료이다.

- 3, 4, 7, 8의 ABO식 혈액형은 모두 다르다.
- 4와 9의 ABO식 혈액형의 유전자형은 동형 접합성이다.
- 5와 8의 ABO식 혈액형의 유전자형은 동일하다.

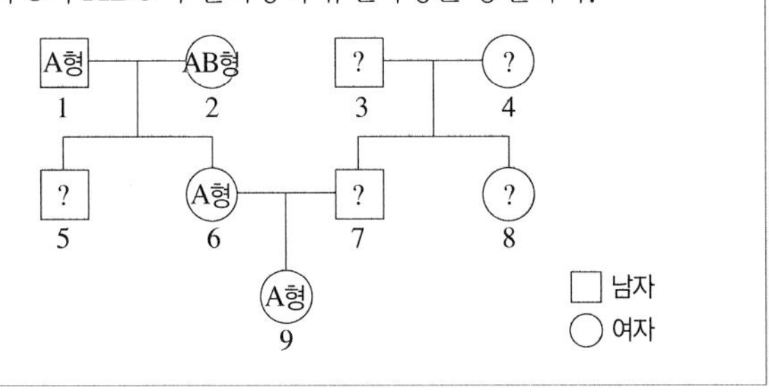

이에 대한 설명으로 옳은 것만을 〈보기〉에서 있는 대로 고른 것은? (단, 돌연변이는 고려하지 않는다.)

〈 보기 〉

ㄱ. 1의 ABO식 혈액형의 유전자형은 동형 접합성이다.

ㄴ. 1~9 중 ABO식 혈액형의 유전자형을 정확히 알 수 없는 사람은 1명이다.

ㄷ. 9의 동생이 태어날 때, 이 아이가 B형일 확률은 $\frac{1}{4}$이다.

① ㄱ ② ㄴ ③ ㄷ ④ ㄱ, ㄴ ⑤ ㄱ, ㄴ, ㄷ

393 하중상

그림은 어떤 집안의 ABO식 혈액형에 대한 가계도를, 표는 구성원 1, 3, 4 사이의 ABO식 혈액형에 대한 혈액 응집 반응 결과를 나타낸 것이다.

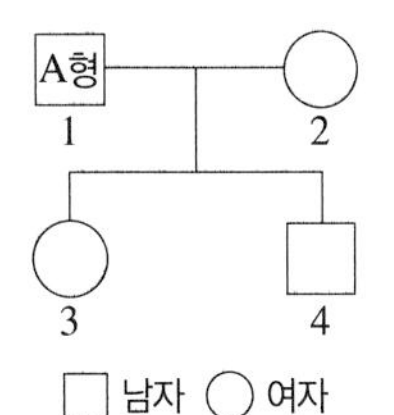

구분	1의 적혈구	3의 적혈구	4의 적혈구
1의 혈장	−	+	−
3의 혈장	−	−	?
4의 혈장	+	+	−

(+: 응집됨, −: 응집 안 됨)

이에 대한 설명으로 옳은 것만을 〈보기〉에서 있는 대로 고른 것은? (단, 돌연변이는 고려하지 않는다.)

〈 보기 〉

ㄱ. 2의 ABO식 혈액형은 B형이다.

ㄴ. 3의 ABO식 혈액형의 유전자형은 동형 접합성이다.

ㄷ. 4의 동생이 태어날 때, 이 아이가 A형일 확률은 $\frac{1}{4}$이다.

① ㄱ ② ㄷ ③ ㄱ, ㄴ ④ ㄱ, ㄷ ⑤ ㄴ, ㄷ

C 성염색체 유전

394 하중상

그림은 사람의 성 결정 과정을 나타낸 것이다.

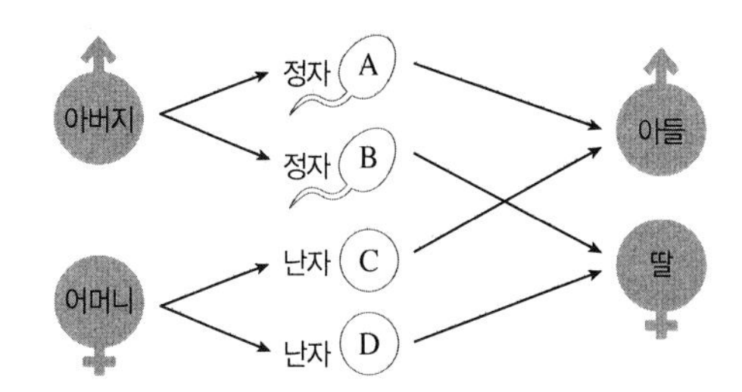

이에 대한 설명으로 옳은 것만을 〈보기〉에서 있는 대로 고른 것은?

〈 보기 〉

ㄱ. A에는 Y 염색체가 있다.

ㄴ. 딸은 어머니에게서만 X 염색체를 물려받는다.

ㄷ. $\frac{\text{B에 들어 있는 상염색체 수}}{\text{D에 들어 있는 X 염색체 수}}=22$이다.

① ㄱ ② ㄷ ③ ㄱ, ㄴ
④ ㄱ, ㄷ ⑤ ㄴ, ㄷ

395

다음은 유전병 A의 유전적 특성을 조사한 자료이다.

- ㉠ 정상 여자와 정상 남자 사이에서 A를 가진 아들이 태어난다.
- A를 가진 여자와 정상 남자 사이에서 태어난 아들은 항상 A를 가지고, ㉡ 딸은 항상 정상이다.

이에 대한 설명으로 옳은 것만을 〈보기〉에서 있는 대로 고른 것은? (단, 돌연변이는 고려하지 않으며, 대립유전자 사이의 우열 관계는 남자와 여자에서 동일하다.)

〈 보기 〉

ㄱ. A는 정상에 대해 열성이다.

ㄴ. A의 유전자는 상염색체에 있다.

ㄷ. ㉠은 A 대립유전자를 갖는다.

ㄹ. ㉡이 A인 남자와 결혼하여 아이가 태어날 때, 이 아이가 A일 확률은 $\frac{1}{4}$이다.

① ㄱ, ㄴ ② ㄱ, ㄷ ③ ㄴ, ㄹ
④ ㄱ, ㄴ, ㄷ ⑤ ㄴ, ㄷ, ㄹ

396 하중상

다음은 철수네 집안의 적록 색맹 유전에 대한 설명이다.

- 철수는 적록 색맹이다.
- 철수의 누나는 적록 색맹이 아니다.
- 철수의 고모는 적록 색맹이다.
- 철수의 친할머니는 적록 색맹이다.

이에 대한 설명으로 옳은 것만을 〈보기〉에서 있는 대로 고른 것은? (단, 돌연변이는 고려하지 않는다.)

〈 보기 〉

ㄱ. 아버지는 적록 색맹이다.

ㄴ. 철수의 적록 색맹 대립유전자는 할머니로부터 물려받은 것이다.

ㄷ. 철수의 동생이 태어날 때, 적록 색맹일 확률은 $\frac{1}{2}$이다.

① ㄱ ② ㄴ ③ ㄱ, ㄴ
④ ㄱ, ㄷ ⑤ ㄱ, ㄴ, ㄷ

397 하중상

그림은 어떤 집안의 적록 색맹 유전에 대한 가계도를 나타낸 것이다.

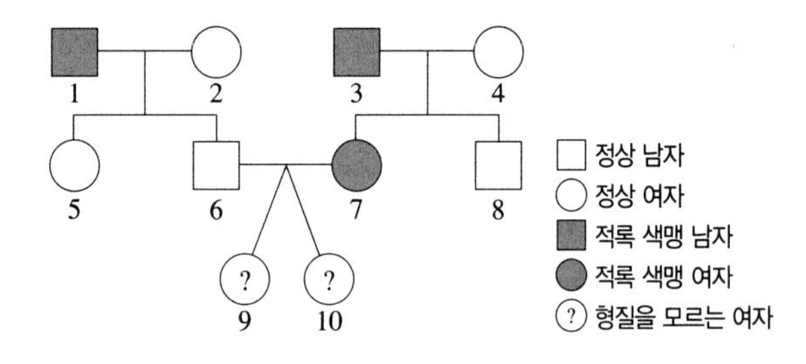

이에 대한 설명으로 옳은 것만을 〈보기〉에서 있는 대로 고른 것은? (단, 돌연변이는 고려하지 않는다.)

〈 보기 〉

ㄱ. 1~8 중 적록 색맹 대립유전자를 갖는 사람은 7명이다.

ㄴ. 9와 10은 정상 여자이다.

ㄷ. 10의 남동생이 태어날 때, 이 아이가 적록 색맹일 확률은 $\frac{1}{2}$이다.

① ㄱ ② ㄴ ③ ㄱ, ㄴ
④ ㄱ, ㄷ ⑤ ㄱ, ㄴ, ㄷ

398 하중상

그림은 어떤 집안의 ABO식 혈액형과 적록 색맹 유전에 대한 가계도를 나타낸 것이다.

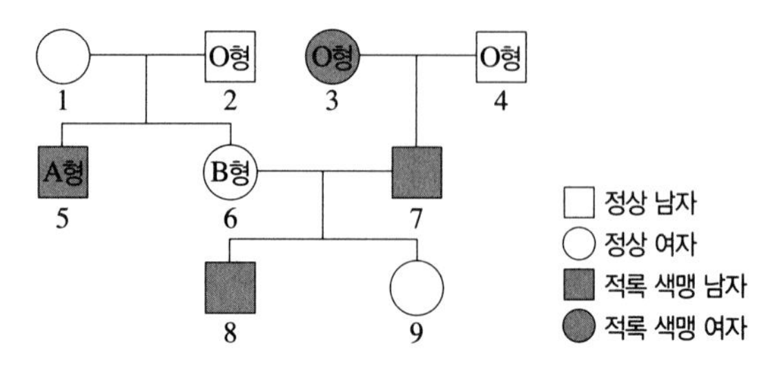

이에 대한 설명으로 옳은 것만을 모두 고르면?(단, 돌연변이는 고려하지 않는다.)(2개)

① 1의 ABO식 혈액형은 AB형이다.
② 4는 적록 색맹 대립유전자를 갖는다.
③ 6의 ABO식 혈액형의 유전자형은 동형 접합성이다.
④ 8의 적록 색맹 대립유전자는 3으로부터 물려받은 것이다.
⑤ 9의 동생이 태어날 때, 이 아이가 O형이면서 적록 색맹일 확률은 $\frac{1}{4}$이다.

B 상염색체 유전 / C 성염색체 유전

한 가지 유전 형질인 경우

빈출 399 하중상

그림은 어떤 집안의 유전병 (가)에 대한 가계도를 나타낸 것이다.

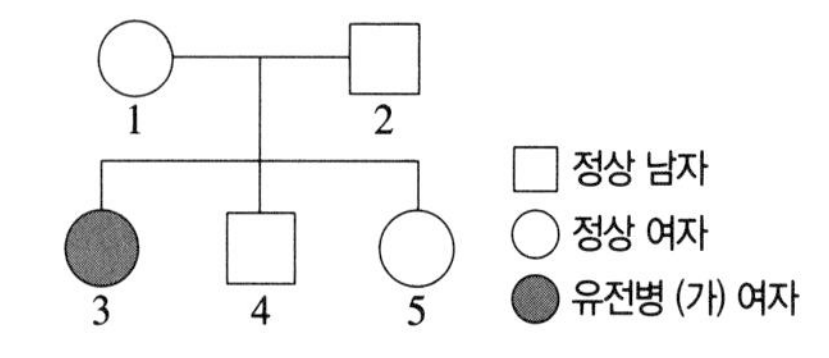

이에 대한 설명으로 옳은 것만을 〈보기〉에서 있는 대로 고른 것은? (단, 돌연변이는 고려하지 않는다.)

〈 보기 〉

ㄱ. (가)의 유전은 상염색체 유전이다.

ㄴ. 1과 5의 (가)의 유전자형은 같다.

ㄷ. 2는 (가) 대립유전자를 갖는다.

① ㄱ ② ㄴ ③ ㄱ, ㄴ
④ ㄱ, ㄷ ⑤ ㄱ, ㄴ, ㄷ

빈출

400 하 중 상

••서술형

그림은 어떤 집안의 유전병 A에 대한 가계도를 나타낸 것이다.

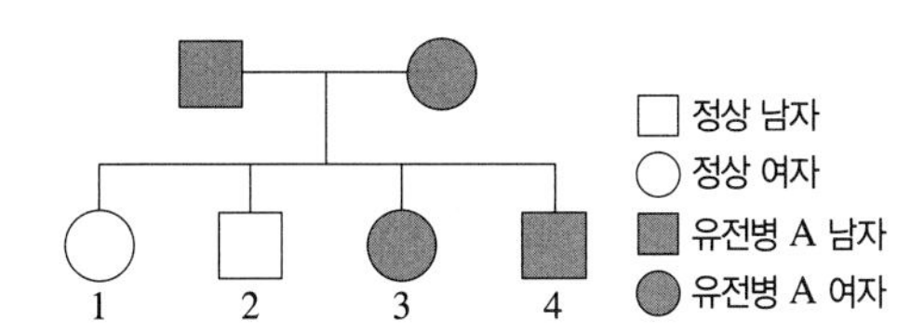

(1) A가 열성 형질인지 우성 형질인지 쓰고, 그 까닭을 서술하시오.

(2) A의 유전자가 상염색체에 있는지 성염색체에 있는지 쓰고, 그 까닭을 서술하시오.

401 하 중 상

그림은 어떤 집안의 유전 형질 ㉠에 대한 가계도를 나타낸 것이다. ㉠은 1쌍의 대립유전자에 의해 결정되며, 대립유전자의 종류는 2가지이고, 대립유전자 사이의 우열 관계는 분명하다.

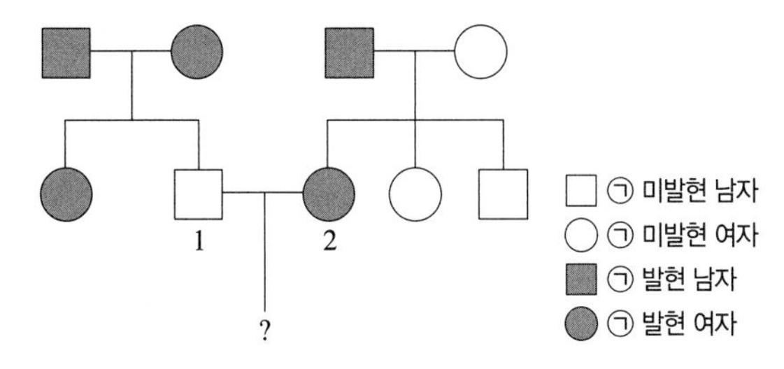

이에 대한 설명으로 옳은 것만을 <보기>에서 있는 대로 고른 것은? (단, 돌연변이는 고려하지 않는다.)

〈 보기 〉

ㄱ. ㉠의 유전자는 상염색체에 있다.

ㄴ. ㉠이 발현되는 것이 발현되지 않는 것에 대해 열성이다.

ㄷ. 1과 2 사이에서 아이가 태어날 때, 이 아이에게서 ㉠이 발현될 확률은 $\frac{1}{2}$이다.

① ㄱ ② ㄷ ③ ㄱ, ㄴ ④ ㄱ, ㄷ ⑤ ㄴ, ㄷ

402 하 중 상

그림은 어떤 집안의 유전병 (가)에 대한 가계도를 나타낸 것이다. (가)는 1쌍의 대립유전자에 의해 결정되며, 대립유전자의 종류는 2가지이고, 대립유전자 사이의 우열 관계는 분명하다.

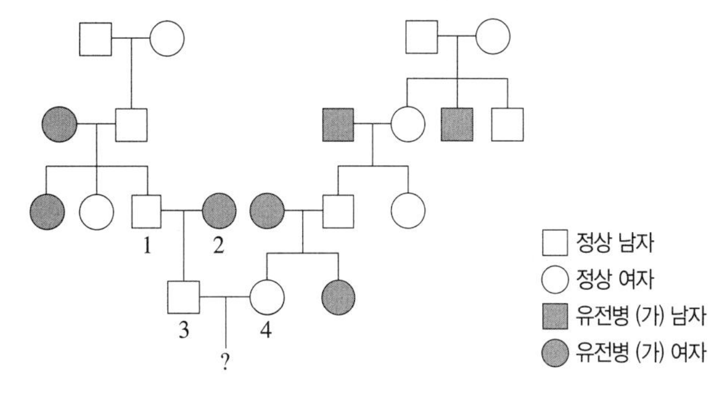

이에 대한 설명으로 옳은 것만을 <보기>에서 있는 대로 고른 것은? (단, 돌연변이는 고려하지 않는다.)

〈 보기 〉

ㄱ. (가)의 유전은 성염색체 유전이다.

ㄴ. 1과 4의 (가)의 유전자형은 모두 이형 접합성이다.

ㄷ. 3과 4 사이에서 아이가 태어날 때, 이 아이가 정상일 확률은 $\frac{3}{4}$이다.

① ㄱ ② ㄷ ③ ㄱ, ㄴ ④ ㄱ, ㄷ ⑤ ㄴ, ㄷ

403 하 중 상

그림은 어떤 집안의 유전병 (가)에 대한 가계도를 나타낸 것이다. (가)는 대립유전자 A와 A*에 의해 결정되며, A는 A*에 대해 완전 우성이다.

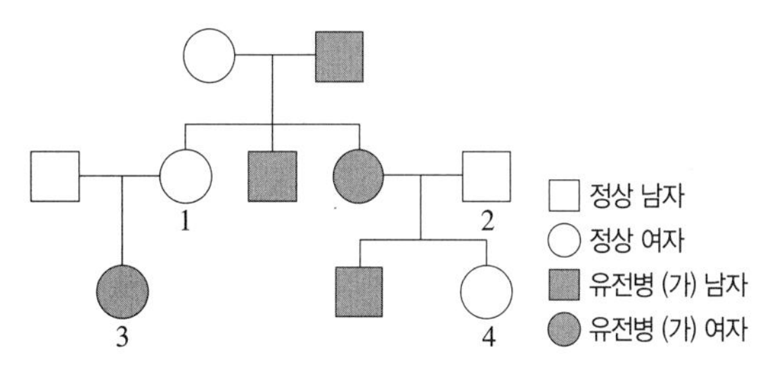

이에 대한 설명으로 옳은 것만을 <보기>에서 있는 대로 고른 것은? (단, 돌연변이는 고려하지 않는다.)

〈 보기 〉

ㄱ. 1의 X 염색체에 A가 있다.

ㄴ. 구성원은 모두 A*를 가지고 있다.

ㄷ. 2와 4의 유전자형은 모두 이형 접합성이다.

ㄹ. 3의 동생이 태어날 때, 이 아이가 (가)일 확률은 $\frac{1}{4}$이다.

① ㄱ, ㄴ ② ㄱ, ㄹ ③ ㄴ, ㄷ ④ ㄱ, ㄴ, ㄷ ⑤ ㄴ, ㄷ, ㄹ

404 하중상

그림은 어떤 집안의 유전병 (가)에 대한 가계도를 나타낸 것이다. (가)는 대립유전자 A와 A*에 의해 결정되며, A는 A*에 대해 완전 우성이다.

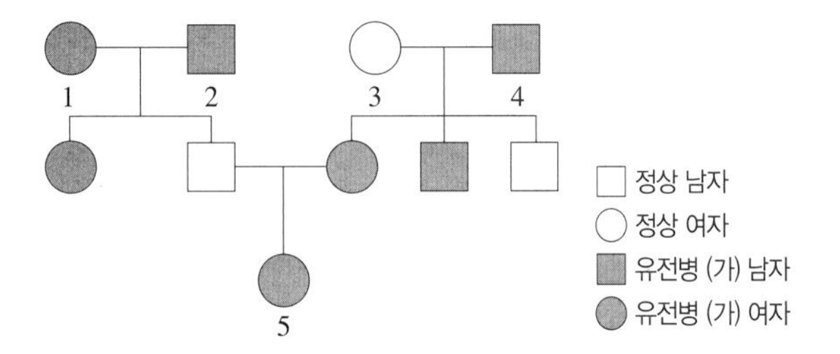

이에 대한 설명으로 옳은 것만을 <보기>에서 있는 대로 고른 것은? (단, 돌연변이는 고려하지 않는다.)

〈 보기 〉

ㄱ. (가)는 우성 형질이다.

ㄴ. $\frac{\text{1, 2 각각의 체세포 1개당 A의 수를 더한 값}}{\text{3, 4 각각의 체세포 1개당 A의 수를 더한 값}}=2$이다.

ㄷ. 5의 (가) 대립유전자는 1로부터 물려받은 것이다.

① ㄱ ② ㄷ ③ ㄱ, ㄴ
④ ㄴ, ㄷ ⑤ ㄱ, ㄴ, ㄷ

405 하중상

그림은 어떤 집안의 유전병 ㉠에 대한 가계도를 나타낸 것이다. ㉠은 대립유전자 R와 r에 의해 결정되며, R는 r에 대해 완전 우성이다.

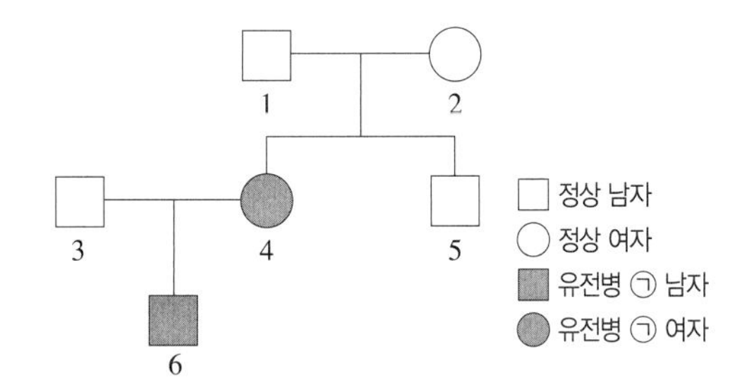

이에 대한 설명으로 옳은 것만을 <보기>에서 있는 대로 고른 것은? (단, 돌연변이는 고려하지 않는다.)

〈 보기 〉

ㄱ. ㉠은 열성 형질이다.

ㄴ. $\frac{\text{1, 2 각각의 체세포 1개당 r의 수를 더한 값}}{\text{3, 4 각각의 체세포 1개당 r의 수를 더한 값}}=1$이다.

ㄷ. 6의 동생이 태어날 때, 이 아이가 유전병 ㉠일 확률은 $\frac{1}{2}$이다.

① ㄱ ② ㄷ ③ ㄱ, ㄴ
④ ㄱ, ㄷ ⑤ ㄴ, ㄷ

406 하중상

그림은 철수네 가족의 유전병 (가)에 대한 가계도를, 표는 (가)를 결정하는 대립유전자 A와 A*의 DNA 상대량을 나타낸 것이다. 대립유전자 사이의 우열 관계는 분명하다.

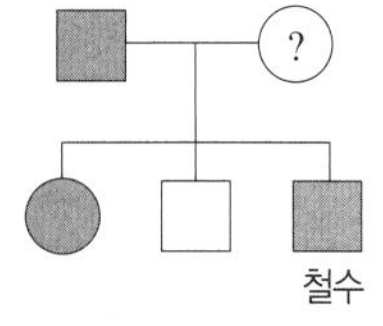

□ 정상 남자 ? 형질을 모르는 여자
■ 유전병 (가) 남자 ● 유전병 (가) 여자

구분	DNA 상대량	
	A	A*
아버지	1	1
누나	1	1
형	0	2
철수	2	0

이에 대한 설명으로 옳은 것만을 <보기>에서 있는 대로 고른 것은? (단, 돌연변이는 고려하지 않으며, A, A* 각각의 1개당 DNA 상대량은 1이다.)

〈 보기 〉

ㄱ. (가)는 우성 형질이다.

ㄴ. A와 A*는 상염색체에 있다.

ㄷ. 어머니의 (가)의 유전자형은 이형 접합성이다.

① ㄱ ② ㄴ ③ ㄱ, ㄷ
④ ㄴ, ㄷ ⑤ ㄱ, ㄴ, ㄷ

407 하중상

표는 철수 아버지를 제외한 나머지 가족 구성원의 유전병 (가)의 유무를, 그림은 이 가족에서 (가)를 결정하는 대립유전자 P와 P*의 DNA 상대량을 나타낸 것이다. 대립유전자 사이의 우열 관계는 분명하다.

가족	유전병 (가)
어머니	○
형	×
누나	○
철수	○

(○: 있음, ×: 없음)

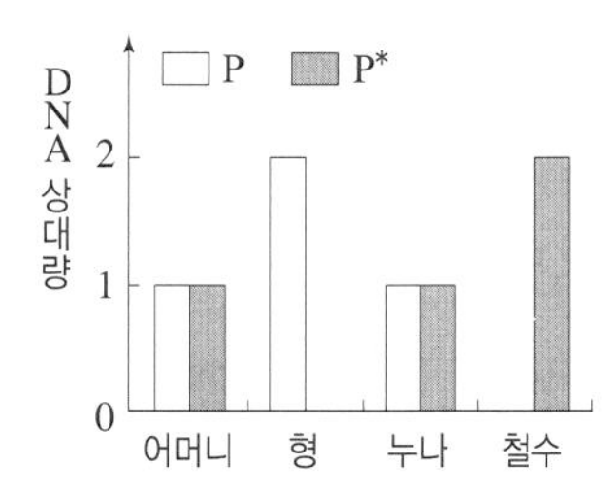

이에 대한 설명으로 옳은 것만을 <보기>에서 있는 대로 고른 것은? (단, 돌연변이는 고려하지 않으며, P, P* 각각의 1개당 DNA 상대량은 1이다.)

〈 보기 〉

ㄱ. P와 P*는 성염색체에 있다.

ㄴ. P*는 P에 대해 열성이다.

ㄷ. 아버지는 (가)를 나타낸다.

① ㄱ ② ㄴ ③ ㄷ
④ ㄴ, ㄷ ⑤ ㄱ, ㄴ, ㄷ

408 하 중 상

그림 (가)는 어떤 가족의 유전병 ㉠에 대한 가계도를, (나)는 가족 구성원에서 유전병 ㉠을 결정하는 대립유전자 A와 A*의 DNA 상대량을 나타낸 것이다. 대립유전자 사이의 우열 관계는 분명하다.

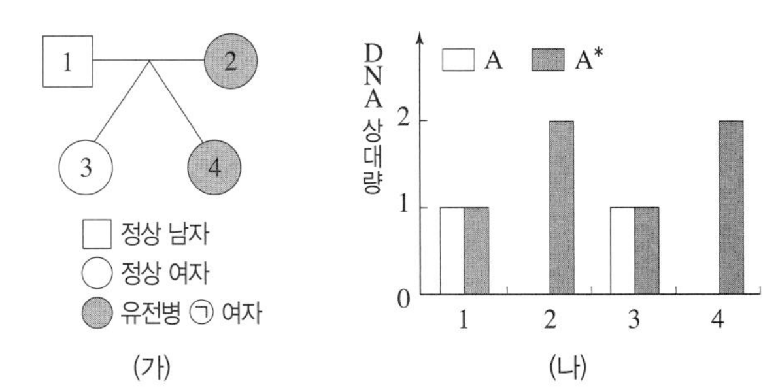

이에 대한 설명으로 옳은 것만을 〈보기〉에서 있는 대로 고른 것은? (단, 돌연변이는 고려하지 않으며, A, A* 각각의 1개당 DNA 상대량은 1이다.)

〈 보기 〉

ㄱ. A는 A*에 대해 우성이다.

ㄴ. 3의 A*는 2로부터 물려받은 것이다.

ㄷ. 3과 4는 2란성 쌍둥이이다.

① ㄱ ② ㄴ ③ ㄷ
④ ㄴ, ㄷ ⑤ ㄱ, ㄴ, ㄷ

409 하 중 상

다음은 영희네 가족의 유전 형질 ㉠에 대한 자료이다.

- ㉠을 결정하는 1쌍의 대립유전자는 A와 a이며, A는 a에 대해 완전 우성이다.
- 영희네 가족 구성원의 ㉠ 발현 여부는 표와 같다.

구성원	아버지	어머니	오빠	영희	남동생
㉠ 발현 여부	○	×	○	×	×

(○: 발현됨, ×: 발현 안 됨)

- 영희와 오빠는 체세포 1개당 a의 DNA 상대량이 서로 같다.

이에 대한 설명으로 옳은 것만을 〈보기〉에서 있는 대로 고른 것은? (단, 돌연변이는 고려하지 않는다.)

〈 보기 〉

ㄱ. A와 a는 성염색체에 있다.

ㄴ. ㉠이 발현되는 것이 우성이다.

ㄷ. 구성원 중 a를 갖지 않는 사람은 남동생이다.

① ㄱ ② ㄴ ③ ㄱ, ㄷ
④ ㄴ, ㄷ ⑤ ㄱ, ㄴ, ㄷ

410 하 중 상

표는 어머니를 제외한 민수네 가족의 G_1기의 체세포 1개당 대립유전자 H와 h의 DNA 상대량을, 그림은 민수의 누나 염색체 중 한 개를 나타낸 것이다.

가족 구성원	DNA 상대량	
	H	h
아버지	1	0
누나	1	1
민수	0	1
남동생	1	ⓐ

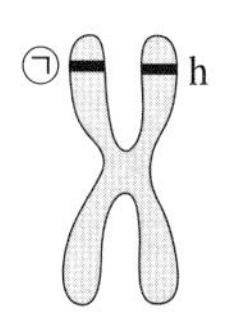

이에 대한 설명으로 옳은 것만을 〈보기〉에서 있는 대로 고른 것은? (단, 돌연변이는 고려하지 않으며, H, h 각각의 1개당 DNA 상대량은 1이다.)

〈 보기 〉

ㄱ. ⓐ는 1이다.

ㄴ. ㉠은 h이다.

ㄷ. H와 h는 X 염색체에 있다.

ㄹ. 어머니는 h만을 가지고 있다.

① ㄱ, ㄴ ② ㄴ, ㄷ ③ ㄷ, ㄹ
④ ㄱ, ㄴ, ㄹ ⑤ ㄱ, ㄷ, ㄹ

411 하 중 상

그림 (가)는 철수네 가족의 유전병 ㉠에 대한 가계도를, (나)는 가족 구성원에서 ㉠의 발현에 관여하는 유전자 A*의 DNA 상대량을 나타낸 것이다. ㉠은 대립유전자 A와 A*에 의해 결정되며, 대립유전자 사이의 우열 관계는 분명하다.

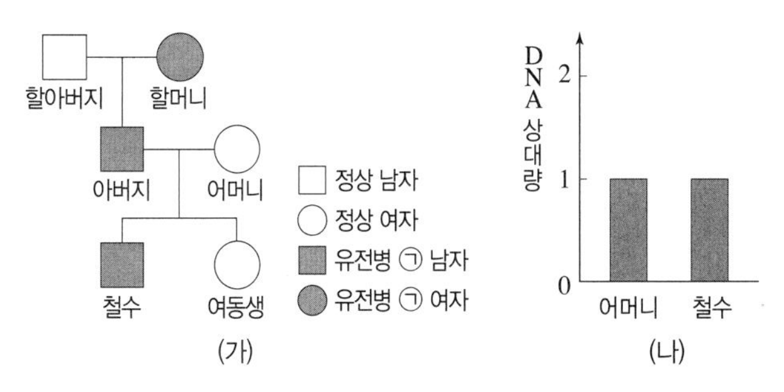

이에 대한 설명으로 옳은 것만을 〈보기〉에서 있는 대로 고른 것은? (단, 돌연변이는 고려하지 않으며, A, A* 각각의 1개당 DNA 상대량은 1이다.)

〈 보기 〉

ㄱ. A는 ㉠ 대립유전자이다.

ㄴ. A와 A*는 X 염색체에 있다.

ㄷ. 철수의 A*는 할머니로부터 물려받은 것이다.

ㄹ. 여동생의 ㉠의 유전자형은 이형 접합성이다.

① ㄱ, ㄴ ② ㄱ, ㄷ ③ ㄴ, ㄹ
④ ㄱ, ㄴ, ㄷ ⑤ ㄴ, ㄷ, ㄹ

412 하 중 상

표는 사람의 여러 가지 유전 형질에 대해 조사한 자료이다.

형질	부	모	자손
A	정상	정상	딸이 A이다.
B	B 형질	B 형질	아들과 딸 모두 정상이다.
C	정상	C 형질	아들은 모두 C, 딸은 모두 정상이다.
D	D 형질	정상	딸은 모두 D, 아들은 모두 정상이다.

(1) A~D 중 열성으로 유전되는 형질을 모두 쓰시오.

(2) A~D 중 X 염색체에 유전 형질의 유전자가 있는 형질을 모두 쓰시오.

두 가지 유전 형질인 경우

413 하 중 상

그림은 어떤 가족의 ABO식 혈액형과 유전병 (가)에 대한 가계도를 나타낸 것이다. ABO식 혈액형을 결정하는 대립유전자는 I^A, I^B, i이며, (가)는 성염색체에 있는 1쌍의 대립유전자에 의해 형질이 결정된다.

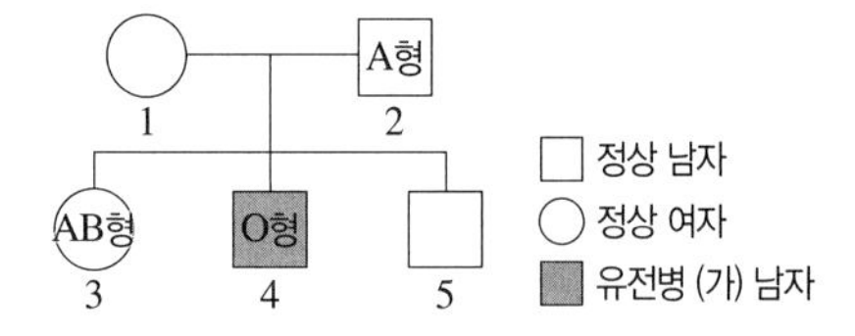

이에 대한 설명으로 옳은 것만을 〈보기〉에서 있는 대로 고른 것은? (단, 돌연변이는 고려하지 않는다.)

〈 보기 〉

ㄱ. 1의 ABO식 혈액형의 유전자형은 I^Bi이다.

ㄴ. 4는 2로부터 (가) 대립유전자를 물려받았다.

ㄷ. 5의 동생이 태어날 때, 이 아이가 O형이면서 (가)일 확률은 $\frac{1}{8}$이다.

① ㄱ ② ㄴ ③ ㄱ, ㄷ ④ ㄴ, ㄷ ⑤ ㄱ, ㄴ, ㄷ

빈출

414 하 중 상

그림 (가)는 어떤 가족의 ABO식 혈액형과 유전병 ㉠에 대한 가계도를, (나)는 (가)의 구성원 중 2와 4의 ㉠ 대립유전자의 DNA 상대량을 나타낸 것이다. 2의 ABO식 혈액형의 유전자형은 동형 접합성이다.

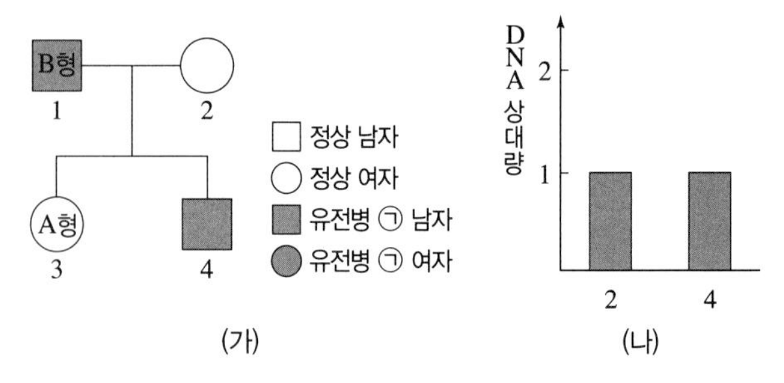

이에 대한 설명으로 옳은 것만을 〈보기〉에서 있는 대로 고른 것은? (단, 돌연변이는 고려하지 않는다.)

〈 보기 〉

ㄱ. ㉠의 유전자는 상염색체에 있다.

ㄴ. 4는 1로부터 ㉠ 대립유전자를 물려받았다.

ㄷ. 4의 동생이 태어날 때, 이 아이가 AB형이면서 ㉠일 확률은 $\frac{1}{4}$이다.

① ㄱ ② ㄷ ③ ㄱ, ㄴ ④ ㄴ, ㄷ ⑤ ㄱ, ㄴ, ㄷ

415 하 중 상

그림은 영희 집안의 유전 형질 ㉠과 ㉡에 대한 가계도를 나타낸 것이다. ㉠은 대립유전자 A와 A*에 의해, ㉡은 대립유전자 B와 B*에 의해 결정되며, A는 A*에 대해, B는 B*에 대해 각각 완전 우성이다. 영희의 ㉠과 ㉡의 유전자형은 모두 동형 접합성이고, ㉠의 유전자와 ㉡의 유전자 중 하나는 X 염색체에 있다.

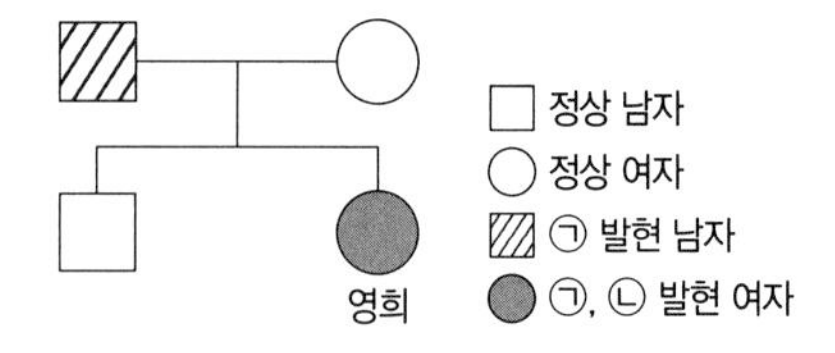

이에 대한 설명으로 옳은 것만을 〈보기〉에서 있는 대로 고른 것은? (단, 돌연변이는 고려하지 않는다.)

〈 보기 〉

ㄱ. ㉡의 유전자는 X 염색체에 있다.

ㄴ. 영희 어머니의 ㉠과 ㉡의 유전자형은 모두 이형 접합성이다.

ㄷ. 영희의 동생이 태어날 때, 이 아이가 ㉠과 ㉡이 모두 발현될 확률은 $\frac{1}{8}$이다.

① ㄱ ② ㄴ ③ ㄱ, ㄷ ④ ㄴ, ㄷ ⑤ ㄱ, ㄴ, ㄷ

416 하/중/상

다음은 어떤 집안의 유전병 ㉠과 ㉡에 대한 자료이다.

- ㉠은 정상 대립유전자 H와 유전병 대립유전자 H*에 의해 결정되며, ㉡은 정상 대립유전자 T와 유전병 대립유전자 T*에 의해 결정된다. 대립유전자 사이의 우열 관계는 분명하다.
- ㉠과 ㉡의 유전자는 서로 다른 염색체에 있다.
- 가계도는 구성원 1~10에게서 ㉠과 ㉡에 대한 발현 여부를 나타낸 것이다.

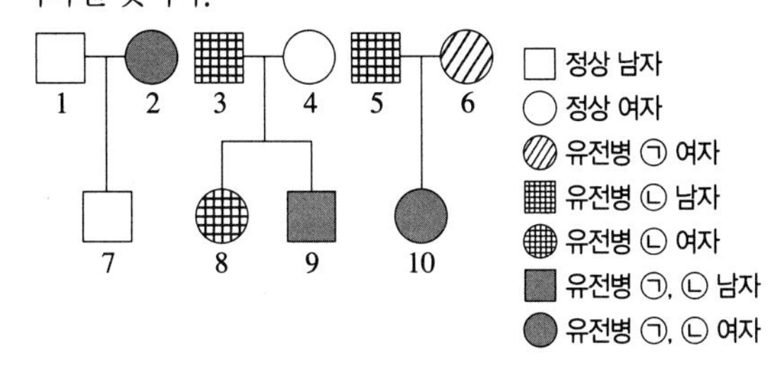

- 1은 ㉠의 유전자형이 동형 접합성이며, 5와 6은 T와 T* 중 한 가지만 가진다.

이에 대한 설명으로 옳은 것만을 〈보기〉에서 있는 대로 고른 것은? (단, 돌연변이는 고려하지 않는다.)

〈 보기 〉

ㄱ. ㉠과 ㉡의 유전자는 모두 상염색체에 있다.
ㄴ. ㉠과 ㉡ 모두 열성 형질이다.
ㄷ. T는 T*에 대해 우성이다.

① ㄱ ② ㄴ ③ ㄱ, ㄷ
④ ㄴ, ㄷ ⑤ ㄱ, ㄴ, ㄷ

417 하/중/상

다음은 사람의 유전 형질 ㉠과 ㉡에 대한 자료이다.

- ㉠과 ㉡의 유전자는 서로 다른 상염색체에 있다.
- ㉠은 1쌍의 대립유전자 B와 B*에 의해 결정되며, B는 B*에 대해 완전 우성이다.
- ㉡은 복대립 유전 형질이고 대립유전자에는 D, E, F가 있다. 유전자형이 DF인 사람과 DD인 사람의 표현형은 같고, 유전자형이 EF인 사람과 EE인 사람의 표현형은 같다.
- ㉡의 유전자형이 DF인 여자와 EF인 남자 사이에서 아이가 태어날 때, 이 아이에게서 나타날 수 있는 표현형은 최대 4가지이다.

이에 대한 설명으로 옳은 것만을 〈보기〉에서 있는 대로 고른 것은? (단, 돌연변이는 고려하지 않는다.)

〈 보기 〉

ㄱ. ㉠과 ㉡의 유전은 모두 단일 인자 유전이다.
ㄴ. D와 E 사이의 우열 관계는 분명하다.
ㄷ. ㉠과 ㉡의 유전자형이 BB*DE인 여자와 BB*DF인 남자 사이에서 아이가 태어날 때, 이 아이에게서 나타날 수 있는 표현형은 최대 6가지이다.

① ㄱ ② ㄴ ③ ㄱ, ㄷ
④ ㄴ, ㄷ ⑤ ㄱ, ㄴ, ㄷ

418 하/중/상

다음은 어떤 집안의 유전 형질 ㉠과 ㉡에 대한 자료이다.

- ㉠은 대립유전자 A와 A*에 의해, ㉡은 대립유전자 B와 B*에 의해 결정된다. A는 A*에 대해, B는 B*에 대해 각각 완전 우성이다.
- ㉠의 유전자와 ㉡의 유전자 중 하나는 상염색체에, 다른 하나는 성염색체에 있다.
- 가계도는 구성원 1~10에게서 ㉠과 ㉡에 대한 발현 여부를 나타낸 것이다.

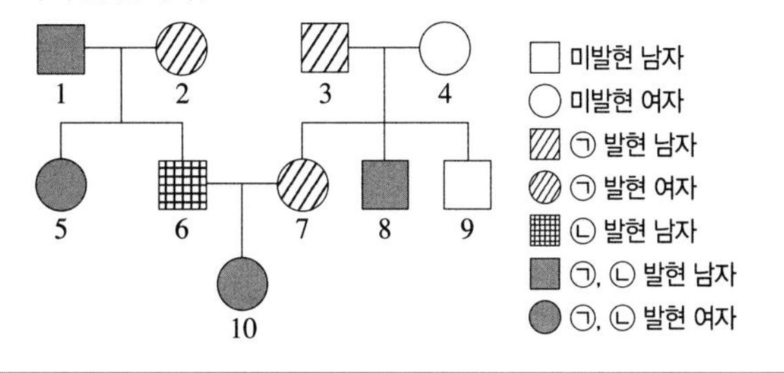

이에 대한 설명으로 옳은 것만을 〈보기〉에서 있는 대로 고른 것은? (단, 돌연변이는 고려하지 않는다.)

〈 보기 〉

ㄱ. ㉠의 유전자는 상염색체에 있다.
ㄴ. 3, 4 각각의 체세포 1개당 A*의 수를 더한 값과 5, 6 각각의 체세포 1개당 B*의 수를 더한 값은 같다.
ㄷ. 10의 동생이 태어날 때, 이 아이에게서 ㉠은 발현되고 ㉡이 발현되지 않을 확률은 $\frac{1}{8}$이다.

① ㄱ ② ㄷ ③ ㄱ, ㄴ
④ ㄴ, ㄷ ⑤ ㄱ, ㄴ, ㄷ

빈출

419 하/중/상

표는 철수네 가족에서 유전 형질 ㉠과 ㉡의 발현 여부와 각 구성원에서 대립유전자 A*와 B*의 수를 나타낸 것이다. ㉠과 ㉡은 각각 대립유전자 A와 A*, B와 B*에 의해 결정된다. 대립유전자 사이의 우열 관계는 분명하다.

구분		아버지	누나	형	철수
유전 형질	㉠	○	○	×	×
	㉡	×	×	×	○
대립유전자 수	A*	2	2	1	1
	B*	0	1	0	1

(○: 발현됨, ×: 발현 안 됨)

이에 대한 설명으로 옳은 것만을 〈보기〉에서 있는 대로 고른 것은? (단, 돌연변이는 고려하지 않는다.)

〈 보기 〉
ㄱ. B와 B*는 X 염색체에 있다.
ㄴ. ㉠과 ㉡은 모두 열성 형질이다.
ㄷ. 어머니는 ㉠과 ㉡이 모두 발현되지 않는다.

① ㄱ ② ㄴ ③ ㄱ, ㄷ
④ ㄴ, ㄷ ⑤ ㄱ, ㄴ, ㄷ

420 하/중/상

표는 어머니를 제외한 영희의 가족 구성원에서 G_1기 체세포 1개당 대립유전자 P, P*, T, T*의 DNA 상대량을, 그림 (가)는 영희와 남동생의 염색체 중 하나를 나타낸 것이다. P와 P*, T와 T*는 각각 대립유전자이다.

가족 구성원	DNA 상대량			
	P	P*	T	T*
아버지	0	2	0	ⓑ
언니	1	1	1	1
영희	0	ⓐ	?	1
남동생	1	1	0	1

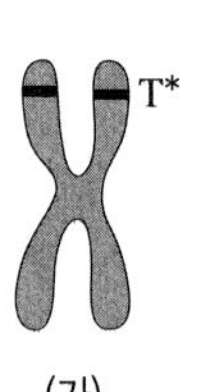

(가)

이에 대한 설명으로 옳은 것만을 〈보기〉에서 있는 대로 고른 것은? (단, 돌연변이는 고려하지 않으며, P, P*, T, T* 각각의 1개당 DNA 상대량은 1이다.)

〈 보기 〉
ㄱ. (가)는 상염색체이다.
ㄴ. ⓐ+ⓑ=3이다.
ㄷ. 어머니는 P와 T를 모두 가지고 있다.

① ㄱ ② ㄷ ③ ㄱ, ㄴ
④ ㄱ, ㄷ ⑤ ㄴ, ㄷ

421 하/중/상

多 보기

다음은 어떤 집안의 유전 형질 (가)와 (나)에 대한 자료이다.

- (가)는 대립유전자 A와 A*에 의해, (나)는 대립유전자 B와 B*에 의해 결정된다. A는 A*에 대해, B는 B*에 대해 각각 완전 우성이다.
- (가)의 유전자와 (나)의 유전자 중 하나는 상염색체에, 다른 하나는 성염색체에 있다.
- 가계도는 구성원의 (가)와 (나)의 발현 여부를 나타낸 것이다.

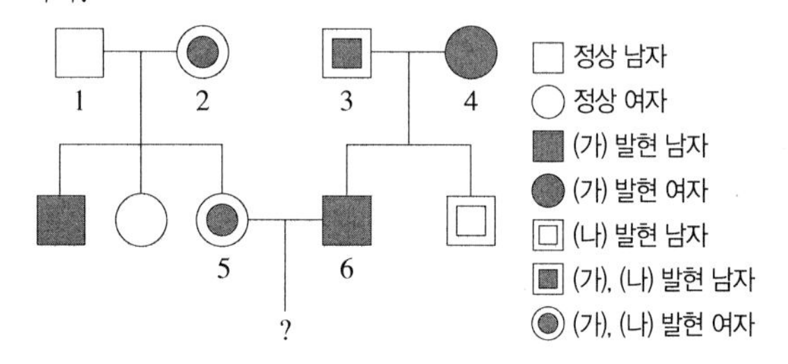

- 표는 구성원 1~4의 체세포 1개당 A*와 B*의 DNA 상대량을 나타낸 것이다.

구성원		1	2	3	4
DNA 상대량	A*	ⓐ	1	0	1
	B*	1	2	ⓑ	1

이에 대한 설명으로 옳은 것만을 모두 고르면?(단, 돌연변이는 고려하지 않으며, A, A*, B, B* 각각의 1개당 DNA 상대량은 1이다.)(2개)

① (가)는 열성 형질이다.
② (나)는 우성 형질이다.
③ (가)의 유전자는 성염색체에 있다.
④ ⓐ+ⓑ=2이다.
⑤ $\frac{\text{5, 6 각각의 체세포 1개당 A의 수를 더한 값}}{\text{3, 4 각각의 체세포 1개당 B의 수를 더한 값}}$=2이다.
⑥ 5와 6 사이에서 아이가 태어날 때, 이 아이에게서 (가)와 (나)가 모두 발현될 확률은 $\frac{1}{8}$이다.

세 가지 유전 형질인 경우

422 하/중/상

다음은 어떤 집안의 유전병 ㉠, ㉡과 ABO식 혈액형에 대한 자료이다.

- ㉠은 대립유전자 H와 H*에 의해, ㉡은 대립유전자 T와 T*에 의해 결정된다. H는 H*에 대해, T는 T*에 대해 각각 완전 우성이다.
- ㉠의 유전자와 ㉡의 유전자 중 하나만 ABO식 혈액형의 유전자와 같은 염색체에 있다.
- 가계도는 구성원의 ABO식 혈액형과 ㉠과 ㉡의 유무를 나타낸 것이다.

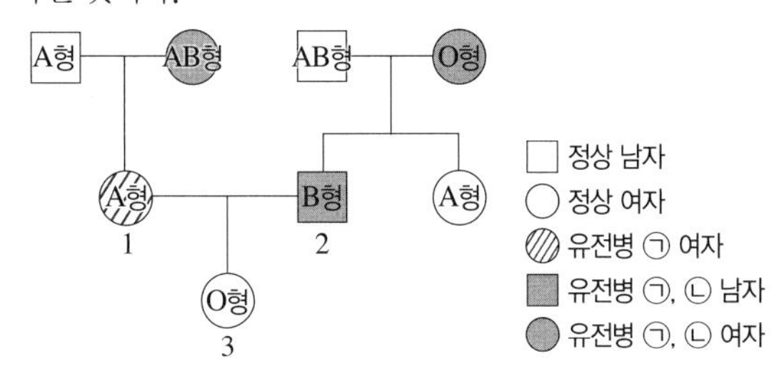

- 2의 어머니의 ㉡의 유전자형은 동형 접합성이다.

이에 대한 설명으로 옳은 것만을 〈보기〉에서 있는 대로 고른 것은? (단, 돌연변이와 교차는 고려하지 않는다.)

〈 보기 〉

ㄱ. ㉠의 유전자는 ABO식 혈액형의 유전자와 같은 염색체에 있다.

ㄴ. 1에서 ㉡의 유전자형은 이형 접합성이다.

ㄷ. 3의 동생이 태어날 때, 이 아이에게서 ㉠과 ㉡ 중 ㉠만 나타날 확률은 $\frac{3}{8}$이다.

① ㄱ ② ㄴ ③ ㄱ, ㄷ ④ ㄴ, ㄷ ⑤ ㄱ, ㄴ, ㄷ

423 하/중/상

다음은 어떤 집안의 유전병 ㉠, ㉡과 ABO식 혈액형에 대한 자료이다.

- ㉠은 대립유전자 A와 A*에 의해 결정되며, A와 A* 사이의 우열 관계는 분명하다. A는 정상 대립유전자이고, A*는 ㉠ 대립유전자이다.
- ㉡은 대립유전자 B와 B*에 의해 결정되며, B와 B* 사이의 우열 관계는 분명하다. B는 정상 대립유전자이고, B*는 ㉡ 대립유전자이다.
- ABO식 혈액형의 유전자, ㉠의 유전자, ㉡의 유전자는 모두 서로 다른 염색체에 있다.
- 가계도는 구성원의 ABO식 혈액형과 ㉠과 ㉡의 유무를 나타낸 것이다.

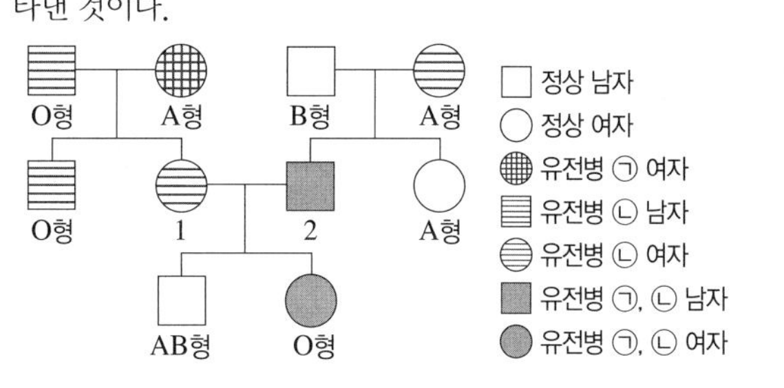

이에 대한 설명으로 옳은 것만을 〈보기〉에서 있는 대로 고른 것은? (단, 돌연변이는 고려하지 않는다.)

〈 보기 〉

ㄱ. ㉠의 유전자는 성염색체에 있다.

ㄴ. B는 B*에 대해 우성이다.

ㄷ. 1과 2 사이에서 한 명의 아이가 더 태어날 때, 이 아이가 O형이면서 ㉠과 ㉡을 모두 가질 확률은 $\frac{3}{32}$이다.

① ㄱ ② ㄷ ③ ㄱ, ㄴ ④ ㄴ, ㄷ ⑤ ㄱ, ㄴ, ㄷ

빈출 424 하/중/상

다음은 어떤 집안의 유전병 ㉠~㉢에 대한 자료이다.

- ㉠과 ㉡은 각각 대립유전자 T와 T*, R와 R*에 의해 결정된다. T는 T*에 대해, R는 R*에 대해 각각 완전 우성이다.
- 가계도는 구성원의 ㉠과 ㉡의 유무를 나타낸 것이다.

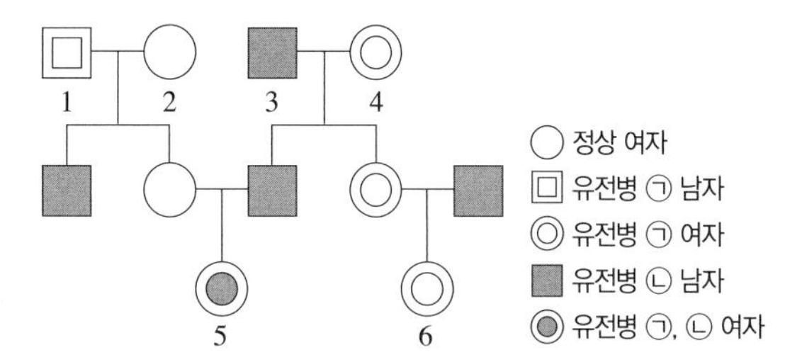

- 1~4의 체세포 1개당 R개수의 합과 1~4의 체세포 1개당 R*개수의 합은 서로 같다.
- ㉢의 유전자는 X 염색체에 있으며, 이 유전병은 열성으로 유전된다.
- ㉢은 1에게서만 발현된다.

이에 대한 설명으로 옳은 것을 모두 고르면?(단, 돌연변이와 교차는 고려하지 않는다.)(2개)

① ㉠은 열성, ㉡은 우성 형질이다.

② ㉡의 유전자는 상염색체에 있다.

③ 2와 6의 ㉡의 유전자형은 같다.

④ 5에게서 ㉢의 유전자형은 이형 접합성이다.

⑤ 6의 동생이 태어날 때, 이 아이에게서 ㉠과 ㉡이 모두 나타날 확률은 $\frac{1}{4}$이다.

Ⅳ

다인자 유전

A 다인자 유전

1 다인자 유전 ❶☐☐ 쌍의 대립유전자에 의해 형질이 결정되는 유전 현상으로, ❷☐☐☐이 뚜렷이 구분되지 않고 다양하게 나타나며, 환경의 영향을 받기도 한다. 예 피부색, 키 등

기출 Tip A-1

복대립 유전과 다인자 유전
복대립 유전은 대립유전자 한 쌍으로 형질이 결정되며, 이때 하나의 유전 형질을 결정하는 데 3가지 이상의 대립유전자가 관여하는 유전 현상이고, 다인자 유전은 여러 쌍의 대립유전자가 하나의 형질 발현에 관여하는 유전 현상이다.

2 단일 인자 유전과 다인자 유전 비교

구분	단일 인자 유전	다인자 유전
형질 결정	한 쌍의 대립유전자에 의해 결정된다.	여러 쌍의 대립유전자에 의해 결정된다.
형질 분포	표현형이 뚜렷이 구분되어 ❸☐☐☐☐☐ 변이로 나타난다. (혀 말기 — 사람 수 / 가능, 불가능)	표현형이 다양하고 환경의 영향을 받아 ❹☐☐☐☐ 변이가 나타난다. (키 — 사람 수 / 140, 190(cm))

기출 Tip A-2

다인자 유전에서 형질이 대문자로 표시되는 대립유전자의 수에 의해서 결정될 때 염색체 상의 유전자 위치에 따른 표현형의 수
유전자형이 AaBb인 개체끼리 교배하였을 때
- A/a, B/b 모두 다른 염색체에 있을 경우 자손의 표현형 수: 5가지
- A와 B(a와 b)가 같은 염색체에 있을 경우 자손의 표현형 수: 3가지
- A와 b(a와 B)가 같은 염색체에 있을 경우 자손의 표현형 수: 1가지

답 ❶ 여러 ❷ 표현형 ❸ 불연속적인 ❹ 연속적인

(사람의 피부색 유전)

[사람의 피부색을 결정하는 대립유전자에 대한 가정]
- 사람의 피부색은 3쌍의 대립유전자 A와 a, B와 b, C와 c에 의해 결정되며, A, B, C는 서로 다른 상염색체에 있다.
- A, B, C는 피부를 검게 만드는 대립유전자이고, 피부색의 표현형은 유전자형에서 대문자로 표시되는 대립유전자의 수에 의해서만 결정되며, 이 대립유전자의 수가 다르면 표현형이 다르다.

유전자형이 AaBbCc인 중간 정도의 피부색을 가진 남녀가 결혼하여 자손을 낳을 때 자손에서 나타날 수 있는 피부색의 종류와 빈도는 다음과 같이 구한다.

1. 유전자형이 AaBbCc인 사람에게서 만들어질 수 있는 생식세포는 ABC, ABc, AbC, Abc, aBC, aBc, abC, abc 8가지이다.
2. 8가지 생식세포 중 대문자로 표시되는 대립유전자(피부를 검게 만드는 대립유전자)의 수가 3인 것은 1가지, 2인 것은 3가지, 1인 것은 3가지, 0인 것은 1가지이다. 즉, 생식세포에서 대문자로 표시되는 대립유전자의 수가 3일 확률은 $\frac{1}{8}$, 2일 확률은 $\frac{3}{8}$, 1일 확률은 $\frac{3}{8}$, 0일 확률은 $\frac{1}{8}$이다.

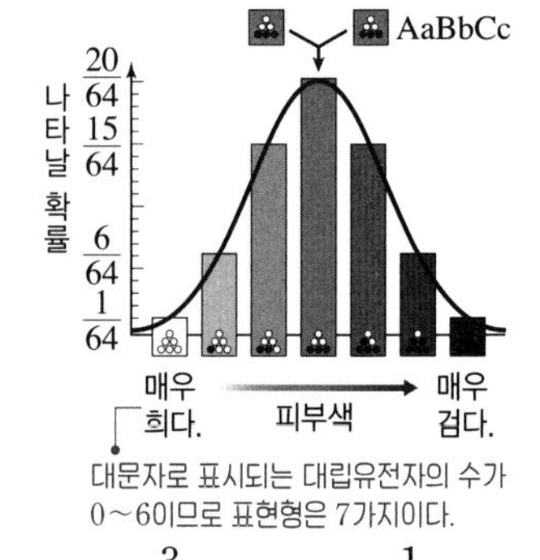

대문자로 표시되는 대립유전자의 수가 0~6이므로 표현형은 7가지이다.

빈출 자료 보기

정답과 해설 62쪽

425 다음은 어떤 동물의 털색 유전에 대한 자료이다.

- 털색은 서로 다른 상염색체에 있는 2쌍의 대립유전자 A와 a, B와 b에 의해 결정된다.
- 털색은 유전자형에서 대문자로 표시되는 대립유전자의 수에 의해서만 결정되며, 대문자로 표시되는 대립유전자의 수가 다르면 털색이 서로 다르다.
- 유전자형이 ㉠ AaBb인 암컷과 ㉡ Aabb인 수컷을 교배하여 자손(F_1)을 얻었다.

이에 대한 설명으로 옳은 것은 ○, 옳지 않은 것은 ×로 표시하시오. (단, 돌연변이는 고려하지 않는다.)

(1) 털색의 유전은 복대립 유전이다. ( )
(2) ㉠이 형성할 수 있는 생식세포의 종류는 4가지이다. ( )
(3) ㉡이 형성할 수 있는 생식세포의 종류는 4가지이다. ( )
(4) 자손(F_1)에서 나타날 수 있는 털색의 종류는 최대 4가지이다. ( )
(5) 자손(F_1)의 털색이 ㉠과 같을 확률은 $\frac{3}{8}$이다. ( )

정답과 해설 62쪽

A 다인자 유전

426 하 중 상

다인자 유전에 대한 설명으로 옳은 것만을 〈보기〉에서 있는 대로 고른 것은?

〈 보기 〉

ㄱ. 체중과 키가 대표적인 예이다.
ㄴ. 형질의 발현에 환경의 영향을 받는다.
ㄷ. 표현형이 불연속적인 변이로 나타난다.
ㄹ. 형질의 발현에 여러 쌍의 대립유전자가 관여한다.

① ㄱ, ㄴ ② ㄱ, ㄷ ③ ㄷ, ㄹ
④ ㄱ, ㄴ, ㄹ ⑤ ㄴ, ㄷ, ㄹ

427 하 중 상

그림은 어느 학교의 학생을 대상으로 ABO식 혈액형, 피부색, 미맹 여부에 대해 조사하여 얻은 결과를 나타낸 것이다.

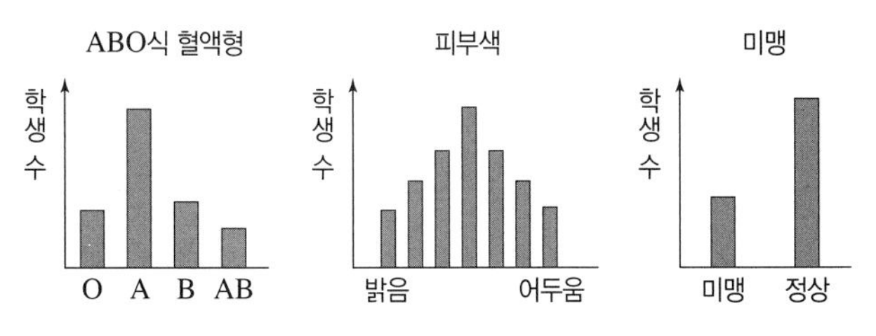

이에 대한 설명으로 옳은 것만을 〈보기〉에서 있는 대로 고른 것은?

〈 보기 〉

ㄱ. ABO식 혈액형은 대립 형질이 뚜렷하게 구별되지 않는다.
ㄴ. ABO식 혈액형과 미맹은 단일 인자 유전에 해당한다.
ㄷ. 형질을 결정하는 대립유전자 쌍은 피부색이 ABO식 혈액형보다 많다.
ㄹ. 1란성 쌍둥이의 ABO식 혈액형과 미맹 여부는 동일하다.

① ㄱ, ㄴ ② ㄱ, ㄷ ③ ㄴ, ㄹ
④ ㄱ, ㄷ, ㄹ ⑤ ㄴ, ㄷ, ㄹ

428 하 중 상

그림은 어느 학교의 학생을 대상으로 눈꺼풀과 키에 대해 조사하여 얻은 결과를 나타낸 것이다.

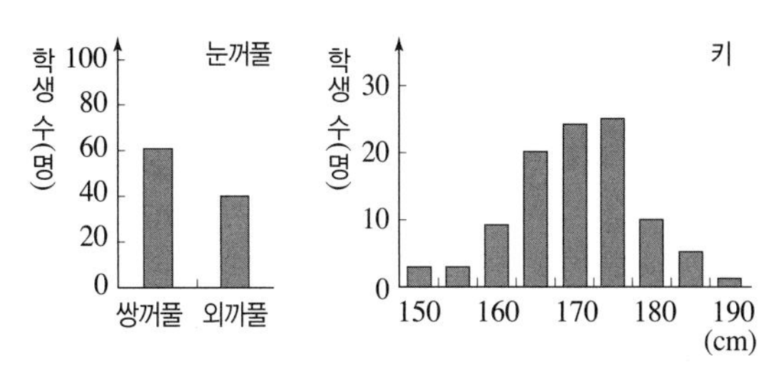

이에 대한 설명으로 옳은 것만을 〈보기〉에서 있는 대로 고른 것은?

〈 보기 〉

ㄱ. 눈꺼풀은 1쌍의 대립유전자에 의해 형질이 결정된다.
ㄴ. 키는 우성과 열성 형질이 뚜렷하게 구분된다.
ㄷ. 키는 눈꺼풀보다 형질 발현에 환경의 영향을 많이 받는다.

① ㄱ ② ㄴ ③ ㄱ, ㄴ
④ ㄱ, ㄷ ⑤ ㄴ, ㄷ

빈출

429 하 중 상

표는 어떤 형질 ㉠과 ㉡에 대한 자료이다. ㉠은 1쌍의 대립유전자에 의해, ㉡은 2쌍의 대립유전자에 의해 형질이 결정된다. ㉡의 표현형은 유전자형에서 대문자로 표시되는 대립유전자의 수에 의해서만 결정되며, 유전자 A, B, D는 서로 다른 상염색체에 있다. A와 a, B와 b, D와 d는 각각 대립유전자이다.

형질	㉠	㉡
대립유전자	A, a	B, b, D, d
표현형의 종류에 따른 개체 수	개체 수 / 표현형의 종류	개체 수 / 표현형의 종류

이에 대한 설명으로 옳은 것만을 〈보기〉에서 있는 대로 고른 것은? (단, 돌연변이는 고려하지 않으며, 그림에 나타난 표현형만을 고려한다.)

〈 보기 〉

ㄱ. ㉡은 복대립 유전에 해당한다.
ㄴ. ㉠의 유전자형이 AA인 사람과 Aa인 사람의 표현형은 서로 다르다.
ㄷ. ㉡의 유전자형이 BBdd인 사람과 BbDd인 사람의 표현형은 서로 다르다.

① ㄴ ② ㄷ ③ ㄱ, ㄴ ④ ㄱ, ㄷ ⑤ ㄴ, ㄷ

다인자 유전

430 (하 중 상)

다음은 피부색 유전에 대한 자료이다.

- 피부색은 서로 다른 상염색체에 있는 3쌍의 대립유전자 A와 a, B와 b, D와 d에 의해 결정된다.
- A, B, D는 피부색을 어둡게 하는 유전자이고, a, b, d는 피부색을 밝게 하는 유전자이다.
- 피부색의 표현형은 유전자형에서 대문자로 표시되는 대립유전자의 수에 의해서만 결정된다.
- 유전자형이 AaBbDd인 부모에게서 태어난 ㉠ 자녀가 가질 수 있는 피부색의 표현형은 최대 ⓐ가지이다.

이에 대한 설명으로 옳은 것만을 〈보기〉에서 있는 대로 고른 것은? (단, 돌연변이는 고려하지 않는다.)

〈 보기 〉

ㄱ. 피부색 유전은 다인자 유전이다.

ㄴ. ⓐ는 7이다.

ㄷ. ㉠에게서 AaBbDd와 표현형이 같을 확률은 $\frac{3}{32}$이다.

① ㄱ ② ㄷ ③ ㄱ, ㄴ ④ ㄱ, ㄷ ⑤ ㄴ, ㄷ

431 (하 중 상)

다음은 피부색 유전에 대한 자료이다.

- 피부색은 서로 다른 상염색체에 있는 3쌍의 대립유전자 A와 a, B와 b, C와 c에 의해 결정된다.
- A, B, C는 피부색을 어둡게 하는 유전자이고, a, b, c는 피부색을 밝게 하는 유전자이다.
- 피부색의 표현형은 유전자형에서 대문자로 표시되는 대립유전자의 수에 의해서만 결정된다.
- 검은색 피부(AABBCC)와 흰색 피부(aabbcc)를 가진 부모 사이에서 ㉠ 갈색 피부(AaBbCc)를 가진 개체가 태어났다.
- ㉠과 흰색 피부(aabbcc) 개체 사이에서 ㉡ 자손을 얻었다.

(1) ㉠이 만들 수 있는 생식세포 유전자형의 수를 쓰시오.

(2) ㉡에게서 나타날 수 있는 표현형의 수를 쓰시오.

(3) ㉡에게서 Aabbcc와 표현형이 같을 확률을 구하시오.

432 (하 중 상)

다음은 어떤 동물의 유전 형질 (가)에 대한 자료이다.

- (가)는 서로 다른 상염색체에 있는 2쌍의 대립유전자 A와 a, B와 b에 의해 결정된다.
- (가)는 유전자형에서 대문자로 표시되는 대립유전자의 수에 의해서만 결정되며, 대문자로 표시되는 대립유전자의 수가 다르면 (가)의 표현형이 서로 다르다.

이에 대한 설명으로 옳은 것만을 〈보기〉에서 있는 대로 고른 것은? (단, 돌연변이는 고려하지 않는다.)

〈 보기 〉

ㄱ. 유전자형이 AaBb, AAbb, aaBB인 개체의 표현형은 모두 같다.

ㄴ. 유전자형이 AaBb인 개체끼리 교배하였을 때 나타날 수 있는 (가)의 표현형은 4가지이다.

ㄷ. 유전자형이 AaBb인 개체끼리 교배하였을 때 표현형이 AABb와 같은 자손이 태어날 확률은 $\frac{1}{4}$이다.

① ㄱ ② ㄷ ③ ㄱ, ㄴ ④ ㄱ, ㄷ ⑤ ㄴ, ㄷ

433 (하 중 상)

다음은 어떤 동물의 유전 형질 (가)에 대한 자료이다.

- (가)는 서로 다른 상염색체에 있는 3쌍의 대립유전자 A와 a, B와 b, D와 d에 의해 결정된다.
- (가)는 유전자형에서 대문자로 표시되는 대립유전자의 수에 의해서만 결정되며, 대문자로 표시되는 대립유전자의 수가 다르면 (가)의 표현형이 서로 다르다.
- 유전자형이 ㉠ AabbDd인 개체와 ㉡ AaBbDd인 개체 사이에서 ㉢ 자손이 태어났다.

이에 대한 설명으로 옳은 것만을 〈보기〉에서 있는 대로 고른 것은? (단, 돌연변이는 고려하지 않는다.)

〈 보기 〉

ㄱ. ㉡은 abD인 생식세포를 생성할 수 있다.

ㄴ. ㉢에게서 나타날 수 있는 (가)의 표현형은 최대 6가지이다.

ㄷ. ㉢의 표현형이 ㉠과 같을 확률은 $\frac{5}{16}$이다.

① ㄱ ② ㄷ ③ ㄱ, ㄴ ④ ㄱ, ㄷ ⑤ ㄱ, ㄴ, ㄷ

다인자 유전과 단일 인자 유전

빈출

434 하 중 상

다음은 어떤 동물의 유전 형질 ㉠과 ㉡에 대한 자료이다.

- ㉠은 3쌍의 대립유전자 A와 a, B와 b, D와 d에 의해 결정된다.
- ㉠의 표현형은 유전자형에서 대문자로 표시되는 대립유전자의 수에 의해서만 결정되며, 이 대립유전자의 수가 다르면 ㉠의 표현형이 다르다.
- ㉡은 대립유전자 E와 e에 의해 결정되며, E는 e에 대해 완전 우성이다.
- A, B, D, E 유전자는 각각 서로 다른 상염색체에 있다.

이에 대한 설명으로 옳은 것만을 〈보기〉에서 있는 대로 고른 것은? (단, 돌연변이는 고려하지 않는다.)

〈 보기 〉

ㄱ. ㉠의 유전은 다인자 유전, ㉡의 유전은 단일 인자 유전이다.
ㄴ. AaBbDdEe인 개체에서 형성될 수 있는 생식세포의 유전자형은 최대 16가지이다.
ㄷ. 유전자형이 AaBbDdEe인 개체와 aabbddee인 개체 사이에서 자손이 태어날 때, 이 자손에게서 나타날 수 있는 표현형은 최대 8가지이다.

① ㄱ ② ㄷ ③ ㄱ, ㄴ
④ ㄴ, ㄷ ⑤ ㄱ, ㄴ, ㄷ

435 하 중 상

다음은 어떤 동물의 유전 형질 ㉠과 ㉡에 대한 자료이다.

- ㉠은 1쌍의 대립유전자 A와 a에 의해 결정되며, 나타날 수 있는 표현형은 최대 3가지이다.
- ㉡은 2쌍의 대립유전자 B와 b, D와 d에 의해 결정된다.
- ㉡의 표현형은 유전자형에서 대문자로 표시되는 대립유전자의 수에 의해서만 결정되며, 이 대립유전자의 수가 다르면 ㉡의 표현형이 다르다.
- A, B, D 유전자는 각각 서로 다른 상염색체에 있다.

유전자형이 AaBbDd인 수컷과 암컷 사이에서 자손이 태어날 때, 이 자손에게서 ㉠과 ㉡의 표현형이 부모와 같을 확률은?(단, 돌연변이는 고려하지 않는다.)

① $\frac{1}{8}$ ② $\frac{3}{16}$ ③ $\frac{9}{32}$ ④ $\frac{3}{8}$ ⑤ $\frac{1}{2}$

436 하 중 상

그림은 어떤 동물 종($2n$)의 암컷 개체 (가)와 수컷 개체 (나)의 체세포에 들어 있는 3쌍의 상동 염색체와 대립유전자를 나타낸 것이다. 형질 ㉠은 2쌍의 대립유전자 A와 a, B와 b에 의해 결정된다. 형질 ㉡은 대립유전자 E, F, G에 의해 결정되며, E, F, G 사이의 우열 관계는 분명하다. ㉠의 표현형은 유전자형에서 대문자로 표시되는 대립유전자의 수에 의해서만 결정되며, 이 대립유전자의 수가 다르면 표현형이 다르다.

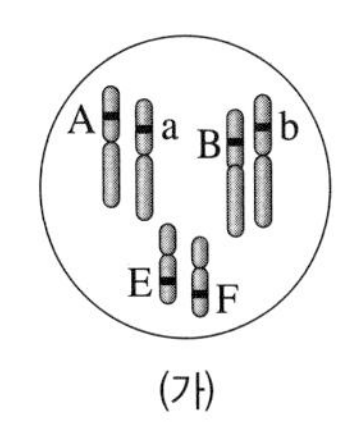

(가)

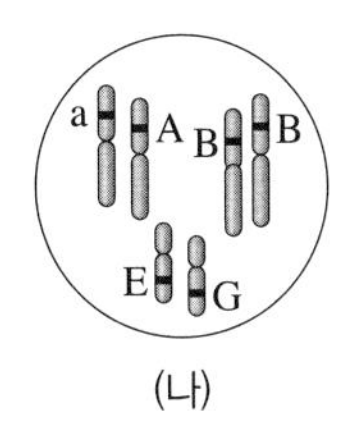

(나)

이에 대한 설명으로 옳은 것만을 〈보기〉에서 있는 대로 고른 것은? (단, 돌연변이는 고려하지 않는다.)

〈 보기 〉

ㄱ. ㉠의 유전은 다인자 유전, ㉡의 유전은 복대립 유전이다.
ㄴ. (가)와 (나) 사이에서 태어나는 자손의 ㉡의 표현형은 최대 3가지이다.
ㄷ. (가)와 (나) 사이에서 태어나는 자손의 ㉠의 표현형은 최대 5가지이다.

① ㄱ ② ㄷ ③ ㄱ, ㄴ
④ ㄴ, ㄷ ⑤ ㄱ, ㄴ, ㄷ

437 하 중 상

다음은 어떤 동물의 유전 형질 (가)과 (나)에 대한 자료이다.

- (가)는 2쌍의 대립유전자 A와 a, B와 b에 의해 결정된다.
- (나)는 1쌍의 대립유전자에 의해 결정되며, (나)의 유전자에는 대립유전자 P, Q, R가 있으며, P, Q, R 사이의 우열 관계는 분명하다. PP와 PQ의 표현형이 같고 QR와 QQ의 표현형이 같다.
- (가)의 유전자와 (나)의 유전자는 서로 다른 상염색체에 있다.
- (가)의 표현형은 유전자형에서 대문자로 표시되는 대립유전자의 수에 의해서만 결정되며, 이 대립유전자의 수가 다르면 (가)의 표현형이 다르다.
- ㉠ 유전자형이 AaBbPQ인 수컷과 AaBbPR인 암컷 사이에서 ㉡ 자손이 태어날 때, 이 자손에서 나타날 수 있는 표현형은 최대 6가지이다.

㉡에게서 표현형이 ㉠과 같을 확률은?(단, 돌연변이는 고려하지 않는다.)

① $\frac{1}{8}$ ② $\frac{3}{16}$ ③ $\frac{9}{32}$ ④ $\frac{3}{8}$ ⑤ $\frac{3}{4}$

사람의 유전병

Ⓐ 염색체 수 이상 유전병

1 염색체 수 이상 생식세포 분열 과정에서 염색체 ❶☐☐☐가 일어나 염색체 수가 정상보다 적거나 많은 생식세포가 만들어지며, 이 생식세포가 수정되어 염색체 수 이상이 있는 태아로 발생한다.

기출 Tip Ⓐ-2

염색체 비분리에 따른 생식세포의 종류
감수 1분열에서 비분리가 일어날 경우 2종류의 생식세포($n+1$, $n-1$)가 형성되며, 감수 2분열에서 비분리가 일어날 경우 3종류의 생식세포($n+1$, $n-1$, n)가 형성된다.

염색체 비분리에 따른 염색체 수 변화
감수 1분열과 감수 2분열에서 각각 1회씩 염색체 비분리가 일어날 경우 염색체 수 변화는 그림과 같다.

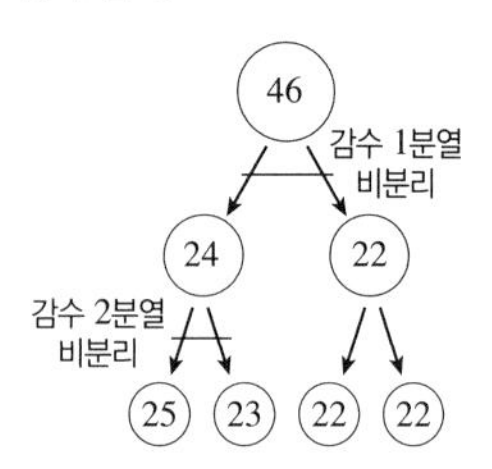

2 염색체 비분리 생식세포를 형성하는 감수 분열 과정에서 일부 염색체 또는 전체 염색체가 분리되지 않고 동일한 딸세포로 이동하는 것이다.

감수 1분열과 감수 2분열에서의 염색체 비분리

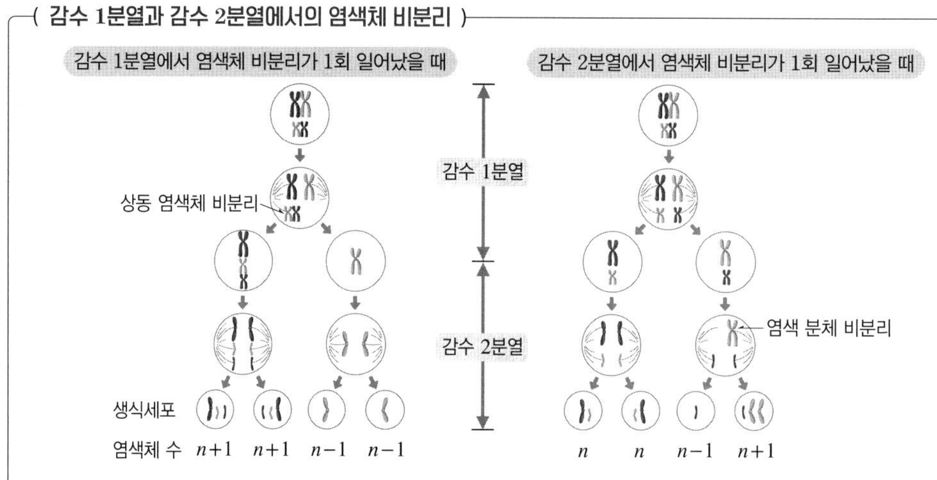

1. 감수 1분열 중 1쌍의 ❷☐☐ ☐☐☐가 비분리되는 경우: 생식세포 중 2개는 염색체 수가 1개 많고($n+1$), 2개는 염색체 수가 1개 적다($n-1$). ➡ 모든 생식세포에 이상이 나타난다.
2. 감수 2분열 중 1개의 염색체에서 ❸☐☐ ☐☐가 비분리되는 경우: 생식세포 중 2개는 염색체 수가 정상(n)이고, 1개는 염색체 수가 1개 적으며($n-1$), 1개는 염색체 수가 1개 많다($n+1$). ➡ 정상 생식세포와 이상이 있는 생식세포가 1 : 1로 나타난다.
3. 성염색체 비분리 결과

구분	감수 1분열 비분리	감수 2분열 비분리
정자의 염색체 구성	22+XY, 22	22+XX, 22, 22+Y 또는 22+YY, 22, 22+X
난자의 염색체 구성	22+XX, 22 (└ 상동 염색체 관계)	22+XX, 22, 22+X (└ 염색 분체 관계)

3 염색체 수 이상에 의한 유전병 → 핵형 분석으로 알아낼 수 있다.

구분	유전병	염색체 이상	증상
상염색체 수 이상 유전병	다운 증후군 (염색체 수 47)	21번 염색체 ❹☐개 • 남자: 45+XY • 여자: 45+XX	양쪽 눈 사이가 멀며, 지적 장애와 선천성 심장 질환 등이 나타난다.
상염색체 수 이상 유전병	에드워드 증후군 (염색체 수 47)	18번 염색체 3개 • 남자: 45+XY • 여자: 45+XX	심한 지적 장애와 심장 및 여러 장기에 기형이 나타난다.
성염색체 수 이상 유전병	터너 증후군 (염색체 수 ❺☐☐)	X 염색체 1개 • 여자: 44+X	외관상 여자이지만, 생식 기관이 발달하지 않아 불임이다.
성염색체 수 이상 유전병	❻☐☐☐☐☐ 증후군(염색체 수 47)	X 염색체 2개, Y 염색체 1개 • 남자: 44+XXY	외관상 남자이지만 정소가 비정상적으로 작고 불임이다.

B 염색체 구조 이상 유전병

1 염색체 구조 이상

결실	염색체 일부가 떨어져 없어진 것 ABCDEFGH → ABCEFGH	중복	염색체에 어떤 부분과 같은 부분이 삽입되어 그 부분이 반복되는 것 ABCDEFGH → ABCBCDEFGH
역위	떨어진 염색체 일부가 원래 염색체에 반대 방향으로 연결된 것 ABCDEFGH → ADCBEFGH	전좌	떨어진 염색체 일부가 ❼□□ 염색체가 아닌 다른 염색체에 연결된 것 ABCDEFGH → MNOCDEFGH MNOPQR → ABPQR

2 염색체 구조 이상에 의한 유전병

고양이 울음 증후군	5번 염색체 일부 ❽□□	지적 장애를 보이며 보통 유아 시절에 사망한다.
만성 골수성 백혈병	9번 염색체와 22번 염색체 간의 ❾□□	조혈 모세포가 암세포로 변해 비정상적으로 과도하게 증식하여 백혈병이 나타난다.

C 유전자 이상 유전병

1 유전자 이상 유전자를 구성하고 있는 ❿□□□의 염기 서열에 이상이 생기는 것이다.

2 유전자 이상에 의한 유전병 낫 모양 적혈구 빈혈증, 페닐케톤뇨증, 알비노증, 헌팅턴 무도병 등 → 염색체 수는 모두 정상인과 같은 46이다. 핵형 분석으로 알아낼 수 없다.

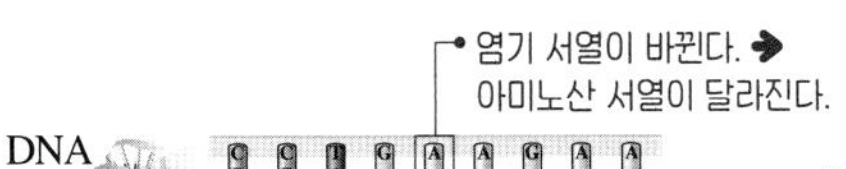

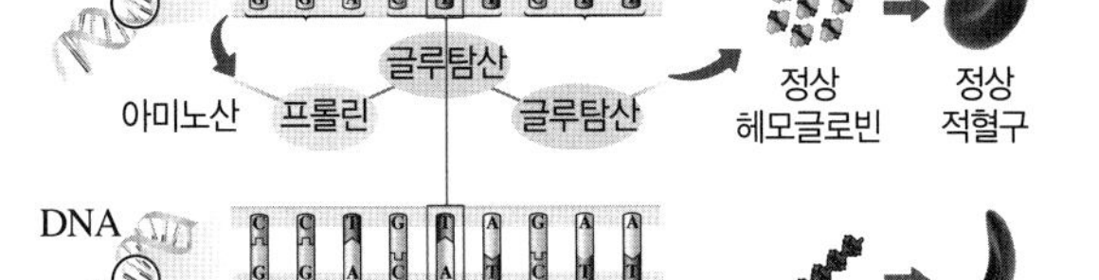

▲ 정상 적혈구와 낫 모양 적혈구 형성 과정

기출 Tip C

유전자 이상에 의한 유전병

- 낫 모양 적혈구 빈혈증: 헤모글로빈 유전자의 이상으로 산소 운반 능력이 떨어지고, 모세 혈관을 막는 낫 모양 적혈구가 만들어진다. 이로 인해 심한 빈혈이 나타나고 신체 조직이 손상될 수 있다.
- 페닐케톤뇨증: 페닐알라닌 분해 효소 유전자의 이상으로 체내에 페닐 알라닌이 축적되어 중추 신경계를 손상시킨다.
- 알비노증: 멜라닌 합성 효소 유전자의 이상으로 멜라닌 색소를 만들지 못해 눈, 피부 등에 색소가 결핍된다.
- 헌팅턴 무도병: 우성 유전병으로, 신경계가 점진적으로 파괴되면서 지적 장애가 생기고 머리와 팔다리의 움직임이 통제되지 않는다.

답 ❶ 비분리 ❷ 상동 염색체 ❸ 염색 분체 ❹ 3 ❺ 45 ❻ 클라인펠터 ❼ 상동 ❽ 결실 ❾ 전좌 ❿ DNA

빈출 자료 보기

정답과 해설 65쪽

438 그림은 어떤 동물($2n=6$)의 G_1기 세포 Ⅰ로부터 정자가 형성되는 과정을, (나)는 이 과정의 서로 다른 시기에 있는 세포 ㉠~㉣의 염색체 수와 대립유전자 H와 h의 DNA 상대량을 나타낸 것이다. 감수 2분열에서 상염색체의 비분리가 1회 일어났고, ㉠~㉣은 각각 Ⅰ~Ⅳ 중 하나이며, Ⅱ와 Ⅲ은 중기의 세포이다.

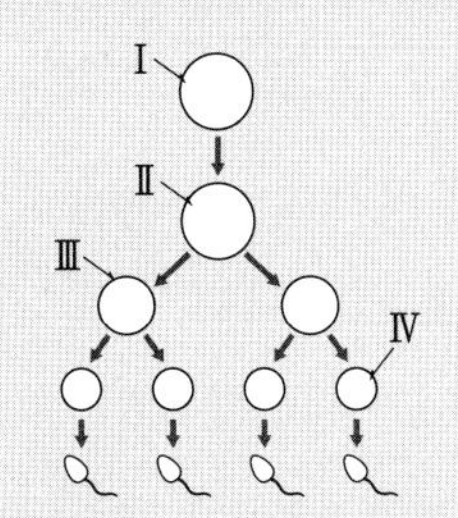

세포	염색체 수	DNA 상대량 H	DNA 상대량 h
㉠	ⓐ	2	ⓑ
㉡	6	2	2
㉢	ⓒ	1	1
㉣	ⓓ	0	0

이에 대한 설명으로 옳은 것은 ○, 옳지 않은 것은 ×로 표시하시오. (단, 제시된 염색체 비분리 이외의 돌연변이는 고려하지 않으며, H, h 각각의 1개당 DNA 상대량은 1이다.)

(1) ⓐ+ⓓ=ⓑ+ⓒ이다. (   )

(2) ㉠은 Ⅲ이다. (   )

(3) ㉢은 Ⅳ이다. (   )

(4) ㉡과 ㉢의 핵상은 같다. (   )

(5) ㉡의 염색 분체 수는 12이다. (   )

(6) Ⅲ으로부터 h가 있는 정자가 형성된다. (   )

(7) Ⅳ가 형성될 때 염색체 비분리가 일어났다. (   )

A 염색체 수 이상 유전병

염색체 수 이상에 의한 유전병

439 하 중 상

그림 (가)는 사람 A의, (나)는 사람 B의 핵형 분석 결과를 나타낸 것이다.

(가) 1 2 3 4 5 6 7 8 9 10 11 12
13 14 15 16 17 18 19 20 21 22 X

(나) 1 2 3 4 5 6 7 8 9 10 11 12
13 14 15 16 17 18 19 20 21 22 XY

이에 대한 설명으로 옳은 것만을 〈보기〉에서 있는 대로 고른 것은?

〈 보기 〉

ㄱ. A는 터너 증후군의 염색체 이상을 보인다.

ㄴ. 부모 중 한쪽에서 염색체 비분리가 일어난 생식세포와 정상 생식세포의 수정에 의해 B가 태어났다.

ㄷ. $\frac{\text{(나)의 상염색체 수}}{\text{(가)의 성염색체 수}}=45$이다.

① ㄱ ② ㄴ ③ ㄱ, ㄴ
④ ㄱ, ㄷ ⑤ ㄱ, ㄴ, ㄷ

440 하 중 상

그림은 세 사람 (가)~(다)의 염색체 중 돌연변이가 일어난 특정 염색체만을 나타낸 것이다.

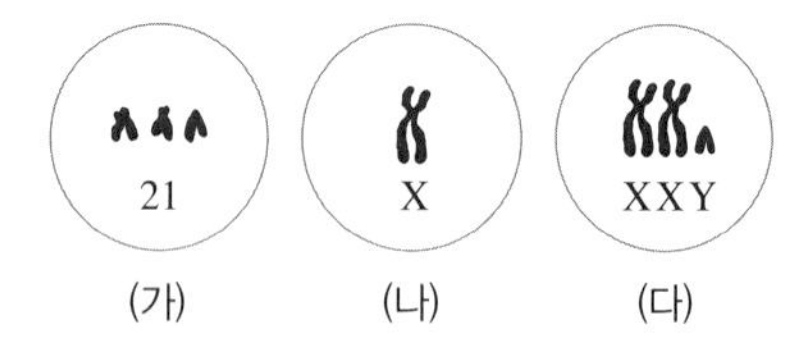

이에 대한 설명으로 옳지 않은 것은?

① (다)는 클라인펠터 증후군의 염색체 이상을 보인다.
② (나)는 핵상이 $n-1$인 정자와 핵상이 정상인 난자의 수정으로 태어날 수 있다.
③ (가)와 (다)의 상염색체 수는 같다.
④ (나)와 (다)는 모두 성염색체 비분리 때문에 나타난다.
⑤ (가)~(다)는 모두 핵형 분석을 통해 알 수 있다.

생식세포 분열과 염색체 비분리

441 하 중 상

그림은 어떤 사람에서 정자가 형성되는 과정을 나타낸 것이다. 정자 형성 과정 중 성염색체 비분리가 1회 일어났으며, 정자 ㉠~㉢의 염색체 수는 다르다.

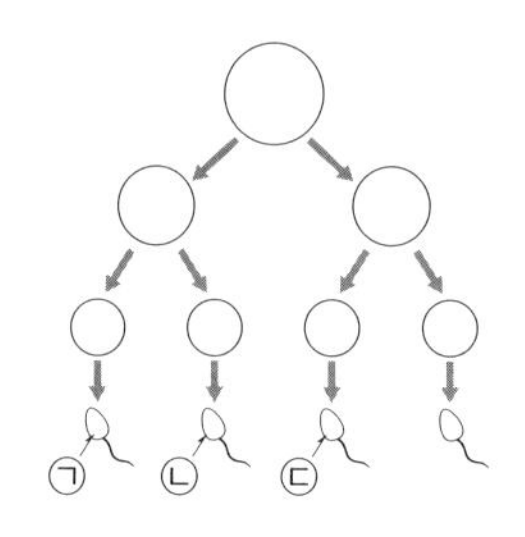

이에 대한 설명으로 옳은 것만을 〈보기〉에서 있는 대로 고른 것은? (단, 제시된 염색체 비분리 이외의 돌연변이는 고려하지 않는다.)

〈 보기 〉

ㄱ. 감수 1분열에서 염색체 비분리가 일어났다.

ㄴ. ㉠의 핵상은 n, ㉢의 핵상은 $n+1$이다.

ㄷ. ㉡에는 22개의 상염색체가 있다.

① ㄱ ② ㄷ ③ ㄱ, ㄴ
④ ㄴ, ㄷ ⑤ ㄱ, ㄴ, ㄷ

442 하 중 상

그림 (가)~(다)는 핵형이 정상인 어떤 세 사람의 생식세포 형성 과정을 나타낸 것이다. (가)와 (나)는 난자 형성 과정, (다)는 정자 형성 과정이며, (가)~(다)에서 성염색체 비분리가 각각 1회씩 일어났다.(단, 제시된 염색체 비분리 이외의 돌연변이는 고려하지 않는다.)

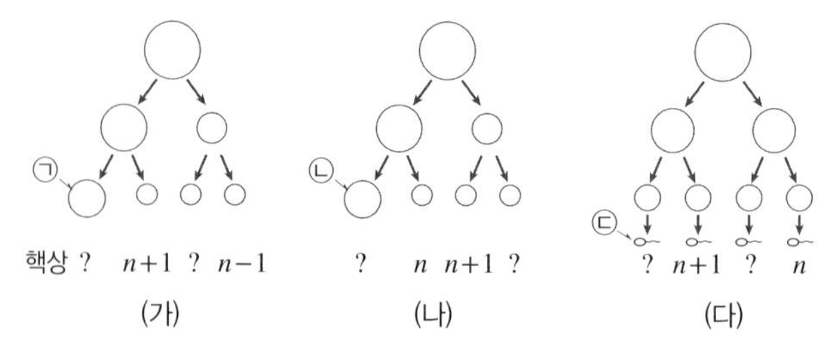

(1) (가)~(다)에서 각각 염색체 비분리가 일어난 시기를 쓰시오.

(2) ㉠~㉢의 핵상을 각각 쓰시오.

(3) ㉡과 ㉢이 수정되어 태어나는 자손이 나타내는 유전병을 쓰시오.

443 하 중 상

그림 (가)와 (나)는 각각 어떤 여자와 남자의 생식세포 형성 과정을 나타낸 것이다. (가)에서는 21번 염색체의 비분리가 1회, (나)에서는 성염색체의 비분리가 1회 일어났다. A와 B는 중기의 세포이다.

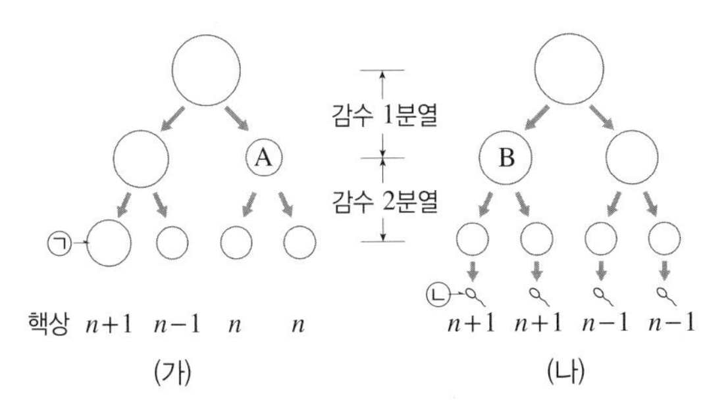

이에 대한 설명으로 옳은 것만을 〈보기〉에서 있는 대로 고른 것은? (단, 제시된 염색체 비분리 이외의 돌연변이는 고려하지 않는다.)

〈 보기 〉
ㄱ. A의 상염색체 수와 B의 상염색체 수는 다르다.
ㄴ. ㉠ 형성 과정에서 염색 분체의 비분리가 일어났다.
ㄷ. ㉡과 정상 난자가 수정되어 태어난 아이는 클라인펠터 증후군의 염색체 이상을 보인다.

① ㄱ ② ㄴ ③ ㄱ, ㄷ
④ ㄴ, ㄷ ⑤ ㄱ, ㄴ, ㄷ

444 하 중 상

그림은 어떤 남자의 정자 형성 과정을, 표는 세포 ㉠~㉢의 총 염색체 수와 X 염색체 수를 나타낸 것이다. 이 남자의 정자 형성 과정에서 염색체 비분리가 1회 일어났다. ㉠~㉢은 Ⅰ~Ⅲ을 순서 없이 나타낸 것이다.

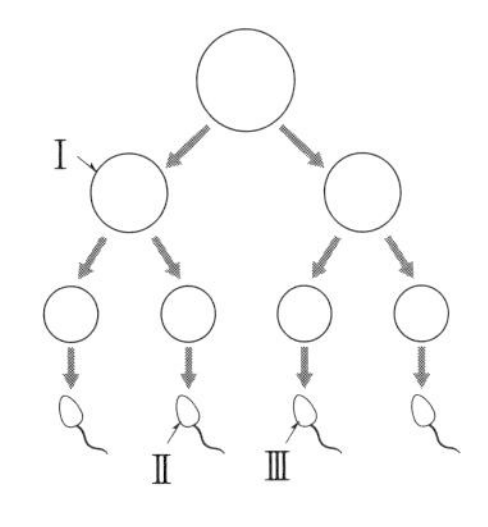

세포	총 염색체 수	X 염색체 수
㉠	24	2
㉡	23	0
㉢	ⓐ	1

이에 대한 설명으로 옳은 것만을 〈보기〉에서 있는 대로 고른 것은? (단, 제시된 염색체 비분리 이외의 돌연변이는 고려하지 않는다.)

〈 보기 〉
ㄱ. ㉠은 Ⅱ이다.
ㄴ. ⓐ는 24이다.
ㄷ. Ⅲ은 Y 염색체를 가지고 있다.

① ㄱ ② ㄴ ③ ㄱ, ㄷ
④ ㄴ, ㄷ ⑤ ㄱ, ㄴ, ㄷ

445 빈출 하 중 상

그림은 사람의 정자 형성 과정을, 표는 세포 ⓐ~ⓓ의 총 염색체 수를 나타낸 것이다. 감수 1분열과 2분열에서 염색체 비분리가 각각 1회 일어났다. ⓐ~ⓓ는 Ⅰ~Ⅳ를 순서 없이 나타낸 것이다. Ⅰ의 성염색체 구성은 XY이다.

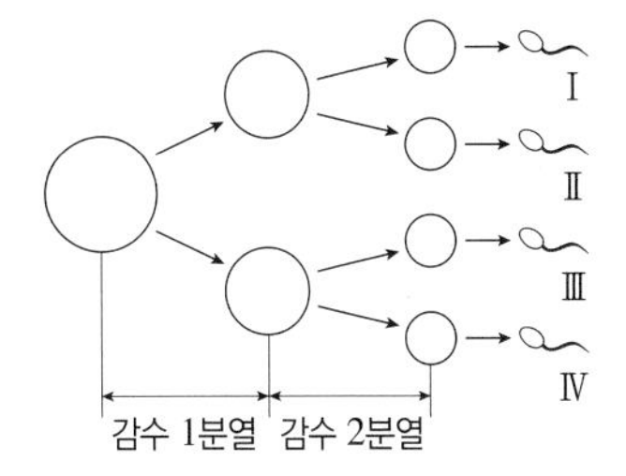

세포	총 염색체 수
ⓐ	?
ⓑ	22
ⓒ	23
ⓓ	25

이에 대한 설명으로 옳은 것만을 〈보기〉에서 있는 대로 고른 것은? (단, 제시된 염색체 비분리 이외의 돌연변이는 고려하지 않는다.)

〈 보기 〉
ㄱ. 감수 2분열에서 상염색체 비분리가 일어났다.
ㄴ. ⓒ는 Ⅲ이다.
ㄷ. ⓑ와 정상 난자가 수정되어 태어난 아이는 터너 증후군의 염색체 이상을 보인다.

① ㄱ ② ㄴ ③ ㄱ, ㄷ
④ ㄴ, ㄷ ⑤ ㄱ, ㄴ, ㄷ

446 하 중 상

그림 (가)는 어떤 남자의 염색체 비분리가 일어난 정자 형성 과정을, (나)는 (가)의 어느 한 시기에서 관찰되는 세포의 상염색체 2쌍만을 나타낸 것이다. (가)에서 염색체 비분리 현상은 성염색체에서 1회 일어났다. A는 중기의 세포이다.

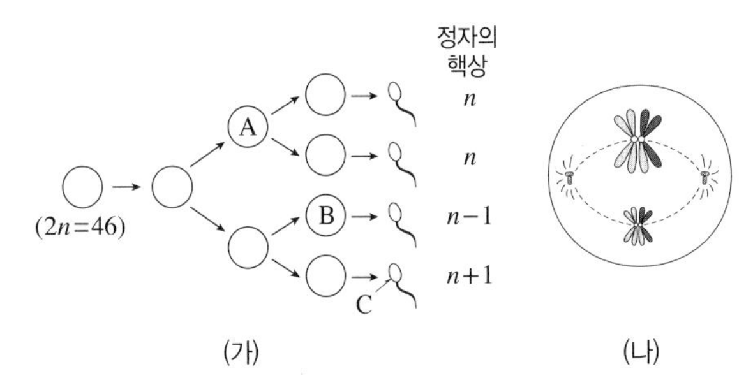

이에 대한 설명으로 옳은 것만을 〈보기〉에서 있는 대로 고른 것은? (단, 제시된 염색체 비분리 이외의 돌연변이는 고려하지 않는다.)

〈 보기 〉
ㄱ. A의 상염색체 수와 B의 총 염색체 수는 같다.
ㄴ. C와 정상 난자가 수정되어 태어난 아이는 클라인펠터 증후군의 염색체 이상을 보인다.
ㄷ. (가)에서 염색체 비분리 현상은 (나)가 관찰되는 시기에 일어났다.

① ㄱ ② ㄴ ③ ㄱ, ㄷ
④ ㄴ, ㄷ ⑤ ㄱ, ㄴ, ㄷ

447 하 중 상

그림 (가)는 어떤 남자의 정자 형성 과정을, (나)는 세포 ⓐ~ⓓ에서 18번 염색체에 있는 대립유전자 H와 h의 DNA 상대량을 나타낸 것이다. ⓐ~ⓓ는 각각 ㉠~㉣ 중 하나이다. (가)에서 18번 염색체의 비분리가 1회 일어났으며, ㉡은 중기의 세포이다.

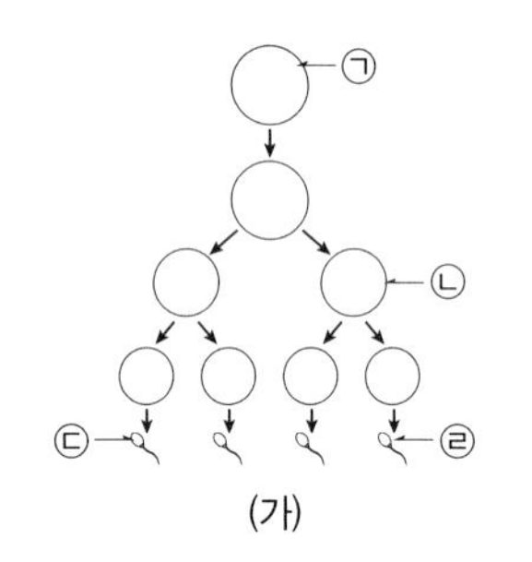

(가)

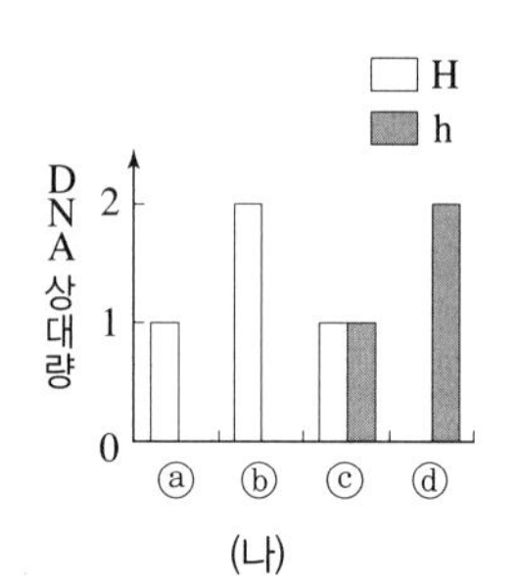

(나)

이에 대한 설명으로 옳은 것만을 〈보기〉에서 있는 대로 고른 것은? (단, 제시된 염색체 비분리 이외의 돌연변이는 고려하지 않으며, H, h 각각의 1개당 DNA 상대량은 1이다.)

〈 보기 〉
ㄱ. (가)에서 염색 분체의 비분리가 일어났다.
ㄴ. ⓓ는 ㉡이다.
ㄷ. ㉢의 상염색체 수는 ⓑ의 총 염색체 수와 같다.

① ㄱ ② ㄴ ③ ㄱ, ㄷ ④ ㄴ, ㄷ ⑤ ㄱ, ㄴ, ㄷ

448 하 중 상

그림은 어떤 동물($2n=6$)의 세포 Ⅰ로부터 정자가 형성되는 과정을, 표는 이 과정의 서로 다른 시기에 있는 세포 ㉠~㉣의 염색체 수와 대립유전자 H, h, T, t의 DNA 상대량을 나타낸 것이다. H와 h, T와 t는 각각 대립유전자이다. 그림의 감수 1분열에서는 성염색체에서 비분리가 1회, 감수 2분열에서는 1개의 상염색체에서 비분리가 1회 일어났다. ㉠~㉣은 각각 Ⅰ~Ⅳ 중 하나이며, 이 동물의 성염색체는 XY이다.

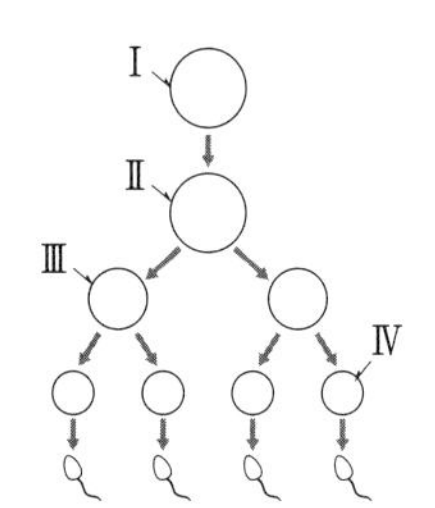

세포	염색체 수	DNA 상대량			
		H	h	T	t
㉠	6	2	2	0	ⓑ
㉡	ⓐ	2	0	0	0
㉢	?	1	?	0	1
㉣	3	ⓒ	0	0	1

이에 대한 설명으로 옳은 것만을 〈보기〉에서 있는 대로 고른 것은? (단, 제시된 염색체 비분리 이외의 돌연변이는 고려하지 않으며, H, h, T, t 각각의 1개당 DNA 상대량은 1이다.)

〈 보기 〉
ㄱ. ⓐ+ⓑ+ⓒ=5이다.
ㄴ. ㉡은 Y 염색체를 가진다.
ㄷ. ㉣은 Ⅳ이다.

① ㄱ ② ㄷ ③ ㄱ, ㄴ ④ ㄴ, ㄷ ⑤ ㄱ, ㄴ, ㄷ

449 하 중 상

적록 색맹이 아닌 부모 사이에서 태어난 철수와 영희는 모두 적록 색맹이며, 철수는 클라인펠터 증후군, 영희는 터너 증후군이다. 그림 (가)와 (나)는 부모의 생식세포 형성 과정을 나타낸 것이다. 난자 ㉠이 수정되어 철수가 태어났으며, 정자 ㉢이 수정되어 영희가 태어났다. 염색체 비분리는 (가)와 (나)의 성염색체에서만 각각 1회씩 일어났다.

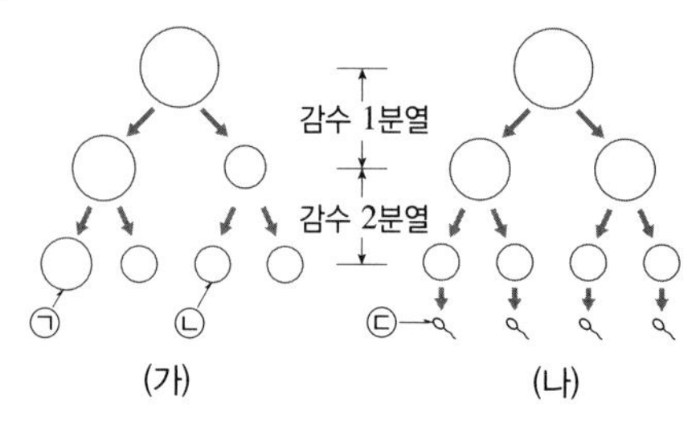

(가) (나)

이에 대한 설명으로 옳은 것만을 〈보기〉에서 있는 대로 고른 것은? (단, 제시된 염색체 비분리 이외의 돌연변이는 고려하지 않는다.)

〈 보기 〉
ㄱ. (가)와 (나)에서 모두 염색체 비분리는 감수 1분열에서 일어났다.
ㄴ. ㉠과 ㉡에서 적록 색맹 대립유전자를 가진 X 염색체 수의 합은 2이다.
ㄷ. ㉢에는 X 염색체가 있다.

① ㄱ ② ㄴ ③ ㄱ, ㄷ ④ ㄴ, ㄷ ⑤ ㄱ, ㄴ, ㄷ

염색체 비분리와 가계도 분석

450 하 중 상

그림 (가)는 어떤 집안의 적록 색맹 가계도를, (나)는 이 집안의 구성원 A~G 중 한 사람의 핵형 분석 결과를 나타낸 것이다. 염색체 비분리는 A~G 중 한 사람에게서만 1회 일어났다.

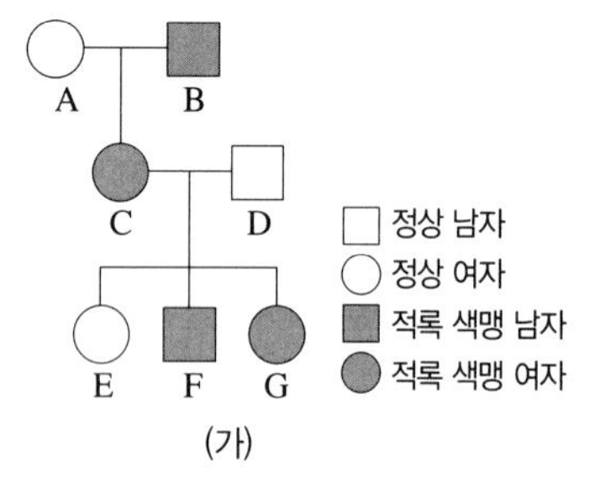

(가)

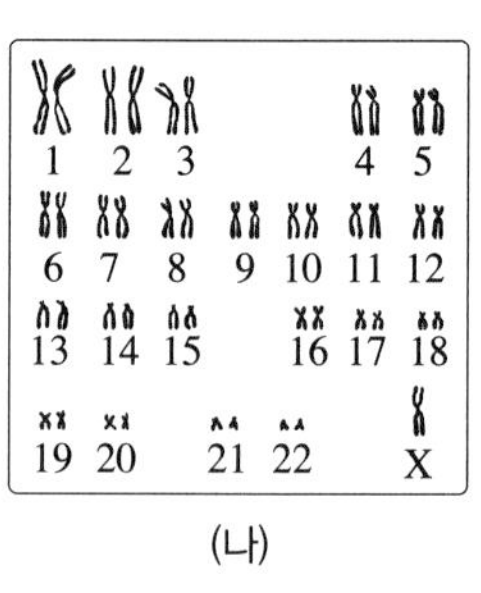

(나)

이에 대한 설명으로 옳은 것만을 〈보기〉에서 있는 대로 고른 것은? (단, 제시된 염색체 비분리 이외의 돌연변이는 고려하지 않는다.)

〈 보기 〉
ㄱ. (나)는 G의 핵형 분석 결과이다.
ㄴ. D에서 염색체 비분리가 일어났다.
ㄷ. E와 G는 모두 C로부터 적록 색맹 대립유전자를 물려받았다.

① ㄱ ② ㄴ ③ ㄷ ④ ㄱ, ㄴ ⑤ ㄱ, ㄴ, ㄷ

451 (하 중 상)

다음은 어떤 가족의 유전병 ㉠에 대한 자료이다.

- ㉠은 대립유전자 A와 A*에 의해 결정되며, A는 A*에 대해 완전 우성이다.

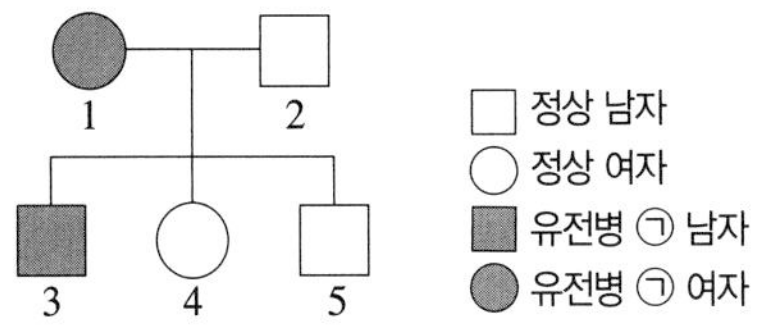

- 가계도 구성원의 핵형은 모두 정상이다.
- 1과 2는 각각 A와 A* 중 한 종류만 가지고 있다.
- 난자 ⓐ와 정자 ⓑ가 수정되어 5가 태어났고, ⓐ와 ⓑ의 형성 과정 중 염색체 비분리가 각각 1회씩 일어났다.

이에 대한 설명으로 옳은 것만을 〈보기〉에서 있는 대로 고른 것은? (단, 제시된 염색체 비분리 이외의 돌연변이는 고려하지 않는다.)

〈 보기 〉

ㄱ. 2는 A를 가지고 있다.
ㄴ. 3과 4의 체세포 1개당 A*의 합은 1이다.
ㄷ. ⓑ가 형성될 때 감수 1분열에서 염색체 비분리가 일어났다.

① ㄱ ② ㄷ ③ ㄱ, ㄴ ④ ㄱ, ㄷ ⑤ ㄴ, ㄷ

빈출

452 (하 중 상)

다음은 영희네 가족의 어떤 유전병에 대한 자료이다.

- 이 유전병은 대립유전자 H와 H*에 의해 결정되며, H는 H*에 대해 완전 우성이다.
- 아버지와 어머니는 각각 H와 H* 중 한 가지만 가진다.
- 표는 영희네 가족 구성원의 유전병 유무를 나타낸 것이다.

구성원	아버지	어머니	오빠	영희	남동생
유전병	없음	있음	있음	없음	없음

- 감수 분열 시 ㉠ 염색체 비분리가 1회 일어나 형성된 정자가 정상 난자와 수정되어 남동생이 태어났으며, 남동생의 성염색체는 XXY이다.

이에 대한 설명으로 옳은 것만을 〈보기〉에서 있는 대로 고른 것은? (단, 제시된 염색체 비분리 이외의 돌연변이는 고려하지 않는다.)

〈 보기 〉

ㄱ. 아버지는 H를 가지고 있다.
ㄴ. 오빠와 남동생의 체세포 1개당 H*의 상대량은 같다.
ㄷ. ㉠은 감수 2분열에서 일어났다.

① ㄱ ② ㄷ ③ ㄱ, ㄴ ④ ㄱ, ㄷ ⑤ ㄴ, ㄷ

453 (하 중 상)

다음은 어떤 가족의 유전 형질 (가)에 대한 자료이다.

- (가)는 대립유전자 B와 B*에 의해 결정된다.
- 표는 가족 구성원의 성별과 체세포 1개당 B와 B*의 DNA 상대량을 나타낸 것이다.

구성원		아버지	어머니	자녀 1	자녀 2	자녀 3
성별		남	여	?	?	남
DNA 상대량	B	1	?	1	0	1
	B*	0	?	2	1	0

- 자녀 1은 감수 분열 시 염색체 비분리가 1회 일어나 형성된 ㉠ 비정상적인 난자와 정상 정자가 수정되어 태어났다.

이에 대한 설명으로 옳은 것만을 〈보기〉에서 있는 대로 고르시오. (단, 제시된 염색체 비분리 이외의 돌연변이는 고려하지 않으며, B, B* 각각의 1개당 DNA 상대량은 1이다.)

〈 보기 〉

ㄱ. 어머니는 B*만을 가지고 있다.
ㄴ. ㉠에 들어 있는 염색체는 24개이다.
ㄷ. ㉠이 형성될 때 감수 2분열에서 염색체 비분리가 일어났다.

454 (하 중 상)

다음은 철수네 가족의 유전 형질 ㉠과 ㉡에 대한 자료이다.

- ㉠은 대립유전자 A와 A*에 의해, ㉡은 대립유전자 B와 B*에 의해 결정되며, 대립유전자 사이의 우열 관계는 분명하다.
- 표는 철수네 가족 구성원에서 ㉠과 ㉡이 발현된 모든 사람을, 그림은 아버지와 어머니의 체세포 1개당 A*, B, B*의 DNA 상대량을 나타낸 것이다.

구분	가족 구성원
㉠ 발현	어머니, 형
㉡ 발현	아버지, 누나, 철수

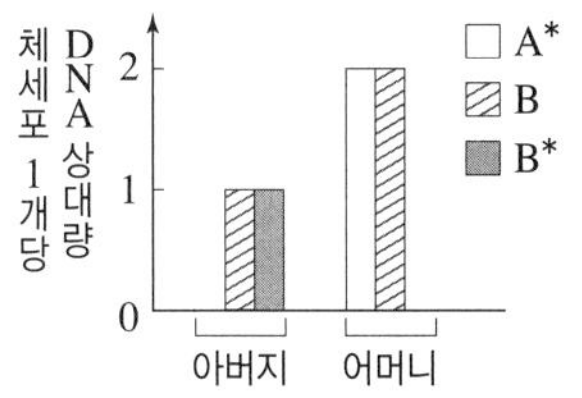

- 감수 분열 시 성염색체 비분리가 1회 일어난 정자 ⓐ와 정상 난자가 수정되어 염색체 수가 47인 철수가 태어났다.

이에 대한 설명으로 옳은 것만을 〈보기〉에서 있는 대로 고르시오. (단, 제시된 염색체 비분리 이외의 돌연변이는 고려하지 않으며, A, A*, B, B* 각각의 1개당 DNA 상대량은 1이다.)

〈 보기 〉

ㄱ. ㉠은 성염색체 유전 형질, ㉡은 상염색체 유전 형질이다.
ㄴ. A와 B는 모두 우성 대립유전자이다.
ㄷ. ⓐ가 형성될 때 성염색체 비분리는 감수 1분열에서 일어났다.

455 하 중 상

다음은 어떤 집안의 유전 형질 (가)와 적록 색맹에 대한 자료이다.

- (가)는 대립유전자 A와 a에 의해, 적록 색맹은 대립유전자 B와 b에 의해 결정되며, A는 a에 대해, B는 b에 대해 각각 완전 우성이다.
- (가)와 적록 색맹을 결정하는 유전자는 같은 염색체에 있다.

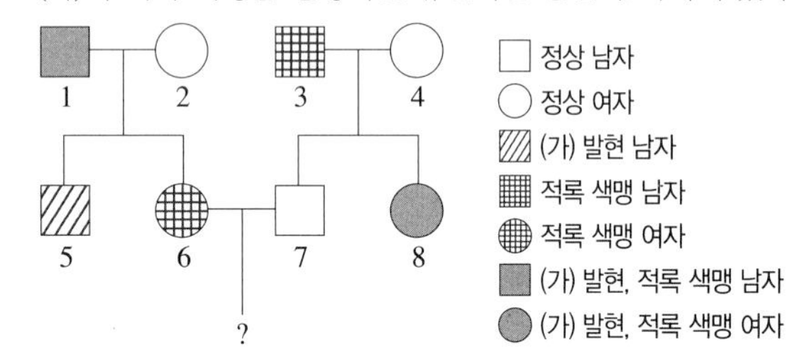

- 구성원 5는 클라인펠터 증후군을, 구성원 8은 터너 증후군을 나타낸다. 5와 8은 각각 부모 중 한 사람의 감수 분열에서 성염색체 비분리가 1회 일어나 형성된 생식세포가 정상 생식세포와 수정되어 태어났다.
- 5에게서 체세포 1개당 a와 B의 수는 같다.

이에 대한 설명으로 옳은 것만을 모두 고르면?(단, 제시된 염색체 비분리 이외의 돌연변이는 고려하지 않는다.)(3개)

① (가)는 우성 형질이다.
② 2의 감수 2분열에서 염색체 비분리가 일어났다.
③ 3의 감수 분열에서 염색체 비분리가 일어났다.
④ 5는 1과 2로부터 각각 a를 물려받았다.
⑤ 8은 4로부터만 X 염색체를 물려받았다.
⑥ 6과 7 사이에서 아이가 태어날 때, 이 아이에게서 (가)와 적록 색맹이 모두 발현되지 않을 확률은 $\frac{1}{4}$이다.

B 염색체 구조 이상 유전병

456 하 중 상

태아의 융모막에서 채취한 융모 세포의 핵형 분석을 통하여 알 수 있는 태아의 유전 질환들만 옳게 나타낸 것은?

① 알비노증, 클라인펠터 증후군
② 고양이 울음 증후군, 알비노증
③ 다운 증후군, 고양이 울음 증후군
④ 다운 증후군, 낫 모양 적혈구 빈혈증
⑤ 클라인펠터 증후군, 낫 모양 적혈구 빈혈증

457 하 중 상

다음은 염색체 돌연변이에 대한 세 학생의 설명이다.

학생 A: 중복은 한 염색체의 일부분이 더 붙은 경우야.
학생 B: 고양이 울음 증후군의 염색체 이상은 결실에 해당해.
학생 C: 전좌는 염색체의 일부가 상동 염색체인 다른 염색체에 붙은 경우야.

제시한 설명이 옳은 학생만을 있는 대로 고른 것은?

① A ② B ③ A, B
④ B, C ⑤ A, B, C

458 하 중 상

그림 (가)는 어떤 생물($2n=4$)의 정상 체세포를, (나)와 (다)는 이 생물에서 일어난 염색체 이상을 나타낸 것이다.

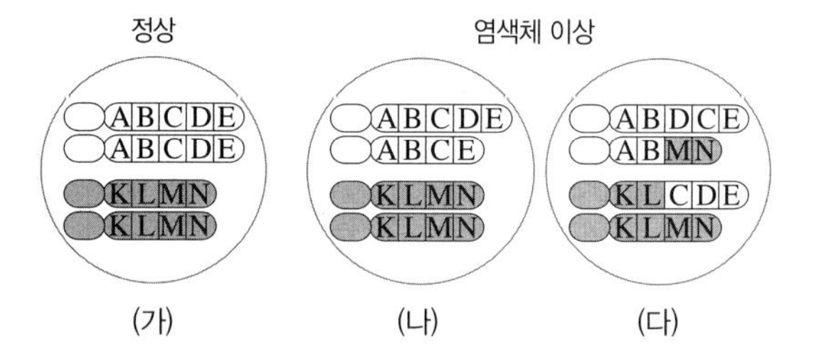

이에 대한 설명으로 옳은 것만을 〈보기〉에서 있는 대로 고른 것은?

〈 보기 〉
ㄱ. (나)와 같은 종류의 돌연변이로 나타난 유전병으로는 고양이 울음 증후군이 있다.
ㄴ. 핵형 분석을 통해 (나)에서 일어난 염색체 이상을 알 수 있다.
ㄷ. (다)는 중복과 전좌가 모두 일어난 결과이다.
ㄹ. (다)와 같은 종류의 돌연변이로 나타난 유전병으로는 만성 골수성 백혈병과 페닐케톤뇨증이 있다.

① ㄱ, ㄴ ② ㄱ, ㄷ ③ ㄴ, ㄹ
④ ㄱ, ㄴ, ㄷ ⑤ ㄴ, ㄷ, ㄹ

459 (하)(중)(상)

그림은 어떤 동물에서 정상 핵형을 가진 수컷의 세포 (가)와 염색체 구조 이상이 일어난 암컷의 세포 (나) 각각에 들어 있는 상염색체와 성염색체를 한 쌍씩 나타낸 것이다. A와 a는 대립유전자이다.

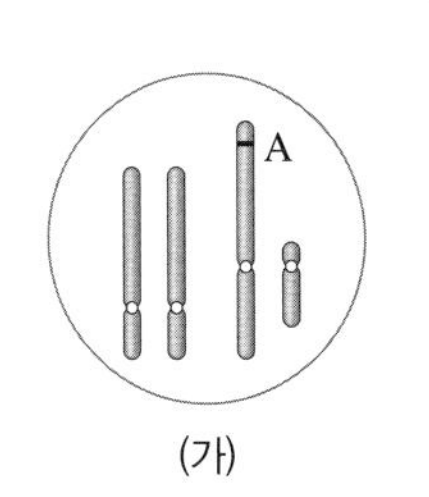

(가)

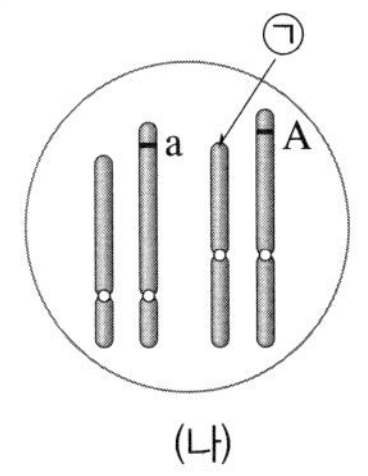

(나)

이에 대한 설명으로 옳은 것만을 〈보기〉에서 있는 대로 고른 것은? (단, 염색체 구조 이상은 1회만 일어났으며, 제시된 자료 이외의 염색체와 돌연변이는 고려하지 않는다.)

〈 보기 〉
ㄱ. ㉠은 결실이 일어난 상염색체이다.
ㄴ. (나)에는 전좌가 일어난 염색체가 있다.
ㄷ. A와 a는 성염색체에 있다.

① ㄱ ② ㄷ ③ ㄱ, ㄴ
④ ㄱ, ㄷ ⑤ ㄴ, ㄷ

C 유전자 이상 유전병

460 (하)(중)(상) ••서술형

다음은 사람의 여러 가지 유전 질환을 나타낸 것이다.

페닐케톤뇨증, 만성 골수성 백혈병, 터너 증후군, 에드워드 증후군, 헌팅턴 무도병

(1) 체세포의 염색체 수가 가장 적은 유전 질환을 골라 쓰시오.

(2) 페닐케톤뇨증과 헌팅턴 무도병의 공통점을 두 가지만 서술하시오.

461 (하)(중)(상)

그림은 두 종류의 돌연변이가 발생하는 과정을 나타낸 것이다.

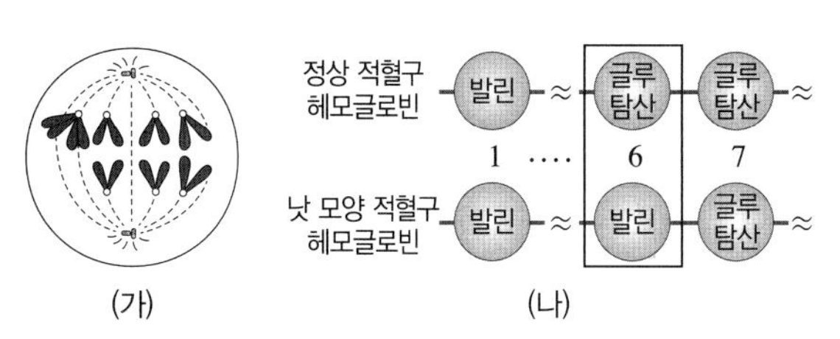

이에 대한 설명으로 옳은 것만을 〈보기〉에서 있는 대로 고른 것은?

〈 보기 〉
ㄱ. (가)로 인해 나타나는 돌연변이에는 클라인펠터 증후군이 있다.
ㄴ. 체세포 1개당 염색체 수는 낫 모양 적혈구 빈혈증 환자가 정상인보다 많다.
ㄷ. 낫 모양 적혈구 빈혈증은 남녀 모두에게 나타날 수 있다.

① ㄱ ② ㄷ ③ ㄱ, ㄴ
④ ㄱ, ㄷ ⑤ ㄴ, ㄷ

빈출
462 (하)(중)(상)

표는 사람의 유전 질환 (가)~(다)에 대한 특징을 나타낸 것이다.

유전 질환	핵형 분석	증상
(가)	정상인과 같다.	눈, 피부 등에 색소가 결핍되어 하얗다.
(나)	5번 염색체의 일부가 결실되어 있다.	지적 장애를 보이며 유아 시절에 사망한다.
(다)	21번 염색체가 3개이다.	일반적으로 머리가 작고 눈 사이가 멀며, 지적 장애를 보인다.

이에 대한 설명으로 옳은 것만을 〈보기〉에서 있는 대로 고른 것은?

〈 보기 〉
ㄱ. (가)는 유전자 이상 유전병이다.
ㄴ. (다)의 출현 빈도는 성별에 따라 달라진다.
ㄷ. 체세포의 염색체 수는 (가)와 (나)에서 같다.

① ㄱ ② ㄴ ③ ㄱ, ㄷ
④ ㄴ, ㄷ ⑤ ㄱ, ㄴ, ㄷ

463

다음은 어떤 집안의 유전 형질 ㉠과 ㉡, ABO식 혈액형에 대한 자료이다.

- ㉠은 대립유전자 H와 H*에 의해, ㉡은 대립유전자 T와 T*에 의해 결정된다. H는 H*에 대해, T는 T*에 대해 각각 완전 우성이다.
- ㉠의 유전자, ㉡의 유전자, ABO식 혈액형의 유전자는 서로 다른 염색체에 있고, ㉠의 유전자와 ㉡의 유전자 중 하나는 성염색체에 있다.
- 가계도는 구성원 ⓐ를 제외한 나머지 구성원 1~8에게서 ㉠과 ㉡의 발현 여부를 나타낸 것이다.

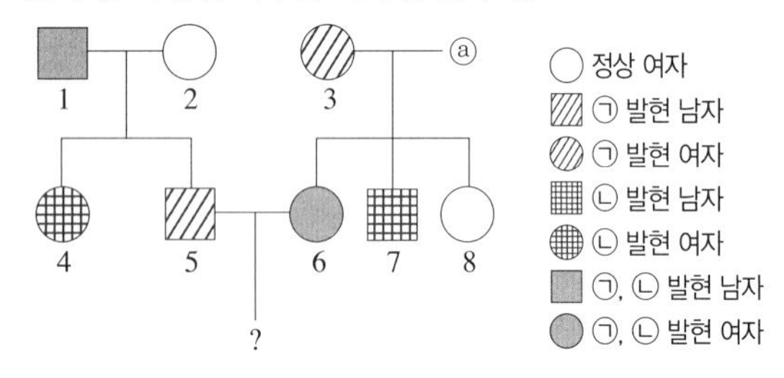

- ⓐ는 ㉠에 대해 동형 접합성이다.
- 표는 구성원의 혈액을 혈청과 응집 반응한 결과를 나타낸 것이다.

구분	1	2	3	ⓐ	4	5	6	7	8
항 A 혈청	−	+	+	+	−	+	−	+	+
항 B 혈청	−	?	+	−	−	?	+	+	?

(+: 응집함, −: 응집 안 함)

이에 대한 설명으로 옳은 것만을 〈보기〉에서 있는 대로 고른 것은? (단, 돌연변이는 고려하지 않는다.)

〈 보기 〉

ㄱ. ⓐ에게서 ㉠은 발현되지 않고, ㉡은 발현된다.

ㄴ. 5와 ⓐ는 ABO식 혈액형의 유전자형이 같다.

ㄷ. 5와 6 사이에서 아이가 태어날 때, 이 아이가 AB형이면서 ㉠과 ㉡이 모두 발현될 확률은 $\frac{3}{8}$이다.

① ㄱ　② ㄴ　③ ㄱ, ㄴ　④ ㄱ, ㄷ　⑤ ㄱ, ㄴ, ㄷ

464

다음은 어떤 집안의 적록 색맹과 유전 형질 (가), (나)에 대한 자료이다.

- (가)는 대립유전자 H와 H*에 의해, (나)는 대립유전자 T와 T*에 의해 결정된다. H는 H*에 대해, T는 T*에 대해 각각 완전 우성이다.
- 가계도는 구성원 1~7에게서 (가)와 (나)의 발현 여부를 나타낸 것이다.

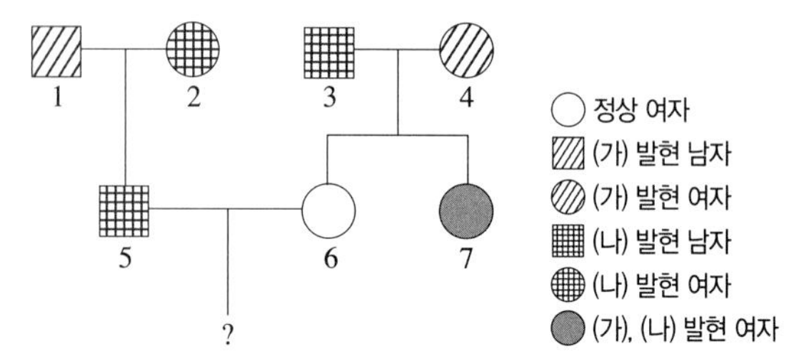

- 구성원 2와 4는 적록 색맹이고 7은 적록 색맹이 아니다.
- 표는 구성원 ⓐ~ⓒ에서 체세포 1개당 H와 H*의 DNA 상대량을, 구성원 ⓓ~ⓕ에서 체세포 1개당 T와 T*의 DNA 상대량을 나타낸 것이다. ⓐ~ⓒ는 1, 2, 5를 순서 없이, ⓓ~ⓕ는 3, 4, 6를 순서 없이 나타낸 것이다.

구성원	DNA 상대량		구성원	DNA 상대량	
	H	H*		T	T*
ⓐ	?	1	ⓓ	1	1
ⓑ	0	?	ⓔ	?	1
ⓒ	1	1	ⓕ	1	?

이에 대한 설명으로 옳지 않은 것은?(단, 돌연변이와 교차는 고려하지 않으며, H, H*, T, T* 각각의 1개당 DNA 상대량은 1이다.)

① H와 H*는 X 염색체에 있다.

② ⓑ는 1이다.

③ ⓔ는 3이다.

④ 1~7 중 H와 T를 모두 가진 사람은 6이다.

⑤ 5와 6 사이에 아이가 태어날 때, 이 아이가 적록 색맹이 아니고 (가)와 (나)가 모두 발현될 확률은 $\frac{1}{8}$이다.

465

다음은 사람의 유전 형질 (가)와 (나)에 대한 자료이다.

- (가)를 결정하는 데 관여하는 3개의 유전자는 서로 다른 2개의 상염색체에 있으며, 3개의 유전자는 각각 대립유전자 A와 a, B와 b, D와 d를 갖는다.
- (가)의 표현형은 유전자형에서 대문자로 표시되는 대립유전자의 수에 의해서만 결정되며, 이 대립유전자의 수가 다르면 (가)의 표현형이 다르다.
- (나)의 유전자는 (가)의 유전자와 서로 다른 상염색체에 있다.
- (나)는 1쌍의 대립유전자에 의해 결정되며, 대립유전자에는 E, F, G가 있다.
- (나)의 표현형은 4가지이며, (나)의 유전자형이 EG인 사람과 EE인 사람의 표현형은 같고, 유전자형이 FG인 사람과 FF인 사람의 표현형은 같다.
- (가)와 (나)의 유전자형이 각각 ⓐ AaBbDdEF인 부모 사이에서 ㉠이 태어날 때, ㉠에게서 나타날 수 있는 표현형은 최대 9가지이다.

이에 대한 설명으로 옳은 것만을 〈보기〉에서 있는 대로 고른 것은? (단, 돌연변이와 교차는 고려하지 않는다.)

〈 보기 〉

ㄱ. E는 F에 대해 우성이다.
ㄴ. ⓐ에게서 유전자형이 ABD인 생식세포가 형성된다.
ㄷ. ㉠에게서 (가)와 (나)의 표현형이 부모와 같을 확률은 $\frac{1}{4}$이다.

① ㄱ ② ㄷ ③ ㄱ, ㄴ
④ ㄴ, ㄷ ⑤ ㄱ, ㄴ, ㄷ

466

다음은 철수네 가족의 유전 형질 (가)와 (나)에 대한 자료이다.

- (가)는 대립유전자 A와 A*에 의해, (나)는 대립유전자 B와 B*에 의해 결정되며, 각 대립유전자 사이의 우열 관계는 분명하다.
- 표는 철수네 가족 구성원에서 (가)와 (나)의 발현 여부와 체세포 1개당 A*와 B*의 DNA 상대량을 나타낸 것이다. 구성원 ㉠~㉢은 아버지, 어머니, 누나를 순서 없이 나타낸 것이다.

구성원	유전 형질		DNA 상대량	
	(가)	(나)	A*	B*
㉠	○	○	1	1
㉡	○	×	2	0
㉢	×	○	1	1
형	○	×	1	0
철수	×	○	1	2

(○: 발현됨, ×: 발현 안 됨)

- 감수 분열 시 염색체 비분리가 1회 일어난 정자 ⓐ와 정상 난자가 수정되어 철수가 태어났다. 철수의 체세포 1개당 염색체 수는 47이다.

이에 대한 설명으로 옳은 것만을 〈보기〉에서 있는 대로 고른 것은? (단, 제시된 염색체 비분리 이외의 돌연변이는 고려하지 않으며, A, A*, B, B* 각각의 1개당 DNA 상대량은 1이다.)

〈 보기 〉

ㄱ. (가)의 유전자는 상염색체에 있다.
ㄴ. ㉠은 아버지이다.
ㄷ. 누나는 어머니에게서 A*와 B를 물려받았다.
ㄹ. ⓐ가 형성될 때 염색체 비분리는 감수 1분열에서 일어났다.

① ㄱ, ㄴ ② ㄱ, ㄹ ③ ㄴ, ㄷ
④ ㄱ, ㄴ, ㄷ ⑤ ㄴ, ㄷ, ㄹ

18 생태계

A 생태계의 구성

1 개체군, 군집, 생태계의 관계

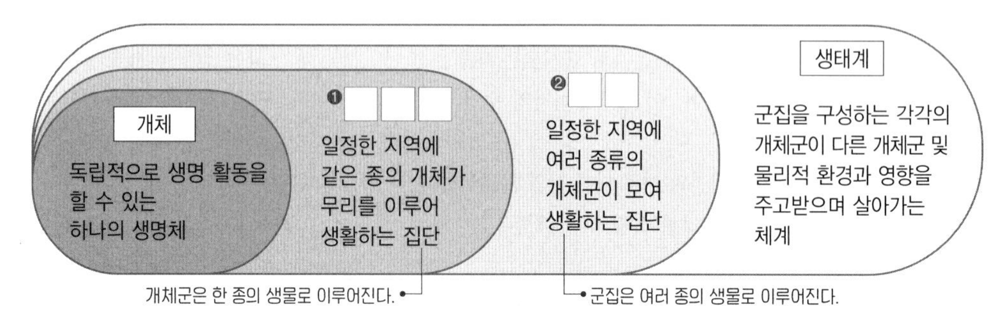
개체
독립적으로 생명 활동을 할 수 있는 하나의 생명체
❶
일정한 지역에 같은 종의 개체가 무리를 이루어 생활하는 집단
❷
일정한 지역에 여러 종류의 개체군이 모여 생활하는 집단
생태계
군집을 구성하는 각각의 개체군이 다른 개체군 및 물리적 환경과 영향을 주고받으며 살아가는 체계
개체군은 한 종의 생물로 이루어진다.
군집은 여러 종의 생물로 이루어진다.

기출 Tip A-2

생산자, 소비자, 분해자 사이의 유기물 이동
생산자가 생산한 유기물 중 일부가 소비자로 이동하고, 분해자가 생산자와 소비자의 사체나 배설물 속의 유기물을 무기물로 분해한다.

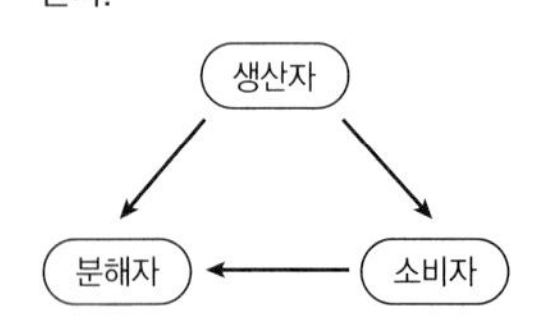
생산자
분해자
소비자

2 생태계의 구성 요소
생태계는 생물적 요인과 비생물적 요인으로 이루어져 있다.

① 생물적 요인: 생태계 내의 모든 생물 ➡ 생태계 내에서 담당하는 역할에 따라 생산자, 소비자, 분해자로 구분된다.

구분	역할	생물 예
❸ □□□	빛에너지를 이용하여 광합성을 하여 무기물로부터 유기물을 합성한다. → 독립 영양 생물	식물, 조류
소비자	스스로 양분을 합성하지 못하여 다른 생물을 먹어서 양분을 얻는다. → 종속 영양 생물	토끼, 사슴, 호랑이
❹ □□□	다른 생물의 사체나 배설물 속의 유기물을 무기물로 분해하여 비생물 환경으로 돌려보낸다.	세균, 곰팡이, 버섯

② 비생물적 요인: 생물을 둘러싸고 있는 비생물 환경 ➡ 빛, 공기, 온도, 물, 토양 등

3 생태계 구성 요소 간의 관계
생물적 요인과 비생물적 요인 간의 상호 작용과 생물적 요인 간의 상호 작용에 의해 생태계가 유지된다.

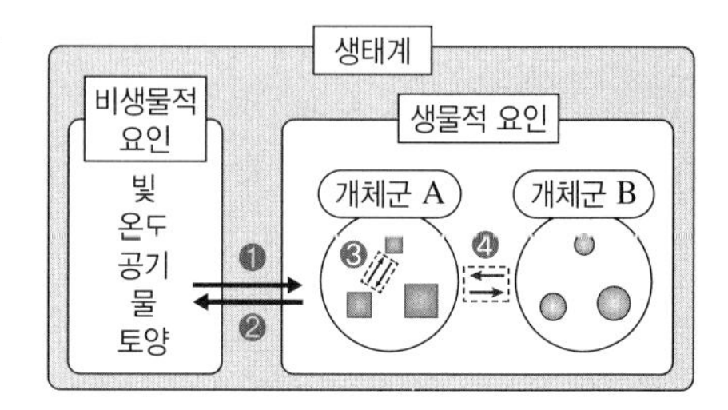
생태계
비생물적 요인
빛
온도
공기
물
토양
❶
❷
생물적 요인
개체군 A
개체군 B
❸
❹

상호 작용	예
❶ 비생물적 요인 → 생물적 요인(작용)	• 비옥한 토양에서 식물이 잘 자란다. • 수온이 돌말 개체군의 크기에 영향을 준다.
❷ ❺□□적 요인 → ❻□□□적 요인 (반작용)	• 낙엽이 쌓이면 토양이 비옥해진다. • 지의류에 의해 암석의 풍화가 촉진되어 토양이 형성된다. • 질소 고정 세균에 의해 토양의 암모늄 이온(NH_4^+)이 증가한다.
❸ 개체군 내의 상호 작용	• 텃세 예 얼룩말이나 표범은 일정한 서식 공간을 차지하고 다른 개체가 침입하는 것을 막는다. • 순위제 예 닭은 싸움을 통해 순위를 결정하고, 순위에 따라 모이를 먹는다. • 사회생활 예 개미 개체군과 꿀벌 개체군의 분업화된 사회생활
❹ 군집 내 개체군 간의 상호 작용	• 포식과 피식 예 스라소니가 눈신토끼를 잡아먹는다. • 분서 예 여러 종의 솔새가 한 나무에서 서로 다른 위치에 서식한다. └ 분서: 환경 요구 조건이 비슷한 개체군들이 함께 생활할 때 서식지, 먹이, 활동 시기, 산란 시기 등을 달리하여 경쟁을 피하는 현상

B 생물과 환경의 상호 작용

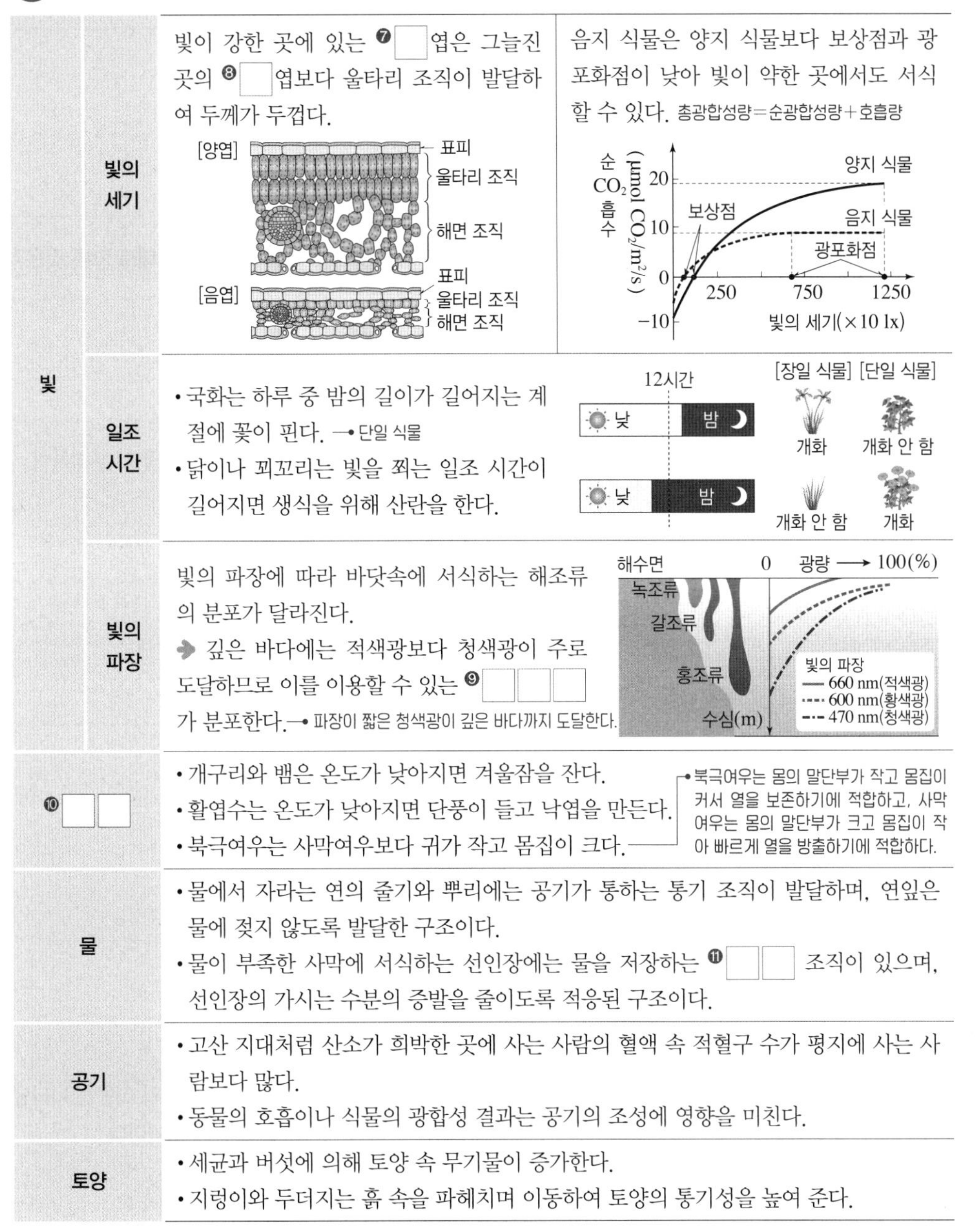

요인		내용	
빛	빛의 세기	빛이 강한 곳에 있는 ❼ ☐ 엽은 그늘진 곳의 ❽ ☐ 엽보다 울타리 조직이 발달하여 두께가 두껍다.	음지 식물은 양지 식물보다 보상점과 광포화점이 낮아 빛이 약한 곳에서도 서식할 수 있다. 총광합성량=순광합성량+호흡량
	일조 시간	• 국화는 하루 중 밤의 길이가 길어지는 계절에 꽃이 핀다. → 단일 식물 • 닭이나 꾀꼬리는 빛을 쬐는 일조 시간이 길어지면 생식을 위해 산란을 한다.	
	빛의 파장	빛의 파장에 따라 바닷속에 서식하는 해조류의 분포가 달라진다. ➔ 깊은 바다에는 적색광보다 청색광이 주로 도달하므로 이를 이용할 수 있는 ❾ ☐☐☐ 가 분포한다. → 파장이 짧은 청색광이 깊은 바다까지 도달한다.	
❿ ☐☐		• 개구리와 뱀은 온도가 낮아지면 겨울잠을 잔다. • 활엽수는 온도가 낮아지면 단풍이 들고 낙엽을 만든다. • 북극여우는 사막여우보다 귀가 작고 몸집이 크다.	→ 북극여우는 몸의 말단부가 작고 몸집이 커서 열을 보존하기에 적합하고, 사막여우는 몸의 말단부가 크고 몸집이 작아 빠르게 열을 방출하기에 적합하다.
물		• 물에서 자라는 연의 줄기와 뿌리에는 공기가 통하는 통기 조직이 발달하며, 연잎은 물에 젖지 않도록 발달한 구조이다. • 물이 부족한 사막에 서식하는 선인장에는 물을 저장하는 ⓫ ☐☐ 조직이 있으며, 선인장의 가시는 수분의 증발을 줄이도록 적응된 구조이다.	
공기		• 고산 지대처럼 산소가 희박한 곳에 사는 사람의 혈액 속 적혈구 수가 평지에 사는 사람보다 많다. • 동물의 호흡이나 식물의 광합성 결과는 공기의 조성에 영향을 미친다.	
토양		• 세균과 버섯에 의해 토양 속 무기물이 증가한다. • 지렁이와 두더지는 흙 속을 파헤치며 이동하여 토양의 통기성을 높여 준다.	

기출 Tip B

식물의 보상점과 광포화점

• 보상점: 식물이 흡수하는 CO_2 양과 방출하는 CO_2양이 같을 때의 빛의 세기 ➔ 빛의 세기가 보상점 이상인 곳에서 식물이 생장한다.

• 광포화점: 광합성량이 더 이상 증가하지 않는 최소한의 빛의 세기

장일 식물과 단일 식물

• 장일 식물: 낮의 길이가 길어지고 밤의 길이가 짧아지면 개화한다.

• 단일 식물: 낮의 길이가 짧아지고 밤의 길이가 길어지면 개화한다.

상록수의 온도 적응

상록수는 기온이 내려가면 녹말을 분해하여 잎 세포액 속의 포도당을 증가시켜 삼투압을 높임으로써 잎을 떨어뜨리지 않은 상태로 겨울을 날 수 있다.

답 ❶ 개체군 ❷ 군집 ❸ 생산자 ❹ 분해자 ❺ 생물 ❻ 비생물 ❼ 양 ❽ 음 ❾ 홍조류 ❿ 온도 ⓫ 저수

빈출 자료 보기

정답과 해설 72쪽

467 그림은 생태계 구성 요소 간의 관계를 나타낸 것이다.

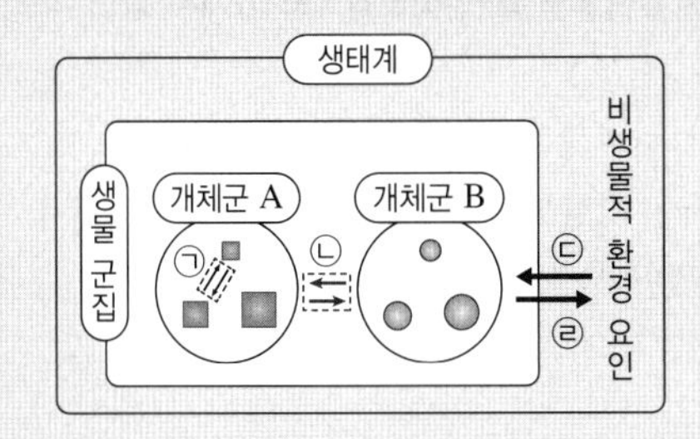

이에 대한 설명으로 옳은 것은 ○, 옳지 않은 것은 ×로 표시하시오.

(1) 뿌리혹박테리아는 비생물적 요인에 해당한다. (   )

(2) 개체군 A는 여러 종으로 이루어진다. (   )

(3) 텃세는 ㉠에, 분서는 ㉡에 해당한다. (   )

(4) 여왕개미, 병정개미, 일개미가 역할을 분담하여 생활하는 것은 ㉠에 해당한다. (   )

(5) 강수량이 감소하여 옥수수의 생장이 저해되는 것은 ㉢에 해당한다. (   )

(6) 빛의 파장에 따라 해조류의 분포가 달라지는 것은 ㉣에 해당한다. (   )

A 생태계의 구성

생태계의 구성

468 하 중 상

그림 (가)~(다)는 각각 군집, 개체군, 개체 중 하나를 나타낸 것이다.

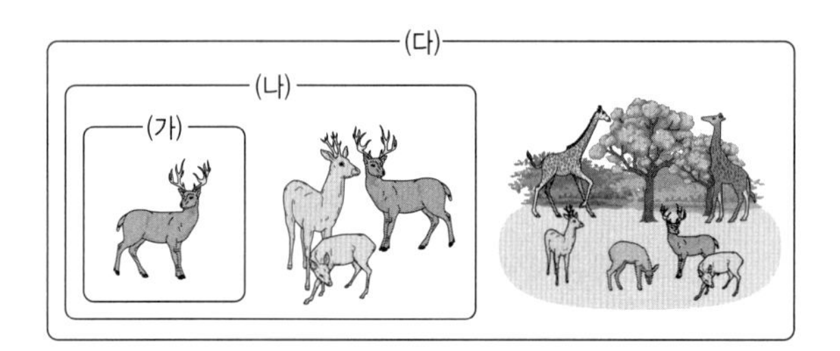

이에 대한 설명으로 옳은 것만을 〈보기〉에서 있는 대로 고른 것은?

〈 보기 〉

ㄱ. (가)는 개체, (나)는 군집, (다)는 개체군이다.
ㄴ. (나)는 일정한 지역에서 같은 종의 생물이 무리를 이루어 생활하는 집단이다.
ㄷ. (다)는 여러 종의 생물로 이루어져 있다.

① ㄱ ② ㄴ ③ ㄱ, ㄷ
④ ㄴ, ㄷ ⑤ ㄱ, ㄴ, ㄷ

469 하 중 상 多 보기

생태계에 대한 설명으로 옳은 것을 모두 고르면?(2개)

① 토끼는 분해자이다.
② 비생물적 요인에는 빛, 온도, 세균 등이 있다.
③ 소비자는 생산자만을 먹이로 하는 생물을 뜻한다.
④ 빛에너지를 이용하여 유기물을 합성하는 생물은 생산자이다.
⑤ 생물적 요인은 역할에 따라 생산자, 소비자, 분해자로 구분된다.
⑥ 생태계에서 생물적 요인과 비생물적 요인은 서로 영향을 주고받지 않는다.

470 하 중 상

다음은 어떤 생태계를 구성하는 생물적 요인과 비생물적 요인을 나타낸 것이다. (가)~(라)는 각각 생산자, 소비자, 분해자, 비생물적 요인 중 하나이다.

(가) 물, 토양, 공기
(나) 사슴, 여우, 호랑이
(다) 조류, 소나무, 민들레
(라) 푸른곰팡이, 대장균, 표고버섯

이에 대한 설명으로 옳은 것만을 〈보기〉에서 있는 대로 고른 것은?

〈 보기 〉

ㄱ. (가)는 비생물적 요인이다.
ㄴ. (나)는 독립 영양 생물이다.
ㄷ. (다)는 다른 동물을 먹이로 하는 생물이다.
ㄹ. (라)는 다른 생물의 사체나 배설물을 무기물로 분해하여 비생물 환경으로 돌려보낸다.

① ㄱ, ㄴ ② ㄱ, ㄹ ③ ㄴ, ㄷ
④ ㄴ, ㄹ ⑤ ㄱ, ㄷ, ㄹ

471 하 중 상

그림은 어떤 생태계의 생물 군집 내에서의 유기물의 이동을 나타낸 것이다. (가)와 (나)는 각각 소비자와 분해자 중 하나이다.

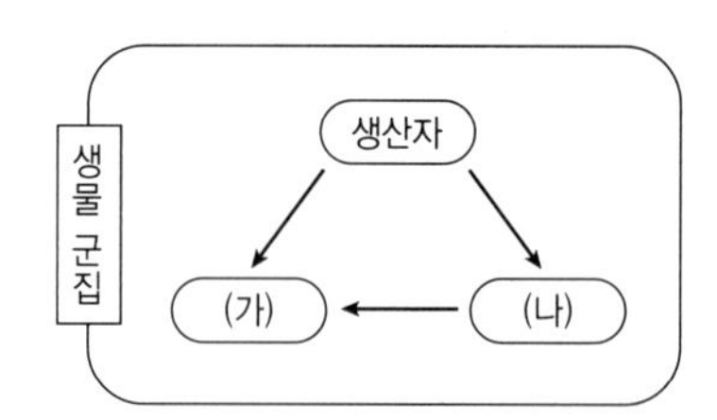

이에 대한 설명으로 옳은 것만을 〈보기〉에서 있는 대로 고른 것은?

〈 보기 〉

ㄱ. (가)는 비생물적 요인이다.
ㄴ. (나)는 광합성을 하여 스스로 양분을 합성한다.
ㄷ. 곰팡이와 세균은 (가)에 해당한다.

① ㄱ ② ㄷ ③ ㄱ, ㄴ
④ ㄴ, ㄷ ⑤ ㄱ, ㄴ, ㄷ

생태계 구성 요소 간의 관계

472 하 중 상

다음은 생물적 요인과 비생물적 요인 간의 상호 작용 중 한 예이다.

지렁이와 두더지는 흙 속을 파헤치며 이동하여 토양의 통기성을 높여 준다.

이와 같은 방식으로 이루어진 생태계 구성 요인 간의 상호 작용으로 옳은 것은?

① 나무가 우거진 숲속의 습도가 숲 밖보다 높다.
② 온도가 낮아지면 단풍이 들어 나뭇잎의 색깔이 변한다.
③ 사막에 서식하는 선인장에는 물을 저장하는 저수 조직이 있다.
④ 고산 지대에 사는 사람은 평지에 사는 사람보다 적혈구 수가 많다.
⑤ 회충, 요충과 같은 기생충은 동물의 몸속에 살면서 양분을 섭취한다.

473 하 중 상 多 보기

그림은 생태계를 구성하는 요소 사이의 상호 관계를 나타낸 것이다.

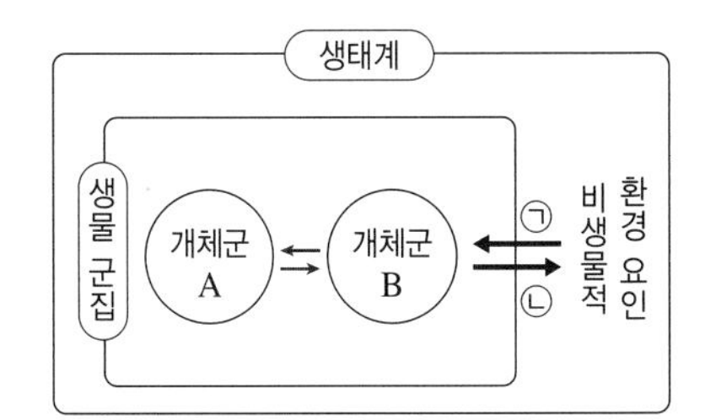

이에 대한 설명으로 옳지 않은 것은?

① 개체군 A는 한 종으로 구성된다.
② 위도에 따라 식물 군집이 달라지는 것은 ㉠에 해당한다.
③ 수온이 돌말 개체군의 크기에 영향을 주는 것은 ㉠에 해당한다.
④ 일조량이 식물의 광합성량에 영향을 주는 것은 ㉠에 해당한다.
⑤ 낙엽이 떨어져 토양이 비옥해지는 것은 ㉡에 해당한다.
⑥ 빛의 세기에 따라 잎의 두께가 달라지는 것은 ㉡에 해당한다.

474 하 중 상

그림은 생태계를 구성하는 요소 사이의 상호 관계를 나타낸 것이다.

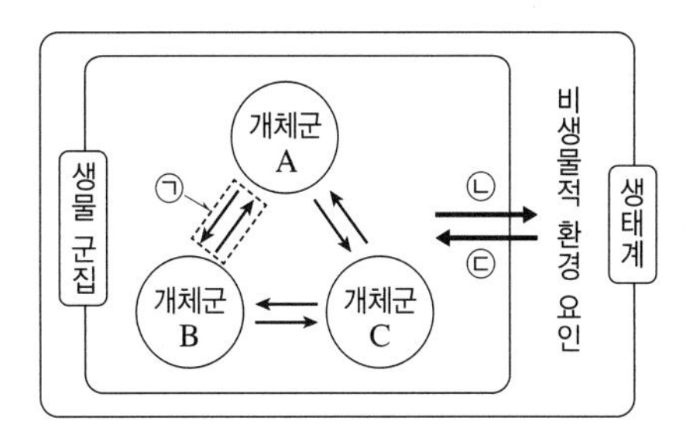

이에 대한 설명으로 옳은 것만을 〈보기〉에서 있는 대로 고른 것은?

〈 보기 〉
ㄱ. 지의류에 의해 암석의 풍화가 촉진되어 토양이 형성되는 것은 ㉡에 해당한다.
ㄴ. 외래종의 수가 증가하여 토종 생물의 수가 감소하는 것은 ㉠에 해당한다.
ㄷ. 탈질산화 세균에 의해 질산 이온(NO_3^-)이 질소 기체(N_2)로 바뀌는 것은 ㉢에 해당한다.

① ㄱ ② ㄷ ③ ㄱ, ㄴ
④ ㄴ, ㄷ ⑤ ㄱ, ㄴ, ㄷ

475 하 중 상

그림은 생태계를 구성하는 요소 사이의 상호 관계를 나타낸 것이다.

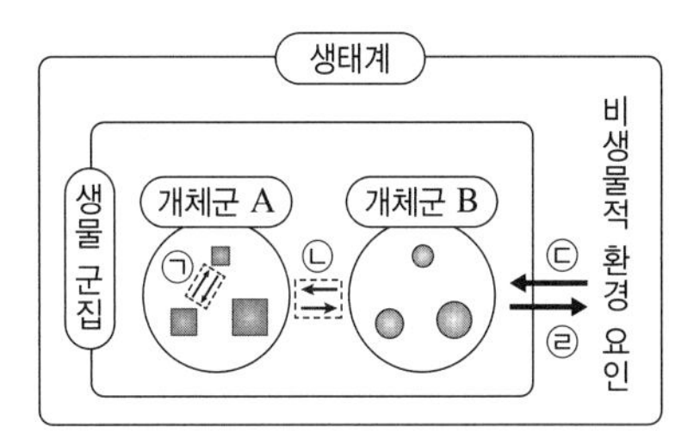

이에 대한 설명으로 옳은 것만을 〈보기〉에서 있는 대로 고른 것은?

〈 보기 〉
ㄱ. 일정한 서식 공간을 차지하고 다른 개체의 침입을 막는 텃세는 ㉠에 해당한다.
ㄴ. 여러 종의 솔새가 한 나무에서 위치를 달리하여 서식하는 분서는 ㉡에 해당한다.
ㄷ. 스라소니가 눈신토끼를 잡아먹는 것은 ㉢에 해당한다.
ㄹ. 숲의 나무에 의해 햇빛이 차단되어 토양의 수분 증발량이 감소하는 것은 ㉣에 해당한다.

① ㄱ, ㄴ ② ㄱ, ㄷ ③ ㄴ, ㄷ
④ ㄷ, ㄹ ⑤ ㄱ, ㄴ, ㄹ

B 생물과 환경의 상호 작용

476 하 중 상

그림 (가)와 (나)는 한 식물에 있는 양엽과 음엽을 순서 없이 나타낸 것이다.

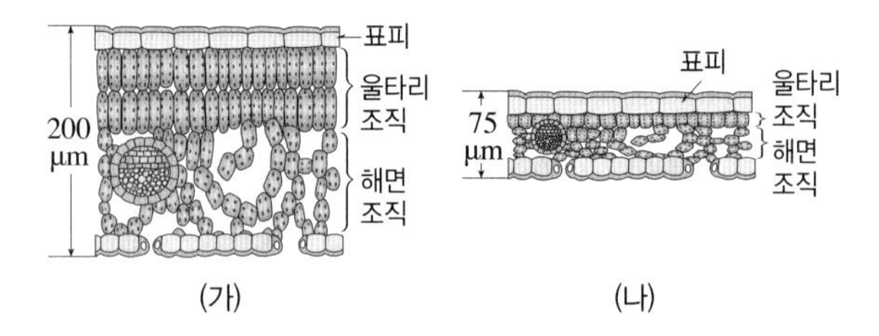

이에 대한 설명으로 옳은 것만을 〈보기〉에서 있는 대로 고른 것은?

〈 보기 〉
ㄱ. (가)는 양엽, (나)는 음엽이다.
ㄴ. (가)는 (나)보다 울타리 조직이 두껍게 발달하였다.
ㄷ. (나)는 빛을 많이 받는 나무의 윗부분에 주로 분포한다.
ㄹ. 빛의 세기는 식물 잎의 두께에 영향을 미친다.

① ㄱ, ㄴ ② ㄱ, ㄷ ③ ㄱ, ㄹ
④ ㄴ, ㄷ ⑤ ㄱ, ㄴ, ㄹ

477 하 중 상

그림은 빛의 파장에 따른 해조류의 수직 분포를 나타낸 것이다.

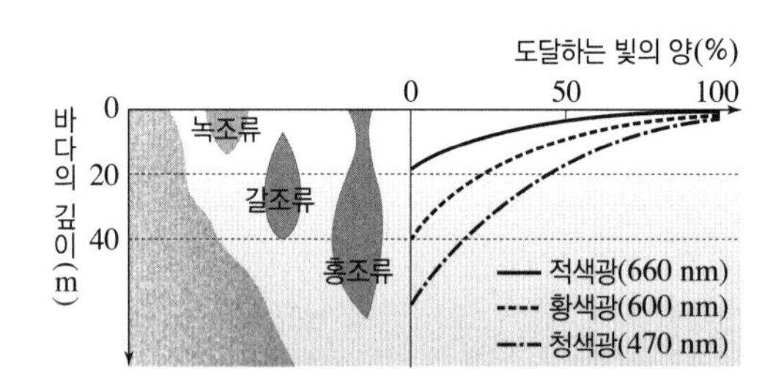

이에 대한 설명으로 옳은 것만을 〈보기〉에서 있는 대로 고른 것은?

〈 보기 〉
ㄱ. 빛의 파장이 길수록 바다 깊은 곳까지 투과된다.
ㄴ. 녹조류는 광합성에 주로 청색광을 이용한다.
ㄷ. 해조류의 분포는 비생물적 요인의 영향을 받는다.

① ㄱ ② ㄴ ③ ㄷ
④ ㄴ, ㄷ ⑤ ㄱ, ㄴ, ㄷ

478 하 중 상

표는 식물 종 A의 개체 Ⅰ ~ Ⅳ에 '빛 있음', '빛 없음', ⓐ, ⓑ 순으로 처리한 기간과 개체 Ⅰ ~ Ⅳ의 개화 여부를 나타낸 것이다. ⓐ와 ⓑ는 각각 '빛 있음'과 '빛 없음' 중 하나이고, ㉠은 '개화함'과 '개화 안 함' 중 하나이다. 이 식물이 개화하는 데 필요한 최소한의 '연속적인 빛 없음' 기간은 10시간이다.

개체	처리 기간(시간)				개화 여부
	빛 있음	빛 없음	ⓐ	ⓑ	
Ⅰ	12	0	0	12	개화함
Ⅱ	12	4	1	7	개화 안 함
Ⅲ	14	4	1	5	개화 안 함
Ⅳ	7	1	4	12	㉠

ⓐ와 ㉠에 해당하는 말을 쓰시오.

479 하 중 상

생물이 온도의 영향을 받아 나타나는 현상으로 옳은 것을 모두 고르면?(2개)

① 개구리와 뱀은 겨울잠을 잔다.
② 선인장의 가시는 수분의 증발을 줄이는 구조이다.
③ 바다의 깊이에 따라 서식하는 해조류의 종류가 다르다.
④ 추운 지방에 사는 포유류는 몸의 말단부가 작고 몸집이 큰 경향이 있다.
⑤ 고산 지대에 사는 사람은 평지에 사는 사람보다 혈액 속 적혈구 수가 많다.

480 하 중 상

다음은 한 학생이 환경과 생물의 상호 작용에 의해 나타나는 현상을 설명한 것이다.

(가) 음엽이 양엽보다 두께가 더 두껍다.
(나) 연잎은 물에 젖지 않도록 발달한 구조이다.
(다) 사막여우는 열을 보존하는 데 유리한 구조를 가졌다.
(라) 생물의 활동은 공기와 토양에 영향을 주지 않는다.
(마) 상록수는 포도당을 녹말로 합성하여 삼투압을 낮추고 어는 점을 내려 잎이 얼지 않게 한다.

설명이 옳은 것의 개수는?

① 1개 ② 2개 ③ 3개 ④ 4개 ⑤ 5개

481 하중상

표는 비생물적 요인 (가)~(다)가 식물에 영향을 준 예를 나타낸 것이다. (가)~(다)는 각각 일조 시간, 빛의 세기, 물 중 하나이다.

요인	예
(가)	연의 뿌리에는 통기 조직이 발달하였다.
(나)	꾀꼬리는 빛을 쬐는 시간이 길어지면 산란한다.
(다)	음지 식물은 양지 식물에 비해 빛이 약한 곳에서도 잘 서식할 수 있다.

이에 대한 설명으로 옳은 것만을 〈보기〉에서 있는 대로 고른 것은?

〈 보기 〉

ㄱ. 선인장에 물을 저장하는 저수 조직이 있는 것은 (가)의 영향이다.

ㄴ. 국화의 꽃이 하루 중 밤의 길이가 길어지는 계절에 피는 것은 (나)의 영향이다.

ㄷ. (다)는 빛의 세기이다.

① ㄱ　② ㄴ　③ ㄱ, ㄷ　④ ㄴ, ㄷ　⑤ ㄱ, ㄴ, ㄷ

[482~483] 표는 빛의 세기에 따른 식물 A와 B의 CO_2 출입량을 상댓값으로 나타낸 것이다. 식물 A와 B는 각각 양지 식물과 음지 식물 중 하나이다.

빛의 세기(lx)		0	2000	4000	6000	8000
CO_2 출입량	A	−2.0	0	1.6	3.4	3.4
	B	−8.2	−4.3	−1.1	3.4	7.5

482 하중상

이에 대한 설명으로 옳은 것만을 〈보기〉에서 있는 대로 고른 것은?

〈 보기 〉

ㄱ. A는 음지 식물, B는 양지 식물이다.

ㄴ. A와 B는 순광합성량이 같아질 때가 있다.

ㄷ. 빛의 세기가 2000 lx로 계속 유지되면 A는 생장하지 못한다.

ㄹ. 빛의 세기가 6000 lx일 때 총광합성량은 A와 B가 같다.

① ㄱ, ㄴ　② ㄱ, ㄷ　③ ㄴ, ㄹ　④ ㄱ, ㄴ, ㄷ　⑤ ㄴ, ㄷ, ㄹ

483 하중상

••서술형

A와 B 중 양지 식물을 쓰고, 그렇게 판단한 근거는 무엇인지 서술하시오.

빈출

484 하중상

그림은 빛의 세기에 따른 식물 A와 B의 광합성량을 나타낸 것이다. 식물 A와 B는 각각 양지 식물과 음지 식물 중 하나이다.

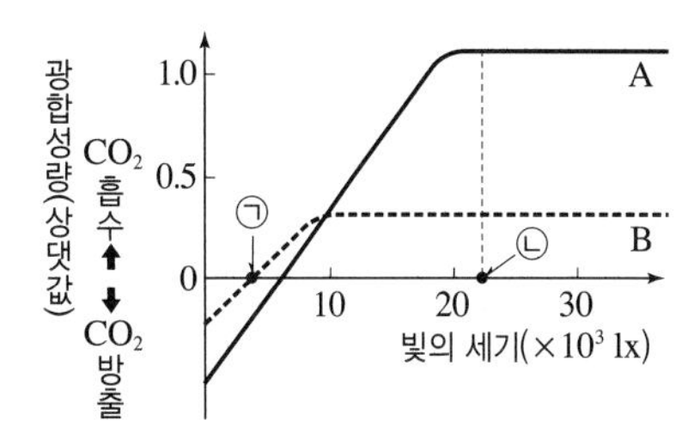

이에 대한 설명으로 옳은 것은?

① A는 음지 식물이다.

② ㉠은 B의 총광합성량이 0인 빛의 세기이다.

③ 빛의 세기가 ㉠일 때는 A가 B보다 생존에 불리하다.

④ ㉡은 B의 광포화점이다.

⑤ 빛의 세기가 ㉡일 때 A와 B의 순광합성량은 같다.

빈출

485 하중상

서로 다른 종의 식물 A와 B에 빛 조건을 달리하여 개화 여부를 관찰하였다. 그림은 빛 조건 ㉠~㉤을, 표는 각각의 빛 조건에서 식물 A와 B의 개화 여부를 나타낸 것이다. 식물 A와 B는 각각 단일 식물과 장일 식물 중 하나이다.

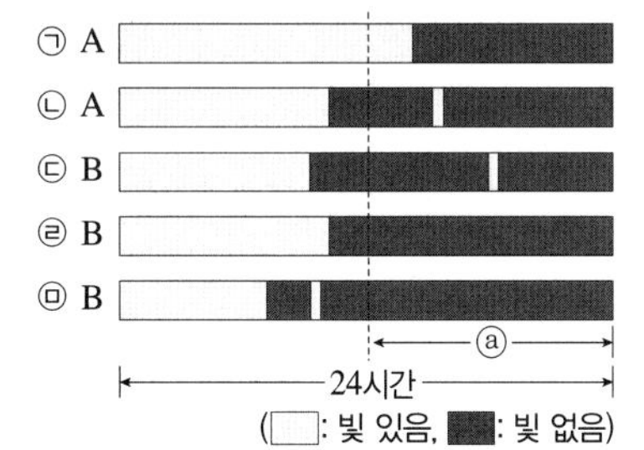

조건	개화 여부
㉠	○
㉡	○
㉢	×
㉣	○
㉤	?

(○: 개화함, ×: 개화 안 함)

이에 대한 설명으로 옳은 것만을 〈보기〉에서 있는 대로 고른 것은?

〈 보기 〉

ㄱ. A는 '빛 없음' 시간의 합이 ⓐ보다 길 때 항상 개화한다.

ㄴ. B는 단일 식물이다.

ㄷ. 조건 ㉤에서 B는 개화한다.

① ㄱ　② ㄴ　③ ㄱ, ㄷ　④ ㄴ, ㄷ　⑤ ㄱ, ㄴ, ㄷ

개체군

Ⓐ 개체군의 특성

1 개체군의 밀도 일정 공간에 서식하는 개체 수 ➔ 개체군의 크기는 밀도로 나타낸다.

$$\text{개체군의 밀도}(D)=\frac{\text{개체군을 구성하는 개체 수}(N)}{\text{개체군이 서식하는 면적 또는 공간}(S)}$$

① 개체의 ❶☐☐과 이입으로 증가하고, ❷☐☐과 이출로 감소한다.

② 일반적으로 이입과 이출보다 출생과 사망의 영향을 더 크게 받는다.

2 개체군의 생장 곡선 개체군의 생장을 그래프로 나타낸 것 (└• 개체군 내의 개체 수가 시간에 따라 증가하는 것)

이론상의 생장 곡선	생식 활동에 먹이, 서식 공간 등의 제약을 받지 않으면 개체 수가 기하급수적으로 증가한다. ➔ ❸☐자 모양의 생장 곡선
실제의 생장 곡선	자연 상태에서는 개체군의 밀도가 높아지면 환경 저항이 커져 개체군의 생장이 둔화되다가 개체 수가 점차 일정해진다. ➔ ❹☐자 모양의 생장 곡선
❺☐☐☐☐	개체군의 생장을 억제하는 환경 요인 예 서식 공간과 먹이 부족, 경쟁 심화, 노폐물 축적, 질병
환경 수용력	주어진 환경 조건에서 서식할 수 있는 개체군의 최대 크기

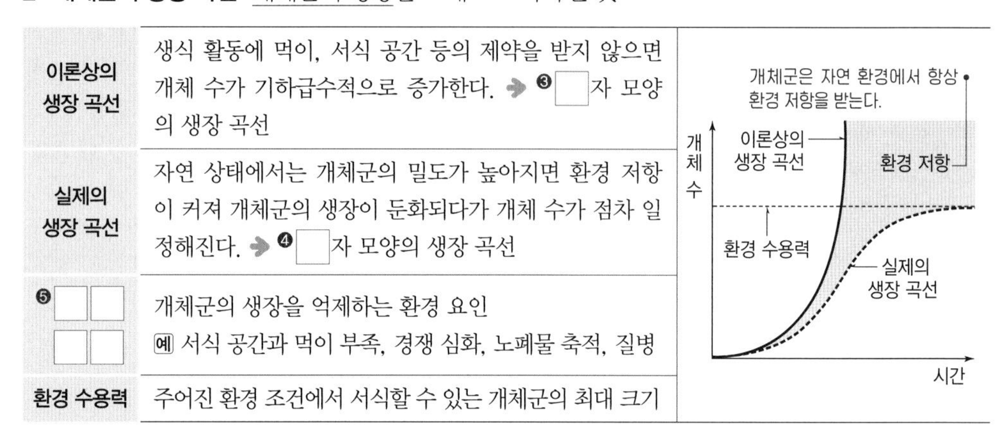

3 개체군의 생존 곡선 같은 시기에 태어난 개체들이 시간이 지남에 따라 얼마나 살아남았는지를 그래프로 나타낸 것

Ⅰ형	적은 수의 자손을 낳지만 초기 사망률이 ❻☐고, 대부분의 개체가 생리적 수명을 다하고 죽는다. 예 사람, 코끼리, 돌산양 등 대형 포유류
Ⅱ형	출생 이후 개체 수가 일정한 비율로 줄어든다. 예 다람쥐 등 초식 동물류, 기러기 등 조류, 히드라
Ⅲ형	많은 수의 자손을 낳지만 초기 사망률이 높아 성체로 생장하는 개체 수가 적다. 예 고등어, 굴 등 어패류

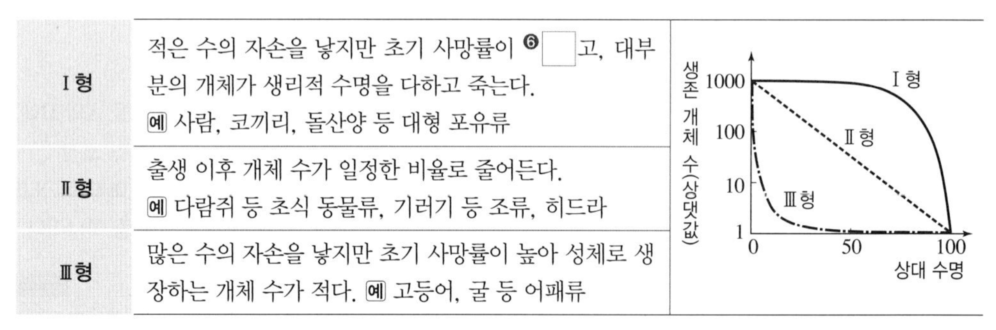

4 개체군의 연령 피라미드 연령 피라미드를 통해 개체군의 크기 변화를 예측할 수 있다.

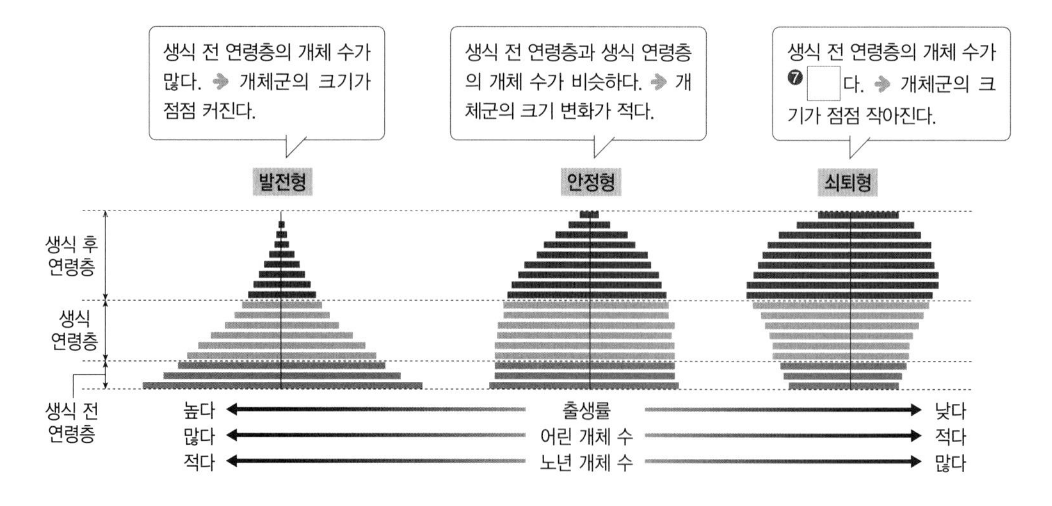

기출 Tip Ⓐ-1

개체군의 밀도에 영향을 미치는 요인

개체군의 밀도는 빛, 서식 공간, 온도 등의 비생물적 요인과 질병, 다른 생물의 기생, 포식 등의 생물적 요인의 영향을 받는다.

출생률 및 사망률과 개체 수의 증감

이입과 이출의 영향을 배제할 때,

$\frac{\text{사망률}}{\text{출생률}}<1$이면 개체 수가 증가,

$\frac{\text{사망률}}{\text{출생률}}>1$이면 개체 수가 감소한다.

기출 Tip Ⓐ-2

환경 저항

이론상의 생장 곡선에서 개체군은 환경 저항을 받지 않고, 실제의 생장 곡선에서 개체군은 항상 환경 저항을 받는다.

기출 Tip Ⓐ-3

개체군의 사망률 곡선

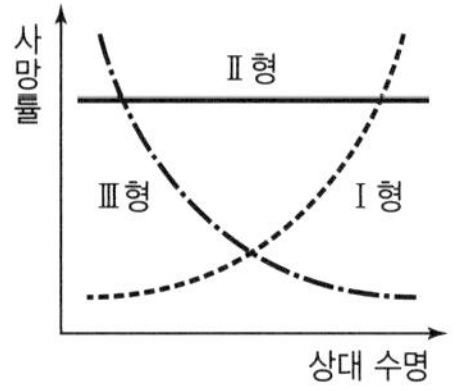

- Ⅰ형: 초기 사망률이 낮다.
- Ⅱ형: 사망률이 비교적 일정하다.
- Ⅲ형: 초기 사망률이 높다.

5 개체군의 주기적 변동 개체군의 크기는 계절적인 환경 요인이나 먹이, 포식자 등의 변화에 따라 주기적으로 변동한다.

(계절에 따른 돌말 개체군의 주기적 변동)

돌말은 빛의 세기, 수온, ❽□□□□의 양 등의 계절적 변화에 따라 개체군 크기가 1년을 주기로 변한다.

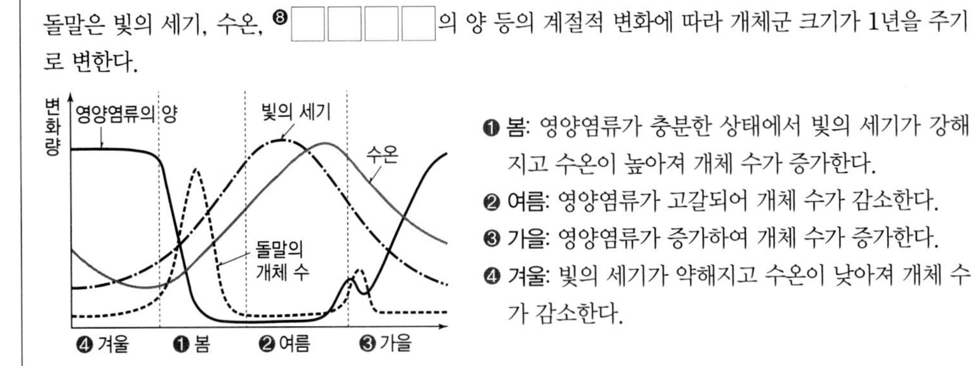

❶ 봄: 영양염류가 충분한 상태에서 빛의 세기가 강해지고 수온이 높아져 개체 수가 증가한다.
❷ 여름: 영양염류가 고갈되어 개체 수가 감소한다.
❸ 가을: 영양염류가 증가하여 개체 수가 증가한다.
❹ 겨울: 빛의 세기가 약해지고 수온이 낮아져 개체 수가 감소한다.

기출 Tip Ⓐ-5

포식과 피식에 따른 눈신토끼와 스라소니 개체군의 주기적 변동

눈신토끼의 개체 수가 증가하면 눈신토끼를 잡아먹는 스라소니의 개체 수도 증가한다. 스라소니의 개체 수가 증가하면 눈신토끼의 개체 수는 감소하고, 그에 따라 먹이가 부족해져 스라소니의 개체 수도 감소한다. 이와 같이 눈신토끼와 스라소니 개체군 크기의 변동은 주기적으로 반복되고 있다.

Ⓑ 개체군 내의 상호 작용

텃세	일정한 서식 공간을 차지하고 다른 개체가 침입하는 것을 막아 먹이, 배우자, 공간 등을 독점한다. ➜ 개체를 분산하여 밀도를 알맞게 조절하고, 불필요한 싸움을 피하게 한다. 예 은어, 백로, 물개, 까치, 표범, 얼룩말, 버들붕어 → 수컷 버들붕어는 자신의 세력권에 접근한 다른 수컷을 공격하여 암컷을 차지하고 새끼를 지킨다.
❾□□□	개체군을 구성하는 개체들 사이에서 힘의 서열에 따라 순위를 정하여 먹이나 배우자를 차지한다. ➜ 먹이 획득이나 번식 과정에서 불필요한 경쟁을 줄일 수 있다. 예 큰뿔양의 숫양은 뿔의 크기나 뿔 치기로 순위를 정한다. 닭은 싸움을 통해 순위를 결정하고, 순위에 따라 모이를 먹는다.
❿□□□	우두머리가 무리 전체를 통솔한다. ➜ 경험이 많은 개체가 리더가 되어 개체군의 이동 방향을 정하거나 천적으로부터 도망치도록 하는 등 개체군의 행동을 지휘한다. 예 우두머리 늑대가 늑대 무리의 사냥 시기와 사냥감을 정한다. 기러기는 집단으로 이동할 때 리더 한 마리를 따라 이동한다.
사회생활	역할에 따라 계급과 업무를 분담하여 생활한다. ➜ 분업화된 사회를 이룬다. 예 개미 개체군에서 여왕개미는 생식, 병정개미는 방어, 일개미는 먹이 획득을 담당한다. 꿀벌 개체군에서 여왕벌은 조직 통솔과 산란, 일벌은 꿀의 채취와 벌집 관리, 수벌은 생식을 담당한다.
가족생활	혈연관계의 개체가 모여 생활한다. ➜ 가족은 먹이를 공유하고 어린 개체를 효과적으로 키울 수 있다. 예 사자, 코끼리 등은 새끼가 생장하여 독립할 때까지 어미와 새끼가 무리 지어 생활한다.

기출 Tip Ⓑ

순위제와 리더제의 차이점

순위제는 개체군 내의 모든 개체에 서열이 정해져 있지만, 리더제는 리더를 제외한 나머지 개체들의 서열이 없다.

답 ❶ 출생 ❷ 사망 ❸ J ❹ S ❺ 환경 저항 ❻ 낮 ❼ 적 ❽ 영양염류 ❾ 순위제 ❿ 리더제

빈출 자료 보기

정답과 해설 74쪽

486 그림은 어떤 개체군의 이론상의 생장 곡선과 실제의 생장 곡선을 나타낸 것이다.

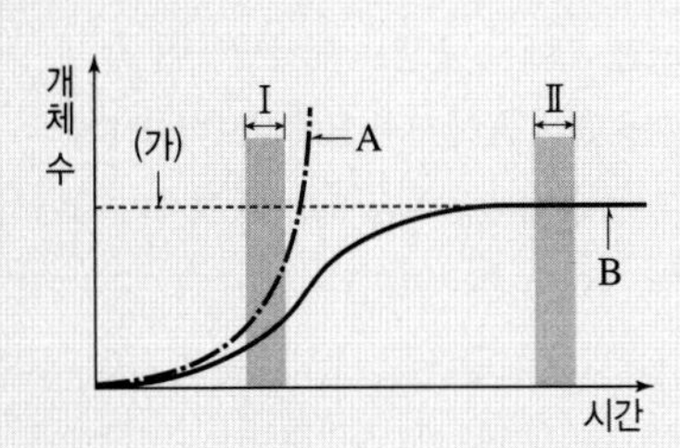

이에 대한 설명으로 옳은 것은 ○, 옳지 않은 것은 ×로 표시하시오.

(1) A에서 개체군은 환경 저항을 받지 않는다. ( )
(2) 구간 Ⅰ에서 증가한 개체 수는 A에서가 B에서보다 적다. ( )
(3) B는 S자 모양의 생장 곡선이다. ( )
(4) B에서의 환경 저항은 구간 Ⅱ에서가 Ⅰ에서보다 작다. ( )
(5) B에서 이 개체군의 밀도는 구간 Ⅱ에서가 Ⅰ에서보다 크다. ( )
(6) (가)는 주어진 환경 조건에서 서식할 수 있는 개체군의 최대 크기이다. ( )

A 개체군의 특성

개체군의 밀도와 생장 곡선

487 하 중 상

개체군의 밀도에 대한 설명으로 옳지 않은 것은?

① 개체의 출생과 이입으로 증가한다.
② 일정 공간에 서식하는 개체 수이다.
③ 생물적 요인의 영향은 받지 않는다.
④ 이입과 이출보다 출생과 사망의 영향을 더 크게 받는다.
⑤ 빛, 서식 공간, 온도 등의 비생물적 요인의 영향을 받는다.

488 하 중 상

그림은 어떤 개체군의 이론상의 생장 곡선과 실제의 생장 곡선을 나타낸 것이다.

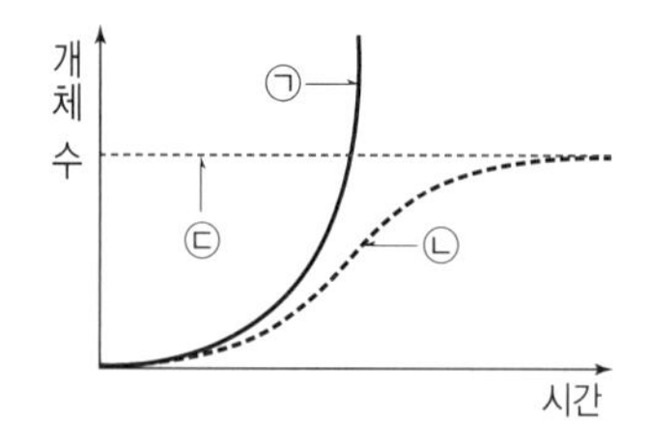

이에 대한 설명으로 옳은 것만을 〈보기〉에서 있는 대로 고른 것은?

〈 보기 〉
ㄱ. ㉠은 이론상의 생장 곡선이다.
ㄴ. ㉡은 먹이 부족, 노폐물 축적, 경쟁 심화 등의 영향을 받을 때의 생장 곡선이다.
ㄷ. ㉢은 환경 저항이다.

① ㄱ ② ㄴ ③ ㄷ
④ ㄱ, ㄴ ⑤ ㄴ, ㄷ

빈출

489 하 중 상

그림은 어떤 개체군의 이론상의 생장 곡선과 실제의 생장 곡선을 나타낸 것이다.

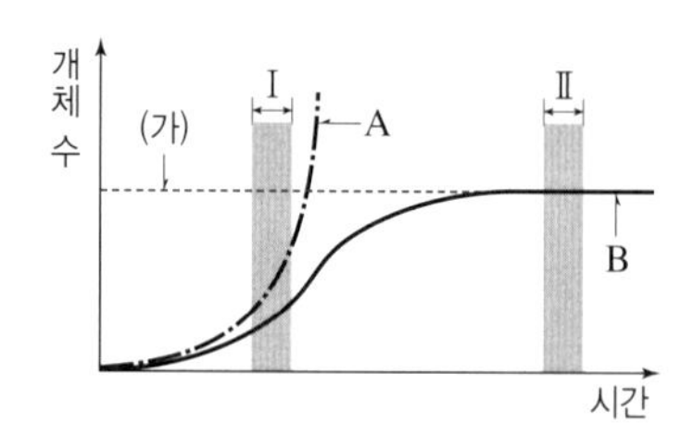

이에 대한 설명으로 옳은 것만을 〈보기〉에서 있는 대로 고른 것은?

〈 보기 〉
ㄱ. A는 실제의 생장 곡선이다.
ㄴ. B에서의 환경 저항은 구간 Ⅱ에서보다 구간 Ⅰ에서 더 크다.
ㄷ. 서식 공간이 증가하면 (가)도 증가한다.

① ㄱ ② ㄴ ③ ㄷ
④ ㄱ, ㄴ ⑤ ㄴ, ㄷ

490 하 중 상

그림은 먹이의 양이 서로 다른 두 조건 A와 B에서 종 ⓐ를 각각 단독 배양했을 때 시간에 따른 개체 수를 나타낸 것이다. 먹이의 양은 A가 B보다 많고, 서식지의 면적은 같다.

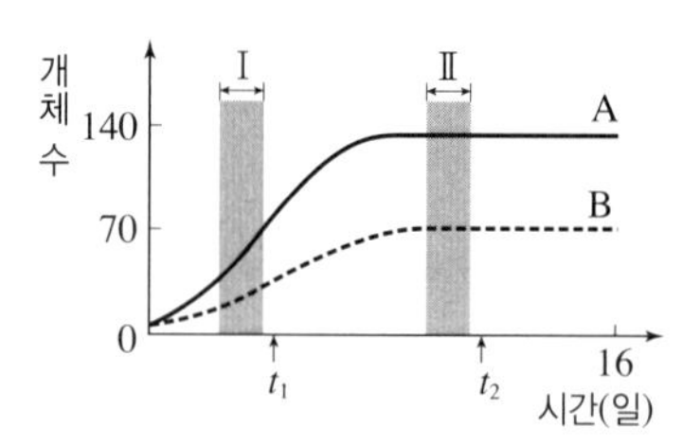

이에 대한 설명으로 옳은 것만을 〈보기〉에서 있는 대로 고른 것은? (단, 이입과 이출은 없으며, 제시된 조건 이외는 고려하지 않는다.)

〈 보기 〉
ㄱ. A의 구간 Ⅱ에서 출생률과 사망률이 같다.
ㄴ. 환경 수용력은 A에서가 B에서보다 크다.
ㄷ. 구간 Ⅰ에서 개체군의 밀도는 A에서가 B에서보다 크다.

① ㄱ ② ㄴ ③ ㄱ, ㄷ
④ ㄴ, ㄷ ⑤ ㄱ, ㄴ, ㄷ

491 하 중 상 ••서술형

그림 (가)는 개체군 A, (나)는 개체군 B의 생장 곡선을 나타낸 것이다. 개체군 A와 B의 서식지 면적은 같다.

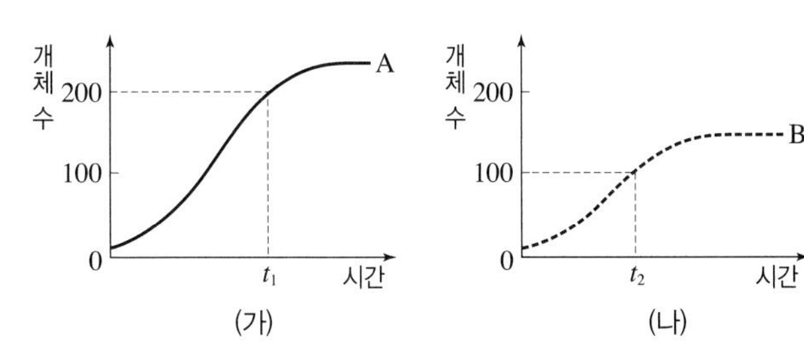

(1) t_1에서 개체군 A의 밀도를 D_A, t_2에서 개체군 B의 밀도를 D_B라고 할 때 $D_A : D_B$는 얼마인지 쓰시오.

(2) (1)과 같이 생각한 까닭을 개체군 밀도를 구하는 식을 포함하여 서술하시오.

개체군의 생존 곡선

492 하 중 상

그림은 개체군 (가)~(다)의 생존 곡선을 나타낸 것이다.

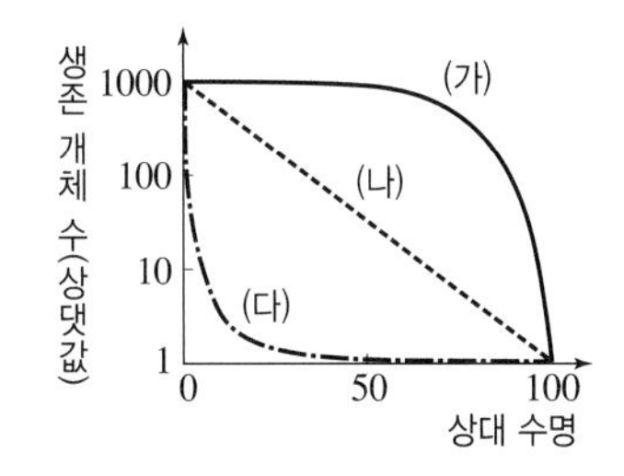

이에 대한 설명으로 옳은 것만을 〈보기〉에서 있는 대로 고른 것은?

〈 보기 〉
ㄱ. 사람의 생존 곡선은 (가)와 가장 가깝다.
ㄴ. 히드라와 다람쥐의 생존 곡선은 (나)와 가장 가깝다.
ㄷ. (다)는 새끼 때 부모의 보호를 받아 초기 사망률이 낮다.

① ㄱ ② ㄴ ③ ㄷ
④ ㄱ, ㄴ ⑤ ㄴ, ㄷ

493 하 중 상

그림은 개체군 A~C의 사망률 곡선을 나타낸 것이다.

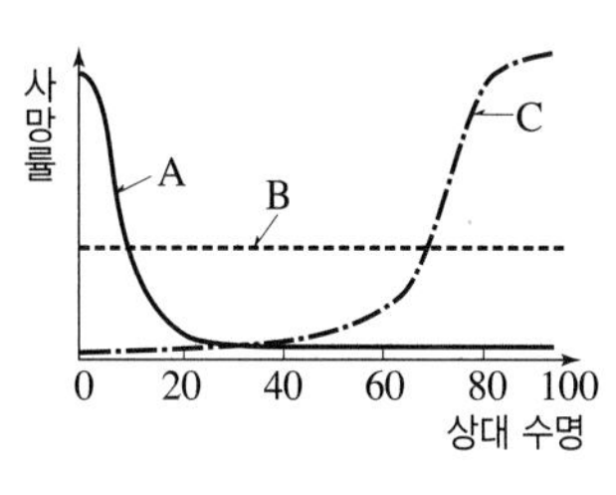

이에 대한 설명으로 옳은 것만을 〈보기〉에서 있는 대로 고른 것은?

〈 보기 〉
ㄱ. A는 C보다 초기 사망률이 낮다.
ㄴ. B는 각 연령대에서 사망률이 비교적 일정하다.
ㄷ. 기러기의 사망률은 B와 같은 형태를 나타낸다.
ㄹ. C는 A보다 많은 수의 자손을 낳는다.

① ㄱ, ㄴ ② ㄱ, ㄷ ③ ㄴ, ㄷ
④ ㄷ, ㄹ ⑤ ㄱ, ㄴ, ㄹ

빈출 494 하 중 상

그림 (가)는 개체군의 세 가지 생존 곡선을, (나)는 개체군의 세 가지 사망률 곡선을 나타낸 것이다. ㉠~㉢은 각각 생존 곡선 Ⅰ형~Ⅲ형 중 하나의 사망률 곡선이다.

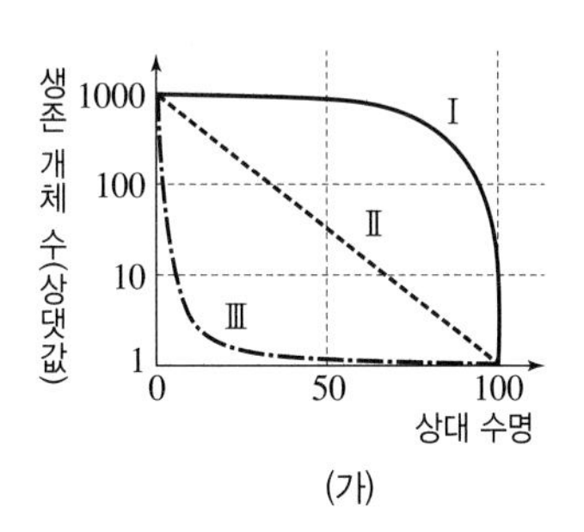

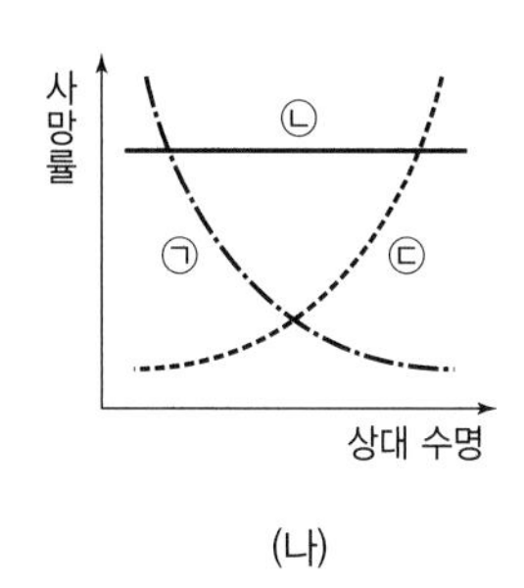

(가) (나)

이에 대한 설명으로 옳지 않은 것은?

① 생존 곡선은 상대 수명에 따른 생존 개체 수를 나타낸 것이다.
② Ⅰ형의 사망률 곡선은 ㉢이다.
③ Ⅱ형의 사망률 곡선은 ㉡이다.
④ $\frac{\text{후기 사망률}}{\text{초기 사망률}}$은 Ⅲ형이 Ⅰ형보다 크다.
⑤ 굴의 생존 곡선은 Ⅲ형이고, 사망률 곡선은 ㉠이다.

개체군의 연령 피라미드

495 하중상

그림은 개체군의 연령 피라미드를 나타낸 것이다.

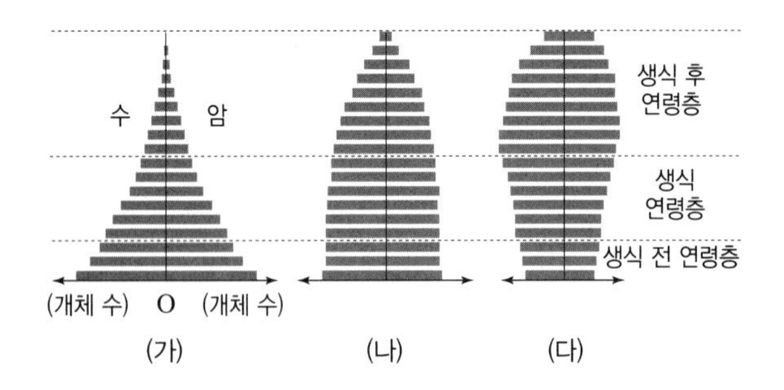

(1) (가)~(다)에 해당하는 연령 피라미드의 이름을 쓰시오.

(2) (가)~(다) 중 ㉠ 개체군의 크기가 점점 커지는 연령 피라미드와 ㉡ 개체군의 크기가 점점 작아지는 연령 피라미드를 쓰시오.

496 하중상

그림 (가)는 개체군 A와 B에서 예상되는 개체 수 변화를 나타낸 것이고, (나)와 (다)는 각각 A와 B의 연령 피라미드 중 하나이다.

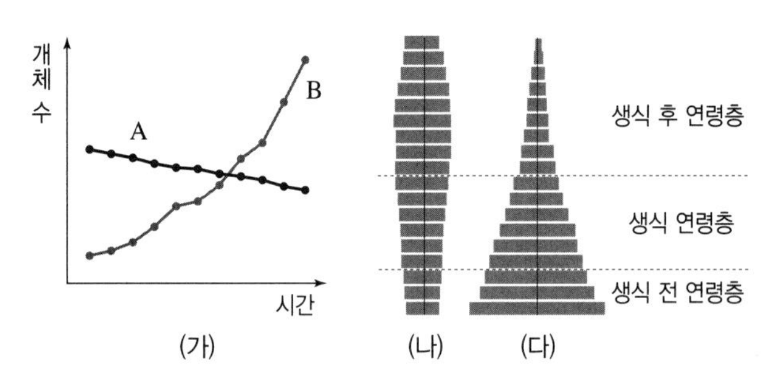

이에 대한 설명으로 옳은 것만을 〈보기〉에서 있는 대로 고른 것은?

〈 보기 〉

ㄱ. A는 개체군의 크기가 점점 작아질 것이다.

ㄴ. B의 연령 피라미드는 (다)이다.

ㄷ. $\frac{\text{생식 전 연령층의 개체 수}}{\text{생식 후 연령층의 개체 수}}$는 B에서가 A에서보다 크다.

① ㄱ ② ㄴ ③ ㄱ, ㄷ ④ ㄴ, ㄷ ⑤ ㄱ, ㄴ, ㄷ

개체군의 주기적 변동

[497~499] 그림은 어떤 하천에서 계절에 따른 환경 요인 A와 B, 수온, 돌말 개체 수의 변화를 나타낸 것이다. A와 B는 각각 빛의 세기와 영양염류의 양 중 하나이다.

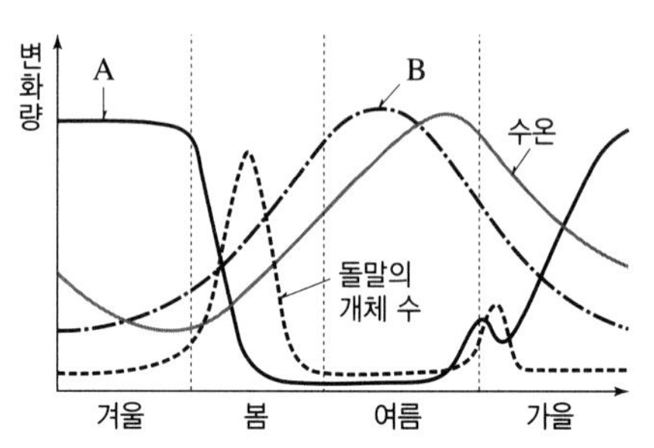

빈출

497 하중상

A와 B에 해당하는 환경 요인을 각각 쓰시오.

빈출

498 하중상

이에 대한 설명으로 옳은 것만을 〈보기〉에서 있는 대로 고른 것은?

〈 보기 〉

ㄱ. 돌말의 개체 수는 계절적 변화에 따라 1년을 주기로 변한다.

ㄴ. 여름에 돌말 개체 수가 증가하지 못하게 하는 제한 요인은 수온이다.

ㄷ. 봄에 돌말 개체 수가 증가하는 까닭은 A가 충분한 상태에서 B와 수온이 증가하기 때문이다.

① ㄱ ② ㄴ ③ ㄱ, ㄷ ④ ㄴ, ㄷ ⑤ ㄱ, ㄴ, ㄷ

499 하중상 ••서술형

겨울에 돌말 개체 수가 줄어드는 까닭을 서술하시오.

B 개체군 내의 상호 작용

500 하 중 상

다음은 개체군 내의 여러 가지 상호 작용을 설명한 것이다.

> (가) 혈연관계의 개체가 모여 생활한다.
> (나) 힘의 서열에 따라 순위를 정하여 먹이나 배우자를 차지한다.
> (다) 일정한 서식 공간을 차지하고 다른 개체가 침입하는 것을 막는다.

(가)~(다)의 상호 작용을 옳게 짝 지은 것은?

	(가)	(나)	(다)
①	텃세	순위제	리더제
②	텃세	리더제	가족생활
③	가족생활	텃세	사회생활
④	가족생활	순위제	텃세
⑤	사회생활	리더제	순위제

빈출

501 하 중 상

개체군 내의 상호 작용과 그 예가 옳지 않은 것은?

① 리더제: 우두머리 늑대가 늑대 무리의 사냥 시기와 사냥감을 정한다.
② 순위제: 일본원숭이는 암컷을 차지하기 위해 힘의 세기로 순위를 정한다.
③ 가족생활: 꿀벌 개체군에서 여왕벌은 산란, 일벌은 꿀의 채취, 수벌은 생식을 담당한다.
④ 텃세: 수컷 버들붕어는 자신의 세력권에 접근한 다른 수컷을 공격하여 암컷을 차지한다.
⑤ 사회생활: 개미 개체군에서 여왕개미는 생식, 병정개미는 방어, 일개미는 먹이 획득을 담당한다.

502 하 중 상

多 보기

다음은 암탉에 대한 자료이다.

> 암탉 여러 마리가 한 닭장 안에서 함께 살게 되면 처음에는 서로 머리를 쪼아 가며 싸우지만 곧 순위를 결정하고, 이후 순위에 따라 모이를 먹는다.

암탉 개체군에서 보이는 상호 작용과 가장 관련이 깊은 것은?

① 스라소니는 눈신토끼를 잡아먹는다.
② 기생충은 숙주인 동물의 몸속에 살면서 양분을 섭취한다.
③ 큰뿔양의 숫양은 뿔의 크기나 뿔 치기로 힘의 서열을 정한다.
④ 여러 종의 솔새가 한 나무에서 서로 다른 위치에 서식한다.
⑤ 기러기는 집단으로 이동할 때 리더 한 마리를 따라 이동한다.
⑥ 사자는 새끼가 생장하여 독립할 때까지 어미와 새끼가 무리 지어 생활한다.

503 하 중 상

표는 생물 사이에서 일어나는 여러 가지 상호 작용을 나타낸 것이다.

상호 작용	예
(가)	뿌리혹박테리아는 콩과식물에게 질소 화합물을 제공하고, 콩과식물은 뿌리혹박테리아에게 양분을 제공한다.
(나)	양 떼는 이동할 때 한 개체가 전체 무리를 이끌며 이동한다.
(다)	얼룩말은 생활 구역, 먹이 획득, 배우자 독점 등을 위해 일정한 서식 공간을 차지하고 다른 개체가 침입하는 것을 막는다.

이에 대한 설명으로 옳은 것만을 〈보기〉에서 있는 대로 고른 것은?

〈 보기 〉
ㄱ. (가)는 한 개체군 내에서 일어나는 상호 작용이다.
ㄴ. (나)는 개체군 내의 모든 개체에 서열이 정해져 있다.
ㄷ. (다)에서 확보된 생활 구역을 세력권이라고 한다.

① ㄱ ② ㄴ ③ ㄷ
④ ㄴ, ㄷ ⑤ ㄱ, ㄴ, ㄷ

V

군집의 구조와 식물 군집의 천이

Ⓐ 군집의 구조

1 군집의 구성

① 먹이 사슬과 먹이 그물: 군집을 이루는 개체군들은 영양 단계에 따라 서로 먹고 먹히는 관계인 먹이 사슬을 형성하며, 여러 먹이 사슬이 복잡하게 얽혀 ❶ □□ □□을 형성한다.

생물종이 다양할수록 복잡한 먹이 그물이 형성되어 군집이 안정해진다.

② 생태적 지위: 군집 내 개체군이 담당하는 구조적·기능적 역할 ➔ 개체군이 먹이 사슬에서 차지하는 ❷ □□ □□, 개체군이 차지하는 서식 공간인 공간 지위가 있다.

기출 Tip Ⓐ-2

삼림 군집에서의 환경 변화

삼림 군집에서는 높이에 따라 빛의 세기와 양이 다르므로 식물의 광합성량과 호흡량도 다르다. 따라서 높이에 따라 이산화 탄소와 산소의 농도도 달라진다.

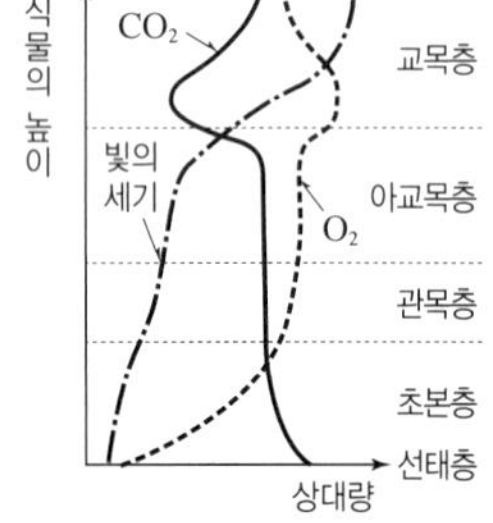

2 군집의 층상 구조

삼림과 같이 많은 개체군으로 구성된 군집은 수직적인 층 구조가 나타난다.

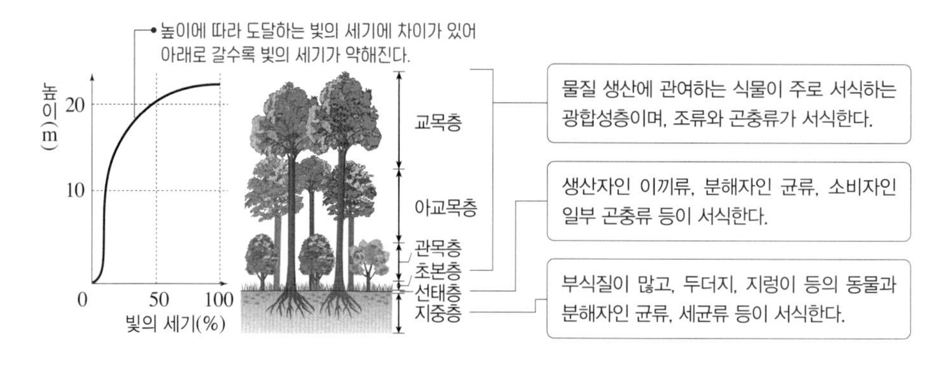

3 군집의 종 구성

기출 Tip Ⓐ-3

지표종

- 지의류: 이산화 황의 농도가 높으면 살 수 없으므로 대기오염 정도를 알 수 있다.
- 에델바이스: 고산 지대에 서식하므로 고도와 온도의 범위를 알 수 있다.

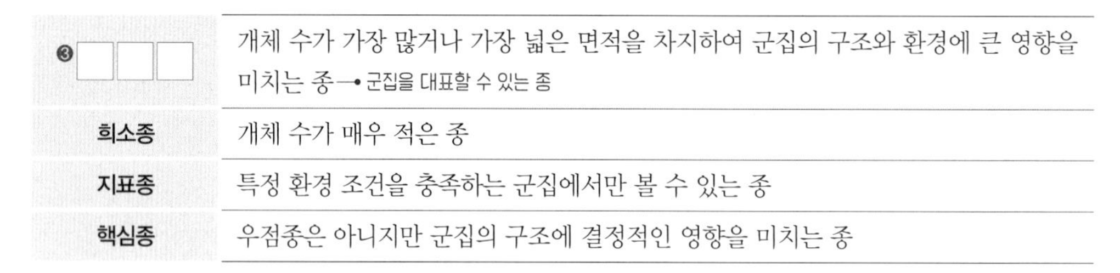

❸ □□□	개체 수가 가장 많거나 가장 넓은 면적을 차지하여 군집의 구조와 환경에 큰 영향을 미치는 종 → 군집을 대표할 수 있는 종
희소종	개체 수가 매우 적은 종
지표종	특정 환경 조건을 충족하는 군집에서만 볼 수 있는 종
핵심종	우점종은 아니지만 군집의 구조에 결정적인 영향을 미치는 종

4 방형구법을 이용한 식물 군집의 구조 조사

방형구를 이용하여 식물의 종과 개체 수(밀도), 종이 출현한 방형구 수(❹ □□), 종이 지표를 덮고 있는 정도(피도)를 조사한다.

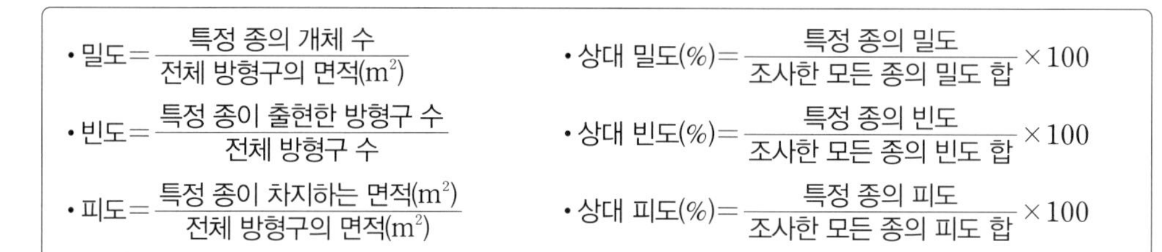

- 밀도 $= \dfrac{\text{특정 종의 개체 수}}{\text{전체 방형구의 면적}(m^2)}$
- 빈도 $= \dfrac{\text{특정 종이 출현한 방형구 수}}{\text{전체 방형구 수}}$
- 피도 $= \dfrac{\text{특정 종이 차지하는 면적}(m^2)}{\text{전체 방형구의 면적}(m^2)}$
- 상대 밀도(%) $= \dfrac{\text{특정 종의 밀도}}{\text{조사한 모든 종의 밀도 합}} \times 100$
- 상대 빈도(%) $= \dfrac{\text{특정 종의 빈도}}{\text{조사한 모든 종의 빈도 합}} \times 100$
- 상대 피도(%) $= \dfrac{\text{특정 종의 피도}}{\text{조사한 모든 종의 피도 합}} \times 100$

- ❺ □□□: 상대 밀도＋상대 빈도＋상대 피도 ➔ 중요치가 가장 높은 종이 그 군집의 우점종

5 군집의 종류

서식 환경에 따라 크게 수생 군집과 육상 군집으로 구분한다.

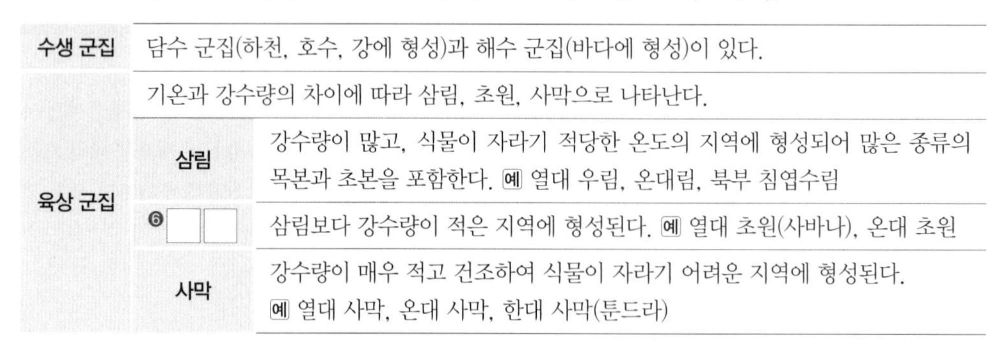

수생 군집	담수 군집(하천, 호수, 강에 형성)과 해수 군집(바다에 형성)이 있다.	
육상 군집	기온과 강수량의 차이에 따라 삼림, 초원, 사막으로 나타난다.	
	삼림	강수량이 많고, 식물이 자라기 적당한 온도의 지역에 형성되어 많은 종류의 목본과 초본을 포함한다. 예 열대 우림, 온대림, 북부 침엽수림
	❻ □□	삼림보다 강수량이 적은 지역에 형성된다. 예 열대 초원(사바나), 온대 초원
	사막	강수량이 매우 적고 건조하여 식물이 자라기 어려운 지역에 형성된다. 예 열대 사막, 온대 사막, 한대 사막(툰드라)

6 군집의 분포(생태 분포)

① **수평 분포**: 위도에 따른 분포로, 기온과 강수량의 차이에 의해 나타난다.

② **수직 분포**: 고도에 따른 분포로, 주로 ❼ □□의 차이에 의해 나타난다.
→ 고도가 높아질수록 기온이 낮아진다.

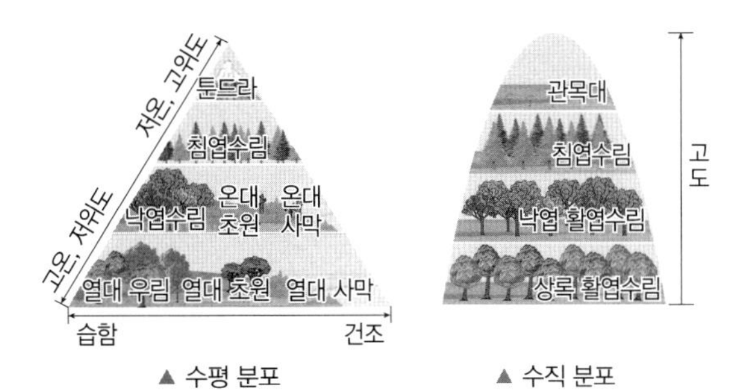

▲ 수평 분포 ▲ 수직 분포

기출 Tip Ⓐ-6

수평 분포와 수직 분포
수평 분포는 기온과 강수량의 차이로 나타나고, 수직 분포는 강수량의 차이가 거의 없으므로 주로 기온의 차이로 나타난다.

Ⓑ 식물 군집의 천이

→ 시간이 지남에 따라 군집의 종 구성과 특성이 달라지는 현상

1 1차 천이 생명체가 없고 토양이 형성되지 않은 불모지에서 시작되는 천이이다.

건성 천이	• 용암 대지, 바위, 모래 언덕 등과 같이 건조한 곳에서 시작된다. • 척박한 땅 → ❽ □□□(개척자), 이끼류 → 초원(초본류) → 관목림 → 양수림 → 혼합림 → 음수림(극상)
습성 천이	• 호수나 연못과 같이 습한 곳에서 시작된다. • 빈영양호 → 부영양호 → 이끼류, 습원 → 초원 → 관목림 → 양수림 → 혼합림 → ❾ □□□(극상)

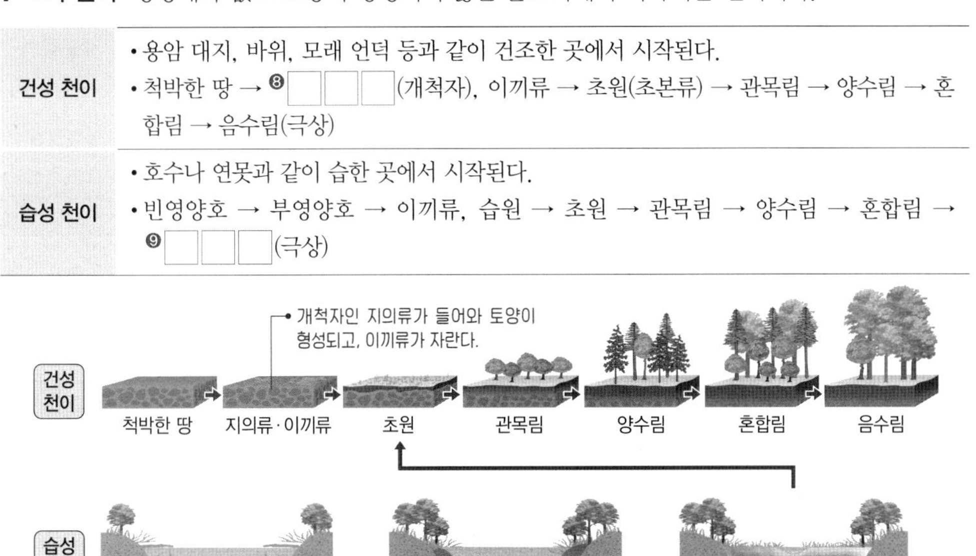

2 2차 천이 버려진 경작지나 기존의 식물 군집이 산불, 산사태 등과 같은 교란으로 훼손된 곳에서 토양 내 살아남은 종자나 식물 뿌리 등에 의해 다시 시작되는 천이이다. ➔ ❿ □□부터 시작하며, 1차 천이에 비해 천이의 진행 속도가 빠르다.

기출 Tip Ⓑ

개척자
첫 번째 천이를 시작하는 생물을 개척자라고 한다. 건성 천이의 개척자는 지의류이고, 2차 천이의 개척자는 초본류이다.

양수림에서 음수림으로의 천이
양수림이 발달하면 지표로 도달하는 빛의 양이 크게 줄어든다. 따라서 성장에 많은 빛을 필요로 하는 양수 묘목이 잘 자라지 못하고, 음수가 늘어난다. 이후 양수와 음수의 혼합림이 형성되면 어린 음수가 양수보다 경쟁에 유리하므로 점차 음수림으로 천이가 진행된다.

답 ❶ 먹이 그물 ❷ 먹이 지위 ❸ 우점종 ❹ 빈도 ❺ 중요치 ❻ 초원 ❼ 기온 ❽ 지의류 ❾ 음수림 ❿ 초원

빈출 자료 보기

정답과 해설 75쪽

504 그림은 어떤 지역에서 일어난 식물 군집의 천이 과정을 나타낸 것이다. A~C는 각각 양수림, 음수림, 지의류 중 하나이다.

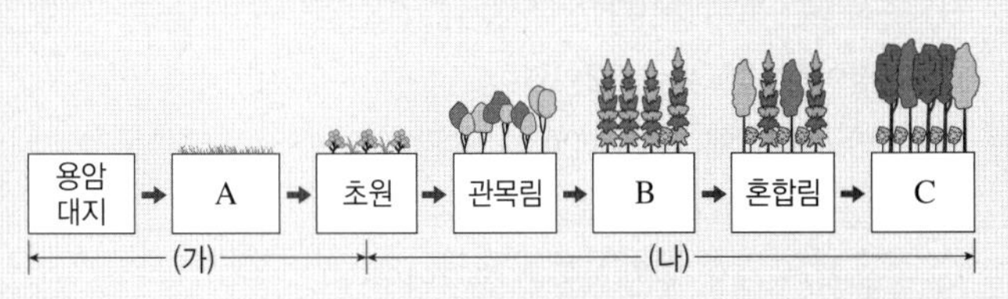

이에 대한 설명으로 옳은 것은 ○, 옳지 않은 것은 ×로 표시하시오.

(1) 건조한 곳에서 시작되는 건성 천이를 나타낸 것이다. ( )

(2) (가)는 1차 천이, (나)는 2차 천이를 나타낸 것이다. ( )

(3) A는 개척자인 지의류이다. ( )

(4) B는 음수림, C는 양수림이다. ( )

(5) 혼합림은 양수와 음수로 구성되어 있다. ( )

(6) (나)에서 천이가 진행될수록 지표면에 도달하는 빛의 양은 감소한다. ( )

(7) 이 지역의 천이 과정에서 극상에 해당하는 단계는 B이다. ( )

A 군집의 구조

군집의 구조

505 하 중 상

군집에 대한 설명으로 옳지 않은 것은?

① 일정한 지역 내에서 생활하는 개체군의 집단이다.
② 먹이 사슬을 이루는 생물종의 수가 적을수록 군집이 안정적이다.
③ 생태적 지위란 개체군이 생태계에서 차지하는 구조적·기능적 역할이다.
④ 생태적 지위에는 먹이 지위와 공간 지위가 있다.
⑤ 삼림 군집은 여러 식물이 햇빛을 최대한 활용할 수 있는 층상 구조로 되어 있다.

506 하 중 상

다음은 군집을 구성하는 종에 대한 설명이다.

(가) 개체 수가 많거나 많은 면적을 차지하여 군집을 대표하는 종
(나) 이산화 황의 오염 정도를 예측할 수 있는 지의류처럼 특정 환경을 충족하는 군집에서만 볼 수 있는 종

(가)와 (나)에 해당하는 종을 각각 쓰시오.

507 하 중 상

그림은 어떤 식물 군집의 높이에 따른 빛의 세기와 층상 구조를 나타낸 것이다.

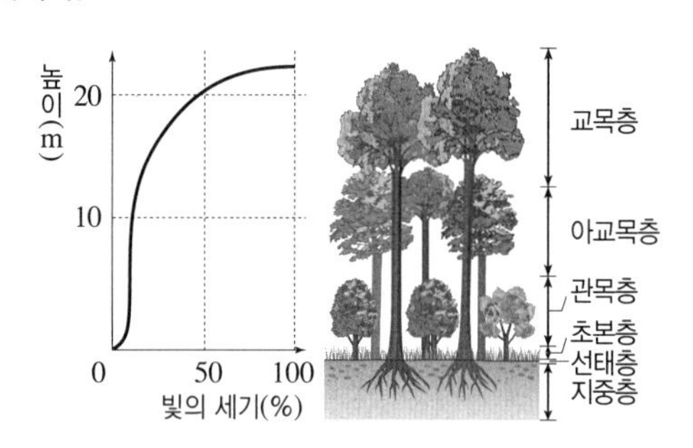

이에 대한 설명으로 옳은 것만을 〈보기〉에서 있는 대로 고른 것은?

〈 보기 〉
ㄱ. 아래로 갈수록 빛의 세기가 감소한다.
ㄴ. 교목층에서 광합성이 가장 활발하게 일어난다.
ㄷ. 지중층에는 부식질이 많고 지렁이와 이끼류가 서식한다.

① ㄱ ② ㄴ ③ ㄷ ④ ㄱ, ㄴ ⑤ ㄴ, ㄷ

508 하 중 상

그림은 어떤 식물 군집의 높이에 따른 빛의 세기와 층상 구조를 나타낸 것이다. ㉠과 ㉡은 각각 CO_2와 O_2 중 하나이고, (가)~(다)는 각각 아교목층, 지중층, 관목층 중 하나이다.

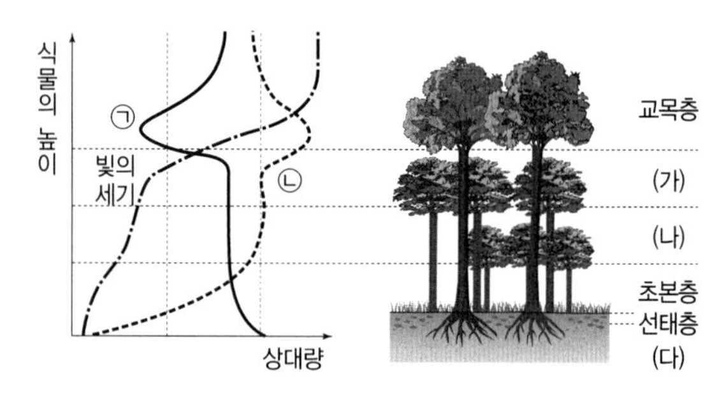

이에 대한 설명으로 옳은 것만을 〈보기〉에서 있는 대로 고른 것은?

〈 보기 〉
ㄱ. ㉠은 O_2, ㉡은 CO_2이다.
ㄴ. (가)와 (나)는 교목층과 함께 광합성층에 해당한다.
ㄷ. (다)에는 지렁이와 같은 동물과 분해자인 균류, 세균류가 많이 서식한다.

① ㄱ ② ㄴ ③ ㄷ
④ ㄱ, ㄴ ⑤ ㄴ, ㄷ

방형구법을 이용한 식물 군집 조사

509 하 중 상 多 보기

그림은 25개의 방형구를 설치하여 어떤 식물 군집을 조사한 결과를 나타낸 것이다.

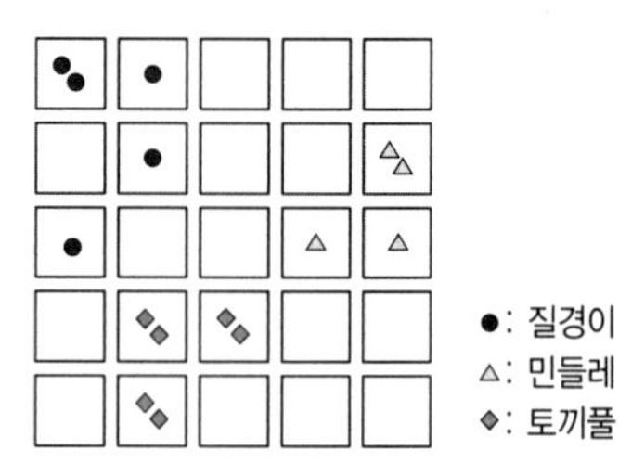

이에 대한 설명으로 옳은 것은?(단, 방형구에 나타낸 각 도형은 식물 1개체를 의미하며, 제시된 종 이외의 종은 고려하지 않는다. 또한, 각 식물의 피도는 동일하다.)

① 우점종은 토끼풀이다.
② 질경이의 빈도는 0.12이다.
③ 토끼풀의 상대 밀도는 20 %이다.
④ 민들레와 토끼풀의 빈도는 다르다.
⑤ 중요치가 가장 작은 식물은 질경이이다.
⑥ 상대 밀도가 가장 작은 식물은 민들레이다.

510 하중상

••서술형

표는 면적이 동일한 서로 다른 지역 (가)와 (나)의 식물 군집을 조사한 결과를 나타낸 것이다.

지역	종	상대 밀도 (%)	상대 빈도 (%)	피도
(가)	A	31	㉠	2
	B	40	26	1
	C	㉡	32	1
(나)	A	5	45	1
	B	㉢	13	1
	C	71	㉣	2

(1) ㉠~㉣에 알맞은 값을 각각 쓰시오.

(2) (가)와 (나)에서 우점종은 어느 식물인지 각각 쓰고, 그렇게 판단한 근거를 서술하시오.

511 하중상

표는 서로 다른 지역 (가)~(다)에 서식하는 식물 종 A~D의 개체수를 나타낸 것이다. (가)~(다)의 면적은 동일하며, B의 개체군 밀도는 (가)에서와 (나)에서가 같다.

구분	A	B	C	D
(가)	5	3	5	5
(나)	2	㉠	7	6
(다)	14	10	0	6

이에 대한 설명으로 옳은 것만을 〈보기〉에서 있는 대로 고른 것은? (단, 제시된 종 이외의 종은 고려하지 않는다.)

〈 보기 〉

ㄱ. ㉠은 3이다.

ㄴ. 종 다양성은 (나)에서가 (가)에서보다 높다.

ㄷ. D의 상대 밀도는 (나)에서가 (다)에서보다 크다.

① ㄱ ② ㄴ ③ ㄷ ④ ㄱ, ㄷ ⑤ ㄴ, ㄷ

512 하중상

그림은 어떤 지역에 동일한 크기의 방형구 4개를 설치하여 조사한 식물 종의 분포를 나타낸 것이다.

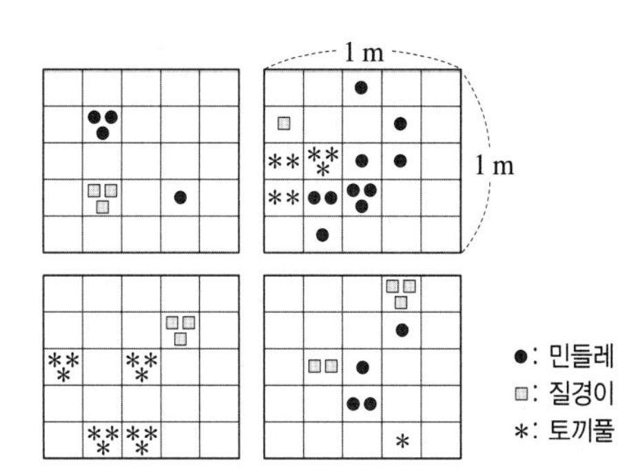

이에 대한 설명으로 옳은 것만을 〈보기〉에서 있는 대로 고른 것은? (단, 방형구에 나타낸 각 도형은 식물 1개체를 의미하며, 방형구 한 칸에 출현한 종은 그 칸의 면적($0.04\ m^2$)을 모두 차지하는 것으로 간주한다.)

〈 보기 〉

ㄱ. 토끼풀의 밀도가 가장 크다.

ㄴ. 이 군집의 우점종은 민들레이다.

ㄷ. 민들레는 질경이보다 빈도가 낮다.

① ㄴ ② ㄷ ③ ㄱ, ㄴ ④ ㄱ, ㄷ ⑤ ㄱ, ㄴ, ㄷ

513 하중상

그림은 서로 다른 지역 (가), (나)에 방형구 25개씩을 설치하여 조사한 식물 종의 분포를 나타낸 것이다.

(가) (나)

♣: 종 A
♠: 종 B
♀: 종 C
♤: 종 D

이에 대한 설명으로 옳은 것만을 〈보기〉에서 있는 대로 고른 것은? (단, 방형구에 나타낸 각 도형은 식물 1개체를 의미하며, 제시된 종 이외의 종은 고려하지 않는다. 또한, 각 식물의 피도는 동일하다.)

〈 보기 〉

ㄱ. (가)와 (나)에서 우점종은 같다.

ㄴ. 종 A의 상대 밀도는 (나)에서가 (가)에서보다 크다.

ㄷ. (가)에서 종 B의 빈도와 (나)에서 종 C의 빈도는 같다.

ㄹ. (나)에서 종 D의 상대 빈도는 20 %이다.

① ㄱ, ㄴ ② ㄱ, ㄷ ③ ㄴ, ㄹ ④ ㄴ, ㄷ, ㄹ ⑤ ㄱ, ㄷ, ㄹ

군집의 종류와 생태 분포

514 하중상

다음과 같은 특징을 나타내는 군집은?

> • 강수량이 매우 적은 지역에 형성된다.
> • 한대 지방, 극지방 같이 식물이 자라기 어려운 지역에 형성된다.

① 삼림 ② 사막 ③ 초원
④ 담수 군집 ⑤ 해수 군집

515 하중상

육상 군집에 대한 설명으로 옳은 것만을 〈보기〉에서 있는 대로 고른 것은?

〈 보기 〉
ㄱ. 사막에는 열대 사막과 온대 사막, 사바나가 있다.
ㄴ. 삼림은 강수량이 많은 지역에 형성되며, 목본 식물이 우점종이다.
ㄷ. 지역에 따라 기온과 강수량의 차이로 삼림, 초원, 사막이 나타난다.

① ㄱ ② ㄴ ③ ㄷ
④ ㄱ, ㄴ ⑤ ㄴ, ㄷ

516 하중상

그림 (가)와 (나)는 식물 군집의 분포를 나타낸 것이다. (가)와 (나)는 각각 수직 분포와 수평 분포 중 하나이다.

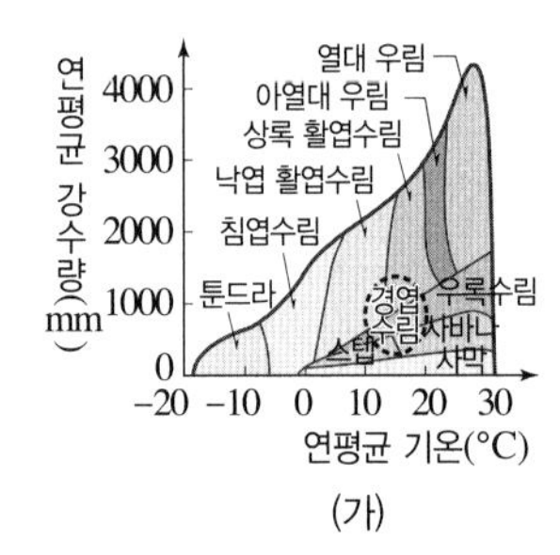

(가)

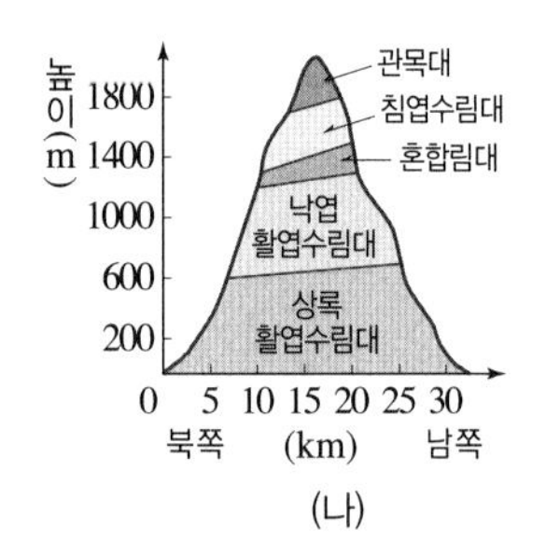

(나)

이에 대한 설명으로 옳은 것만을 〈보기〉에서 있는 대로 고른 것은?

〈 보기 〉
ㄱ. (가)는 수평 분포, (나)는 수직 분포이다.
ㄴ. (가)에서 온도가 높고 강수량이 적은 지역에서는 열대 우림이 나타난다.
ㄷ. (나)와 같은 식물 분포가 나타나는 까닭은 위도에 따른 기온 차이이다.

① ㄱ ② ㄴ ③ ㄷ
④ ㄱ, ㄴ ⑤ ㄴ, ㄷ

빈출

517 하중상

그림은 위도에 따른 강수량과 온도의 차이로 나타나는 식물 군집의 분포를 나타낸 것이다. A～D는 각각 툰드라, 침엽수림, 열대 우림, 낙엽 활엽수림 중 하나이다.

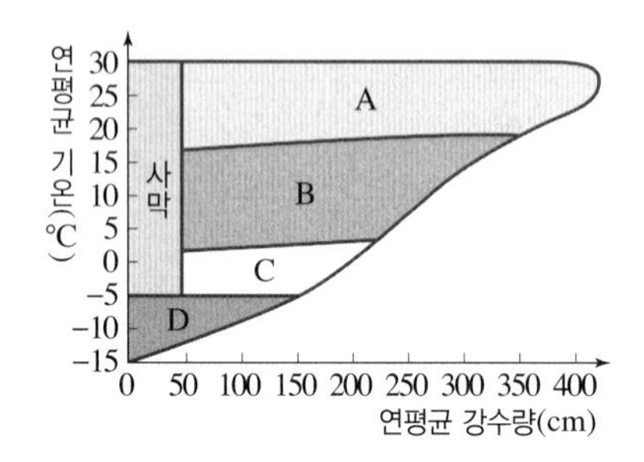

이에 대한 설명으로 옳은 것만을 〈보기〉에서 있는 대로 고른 것은?

〈 보기 〉
ㄱ. C는 침엽수림이다.
ㄴ. A에는 B보다 건조한 환경에 적응한 식물이 살고 있다.
ㄷ. D는 계절의 변화에 따른 영향으로 낙엽 활엽수가 주를 이룬다.

① ㄱ ② ㄴ ③ ㄷ
④ ㄱ, ㄴ ⑤ ㄴ, ㄷ

B 식물 군집의 천이

518 하중상

그림은 어떤 지역에서 일어난 식물 군집의 천이 과정을 나타낸 것이다. A～C는 각각 양수림, 음수림, 지의류 중 하나이다.

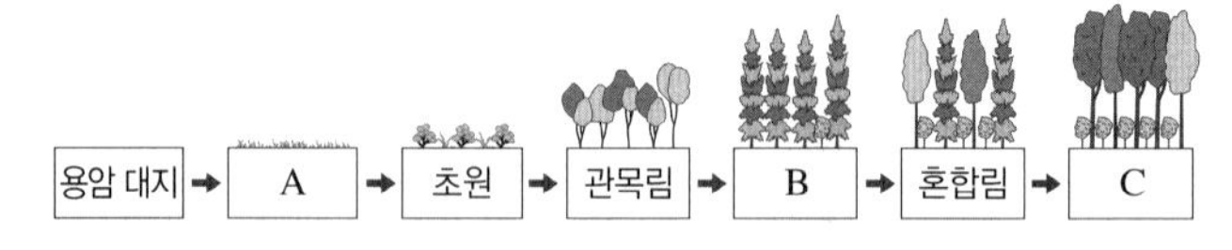

이에 대한 설명으로 옳은 것만을 〈보기〉에서 있는 대로 고른 것은?

〈 보기 〉
ㄱ. A는 지의류이다.
ㄴ. B는 양수가 우점종이고, C는 음수가 우점종이다.
ㄷ. 습성 천이의 과정을 나타낸 것이다.

① ㄱ ② ㄴ ③ ㄷ
④ ㄱ, ㄴ ⑤ ㄴ, ㄷ

519

그림은 어떤 지역에서 일어난 식물 군집의 천이 과정을 나타낸 것이다. A~C는 각각 양수림, 음수림, 초원 중 하나이다.

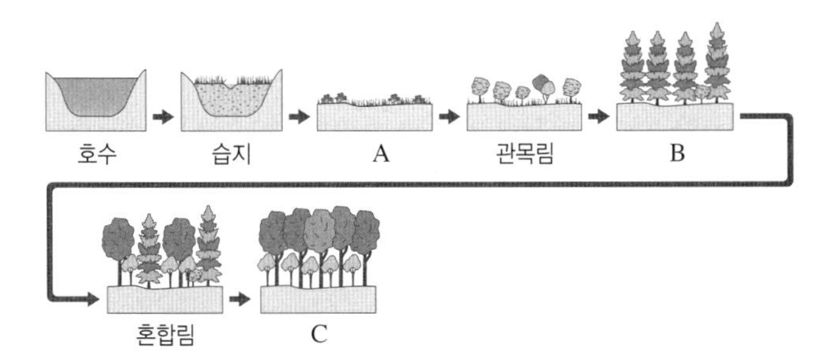

이에 대한 설명으로 옳은 것만을 〈보기〉에서 있는 대로 고른 것은?

〈 보기 〉
ㄱ. 습성 천이를 나타낸 것이다.
ㄴ. 이 천이 과정의 개척자는 지의류이다.
ㄷ. 이 지역의 식물 군집은 C에서 극상을 이룬다.
ㄹ. B의 단계에서 산불이 나면 A에서부터 천이가 시작된다.

① ㄱ, ㄹ ② ㄴ, ㄷ ③ ㄴ, ㄹ
④ ㄱ, ㄴ, ㄷ ⑤ ㄱ, ㄷ, ㄹ

520

그림은 어떤 지역에서 산불이 난 후의 천이 과정을 나타낸 것이다. A~C는 각각 양수림, 음수림, 초원 중 하나이다.

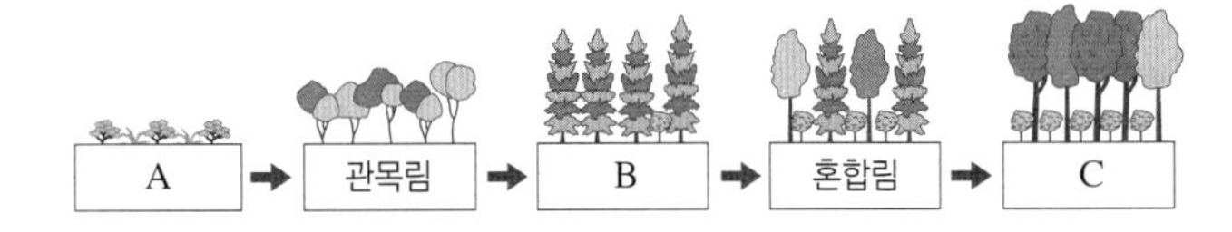

이에 대한 설명으로 옳지 않은 것은?

① 2차 천이를 나타낸 것이다.
② 이 천이 과정의 개척자는 초본 식물이다.
③ C는 천이의 마지막 단계로서 안정적인 상태이다.
④ 지표면에 도달하는 빛의 세기는 B에서가 C에서보다 강하다.
⑤ 혼합림에서 C의 우점종 묘목은 B의 우점종 묘목보다 생장에 유리하다.
⑥ C의 단계에서 산사태가 나면 지의류부터 천이가 다시 시작된다.

521

그림 (가)와 (나)는 서로 다른 두 지역에서 일어나는 천이 과정을 나타낸 것이다. A~C는 각각 양수림, 음수림, 혼합림 중 하나이다.

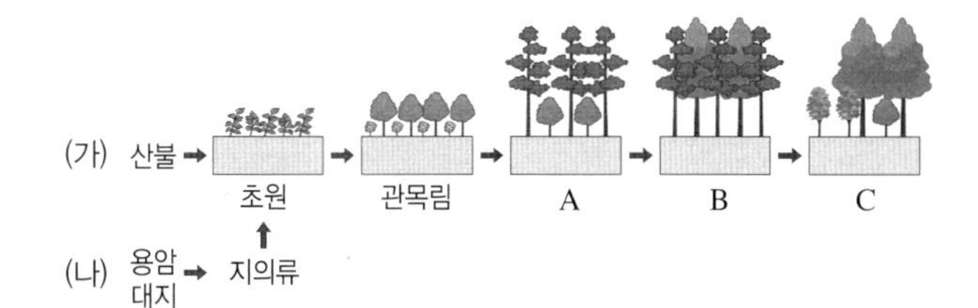

이에 대한 설명으로 옳은 것만을 〈보기〉에서 있는 대로 고른 것은?

〈 보기 〉
ㄱ. (가)는 2차 천이 과정이다.
ㄴ. (나)에서 초기에는 토양이, 후기에는 빛이 천이의 주요한 환경 요인이다.
ㄷ. 군집 A와 C의 우점종은 같다.
ㄹ. (나)에서 천이가 진행될수록 토양 속 영양염류의 양은 감소한다.

① ㄱ, ㄴ ② ㄴ, ㄷ ③ ㄷ, ㄹ
④ ㄱ, ㄴ, ㄹ ⑤ ㄱ, ㄷ, ㄹ

522

그림은 어떤 지역의 식물 군집에서 천이가 일어날 때 군집의 높이 변화를 나타낸 것이다. ㉠~㉢은 각각 양수림, 음수림, 지의류 중 하나이다.

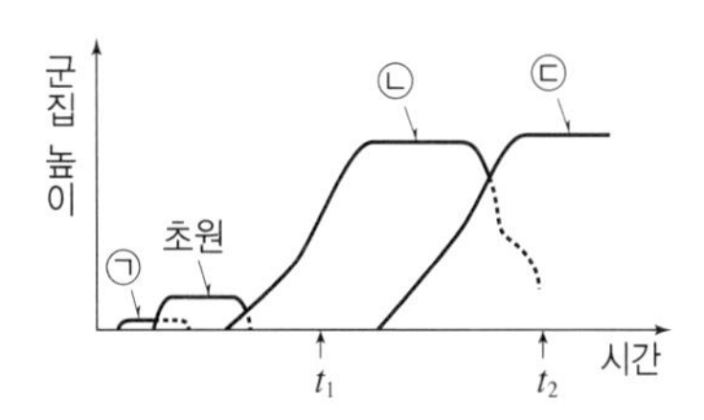

이에 대한 설명으로 옳은 것만을 〈보기〉에서 있는 대로 고른 것은?

〈 보기 〉
ㄱ. ㉠은 개척자이다.
ㄴ. ㉡은 음수림, ㉢은 양수림이다.
ㄷ. 이 군집에서 일어난 천이는 1차 천이이다.
ㄹ. 지표면에 도달하는 빛의 세기는 t_2일 때가 t_1일 때보다 약하다.

① ㄱ, ㄴ ② ㄴ, ㄹ ③ ㄴ, ㄷ
④ ㄱ, ㄷ, ㄹ ⑤ ㄴ, ㄷ, ㄹ

군집 내 개체군 간의 상호 작용

Ⓐ 군집 내 개체군 간의 상호 작용

1 종간 경쟁

① 생태적 지위가 비슷한 개체군 사이에는 한정된 자원이나 서식지를 차지하기 위해 종간 경쟁이 일어난다. → 생태적 지위가 많이 겹칠수록 경쟁이 심해진다.

② ❶□□·□□ 원리: 두 개체군 사이에서 심한 경쟁이 일어나 경쟁에서 이긴 개체군은 살아남고, 경쟁에서 진 개체군은 사라지는 것이다.

기출 Tip Ⓐ-1

종간 경쟁에 영향을 미치는 요인
생태적 지위, 즉 먹이 지위와 공간 지위가 많이 겹칠수록 경쟁이 심해진다.

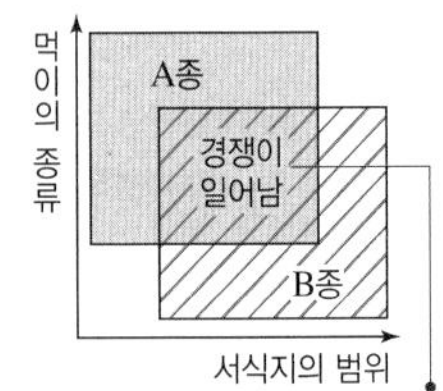

생태적 지위가 중복되므로 경쟁이 일어난다. ➔ 경쟁·배타 원리가 적용될 수 있다.

(경쟁·배타 원리의 예)

생태적 지위가 비슷한 애기짚신벌레와 짚신벌레 두 종을 함께 배양하면 경쟁이 일어나 짚신벌레의 개체 수는 점점 줄어들어 사라지고, 애기짚신벌레만 살아남는다.

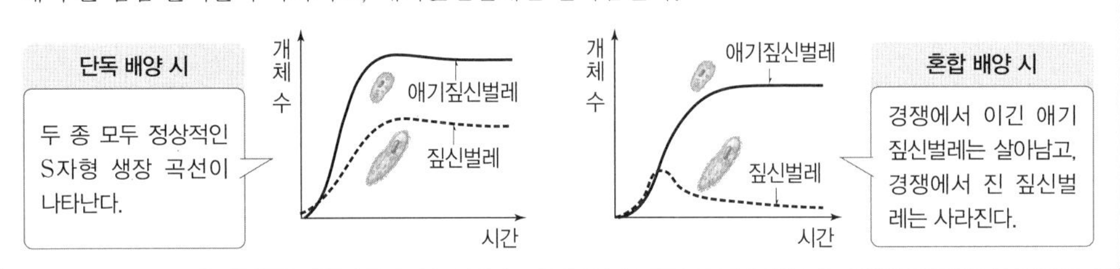

2 분서(생태적 지위 분화)

환경 요구 조건이 비슷한 개체군들이 함께 생활할 때 먹이, 서식지, 활동 시기, 산란 시기 등을 달리하여 ❷□□을 피하는 관계이다.

예 솔새의 분서, 피라미와 은어의 분서, 피라미와 갈겨니의 분서

기출 Tip Ⓐ-2

분서와 텃세(세력권)
분서와 텃세는 모두 제한된 먹이와 공간에 대한 경쟁을 줄이기 위한 상호 작용이지만, 분서는 군집 내 개체군 사이의 상호 작용이고, 텃세(세력권)는 개체군 내 개체 사이의 상호 작용이다.

북아메리카의 솔새는 한 나무에 여러 종이 서식하지만, 서로 다른 위치에 서식하여 공간 지위를 달리한다.

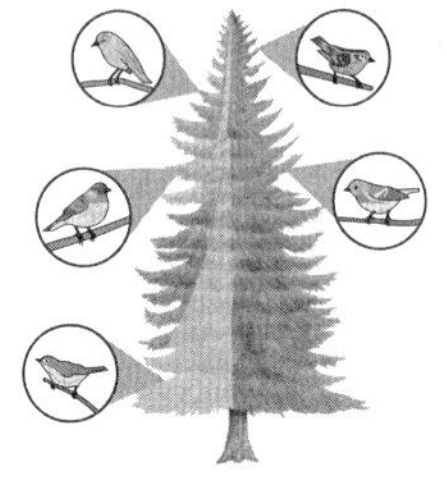

▲ 솔새의 분서

▲ 피라미와 은어의 분서

피라미는 하천의 중앙에서 녹조류를 먹으며 살다가 은어가 이주해 오면 하천의 가장자리로 이동해 수서 곤충을 먹고, 은어가 중앙에서 녹조류를 먹는다.

3 공생

종이 다른 개체군이 서로 밀접하게 관계를 맺고 함께 생활하는 관계이다.

편리공생	한쪽 개체군은 이익을 얻지만 다른 개체군에는 이익도 손해도 없는 관계 예 빨판상어와 거북, 따개비와 혹등고래, 황로와 들소, 숨이고기와 해삼
❸□□□□	두 개체군 모두가 이익을 얻는 관계 예 말미잘과 흰동가리, 청소놀래기와 도미, 콩과식물과 뿌리혹박테리아, 곤충과 꽃

4 기생

두 종의 개체군이 함께 생활할 때 한 개체군이 다른 개체군에 피해를 주면서 함께 사는 관계이다. ➔ 해를 주는 생물을 기생 생물, 해를 입는 생물을 ❹□□라고 한다.

예 동물과 기생충(회충, 요충), 개와 벼룩, 나무와 겨우살이

5 포식과 피식

서로 다른 종 사이의 먹고 먹히는 관계이다.

예 스라소니와 눈신토끼, 치타와 톰슨가젤, 사자와 영양

기출 Tip Ⓐ-5

기생 및 포식과 피식
기생 및 포식과 피식은 한 개체군은 이익을 얻고, 다른 개체군은 손해를 본다는 공통점이 있다.

❺□□□	다른 생물을 잡아먹는 생물 → 포식자를 피식자의 천적이라고 한다.
피식자	먹이가 되는 생물

(포식과 피식의 관계)

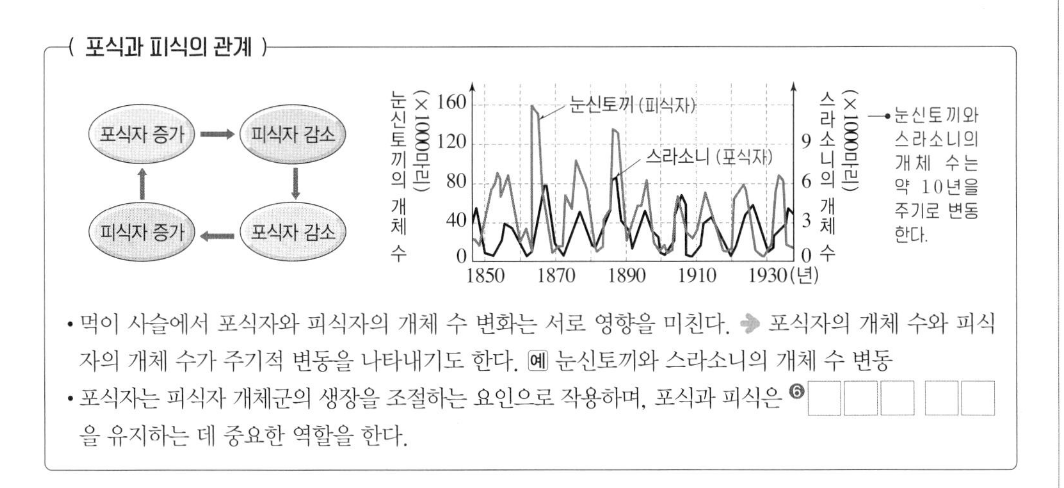

- 먹이 사슬에서 포식자와 피식자의 개체 수 변화는 서로 영향을 미친다. ➡ 포식자의 개체 수와 피식자의 개체 수가 주기적 변동을 나타내기도 한다. 예 눈신토끼와 스라소니의 개체 수 변동
- 포식자는 피식자 개체군의 생장을 조절하는 요인으로 작용하며, 포식과 피식은 ❻ □□□ □□을 유지하는 데 중요한 역할을 한다.

기출 Tip A-5

포식자와 피식자의 개체 수 변화
피식자의 개체 수가 먼저 증가하고, 그에 따라 포식자의 개체 수가 증가한다. ➡ B가 피식자이고, A가 포식자이다.

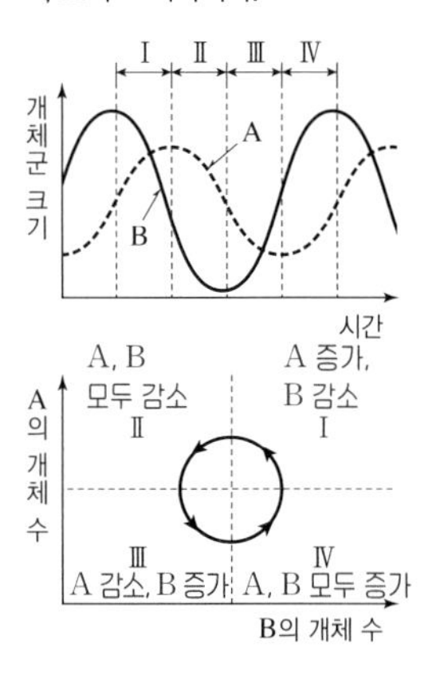

B 군집 내 개체군 간의 상호 작용에서 각 개체군이 받는 영향

1 군집 내 개체군 간의 상호 작용에 의한 각 개체군의 이익과 손해

상호 작용	종간 경쟁	편리공생	상리 공생	❼ □□	포식과 피식
개체군 A	−	+	+	− 숙주	+ 포식자
개체군 B	−	0	+	+ 기생 생물	− 피식자

(+: 이익, 0: 이익도 손해도 없음, −: 손해)

2 군집 내 개체군 간의 상호 작용에 따른 개체 수 변화

단독 배양	혼합 배양			
	종간 경쟁	편리공생	상리 공생	포식과 피식
개체 수 / A종 / B종 / 시간	개체 수 / A종 / B종 / 시간	개체 수 / A종 / B종 / 시간	개체 수 / A종 / B종 / 시간	개체 수 / A종 / B종 / 시간
A종과 B종의 개체 수는 각각 S자 모양의 생장 곡선을 나타낸다.	두 종 모두 개체 수가 ❽ □□하며, 경쟁에서 진 B종은 사라진다.	이익인 A종의 개체 수는 증가하고, B종의 개체 수는 변하지 않는다.	A종과 B종 모두 개체 수가 ❾ □□한다.	피식자(A종) 개체 수의 증감에 따라 포식자(B종) 개체 수가 증감한다.

기출 Tip B-1

군집 내 개체군 간의 상호 작용에 의해 각 개체군이 받는 영향
두 개체군 모두 이익을 얻으면 상리 공생, 두 개체군 모두 손해를 입으면 종간 경쟁이다. 또한 한 개체군은 손해를 입고, 다른 개체군은 이익을 얻으면 기생이나 포식과 피식이다.

답 ❶ 경쟁·배타 ❷ 경쟁 ❸ 상리 공생 ❹ 숙주 ❺ 포식자 ❻ 생태계 평형 ❼ 기생 ❽ 감소 ❾ 증가

빈출 자료 보기

정답과 해설 77쪽

523 그림 (가)는 종 A~C를 각각 단독 배양했을 때를, (나)와 (다)는 A와 B, A와 C를 각각 혼합 배양했을 때 시간에 따른 개체 수를 나타낸 것이다.

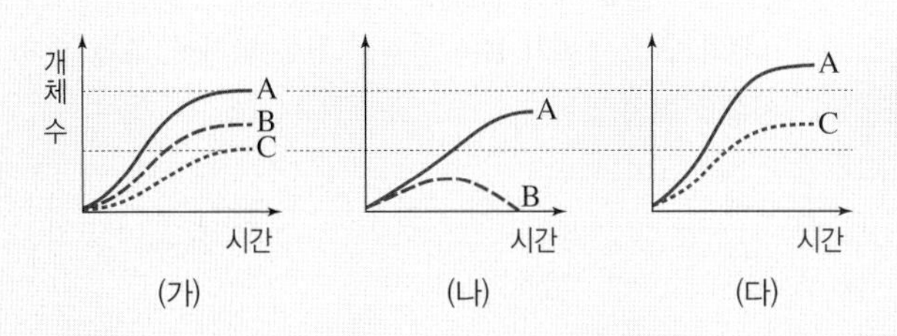

이에 대한 설명으로 옳은 것은 ○, 옳지 않은 것은 ×로 표시하시오.

(1) A~C는 모두 단독 배양하였을 때 환경 저항을 받는다. ( )
(2) (가)에서 환경 수용력이 가장 큰 종은 C이다. ( )
(3) (나)에서 A와 B 사이에 일어난 상호 작용은 종간 경쟁이다. ( )
(4) (나)에서 A와 B는 생태적 지위가 비슷하다. ( )
(5) (나)에서 A는 포식자, B는 피식자이다. ( )
(6) (나)에서 경쟁·배타 원리가 적용되었다. ( )
(7) (다)에서 A와 C는 편리공생 관계이다. ( )

A 군집 내 개체군 간의 상호 작용

524 하 중 상 多 보기

군집 내 개체군 간의 상호 작용에 대한 설명으로 옳은 것은?

① 포식과 피식은 주로 생태적 지위가 비슷한 관계에서 발생한다.
② 호랑이가 배설물로 자기 영역을 표시하는 것은 분서의 예이다.
③ 말미잘과 흰동가리와 같이 서로 이익을 얻는 관계를 상리 공생이라고 한다.
④ 따개비와 혹등고래의 관계와 같이 한쪽만 이익을 얻는 상호 작용을 기생이라고 한다.
⑤ 종간 경쟁이 일어나면 한 종의 개체 수는 감소하지만, 한 종의 개체 수는 증가한다.
⑥ 나무와 겨우살이 같이 한 개체군이 다른 개체군에 피해를 주는 관계를 편리공생이라고 한다.

[525~526] 그림은 생물 간의 상호 작용 네 가지를 분류하는 과정을 나타낸 것이다.

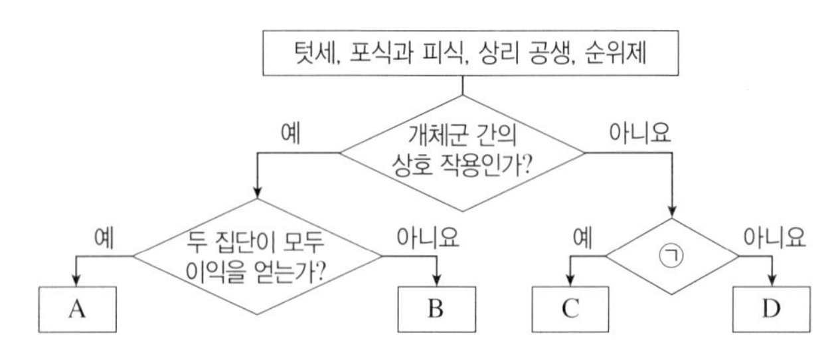

525 하 중 상

이에 대한 설명으로 옳은 것만을 〈보기〉에서 있는 대로 고른 것은?

〈 보기 〉
ㄱ. A의 예로는 콩과식물과 뿌리혹박테리아가 있다.
ㄴ. B는 생태계 평형을 유지하는 데 중요한 역할을 한다.
ㄷ. '힘의 강약에 따라 서열이 정해지는가?'는 ㉠이 될 수 있다.

① ㄴ ② ㄷ ③ ㄱ, ㄴ
④ ㄱ, ㄷ ⑤ ㄱ, ㄴ, ㄷ

526 하 중 상 서술형

B의 관계에 있는 두 생물종에서 개체군의 상호 작용에 따라 두 종의 개체 수는 어떤 변화를 나타내는지 서술하시오.

종간 경쟁, 분서, 공생, 기생, 포식과 피식

527 하 중 상

그림은 크기가 같은 개체군 (가)와 (나)의 생존 가능 범위를 먹이의 양과 서식지의 범위에 따라 나타낸 것이다.

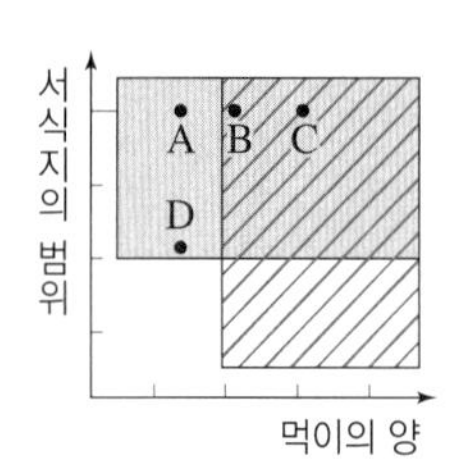

이에 대한 설명으로 옳은 것만을 〈보기〉에서 있는 대로 고른 것은?

〈 보기 〉
ㄱ. (가)와 (나)는 생태적 지위가 중복되지 않는다.
ㄴ. C에서는 경쟁·배타 원리가 적용될 수 있다.
ㄷ. (가)와 (나) 사이의 경쟁은 B에서가 A, D에서보다 심하다.

① ㄱ ② ㄴ ③ ㄷ
④ ㄱ, ㄴ ⑤ ㄴ, ㄷ

빈출 **528** 하 중 상

그림 (가)는 A종과 B종을 같은 배양 조건에서 단독 배양했을 때, (나)는 혼합 배양했을 때 시간에 따른 개체 수 변화를 나타낸 것이다.

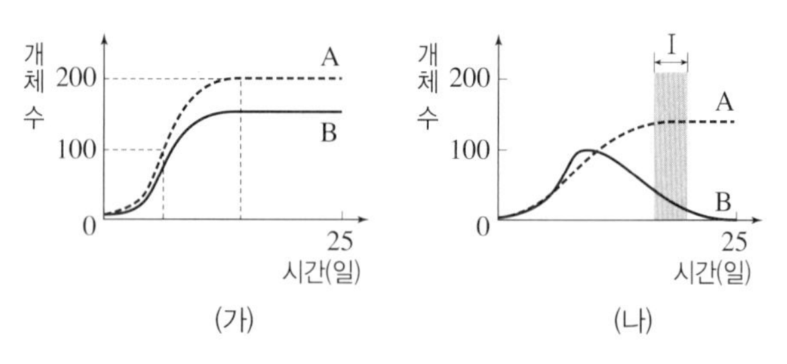

이에 대한 설명으로 옳은 것만을 〈보기〉에서 있는 대로 고른 것은?

〈 보기 〉
ㄱ. A와 B의 생태적 지위는 유사하다.
ㄴ. (나)에서 경쟁·배타 원리가 적용되었다.
ㄷ. (나)의 구간 Ⅰ에서 B는 환경 저항을 받지만, A는 환경 저항을 받지 않는다.

① ㄱ ② ㄴ ③ ㄱ, ㄴ
④ ㄱ, ㄷ ⑤ ㄴ, ㄷ

529 하 중 상

그림 (가)는 5종의 솔새가 한 그루의 가문비나무에서 활동 공간을 달리하여 생활하는 것을, (나)는 어떤 하천에서 은어가 세력권을 형성하여 생활하는 것을 나타낸 것이다.

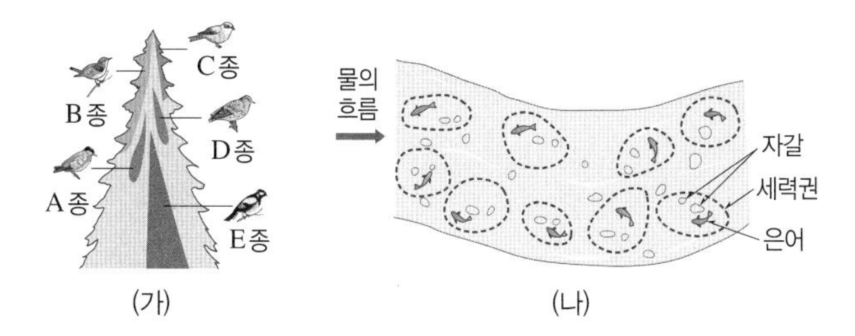

이에 대한 설명으로 옳은 것은?

① (가)의 상호 작용은 텃세이다.
② A와 E는 한 개체군을 이룬다.
③ (나)에서는 경쟁·배타 원리가 적용된다.
④ (가)와 (나)는 모두 경쟁을 피하기 위한 것이다.
⑤ (가), (나) 모두 군집 내 개체군 사이의 상호 작용이다.

[530~531] 그림은 A종과 B종을 단독 배양할 때와 혼합 배양할 때 시간에 따른 개체 수를 나타낸 것이다.

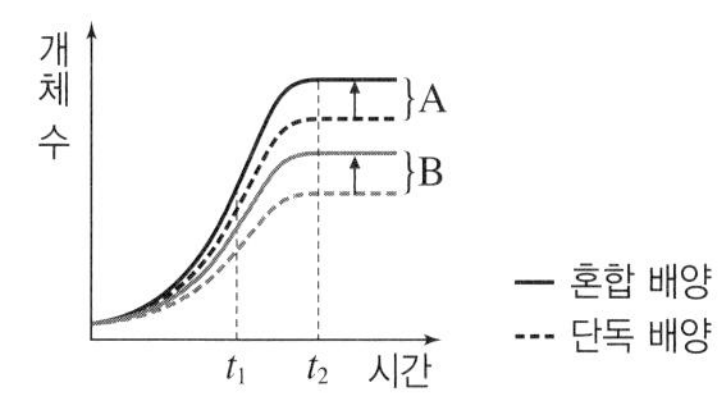

530 하 중 상

이에 대한 설명으로 옳은 것만을 〈보기〉에서 있는 대로 고른 것은?

〈 보기 〉
ㄱ. 단독 배양 시 A가 받는 환경 저항은 t_1에서가 t_2에서보다 크다.
ㄴ. A와 B는 편리공생 관계이다.
ㄷ. 혼합 배양 시 t_1일 때 A의 출생률이 사망률보다 높다.

① ㄱ ② ㄴ ③ ㄷ
④ ㄱ, ㄴ ⑤ ㄴ, ㄷ

531 하 중 상

혼합 배양 시 A와 B 사이에서 일어난 상호 작용과 같은 종류의 상호 작용을 하는 생물의 예로 옳은 것은?

① 황로와 들소 ② 동물과 기생충
③ 스라소니와 눈신토끼 ④ 숨이고기와 해삼
⑤ 말미잘과 흰동가리

532 하 중 상

그림은 어떤 군집 내에서 시간에 따른 눈신토끼와 스라소니의 개체 수 변화를 나타낸 것이다. A와 B는 각각 눈신토끼와 스라소니 중 하나이다.

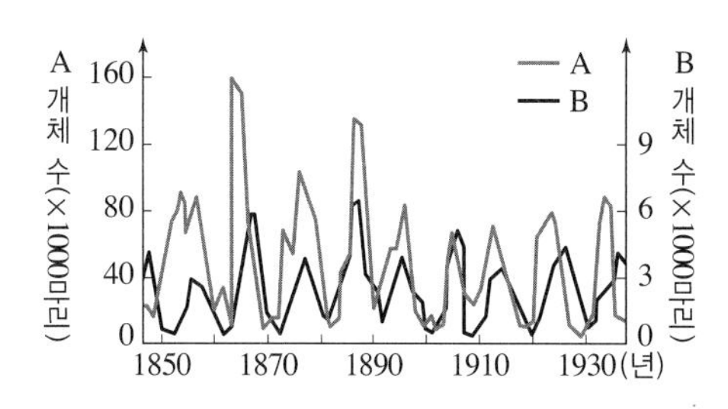

이에 대한 설명으로 옳은 것만을 〈보기〉에서 있는 대로 고른 것은?

〈 보기 〉
ㄱ. A는 눈신토끼, B는 스라소니이다.
ㄴ. A의 개체 수가 증가하면 B의 개체 수도 증가한다.
ㄷ. A와 B의 개체 수는 포식과 피식 관계에 의해 주기적으로 변화한다.

① ㄱ ② ㄷ ③ ㄱ, ㄴ
④ ㄴ, ㄷ ⑤ ㄱ, ㄴ, ㄷ

빈출

533 하 중 상

그림 (가)는 한 군집 내에서 상호 작용하는 두 동물 개체군의 시간에 따른 개체 수 변화를, (나)는 (가)에서 나타나는 개체 수 변화를 구간별로 나타낸 것이다.

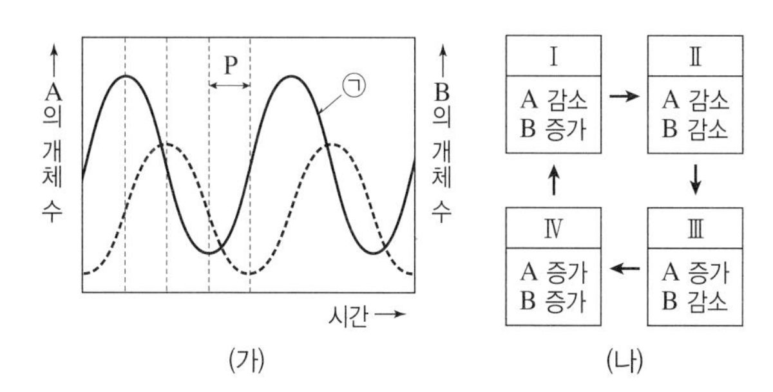

이에 대한 설명으로 옳은 것만을 〈보기〉에서 있는 대로 고른 것은?

〈 보기 〉
ㄱ. (가)의 P 구간은 (나)의 Ⅰ에 해당한다.
ㄴ. ㉠은 A의 개체 수 변화를 나타낸 것이다.
ㄷ. A는 포식자, B는 피식자이다.

① ㄱ ② ㄴ ③ ㄷ
④ ㄱ, ㄷ ⑤ ㄴ, ㄷ

534 하 중 상

그림 (가)는 피식자 개체군과 포식자 개체군의 크기 변화를, (나)는 (가)에서 상호 작용하는 개체군 A와 B의 시간에 따른 개체군의 크기 변화를 상대적으로 나타낸 것이다. ㉠~㉣은 각각 구간 Ⅰ~Ⅳ 중 하나이다.

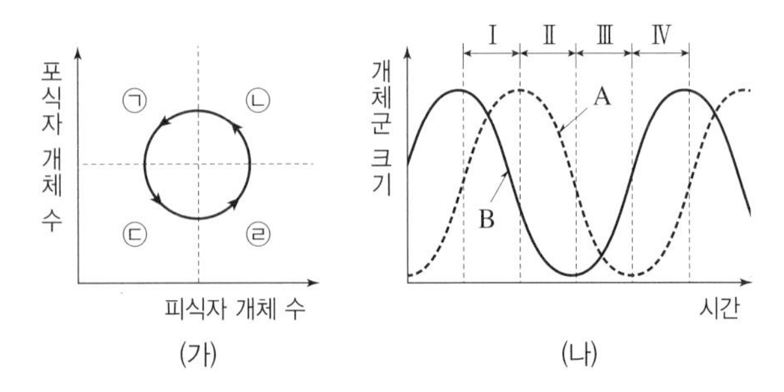

이에 대한 설명으로 옳은 것만을 〈보기〉에서 있는 대로 고른 것은?

〈 보기 〉
ㄱ. A는 포식자이다.
ㄴ. 구간 Ⅲ은 ㉢이다.
ㄷ. 개미와 진딧물 사이의 상호 작용은 A와 B 사이의 상호 작용과 같다.

① ㄱ　② ㄴ　③ ㄷ
④ ㄱ, ㄴ　⑤ ㄴ, ㄷ

535 하 중 상

수생 식물 종 A와 종 B 사이의 상호 작용이 A와 B의 생장에 미치는 영향을 알아보기 위하여, A와 B를 인공 연못 ㉠~㉢에 심고 일정 시간이 지난 후 수심에 따른 생물량을 조사하였다. 그림 (가)는 A를 ㉠에, B를 ㉡에 각각 심었을 때의 결과를, (나)는 A와 B를 ㉢에 혼합하여 심었을 때의 결과를 나타낸 것이다.

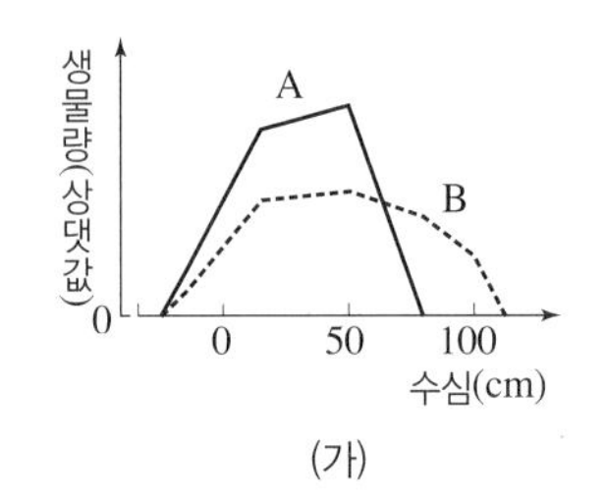

(가)

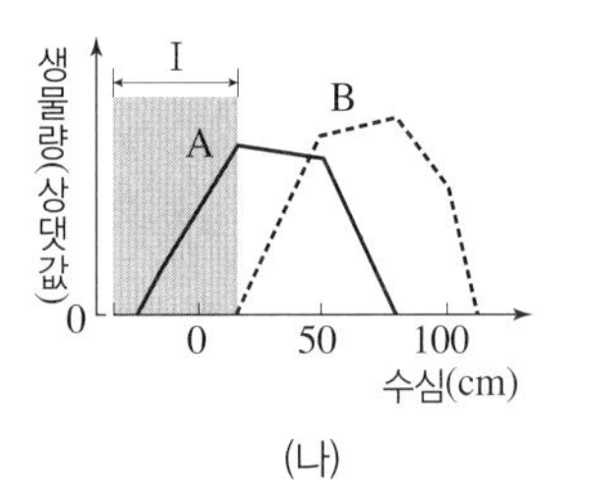

(나)

이에 대한 설명으로 옳은 것만을 〈보기〉에서 있는 대로 고른 것은?

〈 보기 〉
ㄱ. (가)와 (나)를 비교할 때 B가 A보다 생태적 지위가 더 크게 변했다.
ㄴ. (나)의 구간 Ⅰ에서 B가 생존하지 못한 것은 분서의 결과이다.
ㄷ. B가 서식하는 수심의 범위는 (가)보다 (나)에서 넓다.

① ㄱ　② ㄷ　③ ㄱ, ㄴ
④ ㄱ, ㄷ　⑤ ㄴ, ㄷ

B 개체군 간의 상호 작용에서 각 개체군이 받는 영향

상호 작용에서 각 개체군이 받는 이익과 손해

[536~537] 표는 생물종 사이의 상호 작용을 나타낸 것이다. ㉠과 ㉡은 각각 기생과 편리공생 중 하나이다.

상호 작용	종 1	종 2
포식과 피식	손해	이익
㉠	?	손해
㉡	이익	ⓐ

빈출

536 하 중 상

이에 대한 설명으로 옳은 것만을 〈보기〉에서 있는 대로 고른 것은?

〈 보기 〉
ㄱ. ㉠은 기생이다.
ㄴ. ⓐ는 '손해'이다.
ㄷ. 피라미와 은어의 관계는 포식과 피식에 해당한다.

① ㄱ　② ㄴ　③ ㄷ
④ ㄱ, ㄴ　⑤ ㄴ, ㄷ

537 하 중 상

㉠의 관계에 있는 생물의 예를 두 가지 쓰시오.

538 하 중 상

표는 생물종 사이의 상호 작용을 나타낸 것이다. (가)~(라)는 각각 기생, 상리 공생, 종간 경쟁, 편리공생 중 하나이다.

상호 작용	종 1	종 2
(가)	+	㉠
(나)	+	+
(다)	㉡	0
(라)	−	−

(+: 이익, 0: 이익도 손해도 없음, −: 손해)

이에 대한 설명으로 옳은 것만을 〈보기〉에서 있는 대로 고른 것은?

〈 보기 〉
ㄱ. ㉠과 ㉡은 모두 '+'이다.
ㄴ. (다)의 예로는 황로와 들소가 있다.
ㄷ. (라)에서 종 1과 2는 먹이 지위와 공간 지위가 비슷하다.

① ㄱ　② ㄴ　③ ㄷ
④ ㄱ, ㄴ　⑤ ㄴ, ㄷ

539 하중상

표 (가)는 서로 다른 생물종 사이의 상호 작용을, (나)는 토끼풀과 잔디 사이의 상호 작용을 나타낸 것이다. A~C는 각각 기생, 상리 공생, 종간 경쟁 중 하나이다.

상호 작용	종 1	종 2
A	ⓐ	+
B	+	+
C	−	ⓑ

(가)

> 토끼풀은 공기 중의 질소를 암모늄 이온으로 전환하는 뿌리혹박테리아에 의해 부족한 질소를 공급받지만, 잔디는 뿌리혹박테리아를 통해 부족한 질소를 공급받지 못한다. 따라서 ㉠ 두 식물이 한 장소에서 살게 되면 생장이 빠른 토끼풀이 잔디의 생장을 저해한다.

(나)

이에 대한 설명으로 옳은 것만을 〈보기〉에서 있는 대로 고른 것은?

〈 보기 〉

ㄱ. ⓐ와 ⓑ는 모두 '−'이다.
ㄴ. 토끼풀과 뿌리혹박테리아의 상호 작용에 해당하는 예로는 빨판상어와 거북이 있다.
ㄷ. ㉠에서 토끼풀과 잔디의 상호 작용은 B의 예이다.

① ㄱ ② ㄴ ③ ㄷ
④ ㄱ, ㄴ ⑤ ㄱ, ㄴ, ㄷ

상호 작용에 따른 개체 수 변화

540 하중상

그림은 서로 영향을 주고받는 두 개체군의 크기 변화를 시간에 따라 나타낸 것이다.

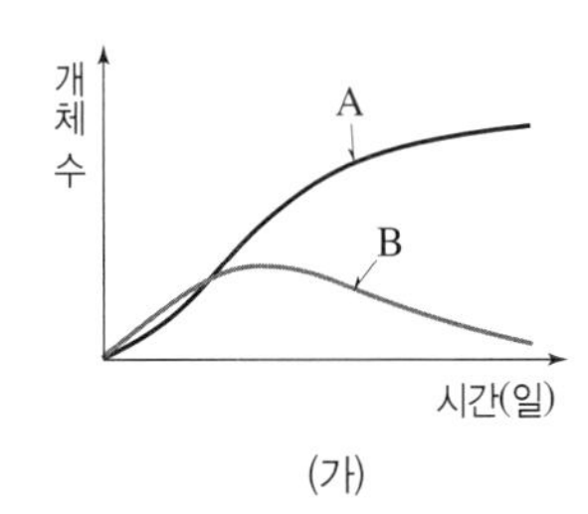

(가)

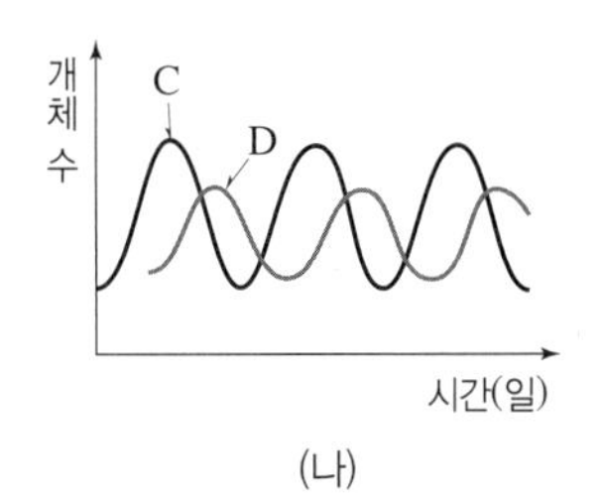

(나)

이에 대한 설명으로 옳은 것만을 〈보기〉에서 있는 대로 고른 것은?

〈 보기 〉

ㄱ. (가)에서 A와 B는 생태적 지위가 중복된다.
ㄴ. (가)에서 B가 없으면 A의 환경 수용력은 더 작아질 것이다.
ㄷ. (나)와 같은 상호 작용을 하는 개체군으로는 치타와 톰슨가젤을 들 수 있다.

① ㄱ ② ㄴ ③ ㄱ, ㄷ
④ ㄴ, ㄷ ⑤ ㄱ, ㄴ, ㄷ

빈출

541 하중상

그림 (가)는 종 A~C를 각각 단독 배양했을 때, (나)와 (다)는 A와 B, A와 C를 각각 혼합 배양했을 때 시간에 따른 개체 수를 나타낸 것이다.

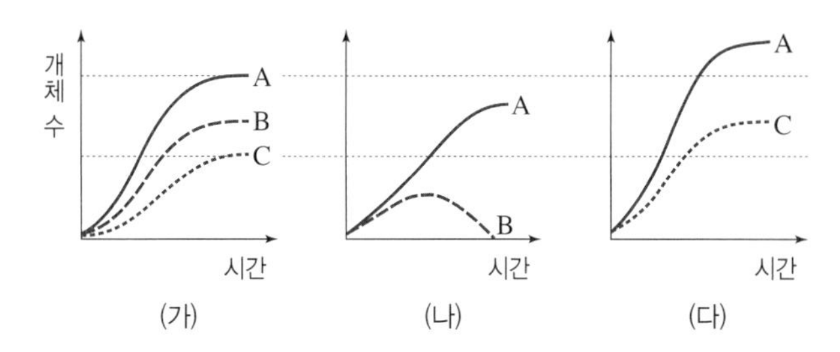

이에 대한 설명으로 옳은 것만을 〈보기〉에서 있는 대로 고른 것은?

〈 보기 〉

ㄱ. A와 B는 생태적 지위가 비슷하다.
ㄴ. (나)에서 B는 A와의 경쟁에서 졌음을 알 수 있다.
ㄷ. (다)는 A와 C가 분서를 한 결과이다.
ㄹ. (다)에서 A와 C는 모두 단독 배양할 때보다 환경 저항이 줄어들었다.

① ㄷ ② ㄱ, ㄹ ③ ㄴ, ㄷ
④ ㄱ, ㄴ, ㄷ ⑤ ㄱ, ㄴ, ㄹ

542 하중상

그림 (가)는 종 A와 B가 따로 서식하다가 함께 서식하게 되었을 때, (나)는 A와 C가 따로 서식하다가 함께 서식하게 되었을 때의 개체 수 변화를 나타낸 것이다. A와 B, A와 C 사이에서 일어나는 상호 작용은 각각 분서와 종간 경쟁 중 하나이다.

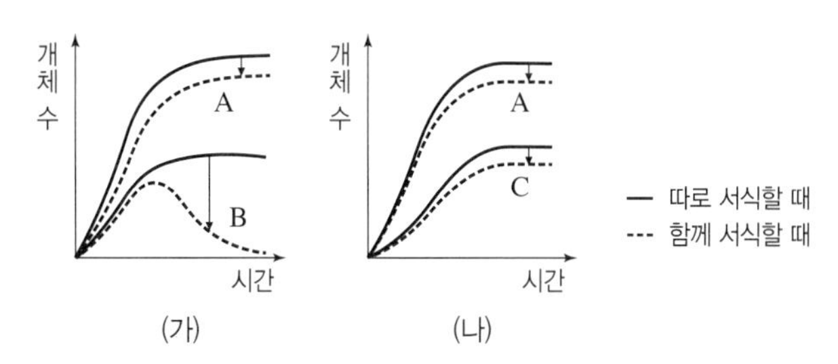

이에 대한 설명으로 옳은 것만을 〈보기〉에서 있는 대로 고른 것은?

〈 보기 〉

ㄱ. (가)에서 A와 B 사이에 경쟁·배타 원리가 적용된다.
ㄴ. (나)는 A와 C가 분서를 한 결과이다.
ㄷ. (가)와 (나)에서 공통으로 작용하는 개체군 간 상호 작용은 경쟁이다.

① ㄱ ② ㄷ ③ ㄱ, ㄴ
④ ㄴ, ㄷ ⑤ ㄱ, ㄴ, ㄷ

543

그림은 생태계 구성 요소 간의 일부 관계와 생물 군집 내에서의 유기물 이동을 나타낸 것이다. (가)~(다)는 각각 분해자, 생산자, 소비자 중 하나이다.

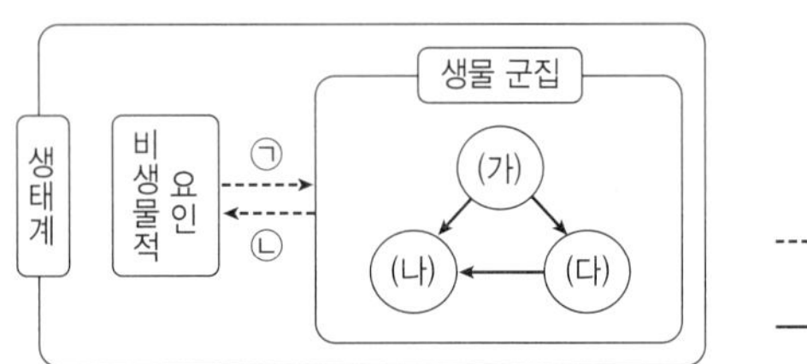

이에 대한 설명으로 옳은 것만을 〈보기〉에서 있는 대로 고른 것은?

〈 보기 〉

ㄱ. (가)와 (다)는 하나의 개체군을 이룰 수 있다.

ㄴ. (나)는 유기물을 무기물로 분해하여 비생물 환경으로 돌려보낸다.

ㄷ. 질소 고정 세균에 의해 토양의 암모늄 이온(NH_4^+)이 증가하는 것은 ㉡에 해당한다.

① ㄱ ② ㄷ ③ ㄱ, ㄴ ④ ㄴ, ㄷ ⑤ ㄱ, ㄴ, ㄷ

544

그림은 계절에 따른 상록수 잎 세포의 녹말과 포도당 함량 및 삼투압 변화를 나타낸 것이다. 상록수는 기온이 내려가면 녹말을 분해하여 잎 세포액 속의 포도당을 증가시켜 삼투압을 높임으로써 잎을 떨어뜨리지 않은 상태로 겨울을 날 수 있다. A와 B는 각각 녹말과 포도당 중 하나이다.

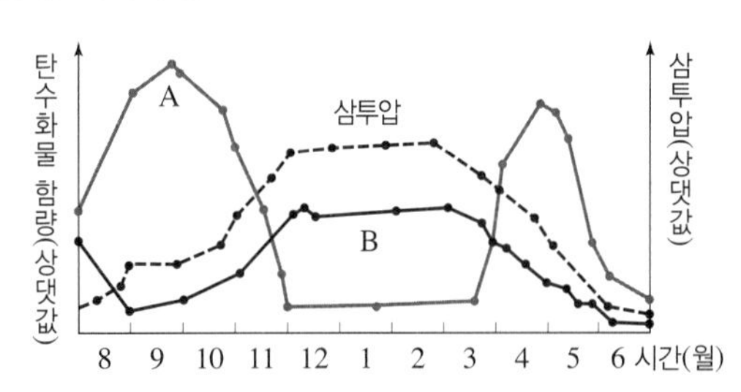

이에 대한 설명으로 옳은 것만을 〈보기〉에서 있는 대로 고른 것은?

〈 보기 〉

ㄱ. A는 포도당, B는 녹말이다.

ㄴ. 환경 요인 중 물에 적응한 결과이다.

ㄷ. 9월보다 1월에 세포액의 어는점이 더 낮다.

① ㄱ ② ㄷ ③ ㄱ, ㄴ ④ ㄴ, ㄷ ⑤ ㄱ, ㄴ, ㄷ

545

그림은 일정 공간에 서식하는 어떤 개체군의 개체군 밀도에 따른 출생 개체 수와 사망 개체 수를 나타낸 것이다.

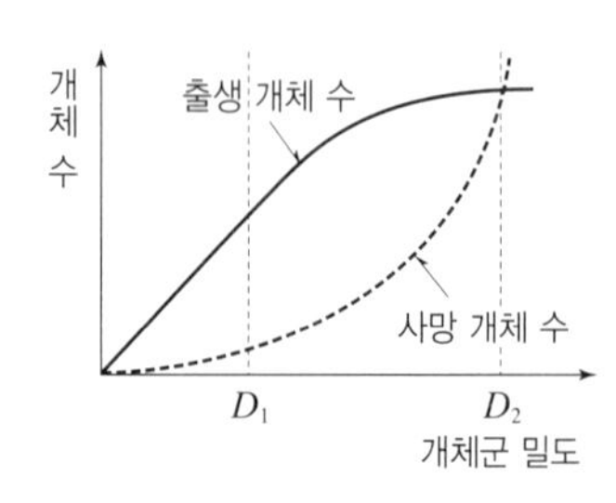

이에 대한 설명으로 옳은 것만을 〈보기〉에서 있는 대로 고른 것은?

〈 보기 〉

ㄱ. D_1일 때는 환경 저항이 없다.

ㄴ. 이 개체군의 생장 곡선은 S자 모양이다.

ㄷ. D_2일 때 이 개체군의 총 개체 수는 0이다.

① ㄱ ② ㄴ ③ ㄱ, ㄷ ④ ㄴ, ㄷ ⑤ ㄱ, ㄴ, ㄷ

546

그림은 어떤 개체군의 이론상의 생장 곡선과 실제의 생장 곡선을 나타낸 것이다.

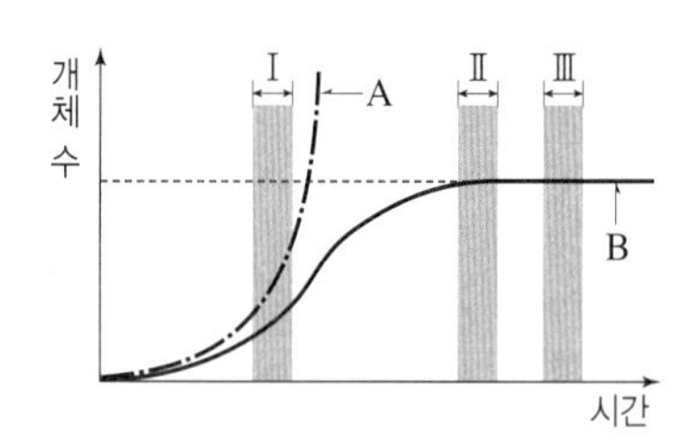

이에 대한 설명으로 옳은 것만을 〈보기〉에서 있는 대로 고른 것은? (단, 이입과 이출은 고려하지 않는다.)

〈 보기 〉

ㄱ. A는 구간 Ⅰ에서 환경 저항을 받지 않는다.

ㄴ. B에서 개체군의 밀도는 구간 Ⅱ에서가 Ⅰ에서보다 작다.

ㄷ. B에서 $\frac{\text{사망률}}{\text{출생률}}$은 구간 Ⅲ에서가 Ⅰ에서보다 크다.

① ㄱ ② ㄴ ③ ㄱ, ㄷ ④ ㄴ, ㄷ ⑤ ㄱ, ㄴ, ㄷ

547

그림은 서로 다른 지역에 동일한 크기의 방형구 (가)와 (나)를 설치하여 조사한 식물 종의 분포를 나타낸 것이다. 민들레의 상대 밀도는 (가)에서가 (나)에서의 2배이다.

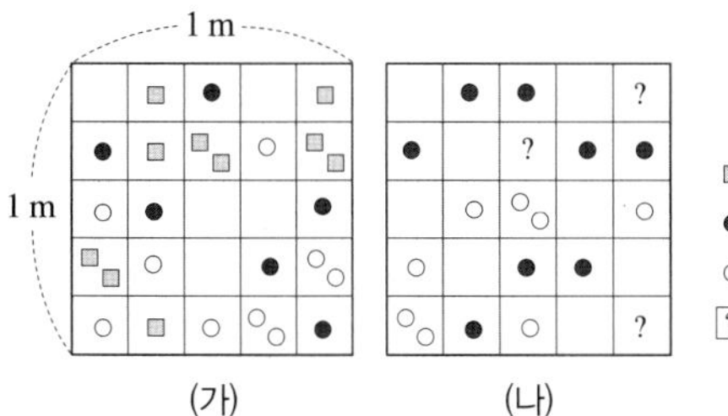

이에 대한 설명으로 옳은 것만을 〈보기〉에서 있는 대로 고른 것은? (단, 방형구에 나타낸 각 도형은 식물 1개체를 의미하며, 제시된 종 이외의 종은 고려하지 않는다.)

〈 보기 〉

ㄱ. (가)에서 토끼풀과 질경이의 밀도는 같다.
ㄴ. (나)에서 민들레의 개체 수는 4이다.
ㄷ. (가)의 민들레의 상대 밀도와 (나)의 토끼풀의 상대 밀도는 같다.

① ㄱ ② ㄴ ③ ㄱ, ㄴ
④ ㄱ, ㄷ ⑤ ㄴ, ㄷ

548

표는 빛의 세기에 따른 두 가지 식물의 CO_2 출입량을, 그림은 군집의 천이 과정을 나타낸 것이다. 식물 ㉠과 ㉡은 각각 양지 식물과 음지 식물 중 하나이며, A~C는 각각 양수림, 음수림, 혼합림 중 하나이다.

빛의 세기(klx)		0	5	10	20	30	40	50
CO_2 출입량	㉠	+20	0	−10	−20	−20	−20	−20
	㉡	+40	+20	+10	0	−20	−40	−40

(+: 방출, −: 흡수)

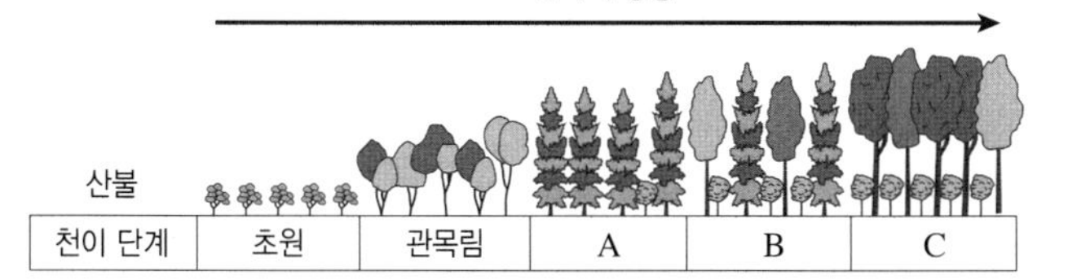

이에 대한 설명으로 옳은 것만을 〈보기〉에서 있는 대로 고른 것은?

〈 보기 〉

ㄱ. A의 우점종은 ㉠이다.
ㄴ. B에서는 ㉠의 묘목이 ㉡의 묘목보다 더 잘 자란다.
ㄷ. 그림의 천이 과정의 개척자는 초본 식물이다.

① ㄱ ② ㄴ ③ ㄷ
④ ㄱ, ㄴ ⑤ ㄴ, ㄷ

549

그림 (가)는 수조에 종 A를 넣고 키우다가 종 B를 넣었을 때, (나)는 자갈을 넣은 수조에 A를 넣고 키우다가 B를 넣었을 때 각각 시간에 따른 개체 수의 변화를 나타낸 것이다. A와 B는 서로 상호 작용 하는 개체군이며, (가)와 (나)에서 자갈 유무를 제외한 모든 조건은 같다.

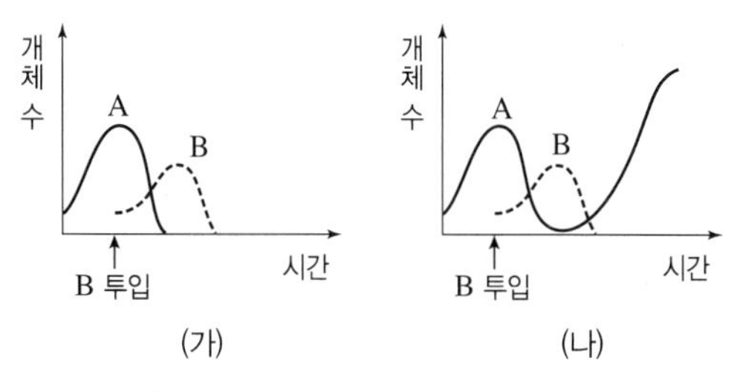

이에 대한 설명으로 옳은 것만을 〈보기〉에서 있는 대로 고른 것은?

〈 보기 〉

ㄱ. (가)에서 알 수 있는 A와 B 사이의 상호 작용은 종간 경쟁이다.
ㄴ. (가)에서 B의 투입으로 인해 A의 개체 수가 감소한다.
ㄷ. (가)에서와 달리 (나)에서 A가 사라지지 않은 것은 자갈이 은신처 역할을 하기 때문이다.

① ㄱ ② ㄷ ③ ㄱ, ㄴ
④ ㄴ, ㄷ ⑤ ㄱ, ㄴ, ㄷ

550

그림 (가)는 두 개체군 사이에서 일어나는 상호 작용의 종류를, (나)는 종 A와 종 B가 따로 살 때와 함께 살 때 시간에 따른 개체 수 변화를 나타낸 것이다. ㉠~㉢은 각각 종간 경쟁, 상리 공생, 포식과 피식 중 하나이다.

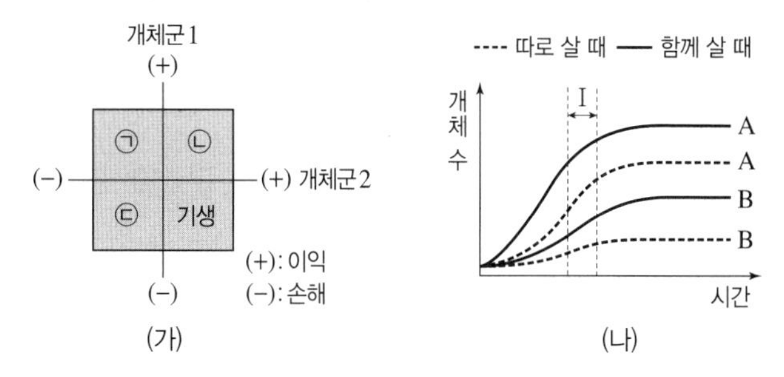

이에 대한 설명으로 옳은 것만을 〈보기〉에서 있는 대로 고른 것은?

〈 보기 〉

ㄱ. A와 B 사이에서 일어나는 상호 작용은 ㉡이다.
ㄴ. ㉢에서 두 개체군의 생태적 지위는 비슷하다.
ㄷ. (나)의 구간 Ⅰ에서 환경 수용력은 따로 살 때와 같이 살 때 모두 A가 B보다 크다.

① ㄱ ② ㄴ ③ ㄱ, ㄷ
④ ㄴ, ㄷ ⑤ ㄱ, ㄴ, ㄷ

에너지 흐름과 물질 순환

A 에너지 흐름

1 생태계에서의 에너지 흐름 생태계에서 에너지는 순환하지 않고 한 방향으로 이동하여 생태계 밖으로 빠져나간다. → 생태계가 유지되려면 끊임없이 외부에서 에너지가 공급되어야 하며, 이 에너지는 태양으로부터 공급된다.

에너지 전환	태양의 빛에너지는 생산자의 광합성을 통해 유기물의 화학 에너지로 전환된다.
에너지 흐름	• 유기물의 화학 에너지 중 일부는 먹이 사슬을 따라 소비자에게 전달되고, 각 영양 단계에서 생물의 ❶ ☐☐을 통해 열에너지 형태로 방출된다 • 생물의 사체나 배설물 속의 에너지도 분해자의 호흡을 통해 열에너지 형태로 전환되어 생태계 밖으로 빠져나간다.

기출 Tip A-1

생태계에서의 에너지 흐름과 물질 순환

생태계에서 에너지는 한 방향으로 흐르다가 생태계 밖으로 빠져나가지만, 물질은 생물과 비생물 환경 사이를 순환한다.

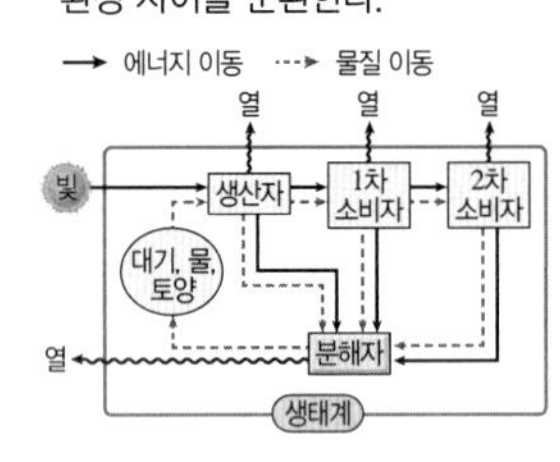

2 에너지 피라미드 먹이 사슬에서 하위 영양 단계부터 상위 영양 단계까지 각 영양 단계의 에너지양을 차례로 쌓아 올린 것이다.

└→ 일반적으로 하위 영양 단계에서 상위 영양 단계로 갈수록 에너지양이 줄어드는 경향을 보인다.

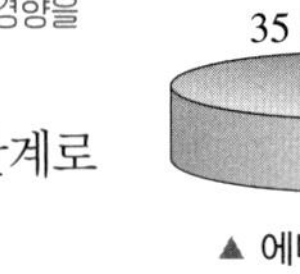

▲ 에너지 피라미드(kcal/m^2·일)

3 ❷ ☐☐☐ ☐☐ 하위 영양 단계에서 상위 영양 단계로 이동하는 에너지의 비율이다.

$$\text{에너지 효율(\%)} = \frac{\text{현 영양 단계가 보유한 에너지 총량}}{\text{전 영양 단계가 보유한 에너지 총량}} \times 100$$

(생태계에서의 에너지 흐름)

그림은 어떤 안정된 생태계의 에너지 흐름을 나타낸 것이다. 에너지양은 상댓값이다.

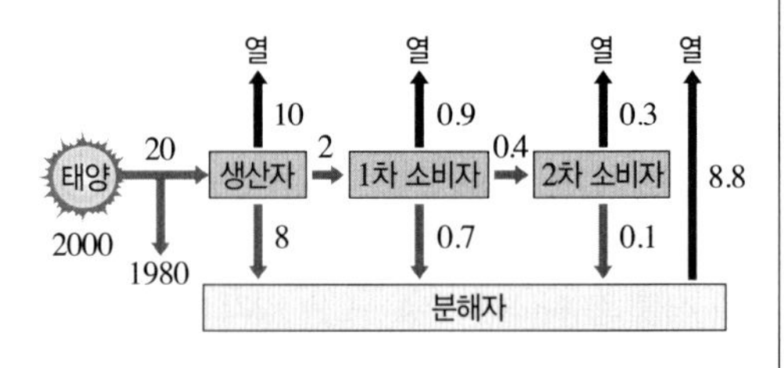

• 에너지가 먹이 사슬을 따라 이동할 때 각 영양 단계가 받은 에너지 중 일부만 상위 영양 단계로 이동하므로, 먹이 사슬을 따라 전달되는 에너지양은 상위 영양 단계로 가면서 점점 감소한다.

• 에너지 효율: 1차 소비자는 $\frac{2}{20} \times 100 = 10$ %, 2차 소비자는 $\frac{0.4}{2} \times 100 = 20$ %이다.

B 식물 군집의 물질 생산과 소비

총생산량	생산자가 일정 기간 동안 광합성으로 생산한 유기물의 총량 ➔ 생산자가 화학 에너지로 전환한 태양 에너지의 양
호흡량	생산자 자신의 호흡으로 소비되는 유기물의 양
❸ ☐☐☐☐	총생산량 중 호흡량을 제외한 유기물의 양 ➔ 생태계에서 소비자나 분해자가 사용할 수 있는 화학 에너지의 양
생장량	순생산량 중 1차 소비자에게 먹히는 ❹ ☐☐☐과 말라 죽는 고사량, 낙엽으로 없어지는 낙엽량을 제외하고 생산자에 남아 있는 유기물의 양

총생산량			
	순생산량		
호흡량	피식량	고사량, 낙엽량	생장량

• 총생산량 = 호흡량 + 순생산량
• 순생산량 = 총생산량 − 호흡량
• ❺ ☐☐☐ = 순생산량 − (피식량 + 고사량 + 낙엽량)

기출 Tip B

1차 소비자의 호흡량

생산자의 피식량은 1차 소비자에게 먹힌 유기물의 양으로, 1차 소비자의 호흡량을 포함한다.

식물 군집의 생산량과 소비량

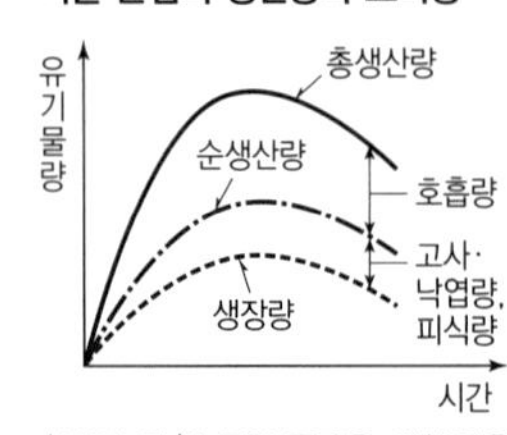

천이가 진행 중인 군집은 생체량은 적지만 순생산량은 많으며, 오래된 원시림은 생산량과 소비량이 균형을 이루어 생체량은 많지만 순생산량은 적다.

C 물질 순환

1 탄소 순환

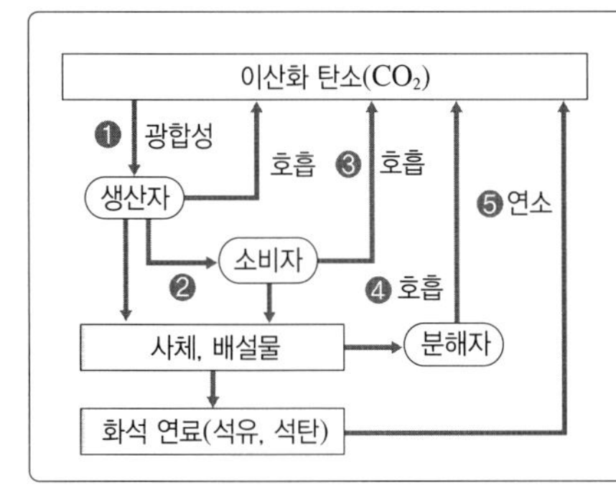

❶ 대기나 물속의 이산화 탄소는 ❻ ______에 흡수된 후 광합성에 이용되어 유기물로 전환된다.

❷ 유기물은 먹이 사슬을 따라 이동한다.

❸ 생산자와 소비자의 호흡으로 유기물이 분해되어 이산화 탄소 형태로 대기로 돌아간다.

❹ 사체와 배설물 속의 유기물은 분해자에 의해 분해되어 이산화 탄소 형태로 대기로 돌아간다.

❺ 화석 연료는 연소되어 이산화 탄소 형태로 대기로 돌아간다.
└ 사체 중 분해되지 않은 유기물은 오랜 기간 퇴적되어 화석 연료로 변화된다.

2 질소 순환

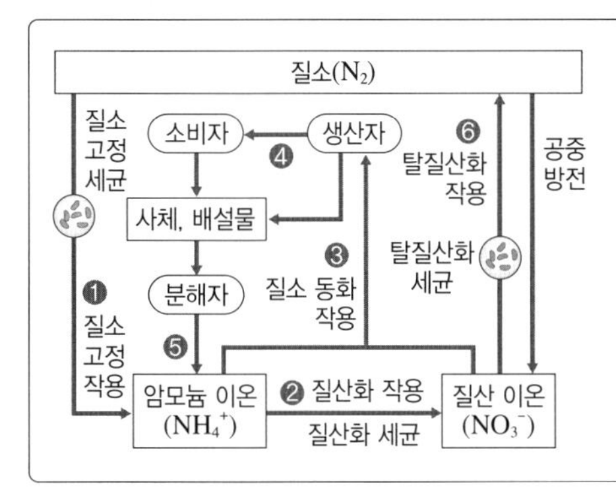

❶ 질소 고정 작용: 질소 고정 세균에 의해 대기 중의 질소(N_2)가 암모늄 이온(NH_4^+)으로 전환된다.
└ 뿌리혹박테리아, 아조토박터 등

❷ ❼ ______ 작용: 질산화 세균에 의해 암모늄 이온이 질산 이온(NO_3^-)으로 전환된다.

❸ 질소 동화 작용: 식물의 뿌리에서 흡수된 암모늄 이온과 질산 이온은 식물체의 구성 성분이 되거나 단백질 같은 질소 화합물 합성에 쓰인다.

❹ 식물이 합성한 질소 화합물은 먹이 사슬을 따라 이동한다.

❺ 분해자가 사체나 배설물 속의 질소 화합물을 ❽ ______ 이온으로 분해한다.

❻ 탈질산화 작용: 질산 이온은 탈질산화 세균에 의해 질소 기체로 되어 대기로 돌아간다.

D 생태계 평형

1 생태계 평형 회복 과정 안정된 생태계는 먹이 사슬의 어느 단계에서 일시적으로 변동이 나타나도 시간이 지나면 평형을 회복한다.

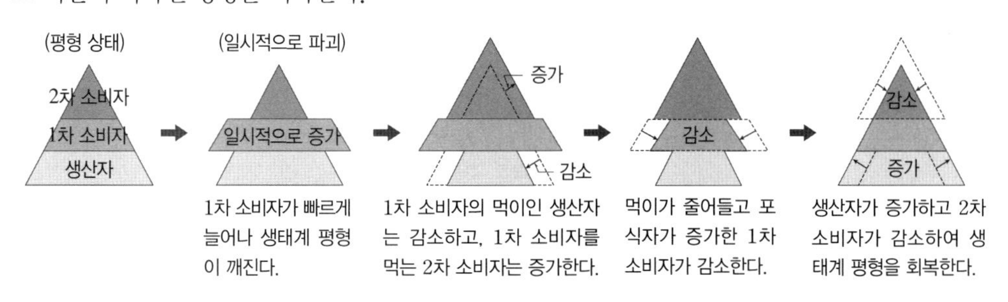

기출 Tip D

생태계 평형
생물 군집의 구성이나 개체 수, 물질의 양, 에너지 흐름이 안정된 상태를 유지하여 생태계가 균형을 이루고 있는 상태로, 주로 먹이 사슬에 의해 유지된다.
먹이 사슬이 복잡한 먹이 그물을 형성할 때 생태계 평형이 잘 유지된다.

답 ❶ 호흡 ❷ 에너지 효율 ❸ 순생산량 ❹ 피식량 ❺ 생장량 ❻ 생산자 ❼ 질산화 ❽ 암모늄

빈출 자료 보기

정답과 해설 81쪽

551 그림은 생태계에서의 질소 순환 과정을 나타낸 것이다.

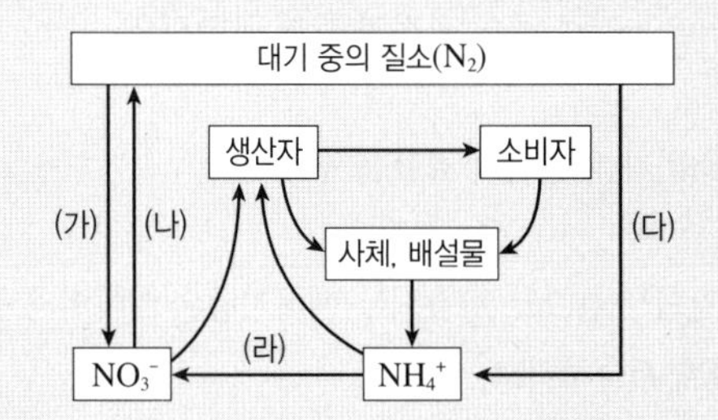

이에 대한 설명으로 옳은 것은 ○, 옳지 않은 것은 ×로 표시하시오.

(1) 생산자는 대기 중의 질소를 직접 이용할 수 있다. (   )
(2) (가)는 공중 방전에 의해 일어나는 과정이다. (   )
(3) (나)는 탈질산화 작용이다. (   )
(4) (다)는 질소 고정 작용으로, 질산화 세균에 의해 진행된다. (   )
(5) 뿌리혹박테리아와 아조토박터는 (라) 과정에 관여한다. (   )
(6) 생산자로 흡수된 질산 이온은 질소 동화 작용에 이용된다. (   )

A 에너지 흐름

552 하중상

多 보기

생태계에서 일어나는 에너지 흐름과 물질 이동에 대한 설명으로 옳은 것을 모두 고르면?(2개)

① 생태계가 유지되려면 에너지가 외부에서 끊임없이 공급되어야 한다.
② 1차 소비자에서 2차 소비자로 이동하는 에너지의 형태는 화학 에너지이다.
③ 생태계에서 물질과 에너지는 생물과 비생물 사이를 순환한다.
④ 생태계의 에너지는 빛에너지 형태로 방출된다.
⑤ 안정된 생태계에서 상위 영양 단계로 갈수록 에너지 이용 총량은 증가한다.
⑥ 생태계로 유입되는 에너지양은 생태계 밖으로 방출되는 에너지양보다 많다.

553 하중상

그림은 어떤 안정된 생태계에서 일어나는 물질과 에너지의 이동을 나타낸 것이다. (가)와 (나)는 각각 분해자와 1차 소비자 중 하나이다.

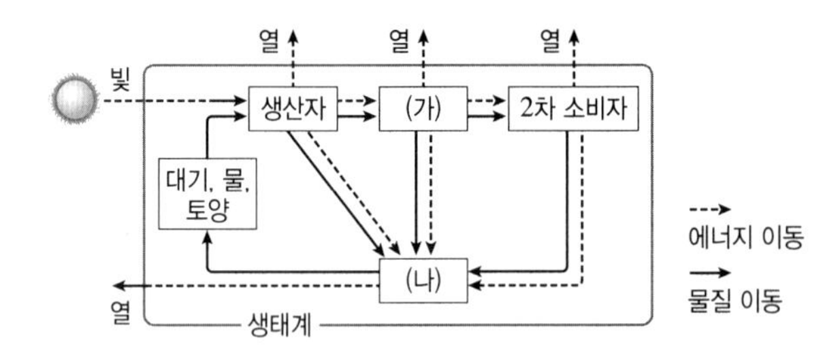

이에 대한 설명으로 옳은 것만을 〈보기〉에서 있는 대로 고른 것은?

〈 보기 〉
ㄱ. (가)는 1차 소비자, (나)는 분해자이다.
ㄴ. 생산자에서 (가)로 전달되는 에너지양은 (가)에서 2차 소비자로 전달되는 에너지양보다 많다.
ㄷ. (가)에서 (나)로 유기물이 이동한다.

① ㄱ ② ㄴ ③ ㄷ
④ ㄱ, ㄷ ⑤ ㄱ, ㄴ, ㄷ

빈출

554 하중상

그림은 어떤 안정된 생태계에서의 에너지 흐름을 나타낸 것이다. A~C는 각각 1차 소비자, 2차 소비자, 생산자 중 하나이다. A에서 B로 전달되는 에너지는 B에서 C로 전달되는 에너지양의 4배이며, 에너지양은 상댓값이다.

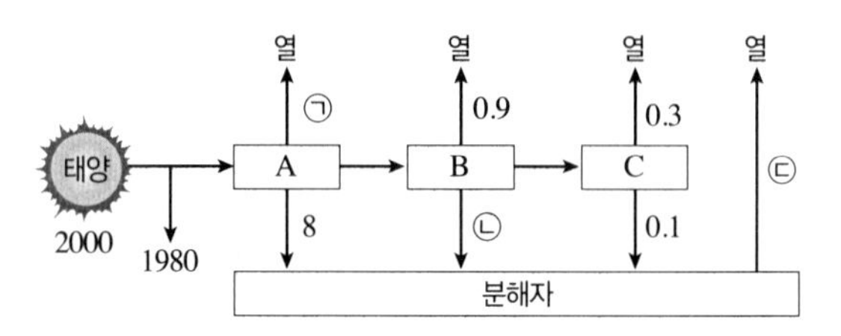

이에 대한 설명으로 옳은 것만을 〈보기〉에서 있는 대로 고른 것은?

〈 보기 〉
ㄱ. A는 태양 에너지를 화학 에너지로 전환한다.
ㄴ. ㉡과 ㉢의 합은 ㉠보다 작다.
ㄷ. C의 에너지 효율은 20 %이다.

① ㄱ ② ㄴ ③ ㄷ
④ ㄱ, ㄴ ⑤ ㄴ, ㄷ

555 하중상

••서술형

그림은 어떤 안정된 생태계에서의 에너지 흐름을 나타낸 것이다. A와 B는 각각 1차 소비자와 2차 소비자 중 하나이고, 2차 소비자의 에너지 효율은 20 %이다.

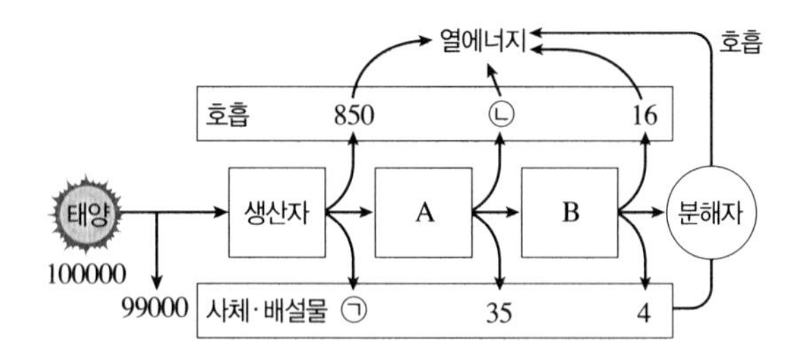

(1) ㉠과 ㉡의 값을 풀이 과정과 함께 구하시오.

(2) 1차 소비자의 에너지 효율을 구하시오.

(3) 분해자의 호흡으로 방출되는 에너지양은 얼마인지 풀이 과정과 함께 서술하시오.

556 하 중 상

그림은 어떤 생태계에서 A～D의 에너지양을 상댓값으로 나타낸 것이다. A～D는 각각 생산자, 1차 소비자, 2차 소비자, 3차 소비자 중 하나이다.

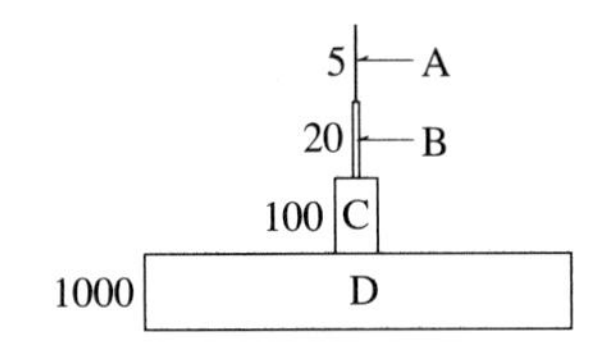

이에 대한 설명으로 옳은 것만을 〈보기〉에서 있는 대로 고른 것은?

〈 보기 〉
ㄱ. D는 생산자, B는 2차 소비자이다.
ㄴ. 에너지 효율은 A가 C의 2배이다.
ㄷ. 상위 영양 단계로 갈수록 에너지양은 감소하고, 에너지 효율은 증가한다.

① ㄱ ② ㄴ ③ ㄷ
④ ㄱ, ㄷ ⑤ ㄴ, ㄷ

557 빈출 하 중 상

그림은 어떤 안정된 생태계에서 A～D의 에너지양을 상댓값으로 나타낸 것이고, 표는 (가)～(라)의 에너지 효율을 나타낸 것이다. A～D는 각각 생산자, 1차 소비자, 2차 소비자, 3차 소비자 중 하나이고, (가)～(라)는 각각 A～D 중 하나이다.

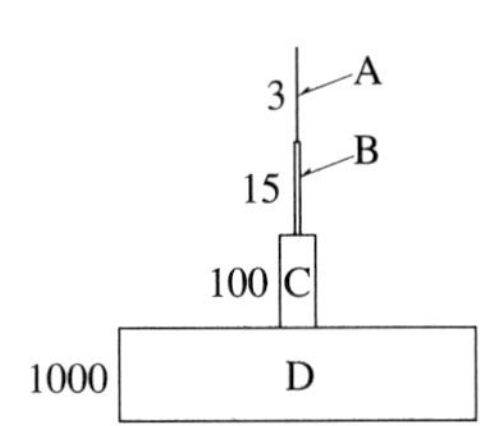

영양 단계	에너지 효율(%)
(가)	㉠
(나)	1
(다)	20
(라)	10

이에 대한 설명으로 옳은 것만을 〈보기〉에서 있는 대로 고른 것은?

〈 보기 〉
ㄱ. ㉠은 5이다.
ㄴ. (나)는 B이다.
ㄷ. A의 에너지 효율은 C의 에너지 효율의 2배이다.
ㄹ. 2차 소비자가 보유한 에너지의 일부는 열에너지 형태로 생태계 밖으로 방출된다.

① ㄱ, ㄴ ② ㄱ, ㄹ ③ ㄴ, ㄷ
④ ㄴ, ㄹ ⑤ ㄷ, ㄹ

558 하 중 상

••서술형

표는 안정된 생태계에서 영양 단계 A～D의 에너지양과 에너지 효율을 나타낸 것이다. A～D는 각각 생산자, 1차 소비자, 2차 소비자, 3차 소비자 중 하나이다.

영양 단계	에너지양(상댓값)	에너지 효율
A	1000	10 %
B	30	㉠
C	10000	1 %
D	150	㉡

(1) A～D에 해당하는 영양 단계를 쓰고, 그 근거를 서술하시오.

(2) ㉠과 ㉡의 값을 풀이 과정과 함께 구하시오.

559 빈출 하 중 상

다음은 생태계 (가)와 (나)에 대한 자료이다.

• 그림은 생태계 (가)와 (나)에서 생산자, 1차 소비자, 2차 소비자의 에너지양을 상댓값으로 나타낸 것이다.

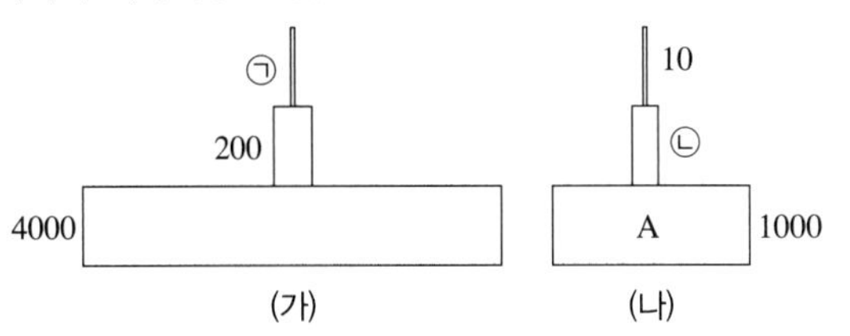

• (나)의 1차 소비자의 에너지 효율은 5 %이다.
• 2차 소비자의 에너지 효율은 (나)가 (가)의 2배이다.

이에 대한 설명으로 옳은 것만을 〈보기〉에서 있는 대로 고른 것은?

〈 보기 〉
ㄱ. ㉠은 20, ㉡은 50이다.
ㄴ. (나)의 A는 생산자이다.
ㄷ. (가)와 (나) 모두 상위 영양 단계로 갈수록 에너지 효율이 증가한다.

① ㄱ ② ㄷ ③ ㄱ, ㄴ
④ ㄴ, ㄷ ⑤ ㄱ, ㄴ, ㄷ

B 식물 군집의 물질 생산과 소비

빈출

560 하 중 상

그림은 어떤 식물 군집의 물질 생산량과 소비량을 나타낸 것이다. A~C는 각각 총생산량, 피식량, 호흡량 중 하나이다.

A			
	순생산량		
B	고사량, 낙엽량	C	생장량

이에 대한 설명으로 옳은 것만을 〈보기〉에서 있는 대로 고른 것은?

〈 보기 〉

ㄱ. A는 광합성을 통해 생산한 유기물 총량이다.

ㄴ. B는 식물에 저장되는 유기물량이다.

ㄷ. C는 초식 동물의 섭식량과 같다.

① ㄱ ② ㄴ ③ ㄷ
④ ㄱ, ㄷ ⑤ ㄴ, ㄷ

561 하 중 상

그림은 어떤 생태계에서 생산자의 물질 생산과 소비를, 표는 이 생태계를 구성하는 생산자, 1차 소비자, 2차 소비자의 에너지양을 나타낸 것이다. ㉠~㉢은 각각 생장량, 순생산량, 호흡량 중 하나이고, ⓐ와 ⓑ는 각각 1차 소비자와 2차 소비자 중 하나이다. 1차 소비자의 에너지 효율은 10 %이다.

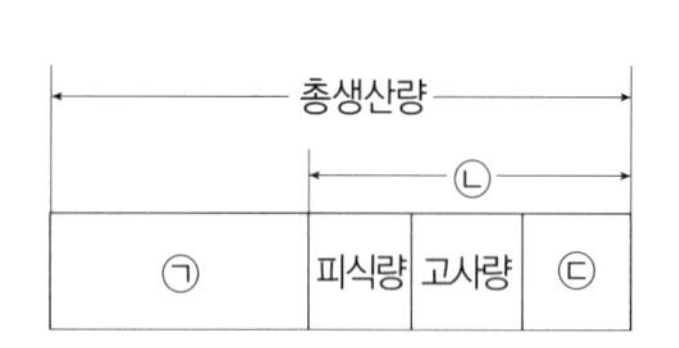

구분	에너지양 (상댓값)
생산자	300
ⓐ	6
ⓑ	?

이에 대한 설명으로 옳은 것만을 〈보기〉에서 있는 대로 고른 것은?

〈 보기 〉

ㄱ. ㉠은 생장량, ㉡은 순생산량이다.

ㄴ. ⓑ의 호흡량은 ㉢에 포함된다.

ㄷ. 2차 소비자의 에너지 효율은 20 %이다.

① ㄱ ② ㄴ ③ ㄷ
④ ㄱ, ㄷ ⑤ ㄴ, ㄷ

562 하 중 상

그림은 어떤 식물 군집의 시간에 따른 유기물량을 나타낸 것이다. ㉠~㉢은 각각 순생산량, 총생산량, 생장량 중 하나이다.

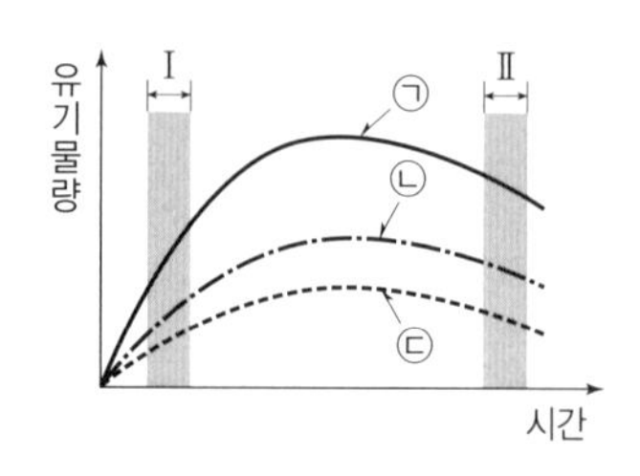

이에 대한 설명으로 옳은 것만을 〈보기〉에서 있는 대로 고른 것은?

〈 보기 〉

ㄱ. 구간 Ⅰ에서 시간에 따라 호흡량이 증가한다.

ㄴ. 구간 Ⅱ에서 시간에 따라 생체량이 감소한다.

ㄷ. 구간 Ⅱ에서 피식량, 고사량, 낙엽량은 생장량보다 크다.

① ㄱ ② ㄴ ③ ㄷ
④ ㄱ, ㄴ ⑤ ㄴ, ㄷ

563 하 중 상

그림은 식물 군집 A의 시간에 따른 유기물량을 나타낸 것이다. ㉠과 ㉡은 각각 총생산량과 순생산량 중 하나이다.

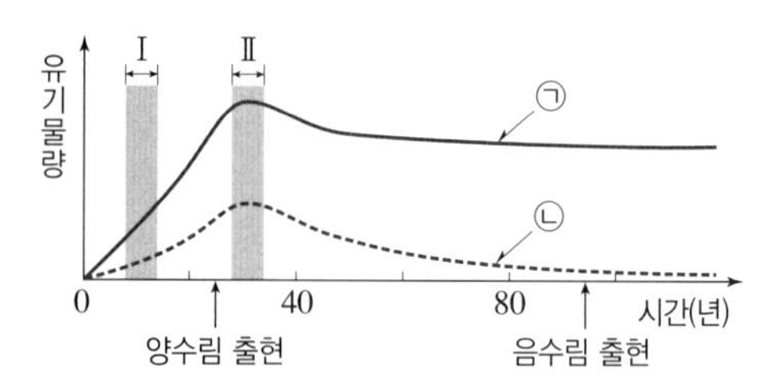

이에 대한 설명으로 옳은 것만을 〈보기〉에서 있는 대로 고른 것은?

〈 보기 〉

ㄱ. 낙엽량은 ㉡에 포함된다.

ㄴ. 호흡량은 구간 Ⅰ에서가 구간 Ⅱ에서보다 많다.

ㄷ. 구간 Ⅱ에서 식물 군집 A는 극상을 이룬다.

① ㄱ ② ㄴ ③ ㄷ
④ ㄱ, ㄴ ⑤ ㄴ, ㄷ

564 하/중/상

표는 동일한 면적을 차지하고 있는 식물 군집 (가)와 (나)에서 1년 동안 조사한 총생산량에 대한 호흡량, 고사량, 낙엽량, 생장량, 피식량의 백분율을 나타낸 것이다. (가)의 총생산량은 (나)의 총생산량의 2배이다.

구분	식물 군집	
	(가)	(나)
호흡량	74.0	66.8
고사량, 낙엽량	19.0	24.2
생장량	6.4	8.2
피식량	0.6	0.8
합계	100.0	100.0

(단위: %)

이에 대한 설명으로 옳은 것만을 〈보기〉에서 있는 대로 고른 것은?

〈 보기 〉
ㄱ. (가)를 기반으로 살아가는 초식 동물의 섭식량은 (가)의 피식량과 같다.
ㄴ. (나)에서 총생산량에 대한 순생산량의 백분율은 66.8 %이다.
ㄷ. (가)의 순생산량은 (나)의 순생산량보다 많다.

① ㄱ ② ㄴ ③ ㄷ
④ ㄱ, ㄷ ⑤ ㄴ, ㄷ

565 하/중/상

그림 (가)는 어떤 식물 군집에서 총생산량, 순생산량, 생장량의 관계를, (나)는 이 식물 군집의 시간에 따른 유기물량을 나타낸 것이다. ㉠과 ㉡은 각각 총생산량과 호흡량 중 하나이다.

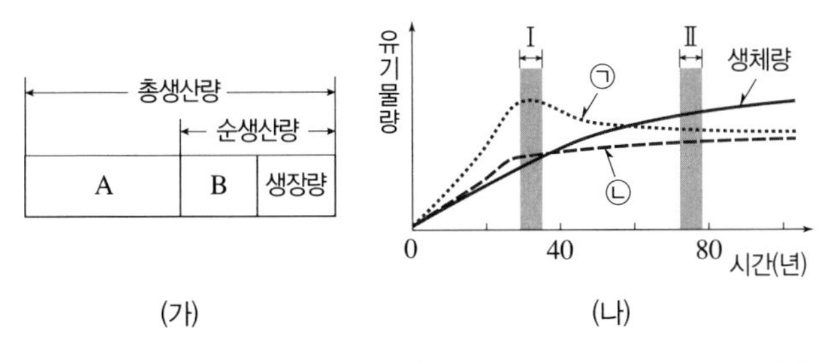

이에 대한 설명으로 옳은 것만을 〈보기〉에서 있는 대로 고른 것은?

〈 보기 〉
ㄱ. (나)의 ㉠은 (가)의 A이다.
ㄴ. (가)의 B는 (나)의 ㉠－㉡에 포함된다.
ㄷ. $\frac{\text{순생산량}}{\text{생체량}}$은 구간 Ⅰ에서가 구간 Ⅱ에서보다 크다.

① ㄱ ② ㄴ ③ ㄷ
④ ㄱ, ㄴ ⑤ ㄴ, ㄷ

C 물질 순환

566 하/중/상

그림은 생태계의 탄소 순환을 나타낸 것이다. 생물 A~C는 각각 분해자, 생산자, 1차 소비자 중 하나이다.

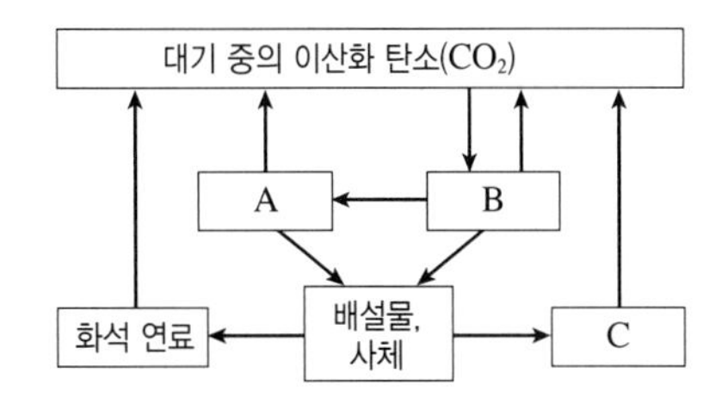

이에 대한 설명으로 옳은 것만을 〈보기〉에서 있는 대로 고른 것은?

〈 보기 〉
ㄱ. A에서 광합성을 통해 이산화 탄소가 고정된다.
ㄴ. C에 해당하는 생물로는 세균, 버섯 등이 있다.
ㄷ. A~C에서 모두 유기물이 무기물로 분해되는 물질대사가 일어난다.

① ㄱ ② ㄴ ③ ㄱ, ㄷ
④ ㄴ, ㄷ ⑤ ㄱ, ㄴ, ㄷ

567 하/중/상

그림은 생태계의 탄소 순환을 나타낸 것이다. 생물 A~C는 각각 분해자, 생산자, 1차 소비자 중 하나이다.

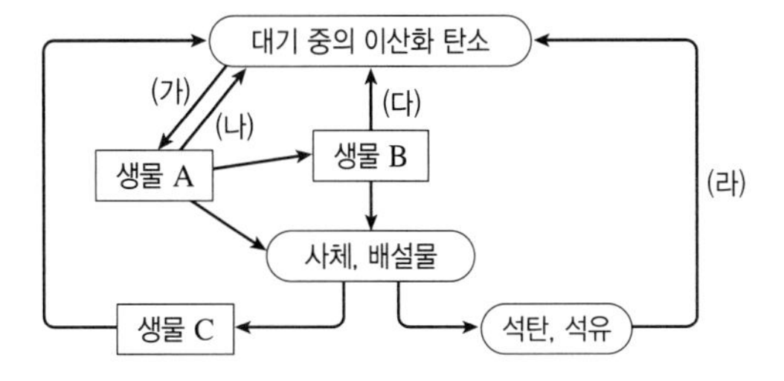

이에 대한 설명으로 옳은 것만을 〈보기〉에서 있는 대로 고른 것은?

〈 보기 〉
ㄱ. 생물 A는 생산자, 생물 C는 분해자이다.
ㄴ. (가)는 동화 작용이고, (나), (다), (라)는 이화 작용이다.
ㄷ. 생물 A에서 C로 유기물의 형태로 탄소가 이동한다.

① ㄱ ② ㄴ ③ ㄱ, ㄷ
④ ㄴ, ㄷ ⑤ ㄱ, ㄴ, ㄷ

568 하 중 상

생태계에서의 질소 순환 과정에 대한 설명으로 옳은 것은?

① 대기 중의 질소는 광합성에 의해 암모늄 이온으로 전환된다.
② 식물은 질산 이온을 뿌리를 통해 흡수하여 이용한다.
③ 토양 속 암모늄 이온은 질소 고정 세균에 의해 질소 기체로 전환된다.
④ 토양 속의 암모늄 이온을 질산 이온으로 전환시키는 과정을 탈질산화 작용이라고 한다.
⑤ 토양 속 질산 이온의 일부는 질산화 작용에 의해 대기 중의 질소 기체로 전환된다.

569 하 중 상

그림은 생태계에서 일어나는 질소 순환 과정의 일부를 나타낸 것이다. 생물 A~C는 각각 분해자, 생산자, 소비자 중 하나이다.

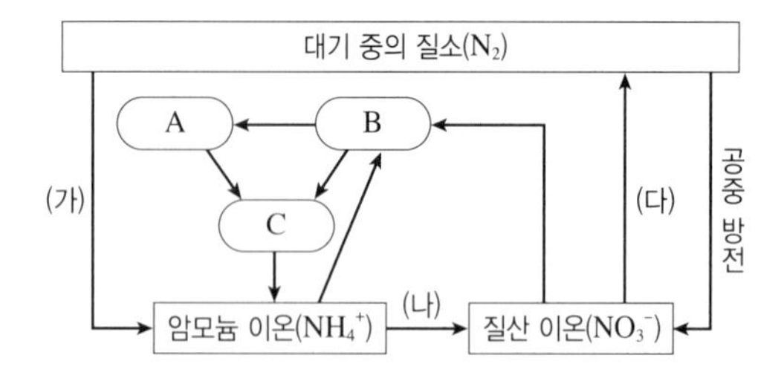

이에 대한 설명으로 옳은 것만을 〈보기〉에서 있는 대로 고른 것은?

〈 보기 〉
ㄱ. A는 소비자, B는 생산자, C는 분해자이다.
ㄴ. 질산화 세균은 과정 (가)에 관여한다.
ㄷ. (나)에 관여하는 세균으로는 뿌리혹박테리아, 아조토박터 등이 있다.
ㄹ. (다)는 탈질산화 작용이다.

① ㄱ, ㄴ　② ㄱ, ㄹ　③ ㄴ, ㄷ
④ ㄴ, ㄹ　⑤ ㄷ, ㄹ

570 하 중 상

그림은 생태계의 질소 순환 과정의 일부를 나타낸 것이다.

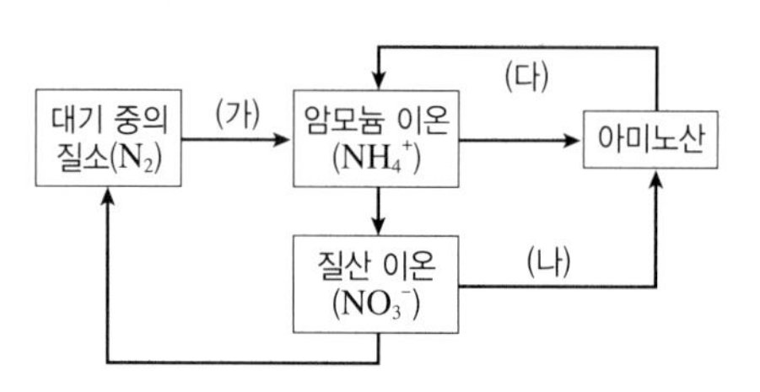

이에 대한 설명으로 옳은 것만을 〈보기〉에서 있는 대로 고른 것은?

〈 보기 〉
ㄱ. 과정 (가)에는 탈질산화 세균이 관여한다.
ㄴ. 과정 (나)는 질소 동화 작용에 포함된다.
ㄷ. 과정 (다)는 분해자에 의해 일어난다.

① ㄱ　② ㄴ　③ ㄷ
④ ㄱ, ㄴ　⑤ ㄴ, ㄷ

571 하 중 상

그림은 생태계의 질소 순환 과정의 일부를 나타낸 것이다. 생물 ⓐ~ⓒ는 각각 버섯, 뿌리혹박테리아, 완두(콩과식물) 중 하나이며, 물질 ㉠~㉢은 각각 NH_4^+, N_2, NO_3^- 중 하나이다.

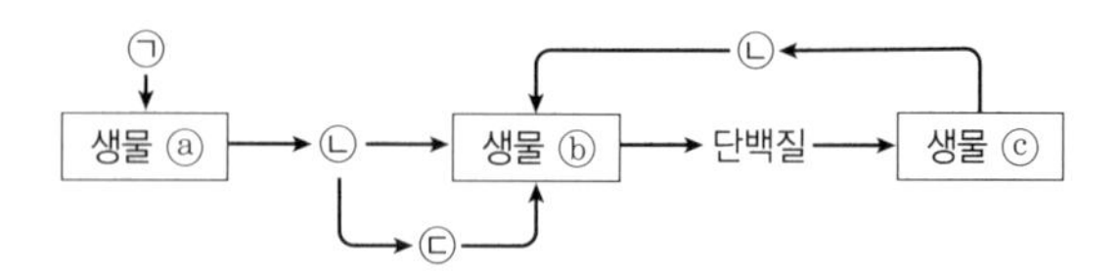

이에 대한 설명으로 옳은 것만을 〈보기〉에서 있는 대로 고른 것은?

〈 보기 〉
ㄱ. ㉠은 N_2, ㉡은 NO_3^-이다.
ㄴ. 질산화 세균은 ㉡ → ㉢ 과정에 관여한다.
ㄷ. ⓐ는 뿌리혹박테리아이다.
ㄹ. ⓐ와 ⓑ의 관계는 기생에 해당한다.

① ㄷ　② ㄱ, ㄹ　③ ㄴ, ㄷ
④ ㄴ, ㄹ　⑤ ㄷ, ㄹ

572 하 중 상 ••서술형

그림은 생태계의 질소 순환 과정의 일부를 나타낸 것이다.

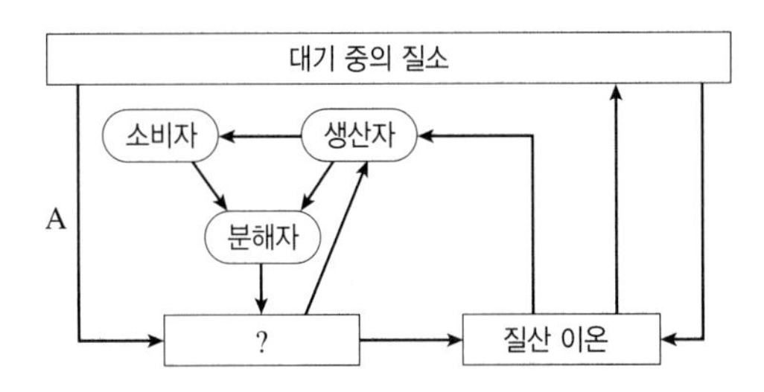

(1) 질산 이온이 식물의 뿌리를 통해 흡수되어 단백질과 같은 질소 화합물로 합성되는 작용을 무엇이라고 하는지 쓰시오.

(2) A는 어떤 과정을 나타낸 것인지 다음 요소를 모두 포함하여 서술하시오.

- 관여하는 생물
- 전환되는 물질과 전환된 물질

573 하 중 상

그림 (가)는 생태계에서의 탄소의 이동 과정을, (나)는 질소의 이동 과정을 나타낸 것이다.

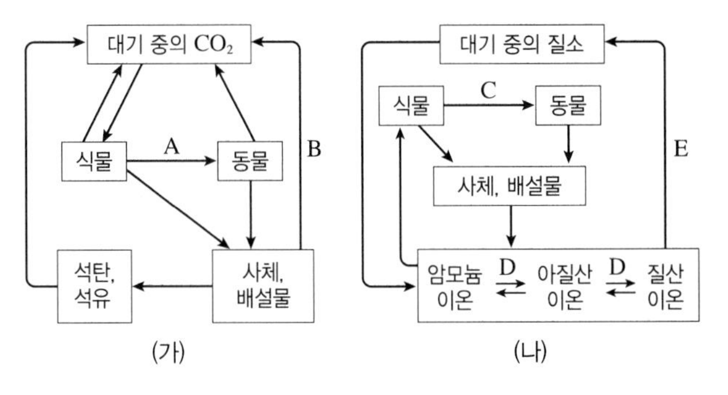

이에 대한 설명으로 옳은 것만을 〈보기〉에서 있는 대로 고른 것은?

〈 보기 〉

ㄱ. 대기 중의 탄소와 질소는 모두 식물 잎의 기공을 통해 흡수되어 이용된다.

ㄴ. A와 C 과정에서 탄소와 질소는 모두 유기물 형태로 이동한다.

ㄷ. B 과정에 호흡이 관여한다.

ㄹ. D 과정에는 탈질산화 세균이, E 과정에는 질산화 세균이 관여한다.

① ㄱ, ㄴ ② ㄱ, ㄹ ③ ㄴ, ㄷ
④ ㄱ, ㄴ, ㄷ ⑤ ㄴ, ㄷ, ㄹ

D 생태계 평형

빈출

574 하 중 상

그림은 평형 상태의 생태계에서 일시적으로 1차 소비자의 개체 수가 증가해 평형이 파괴된 후, 생태계가 평형을 되찾는 과정을 순서 없이 나타낸 것이다.

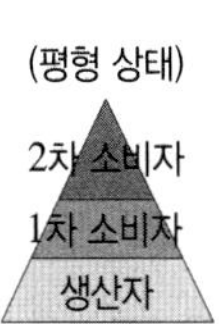

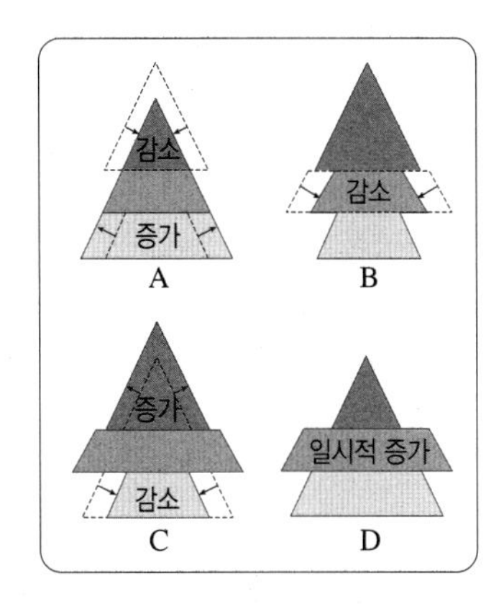

이에 대한 설명으로 옳은 것만을 〈보기〉에서 있는 대로 고른 것은?

〈 보기 〉

ㄱ. 생태계가 평형을 되찾는 과정은 D → C → B → A이다.

ㄴ. 1차 소비자의 개체 수가 일시적으로 증가하면 생산자와 2차 소비자의 개체 수도 일시적으로 증가한다.

ㄷ. A에서 2차 소비자의 개체 수가 감소하는 것은 1차 소비자의 개체 수 감소로 인한 것이다.

① ㄱ ② ㄴ ③ ㄱ, ㄷ
④ ㄴ, ㄷ ⑤ ㄱ, ㄴ, ㄷ

575 하 중 상 ••서술형

그림은 평형 상태를 이루고 있는 안정된 생태계의 생산자, 1차 소비자, 2차 소비자의 개체 수 피라미드를 나타낸 것이다.

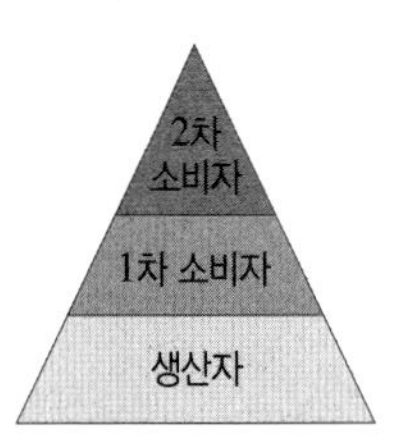

1차 소비자의 개체 수가 일시적으로 감소했을 때 생태계의 평형이 회복되는 과정을 서술하시오.

생물 다양성

Ⓐ 생물 다양성

1 생물 다양성 생태계에 존재하는 생물의 다양한 정도를 의미하며, 유전적 다양성, 종 다양성, 생태계 다양성을 모두 포함한다.

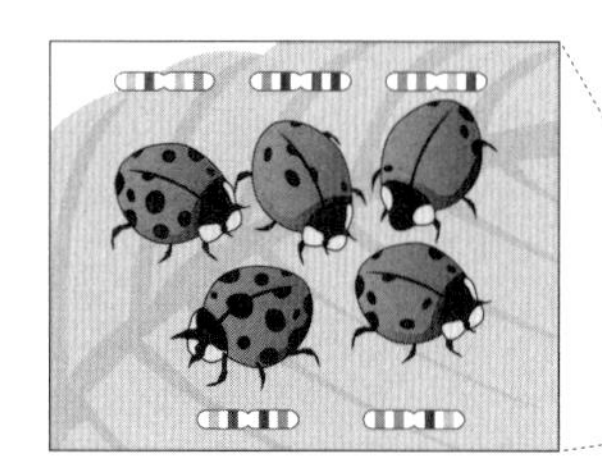
유전적 다양성

종 다양성

생태계 다양성

❶□□□ 다양성	• 한 생물종에 얼마나 다양한 대립유전자가 존재하는가를 뜻한다. ➜ 유전자가 다양하면 같은 종의 생물이라도 색, 모양, 크기 등이 다양하게 나타난다. • 유전적 다양성이 높은 개체군은 환경 변화에 적응하여 생존할 가능성이 크다. 예 무당벌레 등의 다양한 무늬와 색, 고양이의 다양한 털색과 무늬
종 다양성	• 한 군집에 서식하는 ❷□□□의 다양한 정도이다. • 종 다양성은 종 수가 많을수록(종 풍부도), 전체 개체 수에서 각 종이 차지하는 비율이 균등할수록(종 균등도) 높아진다.
생태계 다양성	• 생물의 서식지인 생태계의 다양한 정도이다. • 생태계의 종류에 따라 서식지의 환경 특성과 생물의 종류, 생물의 상호 작용이 다양하게 나타난다. ➜ 생태계가 다양할수록 다양한 생물이 서식한다. • 생태계의 종류: 삼림, 사막, 초원, 습지, 갯벌, 해양, 강 등

(군집의 종 다양성)

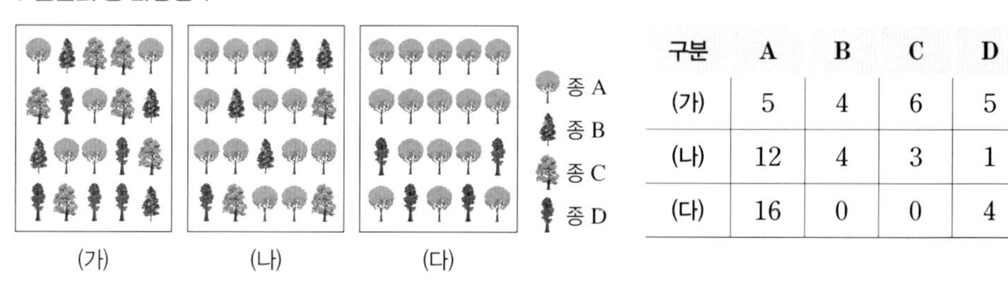

구분	A	B	C	D
(가)	5	4	6	5
(나)	12	4	3	1
(다)	16	0	0	4

• (가)와 (나)에는 각각 4종의 식물이 총 20개체, (다)에는 2종의 식물이 총 20개체 서식한다.
• 식물 종 A~D의 분포 비율은 (가)에서가 (나)에서보다 균등하다.
➜ 종 다양성은 종 수가 많고, 종들 사이에 개체 수의 비가 유사한 ❸□에서 가장 높다.

기출 Tip Ⓐ-1

생물 다양성과 관련된 예
• 유전적 다양성: 바나나 중 그로미셸 품종은 과거에 파나마병의 유행으로 인해 멸종하였다. 같은 종의 달팽이에서 껍데기의 무늬가 다양하게 나타난다.
• 종 다양성: 비무장지대에는 81종의 멸종 위기종과 보호종이 서식한다.

종 다양성
종 다양성은 식물과 동물뿐만 아니라 세균, 버섯 등 생태계에 존재하는 모든 생물종을 포함한다.

생태계 다양성
생태계가 다양할수록 다양한 생물이 서식하므로 종 다양성이 높아지며, 갯벌과 습지 같이 두 생태계가 인접한 지역은 두 생태계의 자원을 이용하는 생물종들이 출현하기 때문에 종 다양성이 높다.

군집의 종 다양성
종 수가 같다면, 종이 차지하는 비율이 균등할수록 종 다양성이 높다.

2 생물 다양성의 중요성

① 생물 다양성과 생태계 평형: 종 다양성이 ❹□□수록 생태계는 안정적으로 유지된다.

종 다양성이 낮은 생태계	먹이 사슬이 단순하여 한 생물종이 사라지면 대체할 수 있는 생물이 없거나 적어 생태계 평형이 깨지기 쉽다.
종 다양성이 높은 생태계	먹이 사슬(먹이 그물)이 복잡하여 한 생물종이 사라져도 대체할 수 있는 다른 먹이 사슬이 있어 생태계 평형을 유지할 수 있다.

② 생물 자원: 인간이 생활에 이용하는 자원 중 생물에서 유래한 것이며, 지구상의 다양한 생물은 모두 소중한 자원이다. 예 목화(면섬유), 누에고치(비단), 푸른곰팡이(항생제－페니실린), 주목(항암제－택솔), 버드나무(아스피린)

기출 Tip Ⓐ-2

종 다양성과 생태계 평형
종 다양성이 높을수록 먹이 그물이 훼손될 위험이 적기 때문에 생태계 평형이 잘 유지된다.

B 생물 다양성 보전

1 생물 다양성의 감소 원인과 대책

구분	내용	대책
서식지 파괴	숲의 벌채나 습지의 매립 등으로 서식지가 파괴된다. ➔ 그 지역에 살던 생물들이 멸종될 가능성이 커진다.	생물의 서식지 보호 및 보전
서식지 ❺□□□	도로 건설, 택지 개발 등으로 생태계가 작은 생태계로 나누어지는 것이다. ➔ 서식지 면적이 감소하고, 로드킬이 흔히 발생하게 된다.	❻□□ □□ 설치로 생태계 단절 방지
❼□□	개체군의 크기가 회복되지 못할 정도로 과도하게 생물을 포획하는 것이다.	남획 방지와 개체 수 회복을 위한 여러 협약 체결
외래종의 도입	외래종은 포식자가 없어 개체 수가 급증할 수 있다. ➔ 고유종의 서식지를 차지하고 먹이 사슬을 변화시켜 생태계를 교란한다. 예 뉴트리아, 꽃매미, 가시박 등	허가받지 않은 외래종의 도입 제한, 외래종이 생태계에 미칠 영향 검증
환경 오염	인간의 활동으로 생긴 쓰레기와 폐수 증가, 비료와 농약의 남용 등은 모두 환경 오염의 원인이 된다.	수질 정화, 비료와 농약의 적정량 사용

(서식지 단편화)

1000 m
서식지 면적 =640000 m²
800 m
100 m 100 m
1000 m
➔ 철도
87000 m² 87000 m²
87000 m² 87000 m²
도로
서식지 면적 =87000 m²×4 =348000 m²

- 도로와 철도가 건설된 후 서식지 면적이 절반 가까이 감소하였다.
- 서식지가 단편화되면 서식지 면적이 감소할 뿐만 아니라 전체 서식지에서 가장자리의 비율이 급격히 늘어나고, 서식지 중심부에서 가장자리까지의 거리가 짧아진다. ➔ 서식지 중앙에 서식하는 생물종이 멸종할 가능성이 높아진다. ➔ 종 다양성이 감소한다.

2 생물 다양성 보전을 위한 노력

개인적 노력	쓰레기 분리 배출, 공원의 지정 탐방로 이용, 자원 절약 등
사회적 노력	대정부 감시 기능과 홍보를 위한 비정부 기구(NGO) 활동 등
국가적 노력	국가 연구 기관을 통한 생물 다양성 보전·관리, 야생 생물 보호 및 관리에 관한 법률 제정, 국립 공원 지정·관리 등
국제적 노력	생물 다양성 보전을 위한 ❽□□ □□ 가입 등

기출 Tip B-1

서식지 단편화의 영향
서식지가 단편화되면 생물이 이동할 수 있는 범위가 좁아져 생존에 필요한 자원을 얻기 어렵고, 단편화된 서식지에서만 교배가 일어나 유전적 다양성이 감소한다.

외래종과 생물 다양성
외래종은 새로운 종이 도입되는 것이라 생물 다양성을 높이는 것처럼 보이지만, 고유종의 서식지를 차지하고 먹이 사슬을 변화시킴으로써 생물 다양성을 감소시킨다.

답 ❶ 유전적 ❷ 생물종 ❸ (가) ❹ 높을 ❺ 단편화 ❻ 생태 통로 ❼ 남획 ❽ 국제 협약

빈출 자료 보기

정답과 해설 84쪽

576 그림은 서로 다른 지역 (가)~(다)에 서식하는 식물 종 A~C를 나타낸 것이다. (가)~(다)의 면적은 모두 같다.

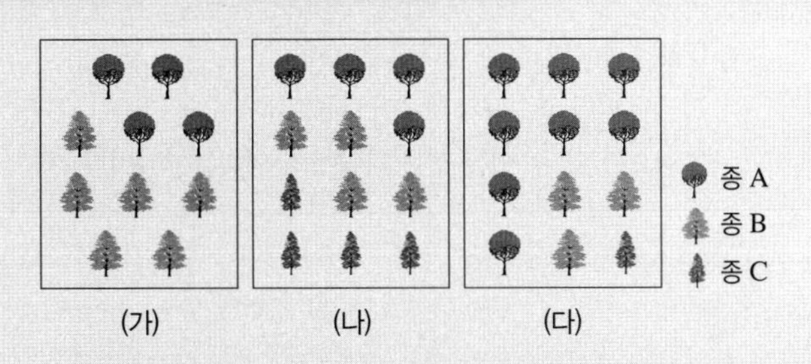

이에 대한 설명으로 옳은 것은 ○, 옳지 않은 것은 ×로 표시하시오. (단, A~C 이외의 종은 고려하지 않는다.)

(1) (가)에서 A~C는 한 개체군을 이룬다. ( )
(2) A의 밀도가 가장 큰 지역은 (다)이다. ( )
(3) A의 상대 밀도는 (가)와 (나)에서 같다. ( )
(4) 종 풍부도가 가장 높은 지역은 (가)이다. ( )
(5) 종 균등도가 가장 높은 지역은 (나)이다. ( )
(6) 식물의 종 다양성이 가장 높은 지역은 (다)이다. ( )

상 0문항
중 17문항
하 3문항

A 생물 다양성

생물 다양성의 의미

빈출
577 하 중 상 多 보기

생물 다양성에 대한 설명으로 옳은 것은?

① 종 다양성에는 동물 종과 식물 종만 포함된다.
② 종 다양성이 높을수록 먹이 사슬이 단순해져 생태계의 평형이 잘 유지된다.
③ 고양이의 털 색깔과 무늬가 다양하게 나타나는 것은 종 다양성의 예이다.
④ 종 다양성은 일정 지역에 얼마나 많은 종이 균등하게 분포하여 살고 있는가를 나타낸 것이다.
⑤ 유전적 다양성이 낮은 종은 환경이 급격히 변했을 때 멸종될 위험이 낮다.
⑥ 삼림, 초원, 사막, 습지 등이 다양하게 나타나는 것은 유전적 다양성에 해당한다.

빈출
578 하 중 상

그림은 생물 다양성의 세 가지 의미를 나타낸 것이다.

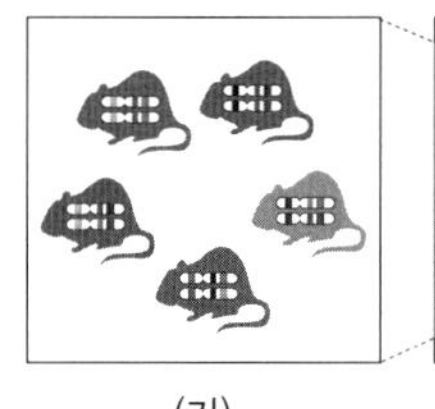
(가)

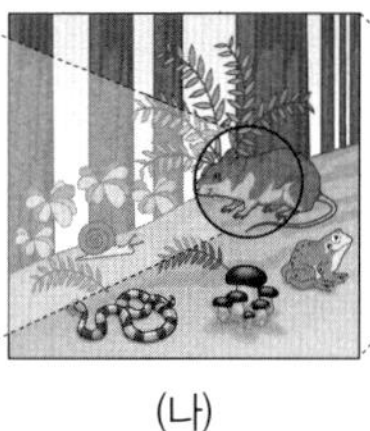
(나)

(다)

이에 대한 설명으로 옳은 것만을 〈보기〉에서 있는 대로 고른 것은?

〈 보기 〉
ㄱ. (가)가 높은 종은 급격한 환경의 변화가 발생했을 때 살아남을 확률이 높다.
ㄴ. 같은 종의 달팽이에서 껍데기의 무늬가 다양하게 나타나는 것은 (나)의 예이다.
ㄷ. (다)가 높으면 서로 다른 환경에서 다양한 종이 진화할 수 있다.

① ㄱ ② ㄷ ③ ㄱ, ㄴ
④ ㄱ, ㄷ ⑤ ㄴ, ㄷ

579 하 중 상

표는 생물 다양성의 세 가지 의미 (가)~(다)와 관련된 사례를 나타낸 것이다.

구분	사례
(가)	?
(나)	비무장지대에는 81종의 멸종 위기종과 보호종이 서식한다.
(다)	바나나 중 그로미셸 품종은 과거에 파나마병의 유행으로 인해 멸종하였다.

이에 대한 설명으로 옳은 것만을 〈보기〉에서 있는 대로 고른 것은?

〈 보기 〉
ㄱ. (가)가 높으면 (나)와 (다)도 높아진다.
ㄴ. (나)가 높을수록 생태계의 평형이 잘 유지된다.
ㄷ. 대립유전자의 종류가 적을수록 (다)가 높아진다.

① ㄱ ② ㄷ ③ ㄱ, ㄴ
④ ㄴ, ㄷ ⑤ ㄱ, ㄴ, ㄷ

580 하 중 상

표는 생물 다양성의 세 가지 의미의 특징을, 그림은 무당벌레 개체군에서 개체들의 다양한 무늬를 나타낸 것이다.

구분	특징
(가)	한 군집에서 서식하는 생물종의 다양한 정도
(나)	생물 서식지의 다양한 정도
(다)	한 생물종에서 다양한 대립유전자의 존재

이에 대한 설명으로 옳은 것만을 〈보기〉에서 있는 대로 고른 것은?

〈 보기 〉
ㄱ. (가)는 종 다양성을 나타낸 것이다.
ㄴ. 지역에 따라 강수량과 기온이 다른 것은 (나)와 관련이 깊다.
ㄷ. 그림으로 알 수 있는 생물 다양성의 의미는 (다)이다.

① ㄱ ② ㄴ ③ ㄱ, ㄷ
④ ㄴ, ㄷ ⑤ ㄱ, ㄴ, ㄷ

581 하중상

다음은 습지 A에 대한 자료이다.

> A는 강과 육지 사이에 위치하는 습지이다. ㉠ A에는 340종의 식물, 62종의 조류, 28종의 어류 등 다양한 생물종이 서식하고 있다. A는 ㉡ 지구상에 존재하는 생태계 중 하나이며, 다양한 종류의 식물과 동물로 구성되어 있어 특이한 자연 경관을 만들어낸다. 또한 인간의 의식주에 필요한 각종 자원을 제공한다.

이에 대한 설명으로 옳은 것만을 〈보기〉에서 있는 대로 고른 것은?

〈 보기 〉
ㄱ. A는 육상 생태계와 수생태계를 잇는 완충 지역이다.
ㄴ. ㉠은 종 다양성에 해당한다.
ㄷ. ㉡이 다양할수록 생물 다양성은 증가한다.

① ㄱ ② ㄴ ③ ㄷ
④ ㄱ, ㄴ ⑤ ㄱ, ㄴ, ㄷ

582 하중상

종 다양성에 대한 설명으로 옳은 것만을 〈보기〉에서 있는 대로 고른 것은?

〈 보기 〉
ㄱ. 생태계의 종류가 같으면 종 다양성도 같다.
ㄴ. 종 다양성이 높을수록 먹이 사슬이 복잡해져 생태계의 평형이 잘 유지된다.
ㄷ. 종의 수가 많고, 특정 종의 분포 비율이 다른 종에 비해 높을수록 종 다양성이 높다.

① ㄱ ② ㄴ ③ ㄱ, ㄷ
④ ㄴ, ㄷ ⑤ ㄱ, ㄴ, ㄷ

583 하중상 ••서술형

그림은 어떤 육상 생태계에서 삼림 면적에 따른 조류와 곤충의 종 수를 나타낸 것이다. 이 생태계에서 조류는 곤충의 포식자이며, ㉠과 ㉡은 각각 조류와 곤충류 중 하나이다.

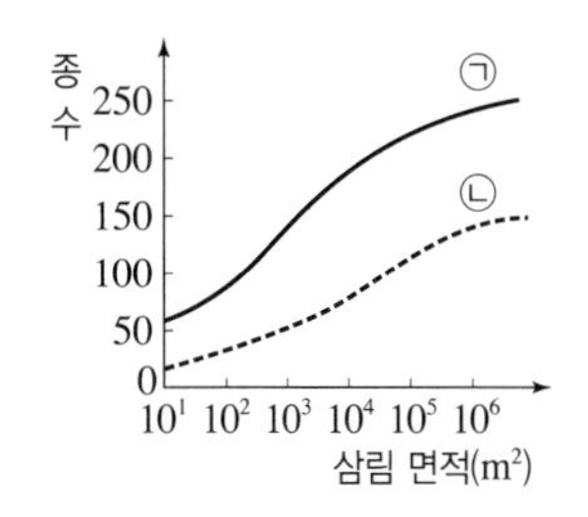

(1) ㉠과 ㉡은 각각 조류와 곤충류 중 어느 것에 해당하는지 쓰시오.

(2) 삼림 면적과 생물 다양성의 관계를 서술하시오.

584 하중상

표는 면적이 같은 서로 다른 지역 ㉠과 ㉡에 서식하고 있는 모든 식물 종 A~F의 개체 수를, 그림은 어떤 지역에 살고 있는 뒤쥐의 대립유전자 Q와 q, R와 r의 구성을 나타낸 것이다.

지역 \ 식물 종	A	B	C	D	E	F
㉠	40	30	28	33	41	25
㉡	110	28	17	0	32	0

(단위: 개)

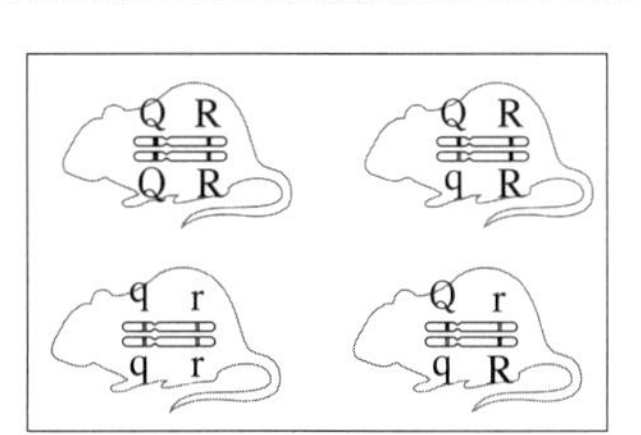

이에 대한 설명으로 옳은 것만을 〈보기〉에서 있는 대로 고른 것은? (단, A~F 이외의 종은 고려하지 않는다.)

〈 보기 〉
ㄱ. 식물의 종 다양성은 ㉠에서가 ㉡에서보다 높다.
ㄴ. 사람의 홍채의 색이 다양한 것은 그림과 같은 생물 다양성의 예이다.
ㄷ. 뒤쥐의 대립유전자 구성이 다른 것은 생물 다양성 중 종 다양성에 해당한다.

① ㄱ ② ㄷ ③ ㄱ, ㄴ
④ ㄱ, ㄷ ⑤ ㄴ, ㄷ

군집의 종 다양성

585 하 중 상

그림은 면적이 동일한 두 생태계 (가)와 (나)에 서식하는 식물 종 A ~D를 나타낸 것이다.

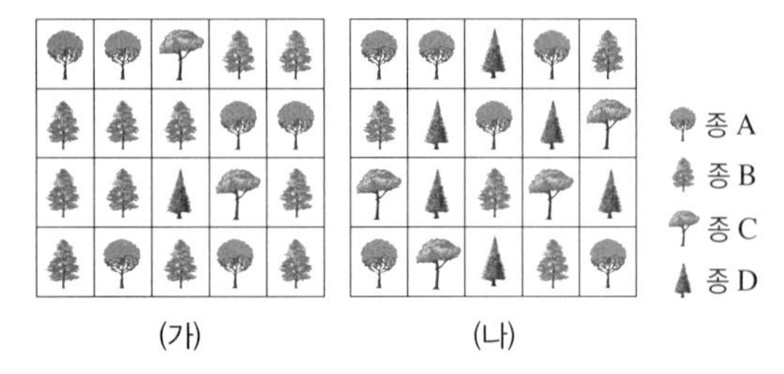

이에 대한 설명으로 옳은 것만을 〈보기〉에서 있는 대로 고른 것은? (단, A ~ D 이외의 종은 고려하지 않는다.)

〈 보기 〉

ㄱ. A의 상대 밀도는 (가)와 (나)에서 같다.
ㄴ. (가)와 (나)의 종 풍부도는 같다.
ㄷ. 종 다양성은 (가)에서가 (나)에서보다 높다.

① ㄱ ② ㄷ ③ ㄱ, ㄴ
④ ㄴ, ㄷ ⑤ ㄱ, ㄴ, ㄷ

[586~587] 그림은 서로 다른 지역 (가)~(다)에 서식하는 식물 종 A ~ C를 나타낸 것이다. (가)~(다)의 면적은 모두 같다.

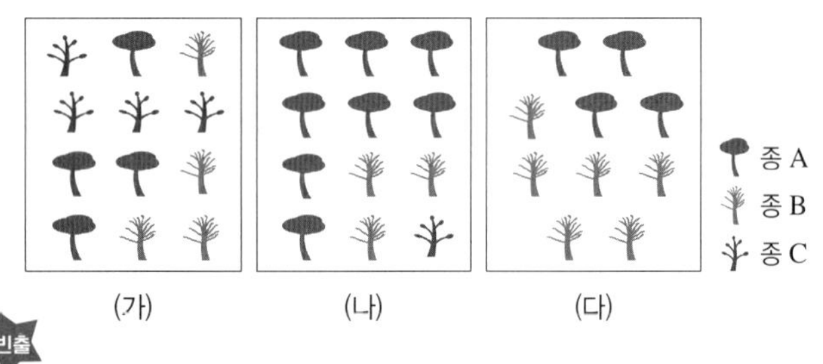

빈출 586 하 중 상

이에 대한 설명으로 옳은 것만을 〈보기〉에서 있는 대로 고른 것은? (단, A ~ C 이외의 종은 고려하지 않는다.)

〈 보기 〉

ㄱ. (가)에서 B와 C는 한 개체군을 이룬다.
ㄴ. A의 상대 밀도는 (나)에서 가장 높고, (가)에서 가장 낮다.
ㄷ. B의 개체군 밀도는 (가)에서가 (나)에서보다 낮다.

① ㄱ ② ㄴ ③ ㄷ
④ ㄱ, ㄴ ⑤ ㄴ, ㄷ

587 하 중 상 서술형

(가)~(다) 중 식물 종 다양성이 가장 높은 지역을 쓰고, 그렇게 생각한 까닭을 두 가지 요소를 들어 서술하시오.

B 생물 다양성 보전

588 하 중 상

생태계에서 생물 다양성이 감소되는 원인을 세 가지만 쓰시오.

빈출 589 하 중 상

생물 다양성을 보전하는 방법으로 옳지 않은 것은?

① 무분별한 화석 연료의 사용을 줄인다.
② 외래종의 도입으로 생물종을 다양화한다.
③ 쓰레기 배출을 줄이고 오염 정화 시설을 만든다.
④ 불법 포획이나 남획을 금지하는 법률을 제정한다.
⑤ 서식지 보전을 위해 국립 공원이나 보호 구역을 지정한다.

590 하 중 상

지속 가능한 발전을 위한 실천 방법으로 옳은 것만을 〈보기〉에서 있는 대로 고른 것은?

〈 보기 〉

ㄱ. 콘크리트로 하천 변을 직선화한다.
ㄴ. 비료와 농약을 적정량 사용하도록 노력한다.
ㄷ. 환경 보전과 경제 개발이 균형을 이룰 수 있는 정책을 수립한다.

① ㄱ ② ㄴ ③ ㄱ, ㄷ
④ ㄴ, ㄷ ⑤ ㄱ, ㄴ, ㄷ

591 하 중 상 서술형

생물 다양성을 보전하기 위한 국가적 노력을 두 가지 서술하시오.

[592~593] 그림은 어떤 서식지에 철도와 도로가 생겼을 때의 변화를 나타낸 것이다.

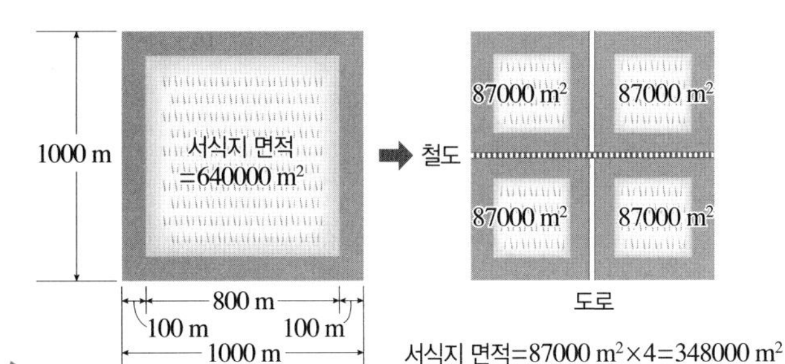

빈출

592 하중상

이에 대한 설명으로 옳은 것만을 〈보기〉에서 있는 대로 고른 것은?

〈 보기 〉

ㄱ. 이러한 변화로 인해 로드킬 발생률이 증가할 것이다.
ㄴ. 이러한 변화로 인해 종 다양성은 증가할 것이다.
ㄷ. 가장자리에 서식하던 생물종보다 중앙에 서식하던 생물종이 더 큰 영향을 받는다.

① ㄱ ② ㄷ ③ ㄱ, ㄴ
④ ㄱ, ㄷ ⑤ ㄴ, ㄷ

593 하중상

••서술형

이와 같은 상황에서 생물 다양성을 보전하기 위한 대책을 한 가지 서술하시오.

594 하중상

그림은 붉은귀거북과 꽃매미를 나타낸 것이다.

붉은귀거북

꽃매미

이에 대한 설명으로 옳은 것만을 〈보기〉에서 있는 대로 고른 것은?

〈 보기 〉

ㄱ. 생태계를 교란시킨다.
ㄴ. 먹이 사슬에 변화를 일으켜 생물 다양성을 증가시킨다.
ㄷ. 본래 살고 있던 지역을 벗어나 다른 지역으로 옮겨 서식하게 된 종이다.

① ㄱ ② ㄴ ③ ㄱ, ㄷ
④ ㄴ, ㄷ ⑤ ㄱ, ㄴ, ㄷ

595 하중상

다음은 뉴트리아에 대한 자료이다.

> 외국에서 무분별하게 들여온 생물들이 토종 생태계를 교란하고 있다. 이 중 1990년대 초식용 및 모피용으로 남미에서 들여온 ㉠ 뉴트리아는 낙동강 일대에서 ㉡ 개체 수가 빠른 속도로 증가하고 있는 것으로 나타났다. 뉴트리아는 저수지 등에 살면서 물풀은 물론 물고기의 씨알까지 닥치는 대로 먹어 치워 기존에 서식하던 토종 생물의 일부는 자취를 감춰버리는 등 생물 다양성을 (㉢)시키고 있다.

이에 대한 설명으로 옳은 것만을 〈보기〉에서 있는 대로 고른 것은?

〈 보기 〉

ㄱ. ㉠은 먹이 사슬에 변화를 일으킨다.
ㄴ. ㉡의 원인으로는 '천적 없음'을 들 수 있다.
ㄷ. ㉢은 '증가'이다.

① ㄱ ② ㄴ ③ ㄷ
④ ㄱ, ㄴ ⑤ ㄴ, ㄷ

596 하중상

그림은 도로 건설에 따른 서식지 면적의 변화를, (나)는 서식지 면적 감소에 따라 줄어드는 종의 비율을 나타낸 것이다.

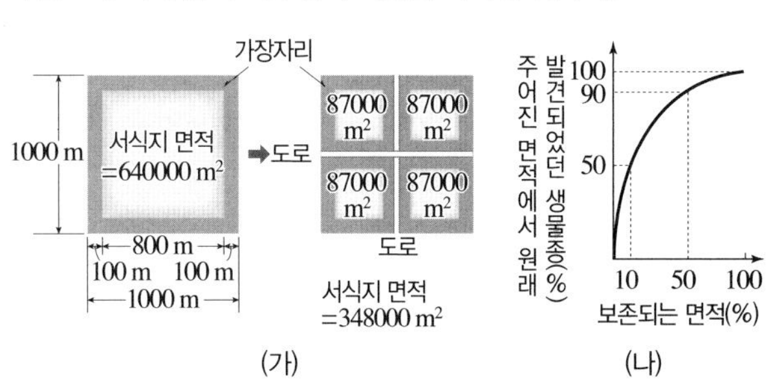

이에 대한 설명으로 옳은 것만을 〈보기〉에서 있는 대로 고른 것은?

〈 보기 〉

ㄱ. (가)에서 도로 건설 후 $\frac{\text{가장자리 면적}}{\text{내부 면적}}$이 증가했다.
ㄴ. (나)에서 서식지 면적이 50 % 감소하면 그 지역에 살던 생물종의 수도 50 % 감소한다.
ㄷ. 생물 다양성을 높이기 위해서는 서식지를 잘게 분리하는 것이 좋다.

① ㄱ ② ㄷ ③ ㄱ, ㄴ
④ ㄱ, ㄷ ⑤ ㄴ, ㄷ

597

그림은 어떤 안정된 생태계에서 일어나는 에너지의 흐름을 나타낸 것이다. (가)~(다)는 이 생태계의 생물 요소이며, 에너지양은 상댓값으로 나타낸 것이다.

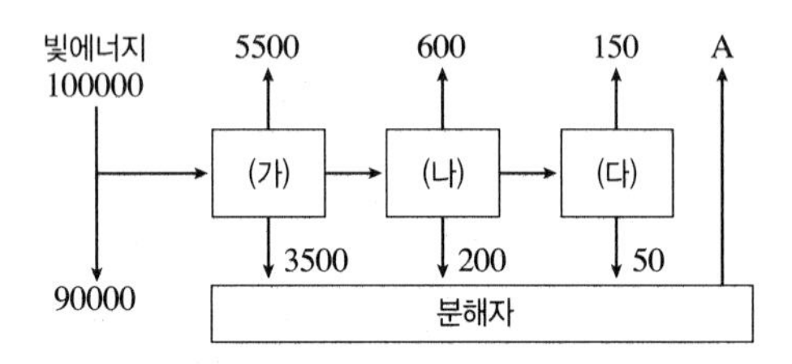

이에 대한 설명으로 옳은 것만을 〈보기〉에서 있는 대로 고른 것은?

〈 보기 〉

ㄱ. 생산자의 $\frac{\text{순생산량}}{\text{총생산량}}$은 $\frac{1}{2}$보다 작다.

ㄴ. 에너지 효율은 (다)가 (나)의 2배이다.

ㄷ. A는 3750이다.

① ㄱ　② ㄷ　③ ㄱ, ㄴ　④ ㄴ, ㄷ　⑤ ㄱ, ㄴ, ㄷ

598

그림 (가)는 어떤 생태계에서 일어나는 질소 순환 과정의 일부를, (나)는 이 생태계에서 식물 군집의 시간에 따른 유기물량을 나타낸 것이다. Ⅰ과 Ⅱ는 각각 생산자와 소비자 중 하나이고, ㉠~㉢은 각각 생장량, 순생산량, 총생산량 중 하나이다.

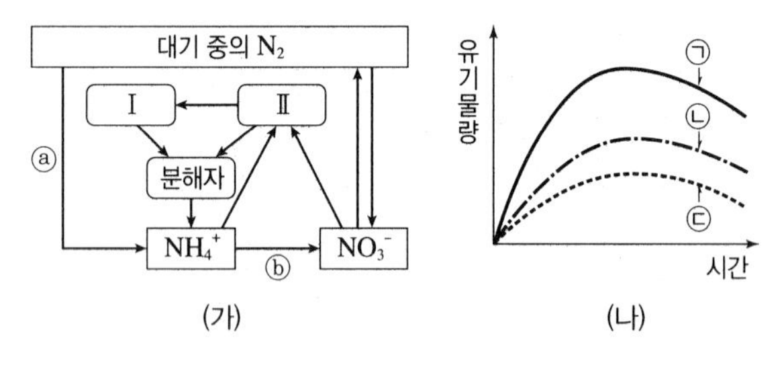

이에 대한 설명으로 옳은 것만을 〈보기〉에서 있는 대로 고른 것은?

〈 보기 〉

ㄱ. 아조토박터는 과정 ⓐ에 관여한다.

ㄴ. 과정 ⓑ는 탈질산화 작용을 나타낸다.

ㄷ. ㉡－㉢은 Ⅱ에서 Ⅰ로 전달되는 유기물량과 같다.

① ㄱ　② ㄴ　③ ㄷ　④ ㄱ, ㄴ　⑤ ㄴ, ㄷ

599

그림은 어떤 종의 개체군 크기에 따른 유전자 변이의 수를 나타낸 것이다.

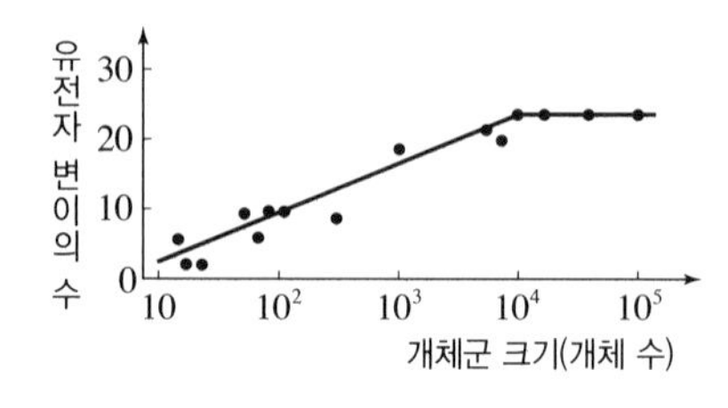

이에 대한 설명으로 옳은 것만을 〈보기〉에서 있는 대로 고른 것은?

〈 보기 〉

ㄱ. 생물 다양성 중 종 다양성에 해당한다.

ㄴ. 개체군의 크기가 감소하면 개체군의 유전자 구성이 단순해진다.

ㄷ. 개체군의 크기가 10^2일 때보다 10^5일 때 환경 변화에 의해 멸종될 위험이 낮다.

① ㄱ　② ㄷ　③ ㄱ, ㄴ　④ ㄴ, ㄷ　⑤ ㄱ, ㄴ, ㄷ

600

그림은 서식지가 분할되는 과정을, 표는 분할 전 서식지에 살고 있던 생물종 A~D의 총 개체 수를 분할 전후로 구분하여 나타낸 것이다.

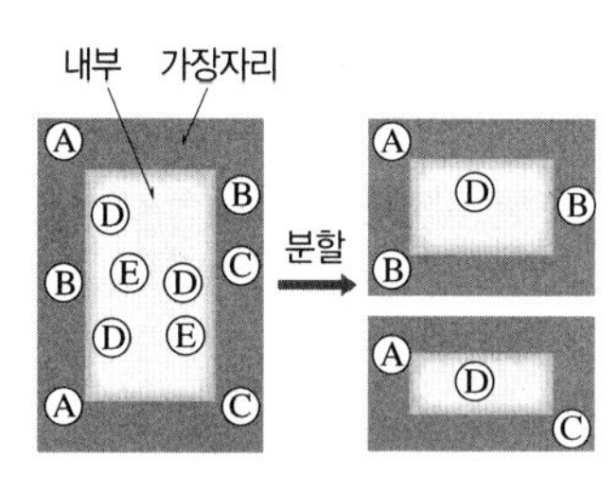

구분	전	후
A	200	200
B	200	180
C	160	120
D	80	40
E	40	0

서식지가 분할되었을 때 나타난 현상에 대한 설명으로 옳은 것만을 〈보기〉에서 있는 대로 고른 것은?(단, 제시된 생물종만 고려하며, A~E의 위치는 생물의 분포 지역을 나타낸 것이다.)

〈 보기 〉

ㄱ. 생물종의 수가 감소하였다.

ㄴ. A의 상대 밀도는 변하지 않았다.

ㄷ. 내부에 서식하는 종보다 가장자리에 서식하는 종의 개체 수가 더 많이 감소하였다.

① ㄱ　② ㄴ　③ ㄷ　④ ㄱ, ㄴ　⑤ ㄴ, ㄷ

빠른 정답 Check

01 생물의 특성

빈출 자료 보기 5쪽

1 (1) ○ (2) × (3) × (4) ○

난이도별 필수 기출 6~11쪽

2 ④ 3 ⑤ 4 ③ 5 ④ 6 ④ 7 ③ 8 ⑤ 9 항상성 10 ④ 11 ⑤ 12 ⑤ 13 ⑤ 14 ④ 15 ⑤ 16 ⑤ 17 ⑤ 18 화성 토양에는 물질대사를 하는 생명체가 존재하지 않는다. 19 ③ 20 ④ 21 세포의 구조를 갖추지 못하였다. 스스로 물질대사를 하지 못한다. 22 ① 23 ⑤ 24 ⑤ 25 ⑤ 26 ② 27 ① 28 박테리오파지는 세포 구조를 갖추지 못하였고 스스로 물질대사를 하지 못하기 때문에 대장균과 같은 숙주 세포 내에서만 물질대사를 하고 유전 물질을 복제하여 증식할 수 있기 때문이다. 29 ③ 30 ⑤ 31 ②

02 생명 과학의 특성과 탐구 방법

빈출 자료 보기 12쪽

32 (1) ○ (2) × (3) ○ (4) ○ (5) ○ (6) ×

난이도별 필수 기출 13~16쪽

33 ② 34 ① 35 ⑤ 36 ③ 37 ④ 38 ③ 39 ③ 40 (나) → (라) → (다) → (가) 41 ③ 42 ① 43 (1) 현미에는 각기병을 예방하는 물질이 들어 있을 것이다. (2) • 실험군: 집단 B • 대조군: 집단 A (3) • 조작 변인: 모이의 종류(현미, 백미) • 종속변인: 각기병의 발병 여부 44 ③ 45 ④ 46 ④ 47 (1) ㉠ 소화 효소 X+증류수, ㉡ 37 ℃ (2) • 조작 변인: 소화 효소 X의 유무 • 종속변인: 녹말의 분해 여부 48 ② 49 ①

최고수준 도전 기출 (01 ~ 02강) 17쪽

50 ⑤ 51 (1) (다)에서 실험 결과의 타당성을 높이기 위해서는 대조 실험을 해야 하는데, 실험군과 비교할 대조군이 없다. (2) 담배 연기에 노출된 적이 없는 실험군과 같은 종의 쥐 20마리를 담배 연기에 노출시키지 않은 채 한 마리씩 미로를 빠져나오게 하고 미로를 완전히 빠져나올 때까지 걸린 시간을 측정하여 평균값을 구한다. 52 ⑤ 53 ④

03 생명 활동과 에너지

빈출 자료 보기 19쪽

54 (1) ○ (2) ○ (3) × (4) ○ (5) ○ (6) × (7) ○

난이도별 필수 기출 20~25쪽

55 ⑦ 56 • 작고 간단한 물질을 크고 복잡한 물질로 합성하는 과정을 말하는데, 이때 에너지를 흡수해. • 빛에너지를 이용하여 물과 이산화 탄소를 포도당으로 합성하는 과정이므로, 동화 작용에 해당돼. 57 (가), (다) 58 ⑤ 59 ① 60 ④ 61 ⑤ 62 ③ 63 ③ 64 ③ 65 ④ 66 ⑤ 67 ② 68 ⑤ 69 ⑤ 70 ⑤ 71 ④ 72 ② 73 ② 74 ④ 75 ② 76 ① 77 ② 78 (1) 이산화 탄소(CO_2) (2) 발효관 B의 포도당 용액의 농도가 발효관 C의 포도당 용액의 농도보다 높으므로, 발효관 B에서가 C에서보다 효모의 세포 호흡과 발효가 많이 일어나 기체 발생량이 많다. 79 ③

04 에너지를 얻기 위한 기관계의 통합적 작용

빈출 자료 보기 27쪽

80 (1) ○ (2) ○ (3) ○ (4) ○ (5) ○ (6) ×

난이도별 필수 기출 28~34쪽

81 ③ 82 ④ 83 ④ 84 ③ 85 소장 내벽을 이루는 수많은 융털과 폐를 구성하는 수많은 폐포는 모두 표면적을 넓혀 물질의 흡수와 이동이 효율적으로 일어나게 한다. 86 (1) ㉠ CO_2, ㉡ O_2 (2) 폐포와 모세 혈관 사이에서 기체 ㉠과 ㉡이 교환되는 원리는 확산이다. CO_2(㉠)의 분압은 모세 혈관(혈액)에서가 폐포에서보다 높기 때문에 CO_2(㉠)는 모세 혈관에서 폐포로 확산된다. O_2(㉡)의 분압은 폐포에서가 모세 혈관(혈액)에서보다 높기 때문에 O_2(㉡)는 폐포에서 모세 혈관으로 확산된다. 87 ③ 88 ⑤ 89 ① 90 ④ 91 ⑤ 92 단위 부피당 혈액의 산소 농도는 (가)에서보다 (나)에서 높다. 이는 혈액이 폐를 거치는 동안 폐포에서 모세 혈관으로 산소가 이동하기 때문이다. 93 ④ 94 ⑥ 95 ④ 96 ⑤ 97 암모니아는 간에서 요소로 전환된 후 순환계를 통해 콩팥으로 운반되며, 콩팥에서 오줌으로 배설된다. 98 ⑤ 99 ④ 100 ③ 101 ③ 102 ⑤ 103 ④ 104 ① 105 ③ 106 ② 107 ① 108 ④ 109 ④ 110 ④ 111 ⑥ 112 ①

최고수준 도전 기출 (03 ~ 04강) 35쪽

113 ② 114 ⑤ 115 ③ 116 (1) A가 하루 동안 탄수화물, 단백질, 지방을 통해 섭취한 에너지양은 (450 g × 4 kcal) + (100 g × 4 kcal) + (㉠ g × 9 kcal) = 2650 kcal이다. 따라서 ㉠은 50 g이다. (2) A의 1일 에너지 소비량은 잠자기(1 × 60 × 8) + 식사하기(1.5 × 60 × 4) + 걷기(3.5 × 60 × 4) + 공부하기(1.5 × 60 × 5) + 줄넘기(8.5 × 60 × 1) + 휴식((1.1 × 60 × 2) = 2772 kcal이다. (3) A의 1일 평균 에너지 섭취량은 2650 kcal이고, 활동에 따른 에너지 소비량은 2772 kcal이므로, A는 에너지 섭취량보다 에너지 소비량이 많다. 따라서 이와 같은 상태가 지속되면 A는 체중이 감소하게 되며, 심하면 영양실조에 걸릴 수 있다.

05 뉴런과 흥분의 발생

빈출 자료 보기 37쪽

117 (1) ○ (2) ○ (3) × (4) ○ (5) ○ (6) × (7) ×

난이도별 필수 기출 38~43쪽

118 ④ 119 ⑤ 120 ① 121 ④ 122 (1) A: 말이집 뉴런, B: 민말이집 뉴런 (2) 흥분 전도 속도는 A가 B보다 빠르다. 말이집 뉴런(A)에서는 도약 전도가 일어나지만, 민말이집 뉴런(B)에서는 도약 전도가 일어나지 않기 때문이다. 123 흥분 전도 속도는 B > C > A이다. B와 C는 A보다 축삭 지름이 크므로 흥분 전도 속도가 빠르며, B는 C와 축삭 지름은 같지만 말이집이 있으므로 도약전도가 일어나 C보다 흥분 전도 속도가 빠르다. 124 ① 125 ① 126 ③ 127 ③ 128 ① 129 (1) 세포 안은 음(−)전하, 세포 밖은 양(+)전하를 띤다. (2) 뉴런이 역치 이상의 자극을 받으면 Na^+ 통로가 열려 Na^+이 세포 밖에서 안으로 확산되어 막전위가 상승한다. 130 ④ 131 ① 132 ① 133 ③ 134 ① 135 ① 136 ② 137 ③ 138 ② 139 ⑤ 140 ④ 141 ① 142 ④ 143 (1) A 시기에는 ⓐ(Na^+)의 막 투과도가 증가하여 ㉡과 같이 Na^+이 세포 밖에서 세포 안으로 이동한다. (2) B 시기에는 ⓑ(K^+)의 막 투과도가 증가하여 ㉠과 같이 K^+이 세포 안에서 세포 밖으로 이동한다.

06 흥분의 전도와 전달 및 근수축

빈출 자료 보기 45쪽

144 (1) × (2) ○ (3) × (4) ○ (5) × (6) ×

난이도별 필수 기출 46~51쪽

145 ⑤ 146 ② 147 ② 148 ⑤ 149 ③ 150 ③ 151 ② 152 (1) B의 흥분 전도 속도는 1 cm/ms이므로, P_4까지 흥분이 전도되는 데 걸리는 시간은 6 ms이다. (나)에서 P_4의 막전위가 +30 mV가 되는 데 걸리는 시간은 2 ms이므로, t_1은 6 ms + 2 ms = 8 ms이다. (2) 자극을 주고 경과된 시간이 t_1(8 ms)일 때 P_1에서의 막전위가 −80 mV이다. (나)에서 막전위가 −80 mV가 되는 데 걸리는 시간은 3 ms이므로 흥분이 P_1까지

491 (1) $D_A : D_B = 2 : 1$ (2) 개체군의 밀도 $= \frac{\text{개체 수}}{\text{서식하는 면적}}$ 이다. 개체군 A와 B의 서식지 면적이 같으므로 이를 S라고 할 때, t_1에서 개체군 A의 밀도 $D_A = \frac{200}{S}$ 이고, t_2에서 개체군 B의 밀도 $D_B = \frac{100}{S}$ 이므로 $D_A : D_B = 2 : 1$이다. 492 ④ 493 ③ 494 ④ 495 (1) (가) 발전형, (나) 안정형, (다) 쇠퇴형 (2) ㉠ (가), ㉡ (다) 496 ⑤ 497 A: 영양염류의 양, B: 빛의 세기 498 ③ 499 겨울에는 영양염류의 양은 충분하지만, 빛의 세기가 약하고 수온이 낮기 때문에 돌말의 생장에 적합하지 않다. 500 ④ 501 ③ 502 ③ 503 ③

20 군집의 구조와 식물 군집의 천이

빈출 자료 보기 157쪽

504 (1) ○ (2) × (3) ○ (4) × (5) ○ (6) ○ (7) ×

난이도별 필수 기출 158~161쪽

505 ② 506 (가) 우점종, (나) 지표종 507 ④ 508 ⑤ 509 ⑥ 510 (1) ㉠ 42, ㉡ 29, ㉢ 24, ㉣ 42 (2) 우점종은 상대 밀도, 상대 빈도, 상대 피도를 모두 더한 값인 중요치가 가장 높은 종이다. 각 종의 중요치를 구하면 (가)에서 A는 123, B는 91, C는 86으로 A가 우점종이고, (나)에서 A는 75, B는 62, C는 163으로 C가 우점종이다. 511 ④ 512 ⑤ 513 ② 514 ② 515 ⑤ 516 ① 517 ① 518 ④ 519 ⑤ 520 ⑥ 521 ① 522 ④

21 군집 내 개체군 간의 상호작용

빈출 자료 보기 163쪽

523 (1) ○ (2) × (3) ○ (4) ○ (5) × (6) ○ (7) ×

난이도별 필수 기출 164~167쪽

524 ③ 525 ⑤ 526 피식자의 개체 수가 증가하면 포식자의 개체 수도 증가하고, 그에 따라 피식자의 개체 수가 감소하면 포식자의 개체 수가 감소하므로 주기적으로 두 종의 개체 수가 증가하고 감소하게 된다. 527 ⑤ 528 ③ 529 ④ 530 ③ 531 ⑤ 532 ⑤ 533 ② 534 ④ 535 ① 536 ① 537 사람과 기생충, 개와 벼룩, 나무와 겨우살이 등 538 ⑤ 539 ① 540 ③ 541 ⑤ 542 ⑤

최고수준 도전 기출 (18 ~ 21강) 168~169쪽

543 ④ 544 ② 545 ② 546 ③ 547 ⑤ 548 ⑤ 549 ④ 550 ⑤

22 에너지 흐름과 물질 순환

빈출 자료 보기 171쪽

551 (1) × (2) ○ (3) ○ (4) × (5) × (6) ○

난이도별 필수 기출 172~177쪽

552 ①, ② 553 ⑤ 554 ④ 555 (1) 2차 소비자(B)의 에너지양은 $16+4=20$이고, 에너지 효율은 20 %이므로 1차 소비자(A)의 에너지양은 100이다. 1차 소비자의 호흡으로 방출된 에너지양 ㉡$=100-(20+35)=45$이다. 생산자로 유입된 에너지양은 $100000-99000=1000$이므로 생산자로부터 사체·배설물의 형태로 분해자로 이동한 에너지양 ㉠$=1000-(850+100)=50$이다. (2) $\frac{100}{1000} \times 100 = 10$ % (3) 분해자의 호흡으로 방출되는 에너지양은 각 영양 단계 생물에서 사체·배설물 형태로 이동한 에너지양의 합과 같으므로 50(㉠)$+35+4=89$이다. **다른 답안** (3) 분해자의 호흡으로 방출되는 에너지양은 생산자의 에너지양에서 각 영양 단계 생물의 호흡으로 방출된 에너지양의 합을 뺀 값이므로 $1000-(850+45$(㉡)$+16)=89$이다. 556 ④ 557 ⑤ 558 (1) 안정된 생태계에서는 생산자의 에너지양이 가장 많고, 상위 영양 단계로 갈수록 에너지양이 점차 감소한다. 따라서 C가 생산자이고, A는 1차 소비자, D는 2차 소비자, B는 3차 소비자이다. (2) 3차 소비자(B)의 에너지 효율 ㉠은 $\frac{30}{150} \times 100 = 20$ %이고, 2차 소비자(D)의 에너지 효율 ㉡은 $\frac{150}{1000} \times 100 = 15$ %이다. 559 ⑤ 560 ④ 561 ③ 562 ① 563 ① 564 ④ 565 ⑤ 566 ④ 567 ③ 568 ② 569 ② 570 ⑤ 571 ③ 572 (1) 질소 동화 작용 (2) A는 대기 중의 질소가 암모늄 이온으로 전환되는 질소 고정 작용으로, 뿌리혹박테리아와 아조토박터와 같은 질소 고정 세균에 의해 일어난다. 573 ③ 574 ③ 575 1차 소비자의 개체 수가 일시적으로 감소하면 2차 소비자의 개체 수는 감소하고 생산자의 개체 수는 증가한다. 먹이가 증가하고 천적이 감소함에 따라 1차 소비자의 개체 수가 증가하면 2차 소비자의 개체 수도 증가하고 생산자의 개체 수는 감소하여 생태계의 평형이 회복된다.

23 생물 다양성

빈출 자료 보기 179쪽

576 (1) × (2) ○ (3) × (4) × (5) ○ (6) ×

난이도별 필수 기출 180~183쪽

577 ④ 578 ④ 579 ③ 580 ⑤ 581 ⑤ 582 ② 583 (1) ㉠ 곤충류, ㉡ 조류 (2) 삼림 면적이 증가할수록 조류와 곤충류의 종 다양성이 높아지므로 생물 다양성도 높아진다. 584 ③ 585 ③ 586 ② 587 (가), (가)는 3종이 서식하므로 2종만 분포하는 (다)보다 종 풍부도가 크고, A~C 각 종이 고르게 분포하므로 (나)보다 종 균등도가 높기 때문이다. 588 서식지 파괴, 서식지 단편화, 남획, 외래종 도입, 환경 오염 589 ② 590 ④ 591 국가 연구 기관을 통해 생물 다양성을 보전·관리한다. 야생 생물 보호 및 관리에 관한 법률을 제정한다. 592 ④ 593 야생 동물이 이동할 수 있는 생태 통로를 설치하여 단편화된 서식지를 연결한다. 594 ③ 595 ④ 596 ①

최고수준 도전 기출 (22 ~ 23강) 184쪽

597 ⑤ 598 ① 599 ④ 600 ①

12 염색체와 세포 주기

빈출 자료 보기 93쪽

301 (1) ○ (2) ○ (3) ○ (4) ○ (5) × (6) ×

난이도별 필수 기출 94~99쪽

302 ④ 303 ②, ⑥ 304 ④ 305 ④ 306 ③ 307 ㉠ A와 b, ㉡ a와 B, 하나의 염색체를 이루는 두 염색 분체는 DNA가 복제되어 만들어져 유전자 구성이 동일하므로 ㉠에는 A와 b, ㉡에는 a와 B가 있다. 308 ④ 309 ① 310 ③ 311 ③ 312 ③ 313 ④ 314 ⑤ 315 ③, ⑦ 316 ③ 317 ② 318 ③ 319 ⑥ 320 ③ 321 ① 322 ② 323 ③ 324 ① 325 ⑤ 326 ④ 327 ②

13 생식세포 형성과 유전적 다양성

빈출 자료 보기 101쪽

328 (1) × (2) ○ (3) ○ (4) ○ (5) × (6) ○

난이도별 필수 기출 102~109쪽

329 ⑤ 330 ② 331 ① 332 ⑤ 333 ④ 334 ②, ③ 335 ② 336 ⑤ 337 ③ 338 ⑤ 339 ① 340 ① 341 ④ 342 ③ 343 ③ 344 ① 345 (1) (가) 체세포 분열, (나) 감수 1분열, (다) 감수 2분열 (2) (가)에서 딸세포의 염색체 수는 $2n=4$로 A와 같고, DNA 상대량은 A의 반으로 줄어든다. (나)에서 딸세포의 염색체 수는 $n=2$로 B의 반으로 줄어들고, DNA 상대량도 B의 반으로 줄어든다. (다)에서 딸세포의 염색체 수는 $n=2$로 C와 같고, DNA 상대량은 C의 반으로 줄어든다. 346 ③ 347 ② 348 ② 349 ③ 350 ⑤ 351 유성 생식을 하는 생물은 생식세포를 형성하는 과정에서 감수 1분열에 상동 염색체가 무작위로 배열한 후 독립적으로 분리됨으로써 유전적으로 다양한 생식세포를 형성하고, 암수 생식세포가 무작위적으로 수정함으로써 자손의 유전적 다양성이 증가한다. 352 ① 353 $\frac{1}{2}$ 354 ABD, ABd, AbD, Abd, aBD, aBd, abD, abd 355 ② 356 ④ 357 ③ 358 ③ 359 ⑤ 360 ① 361 ② 362 ③

14 세포의 염색체 구성

빈출 자료 보기 110쪽

363 (1) ○ (2) ○ (3) × (4) × (5) ○ (6) ○

난이도별 필수 기출 111~113쪽

364 ⑤ 365 ② 366 ③ 367 ④ 368 ⑤ 369 ② 370 ④ 371 ① 372 ④ 373 ④ 374 ① 375 ③

최고수준 도전 기출 (12~14강) 114~115쪽

376 ② 377 ④ 378 ② 379 ③ 380 ④ 381 ⑤

15 상염색체 유전과 성염색체 유전

빈출 자료 보기 118쪽

382 (1) × (2) × (3) × (4) ○ (5) ○ (6) ○ (7) ○ (8) ×

난이도별 필수 기출 119~129쪽

383 ④ 384 ④ 385 ④ 386 (1) 4명 (2) $\frac{1}{2}$ 387 ⑤ 388 ④ 389 ④ 390 ③ 391 ⑤ 392 ② 393 ④ 394 ④ 395 ② 396 ④ 397 ② 398 ①, ⑤ 399 ④ 400 (1) 우성, 부모가 A인데 정상인 자녀가 태어났으므로 A는 우성 형질이다. (2) 상염색체, 부모가 우성인데 열성인 딸이 태어났으므로 A의 유전자는 상염색체에 있다. (만일 A의 유전자가 Y 염색체에 있다면 A인 여자는 없고, X 염색체에 있다면 아버지가 우성 형질인 A일 때 딸은 반드시 A가 나타나야 하는데 그렇지 않으므로 A의 유전자는 상염색체에 있다.) 401 ④ 402 ⑤ 403 ⑤ 404 ③ 405 ④ 406 ⑤ 407 ③ 408 ⑤ 409 ③ 410 ② 411 ③ 412 (1) A, C (2) C, D 413 ① 414 ② 415 ④ 416 ① 417 ③ 418 ③ 419 ⑤ 420 ⑤ 421 ③, ⑤ 422 ④ 423 ② 424 ③, ⑤

16 다인자 유전

빈출 자료 보기 130쪽

425 (1) × (2) ○ (3) × (4) ○ (5) ○

난이도별 필수 기출 131~133쪽

426 ④ 427 ⑤ 428 ④ 429 ① 430 ③ 431 (1) 8 (2) 4 (3) $\frac{3}{8}$ 432 ④ 433 ⑤ 434 ⑤ 435 ② 436 ③ 437 ④

17 사람의 유전병

빈출 자료 보기 135쪽

438 (1) × (2) ○ (3) × (4) ○ (5) ○ (6) × (7) ○

난이도별 필수 기출 136~141쪽

439 ⑤ 440 ③ 441 ② 442 (1) (가) 감수 1분열, (나) 감수 2분열, (다) 감수 2분열 (2) ㉠ $n+1$, ㉡ n, ㉢ $n-1$ (3) 터너 증후군 443 ④ 444 ③ 445 ③ 446 ① 447 ③ 448 ② 449 ② 450 ⑤ 451 ④ 452 ③ 453 ㄴ, ㄷ 454 ㄱ, ㄷ 455 ②, ③, ⑤ 456 ③ 457 ③ 458 ① 459 ⑤ 460 (1) 터너 증후군 (2) DNA 염기 서열에 이상이 생긴 유전자 돌연변이로 나타난다. 핵형 분석으로는 알 수 없다. 461 ④ 462 ③

최고수준 도전 기출 (15~17강) 142~143쪽

463 ③ 464 ① 465 ② 466 ⑤

18 생태계

빈출 자료 보기 145쪽

467 (1) × (2) × (3) ○ (4) ○ (5) ○ (6) ×

난이도별 필수 기출 146~149쪽

468 ④ 469 ④, ⑤ 470 ② 471 ② 472 ① 473 ⑥ 474 ③ 475 ⑤ 476 ⑤ 477 ③ 478 ⓐ 빛 있음, ㉠ 개화함 479 ①, ④ 480 ① 481 ⑤ 482 ④ 483 B, 양지 식물은 음지 식물보다 보상점과 광포화점이 높은데, A의 보상점은 2000 lx이지만 B의 보상점은 4000 lx보다 높으며, A의 광포화점은 6000 lx 이하이지만 B의 광포화점은 6000 lx보다 높기 때문이다. 484 ③ 485 ④

19 개체군

빈출 자료 보기 151쪽

486 (1) ○ (2) × (3) ○ (4) × (5) ○ (6) ○

난이도별 필수 기출 152~155쪽

487 ③ 488 ④ 489 ③ 490 ⑤

도달하는 데 걸리는 시간은 8 ms−3 ms=5 ms이다. 따라서 A의 흥분 전도 속도는 0.4 cm/ms$\left(\frac{2\text{ cm}}{5\text{ ms}}\right)$이다. 153 ② 154 ③ 155 ③ 156 ② 157 ⑥ 158 ④ 159 ④ 160 ⑤ 161 ③ 162 (1) B, C (2) 골격근이 이완하면 A와 같은 단면을 갖는 부분(I대)의 길이와 B와 같은 단면을 갖는 부분(H대)의 길이는 길어지며, C와 같은 단면을 갖는 부분(마이오신 필라멘트와 액틴 필라멘트가 겹치는 부분)의 길이는 짧아진다. 163 ① 164 ④ 165 ② 166 ③ 167 ⑤ 168 (1) A대의 길이=(2×㉡의 길이)+㉢의 길이 또는 A대의 길이=X의 길이−(2×㉠의 길이) (2) ⓐ에서 ⓑ로 변할 때 X의 길이가 0.4 μm 증가하므로 H대의 길이도 0.4 μm 증가한다. (3) ⓒ일 때 ㉠의 길이는 0.7 μm이다. ㉠의 길이는 $\frac{\text{I대의 길이}}{2}$이고, ⓑ에서 ⓒ로 될 때 X의 길이는 0.4 μm 증가하므로, ㉠의 길이는 0.2 μm 증가한다. ⓑ일 때 ㉠의 길이는 0.5 μm이므로, ⓒ일 때 ㉠의 길이는 0.7 μm이다.

07 신경계

빈출 자료 보기 53쪽

169 (1) ○ (2) ○ (3) ○ (4) ○ (5) × (6) ×

난이도별 필수 기출 54~57쪽

170 ③ 171 ③ 172 ① 173 ② 174 ① 175 ⑤ 176 ③ 177 ⑤ 178 ③ 179 ③ 180 ④ 181 ③ 182 ⑤ 183 교감 신경, 교감 신경이 작용하면 동공이 확장되고 심장 박동이 촉진되며, 소화액 분비가 억제되고, 방광이 확장되면서 몸을 긴장 상태로 만든다. 184 ① 185 ⑤ 186 ① 187 ④

최고수준 도전 기출 (05~07강) 58~59쪽

188 ④ 189 ② 190 ② 191 ④ 192 ②

08 호르몬과 항상성 유지

빈출 자료 보기 61쪽

193 (1) ○ (2) × (3) ○ (4) ○ (5) ○

난이도별 필수 기출 62~65쪽

194 ① 195 ④ 196 ⑤ 197 ⑤ 198 ① 199 ③ 200 • 뇌하수체 전엽: 생장 호르몬, 갑상샘 자극 호르몬(TSH), 생식샘 자극 호르몬, 부신 겉질 자극 호르몬(ACTH) 중 한 가지 • 부신 속질: 에피네프린 • 부갑상샘: 파라토르몬 201 ⑤ 202 ② 203 ④ 204 ③ 205 ③ 206 ② 207 ③ 208 ② 209 ③ 210 ① 211 ①

09 항상성 유지의 예

빈출 자료 보기 67쪽

212 (1) × (2) ○ (3) × (4) ○ (5) ○

난이도별 필수 기출 68~72쪽

213 ③ 214 ④ 215 ⑤ 216 ② 217 ④ 218 ① 219 ⑤ 220 ④ 221 ①, ③ 222 ④ 223 ㉠, 신경에 의한 신호 전달 속도보다 호르몬에 의한 신호 전달 속도가 느린데, ㉠은 호르몬에 의해 신호가 전달되지만, ㉡과 ㉢은 모두 신경에 의해 신호가 전달되기 때문이다. 224 ④ 225 ⑤ 226 ⑤ 227 ③ 228 간뇌의 시상하부가 높아진 혈장 삼투압을 감지하여 뇌하수체 후엽을 자극하고, 뇌하수체 후엽에서 항이뇨 호르몬의 분비가 촉진된다. 항이뇨 호르몬은 콩팥에서 물의 재흡수를 촉진하므로 콩팥에서 재흡수되는 물의 양이 많아진다. 그 결과 혈장 삼투압은 낮아지고, 생성되는 오줌의 양은 감소하며, 오줌의 삼투압은 증가한다. 229 ⑤ 230 ⑤ 231 ③ 232 ⑤ 233 ① 234 ⑤

최고수준 도전 기출 (08~09강) 73쪽

235 ④ 236 ③ 237 ② 238 ①

10 질병과 인체의 방어 작용

빈출 자료 보기 75쪽

239 (1) ○ (2) ○ (3) ○ (4) × (5) × (6) ○

난이도별 필수 기출 76~81쪽

240 ④ 241 변형 프라이온 242 ④ 243 ⑤ 244 ② 245 ② 246 ⑤ 247 ④ 248 ④ 249 ⑤ 250 ③ 251 ② 252 ㉠ 라이소자임, ㉡ 세포벽 253 ②, ④ 254 ④ 255 ④ 256 손상된 피부로 세균이 침입하면 비만 세포에서 히스타민(화학 물질 A)을 분비한다. 히스타민은 모세 혈관을 확장시키고, 이로 인해 혈관벽의 투과성이 증가하여 백혈구(세포 B)와 혈장이 상처 부위로 유입된다. 상처 부위에 모인 백혈구는 식균 작용(식세포 작용)으로 세균을 제거한다. 257 항원 항체 반응의 특이성이란 항체가 자신의 항원 결합 부위와 입체 구조가 맞는 특정 항원하고만 결합하여 작용하는 것이다. 258 ⑤ 259 ⑤ 260 ④ 261 ⑤ 262 ⑤ 263 ① 264 ④ 265 ③ 266 ④ 267 ⑤

11 면역 반응과 혈액의 응집 반응

빈출 자료 보기 83쪽

268 (1) ○ (2) ○ (3) ○ (4) × (5) ○ (6) ×

난이도별 필수 기출 84~90쪽

269 ① 270 (1) 구간 Ⅰ에서는 항원 A에 대한 1차 면역 반응이 일어나 항체 생성 속도가 느리지만, 구간 Ⅱ에서는 항원 A에 대한 2차 면역 반응이 일어나 다량의 항체가 빠르게 생성되기 때문에 구간 Ⅰ보다 구간 Ⅱ에서 항체 a의 농도가 높다. (2) 구간 Ⅱ에서 항원 A에 대해서는 2차 면역 반응이 일어나 항체 a의 농도가 높지만, 항원 B에 대해서는 1차 면역 반응이 일어나 항체 b의 농도는 낮다. 271 ④ 272 ③ 273 ③ 274 ② 275 ② 276 백신이란 1차 면역 반응을 일으키기 위해 체내에 주입하는 항원을 포함하는 물질이다. 백신을 주사하면 1차 면역 반응이 일어나 주입한 항원에 대한 기억 세포가 형성되므로 동일한 항원이 재침입하였을 때 기억 세포에 의한 2차 면역 반응이 일어나 다량의 항체가 빠르게 생성되어 항원을 무력화시킴으로써 질병을 예방할 수 있다. 277 ⑤ 278 ④ 279 ② 280 ③ 281 HIV는 보조 T 림프구를 파괴하므로 HIV에 감염되면 보조 T 림프구의 수가 크게 줄어든다. 보조 T 림프구의 도움 없이는 B 림프구가 형질 세포와 기억 세포로 분화되지 못하며, 그 결과 항체를 생성하지 못하기 때문에 보조 T 림프구의 수가 크게 줄어들면 병원체에 감염되었을 때 항체 생성 속도가 현저히 느려진다. 282 ③ 283 ③ 284 ③ 285 ③ 286 ① 287 ③ 288 ③ 289 ③ 290 영희, 혈액을 주는 쪽의 응집원과 받는 쪽의 응집소 사이에 응집 반응이 일어나지 않으면 서로 다른 혈액형이라도 소량 수혈이 가능하다. 영희의 혈액형은 O형이므로 응집원 A와 B가 모두 없기 때문에 영희의 혈액을 어머니에게 소량 수혈해 줄 수 있다. 291 ① 292 ② 293 ① 294 ④ 295 ② 296 ③ 297 ①

최고수준 도전 기출 (10~11강) 91쪽

298 ④ 299 ⑤ 300 ④

15개정 교육과정

기출PICK

정답과 해설

생명과학 Ⅰ 600제

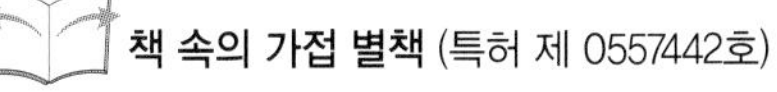

'정답과해설'은 본책에서 쉽게 분리할 수 있도록 제작되었으므로 유통 과정에서 분리될 수 있으나 파본이 아닌 정상제품입니다.

visang

우리는 남다른 상상과 혁신으로
교육 문화의 새로운 전형을 만들어
모든 이의 행복한 경험과 성장에 기여한다

기출 PICK

정답과 해설

생명과학 I

정답과 해설

생물의 특성

빈출 자료 보기 5쪽

1 (1) ○ (2) × (3) × (4) ○

1 (1) 세균의 세포벽 합성(㉠)은 생명체에 필요한 물질을 합성하는 물질대사와 관련이 깊다.
(4) ㉡은 적응과 진화에 해당하며, 갈라파고스 군도에 사는 핀치가 먹이의 종류에 따라 부리 모양이 서로 다르게 진화한 것도 적응과 진화의 예이다.
바로알기 | (2) 현재 페니실린에 죽는 세균의 비율이 크게 줄어든 것(㉡)은 페니실린과 같은 항생제를 처리하는 환경에 대한 세균의 적응과 진화의 결과이다. 따라서 ㉡은 적응과 진화와 관련이 깊다.
(3) ㉠은 물질대사에 해당하며, 사람의 체온이 일정한 범위로 유지되는 것은 항상성의 예이다.

난이도별 필수 기출 6~11쪽

2 ④	3 ⑤	4 ③	5 ④	6 ④	7 ③
8 ⑤	9 항상성	10 ④	11 ⑤	12 ⑤	13 ⑤
14 ④	15 ⑤	16 ⑤	17 ⑤	18 해설 참조	
19 ③	20 ④	21 해설 참조		22 ①	23 ⑤
24 ⑤	25 ⑤	26 ②	27 ①	28 해설 참조	
29 ③	30 ⑤	31 ②			

2 생물은 세포로 구성되어 있으며, 세포 분열을 통해 생장한다. 또한, 자극에 대해 반응하고, 항상성을 유지하며, 생식과 유전 현상을 나타낸다.
바로알기 | ④ 몸의 구조가 복잡한 것은 생물의 고유한 특성이 아니다.

3 ① 세포는 생물의 구조적·기능적 단위로, 모든 생물은 세포로 구성되어 있다.
② 생물에는 아메바와 같은 단세포 생물도 있고, 은행나무와 같은 다세포 생물도 있다.
③ 어버이의 형질이 자손에게 전달되는 현상을 유전이라 한다.
④ 진화는 오랜 시간에 걸쳐 생물이 환경 변화에 적응하면서 집단의 유전자 구성이 변화하는 것이다.
바로알기 | ⑤ 하나의 수정란으로부터 하나의 개체가 만들어지는 과정을 발생이라고 한다.

4 ㄱ. 물질대사는 생명체에서 일어나는 모든 화학 반응으로, 생물은 물질대사를 통해 몸에 필요한 물질과 에너지를 얻는다.
ㄴ. 물질대사가 일어날 때는 에너지의 흡수나 방출과 같은 에너지 출입이 수반된다.
바로알기 | ㄷ. 물질대사에는 동화 작용과 이화 작용이 있으며, 동화 작용과 이화 작용 모두 효소가 관여한다.

5 A는 개체 유지 현상인 항상성, B는 종족 유지 현상인 유전이다.
ㄴ. 체온 유지는 항상성(A)의 예이다.
ㄷ. 어머니의 적록 색맹 형질이 아들에게 전달되는 것은 유전(B)의 예이다.
바로알기 | ㄱ. 개구리의 수정란이 올챙이를 거쳐 완전한 개체인 개구리가 되는 것은 발생의 예이다.

6 ① 어린 개체가 성체로 자라는 것은 생장의 예이다.
② 식사 후 혈당량이 높아졌을 때 인슐린의 분비량이 증가하여 혈당량을 조절하는 것은 항상성의 예이다.
③ 콩이 양분을 분해하여 발아하는 것은 물질대사의 예이다.
⑤ 계절에 따라 눈신토끼의 털 색이 바뀌는 것은 적응과 진화의 예이다.
⑥ 미모사의 잎이 접촉 자극에 대해 잎이 접히는 반응을 나타내는 것은 자극에 대한 반응의 예이다.
바로알기 | ④ 장구벌레가 번데기 시기를 거쳐 완전한 개체인 모기가 되는 것은 발생의 예이다.

7 (가) 선인장의 잎이 가시로 변한 것은 건조한 환경에 대한 적응과 진화의 결과이다.
(나) 물을 많이 마시면 오줌의 양이 늘어나는 것은 체내 삼투압을 일정하게 유지하기 위한 것으로, 항상성의 예이다.
(다) 뜨거운 물체에 손이 닿으면 자신도 모르게 손을 떼는 반응이 일어나는 것은 자극에 대한 반응의 예이다.

8 조류의 발이 먹이 포획이나 서식지에서 살아가는 데 적합하게 발달한 것은 환경에 대한 적응과 진화의 결과로 설명할 수 있다.

9 하루 동안 외부 기온이 변하더라도 영희의 체온은 크게 변하지 않고 36.5 ℃ 내외로 일정하게 유지되고 있다. 이는 생물의 특성 중 항상성의 예이다.

10 ㉠ 파리지옥이 잎에 곤충이 앉는 자극에 대해 잎이 접히는 반응을 나타내는 것은 자극에 대한 반응이다.
㉡ 산과 소화액을 분비하여 곤충을 분해하는 것은 효소를 이용하여 복잡한 물질을 간단한 물질로 분해하는 이화 작용이며, 이화 작용은 물질대사의 일종이다.

11 항생제를 투여해도 죽지 않는 결핵균이 나타난 것은 항생제를 사용하는 환경에 대한 결핵균의 적응과 진화로 설명할 수 있다.
⑤ 갈라파고스 군도에 사는 핀치의 부리 모양이 섬마다 다른 것은 서식하는 섬의 먹이 환경에 대한 적응과 진화의 결과이다.
바로알기 | ①은 생장, ②는 물질대사, ③은 생식, ④는 자극에 대한 반응의 예이다.

12 어두운 곳에서 눈에 빛을 비추면 동공이 작아지는 것은 빛 자극에 대한 반응이다.
ㄷ, ㄹ. 몸 쪽으로 공이 날아오면 몸을 피하는 것과 지렁이가 빛이 없는 곳으로 이동하는 것은 모두 자극에 대한 반응의 예이다.
바로알기 | ㄱ. 동백나무가 종자를 맺는 것은 생식의 예이다.
ㄴ. 짠 음식을 많이 먹으면 물을 많이 마시는 것은 체내 삼투압을 일정하게 유지하기 위한 것으로, 항상성의 예이다.

13 서식하는 지역의 온도에 따라 여우의 몸집이나 말단 부위의 크기가 다른 것은 환경에 대한 적응과 진화의 예이다.
⑤ 가랑잎벌레가 주변 식물의 잎과 비슷한 형태와 색깔을 띠는 것은 환경에 대한 적응과 진화의 예이다.

바로알기 | ①은 자극에 대한 반응, ②와 ③은 물질대사, ④는 유전의 예이다.

14 민물고기가 체액의 삼투압을 일정하게 유지하는 것은 항상성과 관련이 깊다.
④ 체온이 일정하게 유지되도록 조절하는 것은 항상성의 예이다.
바로알기 | ①은 생장, ②는 자극에 대한 반응, ③은 발생, ⑤는 물질대사의 예이다.

15 적도에서 남극으로 갈수록 기온이 낮아지며, 서식하는 펭귄의 몸집이 커진다. 서로 다른 환경에 서식하는 펭귄이 몸의 크기나 몸무게 등이 서로 다른 특징을 나타내는 것은 환경에 대한 적응과 진화와 관련이 깊다.
⑤ 물에 서식하는 연꽃이 잎이 물에 젖지 않고 떠 있을 수 있는 독특한 구조를 가진 것은 환경에 대한 적응과 진화의 결과이다.
바로알기 | ①은 세포로 구성, ②는 유전, ③은 물질대사, ④는 생식의 예이다.

16 ㄱ. ㉠ 거미와 ㉡ 하마는 모두 생물이며, 생물은 모두 세포로 구성되어 있다.
ㄴ. (가)에서 거미가 거미줄의 진동을 감지하여 먹이에게 다가가는 것은 자극에 대한 반응이다.
ㄷ. (나)에서 하마의 콧구멍이 코 윗부분에 위치한 것은 서식 환경에 대한 적응과 진화와 관련이 깊다. 사막에 사는 선인장의 잎이 가시로 변한 것도 건조한 환경에 대한 적응과 진화의 예이다.

17 ㄱ, ㄷ. (가)는 방사성 기체($^{14}CO_2$)를 넣고 빛을 비추고 있으므로 화성 토양에 동화 작용(광합성)을 하는 생명체가 있는지를 확인하는 실험이다. 화성 토양에 광합성을 하는 생명체가 있다면 ^{14}C를 포함한 유기물이 합성되고, 방사성 기체를 제거한 후 토양을 가열하면 방사성 기체($^{14}CO_2$)가 발생하여 방사능 계측기로 검출될 것이다.
ㄴ. (나)는 ^{14}C로 표지된 영양소를 넣고 방사성 기체의 발생 여부를 확인하고 있으므로 화성 토양에 이화 작용(세포 호흡)을 하는 생명체가 있는지를 확인하는 실험이다. 세포 호흡을 하는 생명체가 있다면 ^{14}C로 표지된 영양소가 분해되어 방사성 기체($^{14}CO_2$)가 발생할 것이다.

18 (가)는 화성 토양에 동화 작용을 하는 생명체가 있는지를, (나)는 화성 토양에 이화 작용을 하는 생명체가 있는지를 확인하는 실험이다. 동화 작용과 이화 작용은 모두 물질대사에 속하며, 만약 화성 토양에 물질대사를 하는 생명체가 있다면 (가)와 (나)에서 방사성 기체가 검출될 것이다.
모범 답안 화성 토양에는 물질대사를 하는 생명체가 존재하지 않는다.

19 ㄴ. (나)는 세포 호흡을 통해 방사성 기체($^{14}CO_2$)가 발생하는지를 확인하는 장치이고, (다)는 이 과정에서 기체 교환이 일어나는지를 확인하는 장치이다. 따라서 (나)와 (다) 모두 세포 호흡을 하는 생명체의 존재를 확인하기 위한 것이다.
ㄷ. (나)에서 화성 토양에 세포 호흡을 하는 생명체가 있다면 ^{14}C로 표지된 영양소가 분해되어 방사성 기체($^{14}CO_2$)가 발생할 것이다. $^{14}CO_2$의 발생은 방사능 계측기를 통해 확인할 수 있다.
바로알기 | ㄱ. (가)는 화성 토양에 광합성을 하는 생명체가 있는지를 확인하기 위한 장치이다. 화성 토양을 가열하는 것은 광합성으로 ^{14}C를 포함한 유기물이 합성되었다면 이를 연소시키기 위함이며, 그 결과 방사성 기체($^{14}CO_2$)가 발생하는 것으로 유기물의 합성을 확인할 수 있다.
ㄹ. (가)는 동화 작용, (나)와 (다)는 이화 작용을 확인하는 것이므로 (가)~(다)는 '생물은 물질대사를 한다.'는 것을 전제로 한 실험이다.

20 ㄴ, ㄹ. (가)는 고분자 물질을 저분자 물질로 분해하며 에너지가 방출되는 이화 작용이다. (나)에서 화성 토양에 이화 작용을 하는 생명체가 있는지를 확인하려면 ^{14}C를 포함한 유기물을 용기에 넣어 주고, 방사능 계측기로 방사성 기체($^{14}CO_2$)가 발생하는지를 측정하는 방식으로 실험한다.
바로알기 | ㄱ, ㄷ. $^{14}CO_2$를 용기에 주입하고 빛을 비추는 것은 화성 토양에 광합성을 하는 생명체가 있는지를 확인하는 실험이다. 광합성은 동화 작용의 일종이다.

21 **모범 답안** 세포의 구조를 갖추지 못하였다. 스스로 물질대사를 하지 못한다.

22 ㄱ. 바이러스는 세포의 구조를 갖추지 못하였고 자체 효소가 없어 독립적으로 물질대사를 하지 못한다.
바로알기 | ㄴ. 바이러스는 살아 있는 숙주 세포 내에서만 물질대사를 하고 증식할 수 있으므로 지구상에 출현한 최초의 생명체로 볼 수 없다.
ㄷ. 바이러스는 세포 구조가 아니므로 세포 분열이 일어나지 않는다.

23 (다)에서 바이러스는 돌연변이가 일어나 적응하고 진화한다는 것을 알 수 있고, (라)에서 바이러스는 자신의 유전 물질을 복제하여 증식한다는 것을 알 수 있다. 적응과 진화, 생식은 바이러스의 생물적 특성이다.
바로알기 | (가)에서 바이러스는 세균보다 크기가 작다는 것을 알 수 있다. (나)에서 바이러스는 숙주 세포 밖에서는 단백질 결정체로 존재한다는 것을 알 수 있으며, 이는 비생물적 특성이다.

24 (가) 박테리오파지는 바이러스이고, (나) 대장균은 세균이다.
ㄱ. 바이러스(가)와 세균(나)은 모두 유전 물질인 핵산을 가진다.
ㄴ. 박테리오파지(가)는 세포 구조를 갖추지 못하여 자체 효소를 합성하지 못하므로 스스로 물질대사를 하지 못한다.
ㄷ. 박테리오파지(가)와 대장균(나) 모두 증식 과정에서 돌연변이가 일어날 수 있다.

25 짚신벌레는 단세포 생물이다.
• 짚신벌레에만 해당하는 특성 ㉠: 세포의 구조를 가진다. 세포 소기관이 있다. 스스로 물질대사를 할 수 있다. 세포 분열을 통해 증식한다.
• 짚신벌레와 독감 바이러스의 공통점 ㉡: 핵산이 있다. 단백질이 있다. 돌연변이가 일어난다.
• 독감 바이러스에만 해당하는 특성 ㉢: 숙주 세포 밖에서는 단백질 결정체로 존재한다. 숙주 세포 밖에서는 증식하지 못한다.

26 (가)에 해당하는 특성: 핵산이 있다. 단백질이 있다. 돌연변이가 일어난다.
(나)에 해당하는 특성: 세포의 구조를 가진다. 세포 소기관이 있다. 세포벽이 있다. 스스로 물질대사를 할 수 있다.
(다)에 해당하는 특성: 숙주 세포 밖에서는 단백질 결정체로 존재한다. 숙주 세포 밖에서는 증식하지 못한다.

ㄴ. 식물 세포는 스스로 물질대사를 할 수 있지만 바이러스는 독립적으로 물질대사를 할 수 없으므로 '스스로 물질대사가 가능하다.'는 (나)에 해당하는 특성이다.

바로알기 | ㄱ, ㄷ. '세포의 구조를 가지고 있다.'와 '세포벽을 가진다.'는 식물 세포에는 있고 바이러스에는 없는 특성이므로 (나)에 해당하는 특성이다.

27 A는 바이러스의 일종인 박테리오파지이고, B는 세균의 일종인 대장균이다.

ㄱ. 바이러스(A)와 세균(B)은 공통적으로 유전 물질인 핵산을 갖는다.

바로알기 | ㄴ. 박테리오파지(A)는 세포 구조를 갖추지 못하였으므로 세포 분열이 일어나지 않는다. 대장균(B)은 단세포 생물이며, 세포 분열을 통해 증식한다.

ㄷ. 바이러스(A)는 세포 소기관이 없고, 세균(B)은 리보솜과 같은 세포 소기관이 있다.

28 박테리오파지와 같은 바이러스는 세포의 구조를 갖추지 못하여 물질대사에 필요한 효소를 합성하지 못한다. 따라서 바이러스는 살아있는 세포 내에 기생하면서 숙주 세포의 물질대사 체계를 이용하여 물질대사를 하고 유전 물질을 복제하여 증식한다.

모범 답안 박테리오파지는 세포 구조를 갖추지 못하였고 스스로 물질대사를 하지 못하기 때문에 대장균과 같은 숙주 세포 내에서만 물질대사를 하고 유전 물질을 복제하여 증식할 수 있기 때문이다.

29 ㄱ. 병원체 X는 숙주인 동물 세포 안에서만 증식할 수 있고, 동물 세포 밖에서는 단백질 결정체로 존재하므로 바이러스이다.

ㄷ. 바이러스는 증식 과정에서 돌연변이가 일어나는 생물적 특성을 나타낸다.

바로알기 | ㄴ. 바이러스인 병원체 X는 스스로 물질대사를 하지 못하며 숙주 세포 밖에서는 단백질 결정체로 존재한다.

30

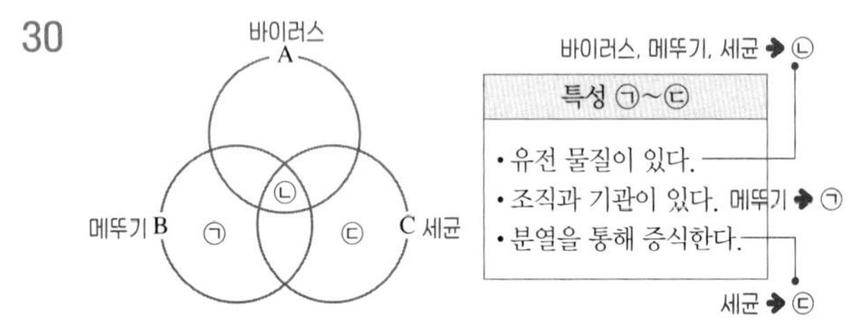

ㄴ. 바이러스, 메뚜기, 세균 중 다세포 생물인 메뚜기(B)만이 조직과 기관이 발달되어 있다. 따라서 '조직과 기관이 있다.'는 ㉠에 해당한다.

ㄷ. 바이러스는 숙주 세포 내에서 유전 물질을 복제하여 증식하고, 메뚜기는 생식세포의 수정으로 새로운 개체가 만들어진다. '분열을 통해 증식한다.'는 단세포 생물인 세균(C)에만 해당하는 특성이므로 ㉢에 해당한다.

바로알기 | ㄱ. A는 유전 물질은 있지만, 조직과 기관의 발달이 없고 분열을 통한 증식도 일어나지 않으므로 바이러스이다.

31

구분	㉠	㉡	㉢
담배 모자이크 바이러스 A	×	? ×	ⓑ ○
참새 B	ⓐ ○	○	? ○
대장균 C	○	×	○

(○: 있음, ×: 없음)

(가)

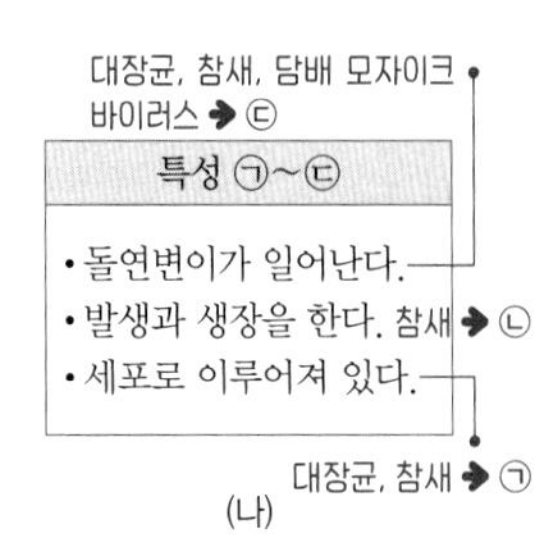

(나)

ㄷ. C는 대장균이다. 대장균은 세포 구조를 갖추고 있는 단세포 생물로, 자체 효소를 합성하여 스스로 물질대사를 할 수 있다.

바로알기 | ㄱ. B는 참새이고, 참새는 특성 ㉠~㉢을 모두 나타내므로 ⓐ는 '○'이다. A는 담배 모자이크 바이러스이며, 바이러스도 돌연변이가 일어나므로 ⓑ는 '○'이다.

ㄴ. 특성 ㉠은 참새(B)와 대장균(C)에 공통적으로 있고 바이러스(A)에는 없는 특성이므로 '세포로 이루어져 있다.'이다.

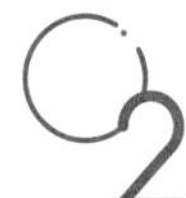

02 생명 과학의 특성과 탐구 방법

빈출 자료 보기 12쪽

32 (1) ○ (2) × (3) ○ (4) ○ (5) ○ (6) ×

32 (1) (나)에서 가설을 설정하고 (라)에서 실험으로 이를 검증하는 방식을 사용하고 있으므로 연역적 탐구 방법이다.

(3) (라)에서 실험군과 대조군에서 라이소자임의 주입 여부만을 달리하여 실험하고 있으므로 조작 변인은 라이소자임의 처리 여부이다.

(4) (다)에서 라이소자임 처리 여부를 달리한 배지에서 세균의 생존 여부를 관찰하고 있으므로 종속변인은 세균의 생존 여부이다.

(5) (라)에서 라이소자임 처리 여부를 제외하고 세균의 생장에 영향을 줄 수 있는 배지의 크기, 배양 온도 등은 실험군과 대조군에서 같게 유지해야 하는 통제 변인이다.

바로알기 | (2) (라)에서 라이소자임을 처리한 것이 실험군이고, 라이소자임을 처리하지 않은 것이 대조군이다.

(6) 이 탐구 과정은 가설 설정(나) → 탐구 설계 및 수행(라) → 탐구 결과(다) → 결론 도출(가)의 단계로 이루어진다.

난이도별 필수 기출 13~16쪽

33 ②	34 ①	35 ⑤	36 ③	37 ④	38 ③
39 ③	40 (나) → (라) → (다) → (가)			41 ③	42 ①
43 해설 참조		44 ③	45 ④	46 ④	
47 해설 참조		48 ②	49 ①		

33 B. 생명 과학에는 세포학, 발생학, 생리학, 유전학, 분류학, 생태학 등 다양한 연구 분야가 있다.

바로알기 | A. 생명 과학의 한 분야인 생태학에서는 생물을 둘러싸고 있는 비생물적 요인인 빛, 온도, 물 등이 생물에 미치는 영향을 연구한다.

C. 생명 과학은 다른 학문 분야와 연계되어 서로 영향을 주고받으며 발달한다.

34 생명 과학은 생물의 구성 물질부터 생태계에 이르기까지 생명 현상과 관련된 모든 단계가 연구 대상이며, 다른 학문과 연계되어 서로 영향을 주고받는다.

바로알기 | ① 생명 과학은 생명의 본질을 밝히고, 그 성과를 인류의 생존과 복지에 응용하는 종합적인 학문이다.

35 바로알기 | ⑤ 유전학은 생물의 유전 현상과 형질이 발현되는 원리를 밝힌다. 수정란이 개체로 발생하는 과정에서 일어나는 형태 형성을 연구하는 분야는 발생학이다.

36 (가)는 문제를 인식하고 가설을 세워 이를 실험을 통해 검증하는 연역적 탐구 방법이고, (나)는 관찰 등으로 수집한 자료를 분석하여 결론을 도출하는 귀납적 탐구 방법이다.
ㄷ. ㉠은 인식한 문제에 대한 잠정적인 답을 세우는 가설 설정 단계이다.
바로알기 | ㄱ. (가)는 연역적 탐구 방법이다.
ㄴ. 대조 실험은 연역적 탐구 방법(가)에서 수행한다. (나)와 같은 귀납적 탐구 방법은 실험으로 검증하기 어려운 경우에 사용한다.

37 ㄱ. (가)에는 오랜 시간에 걸친 관찰 결과를 통해 결론을 도출하는 귀납적 탐구 방법이 사용되었다.
ㄴ. (나)에는 가설을 설정하고, 이를 실험으로 검증하는 연역적 탐구 방법이 사용되었다. (나)에서는 실험 결과의 타당성을 높이기 위해 천으로 입구를 막은 실험군과 입구를 막지 않은 대조군을 두어 대조 실험을 실시하였다.
ㄷ. (나)의 탐구 과정에서는 가설 설정과 실험을 통한 검증이 이루어지고 있다.
바로알기 | ㄹ. (나)에서 병의 입구를 천으로 막아 실험 조건을 인위적으로 변화시킨 ㉠이 실험군이고, 병의 입구를 막지 않은 것이 대조군이다.

38 ㄱ. 관찰한 사실에 대한 의문을 갖고 지속적인 관찰을 통해 얻은 자료를 분석하여 결론을 도출하였으므로, 이 연구 과정은 귀납적 탐구 방법이다.
ㄷ. ㉡은 관찰한 자료를 통해서 얻은 결론이므로 '가젤 영양은 주변에 포식자가 나타나면 엉덩이를 치켜드는 뜀뛰기 행동을 한다.'가 적절하다.
바로알기 | ㄴ. ㉠은 대조 실험을 통해 확인된 것이 아니다.

39 ㄱ. 인식한 문제에 대한 잠정적인 답을 가설이라고 한다. 연역적 탐구 과정에서 ㉠은 가설 설정 단계이다.
ㄴ. ㉡은 가설을 검증하기 위한 탐구 설계 및 수행의 단계이다. 탐구를 설계할 때는 실험 결과의 타당성을 높이기 위해 실험군과 대조군을 설정하여 비교하는 대조 실험을 한다.
바로알기 | ㄷ. 실험 결과가 가설과 일치하지 않을 경우 가설 설정(㉠) 단계로 돌아가 가설을 다시 세운다.

40 (가)는 결론 도출, (나)는 가설 설정, (다)는 실험 결과, (라)는 탐구 설계 및 수행의 단계이다. 따라서 이 탐구 과정은 (나) → (라) → (다) → (가)의 순서로 진행된다.

41 ㄱ. 가설이 '탄저병 백신은 탄저병을 예방할 것이다.'이므로 조작 변인은 탄저병 백신 주사 여부이다. 실험군은 인위적으로 실험 조건을 변화시킨 집단이므로 탄저병 백신을 주사한 집단 A가 실험군이고, 탄저병 백신을 주사하지 않은 집단 B가 대조군이다.
ㄷ. 실험군과 대조군에서 백신 접종을 제외하고 탄저병 발병에 영향을 줄 수 있는 모든 독립변인은 같게 유지해야 한다. 이 실험의 통제 변인으로는 양의 종류, 양의 나이, 양의 건강 및 영양 상태, 탄저균 주사 여부, 사육 환경 등이 있다.
바로알기 | ㄴ. 조작 변인은 탄저병 백신 주사 여부이다. 실험 결과인 탄저병 발병 여부는 종속변인이다.

42 ㄱ. 플레밍은 푸른곰팡이가 세균의 증식을 억제하는 물질을 만들 것이라는 가설을 설정하고, 푸른곰팡이의 접종 여부를 달리한 실험군과 대조군을 두어 실험하였으므로 연역적 탐구 방법을 사용하였다.
바로알기 | ㄴ. 푸른곰팡이를 접종한 A는 실험군, 푸른곰팡이를 접종하지 않은 B는 대조군이다.
ㄷ. 실험 결과인 세균의 증식 여부가 종속변인이다. 푸른곰팡이의 접종 여부는 조작 변인이다.

43 (1) 가설이 옳을 경우 실험 결과를 통해 내린 결론이 가설과 일치한다. 따라서 가설은 (바)의 결론과 유사하게 '현미에는 각기병을 예방하는 물질이 들어 있을 것이다.'이다.
(2) 가설이 '현미에는 각기병을 예방하는 물질이 들어 있을 것이다.'이므로 먹이로 현미를 준 B가 실험군이고, 백미를 준 A가 대조군이다.
(3) 대조군(A)과 실험군(B)에서 다르게 처리한 먹이의 종류(현미, 백미)가 조작 변인이고, 실험 결과인 각기병 발병 여부가 종속변인이다.
모범 답안 (1) 현미에는 각기병을 예방하는 물질이 들어 있을 것이다.
(2) • 실험군: 집단 B
• 대조군: 집단 A
(3) • 조작 변인: 모이의 종류(현미, 백미)
• 종속변인: 각기병의 발병 여부

44 자료를 분석하면 다음과 같다.

(가) 품종, 성별, 나이, 암의 진행 정도 등이 같은 암에 걸린 흰 쥐 100마리를 준비한다.
➜ 변인 통제: 흰 쥐의 품종, 성별, 나이, 암의 진행 정도 등을 같게 한다.
(나) 인삼은 암의 억제에 효과가 있을 것이라고 가정하였다.
➜ 가설 설정
(다) 두 집단의 흰 쥐에서 인삼 성분 투여 여부에 따른 암의 크기, 암으로 인한 사망 시간을 비교한다.
➜ 종속 변인: 암의 크기, 암으로 인한 사망 시간
(라) 암에 걸린 100마리의 흰 쥐 중 50마리는 인삼 성분을 투여하지 않고, 50마리는 인삼 성분을 투여하여 암의 진행 상태를 관찰한다.
➜ 인삼 성분을 투여한 집단이 실험군, 인삼 성분을 투여하지 않은 집단이 대조군이다.

ㄴ. (라)에서 흰 쥐를 50마리씩 두 집단으로 나누어 인삼 성분 투여 여부만 달리하였으므로 조작 변인은 인삼 성분 투여 여부이다.
ㄷ. (가)에서 흰 쥐의 품종, 성별, 나이, 암의 진행 정도는 실험군과 대조군에서 같게 유지해야 하는 통제 변인이다.
바로알기 | ㄱ. 가설이 '인삼은 암의 억제에 효과가 있을 것이다.'이므로 인삼 성분을 투여한 집단이 실험군이다.
ㄹ. (가)는 탐구 설계, (나)는 가설 설정, (다)는 실험 결과 분석, (라)는 탐구 수행 단계이다. 따라서 탐구 과정은 (나) → (가) → (라) → (다)이다.

45 ㄱ. 실험 Ⅰ은 세균을 처리하지 않고 자연 상태로 두었으므로 대조군이다.
ㄷ. 세균 X, Y에 모두 감염되었을 때 식물의 생장이 촉진되었으므로 가설이 옳은 것으로 판정되었다. 따라서 결론 ㉠은 가설과 비슷한 '세균 X와 Y는 함께 있을 때 식물의 생장을 촉진시킨다.'가 된다.

바로알기 | ㄴ. 실험 결과인 식물 생장 변화는 종속변인이다.

46 빛 색깔이 식물의 광합성에 미치는 영향을 알아보기 위해서는 빛 색깔은 다르고 식물 부분과 온도는 같게 유지한 B와 D를 비교해야 한다.

바로알기 | A와 B를 비교하면 온도가 광합성에 미치는 영향을 알아볼 수 있고, B와 C를 비교하면 식물 부분에 따른 광합성량의 차이를 알아볼 수 있다.

47 (1) 가설이 '소화 효소 X는 녹말을 분해할 것이다.'이므로 조작 변인은 소화 효소 X의 처리 여부이다. 증류수만을 첨가한 시험관 Ⅰ은 대조군이고, 시험관 Ⅱ는 실험군이므로 시험관 Ⅱ에 소화 효소 X(㉠)와 증류수를 첨가한다. 온도는 통제 변인으로 실험군과 대조군에서 같아야 하므로 ㉡은 37 ℃이다.

(2) 조작 변인은 소화 효소 X의 유무이고, 종속변인은 실험 결과인 녹말의 분해 여부이다.

모범 답안 (1) ㉠ 소화 효소 X+증류수, ㉡ 37 ℃

(2) • 조작 변인: 소화 효소 X의 유무

• 종속변인: 녹말의 분해 여부

48 자료를 분석하면 다음과 같다.

[실험 과정] 같은 종의 쥐 30마리로 이루어진 집단 A~C에 장티푸스균을 각기 다른 기간 동안 공기 중에 방치한 후 주입하였다. (→ 조작 변인)

[결과] (=방치 기간)

집단	주입 시기	결과
A	즉시	모두 병에 걸리고, 26마리가 죽음
B	3일 후	모두 병에 걸리고, 15마리가 죽음
C	3주 후	모두 가벼운 병에 걸렸다가 금방 회복됨 (→ 백신으로 이용 가능)

② 공기 중에 3주 이상 방치한 장티푸스균을 쥐에 주사하면 모두 가벼운 병에 걸렸다가 회복되므로 공기 중에 방치된 장티푸스균은 백신으로 이용될 수 있다.

바로알기 | ① 쥐의 면역성이 장티푸스균의 독성에 비례한다면 방치 기간에 상관없이 쥐가 병에 걸리지 않아야 한다.

③ 장티푸스균이 공기 중에 방치된 기간이 길어지면 쥐가 심한 병에 걸리지 않으므로 공기 중에 방치된 기간이 길수록 장티푸스균의 독성이 약해진다고 추론할 수 있다.

④ 주입 시기가 빠르면 공기 중에 방치하는 기간이 짧아 장티푸스균의 독성이 강하기 때문에 쥐의 생존율이 낮게 나타난다.

⑤ 공기 중에 방치된 장티푸스균은 독성은 약하지만 쥐의 체내에서 항체를 생성하게 하여 면역력을 갖게 한다.

49

• 효소액을 넣은 A는 실험군이고, 증류수를 넣은 B는 대조군이다.

• 온도는 A와 B에서 효소의 작용에 영향을 주지 않도록 같게 처리한다.

시험관	넣은 물질	온도	30분 후 검출 반응
실험군 A	달걀 흰자 희석액 5 mL +효소액 3 mL	5 ℃	단백질 검출 반응
대조군 B	달걀 흰자 희석액 5 mL +증류수 3 mL	5 ℃	단백질 검출 반응

ㄱ. 온도는 실험군과 대조군에서 같게 통제되어야 하며, 효소의 작용에 영향을 주지 않아야 한다. 따라서 시험관 A와 B 모두 효소가 잘 작용할 수 있는 체온과 비슷한 온도로 유지해야 한다.

바로알기 | ㄴ. pH도 통제 변인이므로 시험관 A와 B 모두 pH 8로 유지해야 한다. 따라서 시험관 A와 B에 모두 염기성 물질을 소량 첨가한다.

ㄷ. 달걀 흰자 희석액도 통제 변인으로 시험관 A와 B 모두 같은 양을 넣어야 하므로 제시된 실험 설계에서 넣는 물질을 바꿀 필요는 없다.

최고 수준 도전 기출 (01~02강)

17쪽

50 ⑤ 51 해설 참조 52 ⑤ 53 ④

50 ㄴ. 세균 여과기는 세균보다 크기가 작은 물질만을 여과시킨다. 담배 모자이크병에 걸린 담뱃잎의 즙을 세균 여과기에 거른 여과액에서 TMV를 추출하였으므로 TMV는 세균보다 크기가 작다는 것을 알 수 있다.

ㄷ. TMV를 인공 배지에 넣으면 아무런 변화가 없지만, 건강한 담뱃잎에 발라 주면 증식하여 담배 모자이크병이 나타나므로 TMV는 살아 있는 세포 내에서만 물질대사를 하여 증식한다는 것을 알 수 있다.

바로알기 | ㄱ. 제시된 실험만으로는 TMV가 돌연변이를 일으키는지를 판단하기 어렵다.

51 (가)는 문제 인식, (나)는 가설 설정, (다)는 탐구 수행, (라)는 결론 도출 단계이다.

가설은 옳을 수도 있고 그를 수도 있으므로 실험을 통해 가설이 옳은지를 검증한다. 탐구 설계를 할 때는 실험 결과의 타당성을 높이기 위해 대조 실험을 해야 하는데, (다)에서는 담배 연기에 노출시킨 쥐만을 이용하여 실험하고 있다. 즉, 실험 조건인 담배 연기를 인위적으로 처리한 실험군은 있지만 담배 연기에 노출시키지 않은 대조군이 없다. 따라서 담배 연기에 노출시키지 않은 쥐를 이용한 실험을 하여 실험군과 대조군에서 미로를 빠져나오는 데 걸린 시간을 비교한다.

모범 답안 (1) (다)에서 실험 결과의 타당성을 높이기 위해서는 대조 실험을 해야 하는데, 실험군과 비교할 대조군이 없다.

(2) 담배 연기에 노출된 적이 없는 실험군과 같은 종의 쥐 20마리를 담배 연기에 노출시키지 않은 채 한 마리씩 미로를 빠져나오게 하고 미로를 완전히 빠져나올 때까지 걸린 시간을 측정하여 평균값을 구한다.

52 계절에 따라 눈신토끼의 털 색이 바뀌는 것은 서식 환경에 대한 적응과 진화와 관련이 깊다.

⑤ 뱀이 큰 먹이를 삼킬 수 있는 몸 구조를 가진 것은 먹이 환경에 대한 적응과 진화로 설명할 수 있다.

바로알기 | ①, ②, ③ 암모니아가 요소로 전환, 포도당의 분해, 지방의 분해는 모두 생명체 내에서 일어나는 화학 변화, 즉 물질대사이다.

④ 수정란이 세포 분열을 하여 세포의 종류와 기능이 다양해지면서 완전한 개체가 되는 과정은 발생이다.

53 ㄴ. (나)는 관찰된 현상에 대해 의문을 갖는 문제 인식 단계이다.

ㄷ. 눈신토끼의 등 쪽 털을 제거한 후 얼음을 넣은 주머니와 실온의 물을 넣은 주머니를 고정시키고 어떤 색깔의 털이 새로 나는지를 관찰하고 있으므로 가설 ㉡은 온도에 따라 털 색이 달라질 것이라는 내용을 포함해야 한다. 따라서 '눈신토끼의 피부에서 감각하는 온도가 다르면 다른 색의 털이 자랄 것이다.'는 ㉡에 들어갈 가설로 적절하다.

바로알기 | ㄱ. 주머니의 재질은 통제 변인으로, 눈신토끼 A와 B에서 같은 재질의 주머니를 사용하였다.

생명 활동과 에너지

빈출 자료 보기 19쪽

54 (1) ○ (2) ○ (3) × (4) ○ (5) ○ (6) × (7) ○

54 (1) 세포 호흡에서 포도당은 O_2에 의해 산화되어 CO_2와 H_2O로 최종 분해된다. 따라서 ㉠은 O_2, ㉡은 CO_2이다.
(2) 세포 호흡(가)은 주로 미토콘드리아에서 일어나며, 일부 과정은 세포질에서 진행된다.
(4) 미토콘드리아에서 세포 호흡이 일어나면 ATP가 합성되는 과정(ⓑ)이 일어난다.
(5) ADP가 무기 인산과 결합하여 ATP가 합성되는 과정(ⓑ)에서는 에너지가 흡수된다.
(7) 근육 운동과 같은 생명 활동을 할 때 ATP가 ADP와 무기 인산으로 분해되는 과정(ⓐ)을 통해 방출된 에너지가 이용된다.
바로알기 | (3) 세포 호흡 과정에서 방출된 에너지의 일부가 ATP에 저장되고, 나머지는 열에너지로 방출된다. 따라서 세포 호흡(가)에서 방출된 에너지의 일부만 ADP가 ATP로 되는 과정(ⓑ)에 사용된다.
(6) ⓐ 과정을 통해 ATP가 ADP와 무기 인산으로 분해된다.

난이도별 필수 기출 20~25쪽

55 ⑦	56 해설 참조		57 (가), (다)		58 ⑤
59 ①	60 ④	61 ⑤	62 ③	63 ③	64 ③
65 ④	66 ⑤	67 ②	68 ⑤	69 ⑤	70 ⑤
71 ④	72 ②	73 ②	74 ④	75 ②	76 ①
77 ②	78 해설 참조		79 ③		

55 ①, ② 물질대사는 생명체에서 일어나는 화학 반응으로, 생체 촉매인 효소가 관여한다.
③, ④, ⑥ 물질대사는 물질을 합성하는 동화 작용과 물질을 분해하는 이화 작용으로 구분된다.
⑤ 물질대사가 일어날 때는 반드시 에너지의 출입(흡수 또는 방출)이 일어난다.
바로알기 | ⑦ 생명 활동에 필요한 에너지를 얻는 과정은 세포 호흡이며, 세포 호흡은 이화 작용에 해당한다.

56 모범 답안 • 작고 간단한 물질을 크고 복잡한 물질로 합성하는 과정을 말하는데, 이때 에너지를 흡수해.
• 빛에너지를 이용하여 물과 이산화 탄소를 포도당으로 합성하는 과정이므로, 동화 작용에 해당돼.

57 (가), (다) 세포 호흡과 지방의 소화는 크고 복잡한 물질을 작고 간단한 물질로 분해하는 과정인 이화 작용에 해당한다.
바로알기 | (나) DNA를 합성하는 과정은 작고 간단한 물질을 크고 복잡한 물질로 합성하는 과정인 동화 작용에 해당한다.

58 ㄱ. Ⅰ은 고분자 물질인 녹말이 저분자 물질인 포도당으로 분해되는 과정이므로 이화 작용이다.
ㄴ. Ⅱ는 저분자 물질인 아미노산이 결합하여 고분자 물질인 단백질이 합성되는 과정이므로 동화 작용이며, 동화 작용이 일어날 때는 에너지가 흡수된다.
ㄷ. 녹말이 포도당으로 분해되는 과정(Ⅰ)은 소화계에서 일어난다.

59 ㄱ. A는 포도당으로부터 글리코젠이 합성되는 과정이므로 동화 작용이고, B는 에탄올이 이산화 탄소와 물로 분해되는 과정이므로 이화 작용이다.
바로알기 | ㄴ. A 과정은 동화 작용이므로 에너지가 흡수되는 흡열 반응이다.
ㄷ. B 과정은 이화 작용이며, 동화 작용과 이화 작용 모두 효소가 관여한다.

60 ① (가)는 작고 간단한 물질을 크고 복잡한 물질로 합성하는 동화 작용이다. (나)는 크고 복잡한 물질을 작고 간단한 물질로 분해하는 이화 작용이다.
② (가)는 동화 작용이므로 에너지가 흡수되고, (나)는 이화 작용이므로 에너지가 방출된다. 따라서 (가)는 흡열 반응, (나)는 발열 반응이다.
③ 동화 작용(가)과 이화 작용(나)은 모두 생명체에서 일어나는 물질대사이므로, 생체 촉매인 효소가 관여한다.
⑤ 단백질 합성과 광합성은 모두 동화 작용이므로, (가)에 해당된다.
바로알기 | ④ 이화 작용(나)에서는 에너지가 방출되므로 반응물보다 생성물이 가진 에너지양이 더 적다.

61 ① (가)는 포도당이 산소와 반응하여 이산화 탄소와 물로 분해되는 과정인 세포 호흡이다.
② (나)는 빛에너지를 이용하여 물과 이산화 탄소로부터 포도당을 합성하는 과정인 광합성이다. 광합성은 식물의 엽록체에서 일어난다.
③ 세포 호흡(가)과 광합성(나)은 모두 물질대사이므로, 효소가 이용된다.
④ 세포 호흡(가)은 주로 미토콘드리아에서, 광합성(나)은 엽록체에서 일어난다. 식물 세포에는 미토콘드리아와 엽록체가 모두 있으므로 세포 호흡(가)과 광합성(나)이 모두 일어난다.
바로알기 | ⑤ 세포 호흡(가)에서 방출된 에너지 중 일부만 ATP에 저장되고, 나머지는 열에너지로 방출된다.

62 ㄱ. (가)는 반응물이 생성물로 되는 과정에서 에너지가 흡수되는 흡열 반응이다. 흡열 반응은 동화 작용에서 일어난다.
ㄷ. (가)는 물질을 합성하는 과정인 동화 작용에서 나타난다.
바로알기 | ㄴ. (나)는 반응물이 생성물로 되는 과정에서 에너지가 방출되는 발열 반응이다. 발열 반응은 이화 작용에서 일어난다.

63 ㄱ. (가)에서 반응물이 가진 에너지양이 생성물이 가진 에너지양보다 많은 것은 반응이 일어날 때 에너지가 방출되기 때문이다. 따라서 (가)는 발열 반응이 일어날 때의 에너지 변화이다.
ㄷ. 녹말이 포도당으로 분해되는 반응은 이화 작용이며, 이화 작용에서는 에너지가 방출되는 발열 반응이 일어나므로 (가)와 같은 에너지 변화가 나타난다.
바로알기 | ㄴ. (가)는 이화 작용에서의 에너지 변화, (나)는 동화 작용에서의 에너지 변화이다. 광합성은 동화 작용, 세포 호흡은 이화 작용이므로, (가)의 예로 세포 호흡, (나)의 예로 광합성이 있다.

64 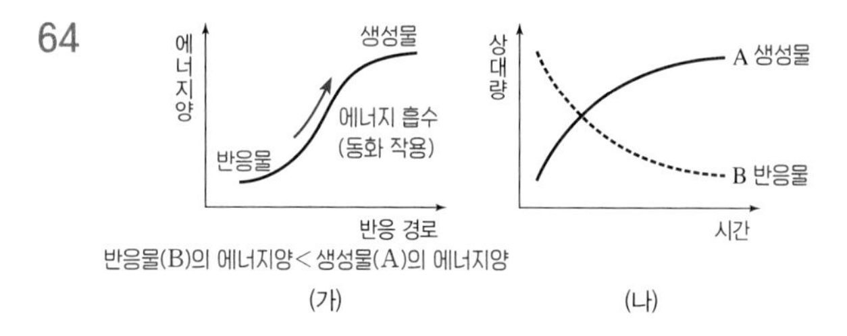

ㄱ. (가)에서 물질대사 ㉠이 일어날 때 에너지가 흡수되므로, ㉠은 흡열 반응이 일어나는 동화 작용이다. 동화 작용(㉠)이 일어나면 생성물은 증가하고, 반응물은 감소한다. 따라서 A는 생성물, B는 반응물이다.

ㄴ. 동화 작용(㉠)의 반응 경로에서 에너지가 흡수되는 흡열 반응이 일어난다.

바로알기 | ㄷ. (가)에서 생성물(A)의 에너지양은 반응물(B)의 에너지양보다 많다.

65 포도당이 산소와 반응하여 이산화 탄소와 물로 분해되고 이 과정에서 에너지가 방출되므로, 세포 호흡이다.

① 세포 호흡은 이화 작용이므로 발열 반응이다.

② 세포 호흡은 주로 미토콘드리아에서 일어나며 일부 과정은 세포질에서 일어난다.

③ 세포 호흡은 세포 내에서 포도당과 같은 영양소를 분해하여 생명 활동에 필요한 에너지를 얻는 과정으로, 우리 몸은 세포 호흡을 통해 에너지를 얻는다.

⑤ 세포 호흡에서 방출된 에너지의 일부는 ATP에 화학 에너지로 저장되고, 나머지는 열에너지로 방출된다.

바로알기 | ④ 세포 호흡에서 방출된 에너지의 일부는 ATP에 저장되고, 나머지는 열에너지로 방출된다.

66 ㄱ. 세포 호흡에서는 산소가 이용되고, 이산화 탄소가 방출된다. 따라서 ⓐ는 산소, ⓑ는 이산화 탄소이다.

ㄴ. 세포 호흡이 일어나는 세포 소기관은 미토콘드리아이며, 미토콘드리아는 동물 세포와 식물 세포에 모두 존재한다.

ㄷ. 포도당이 세포 호흡으로 분해되어 방출된 에너지의 일부는 ATP에 저장되며, ATP에 저장된 에너지는 체온 유지, 근육 운동, 정신 활동 등 여러 생명 활동에 이용된다.

67 ㄴ. 세포 호흡은 물질대사이므로, 이 과정에는 효소가 필요하다.

바로알기 | ㄱ. 포도당이 세포 호흡에 의해 분해되면 이산화 탄소와 물이 생성된다. 따라서 ㉠은 이산화 탄소(CO_2)이다.

ㄷ. 세포 호흡에서 방출된 에너지의 일부만 ATP에 화학 에너지로 저장된다.

68 (가)는 포도당이 단계적으로 분해되어 에너지가 여러 단계에 걸쳐 방출되므로 세포 호흡이고, (나)는 포도당이 한 번에 분해되어 에너지가 한꺼번에 방출되므로 연소이다.

① 세포 호흡(가)은 주로 미토콘드리아에서 일어나고, 일부 과정은 세포질에서 일어난다.

② 세포 호흡(가)과 연소(나)에서 모두 포도당이 산화되므로, 모두 산소가 필요하다.

③ 세포 호흡(가)에는 효소가 관여하므로 연소(나)보다 낮은 온도에서 반응이 일어난다.

④ 포도당이 세포 호흡 또는 연소에 의해 완전 분해되면 이산화 탄소와 물이 생성된다. 따라서 세포 호흡(가)과 연소(나) 모두 최종 산물은 물과 이산화 탄소이다.

바로알기 | ⑤ 같은 양의 포도당이 분해될 때 (가)와 (나)에서 방출되는 에너지양은 같다. 이때 세포 호흡에서 방출된 에너지의 일부가 ATP에 저장되므로, 세포 호흡을 통해 ATP에 저장되는 에너지양은 연소를 통해 방출되는 에너지양보다 적다.

69

(가) 아데닌 ATP Ⓟ-Ⓟ-Ⓟ 리보스

ATP 분해 ㉠ ↓↑ ㉡ ATP 합성

(나) 아데닌 Ⓟ-Ⓟ+Ⓟ ADP 무기 인산 리보스

ㄱ. (가)는 아데닌과 리보스, 3개의 인산기가 결합한 화합물이므로 ATP이고, (나)는 ADP이다.

ㄷ. ㉡ 과정은 ADP가 무기 인산(P_i)과 결합하여 ATP로 합성되는 과정이다. 이 과정에서 에너지가 흡수되며, 흡수된 에너지는 ATP에 저장된다.

ㄹ. ㉠ 과정에서 ATP가 ADP와 무기 인산(P_i)으로 분해될 때 에너지가 방출된다. 따라서 1분자당 저장된 에너지양은 ATP(가)가 ADP(나)보다 많다.

바로알기 | ㄴ. 세포 호흡에서 방출된 에너지의 일부는 ATP 합성에 이용된다. 따라서 세포 호흡 결과 ATP(가)가 생성된다.

70 ㄱ. ㉠은 아데닌과 리보스가 결합한 화합물로, 아데노신이다.

ㄴ. 근육 운동에는 ATP가 ADP와 무기 인산(P_i)으로 분해되는 과정 (가)에서 방출된 에너지가 이용된다.

ㄷ. 세포 호흡에서 방출된 에너지의 일부는 ADP가 무기 인산(P_i)과 결합하여 ATP로 합성되는 과정(나)에서 흡수되어 ATP에 저장된다.

71 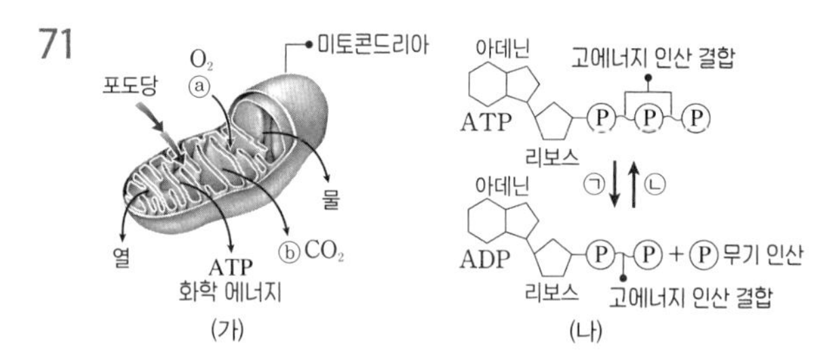

(가)에서 세포 소기관 X는 세포 호흡이 일어나는 장소이므로 미토콘드리아이다. (나)에서 ㉠은 ATP가 ADP와 무기 인산(P_i)으로 분해되는 과정이고, ㉡은 ADP가 무기 인산(P_i)과 결합하여 ATP로 합성되는 과정이다.

ㄱ. 세포 호흡 과정에서 포도당은 산소와 반응하여 이산화 탄소와 물로 분해된다. 따라서 ⓐ는 O_2, ⓑ는 CO_2이다.

ㄷ. 고에너지 인산 결합이란 인산기와 인산기 사이의 결합이다. 고에너지 인산 결합의 수는 ATP에서 2개, ADP에서 1개이므로, ATP가 합성되는 ㉡ 과정에서 고에너지 인산 결합의 수가 많아진다.

바로알기 | ㄴ. 미토콘드리아(X)에서 세포 호흡이 일어날 때 ATP가 합성되므로, ㉡ 과정이 촉진된다.

72 ㄱ. ㉠은 빛에너지를 이용하여 포도당을 합성하므로 광합성이고, ㉡은 포도당을 이산화 탄소와 물로 분해하므로 세포 호흡이다.

광합성(㉠)은 동화 작용, 세포 호흡(㉡)은 이화 작용이다.

ㄷ. ⓑ 과정은 ATP가 ADP와 무기 인산(P_i)으로 분해되는 과정으로, 인산 결합이 끊어지면서 ATP에 저장된 에너지가 방출된다.

바로알기 | ㄴ. 세포 호흡(㉡)에서 방출된 에너지의 일부만 ADP가 무기 인산(P_i)과 결합하여 ATP로 합성되는 과정(ⓐ)에 사용된다.

ㄹ. 인산기와 인산기 사이의 결합 수는 ATP에서 2개, ADP에서 1개이다. 따라서 $\frac{\text{ATP의 인산기와 인산기 사이의 결합 수}}{\text{ADP의 인산기와 인산기 사이의 결합 수}}=2$이다.

73 ① 세포 호흡 과정에서 포도당은 산소와 반응하여 물과 이산화 탄소로 분해되며, 이 과정에서 ATP가 합성된다.

③ ATP에 저장된 화학 에너지는 다양한 형태의 에너지로 전환되어 물질 합성, 근육 운동, 정신 활동, 체온 유지 등의 생명 활동에 사용된다.

④ ADP와 무기 인산(P_i)이 결합하여 ATP가 합성된다.

⑤ ATP가 ADP와 무기 인산(P_i)으로 분해되면서 에너지가 방출되며, 이 에너지는 생명 활동에 사용된다.

바로알기 | ② 세포 호흡에서 방출되는 에너지의 일부가 ATP에 화학 에너지로 저장되고, 나머지는 열에너지로 방출된다.

74 ㄱ. (나)는 ATP가 ADP와 무기 인산(P_i)으로 분해되는 과정으로, 이때 에너지가 방출된다.

ㄴ. 포도당의 세포 호흡 결과 생성된 최종 분해 산물은 물과 이산화 탄소이다. 따라서 ㉠은 이산화 탄소이며, 이산화 탄소는 호흡계에 속한 폐를 통해 몸 밖으로 배출된다.

바로알기 | ㄷ. 이산화 탄소(㉠)는 폐포의 모세 혈관에서 폐포로 확산되며, 이산화 탄소의 확산에는 에너지가 사용되지 않는다.

75

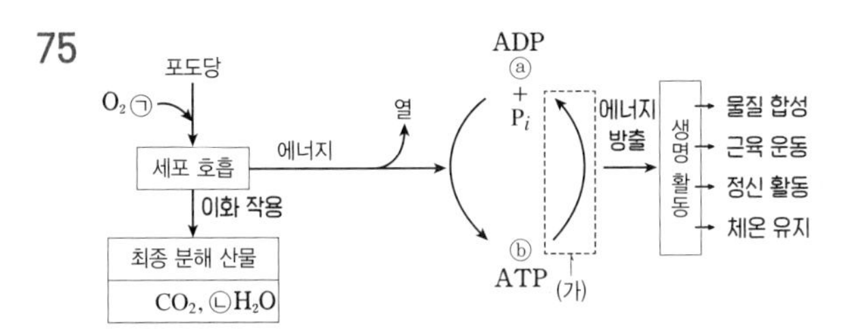

① 세포 호흡에서 포도당은 산소와 반응하여 이산화 탄소와 물로 분해되므로, ㉠은 O_2, ㉡은 H_2O이다.

③ (가)는 ATP가 ADP와 무기 인산(P_i)으로 분해되면서 에너지가 방출되는 과정이므로, 이화 작용이다.

④ 세포 호흡에서 방출된 에너지를 이용하여 ADP와 무기 인산(P_i)이 결합하여 ATP가 합성된다. 따라서 ⓐ는 ADP, ⓑ는 ATP이며, 고에너지 인산 결합의 수는 ADP(ⓐ)에서 1개, ATP(ⓑ)에서 2개이다.

⑤ 세포 호흡으로 포도당이 분해되어 방출된 에너지의 일부가 ATP(ⓑ)에 저장되고, 나머지는 열에너지로 방출된다.

바로알기 | ② ⓐ는 ADP, ⓑ는 ATP이다.

76

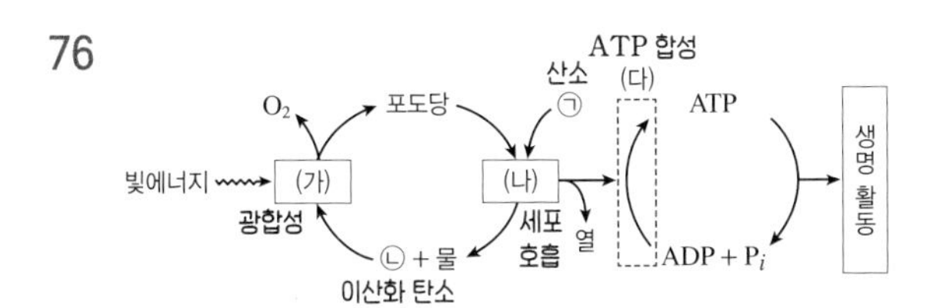

(가)는 빛에너지를 이용하여 포도당이 합성되므로 광합성이다. (나)는 포도당이 산소(㉠)와 반응하여 이산화 탄소(㉡)와 물로 분해되므로 세포 호흡이다. 세포 호흡에서 방출된 에너지의 일부는 (다)에서 ATP에 저장되며, ATP의 분해로 방출된 에너지는 여러 형태의 에너지로 전환되어 생명 활동에 이용된다.

ㄱ. 광합성(가)은 동화 작용에 해당한다.

바로알기 | ㄴ. 세포 호흡(나)에서 방출된 에너지의 일부가 (다)를 통해 ATP에 저장되고, 나머지는 열에너지로 방출된다.

ㄷ. ㉠은 산소, ㉡은 이산화 탄소이다.

77 ㄴ. 효모는 산소가 있을 때는 세포 호흡을 하여 물과 이산화 탄소를 생성하고, 산소가 없을 때는 발효를 하여 이산화 탄소와 에탄올을 생성한다. 이 실험은 효모가 물질대사의 한 종류인 발효를 통해 이산화 탄소를 발생한다는 것을 확인하기 위한 것이다. 따라서 발효관 입구를 솜으로 막는 것(㉠)은 산소가 발효관 안으로 공급되는 것을 막아, 효모가 발효를 할 수 있도록 하기 위한 것이다.

바로알기 | ㄱ. 발효관 B에는 포도당이 있으므로, 효모에 의해 포도당이 분해되는 물질대사가 활발하게 일어난다. 반면, 발효관 A에는 포도당이 없으므로 B에 비해 효모의 물질대사가 활발하게 일어나지 않는다.

ㄷ. (나) 과정에서 효모의 발효로 생성된 이산화 탄소가 맹관부에 모여 맹관부 속 수면의 높이가 낮아진다. 수산화 칼륨은 이산화 탄소를 흡수하므로 (다) 과정 결과 발효관 B의 맹관부에 모인 이산화 탄소가 없어져 맹관부 속 수면의 높이가 높아진다.

78 효모가 포도당을 이용하여 세포 호흡과 발효를 한 결과 이산화 탄소가 발생하며, 에너지원인 포도당이 많을수록 효모의 세포 호흡과 발효가 활발히 일어나 이산화 탄소 발생량이 많아진다.

모범 답안 (1) 이산화 탄소(CO_2)

(2) 발효관 B의 포도당 용액의 농도가 발효관 C의 포도당 용액의 농도보다 높으므로, 발효관 B에서가 C에서보다 효모의 세포 호흡과 발효가 많이 일어나 기체 발생량이 많다.

79 ㄱ. 효모는 당을 분해하여 에너지를 얻으며, 이 과정에서 이산화 탄소가 발생한다. 따라서 발효관에서 발생한 기체는 이산화 탄소이며, 발생한 기체(이산화 탄소)의 부피가 클수록 음료수에 포함된 당 함량이 높다는 것을 알 수 있다. (나)의 결과에서 발효관에서 발생한 기체의 부피는 $4>2>3$이므로, 음료수에 들어 있는 당 함량은 $C>A>B$이다.

ㄷ. (다)의 결과에서 발효관 2, 3, 4에 모인 기체가 사라진 것은 KOH이 이산화 탄소를 흡수하였기 때문으로, 이를 통해 발생한 기체가 이산화 탄소임을 알 수 있다.

바로알기 | ㄴ. 솜 마개를 막은 발효관 내에서 효모는 산소가 없어질 때까지 세포 호흡을 하고, 산소가 없어지면 발효를 한다. 발효와 세포 호흡은 모두 당을 분해하여 에너지를 방출하며, 이 과정에서 이산화 탄소가 발생한다. 따라서 발생한 이산화 탄소의 양이 많으면 세포 호흡과 발효가 많이 일어난 것이며, 세포 호흡과 발효는 당 함량이 높을수록 많이 일어난다. 발효관 1에는 당이 함유된 음료수가 없어 이산화 탄소가 발생하지 않았다. 따라서 발효관 1에서 효모의 발효는 거의 일어나지 않았다.

04 에너지를 얻기 위한 기관계의 통합적 작용

빈출 자료 보기 27쪽

80 (1) ○ (2) ○ (3) ○ (4) ○ (5) ○ (6) ×

80 (1) A에서 오줌이 배출되므로 A는 배설계이다. B에서 산소가 들어오고 이산화 탄소가 나가므로 B는 호흡계이다. C에서 영양소가 분해되어 흡수되므로 C는 소화계이다.
(2) 콩팥은 배설계(A)에, 기관지는 호흡계(B)에 속한다.
(3) 간에서 암모니아가 요소로 전환되며, 간은 소화계(C)에 속한다.
(4) 소화계(C)에서 영양소의 소화와 흡수가 일어난다.
(5) 순환계는 각 기관계를 연결하며 물질 운반을 담당한다. 따라서 호흡계(B)와 소화계(C)에서 흡수된 물질은 모두 순환계를 통해 조직 세포로 운반된다.
바로알기 | (6) 소화계(C)에서 흡수되지 않은 물질은 소화계(C)에 속한 항문을 통해 몸 밖으로 배출된다.

난이도별 필수 기출 28~34쪽

81 ③	82 ④	83 ④	84 ③	85 해설 참조	
86 해설 참조		87 ③	88 ⑤	89 ①	90 ④
91 ⑤	92 해설 참조		93 ④	94 ⑥	95 ④
96 ⑤	97 해설 참조		98 ⑤	99 ④	100 ③
101 ③	102 ⑤	103 ④	104 ①	105 ③	106 ②
107 ①	108 ④	109 ④	110 ④	111 ⑥	112 ①

81 A는 간, B는 위, C는 소장이다.
ㄱ. 간(A)에서 질소성 노폐물인 암모니아가 요소로 전환된다.
ㄷ. 소장(C)의 내벽에는 수많은 융털이 있어 표면적을 증가시키며, 융털의 모세 혈관과 암죽관으로 최종 소화된 영양소가 흡수된다.
바로알기 | ㄴ. 위(B)에서는 단백질의 소화가 일어나며, 소화된 영양소의 흡수는 소장(C) 내벽의 융털에서 일어난다.

82 ㄱ. 탄수화물의 한 종류인 녹말의 최종 소화 산물은 포도당이므로 A는 녹말, B는 단백질이다.
ㄴ. 음식물 속에 들어 있는 녹말은 침 속의 녹말 분해 효소(아밀레이스)에 의해 입 안에서 엿당으로 분해된다. 따라서 (가) 과정은 입에서 처음 일어난다.
ㄹ. 단백질(B)의 최종 소화 산물은 아미노산이다. 따라서 ㉠은 아미노산이며, 아미노산은 수용성 영양소이므로 소장 융털의 모세 혈관으로 흡수된다.
바로알기 | ㄷ. (나) 과정에는 위에서 분비되는 단백질 분해 효소(펩신)가 관여한다. 라이페이스는 이자액에 포함된 지방 분해 효소로, 지방을 지방산과 모노글리세리드로 분해한다.

개념 보충

영양소의 소화 과정
- 녹말: 입에서 아밀레이스에 의해 엿당으로 분해된 후 소장에서 말테이스에 의해 포도당으로 분해된다.
- 단백질: 위에서 펩신에 의해 폴리펩타이드로 분해된 후 소장에서 트립신과 펩티데이스에 의해 아미노산으로 분해된다.
- 지방: 소장에서 라이페이스에 의해 지방산과 모노글리세리드로 분해된다.

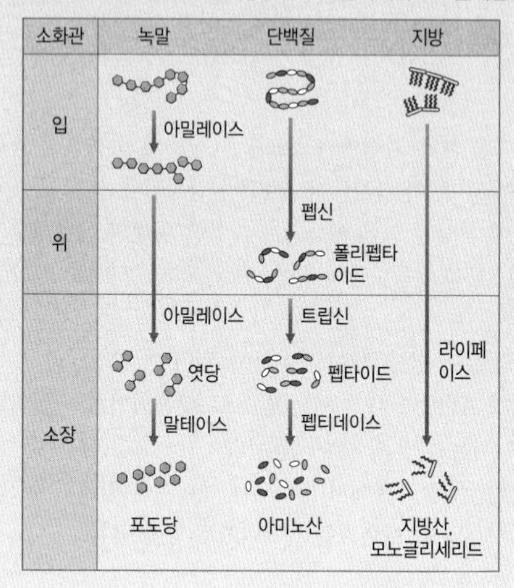

83 ㄱ. 음식물이 소화관을 지나는 동안 녹말은 포도당, 단백질은 아미노산, 지방은 지방산과 모노글리세리드로 최종 분해된다. 따라서 ㉠은 포도당, ㉡은 아미노산, ㉢은 지방산과 모노글리세리드이다.
ㄷ. (가)는 영양소의 소화 과정이므로 소화계에 속한 입, 위, 소장의 소화 기관에서 이루어진다.
바로알기 | ㄴ. 아미노산(㉡)은 수용성 영양소이므로 융털의 모세 혈관으로 흡수되고, 지방산과 모노글리세리드(㉢)는 지용성 영양소이므로 융털의 암죽관으로 흡수된다.

84

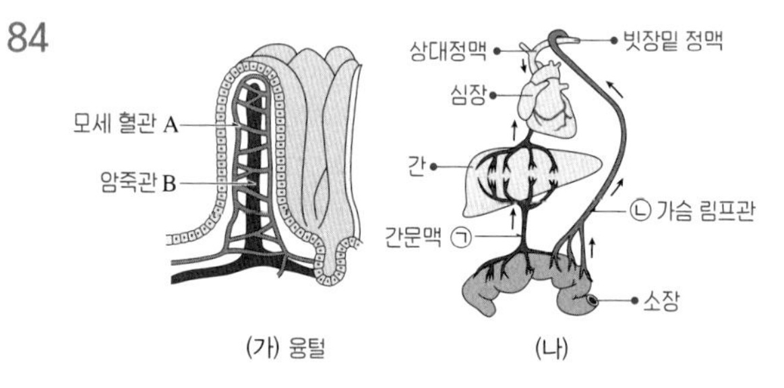

(가) 융털 (나)

수용성 영양소(포도당, 아미노산, 무기염류, 수용성 비타민)는 소장 융털의 모세 혈관(A)으로 흡수된 후 간문맥 → 간 → 간정맥 → 하대정맥 → 심장 → 온몸으로 이동한다.
지용성 영양소(지방산, 모노글리세리드, 지용성 비타민)는 소장 융털의 암죽관(B)으로 흡수된 후 림프관 → 가슴 림프관 → 빗장밑 정맥 → 상대정맥 → 심장 → 온몸으로 이동한다.
ㄱ. 포도당과 아미노산은 소장 융털의 모세 혈관(A)으로 흡수된다.
ㄷ. 지방의 최종 소화 산물인 지방산은 지용성 영양소이므로, 암죽관(B)으로 흡수되며, 흡수된 지방산은 순환계를 통해 온몸의 조직 세포로 운반된다.
바로알기 | ㄴ. (나)에서 ㉠은 소장과 간을 연결하는 혈관인 간문맥이고, ㉡은 소장과 빗장밑 정맥을 연결하는 가슴 림프관이다. 소장 융털의 모세 혈관(A)을 통해 흡수된 수용성 영양소는 간문맥(㉠)을 통해 간을 거쳐 심장으로 운반된다. 소장 융털의 암죽관(B)을 통해 흡수된 지용성 영양소가 가슴 림프관(㉡)을 통해 심장으로 이동한다.

85 소장 내벽의 융털은 영양소의 흡수를, 폐를 이루는 폐포는 기체 교환을 담당한다. 소장은 수많은 융털로 되어 있어 표면적이 넓어 영양소의 흡수를 효율적으로 할 수 있으며, 폐는 수많은 폐포로 되어 있어 표면적이 넓어 기체 교환을 효율적으로 할 수 있다.

모범 답안 소장 내벽을 이루는 수많은 융털과 폐를 구성하는 수많은 폐포는 모두 표면적을 넓혀 물질의 흡수와 이동이 효율적으로 일어나게 한다.

86 모세 혈관(혈액)에서 폐포로 이동하는 기체 ㉠은 CO_2, 폐포에서 모세 혈관(혈액)으로 이동하는 기체 ㉡은 O_2이다. 폐포와 모세 혈관 사이에서의 기체 교환은 확산에 의해 일어난다.

모범 답안 (1) ㉠ CO_2, ㉡ O_2
(2) 폐포와 모세 혈관 사이에서 기체 ㉠과 ㉡이 교환되는 원리는 확산이다. CO_2(㉠)의 분압은 모세 혈관(혈액)에서가 폐포에서보다 높기 때문에 CO_2(㉠)는 모세 혈관에서 폐포로 확산된다. O_2(㉡)의 분압은 폐포에서가 모세 혈관(혈액)에서보다 높기 때문에 O_2(㉡)는 폐포에서 모세 혈관으로 확산된다.

87

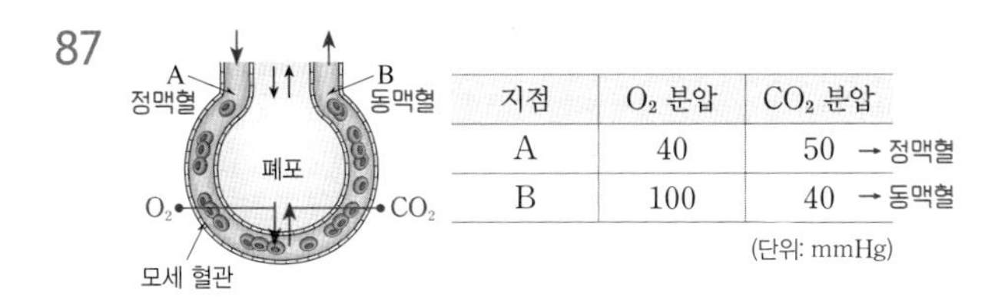

지점	O_2 분압	CO_2 분압
A	40	50 → 정맥혈
B	100	40 → 동맥혈

(단위: mmHg)

ㄷ. O_2 분압은 A 지점에서보다 B 지점에서 높다. 이는 혈액이 A에서 B 방향으로 흐르는 동안 O_2가 폐포에서 모세 혈관(혈액)으로 확산되었기 때문이다. 따라서 혈액은 A에서 B 방향으로 흐른다.

바로알기 | ㄱ. A 지점을 흐르는 혈액의 O_2 분압은 낮고 CO_2 분압은 높으므로 A에는 산소 함량이 적은 정맥혈이 흐른다. B 지점을 흐르는 혈액의 O_2 분압은 높고 CO_2 분압은 낮으므로 B에는 산소 함량이 많은 동맥혈이 흐른다.

ㄴ. O_2는 폐포에서 모세 혈관으로 확산된 후 순환계를 통해 온몸의 조직 세포로 운반된다.

88 ㄱ. ㉠은 폐포에서 모세 혈관으로, 모세 혈관에서 조직 세포로 이동하므로 산소이다. ㉡은 조직 세포에서 모세 혈관으로, 모세 혈관에서 폐포로 이동하므로 이산화 탄소이다.

ㄴ. 산소(㉠)는 주로 적혈구 속의 헤모글로빈에 의해 운반된다.

ㄷ. (가)와 (나)에서 산소(㉠)와 이산화 탄소(㉡)는 모두 기체의 분압 차이에 의한 확산에 의해 이동한다.

89

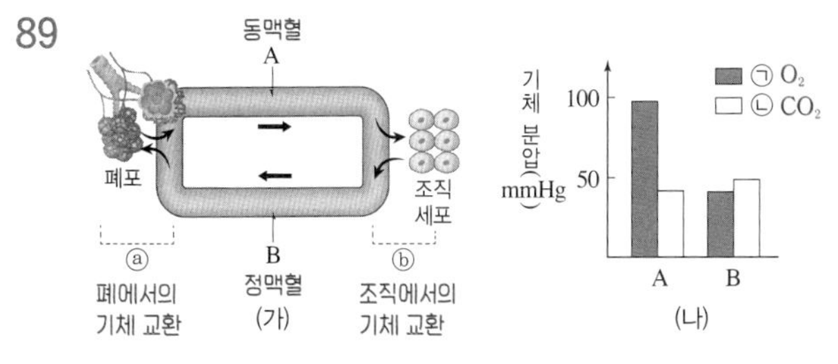

ㄱ. 혈관 A에는 폐포와 모세 혈관 사이에서의 기체 교환이 끝난 혈액이 흐르며, 폐포에서 모세 혈관으로 O_2가 이동하고, 모세 혈관에서 폐포로 CO_2가 이동한다. 혈관 B에는 조직 세포와 모세 혈관 사이에서의 기체 교환이 끝난 혈액이 흐르며, 모세 혈관에서 조직 세포로 O_2가 이동하고, 조직 세포에서 모세 혈관으로 CO_2가 이동한다. 따라서 O_2 분압은 혈관 A에서가 혈관 B에서보다 높고, CO_2 분압은 혈관 A에서보다 혈관 B에서가 높으므로, ㉠은 O_2이고, ㉡은 CO_2이다.

ㄷ. O_2 분압은 혈관 A에서가 혈관 B에서보다 높으므로, 혈액의 단위 부피당 O_2의 양은 A에서가 B에서보다 많다.

바로알기 | ㄴ. CO_2(㉡)는 조직 세포에서 세포 호흡 결과 생성된다. 조직 세포로 이동하여 세포 호흡에 사용되는 기체는 O_2(㉠)이다.

ㄹ. ⓐ와 ⓑ에서 O_2(㉠)와 CO_2(㉡)의 이동은 확산에 의해 일어나므로, ATP의 에너지가 사용되지 않는다.

90 ㄱ, ㄴ. (가)는 혈액이 온몸을 거치므로 온몸 순환이고, (나)는 폐를 거치므로 폐순환이다. 온몸 순환(가)의 경로는 좌심실 → 대동맥(A) → 온몸의 모세 혈관 → 대정맥(B) → 우심방이고, 폐순환(나)의 경로는 우심실 → 폐동맥(C) → 폐포의 모세 혈관 → 폐정맥(D) → 좌심방이다.

바로알기 | ㄷ. 대정맥(B)에는 온몸의 조직에서 기체 교환을 마친 혈액이 흐르므로, 산소 함량이 적은 정맥혈이 흐른다. 폐정맥(D)에는 폐에서 기체 교환을 마친 혈액이 흐르므로, 산소 함량이 많은 동맥혈이 흐른다.

91

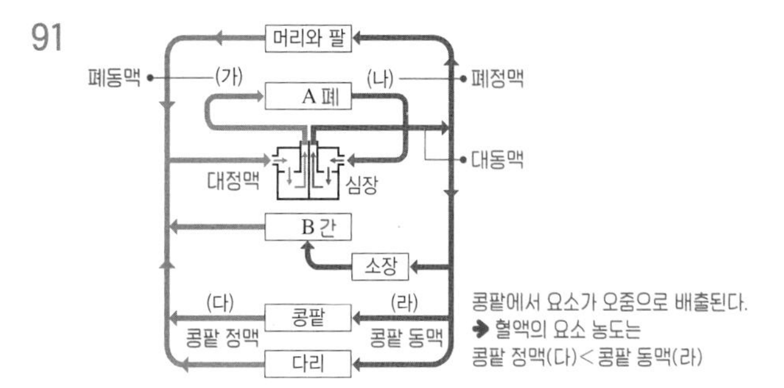

폐와 연결된 (가)는 폐동맥, (나)는 폐정맥이다. 콩팥에 연결된 (다)는 콩팥 정맥, (라)는 콩팥 동맥이다.

ㄱ. 우심실에서 나온 폐동맥과 좌심방으로 들어가는 폐정맥을 연결하는 기관은 폐이므로, A는 폐이다. 소장 융털의 모세 혈관에서 나온 혈액은 간으로 이동한 후 심장으로 이동하므로, B는 간이다.

ㄴ. 콩팥에서 혈액 속 요소가 걸러져 오줌이 만들어진다. 따라서 단위 부피당 혈액의 요소 농도는 콩팥 정맥(다)에서보다 콩팥 동맥(라)에서 더 높다.

ㄷ. 온몸을 순환한 혈액은 대정맥을 통해 심장으로 들어와 폐동맥을 통해 폐로 이동한다.

92 폐동맥(가)과 폐정맥(나)은 폐(A)와 연결되며, 혈액은 폐동맥(가) → 폐(A) → 폐정맥(나)으로 흐른다.

모범 답안 단위 부피당 혈액의 산소 농도는 (가)에서보다 (나)에서 높다. 이는 혈액이 폐를 거치는 동안 폐포에서 모세 혈관으로 산소가 이동하기 때문이다.

93 A는 폐, B는 간이다.

ㄴ. 간(B)에서 질소성 노폐물인 암모니아가 독성이 약한 요소로 전환된다.

ㄷ. 혈액이 폐(A)를 거치는 동안 폐포에서 모세 혈관으로 산소가 이동한다. 따라서 폐를 거치기 전의 혈액이 흐르는 폐동맥(㉠)에는 산소 함량이 적은 정맥혈이, 폐를 거친 혈액이 흐르는 대동맥(㉡)에는 산소 함량이 많은 동맥혈이 흐른다.

바로알기 | ㄱ. 폐(A)는 호흡계에, 심장은 순환계에 속한다. 따라서 폐(A)는 심장과 다른 기관계에 속한다.

94

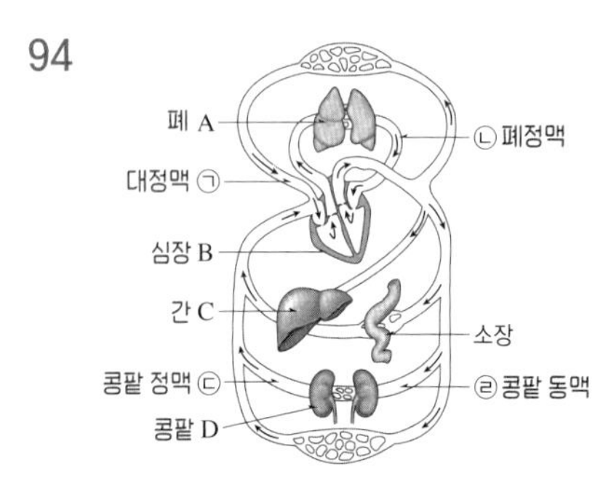

⑥ 대정맥(㉠)에는 산소가 적고 이산화 탄소가 많은 정맥혈이 흐르고, 폐정맥(㉡)에는 산소가 많고 이산화 탄소가 적은 동맥혈이 흐른다. 따라서 혈액의 단위 부피당 $\frac{O_2\text{의 양}}{CO_2\text{의 양}}$은 대정맥(㉠)에서보다 폐정맥(㉡)에서 크다.

바로알기 | ① 폐(A)는 호흡계, 심장(B)은 순환계에 속한다.
② 간(C)은 소화계, 콩팥(D)은 배설계에 속한다.
③ 간(C)에서 생성된 요소는 순환계를 통해 콩팥(D)으로 이동하여 몸 밖으로 배설된다.
④ ㉠은 온몸의 모세 혈관과 심장을 연결하며, ㉠에는 심장으로 들어가는 정맥혈이 흐른다. 따라서 ㉠은 대정맥이다.
⑤ 혈액의 단위 부피당 O_2의 양은 대정맥(㉠)에서가 폐정맥(㉡)에서보다 적다.
⑦ 콩팥(D)에서 요소가 걸러져 오줌이 만들어진다. 따라서 혈액의 단위 부피당 요소의 양은 콩팥 정맥(㉢)에서가 콩팥 동맥(㉣)에서보다 적다.

95

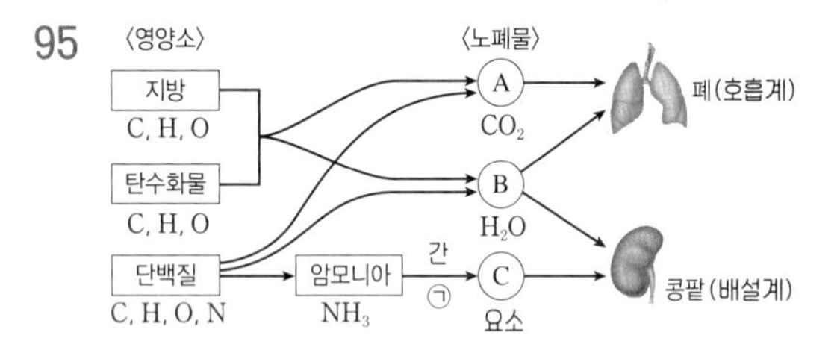

지방, 탄수화물은 모두 탄소(C), 수소(H), 산소(O)로 이루어져 있으며, 단백질은 탄소(C), 수소(H), 산소(O), 질소(N)로 이루어져 있다. 따라서 지방, 탄수화물, 단백질의 분해 과정에서 이산화 탄소, 물이 공통으로 생성되며, 단백질의 분해 과정에서 암모니아가 생성된다. 이때 생성된 암모니아는 간으로 운반되어 독성이 약한 요소로 전환된다.
ㄱ. A는 지방, 탄수화물, 단백질의 분해 과정에서 모두 생성되며, 폐를 통해 배출되므로 이산화 탄소이다.
ㄴ. B는 지방, 탄수화물, 단백질의 분해 과정에서 모두 생성되며, 폐와 콩팥을 통해 배출되므로 물이다. 폐는 호흡계에 속하므로, 물(B)은 호흡계를 통해 몸 밖으로 배출되기도 한다.
ㄷ. 질소(N)를 포함하고 있는 질소성 노폐물인 암모니아는 간에서 비교적 독성이 약한 요소로 전환된다. 따라서 C는 암모니아보다 비교적 독성이 약한 요소이다.

바로알기 | ㄹ. 단백질의 분해 과정에서 생성된 암모니아는 간으로 운반되어 요소(C)로 전환된다. 간은 소화계에 속하므로, ㉠ 과정은 주로 소화계에서 일어난다.

96

ㄱ. 단백질이 아미노산으로 분해되는 과정 (가)는 위와 소장에서 일어나며, 위와 소장은 소화계에 속하는 기관이다. 따라서 (가)는 소화계에서 일어난다.
ㄴ. ㉠은 세포 호흡에서 방출된 에너지의 일부가 저장된 ATP이다. ATP(㉠)에 저장된 에너지는 물질 합성, 정신 활동, 근육 운동 등 생명 활동에 이용된다.
ㄷ. ㉡은 단백질의 분해 과정에서 생성된 물이며, 물(㉡)은 호흡계와 배설계를 통해 배출된다.

97

단백질의 분해 과정에서 생성된 암모니아는 간으로 운반되어 독성이 비교적 약한 요소로 전환된 다음, 콩팥으로 운반되어 오줌으로 배설된다.

모범 답안 암모니아는 간에서 요소로 전환된 후 순환계를 통해 콩팥으로 운반되며, 콩팥에서 오줌으로 배설된다.

98

ㄴ. 생콩즙에 있는 효소인 유레이스는 요소를 분해하여 염기성 물질인 암모니아를 생성한다. 따라서 C에서는 생콩즙 속 효소(유레이스)의 작용으로 요소가 분해되어 암모니아가 생성되었다.
ㄷ. 요소가 포함되어 있는 용액에 생콩즙을 넣으면 생콩즙 속 유레이스가 요소를 분해하여 암모니아가 생성되므로 BTB 용액이 파란색을 띤다. 실험 결과에서 생콩즙을 넣은 비커 B와 C에서 모두 파란색을 띤 것을 통해 오줌 속에는 요소가 들어 있음을 알 수 있다.

바로알기 | ㄱ. 실험 (나)에서 비커 A에는 생콩즙 대신 증류수를 넣었으므로, 오줌 속 요소가 암모니아로 분해되지 않아 BTB 용액의 색 변화가 없다. 따라서 ㉠은 초록색이다.

99

구성 원소	물질
질소(N)	ⓐ, ⓑ
산소(O)	ⓐ, ⓒ, ⓓ
수소(H)	ⓐ, ⓑ, ⓓ

(가) ⓐ 단백질(C, H, O, N)
ⓑ 암모니아(NH_3)
ⓒ 이산화 탄소(CO_2)
ⓓ 물(H_2O)

기관계	㉠소화계	㉡배설계
기관	위	콩팥

(나)

물, 암모니아, 이산화 탄소, 단백질 중 질소(N)를 구성 원소로 갖는 것은 암모니아와 단백질이다. 암모니아와 단백질은 모두 수소(H)를 구성 원소로 갖지만, 이 중 단백질만 산소(O)를 구성 원소로 갖는다. 따라서 ⓐ는 단백질, ⓑ는 암모니아이다. 물과 이산화 탄소는 모두 산소(O)를 구성 원소로 갖지만, 이 중 물만 수소(H)를 구성 원소로 갖는다. 따라서 ⓒ는 이산화 탄소, ⓓ는 물이다.
(나)에서 위는 소화계에, 콩팥은 배설계에 속하므로, ㉠은 소화계, ㉡은 배설계이다.
ㄴ. 물(ⓓ)은 배설계(㉡)와 호흡계를 통해 몸 밖으로 배출된다.
ㄷ. 소화계(㉠)에서 단백질(ⓐ)이 아미노산으로 최종 분해된다.

바로알기 | ㄱ. ⓐ는 단백질, ⓒ는 이산화 탄소이다.

100

A는 소화계, B는 호흡계, C는 배설계이다.
ㄷ. 배설계(C)는 질소 노폐물인 요소를 오줌의 형태로 몸 밖으로 내보내는 역할을 한다.

바로알기 | ㄱ. 위와 소장은 모두 음식물 속 영양소의 소화에 관여하는 소화 기관이므로, A는 소화계이다.
ㄴ. 대장은 소화계(A)에 속한다.

101

(가)는 순환계, (나)는 배설계, (다)는 소화계, (라)는 호흡계이다.
ㄱ. 단백질의 분해 과정에서 생성된 암모니아는 간에서 요소로 전환된다. 간은 소화계(다)에 속한다.
ㄷ. 세포 호흡에 필요한 산소는 폐에서 흡수한 후 혈액을 통해 조직 세포로 운반된다. 따라서 세포 호흡에 필요한 산소는 호흡계(라)에서 흡수되어 순환계(가)로 이동한다.

바로알기 | ㄴ. 소화계(다)에서 소장을 통해 흡수되지 않은 물질은 대장을 거쳐 항문으로 배출된다. 즉, 소화계(다)에서 흡수되지 않은 물질은 소화계(다)를 통해 배출된다.

102 A는 호흡계, B는 순환계, C는 소화계이다.
ㄱ. 기관지는 호흡계(A), 심장은 순환계(B)에 속한다.
ㄴ. 영양소는 소화계(C)에서 흡수되어 순환계(B)를 통해 조직 세포로 운반된다.
ㄷ. 순환계(B)를 통해 물, 요소가 배설계로 이동하며, 배설계에 속한 콩팥에서 물과 함께 요소가 걸러져 오줌의 형태로 배설된다. 따라서 순환계(B)에서 배설계로의 이동(㉠)에는 물, 요소의 이동이 포함된다.

103 (가)는 소화계, (나)는 호흡계, (다)는 배설계이다.
ㄱ. 소화계(가)에서는 음식물 속 영양소를 분해하는 이화 작용이 일어난다.
ㄴ. (나)에서는 산소를 흡수하고 이산화 탄소를 배출하는 기체 교환이 일어나므로, (나)는 호흡계이다.
바로알기 | ㄷ. 물은 호흡계(나)를 통해 날숨으로 배출되거나 배설계(다)를 통해 오줌으로 배출되지만, 세포 호흡 결과 발생한 이산화 탄소는 호흡계(나)를 통해 배출된다.

104

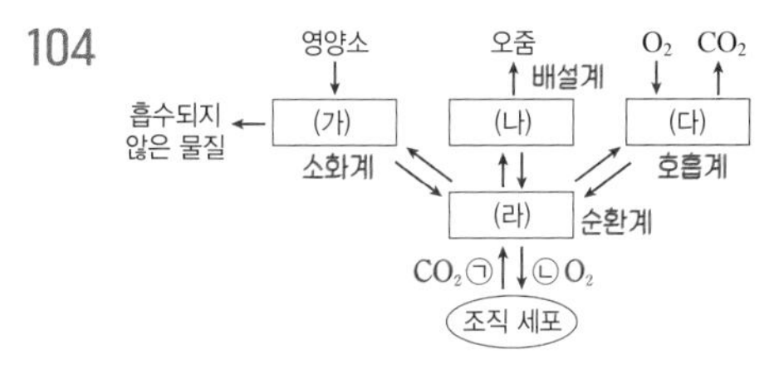

ㄱ. O_2는 조직 세포의 세포 호흡에 필요한 기체이므로 ㉡이고, CO_2는 세포 호흡 결과 생성된 기체이므로 ㉠이다.
바로알기 | ㄴ. 호흡계(다)와 순환계(라) 사이에 일어나는 기체 교환의 원리는 확산이며, 확산에는 ATP가 사용되지 않는다.
ㄷ. 세포 호흡으로 생성된 노폐물 중 이산화 탄소는 호흡계(다)를 통해 몸 밖으로 나가며, 물은 배설계(나)와 호흡계(다)를 통해 몸 밖으로 나간다.

105 A는 심장이 속한 순환계, B는 위가 속한 소화계, C는 폐가 속한 호흡계, D는 콩팥이 속한 배설계이다.
ㄱ. 소화계(B)에 속한 입, 위, 소장에는 탄수화물, 단백질, 지방을 분해하는 소화 효소들이 존재한다.
ㄴ. 호흡계(C)에서 흡수한 산소는 순환계(A)를 거쳐 조직 세포로 운반된다.
바로알기 | ㄷ. 단백질이 분해될 때 생성된 암모니아는 대부분 간(소화계)에서 요소로 전환된다.

106 ㄴ. (가)는 에너지 섭취량이 에너지 소비량보다 많은 상태이다. (가) 상태가 오래 지속되면 사용하고 남은 에너지가 주로 지방의 형태로 저장되어 비만이 될 수 있으며, 비만은 대사성 질환에 걸릴 확률을 높인다.
바로알기 | ㄱ. (가) 상태가 지속되면 사용하고 남는 에너지가 주로 지방의 형태로 저장되므로 체중이 증가한다.
ㄷ. (나)는 에너지 소비량이 에너지 섭취량보다 많은 상태이다. (나) 상태가 오래 지속되면 에너지가 부족하여 체내에 저장된 지방이나 단백질을 분해하여 에너지를 얻는다. 그 결과 체중이 감소하고 영양실조에 걸릴 수 있다.

107 ②, ③ 1일 대사량은 우리 몸이 하루 동안 소비하는 총에너지양으로, 기초 대사량과 활동 대사량, 음식물의 소화와 흡수에 필요한 에너지양을 모두 포함한다.
④ 체온 조절, 심장 박동, 혈액 순환, 호흡 운동과 같은 생명 활동을 유지하는 데 필요한 최소한의 에너지양을 기초 대사량이라고 한다.
⑤ 활동 대사량은 밥 먹기, 공부하기, 운동하기 등 다양한 신체 활동을 하는 데 필요한 에너지양이다.
바로알기 | ① 기초 대사량은 성별, 연령 등에 따라 다르다.

108 A. 아무 일도 하지 않고 가만히 누워서 쉬고 있을 때에도 체내에서는 심장 박동, 호흡 운동, 체온 조절, 혈액 순환과 같은 생명 활동을 유지하는 데 에너지를 사용하고 있다.
C. 에너지 섭취량이 에너지 소비량보다 많은 상태가 지속되면 사용하고 남은 에너지가 지방의 형태로 저장되어 비만이 될 수 있다.
바로알기 | B. 체온 조절은 생명 현상을 유지하기 위한 생명 활동이므로, 체온 조절에 필요한 에너지양은 기초 대사량에 포함된다.

109 ㄱ. ㉠에 심장 박동과 같은 생명 현상을 유지하는 데 필요한 에너지양이 포함되므로, ㉠은 기초 대사량이다.
ㄷ. ㉡은 활동 대사량으로, 운동하기, 독서하기 등의 신체 활동을 하는 데 필요한 에너지양이다.
바로알기 | ㄴ. 키가 크고 체표면적이 클수록 기초 대사량(㉠)이 많아진다.

110 ㄴ. (가)는 고지혈증이며, 고지혈증이 오래 지속되면 혈관 안쪽 벽에 지방이 쌓여 혈관이 좁아지고 딱딱하게 굳어지는 동맥 경화로 진행될 수 있다.
ㄷ. (나)는 당뇨병이며, 당뇨병은 인슐린의 분비가 부족하거나 몸의 세포가 인슐린에 적절히 반응하지 못해 발생한다.
바로알기 | ㄱ. (다)는 고혈압이다.

111 ①, ② 대사성 질환은 물질대사에 이상이 생겨 발생하는 질환으로, 유전적 요인과 생활 습관이 함께 작용하여 발생한다.
③ 대사성 질환에는 당뇨병, 고혈압, 고지혈증, 심혈관 질환, 뇌혈관 질환 등이 있다.
④ 영양 과잉이나 운동 부족으로 에너지의 불균형이 지속되면 비만이 될 수 있으며, 비만인 경우 대사성 질환이 발생할 가능성이 높다.
⑤ 대사성 질환의 예방을 위해 균형 잡힌 식사와 규칙적인 운동 등 올바른 생활 습관을 가져야 한다. 이를 통해 음식물로 섭취하는 에너지양과 활동으로 소비하는 에너지양 사이에 균형이 잘 이루어질 수 있도록 한다.
바로알기 | ⑥ 에너지 소비량보다 에너지 섭취량이 많으면 남는 영양소가 주로 지방으로 전환되어 저장되므로 비만이 될 수 있다.

112 ㄱ. 탄수화물과 단백질은 1 g당 4 kcal, 지방은 1 g당 9 kcal의 에너지를 낸다. 따라서 철수가 하루 동안 탄수화물, 단백질, 지방을 통해 섭취한 에너지양은 $(450\ \text{g} \times 4\ \text{kcal}) + (150\ \text{g} \times 4\ \text{kcal}) + (60\ \text{g} \times 9\ \text{kcal}) = 2940\ \text{kcal}$이다.
ㄴ. 영희가 하루 동안 탄수화물, 단백질, 지방을 통해 섭취한 에너지양은 $(300\ \text{g} \times 4\ \text{kcal}) + (100\ \text{g} \times 4\ \text{kcal}) + (200\ \text{g} \times 9\ \text{kcal}) = 3400\ \text{kcal}$이고, 영희가 하루 평균 소비한 에너지양은 2800 kcal이다. 따라서 영희가 하루 동안 섭취한 에너지양은 하루 평균 소비한 에너지양보다 많다.

바로알기 | ㄷ. 철수는 하루 동안 탄수화물(1800 kcal)로부터 가장 많은 에너지를 얻었지만, 영희는 탄수화물(1200 kcal)보다 지방(1800 kcal)에서 더 많은 에너지를 얻었다.

ㄹ. 에너지 섭취량이 에너지 소비량보다 많을 때 체지방이 증가하여 비만이 될 수 있으며, 비만은 대사성 질환에 걸릴 확률을 높인다. 철수는 1일 평균 섭취한 에너지양(2940 kcal)이 1일 평균 소비한 에너지양(3500 kcal)보다 적으므로, 지속되면 체중 감소와 영양실조 상태가 될 수 있다. 영희는 1일 평균 섭취한 에너지양(3400 kcal)이 1일 평균 소비한 에너지양(2800 kcal)보다 많으므로, 지속되면 비만이 될 가능성이 높다. 따라서 철수와 영희 중 대사성 질환에 걸릴 확률이 높은 사람은 영희이다.

최고 수준 도전 기출 (03 ~ 04강)

35쪽

113 ② 114 ⑤ 115 ③ 116 해설 참조

113 ㄴ. 산소 호흡과 발효는 모두 물질대사이며, 물질대사에는 효소가 이용된다.

바로알기 | ㄱ. 산소 호흡에서는 포도당이 이산화 탄소와 물로 완전 분해되지만, 발효에서는 포도당이 완전 분해되지 않고 중간 산물이 생성된다. 따라서 발효보다 세포 호흡에서 더 많은 에너지가 생성된다.

ㄷ. 산소 호흡에서는 산소가 필요하지만, 발효에서는 산소를 필요로 하지 않는다.

개념 보충

산소 호흡과 발효의 비교

- 산소 호흡: 산소가 사용되는 세포 호흡이다. 포도당이 이산화 탄소와 물로 완전히 분해되므로 많은 양의 에너지가 방출되어 다량의 ATP가 합성된다.
- 발효: 산소가 사용되지 않는다. 포도당이 불완전하게 분해되어 에탄올, 젖산 등의 중간 산물이 생성되므로 소량의 ATP가 합성된다.

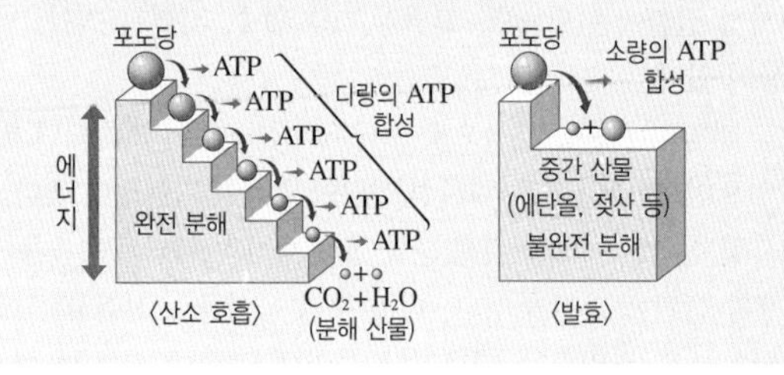

114

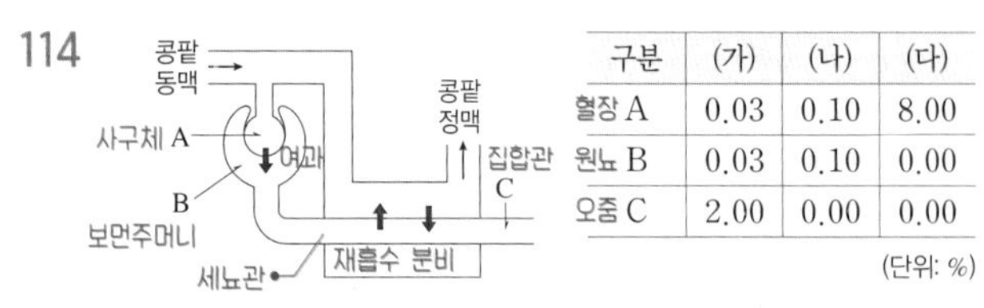

구분	(가)	(나)	(다)
혈장 A	0.03	0.10	8.00
원뇨 B	0.03	0.10	0.00
오줌 C	2.00	0.00	0.00

(단위: %)

ㄴ. (나)의 농도는 사구체(A)와 보먼주머니(B)에서는 모두 0.1 %이지만, 재흡수와 분비 과정을 거친 집합관(C)에서는 0 %이다. 이를 통해 (나)는 A에서 B로 여과된 후 세뇨관을 지나는 동안 모세 혈관으로 100 % 재흡수된다는 것을 알 수 있다.

ㄷ. (다)의 농도는 사구체(A)에서 8 %이지만, 보먼주머니(B)와 집합관(C)에서는 모두 0 %이다. 이를 통해 (다)는 사구체(A)에서 보먼주머니(B)로 여과되지 않음을 알 수 있다.

ㄹ. (나)와 (다)의 농도는 여과, 재흡수, 분비 과정을 모두 거친 집합관(C)에서 모두 0 %이므로, (나)와 (다)는 오줌에는 포함되지 않는다.

바로알기 | ㄱ. (가)의 농도는 콩팥 동맥과 연결된 사구체(A)에서 0.03 %이고, 재흡수와 분비 과정을 거친 집합관(C)에서 2 %이다. 따라서 콩팥 동맥보다 콩팥 정맥에서 (가)의 농도가 낮음을 알 수 있다.

개념 보충

오줌 생성 과정

- 여과: 혈액이 사구체를 통과하는 동안 혈액의 일부가 사구체에서 보먼주머니로 빠져나오는 과정이다. 분자의 크기가 작은 물, 무기염류, 아미노산, 포도당, 요소 등은 여과되고, 분자의 크기가 큰 단백질, 지방, 혈구 등은 여과되지 않는다.
- 재흡수: 여과된 원뇨가 세뇨관을 지나는 동안 일부 물질들이 세뇨관에서 모세 혈관으로 다시 흡수되는 과정이다. 포도당과 아미노산은 100 %, 물은 약 99 %가 재흡수된다.
- 분비: 여과되지 않은 노폐물이 모세 혈관에서 세뇨관으로 이동하는 과정이다.

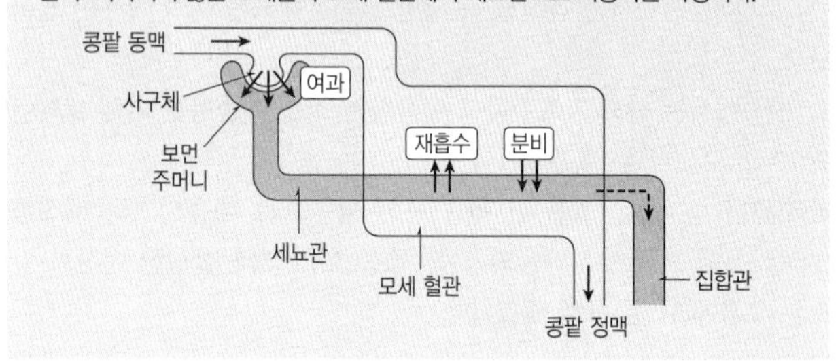

115

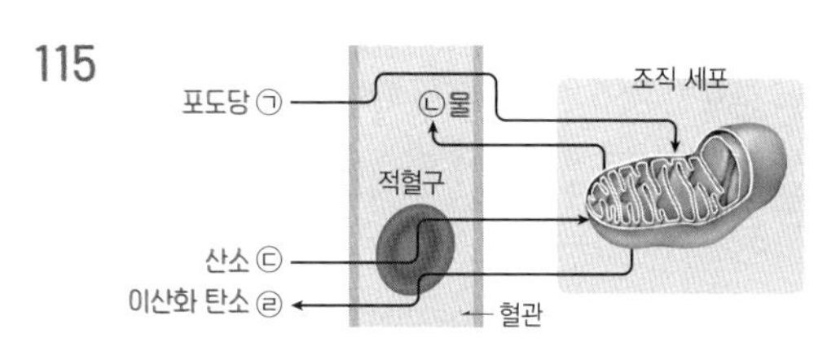

㉠은 혈장에 의해 조직 세포로 이동하므로 포도당이고, ㉡은 혈장의 성분이므로 물이다. ㉢은 적혈구에 의해 폐에서 조직 세포로 운반되는 산소이고, ㉣은 조직 세포에서 세포 호흡의 결과 생성되어 적혈구와 혈장에 의해 폐로 운반되는 이산화 탄소이다.

ㄱ. 포도당(㉠)은 소장 융털을 통해 체내로 흡수된다.

ㄴ. 물(㉡)과 이산화 탄소(㉣)는 모두 세포 호흡의 결과 생성된 물질이다.

바로알기 | ㄷ. 산소(㉢)가 모세 혈관에서 조직 세포로 이동하는 것은 기체의 분압 차이에 의한 확산으로 일어나며, 확산에는 에너지가 소모되지 않는다. 따라서 산소가 모세 혈관에서 조직 세포로 이동할 때 ATP가 사용되지 않는다.

116 탄수화물과 단백질은 1 g당 4 kcal의 에너지를, 지방은 1 g당 9 kcal의 에너지를 낸다. A의 1일 에너지 소비량은 활동에 따른 에너지 소비량과 체중, 활동 시간을 곱한 다음 활동별로 합하여 계산한다.

모범 답안 (1) A가 하루 동안 탄수화물, 단백질, 지방을 통해 섭취한 에너지양은 (450 g × 4 kcal) + (100 g × 4 kcal) + (㉠ g × 9 kcal) = 2650 kcal이다. 따라서 ㉠은 50 g이다.

(2) A의 1일 에너지 소비량은 잠자기(1 × 60 × 8) + 식사하기(1.5 × 60 × 4) + 걷기(3.5 × 60 × 4) + 공부하기(1.5 × 60 × 5) + 줄넘기(8.5 × 60 × 1) + 휴식(1.1 × 60 × 2) = 2772 kcal이다.

(3) A의 1일 평균 에너지 섭취량은 2650 kcal이고, 활동에 따른 에너지 소비량은 2772 kcal이므로, A는 에너지 섭취량보다 에너지 소비량이 많다. 따라서 이와 같은 상태가 지속되면 A는 체중이 감소하게 되며, 심하면 영양실조에 걸릴 수 있다.

05 뉴런과 흥분의 발생

빈출 자료 보기 37쪽

117 (1) ○ (2) ○ (3) × (4) ○ (5) ○ (6) × (7) ×

117 (1), (2) t_1일 때 뉴런은 자극을 받지 않아 휴지 상태인 분극을 나타내며, 분극일 때 형성되는 막전위가 휴지 전위이다. 이때 -70 mV의 휴지 전위를 유지하기 위해 Na^+-K^+ 펌프가 작동한다.
(4), (5) t_2일 때 막전위가 상승하고 있으므로 탈분극이 일어나고 있음을 알 수 있다. 이때 막전위가 상승하는 것은 열린 Na^+ 통로를 통해 Na^+이 세포 밖에서 안으로 급격히 확산되기 때문이다.
바로알기 | (3) t_1일 때 휴지 전위를 유지하기 위해 Na^+-K^+ 펌프를 통한 이온의 이동이 일어난다.
(6) K^+의 농도는 막전위 변화와 관계없이 항상 세포 안이 세포 밖보다 높다. 따라서 t_3일 때 K^+의 농도는 세포 안이 세포 밖보다 높다.
(7) t_2일 때 막전위가 상승하는 탈분극이 일어나는 것은 Na^+ 통로가 열려 Na^+의 막 투과도가 커지기 때문이다. t_3일 때 막전위가 하강하는 재분극이 일어나는 것은 열린 Na^+ 통로가 닫혀 Na^+의 막 투과도는 감소하고 닫혀 있던 K^+ 통로가 열려 K^+의 막 투과도가 증가하기 때문이다. 따라서 Na^+ 통로를 통한 Na^+의 이동은 t_3일 때보다 t_2일 때 많다.

난이도별 필수 기출 38~43쪽

118 ④	119 ⑤	120 ①	121 ④	122 해설 참조
123 해설 참조		124 ①	125 ①	126 ③	127 ③
128 ①	129 해설 참조		130 ④	131 ①	132 ①
133 ③	134 ①	135 ①	136 ②	137 ③	138 ②
139 ⑤	140 ④	141 ①	142 ④	143 해설 참조

118 ① 가지 돌기는 신경 세포체에서 가지 모양으로 뻗어 있으며, 다른 뉴런이나 세포에서 오는 신호를 받아들인다.
② 축삭 돌기는 신경 세포체에서 길게 뻗어 나와 있으며, 다른 뉴런이나 세포로 신호를 전달한다.
③ 신경 세포체에는 핵과 세포 소기관이 있으며, 뉴런에 필요한 물질과 에너지를 생성하기 위해 물질대사가 활발하게 일어난다.
⑤ 랑비에 결절은 말이집 신경의 축삭 돌기에서 말이집으로 싸여 있지 않은 부분으로, 흥분이 발생한다.
바로알기 | ④ 말이집 신경에서는 말이집에서 흥분이 발생하지 않고 랑비에 결절에서만 흥분이 발생하므로, 흥분 전도 속도가 빠르다. 즉, 말이집은 절연체 역할을 하여 흥분 전도 속도를 빠르게 한다.

119 ① 이 뉴런은 축삭 돌기의 일부가 말이집으로 싸여 있으므로 말이집 신경이다.
② A는 핵이 있는 부위이므로 신경 세포체이다.
③ B는 가지 돌기로, 다른 뉴런으로부터 자극을 수용한다.
④ C는 절연체 역할을 하는 말이집이다.
바로알기 | ⑤ D는 축삭 돌기이며, 말이집이 있는 부분에서는 흥분이 발생하지 않고 말이집이 없는 랑비에 결절에서만 흥분이 발생한다.

120 ㄱ. 말이집 신경(A)은 축삭 돌기의 일부가 말이집으로 싸여 있고, 민말이집 신경(B)은 축삭 돌기가 말이집으로 싸여 있지 않다. 따라서 '축삭 돌기가 말이집으로 싸여 있다.'는 말이집 신경(A)에만 있는 특징 ㉠에 해당한다.
바로알기 | ㄴ. 도약전도는 말이집 신경(A)에서는 일어나지만, 민말이집 신경(B)에서는 일어나지 않는다. 따라서 '도약전도가 일어난다.'는 ㉠에 해당한다.
ㄷ. 랑비에 결절은 말이집 신경(A)의 축삭 돌기에서 말이집으로 싸여 있지 않은 부분으로, 민말이집 신경(B)에는 존재하지 않는다. 따라서 '랑비에 결절이 존재한다.'는 ㉠에 해당한다.

121 A는 말이집이고, B는 축삭 돌기이다.
ㄴ. 축삭 돌기(B)는 인접한 다른 뉴런에 흥분을 전달한다.
ㄷ. 뉴런에서 흥분이 전도될 때 말이집(A)에서는 흥분이 발생하지 않으므로 활동 전위가 발생하지 않는다.
바로알기 | ㄱ. 말이집(A)은 슈반 세포의 세포막이 길게 늘어나 축삭 돌기(B)를 싸고 있는 구조이다.

122 말이집 뉴런에서는 말이집에서 흥분이 발생하지 않고, 랑비에 결절에서만 흥분이 발생하는 도약전도가 일어난다. 반면, 민말이집 뉴런에서는 축삭 돌기의 전체에서 흥분이 발생한다. 도약전도가 일어나는 말이집 뉴런은 도약전도가 일어나지 않는 민말이집 뉴런에 비해 흥분 전도 속도가 빠르다.
모범 답안 (1) A: 말이집 뉴런, B: 민말이집 뉴런
(2) 흥분 전도 속도는 A가 B보다 빠르다. 말이집 뉴런(A)에서는 도약전도가 일어나지만, 민말이집 뉴런(B)에서는 도약전도가 일어나지 않기 때문이다.

123 도약전도가 일어나는 말이집 뉴런이 도약전도가 일어나지 않는 민말이집 뉴런보다 흥분 전도 속도가 빠르고, 축삭 지름이 클수록 전기적 저항을 적게 받기 때문에 흥분 전도 속도가 빠르다.
모범 답안 흥분 전도 속도는 B>C>A이다. B와 C는 A보다 축삭 지름이 크므로 흥분 전도 속도가 빠르며, B는 C와 축삭 지름은 같지만 말이집이 있으므로 도약전도가 일어나 C보다 흥분 전도 속도가 빠르다.

124 (가)는 신경 세포체가 크고 축삭 돌기가 길게 발달되어 있으므로 원심성 뉴런(운동 뉴런)이다. (다)는 신경 세포체가 축삭 돌기의 중간 부분에 있으므로 구심성 뉴런(감각 뉴런)이다. (나)는 원심성 뉴런(가)과 구심성 뉴런(다)을 연결하는 뉴런이므로 연합 뉴런이다.
① 감각 뉴런은 구심성 뉴런(다)에 해당한다.
바로알기 | ② 중추 신경인 뇌와 척수를 구성하는 뉴런은 연합 뉴런(나)이다.
③ 연합 뉴런(나)은 중추 신경계에, 구심성 뉴런(다)은 말초 신경계에 속한다.
④ 흥분은 구심성 뉴런(다) → 연합 뉴런(나) → 원심성 뉴런(가)으로 전달된다.
⑤ A는 랑비에 결절이므로 역치 이상의 자극을 주면 흥분이 발생한다. 흥분의 전달은 신경 전달 물질에 의해 일어나는데, 원심성 뉴런(가)의 가지 돌기 말단에는 신경 전달 물질이 담겨 있는 시냅스 소포가 존재하지 않는다. 따라서 원심성 뉴런(가)에서 발생한 흥분은 연합 뉴런(나)으로 전달되지 않으므로, A에 역치 이상의 자극을 주어도 연합 뉴런(나)에서 활동 전위가 발생하지 않는다.

125 ㄱ. (가)는 신경 세포체가 크고 축삭 돌기가 길게 발달되어 있는 운동 뉴런이므로, 원심성 뉴런이다.
ㄷ. (다)는 감각 뉴런이며, ㉠은 신경 세포체이다.
바로알기 | ㄴ. (나)는 운동 뉴런(가)과 감각 뉴런(다)을 연결하는 연합 뉴런이다. 연합 뉴런(나)에는 말이집이 없으므로 도약전도가 일어나지 않는다.
ㄹ. 감각 뉴런(다)에서 A는 축삭 돌기 말단, B는 가지 돌기이다. 시냅스 소포는 축삭 돌기 말단(A)에는 있지만, 가지 돌기(B)에는 없다.

126

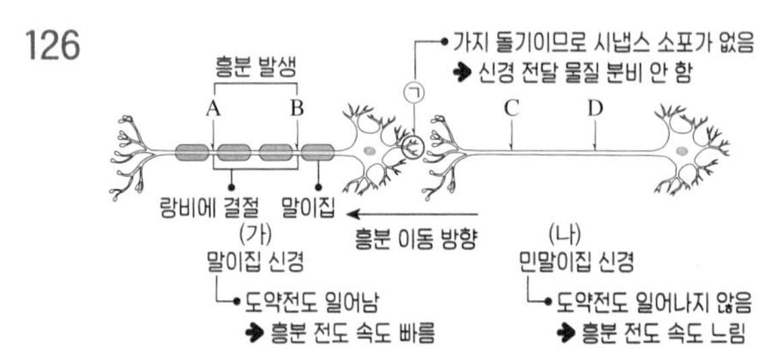

ㄷ. (나)는 축삭 돌기 전체에서 흥분이 발생하므로 C에서 활동 전위가 발생하고, (가)의 B는 랑비에 결절이므로 흥분이 발생한다. 흥분은 시냅스 이전 뉴런(나)의 축삭 돌기 말단에서 시냅스 이후 뉴런(가)의 가지 돌기나 신경 세포체로 전달되므로, 시냅스 이전 뉴런(나)의 C에 역치 이상의 자극을 주면 시냅스 이후 뉴런(가)의 B에서 활동 전위가 발생한다.
바로알기 | ㄱ. 말이집 신경인 (가)의 구간 A~B에서는 도약전도가 일어나지만, 민말이집 신경인 (나)의 구간 C~D에서는 도약전도가 일어나지 않는다. 따라서 흥분 전도 속도는 구간 A~B에서가 구간 C~D에서보다 빠르다.
ㄴ. 뉴런의 가지 돌기 말단에는 신경 전달 물질이 담겨 있는 시냅스 소포가 존재하지 않는다. 따라서 (가)의 B에 역치 이상의 자극을 주어도 가지 돌기 말단(㉠)에서 신경 전달 물질이 분비되지 않는다.

127 ㄱ. 자극을 받지 않은 뉴런에서 세포막을 경계로 안쪽이 상대적으로 음(−)전하, 바깥쪽이 상대적으로 양(+)전하를 띠는 상태를 분극이라고 하며, 이때 형성되는 전위가 휴지 전위이다. 따라서 분극 상태에서는 휴지 전위가 나타난다.
ㄷ. 분극 상태일 때는 Na^+-K^+ 펌프에 의해 세포 안의 Na^+은 세포 밖으로, 세포 밖의 K^+은 세포 안으로 이동한다.
바로알기 | ㄴ. Na^+-K^+ 펌프에 의해 세포 안의 Na^+은 세포 밖으로 이동하므로, 뉴런의 Na^+ 농도는 항상 세포 밖이 세포 안보다 높다.

128 ㄱ. Ⅰ은 Na^+ 통로를 통해 Na^+이 세포 밖에서 세포 안으로 확산되는 것이고, Ⅱ는 K^+ 통로를 통해 K^+이 세포 안에서 세포 밖으로 확산되는 것이다. 따라서 ⓐ는 세포 안, ⓑ는 세포 밖이다.
바로알기 | ㄴ. Na^+ 통로를 통한 Na^+의 이동은 확산에 의해 일어나므로, 에너지를 필요로 하지 않는다.
ㄷ. 탈분극이 일어날 때 막전위가 상승하는 것은 열린 Na^+ 통로를 통해 Na^+이 급격하게 확산되기 때문이다. 따라서 탈분극이 일어날 때 Ⅰ의 방식으로 Na^+이 이동한다.

129 모범 답안 (1) 세포 안은 음(−)전하, 세포 밖은 양(+)전하를 띤다.
(2) 뉴런이 역치 이상의 자극을 받으면 Na^+ 통로가 열려 Na^+이 세포 밖에서 안으로 확산되어 막전위가 상승한다.

130 ㄱ. t_1은 막전위가 상승하는 시점이므로, 뉴런은 탈분극 상태이다.
ㄷ. t_3는 분극 상태로, 휴지 전위가 유지되는 시점이다. 분극 상태일 때는 Na^+-K^+ 펌프에 의한 이온의 이동이 일어나며, Na^+-K^+ 펌프는 ATP를 분해하여 얻은 에너지를 이용하여 세포 안의 Na^+을 세포 밖으로, 세포 밖의 K^+을 세포 안으로 이동시킨다. 따라서 t_3일 때 세포막에서 ATP의 에너지를 이용한 이온의 이동이 일어난다.
바로알기 | ㄴ. t_2일 때 상승한 막전위가 다시 하강하고 있으므로, 재분극 상태이다. 재분극 상태일 때는 Na^+ 통로가 대부분 닫히므로 Na^+의 확산은 거의 일어나지 않는다. 또한 Na^+ 통로를 통해 Na^+은 세포 밖에서 안으로 이동한다.

131 ① 구간 Ⅰ은 자극을 받기 전인 분극 상태이므로, 휴지 전위(−70 mV)가 측정된다.
바로알기 | ② 구간 Ⅰ은 휴지 전위(−70 mV)를 유지하므로 분극 상태이다.
③ 구간 Ⅱ에서는 역치 이상의 자극이 주어진 후 막전위가 상승하는 탈분극이 일어나고 있다. 탈분극이 일어날 때는 Na^+ 통로가 열려 Na^+이 세포 밖에서 안으로 확산되며, K^+ 통로는 대부분 닫혀 있다.
④, ⑤ 구간 Ⅲ에서는 상승한 막전위가 하강하는 재분극이 일어나고 있다. 재분극이 일어날 때는 열려 있던 Na^+ 통로는 닫히고, 닫혀 있던 K^+ 통로가 열린다. 따라서 열린 K^+ 통로의 수는 구간 Ⅱ에서보다 구간 Ⅲ에서 많다.
⑥ 탈분극이 일어나는 구간 Ⅱ에서는 Na^+ 통로가 열리고, 재분극이 일어나는 구간 Ⅲ에서는 Na^+ 통로가 닫힌다. 따라서 Na^+ 통로를 통한 Na^+의 이동은 구간 Ⅱ에서가 구간 Ⅲ에서보다 많다.

132 ㄱ. (가)에서 B는 랑비에 결절이므로 활동 전위가 발생하고, C는 말이집으로 싸여 있는 부분이므로 활동 전위가 발생하지 않는다. (나)는 활동 전위가 발생하였을 때의 막전위 변화이므로, B에서의 막전위 변화이다.
바로알기 | ㄴ. (나)에서 t_1일 때 막전위가 상승하는 탈분극이 일어나고 있으므로 Na^+은 Na^+ 통로를 통해 세포 밖에서 안으로 확산된다. Na^+ 통로를 통한 Na^+의 확산에는 ATP가 사용되지 않는다.
ㄷ. C는 말이집으로 싸여 있는 부분으로, 활동 전위가 발생하지 않으므로 재분극도 일어나지 않는다.

133

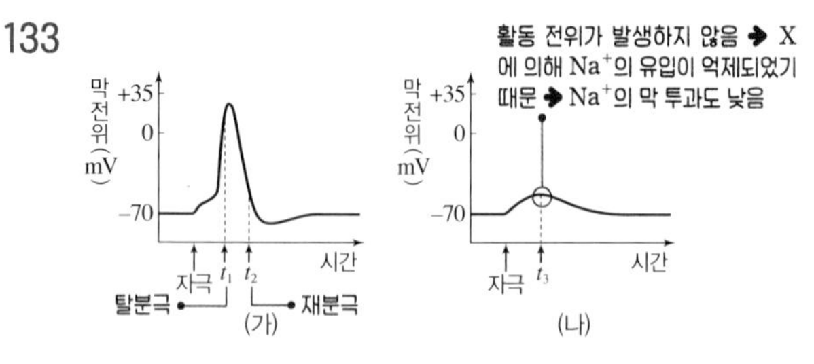

ㄱ. 역치 이상의 자극을 받았을 때 (가)에서는 활동 전위가 발생하였지만, (나)에서는 막전위가 약간만 상승하고 활동 전위가 발생하지 않았다. (나)에서 막전위가 +35 mV까지 상승하지 않은 것은 물질 X가 Na^+ 통로를 통한 Na^+의 이동을 억제하였기 때문이다.
ㄷ. Na^+의 막 투과도가 높으면 Na^+이 세포 안으로 급격하게 확산되면서 막전위가 급격히 상승한다. t_1~t_3 중 막전위가 급격히 상승하는 시점은 t_1이므로, Na^+의 막 투과도가 가장 높은 시기는 t_1이다.
바로알기 | ㄴ. K^+ 농도는 막전위 변화와 상관없이 항상 세포 안이 세포 밖보다 높다.

134

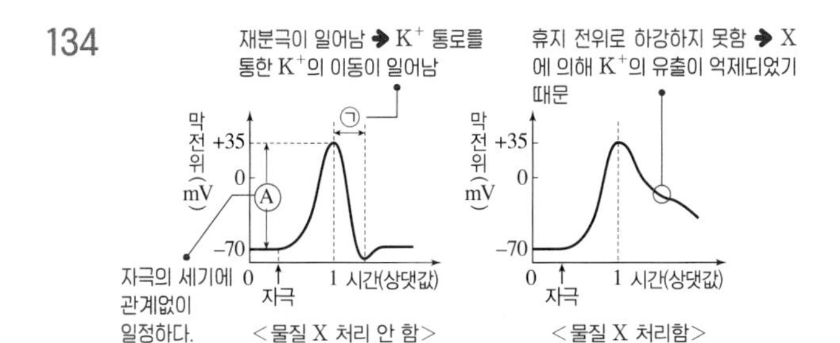

ㄱ. 물질 X를 처리했을 때 막전위는 +35 mV까지 정상적으로 상승하지만, 상승한 막전위가 다시 휴지 전위로 하강하지 못한다. 이는 X가 K^+ 통로를 통한 K^+의 이동을 억제하기 때문이다.

바로알기 | ㄴ. ㉠에서 막전위가 하강하는 재분극이 일어나고 있으므로, K^+ 통로를 통해 K^+이 세포 안에서 밖으로 확산된다. 따라서 ㉠에서 세포막을 통한 K^+의 이동이 일어난다.

ㄷ. 그림의 자극보다 더 강한 세기의 자극을 주어도 막전위 크기는 동일하게 나타나므로, A의 값은 커지지 않는다.

135

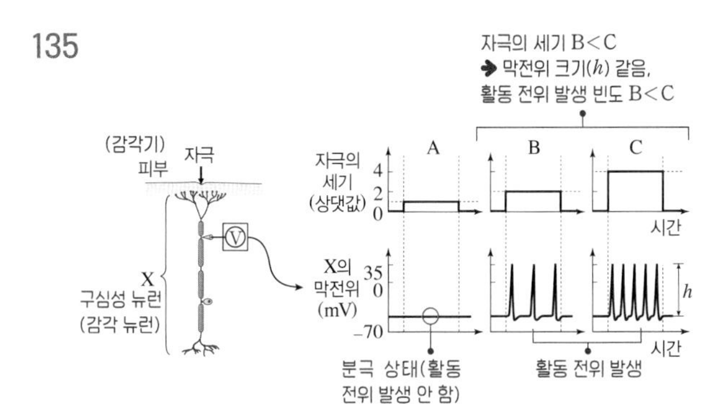

ㄱ. 뉴런 X는 감각기(피부)에 연결되어 있고 신경 세포체가 축삭 돌기의 중간 부분에 있다. 따라서 X는 구심성 뉴런(감각 뉴런)이다.

바로알기 | ㄴ. 역치 이상의 자극을 받은 뉴런에서는 막전위가 빠르게 상승하였다가 하강하는 막전위 변화가 일어나는데, 이러한 막전위 변화가 활동 전위이다. 활동 전위에서 막전위 크기(h)는 자극의 세기에 관계없이 일정하다. 즉, 자극의 세기가 다른 B와 C에서 h의 크기는 동일하고, 자극 C보다 더 큰 자극을 주어도 h의 크기는 동일하다. 단, 자극의 세기가 강할수록 활동 전위의 발생 빈도가 증가한다.

ㄷ. 자극 A를 받은 뉴런 X에서는 막전위 변화가 일어나지 않는다. 따라서 자극 A는 역치 이하의 자극이며, 막전위 변화(활동 전위)가 발생하지 않으므로 흥분의 전도가 일어나지 않기 때문에 뉴런 X의 축삭 돌기 말단에서 신경 전달 물질이 방출되지 않는다.

136

(가)에서 축삭 돌기의 세포막에는 Na^+-K^+ 펌프, Na^+ 통로(㉠), K^+ 통로(㉡)가 있다. Na^+-K^+ 펌프는 ATP의 에너지를 이용하여 세포 안의 Na^+을 세포 밖으로 내보내고, 세포 밖의 K^+을 세포 안으로 들여온다. Na^+ 통로(㉠)를 통해 Na^+이 세포 안으로 확산되고, K^+ 통로(㉡)를 통해 K^+이 세포 밖으로 확산되는데, 이러한 이온 통로를 통한 이온의 확산에는 ATP가 이용되지 않는다.

ㄱ. 뉴런에서는 막전위 변화와 상관없이 K^+의 농도는 항상 세포 안이 세포 밖보다 높다.

ㄹ. 구간 Ⅲ은 상승한 막전위가 하강하는 재분극이 일어나므로, K^+ 통로(㉡)를 통해 K^+이 세포 안에서 세포 밖으로 확산된다.

바로알기 | ㄴ, ㄷ. 구간 Ⅱ에서는 막전위가 상승하는 탈분극이 일어난다. 탈분극이 일어날 때에는 Na^+ 통로를 통해 Na^+이 세포 밖에서 안으로 확산되며, 이 과정에서 ATP는 이용되지 않는다.

137

ㄱ. (가)에서 구간 Ⅰ은 자극을 받기 전의 분극 상태로 Na^+ 농도는 세포 밖이 세포 안보다 높고, K^+ 농도는 세포 안이 세포 밖보다 높다. 따라서 ㉠은 Na^+, ㉡은 K^+이다.

ㄷ. 구간 Ⅲ은 상승한 막전위가 하강하는 재분극이 일어난다. 재분극이 일어날 때는 열린 Na^+ 통로가 닫히고, K^+ 통로가 열리면서 Na^+(㉠)의 막 투과도는 감소하고 K^+(㉡)의 막 투과도는 증가한다.

바로알기 | ㄴ. 구간 Ⅰ은 휴지 전위가 유지되는 분극 상태로 Na^+-K^+ 펌프가 작동하여 세포 안의 Na^+을 세포 밖으로 내보내고, 세포 밖의 K^+을 세포 안으로 들여온다. 따라서 구간 Ⅰ에서 세포막을 통한 K^+(㉡)의 이동이 있다.

138

(가)에서 t_1일 때는 탈분극이, t_2일 때는 재분극이 일어나고 있으며, 구간 Ⅰ은 분극 상태이다. (나)에서 t_2일 때 K^+ 통로를 통해 K^+이 세포 안에서 밖으로 확산된다. 따라서 ㉠은 세포 안, ㉡은 세포 밖이다.

ㄴ. t_1일 때 막전위가 상승하고 있는 것은 열린 Na^+ 통로를 통해 Na^+이 세포 밖(㉡)에서 세포 안(㉠)으로 급격히 확산되기 때문이다.

바로알기 | ㄱ. (나)에서 K^+은 K^+ 통로를 통해 확산되므로, ATP가 소모되지 않는다.

ㄷ. 구간 Ⅰ은 분극 상태로 Na^+-K^+ 펌프가 작동하여 세포 안의 Na^+을 세포 밖으로 내보내고, 세포 밖의 K^+을 세포 안으로 들여오며, K^+ 통로가 일부 열려 있어 K^+이 세포 안에서 밖으로 확산된다. 따라서 구간 Ⅰ에서 세포막을 통한 K^+의 이동이 일어난다.

139

ㄱ. (가)의 구간 Ⅰ은 분극 상태로, 휴지 전위를 나타낸다. Na^+-K^+ 펌프를 통한 이온의 이동(나)으로 휴지 전위가 유지된다.

ㄴ. (가)에서 Na^+의 막 투과도는 t_1일 때 크고 t_2일 때 작으며, K^+의 막 투과도는 t_1일 때 작고 t_2일 때 크다. 따라서 $\frac{K^+\text{의 막 투과도}}{Na^+\text{의 막 투과도}}$는 t_1일 때가 t_2일 때보다 작다.

ㄷ. (나)에서 Na^+-K^+ 펌프는 세포 안의 Na^+을 세포 밖으로 내보내고, 세포 밖의 K^+을 세포 안으로 들여온다. 따라서 ㉠은 세포 안, ㉡은 세포 밖이다. 뉴런의 Na^+ 농도는 막전위 변화와 상관없이 항상 세포 안(㉠)에서보다 세포 밖(㉡)에서 높다.

140

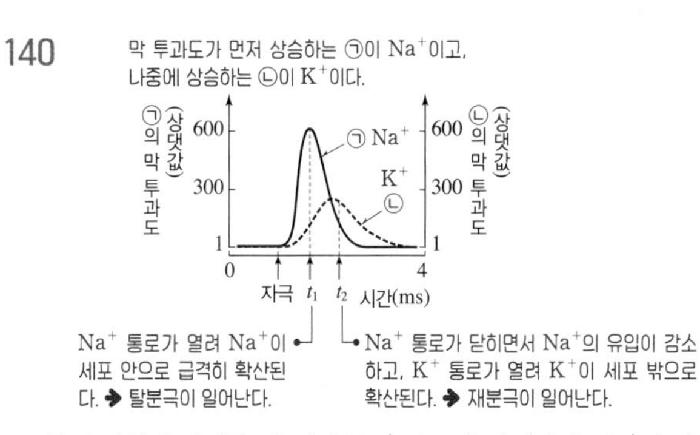

막 투과도가 먼저 상승하는 ㉠이 Na⁺이고, 나중에 상승하는 ㉡이 K⁺이다.
㉠의 막 투과도 (상댓값)
㉡의 막 투과도 (상댓값)
600
300
1
㉠ Na⁺
K⁺ ㉡
0
4
자극 t₁ t₂ 시간(ms)
Na⁺ 통로가 열려 Na⁺이 세포 안으로 급격히 확산된다. ➔ 탈분극이 일어난다.
Na⁺ 통로가 닫히면서 Na⁺의 유입이 감소하고, K⁺ 통로가 열려 K⁺이 세포 밖으로 확산된다. ➔ 재분극이 일어난다.

ㄱ. 활동 전위가 발생할 때 먼저 Na^+ 통로가 열리면서 Na^+의 막 투과도가 증가하고, 이후 K^+ 통로가 열리면서 K^+의 막 투과도가 증가한다. 따라서 ㉠은 Na^+, ㉡은 K^+이다.

ㄴ. 뉴런에서는 막전위 변화와 상관없이 Na^+의 농도는 항상 세포 밖이 세포 안보다 높고, K^+의 농도는 항상 세포 안이 세포 밖보다 높다. 따라서 t_1일 때 Na^+(㉠)의 $\frac{\text{세포 안의 농도}}{\text{세포 밖의 농도}}$는 1보다 작고, K^+(㉡)의 $\frac{\text{세포 안의 농도}}{\text{세포 밖의 농도}}$는 1보다 크다.

바로알기 | ㄷ. t_2일 때 이온 통로(K^+ 통로)를 통한 K^+(㉡)의 이동은 확산에 의해 일어나므로, ATP가 사용되지 않는다.

141 활동 전위가 발생할 때 먼저 Na^+ 통로가 열리면서 Na^+의 막 투과도가 증가하고, 이후 K^+ 통로가 열리면서 K^+의 막 투과도가 증가한다. 따라서 ㉠은 Na^+, ㉡은 K^+이다.

ㄱ. (나)에서 어떤 이온이 이온 통로(ⓐ)를 통해 세포 안에서 밖으로 확산되므로, 이 이온은 K^+이고, 이온 통로 ⓐ는 K^+ 통로이다.

바로알기 | ㄴ. t_1일 때 K^+(㉡)의 막 투과도가 낮으므로 (나)와 같은 이온의 확산은 거의 일어나지 않는다.

ㄷ. t_2일 때 K^+(㉡)의 막 투과도가 높은 것은 닫혀 있던 K^+ 통로가 열리기 때문이며, K^+(㉡)은 K^+ 통로를 통해 세포 안에서 밖으로 유출된다.

142 (가)에서 Ⅰ 시기는 분극 상태, Ⅱ 시기는 탈분극 상태이다. 분극 상태일 때는 Na^+-K^+ 펌프에 의한 이온의 이동이 일어나며, Na^+-K^+ 펌프는 세포 안의 Na^+을 세포 밖으로 내보내고, 세포 밖의 K^+을 세포 안으로 들여온다. (나)에서 먼저 Na^+ 통로가 열리면서 Na^+의 막 투과도가 증가하고, 이후 K^+ 통로가 열리면서 K^+의 막 투과도가 증가한다. 따라서 ㉠은 Na^+, ㉡은 K^+이다.

ㄴ. (가)에서 Ⅰ 시기에는 세포막을 경계로 안쪽이 상대적으로 음(−)전하, 바깥쪽이 상대적으로 양(+)전하를 띤다. Ⅱ 시기에 열린 Na^+ 통로를 통해 Na^+이 세포 안으로 급격하게 확산되어 막전위가 +35 mV까지 상승하게 되면서 세포막 안쪽은 상대적으로 양(+)전하로, 바깥쪽은 상대적으로 음(−)전하로 바뀌게 된다.

ㄷ. (나)에서 Na^+(㉠)의 막 투과도는 t_1일 때 크고 t_2일 때 작으며, K^+(㉡)의 막 투과도는 t_1일 때 작고, t_2일 때 크다. 따라서 $\frac{K^+\text{의 막 투과도}}{Na^+\text{의 막 투과도}}$는 t_1일 때보다 t_2일 때가 크다.

바로알기 | ㄱ. Ⅰ 시기에 작동하는 Na^+-K^+ 펌프는 ATP를 사용하여 Na^+(㉠)을 세포 안에서 밖으로 이동시킨다.

143 (가)에서 A 시기는 탈분극이 일어나고, B 시기는 재분극이 일어난다. 탈분극이 일어날 때는 Na^+의 막 투과도가 증가하여 Na^+이 세포 안으로 급격히 확산되며, 재분극이 일어날 때는 Na^+의 막 투과도는 감소하고 K^+의 막 투과도가 증가하여, Na^+ 통로를 통한 Na^+의 이동은 감소하고 K^+ 통로를 통한 K^+의 이동이 증가한다. (나)에서 ⓐ는 Na^+, ⓑ는 K^+이며, (다)에서 ㉠은 재분극이 일어날 때 K^+의 이동을, ㉡은 탈분극이 일어날 때 Na^+의 이동을 나타낸 것이다.

모범 답안 (1) A 시기에는 ⓐ(Na^+)의 막 투과도가 증가하여 ㉡과 같이 Na^+이 세포 밖에서 세포 안으로 이동한다.
(2) B 시기에는 ⓑ(K^+)의 막 투과도가 증가하여 ㉠과 같이 K^+이 세포 안에서 세포 밖으로 이동한다.

흥분의 전도와 전달 및 근수축

빈출 자료 보기 45쪽

144 (1) × (2) ○ (3) × (4) ○ (5) × (6) ×

144 흥분 전도 속도는 2 cm/ms이므로, 흥분이 6 cm 떨어진 P_2에 도달하는 데 걸리는 시간은 3 ms이며, 흥분이 도달한 후 막전위가 +30 mV가 되는 데 걸리는 시간은 2 ms이다. 따라서 t_1은 3 ms+2 ms=5 ms이다.

(2) 흥분이 4 cm 떨어진 P_1에 도달하는 데 걸리는 시간은 2 ms이므로, t_1(5 ms)일 때는 P_1에 흥분이 도달하고 3 ms가 경과되었을 때이다. 이때 P_1에서의 막전위는 −80 mV이므로 P_1에서 재분극이 일어나고 있다.

(4) 흥분이 8 cm 떨어진 P_3에 도달하는 데 걸리는 시간은 4 ms이므로, t_1(5 ms)일 때는 P_3에 흥분이 도달하고 1 ms가 경과되었을 때이다. 이때 P_3에서의 막전위는 −60 mV이므로 탈분극이 일어나고 있다. 따라서 Na^+이 Na^+ 통로를 통해 세포 안으로 확산된다.

바로알기 | (1) t_1은 5 ms이다.

(3) t_1일 때 P_3에서의 막전위는 −60 mV이다.

(5) 흥분이 4 cm 떨어진 P_1에 도달하는 데 걸리는 시간은 2 ms이므로, ㉠이 3 ms일 때는 P_1에 흥분이 도달하고 1 ms가 경과되었을 때이다. 이때 P_1에서의 막전위는 −60 mV이다.

(6) ㉠이 5 ms일 때 P_1에서의 막전위는 −80 mV, P_3에서의 막전위는 −60 mV이므로, $\frac{P_3\text{에서의 막전위}}{P_1\text{에서의 막전위}}$는 1보다 작다.

난이도별 필수 기출 46~51쪽

145 ⑤ 146 ② 147 ② 148 ⑤ 149 ③ 150 ③
151 ② 152 해설 참조 153 ② 154 ③ 155 ③
156 ② 157 ⑥ 158 ④ 159 ④ 160 ⑤ 161 ③
162 해설 참조 163 ① 164 ④ 165 ② 166 ③
167 ⑤ 168 해설 참조

145 ㄱ, ㄷ. 역치 이상의 자극을 받은 뉴런의 한 지점에서의 막전위 변화는 '탈분극 → 재분극 → 분극 상태로 휴지 전위 회복' 순으로 일어난다. t_1일 때 A 지점에서는 Na^+ 통로는 닫혀 있고 K^+ 통로가 열려 K^+이 세포 밖으로 유출되므로 재분극이 일어나고 있다. B 지점에서는 Na^+ 통로가 열려 Na^+이 세포 안으로 유입되고, K^+ 통로는 닫혀 있으므로 탈분극이 일어나고 있다. C 지점에서는 Na^+ 통로와 K^+ 통로가 모두 닫혀 있으므로 분극 상태이다. 따라서 흥분의 전도는 A에서 C 방향으로 진행된다는 것을 알 수 있다.

ㄴ. 뉴런에서 K^+의 농도는 항상 세포 안이 세포 밖보다 높다.

146 뉴런에 역치 이상의 자극이 주어지면 분극(−70 mV) → 탈분극(막전위 상승) → 재분극(상승한 막전위 하강 → 과분극 → 휴지 전위 회복)의 과정을 거친다. 과분극(−80 mV) 상태인 지점이 탈분극 상태나 재분극 상태인 지점보다 먼저 흥분이 도달한 지점이므로, 자극을 준 지점은 ㉢이다.

ㄷ. ㉢에 자극을 주고 2 ms가 경과했을 때 ㉢에서 막전위가 +30 mV가 되었고, ㉢에 자극을 주고 3 ms가 되었을 때 ㉡에서 막전위가 +30 mV가 되었다. 따라서 흥분이 ㉢에서 ㉡으로 이동하는 데 1 ms가 걸린다.

바로알기 | ㄱ. 자극을 준 지점은 ㉢이다.

ㄴ. 3 ms일 때 ㉢에서 막전위가 −80 mV이므로, 재분극이 일어나고 있다.

147 ㄴ. 뉴런의 세포막에 있는 Na^+-K^+ 펌프에 의해 Na^+은 세포 안에서 밖으로 이동하고, K^+은 세포 밖에서 안으로 이동한다. 그 결과 뉴런에서 세포막을 경계로 Na^+ 농도는 항상 세포 밖이 세포 안보다 높다.

바로알기 | ㄱ. 뉴런에 역치 이상의 자극이 주어지면 분극(−70 mV) → 탈분극(막전위 상승) → 재분극(상승한 막전위 하강 → 과분극 → 휴지 전위 회복)의 과정을 거친다. d_2 지점은 막전위가 +30 mV이므로 탈분극 상태이며, d_3 지점은 막전위가 −80 mV이므로 과분극 상태이다. 이로부터 d_3 지점이 d_2 지점보다 흥분이 먼저 도달했음을 알 수 있다. 따라서 흥분의 전도는 Y → X 방향으로 진행된다.

ㄷ. d_3 지점에서는 막전위가 휴지 전위(−70 mV)보다 낮으므로 과분극이 일어나고 있으며, 과분극은 재분극 과정에 포함된다. 재분극이 일어날 때 K^+은 K^+ 통로를 통해 세포 안에서 밖으로 확산된다.

148 ㄴ. ㉠ 과정 후 세포 안이 상대적으로 양(+)전하로, 세포 밖이 상대적으로 음(−)전하로 바뀐 것은 Na^+이 Na^+ 통로를 통해 세포 밖에서 안으로 확산되면서 막전위가 상승하는 탈분극이 일어났기 때문이다.

ㄷ. ㉡ 과정 후 세포 안이 상대적으로 음(−)전하로, 세포 밖이 상대적으로 양(+)전하로 다시 바뀐 것은 K^+이 K^+ 통로를 통해 세포 안에서 밖으로 확산되면서 막전위가 하강하는 재분극이 일어났기 때문이다.

ㄹ. C 지점은 말이집이 없는 축삭 돌기 부분이므로 활동 전위가 발생한다.

바로알기 | ㄱ. (가)에서 A는 흥분이 발생하지만, B는 말이집으로 싸여 있는 부분이므로 흥분이 발생하지 않는다. (나)는 흥분이 발생할 때 세포 안과 밖의 상대적인 전하 상태 변화를 나타낸 것이므로, (나)는 A에서의 전하 상태 변화이다.

149

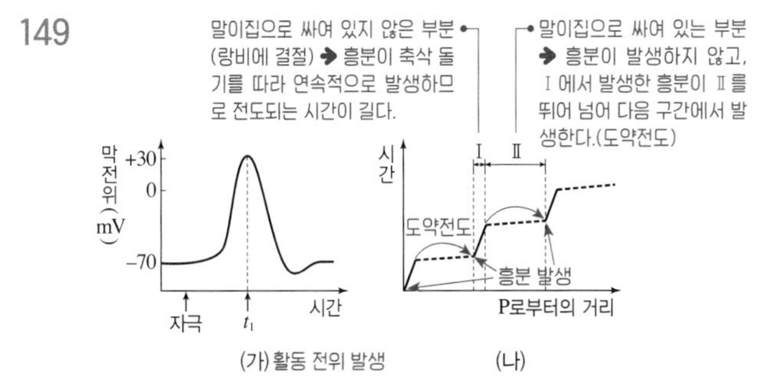

(가) 활동 전위 발생 (나)

ㄱ. (가)의 막전위 변화를 통해 운동 신경 X의 P 지점에서 활동 전위가 발생하였음을 알 수 있다.

ㄴ. (나)의 Ⅰ에서는 흥분 전도 속도가 느리고, Ⅱ에서는 흥분 전도 속도가 빠르다. 이를 통해 Ⅰ은 말이집으로 싸여 있지 않은 부분(랑비에 결절)이고, Ⅱ는 말이집으로 싸여 있는 부분이며, X에서 도약전도가 일어났다는 것을 알 수 있다.

바로알기 | ㄷ. 뉴런에서 Na^+ 농도는 항상 세포 밖이 세포 안보다 높고, K^+ 농도는 항상 세포 안이 세포 밖보다 높다. 따라서 이온의 $\frac{\text{세포 안의 농도}}{\text{세포 밖의 농도}}$는 항상 K^+이 Na^+보다 크다.

150 ㄱ. 이 신경에서 흥분 전도 속도는 2 cm/ms이고, P_2에서 P_1까지의 거리는 3 cm이므로, 흥분이 P_2에서 P_1까지 전도되는 데 걸리는 시간은 1.5 ms$\left(\frac{3\text{ cm}}{2\text{ cm/ms}}\right)$이다. P_2에 역치 이상의 자극을 주고 경과된 시간이 3 ms(㉠)일 때는 흥분이 P_1에 도달하고 1.5 ms가 경과된 것이므로, P_1의 막전위는 −70 mV와 +30 mV 사이이다. 따라서 P_1에서는 탈분극이 일어나고 있다.

ㄴ. ㉠은 P_2에서 역치 이상의 자극을 받은 후 3 ms가 되었을 때이며, (나)에서 3 ms일 때의 막전위는 −80 mV이다. 따라서 ㉠일 때 P_2에서 막전위는 −80 mV이다.

바로알기 | ㄷ. 이 신경에서 흥분 전도 속도는 2 cm/ms이고, P_2에서 P_3까지의 거리는 6 cm이므로, 흥분이 P_2에서 P_3까지 전도되는 데 걸리는 시간은 3 ms$\left(\frac{6\text{ cm}}{2\text{ cm/ms}}\right)$이다. ㉠일 때는 P_3의 막전위가 −70 mV이므로, 흥분이 발생하기 직전인 분극 상태이다. 분극 상태에서는 Na^+-K^+ 펌프를 통해 Na^+이 세포 안에서 밖으로 이동한다.

151

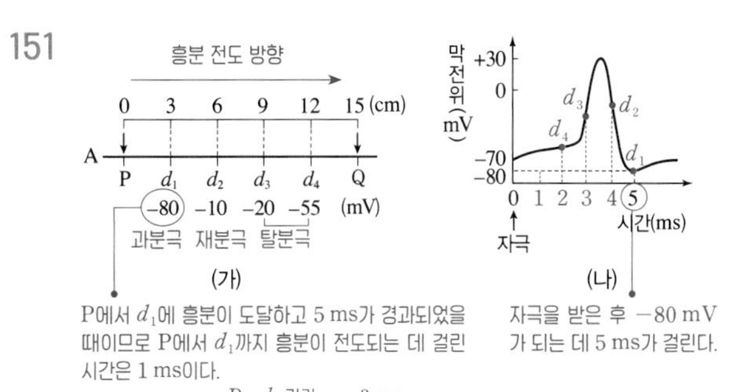

ㄴ. P에서 d_1까지의 거리는 3 cm이고, ㉠이 6 ms일 때 d_1에서의 막전위가 −80 mV이다. 흥분이 d_1에 도달한 후 막전위가 −80 mV가 되는 데 5 ms가 걸리므로, P에서 d_1까지 흥분이 전도되는 데 1 ms가 걸린다. 따라서 A에서 흥분 전도 속도는 3 cm/ms $\left(\frac{3\text{ cm}}{1\text{ ms}}\right)$이다.

ㄷ. P에서 d_3까지의 거리는 9 cm이므로 P에서 d_3까지 흥분이 전도되는 데 3 ms$\left(\frac{9\text{ cm}}{3\text{ cm/ms}}\right)$가 걸린다. 따라서 ㉠이 6 ms일 때 d_3의 막전위(−20 mV)는 흥분이 도달하고 3 ms일 때 형성된 것이다. (나)에서 자극을 받은 후 3 ms일 때의 −20 mV는 막전위 상승 지점이므로, ㉠이 6 ms일 때 d_3에서 탈분극이 일어나고 있다.

바로알기 | ㄱ. 역치 이상의 자극이 주어진 지점이 Q라면, d_1에서 과분극이 일어나고 있으므로 d_2~d_4는 과분극에서 휴지 전위로 회복되는 막전위가 나타나야 하므로 모두 −80 mV~−70 mV이어야 하는데, 그렇지 않다. 따라서 역치 이상의 자극이 주어진 지점은 P이다.

ㄹ. ㉠이 6 ms일 때 d_3에서 탈분극이 일어나고 있으므로, −55 mV인 d_4에서도 탈분극이 일어나고 있다. 탈분극이 일어날 때 K^+ 통로는 대부분 닫혀 있으므로, d_4에서 K^+이 세포 밖으로 급격히 확산되지 않는다.

152 역치 이상의 자극을 주고 경과된 시간 t_1은 흥분이 특정 P 지점까지 도달하는 데 걸린 시간과 P 지점에서의 막전위가 되는 데 걸린 시간을 합한 것이며, 자극이 특정 P 지점까지 도달하는 데 걸린 시간은 흥분 전도 속도를 이용하여 계산할 수 있다.

모범 답안 (1) B의 흥분 전도 속도는 1 cm/ms이므로, P_4까지 흥분이 전도되는 데 걸리는 시간은 6 ms이다. (나)에서 P_4의 막전위가 +30 mV가 되는 데 걸리는 시간은 2 ms이므로, t_1은 6 ms+2 ms=8 ms이다.

(2) 자극을 주고 경과된 시간이 t_1(8 ms)일 때 P_1에서의 막전위가 −80 mV이다. (나)에서 막전위가 −80 mV가 되는 데 걸리는 시간은 3 ms이므로 흥분이 P_1까지 도달하는 데 걸리는 시간은 8 ms−3 ms =5 ms이다. 따라서 A의 흥분 전도 속도는 0.4 cm/ms$\left(\frac{2\text{ cm}}{5\text{ ms}}\right)$이다.

153 자극을 받은 후 −80 mV가 되는 데 3 ms가 걸린다. ➔ P에서 d_1까지 흥분이 전달되는 데 5−3=2 ms가 걸린다. ➔ A의 흥분 전도 속도는 2 cm/ms$\left(\frac{4\text{ cm}}{2\text{ ms}}\right)$이다.

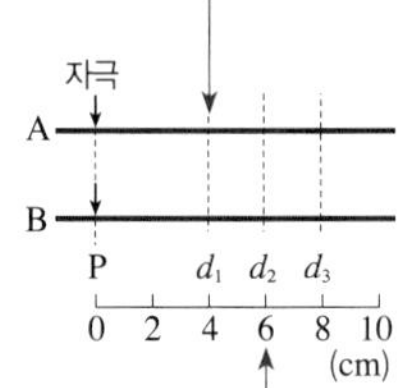

신경	5 ms일 때 측정한 막전위(mV)		
	d_1	d_2	d_3
A	−80	?	?
B	−70	−80	?

자극을 받은 후 −80 mV가 되는 데 3 ms가 걸린다. ➔ P에서 d_2까지 흥분이 전달되는 데 5−3=2 ms가 걸린다. ➔ B의 흥분 전도 속도는 3 cm/ms$\left(\frac{6\text{ cm}}{2\text{ ms}}\right)$이다.

5 ms일 때 A는 d_1에서, B는 d_2에서 과분극이 일어났다. ➔ 흥분 전도 속도는 B가 A보다 빠르다.

그래프에서 막전위가 −80 mV가 되는 데 걸리는 시간은 3 ms이다. A와 B의 P 지점에 역치 이상의 자극을 동시에 주고 경과된 시간이 5 ms일 때 과분극(−80 mV)인 지점은 A의 d_1, B의 d_2이다. ㉠이 5 ms일 때 A의 P에서 d_1까지, B의 P에서 d_2까지 흥분이 이동하는 데 걸리는 시간은 모두 5 ms−3 ms=2 ms이다. 따라서 A의 흥분 전도 속도는 2 cm/ms$\left(\frac{4\text{ cm}}{2\text{ ms}}\right)$, B의 흥분 전도 속도는 3 cm/ms $\left(\frac{6\text{ cm}}{2\text{ ms}}\right)$이다.

ㄴ. A의 흥분 전도 속도는 2 cm/ms이므로 P에서 6 cm 떨어진 d_2까지 흥분이 전도되는 데 걸리는 시간은 3 ms$\left(\frac{6\text{ cm}}{2\text{ cm/ms}}\right)$이다. ㉠이 4 ms일 때는 A의 d_2에 흥분이 도달하고 1 ms가 경과되었을 때이므로 d_2에서 막전위는 약 −60 mV이며 탈분극이 일어나고 있다. 따라서 ㉠이 4 ms일 때 A의 d_2에서 Na^+의 막 투과도가 증가한다.

바로알기 | ㄱ. ㉠이 5 ms일 때 A는 d_1에서, B는 d_2에서 과분극이 일어났다. 즉, A보다 B에서 과분극이 일어나는 지점이 더 멀다. 따라서 흥분의 전도 속도는 A가 B보다 느리다.

ㄷ. B의 흥분의 전도 속도는 3 cm/ms이므로 P에서 8 cm 떨어진 d_3까지 흥분이 이동하는 데 걸리는 시간은 $\frac{8}{3}$ ms$\left(\frac{8\text{ cm}}{3\text{ cm/ms}}\right)$이다. ㉠이 6 ms일 때는 B의 d_3에 흥분이 도달하고 $\frac{10}{3}$ ms가 경과되었을 때이므로, 과분극(−80 mV)을 지나 휴지 전위(−70 mV)로 회복 중이다. 따라서 ㉠이 6 ms일 때 B의 d_3에서의 막전위는 −70 mV보다 낮다.

154 ㄱ. 시냅스 소포는 축삭 돌기 말단에만 존재한다. 따라서 A는 시냅스 이전 뉴런이고, B는 시냅스 이후 뉴런이다.

ㄴ. 물질 C는 시냅스 소포에 들어 있는 신경 전달 물질이다. 신경 전달 물질(C)이 시냅스 틈으로 분비되면, 시냅스 이후 뉴런(B)의 신경 전달 물질 수용체와 결합하게 되고, 그 결과 시냅스 이후 뉴런(B)의 이온 통로가 열리면서 시냅스 이후 뉴런(B)에서 탈분극이 일어난다.

바로알기 | ㄷ. 시냅스에서 흥분의 전달은 시냅스 이전 뉴런(A)에서 시냅스 이후 뉴런(B)으로 일어난다.

155

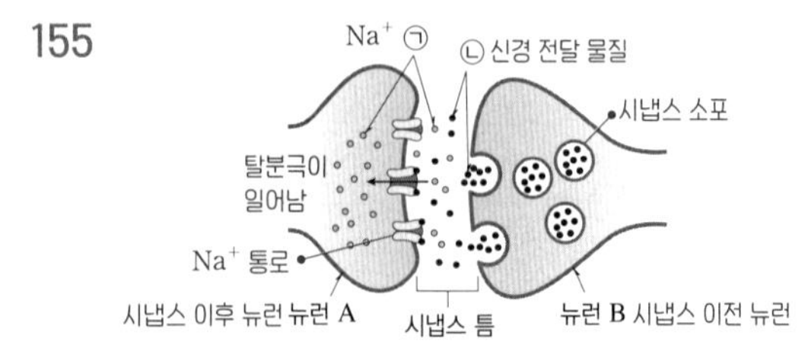

시냅스 소포는 시냅스 이전 뉴런의 축삭 돌기 말단에 존재하고, 신경 전달 물질 수용체는 시냅스 이후 뉴런에 존재한다. 따라서 뉴런 A는 시냅스 이후 뉴런, 뉴런 B는 시냅스 이전 뉴런이다.

ㄱ. 시냅스 이전 뉴런(B)에서 시냅스 틈으로 방출된 신경 전달 물질이 시냅스 이후 뉴런(A)의 신경 전달 물질 수용체와 결합하면 Na^+ 통로가 열리면서 시냅스 이후 뉴런(A)의 세포 안쪽으로 Na^+이 유입된다. 따라서 ㉠은 Na^+이다.

ㄴ. ㉡은 시냅스 소포에서 방출되는 신경 전달 물질이므로, 시냅스 이후 뉴런(A)에서 탈분극이 일어나도록 한다.

바로알기 | ㄷ. 뉴런 A는 시냅스 이후 뉴런, 뉴런 B는 시냅스 이전 뉴런이다.

156 ㄴ. d_2에서 t_2일 때는 Na^+ 통로가 열려 Na^+의 막 투과도가 증가하여 Na^+이 세포 안으로 유입됨으로써 막전위가 상승하는 탈분극이 일어나고 있다. t_3일 때는 하강하였던 막전위가 휴지 전위로 회복되는 시점으로 대부분의 Na^+ 통로가 닫혀 있어 Na^+의 막 투과도는 감소한다. 따라서 d_2에서 Na^+의 막 투과도는 t_2일 때가 t_3일 때보다 높다.

바로알기 | ㄱ. d_1은 말이집으로 싸여 있는 부분이므로 활동 전위가 발생하지 않는다. 따라서 탈분극도 일어나지 않는다.

ㄷ. 시냅스 이후 뉴런에서 발생한 흥분은 시냅스 이전 뉴런의 d_3에 전달되지 않는다. 따라서 t_3 이후에 d_3에서 활동 전위가 발생하지 않는다.

157

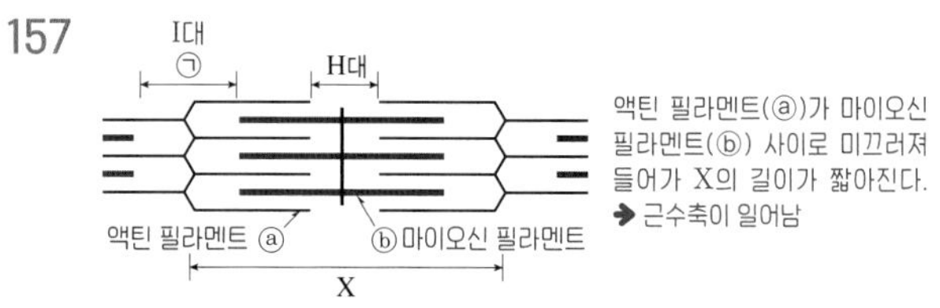

[근수축 시]
- ⓐ와 ⓑ의 길이, A대의 길이는 변화 없음
- H대, I대의 길이는 짧아짐

①, ② ㉠은 I대로, 액틴 필라멘트만 있는 I대는 밝게 보인다.
③ ⓐ는 액틴 필라멘트, ⓑ는 마이오신 필라멘트이다.
④ 근육 원섬유 마디의 길이는 I 대(㉠)과 A대를 더한 값이다.
⑤ 골격근이 수축하면 액틴 필라멘트(ⓐ)가 마이오신 필라멘트(ⓑ) 사이로 미끄러져 들어가 X의 길이가 짧아지며, 이때 H대의 길이가 짧아진다.

바로알기 | ⑥ 골격근이 수축 및 이완할 때 액틴 필라멘트(ⓐ)와 마이오신 필라멘트(ⓑ)의 길이는 변하지 않는다.

158 ㄱ. 굵은 ㉠은 마이오신 필라멘트, 가는 ㉡은 액틴 필라멘트이다.

ㄴ. (가)는 마이오신 필라멘트만 있는 부분이므로 H대에서 관찰되는 단면이고, (나)는 액틴 필라멘트만 있는 부분이므로 I대에서 관찰되는 단면이다. (다)는 액틴 필라멘트와 마이오신 필라멘트가 겹치는 부분으로, A대에서 관찰되는 단면이다.

바로알기 | ㄷ. 근육이 수축할 때 액틴 필라멘트(㉡)가 마이오신 필라멘트(㉠) 사이로 미끄러져 들어간다.

159 근육 원섬유에서 어둡게 보이는 부분(ⓐ)은 암대(A대)이고, 밝게 보이는 부분(ⓑ)은 명대(I대)이다.

ㄴ. 근육 원섬유 마디는 A대와 I대로 구성되므로, A대(ⓐ)의 길이+I대(ⓑ)의 길이는 근육 원섬유 마디의 길이와 같다.

ㄷ. 팔을 펼 때 근육 ㉠이 수축하게 된다. 이때 액틴 필라멘트만 존재하는 I 대(ⓑ)의 길이는 짧아진다.

바로알기 | ㄱ. A대(ⓐ)에는 마이오신 필라멘트가 존재하지만, I 대(ⓑ)에는 존재하지 않는다.

160 ㄱ. ⓐ는 H대, ⓑ는 I대이다.

ㄴ. 팔을 굽힐 때 ㉠은 수축한다. 근육이 수축할 때 A대의 길이는 변하지 않고, H대(ⓐ)의 길이는 짧아진다. 따라서 팔을 굽힐 때 ㉠에서 $\frac{\text{ⓐ의 길이}}{\text{A대의 길이}}$는 작아진다.

ㄷ. ㉡은 팔을 굽힐 때 이완하고, 팔을 펼 때 수축한다. 근육이 수축할 때 H대(ⓐ)의 길이와 I대(ⓑ)의 길이는 모두 짧아지므로, ㉡에서 ⓐ+ⓑ의 길이는 팔을 굽혔을 때가 팔을 폈을 때보다 길다.

161

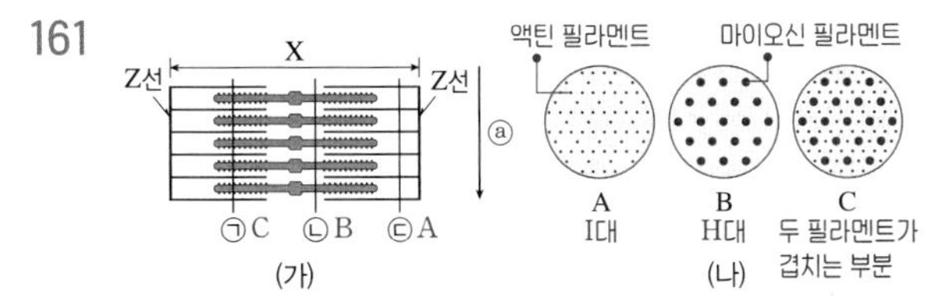

ㄱ. (가)에서 ㉠은 마이오신 필라멘트와 액틴 필라멘트가 겹치는 지점이고, ㉡은 마이오신 필라멘트만 있는 지점이며, ㉢은 액틴 필라멘트만 있는 지점이다. (나)에서 A는 액틴 필라멘트만 있는 부분의 단면, B는 마이오신 필라멘트만 있는 부분의 단면, C는 마이오신 필라멘트와 액틴 필라멘트가 겹치는 부분의 단면이다. 따라서 A는 ㉢을 자른 단면, B는 ㉡을 자른 단면, C는 ㉠을 자른 단면이다.

ㄷ. X의 길이가 5 μm 증가하면 액틴 필라멘트와 마이오신 필라멘트가 겹치는 부분의 길이가 5 μm 감소하므로, B와 같은 단면을 갖는 부분(H대)의 길이는 5 μm 증가한다.

바로알기 | ㄴ. 근육이 수축하면 액틴 필라멘트가 마이오신 필라멘트 사이로 미끄러져 들어가므로, C와 같은 단면을 갖는 부분의 길이는 길어진다.

162 (나)에서 A는 액틴 필라멘트만 있는 부분(I대)의 단면, B는 마이오신 필라멘트만 있는 부분(H대)의 단면, C는 마이오신 필라멘트와 액틴 필라멘트가 겹치는 부분의 단면이다. A대는 마이오신 필라멘트와 액틴 필라멘트가 겹치는 부분과 마이오신 필라멘트만 있는 부분으로 구분된다. 근수축이 일어나면 A대의 길이는 변하지 않고, 액틴 필라멘트와 마이오신 필라멘트가 겹치는 부분의 길이는 길어지며, H대의 길이와 I대의 길이는 각각 짧아진다.

모범 답안 (1) B, C

(2) 골격근이 이완하면 A와 같은 단면을 갖는 부분(I대)의 길이와 B와 같은 단면을 갖는 부분(H대)의 길이는 길어지며, C와 같은 단면을 갖는 부분(마이오신 필라멘트와 액틴 필라멘트가 겹치는 부분)의 길이는 짧아진다.

163 ㄱ. 근수축이 일어나는 과정에서 A대의 길이는 변하지 않으므로, ㉡은 1.4 μm이다. 액틴 필라멘트와 겹치지 않고 마이오신 필라멘트로만 이루어진 부분은 H대이므로, (나)에서 H대의 길이(㉠)는 0.6 μm이다. 따라서 ㉠과 ㉡의 합은 0.6+1.4=2.0 μm이다.

바로알기 | ㄴ. H대의 길이가 (가)에서는 0.4 μm, (나)에서는 0.6 μm이다. 따라서 X의 길이는 (나)에서가 (가)에서보다 길다.

ㄷ. 액틴 필라멘트의 길이는 근수축 과정에서 변하지 않으므로, (가)와 (나)에서 같다.

164

시점	X의 길이
ⓐ	2.4 μm
ⓑ	3.2 μm

수축
0.8 μm 감소
㉢ 0.8 μm 감소
㉡ 0.4 μm 증가
㉠ 0.4 μm 감소

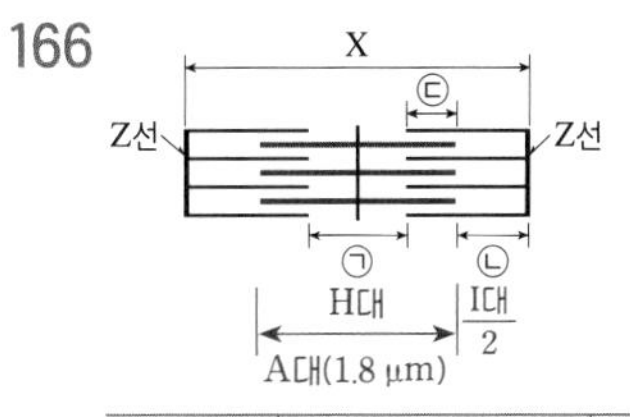

근육 원섬유 마디 X의 길이는 각각 2.4 μm, 3.2 μm로 ⓐ일 때보다 ⓑ일 때 길다. 따라서 ⓐ일 때가 ⓑ일 때보다 근육이 더 수축한 시점이며, ⓑ에서 ⓐ로 될 때 X의 길이가 0.8 μm 감소하였으므로, H대(㉢)의 길이도 0.8 μm 감소하였다.

ㄱ. ⓑ에서 ⓐ로 될 때 골격근의 수축이 일어나며, 골격근이 수축하는 과정에서 ATP를 소모한다.

ㄴ. H대의 길이는 ㉢의 길이이며, ⓑ일 때 H대의 길이=X의 길이(3.2)−2×1.0=1.2 μm이다. ⓑ에서 ⓐ로 될 때 ㉢은 0.8 μm 감소하였으므로, ⓐ일 때 H대의 길이는 1.2−0.8=0.4 μm이다.

ㄷ. ⓑ일 때 A대의 길이는 1.6 μm인데, H대의 길이는 1.2 μm이므로, ㉡의 길이는 0.2 μm이다. 따라서 ⓑ일 때 ㉠의 길이는 1.0−0.2=0.8 μm이다.

바로알기 | ㄹ. ⓑ에서 ⓐ로 될 때 ㉢은 0.8 μm 감소하였으므로, ㉡은 $\frac{0.8\,\mu\text{m}}{2}$=0.4 μm 증가하였다. 따라서 ㉡의 길이는 ⓐ일 때가 ⓑ일 때보다 0.4 μm 길다.

개념 보충

근육 원섬유 마디 각 부분의 길이
- 근육 원섬유 마디의 길이=A대의 길이+I대의 길이
- H대의 길이=A대의 길이−두 필라멘트가 겹치는 부분의 길이
- A대의 길이=H대의 길이+두 필라멘트가 겹치는 부분의 길이

근수축 시 근육 원섬유 마디 각 부분의 길이 변화량
- 근육 원섬유 마디의 길이 변화량=H대의 길이 변화량=두 필라멘트가 겹치는 부분 중 한쪽의 길이 변화량×2=한쪽 I대의 길이 변화량×2
- 근육 원섬유 마디에서 두 필라멘트가 겹치는 부분 중 한쪽의 길이 증가량=한쪽 I대의 길이 감소량

165

시점	X의 길이	㉡의 길이
t_1	2.4 μm ?	0.4 μm
t_2	2.0 μm	0.2 μm

수축
0.4 μm 감소
0.2 μm 감소
㉠의 길이 0.4 μm 감소

t_1에서 t_2로 될 때 ㉡의 길이는 0.4−0.2=0.2 μm 감소하였다. 이를 통해 t_1에서 t_2로 될 때 근수축이 일어나 I대의 길이(㉡의 길이×2)가 0.4 μm 감소하였음을 알 수 있다.

ㄴ. t_1에서 t_2로 될 때 I대의 길이(㉡의 길이×2)가 0.4 μm 감소하였으므로 ㉠(H대)의 길이도 0.4 μm 감소하였다. 따라서 ㉠의 길이는 t_1일 때가 t_2일 때보다 길다.

바로알기 | ㄱ. t_1일 때 X의 길이=t_2일 때 X의 길이+(t_1에서 t_2로 될 때 감소한 ㉡의 길이×2)=2.0+(0.2×2)=2.4 μm이다.

ㄷ. A대의 길이는 근수축 시 변하지 않으므로, t_1일 때와 t_2일 때가 같다.

166

X
Z선
Z선
㉢
㉠ H대
㉡ $\frac{\text{I대}}{2}$
A대(1.8 μm)

시점	㉠의 길이	㉡의 길이
t_1	0.8 μm	0.6 μm
t_2	0.4 μm ?	0.4 μm

수축
0.4 μm 감소
0.2 μm 감소

ㄷ. t_1에서 t_2로 될 때 ㉡의 길이는 0.6−0.4=0.2 μm 감소하였다. 이를 통해 t_1에서 t_2로 될 때 근수축이 일어나 ㉢의 길이는 0.2 μm 증가하였음을 알 수 있다. 따라서 ㉢의 길이는 t_1일 때가 t_2일 때보다 짧다.

바로알기 | ㄱ. ㉡의 길이는 $\frac{\text{I대의 길이}}{2}$이고, t_1에서 t_2로 될 때 ㉡의 길이는 0.2 μm 감소하였으므로, ㉠(H대)의 길이는 0.4 μm 감소하였다. 따라서 t_2일 때 ㉠의 길이는 0.8−0.4=0.4 μm이다.

ㄴ. t_1일 때 X의 길이=A대의 길이+(2×㉡의 길이)=1.8+(2×0.6)=3.0 μm이다. t_1에서 t_2로 될 때 ㉠(H대)의 길이는 0.4 μm 감소하였으므로, t_2일 때 X의 길이=3.0−0.4=2.6 μm이다. 따라서 X의 길이는 t_1일 때가 t_2일 때보다 0.4 μm 길다.

167 ㉠의 길이는 H대의 길이, ㉡의 길이와 ㉢의 길이를 더한 값(㉡+㉢)은 액틴 필라멘트의 길이이다.

ㄱ. X의 길이=㉠의 길이(ⓐ)+2×(㉡+㉢의 길이)이다. t_1일 때 X의 길이는 2.8 μm이고, 액틴 필라멘트의 길이(㉡+㉢의 길이)는 1.1 μm이므로, 2.8=ⓐ+2×1.1이 되어 ⓐ는 0.6 μm이다. 근수축 시 액틴 필라멘트의 길이는 변하지 않으므로, t_2일 때 액틴 필라멘트의 길이(㉡+㉢의 길이, ⓑ)는 1.1 μm이다. 따라서 ⓐ+ⓑ의 값은 0.6+1.1=1.7이다.

ㄴ. t_1에서 t_2로 될 때 ㉠의 길이(H대의 길이)는 0.4 μm 감소하였으므로 t_2일 때 X의 길이=t_1일 때 X의 길이(2.8)−0.4=2.4 μm이다. 따라서 X의 길이는 t_1일 때가 t_2일 때보다 0.4 μm 길다.

ㄷ. X의 길이에서 ㉠의 길이를 뺀 값은 액틴 필라멘트의 길이×2이며, t_1과 t_2일 때 액틴 필라멘트의 길이는 변하지 않으므로, X의 길이에서 ㉠의 길이를 뺀 값은 t_1일 때와 t_2일 때가 같다.

168

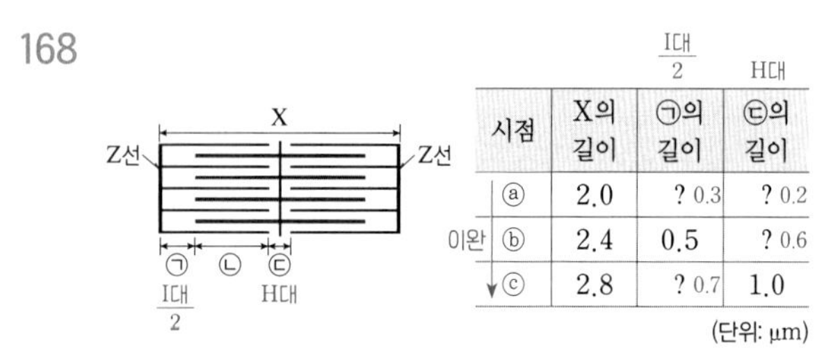

시점	X의 길이	㉠의 길이 (I대/2)	㉢의 길이 (H대)
ⓐ	2.0	? 0.3	? 0.2
이완 ⓑ	2.4	0.5	? 0.6
ⓒ	2.8	? 0.7	1.0

(단위: μm)

ⓐ → ⓑ → ⓒ로 갈수록 근육 원섬유 마디 X의 길이는 점점 길어지므로, ⓐ → ⓑ → ⓒ로 갈수록 골격근은 이완한다. ㉠의 길이는 $\frac{\text{I대의 길이}}{2}$이고, ㉢의 길이는 H대의 길이이다. ⓐ → ⓑ → ⓒ로 갈수록 X의 길이는 0.4 μm씩 증가하므로, ㉢의 길이(H대의 길이)도 0.4 μm씩 증가하며, ㉠의 길이는 $\frac{\text{증가한 ㉢의 길이}}{2}$만큼 증가한다.

A대의 길이는 (액틴 필라멘트와 마이오신 필라멘트가 겹치는 부분(㉡)의 길이×2)+마이오신 필라멘트만 있는 부분(㉢)의 길이로, 근수축이 일어나도 길이는 변화 없다.

모범 답안 (1) A대의 길이=(2×㉡의 길이)+㉢의 길이
또는 A대의 길이=X의 길이−(2×㉠의 길이)

(2) ⓐ에서 ⓑ로 변할 때 X의 길이가 0.4 μm 증가하므로 H대의 길이도 0.4 μm 증가한다.

(3) ⓒ일 때 ㉠의 길이는 0.7 μm이다. ㉠의 길이는 $\frac{\text{I대의 길이}}{2}$이고, ⓑ에서 ⓒ로 될 때 X의 길이는 0.4 μm 증가하므로, ㉠의 길이는 0.2 μm 증가한다. ⓑ일 때 ㉠의 길이는 0.5 μm이므로, ⓒ일 때 ㉠의 길이는 0.7 μm이다.

07 신경계

빈출 자료 보기 53쪽

169 (1) ○ (2) ○ (3) ○ (4) ○ (5) × (6) ×

169 (1) A는 골격근에 연결된 원심성 신경이므로 체성 신경이다.
(2) B는 신경절 이전 뉴런이 신경절 이후 뉴런보다 짧으므로 교감 신경이다. 교감 신경(B)이 흥분하면 심장 박동이 촉진된다.
(3) C는 신경절 이전 뉴런이 신경절 이후 뉴런보다 길므로 부교감 신경이다. 부교감 신경(C)이 흥분하면 방광이 수축된다.
(4) 교감 신경(B)과 부교감 신경(C)은 모두 자율 신경이므로, 대뇌의 영향을 직접 받지 않는다.

바로알기 | (5) 심장에 연결된 교감 신경(B)의 신경절 이전 뉴런의 신경 세포체는 척수에 있다.
(6) 교감 신경(B)의 신경절 이후 뉴런의 말단에서 분비되는 신경 전달 물질은 노르에피네프린이고, 부교감 신경(C)의 신경절 이후 뉴런의 말단에서 분비되는 신경 전달 물질은 아세틸콜린이다.

난이도별 필수 기출 54~57쪽

170 ③	171 ③	172 ①	173 ②	174 ①	175 ⑤
176 ③	177 ⑤	178 ③	179 ③	180 ④	181 ③
182 ⑤	183 해설 참조		184 ①	185 ⑤	186 ①
187 ④					

170 ③ 대뇌는 골격근의 수의(의식적) 운동의 중추이다.

바로알기 | ① 뇌 신경은 12쌍, 척수 신경은 31쌍으로 이루어져 있다.
② 자율 신경계는 대뇌의 직접적인 지배를 받지 않는다.
④ 대뇌 겉질은 신경 세포체가 모인 회색질이다. 대뇌 속질이 주로 축삭 돌기가 모인 백색질이다.
⑤ 중추 신경계는 뇌와 척수로 구성된다. 말초 신경계가 뇌 신경과 척수 신경으로 구성된다.

171 ① 간뇌는 시상과 시상 하부로 구분된다. 시상은 척수나 연수로부터 오는 감각 신호를 대뇌 겉질의 적합한 부위로 보내는 역할을 하며, 시상 하부는 자율 신경과 내분비샘의 조절 중추로 항상성 조절에 중요한 역할을 한다.
② 연수는 기침, 재채기, 하품과 같은 무조건 반사의 중추이다.
④ 소뇌는 몸의 자세와 균형 유지를 담당하는 몸의 평형 유지의 중추이다.
⑤ 대뇌는 두 개의 반구로 나누어져 있으며, 표면에는 많은 주름이 있어 표면적이 넓다.

바로알기 | ③ 중간뇌는 동공의 크기 조절과 안구 운동의 중추이다. 시각의 중추는 대뇌이다.

172 간뇌: 시상과 시상 하부로 구분, 항상성 조절에 중요한 역할

E 대뇌: 겉질은 신경 세포체가 모인 회색질, 속질은 축삭 돌기가 모인 백색질

D 소뇌: 몸의 평형 유지 중추

A

중간뇌: 홍채를 이용한 동공의 크기 조절 B

C 연수: 대뇌와 연결되는 대부분의 신경이 교차되는 장소

① A는 간뇌로, 체온과 혈당량 조절 등 항상성 유지에 중요한 역할을 한다.

바로알기 | ② B는 중간뇌이며, 시상 하부는 간뇌(A)에 존재한다.

③ C는 연수이며, 중간뇌(B)가 홍채의 크기를 조절한다.

④ D는 소뇌이며, 연수(C)에서 신경의 좌우 교차가 일어난다.

⑤ E는 대뇌이며, 대뇌 속질에는 주로 축삭 돌기가, 대뇌 겉질에는 신경 세포체가 모여 있다.

⑥ 뇌줄기는 중간뇌(B), 뇌교, 연수(C)로 구성된다. 간뇌(A)는 뇌줄기를 구성하지 않는다.

173 ② 연수(C)는 심장 박동을 조절하는 중추이므로, 연수(C)가 손상되면 심장 박동이 매우 느려질 수 있다.

바로알기 | ① 체온 조절의 중추는 간뇌(A)이다.

③ 동공 반사의 중추는 중간뇌(B)이다.

④ 무릎 반사의 중추는 척수이다.

⑤ 몸의 균형 유지를 담당하는 몸의 평형 유지 중추는 소뇌(D)이다.

174 중간뇌, 소뇌, 연수 중 뇌줄기를 구성하는 뇌는 중간뇌, 연수이고, 동공 반사의 중추는 중간뇌이다. 따라서 A는 소뇌, B는 연수, C는 중간뇌이다.

ㄱ. 동공 반사의 중추는 중간뇌이므로, C는 중간뇌이고, ㉠은 '있음'이다.

바로알기 | ㄴ. 소뇌는 뇌줄기를 구성하지 않으므로, A는 소뇌이다.

ㄷ. 혈장 삼투압 조절의 중추는 간뇌이다.

175

구분	㉠	㉡	㉢
척수 A	? ×	×	○
연수 B	○	○	? ○
간뇌 C	○	ⓐ ×	○

(○: 있음, ×: 없음)

(가)

특징 ㉠~㉢
• 뇌를 구성한다. ㉠
• 연합 뉴런으로 구성된다. ㉢
• 소화 운동과 소화액 분비를 조절하는 중추이다. ㉡

(나)

연수, 간뇌, 척수 중 뇌를 구성하는 것은 연수와 간뇌이고, 연합 뉴런으로 구성된 것은 연수, 간뇌, 척수이며, 소화 운동과 소화액 분비를 조절하는 중추는 연수이다. 따라서 A는 척수, B는 연수, C는 간뇌이며, ㉠은 '뇌를 구성한다.', ㉡은 '소화 운동과 소화액 분비를 조절하는 중추이다.', ㉢은 '연합 뉴런으로 구성된다.'이다.

ㄴ. C는 간뇌이므로, ㉡ '소화 운동과 소화액 분비를 조절하는 중추이다.'는 '×'이다.

ㄷ. A는 척수이며, 배변·배뇨 반사의 중추이다.

바로알기 | ㄱ. ㉠은 '뇌를 구성한다.'이다.

176 ㄱ. 날아오는 공을 보고 손으로 잡는 반응은 대뇌의 판단과 명령에 따라 일어나는 의식적인 반응이다. 이 반응이 일어나는 경로는 감각기(눈, A) → 감각 신경(뇌 신경) → 대뇌 → 척수 → 운동 신경 → 반응기(손, P)이다. 따라서 날아오는 공을 보고 손으로 잡는 과정은 A → P이다.

ㄴ. 뜨거운 것을 만졌을 때 자신도 모르게 손을 떼는 반응은 회피 반사(척수 반사)이다. 이 반응이 일어나는 경로는 감각기(피부, B) → 감각 신경 → 척수 → 운동 신경 → 반응기(손, Q)이다. 따라서 뜨거운 것을 만졌을 때 자신도 모르게 손을 떼는 과정은 B → Q이다.

바로알기 | ㄷ. 무릎 반사가 일어나는 경로는 감각기(B) → 감각 신경 → 척수 → 운동 신경 → 반응기(발, Q)이다. 따라서 뇌에서 척수로 뻗어 나온 뉴런 ㉠은 척수 반사의 경로에 관여하지 않는다.

177 그림은 날카로운 핀에 손이 찔렸을 때 자신도 모르게 손을 들어올리는 반응을 나타낸 것으로, 회피 반사이다.

ㄴ. 회피 반사의 중추는 척수이며, 척수는 연합 뉴런으로 구성된다. 따라서 ㉡은 연합 뉴런이다.

ㄷ. ㉢은 골격근에 연결되어 있으므로 운동 신경이며, 운동 신경의 신경 세포체는 척수의 속질(회색질)에 존재한다.

ㄹ. 근육 ⓐ가 수축하면 액틴 필라멘트가 마이오신 필라멘트 사이로 미끄러져 들어가므로 ⓐ의 근육 원섬유 마디에서 I대와 H대가 모두 짧아진다.

바로알기 | ㄱ. ㉠은 피부에 연결된 감각 신경이므로, 척수의 후근을 이룬다.

178

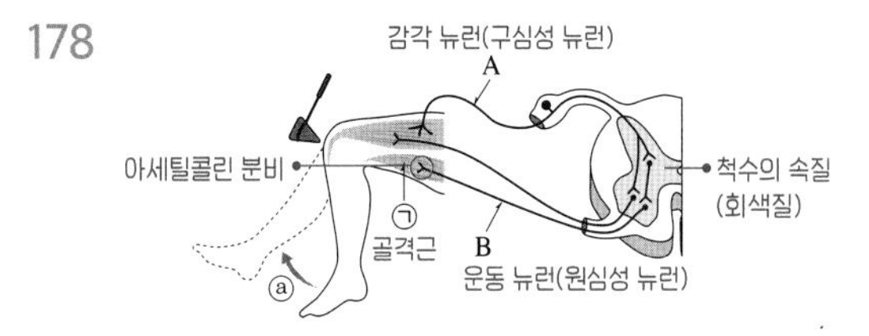

ㄱ. A는 신경 세포체가 축삭 돌기의 중간에 있으므로 감각 뉴런이며, 감각 뉴런은 감각기에서 수용한 자극을 중추 신경계에 전달하므로 구심성 뉴런이다.

ㄴ. B는 골격근에 연결된 운동 신경이므로 체성 신경이다. 체성 신경은 골격근(㉠)에 아세틸콜린을 분비하여 중추 신경계의 명령을 전달한다.

바로알기 | ㄷ. 근육의 수축과 이완 과정에서 마이오신 필라멘트와 액틴 필라멘트의 길이는 변화 없다. 따라서 무릎 반사가 일어나 다리가 들리는 반응인 ⓐ가 일어날 때 ㉠의 근육 원섬유 마디에서 마이오신 필라멘트의 길이는 변화 없다.

179 ㄱ. 감각 신경은 구심성 신경에, 자율 신경은 원심성 신경에 해당한다. 따라서 (가)는 구심성 신경, (나)는 원심성 신경이다.

ㄷ. 자율 신경계를 이루는 ㉡과 ㉢ 중 하나는 교감 신경, 다른 하나는 부교감 신경이다. 교감 신경과 부교감 신경은 길항 작용으로 기관의 기능을 적절히 조절한다.

바로알기 | ㄴ. 원심성 신경은 체성 신경계와 자율 신경계로 구분되므로, ㉠은 체성 신경계이다. 체성 신경은 중추에서 반응기까지 하나의 뉴런으로 연결되어 있으며, 자율 신경이 중추에서 반응기까지 2개의 뉴런으로 연결되어 있다.

180 ㄱ. A는 신경절 이전 뉴런이 신경절 이후 뉴런보다 길므로 부교감 신경이다. 부교감 신경은 자율 신경이므로 대뇌의 영향을 직접 받지 않는다.

ㄷ. C는 골격근에 연결된 운동 신경이므로, 체성 신경계에 속한다.

바로알기 | ㄴ. B는 신경절 이전 뉴런이 신경절 이후 뉴런보다 짧으므로 교감 신경이다. 교감 신경은 심장 박동을 촉진한다.

181 체성 신경인 운동 신경은 중추에서 나와 반응기(골격근)에 이르기까지 1개의 뉴런으로 이루어져 있고, 자율 신경은 중추에서 나와 반응기에 이르기까지 2개의 뉴런이 시냅스를 이룬다. 따라서 ㉠은 체성 신경인 운동 신경이고, ㉡과 ㉢은 모두 자율 신경이다.

ㄱ. 체성 신경인 운동 신경(㉠)과 연결된 A는 팔 골격근이고, 자율 신경(㉡과 ㉢)과 연결된 B는 소장이다.

ㄴ. 체성 신경인 운동 신경(㉠)은 원심성 신경이므로, 척수의 전근을 통해 나온다.

바로알기 | ㄷ. ㉡과 ㉢은 신경절 이전 뉴런이 신경절 이후 뉴런보다 짧으므로 교감 신경이다. 교감 신경의 신경절 이전 뉴런(㉡)의 축삭 돌기 말단에서는 아세틸콜린이, 교감 신경의 신경절 이후 뉴런(㉢)의 축삭 돌기 말단에서는 노르에피네프린이 분비된다.

182

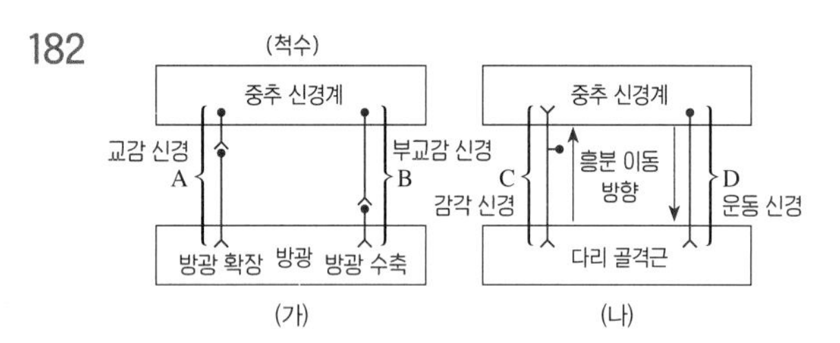

A는 신경절 이전 뉴런이 신경절 이후 뉴런보다 짧으므로 교감 신경이고, B는 신경절 이전 뉴런이 신경절 이후 뉴런보다 길므로 부교감 신경이다. C는 축삭 돌기의 한쪽에 신경 세포체가 있으므로 감각 신경이고, D는 중추 신경계에 신경 세포체가 있고 축삭 돌기 말단이 다리 골격근에 있으므로 운동 신경이다.

ㄴ. 방광에 연결된 교감 신경(A)과 부교감 신경(B)의 신경절 이전 뉴런의 신경 세포체는 모두 척수에 있다.

ㄷ. 감각 신경(C)은 구심성 신경이므로, 흥분의 이동 방향은 다리 골격근 → 중추 신경계이다. 운동 신경(D)은 원심성 신경이므로, 흥분의 이동 방향은 중추 신경계 → 다리 골격근이다. 따라서 C와 D에서 흥분의 이동 방향은 서로 반대이다.

바로알기 | ㄱ. 방광에 연결된 교감 신경(A)이 흥분하면 방광이 확장된다.

183 사나운 개를 만났을 때와 같은 위기 상황에서는 교감 신경이 작용하며, 다시 원래의 상태로 회복하는 과정에서는 부교감 신경이 작용한다.

모범 답안 교감 신경, 교감 신경이 작용하면 동공이 확장되고 심장 박동이 촉진되며, 소화액 분비가 억제되고, 방광이 확장되면서 몸을 긴장 상태로 만든다.

184

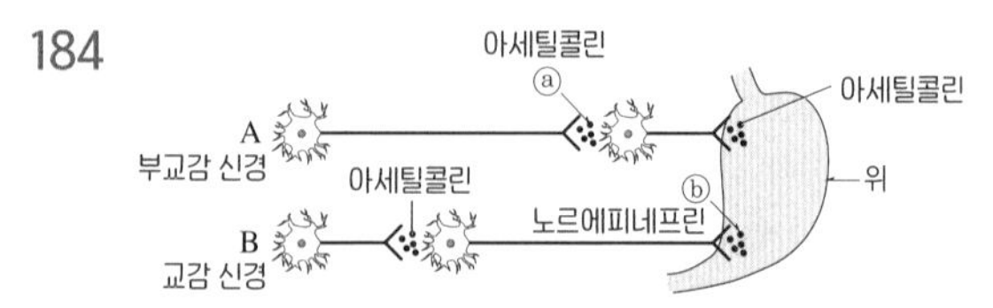

ㄱ. A는 신경절 이전 뉴런이 신경절 이후 뉴런보다 길므로 부교감 신경이고, B는 신경절 이전 뉴런이 신경절 이후 뉴런보다 짧으므로 교감 신경이다.

바로알기 | ㄴ. 교감 신경(B)이 흥분하면 위의 소화 작용이 억제된다.

ㄷ. 부교감 신경의 신경절 이전 뉴런의 축삭 돌기 말단에서 분비되는 신경 전달 물질(ⓐ)은 아세틸콜린, 교감 신경의 신경절 이후 뉴런의 축삭 돌기 말단에서 분비되는 신경 전달 물질(ⓑ)은 노르에피네프린이다.

185

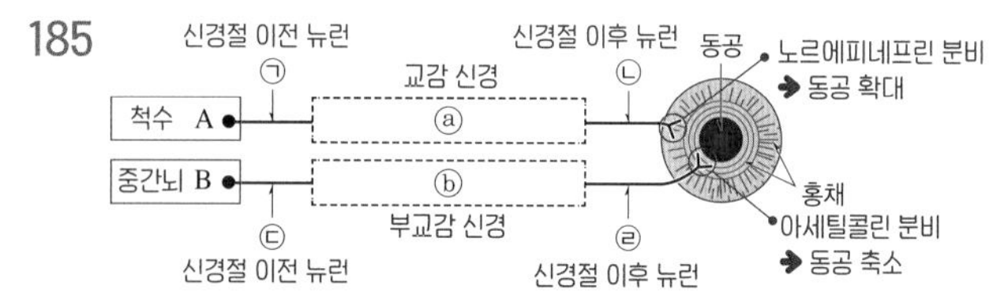

ㄱ. 자율 신경은 중추에서 나와 반응기에 이르기까지 하나의 신경절이 존재한다. 교감 신경과 부교감 신경의 신경절 이전 뉴런에서는 모두 아세틸콜린이 분비되며, 교감 신경의 신경절 이후 뉴런에서는 노르에피네프린이, 부교감 신경의 신경절 이후 뉴런에서는 아세틸콜린이 분비된다. 그런데 ㉠과 ㉣의 말단에서 분비되는 신경 전달 물질은 서로 같다고 하였으므로, A는 교감 신경, B는 부교감 신경이다.

ㄴ. 교감 신경의 신경절 이후 뉴런(㉡)이 흥분하면 동공이 확대된다.

ㄷ. 홍채에 연결된 부교감 신경의 신경절 이전 뉴런(㉢)의 신경 세포체는 중간뇌에 있으며, 교감 신경의 신경절 이전 뉴런(㉠)의 신경 세포체는 척수에 있다.

186

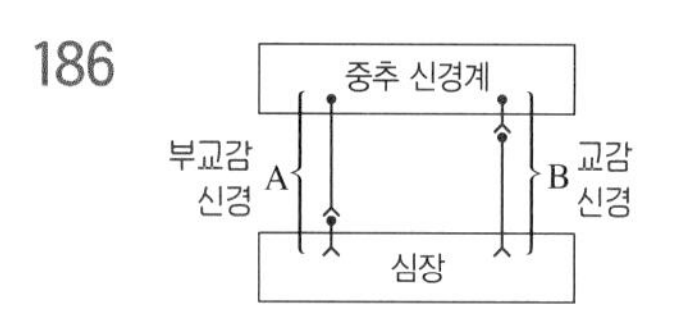

구분	심장	기관지
교감 신경(B) 작용 (가)	박동 촉진	㉠ 확장
부교감 신경(A) 작용 (나)	박동 억제	? 수축

A는 심장에 연결된 부교감 신경, B는 심장에 연결된 교감 신경이다.

ㄱ. 부교감 신경(A)의 활동 전위 발생 빈도가 증가할 때는 심장 박동이 억제되므로 (나)이고, 교감 신경(B)의 활동 전위 발생 빈도가 증가할 때는 심장 박동이 촉진되므로 (가)이다.

바로알기 | ㄴ. 교감 신경(B)의 신경절 이전 뉴런의 신경 세포체는 척수에 있다.

ㄷ. 교감 신경이 흥분하면 기관지가 확장되고, 부교감 신경이 흥분하면 기관지가 수축된다. 따라서 ㉠은 '확장'이다.

187

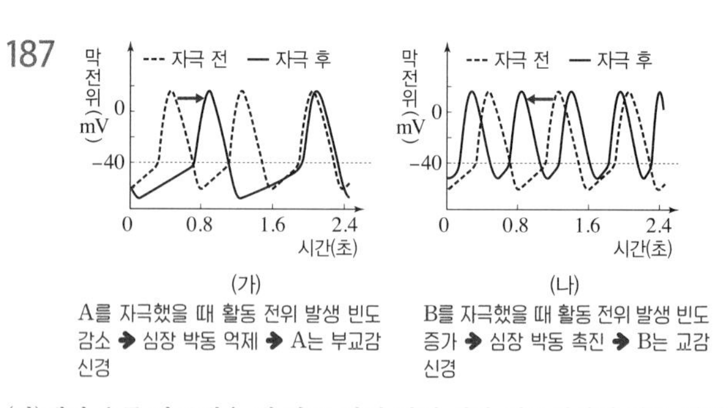

(가)에서 A를 자극했을 때 자극 전에 비해 심장 세포에서의 활동 전위 발생 빈도가 감소하였으므로 A는 부교감 신경이고, (나)에서 B를 자극했을 때 자극 전에 비해 심장 세포에서의 활동 전위 발생 빈도가 증가하였으므로 B는 교감 신경이다.

ㄱ. 부교감 신경(A)은 신경절 이전 뉴런의 길이보다 신경절 이후 뉴런의 길이가 짧다.

ㄴ. 교감 신경(B)의 신경절 이전 뉴런의 신경 세포체는 척수에 있다.

바로알기 | ㄷ. 교감 신경(B)의 신경절 이후 뉴런의 말단에서 분비되는 신경 전달 물질은 노르에피네프린이고, 체성 신경의 말단에서 분비되는 신경 전달 물질은 아세틸콜린이다.

최고 수준 도전 기출 (05~07강)

58~59쪽

188 ④　189 ②　190 ②　191 ④　192 ②

188

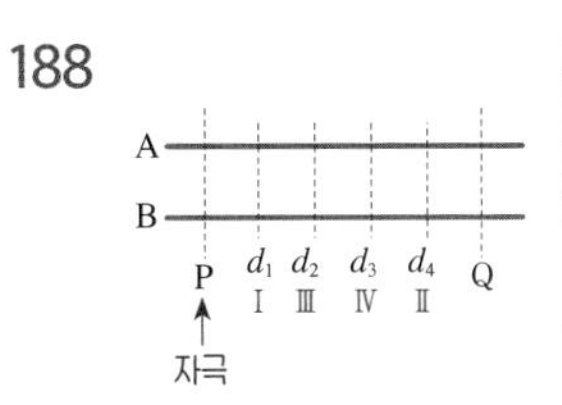

신경	t_1일 때 측정한 막전위(mV)			
	Ⅰ	Ⅱ	Ⅲ	Ⅳ
A	−80 과분극	+5	−40 재분극	+20
B	−60 재분극	−65 탈분극	+20	−15 탈분극

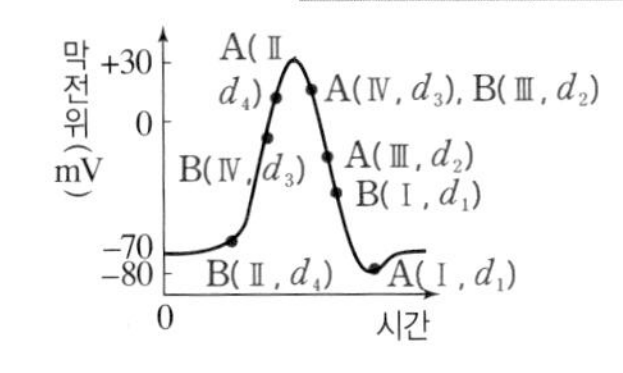

Ⅰ은 d_1이고 흥분의 전도 속도는 B보다 A에서 빠르다고 하였다. t_1일 때 d_1에서 A의 막전위는 −80 mV, B의 막전위는 −60 mV이므로 A는 과분극 상태, B는 재분극 상태이다.

Ⅱ에서 A의 막전위는 +5 mV, B의 막전위는 −65 mV이므로 A는 탈분극 또는 재분극 상태이고, B는 탈분극 상태이다. Ⅲ에서 A의 막전위는 −40 mV, B의 막전위는 +20 mV이므로 A는 재분극 상태이고, B는 탈분극 또는 재분극 상태이다. Ⅳ에서 A의 막전위는 +20 mV, B의 막전위는 −15 mV이므로 A는 탈분극 또는 재분극 상태이고, B는 탈분극 상태이다. 따라서 Ⅱ는 d_4, Ⅲ은 d_2, Ⅳ는 d_3이다.

ㄱ. A와 B에서 흥분의 전도는 1회 일어났으므로, 자극을 준 지점이 Q라면 A의 d_1에서 막전위는 −80 mV이므로, d_2~d_4 지점은 모두 과분극 상태를 지나 휴지 전위로 회복 중이거나 휴지 전위 상태이다. 즉, t_1일 때 A의 d_2~d_4 지점에서의 막전위는 −70 mV이거나 −70 mV~−80 mV 사이에 있어야 하는데, 그렇지 않다. 따라서 자극을 준 지점은 P이다.

ㄷ. t_1일 때 B의 d_4(Ⅱ)에서는 탈분극이 일어나고 있으므로 열린 Na^+ 통로를 통해 Na^+이 세포 안으로 확산된다.

ㄹ. t_1일 때 d_3(Ⅳ)에서 A의 막전위는 +20 mV, d_4(Ⅱ)에서 A의 막전위는 +5 mV이므로 t_1일 때 A의 $\frac{d_3\text{의 막전위}}{d_4\text{의 막전위}}=\frac{+20}{+5}=4$이다.

바로알기 | ㄴ. Ⅱ는 d_4이다.

189

−80 mV가 되는 데 3 ms가 걸린다.
➜ $t_1=1+3=4$ ms

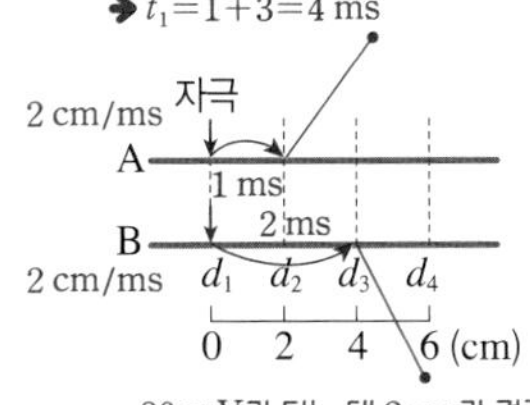

신경	t_1일 때 측정한 막전위(mV)			
	d_1	d_2	d_3	d_4
A	−70?	−80	?+30	−58
B	−70?	−75	−80	+30

−80 mV가 되는 데 2 ms가 걸린다.
➜ B의 흥분 전도 속도$=\frac{4\text{ cm}}{2\text{ ms}}=2$ cm/ms

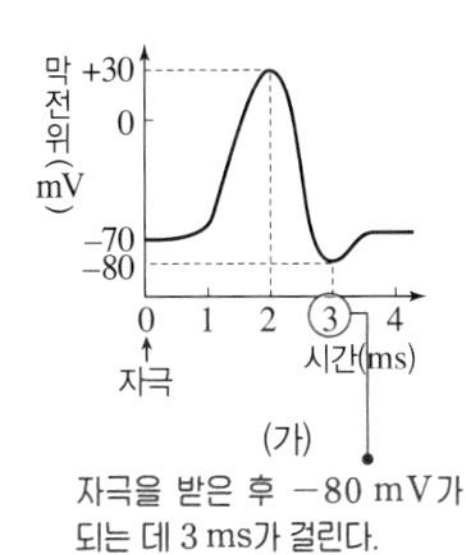

(가)

자극을 받은 후 −80 mV가 되는 데 3 ms가 걸린다.

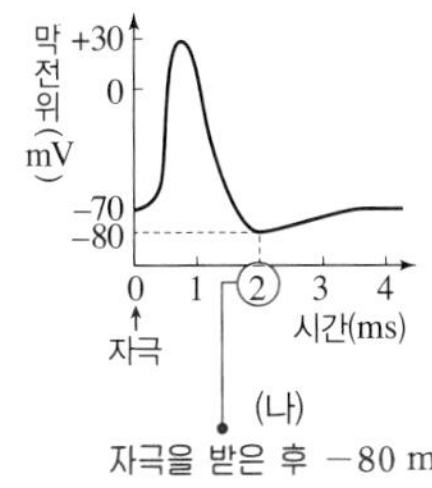

(나)

자극을 받은 후 −80 mV가 되는 데 2 ms가 걸린다.

A의 흥분 전도 속도는 2 cm/ms이고, d_1에서 d_2까지의 거리는 2 cm이므로, d_1에서 d_2까지 흥분이 전도되는 데 걸린 시간은 1 ms $\left(\frac{2\text{ cm}}{2\text{ cm/ms}}\right)$이다. ㉠이 t_1일 때 A의 d_2에서 흥분이 도달한 후 막전위가 −80 mV가 되는 데 걸린 시간은 3 ms이다. 따라서 t_1은 $1+3=4$ ms이다.

d_1에서 d_3까지의 거리는 4 cm이고 t_1은 4 ms이며, ㉠이 t_1(4 ms)일 때 B의 d_3에서 흥분이 도달한 후 막전위가 −80 mV가 되는 데 걸린 시간은 2 ms이다. 따라서 B의 d_1에서 d_3까지 흥분이 전도되는 데 걸린 시간은 $4-2=2$ ms이다. 따라서 B의 흥분 전도 속도는

$$\frac{d_1\text{에서 }d_3\text{까지의 거리}}{d_1\text{에서 }d_3\text{까지 흥분이 전도되는 데 걸린 시간}}=\frac{4\text{ cm}}{2\text{ ms}}=2\text{ cm/ms}$$

이다.

ㄷ. ㉠이 4 ms일 때 B의 d_3에서 막전위가 −80 mV이며, 이 막전위가 d_4까지 이동하는 데 1 ms$\left(\frac{2\text{ cm}}{2\text{ cm/ms}}\right)$가 걸린다. 따라서 ㉠이 5 ms일 때 B의 d_4에서 막전위는 −80 mV이다.

바로알기 | ㄱ. t_1은 4 ms이다.

ㄴ. 흥분의 전도 속도는 A와 B에서 모두 2 cm/ms로 같다.

190

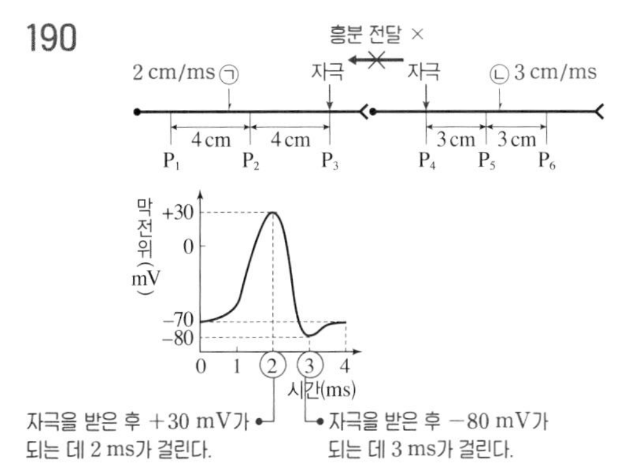

자극을 받은 후 +30 mV가 되는 데 2 ms가 걸린다.
자극을 받은 후 −80 mV가 되는 데 3 ms가 걸린다.

P_3에 역치 이상의 자극을 1회 주고 경과된 시간이 7 ms일 때 P_1과 P_4에서의 막전위는 모두 −80 mV이라고 하였다. P_1과 P_4에서 흥분이 도달하고 3 ms가 경과되었을 때 −80 mV가 되므로, P_3에서 P_1과 P_4로 흥분이 전달되는 데 걸린 시간은 모두 $7-3=4$ ms이다. P_3에서 P_1까지의 거리는 8 cm이므로 ㉠에서 흥분의 전도 속도는 $\frac{8\text{ cm}}{4\text{ ms}}$$=2$ cm/ms이다.

P_4에 역치 이상의 자극을 1회 주고 경과된 시간이 4 ms일 때 P_6에서의 막전위는 +30 mV이라고 하였다. P_6에서 흥분이 도달하고 2 ms가 경과되었을 때 +30 mV가 되므로, P_4에서 P_6까지 흥분이 전도되는 데 걸린 시간은 $4-2=2$ ms이다. P_4에서 P_6까지의 거리는 6 cm이므로 ㉡에서 흥분의 전도 속도는 $\frac{6\text{ cm}}{2\text{ ms}}=3$ cm/ms이다.

ㄴ. P_3에서 P_4로 흥분이 전도되는 데 걸린 시간은 4 ms이고, P_4에서 P_5까지 흥분이 전도되는 데 걸린 시간은 1 ms$\left(\frac{3\text{ cm}}{3\text{ cm/ms}}\right)$이다. 따라서 P_3에 역치 이상의 자극을 1회 주고 경과된 시간이 7 ms일 때 P_5에서의 막전위는 7 ms에서 흥분이 전도되는 데 걸린 시간 5 ms($=4+1$)를 뺀 2 ms일 때의 막전위 변화이다. 따라서 P_5에서의 막전위는 +30 mV이다.

바로알기 | ㄱ. 흥분의 전도 속도는 ㉠에서는 2 cm/ms, ㉡에서는 3 cm/ms이다. 따라서 흥분의 전도 속도는 ㉠에서보다 ㉡에서 빠르다.

ㄷ. 흥분의 전달은 시냅스 이전 뉴런의 축삭 돌기 말단에서 시냅스 이후 뉴런의 신경 세포체나 가지 돌기 쪽으로만 이루어진다. 따라서 P_4에 역치 이상의 자극을 주었을 때 P_2로는 흥분이 전달되지 않으므로, P_2는 분극 상태로 휴지 전위($-70\,mV$)를 유지한다. P_4에서 P_6까지 흥분이 전도되는 데 걸린 시간은 $2\,ms\left(\frac{6\,cm}{3\,cm/ms}\right)$이므로, P_4에 역치 이상의 자극을 1회 주고 경과된 시간이 3 ms일 때 P_6에서의 막전위는 3 ms에서 P_4에서 P_6까지 흥분이 전도되는 데 걸린 시간을 뺀 1 ms일 때의 막전위 변화이므로, $-60\,mV$이다. 따라서 $\frac{P_2\text{에서의 막전위}}{P_6\text{에서의 막전위}}=\frac{-70\,mV}{-60\,mV}$이므로, 1보다 크다.

191

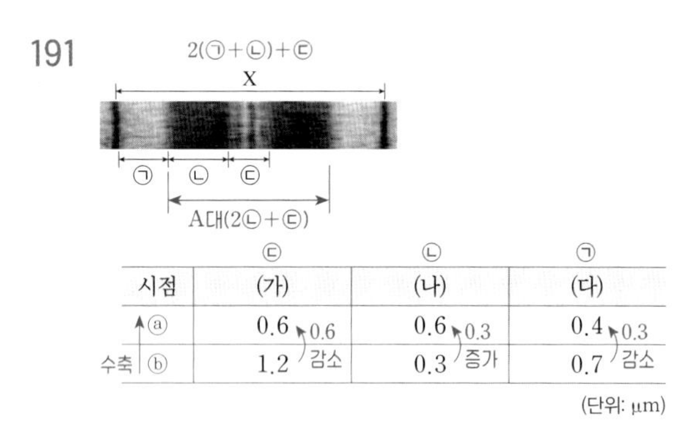

시점	㉢ (가)	㉡ (나)	㉠ (다)
ⓐ	0.6	0.6	0.4
수축 ⓑ	1.2	0.3	0.7
	0.6 감소	0.3 증가	0.3 감소

(단위: μm)

근육이 수축할 때 액틴 필라멘트와 마이오신 필라멘트가 겹치는 부분(㉡)의 길이는 길어지고, 액틴 필라멘트만 있는 부분$\left(㉠, \frac{\text{I대}}{2}\right)$의 길이와 마이오신 필라멘트만 있는 부분(㉢, H대)의 길이는 모두 짧아진다. 근수축 과정에서 감소한 ㉠의 길이를 i라고 하면, 증가한 ㉡의 길이는 i, 감소한 ㉢의 길이는 $2i$이다.

ㄱ. ⓑ에서 ⓐ로 될 때 (가)의 길이는 0.6 μm 감소하였고, (나)의 길이는 0.3 μm 증가하였으며, (다)의 길이는 0.3 μm 감소하였다. 따라서 ⓑ에서 ⓐ로 될 때 근수축이 일어나며, (가)는 ㉢, (나)는 ㉡, (다)는 ㉠이다.

ㄴ. A대의 길이는 2×㉡의 길이+㉢의 길이이므로, ⓑ일 때 A대의 길이는 2×0.3+1.2=1.8 μm이다.

바로알기 | ㄷ. X의 길이는 2×(㉠+㉡)+㉢이므로, ⓐ일 때 X의 길이는 2×(0.4+0.6)+0.6=2.6 μm이다.

192

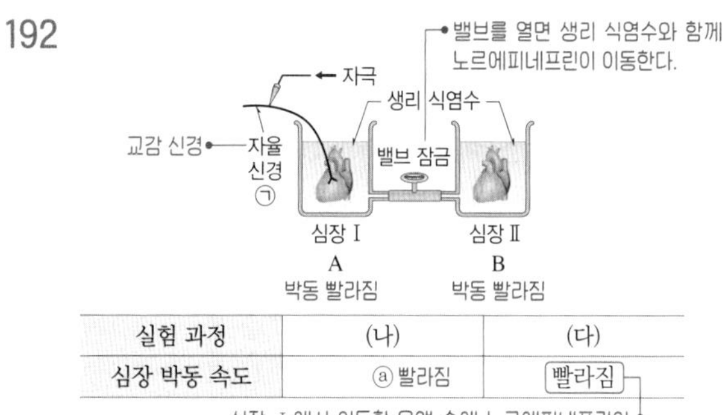

실험 과정	(나)	(다)
심장 박동 속도	ⓐ빨라짐	빨라짐

ㄷ. (다)에서 심장 Ⅱ의 박동 속도가 빨라졌다. 이를 통해 심장 Ⅰ에 연결된 자율 신경 ㉠은 교감 신경이며, 교감 신경(㉠)의 신경절 이후 뉴런의 말단에서 분비된 노르에피네프린이 생리 식염수에 녹아 A에서 B로 이동하였음을 알 수 있다.

바로알기 | ㄱ. ㉠은 교감 신경이므로, (나)에서 심장 Ⅰ의 박동 속도는 빨라진다. 따라서 ⓐ는 '빨라짐'이다.

ㄴ. 교감 신경(㉠)의 신경절 이전 뉴런의 신경 세포체는 척수에 있다.

08 호르몬과 항상성 유지

빈출 자료 보기

61쪽

193 (1) ○ (2) × (3) ○ (4) ○ (5) ○

193 (1) 내분비샘 (가)는 뇌하수체 전엽, 내분비샘 (나)는 갑상샘이다.
(3), (4) 음성 피드백이란 어떤 원인으로 인해 나타난 결과가 원인을 억제하는 조절 원리이다. 혈중 티록신의 농도가 높아지면 티록신에 의해 시상 하부에서 TRH(㉠)의 분비와 뇌하수체 전엽(가)에서 TSH(㉡)의 분비가 각각 억제되어 혈중 티록신의 농도가 감소한다. 따라서 티록신의 분비는 음성 피드백을 통해 조절된다.
(5) 뇌하수체 전엽(가)에서 분비되는 TSH(㉡)의 자극을 받아 갑상샘(나)에서 티록신의 분비가 촉진된다. 따라서 뇌하수체 전엽(가)에 이상이 생기면 TSH의 분비에 이상이 생기므로, 티록신의 분비에도 이상이 생긴다.

바로알기 | (2) 호르몬 ㉠은 TRH(갑상샘 자극 호르몬 방출 호르몬), 호르몬 ㉡은 TSH(갑상샘 자극 호르몬)이다.

난이도별 필수 기출

62~65쪽

194 ①	195 ④	196 ⑤	197 ⑤	198 ①	199 ③
200 해설 참조		201 ⑤	202 ②	203 ④	204 ③
205 ③	206 ②	207 ③	208 ②	209 ③	210 ①
211 ①					

194 ②, ③ 호르몬은 혈액을 따라 이동하다가 특정 호르몬 수용체를 가진 표적 세포 또는 표적 기관에만 작용한다.
④ 호르몬은 매우 적은 양으로 생리 작용을 조절한다.
⑤ 호르몬의 분비량이 너무 적으면 결핍증, 너무 많으면 과다증이 나타난다.
⑥ 인슐린, 항이뇨 호르몬 등은 체내 환경을 일정하게 유지하는 항상성에 관여한다.

바로알기 | ① 호르몬은 내분비샘에서 생성되어 분비된다.

195

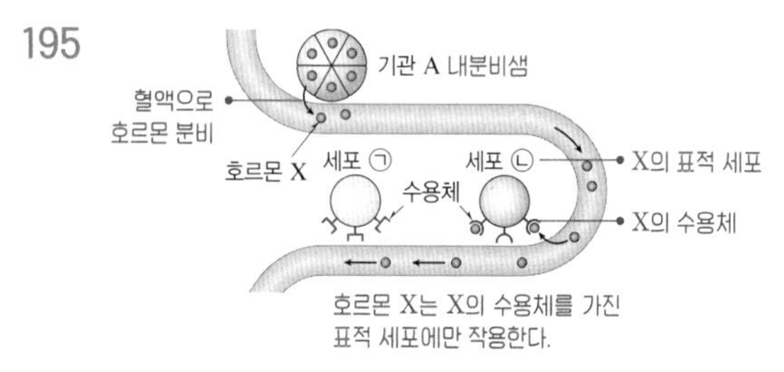

ㄴ. 호르몬 X는 내분비샘(기관 A)에서 생성되어 혈액으로 분비되며, 혈액을 따라 이동한다.
ㄷ. 호르몬 X가 세포 ㉡의 수용체에 결합하므로, 호르몬 X의 표적 세포는 ㉡이다.

바로알기 | ㄱ. 기관 A는 내분비샘이며, 내분비샘에서 생성된 호르몬 X는 별도의 분비관 없이 혈액이나 조직액으로 분비된다.

196 ㄱ, ㄴ. 호르몬은 혈액을 따라 이동하여 멀리 떨어진 표적 세포에 신호를 전달하고, 신경은 뉴런의 말단에 인접한 세포에만 신호를

전달한다. 따라서 호르몬은 신경의 작용보다 신호 전달 속도가 느리지만 효과가 지속적이다.

ㄷ. 신경계와 내분비계의 작용에 의해 혈당량, 체온, 혈장 삼투압 등의 항상성이 조절된다.

197

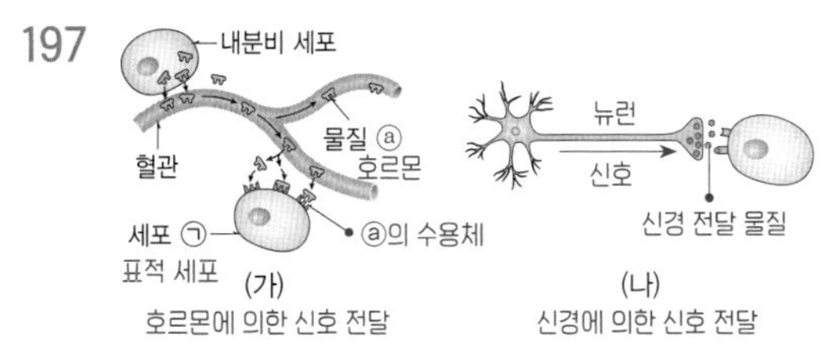

호르몬은 혈액을 통해 이동하므로 (가)는 호르몬에 의한 신호 전달이고, (나)는 신경에 의한 신호 전달이다.

ㄱ. 물질 ⓐ는 내분비샘에서 생성되어 혈액으로 분비되는 호르몬이다.

ㄴ. 세포 ㉠에 있는 수용체에 호르몬(ⓐ)이 결합하여 세포 ㉠에 신호를 전달한다. 즉, 세포 ㉠은 호르몬(ⓐ)에 대한 수용체가 있는 표적 세포이다.

ㄷ. (가)에서 호르몬(ⓐ)은 혈액을 통해 이동하여 표적 세포(㉠)로 신호를 전달하고, (나)에서 뉴런은 전기적 신호와 뉴런의 축삭 돌기 말단에서 분비되는 신경 전달 물질을 통해 세포로 신호를 전달한다.

198

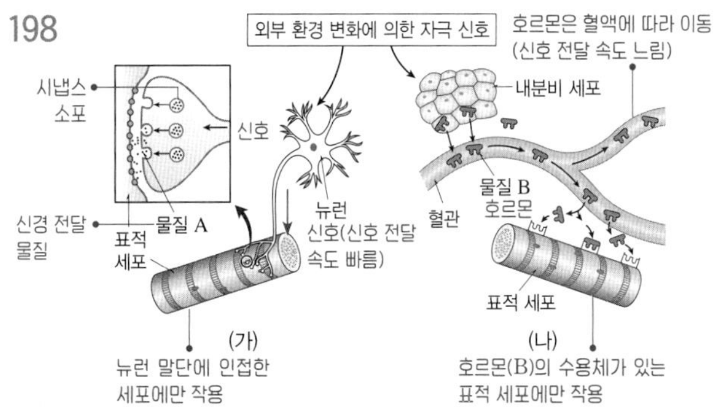

(가)는 뉴런을 통해 표적 세포에 신호를 전달하므로 신경에 의한 신호 전달이다. (나)는 내분비 세포에서 분비된 호르몬(물질 B)을 통해 표적 세포에 신호를 전달하므로 호르몬에 의한 신호 전달이다.

ㄱ. 물질 A는 신경 전달 물질이며, 축삭 돌기 말단에 있는 시냅스 소포에 들어 있다. 축삭 돌기 말단에서 시냅스 소포가 세포막과 융합되면서 시냅스 소포에 있던 신경 전달 물질(물질 A)이 시냅스 틈으로 분비된다.

ㄹ. 신경에 의한 신호 전달(가)은 호르몬에 의한 신호 전달(나)보다 신호 전달 속도가 빠르다. 따라서 외부 환경 변화에 의한 자극 신호가 표적 세포에 도달하는 데 걸리는 시간은 (가)가 (나)보다 짧다.

바로알기 | ㄴ. 물질 B는 호르몬이며, 이 호르몬에 대한 수용체가 있는 표적 세포에만 작용한다.

ㄷ. 신경에 의한 신호 전달(가)의 효과는 일시적이지만, 호르몬에 의한 신호 전달(나)의 효과는 지속적이다.

199 **바로알기 |** ③ 생장 호르몬은 뇌하수체 전엽에서 분비된다.

200 **모범 답안** • 뇌하수체 전엽: 생장 호르몬, 갑상샘 자극 호르몬(TSH), 생식샘 자극 호르몬, 부신 겉질 자극 호르몬(ACTH) 중 한 가지
• 부신 속질: 에피네프린
• 부갑상샘: 파라토르몬

201 (가)는 생장 호르몬이 과다 분비되어 얼굴, 손, 발 등의 몸의 말단부가 커지는 말단 비대증이다. (나)는 인슐린 분비가 부족하여 포도당이 오줌으로 빠져나가는 당뇨병이다. (다)는 티록신의 과다 분비로 체내 대사량이 증가하는 갑상샘 기능 항진증이다.

202 갑상샘 기능 항진증은 티록신 분비가 과다할 경우, 소인증은 생장 호르몬 분비가 결핍될 경우, 요붕증은 항이뇨 호르몬 분비가 결핍될 경우 나타난다. 항이뇨 호르몬이 부족하면 콩팥에서 수분 재흡수가 촉진되지 않으므로 오줌의 양이 증가한다.

203 A는 갑상샘, B는 뇌하수체 전엽, C는 부신, D는 이자이다.

ㄱ. 갑상샘(A)에서 물질대사를 촉진하는 티록신이 분비된다.

ㄴ. 뇌하수체 전엽(B)에서 갑상샘(A)을 자극하는 갑상샘 자극 호르몬(TSH)이 분비된다.

ㄹ. 이자(D)에서 인슐린과 글루카곤이 분비된다. 인슐린과 글루카곤은 모두 간에 작용하며, 인슐린은 혈당량을 감소시키고, 글루카곤은 혈당량을 증가시킨다. 이와 같이 인슐린과 글루카곤은 한 기관에 서로 반대로 작용하는 길항 작용을 통해 혈당량을 조절한다.

바로알기 | ㄷ. 부신(C)에서 분비되는 당질 코르티코이드와 에피네프린은 모두 혈당량을 증가시킨다.

204 ㄱ. 에피네프린, 인슐린, 글루카곤 중 이자에서 분비되는 호르몬은 인슐린과 글루카곤이다. 따라서 A와 B 중 하나는 인슐린, 다른 하나는 글루카곤이며, C는 에피네프린이다.

ㄷ. 인슐린과 글루카곤은 이자에서, 에피네프린은 부신 속질에서 분비된다. 따라서 '부신 속질에서 분비된다.'는 ㉢에 해당한다.

바로알기 | ㄴ. 인슐린은 글리코젠의 합성을 촉진하므로, '글리코젠의 분해를 촉진한다.'는 ㉡에 해당하지 않는다.

205

호르몬 \ 특징	㉠	㉡	㉢
글루카곤 A	○	ⓐ ○	○
항이뇨 호르몬 B	×	○	×
인슐린 C	○	○	ⓑ ×

(○: 있음, ×: 없음)

(가)

특징 ㉠~㉢
• 혈당량을 증가시킨다. ㉢
• 혈액을 따라 이동한다. ㉡
• 표적 세포가 간에 존재한다. ㉠

(나)

ㄷ. 인슐린, 글루카곤, 항이뇨 호르몬은 모두 혈액을 따라 이동하다가 특정 호르몬 수용체를 가진 표적 세포에 작용한다. 따라서 '혈액을 따라 이동한다.'는 ㉡이고 ⓐ는 '○'이다. 인슐린과 글루카곤은 표적 세포가 간에 존재하며, 항이뇨 호르몬은 표적 세포가 콩팥에 존재한다. 인슐린은 혈당량을 감소시키고, 글루카곤은 혈당량을 증가시키며, 항이뇨 호르몬은 콩팥에서 수분 재흡수를 촉진한다. 따라서 '표적 세포가 간에 존재한다.'는 ㉠, '혈당량을 증가시킨다.'는 ㉢이며, ⓑ는 '×'이다. 이때 인슐린은 두 가지 특징을, 글루카곤은 세 가지 특징을, 항이뇨 호르몬은 한 가지 특징을 가지므로, A는 글루카곤, B는 항이뇨 호르몬, C는 인슐린이다.

바로알기 | ㄱ. ⓐ는 '○'이고, ⓑ는 '×'이다.

ㄴ. 글루카곤(A)은 이자에서 분비된다.

206 A는 인슐린, B는 항이뇨 호르몬, C는 티록신이다.

ㄷ. 티록신(C)이 과다 분비될 경우 대사량이 증가하는 갑상샘 기능 항진증이 나타난다. 갑상샘 기능 항진증의 증상은 체온 상승, 체중 감소, 맥박 수 증가 등이며, 눈이 돌출되는 경우도 있다.

바로알기 | ㄱ. 인슐린(A)의 표적 기관은 간이다.

ㄴ. 항이뇨 호르몬(B)은 뇌하수체 후엽에서 분비된다.

207

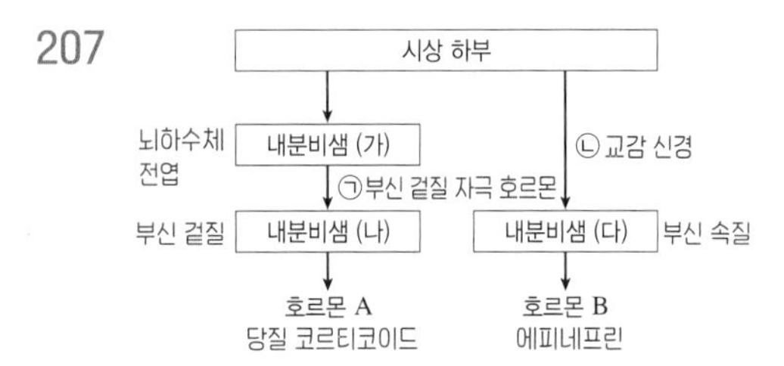

ㄱ. 뇌하수체 전엽에서 분비되는 부신 겉질 자극 호르몬(ACTH)에 의해 부신 겉질에서 당질 코르티코이드(A)의 분비가 촉진되고, 교감 신경에 의해 부신 속질에서 에피네프린(B)이 분비된다. 따라서 ㉠은 호르몬, ㉡은 신경에 의한 신호 전달 경로이다.

ㄷ. 호르몬 A는 당질 코르티코이드, 호르몬 B는 에피네프린이다.

바로알기 | ㄴ. 내분비샘 (나)는 부신 겉질이며, 항이뇨 호르몬은 뇌하수체 후엽에서 분비된다.

208 ㄷ. 혈중 호르몬 D의 농도가 높아지면 내분비샘에서 호르몬 C의 분비가 억제되므로, 호르몬 C의 분비량이 감소한다.

바로알기 | ㄱ. (가)는 두 종류의 호르몬이 같은 표적 기관에 작용하므로 길항 작용이고, (나)는 호르몬 D에 의해 내분비샘의 작용이 억제되므로 음성 피드백이다.

ㄴ. 인슐린은 간에 작용하여 혈당량을 감소시키고, 글루카곤은 간에 작용하여 혈당량을 증가시킨다. 따라서 인슐린과 글루카곤은 길항 작용(가)으로 혈당량을 조절한다.

209 ㄱ. ㉠은 뇌하수체 전엽으로, TRH의 표적 기관이다.

ㄷ. 혈중 티록신의 농도가 정상 범위보다 높아지면 음성 피드백에 의해 시상 하부의 TRH 분비와 뇌하수체 전엽의 TSH 분비가 각각 억제된다.

바로알기 | ㄴ. ㉡은 티록신을 분비하는 내분비샘이므로 갑상샘이다.

210

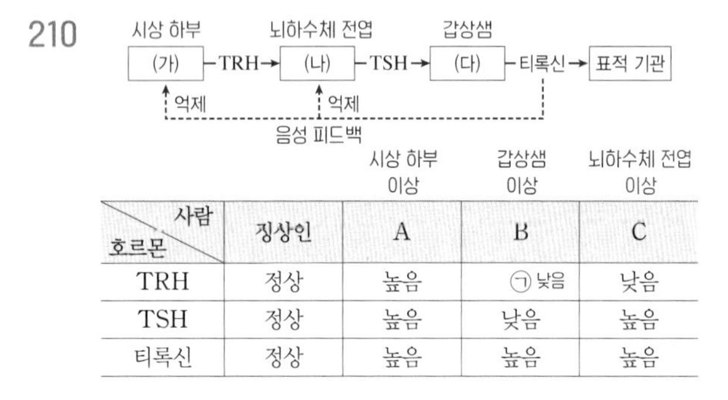

호르몬 \ 사람	정상인	A (시상 하부 이상)	B (갑상샘 이상)	C (뇌하수체 전엽 이상)
TRH	정상	높음	㉠ 낮음	낮음
TSH	정상	높음	낮음	높음
티록신	정상	높음	높음	높음

A는 티록신의 혈중 농도가 높으면 음성 피드백에 의해 TRH와 TSH의 분비가 각각 억제되어야 하는데, 시상 하부에서 TRH 분비가 계속 촉진되어 TRH와 TSH의 혈중 농도가 높게 유지되고, TSH에 의해 갑상샘에서 티록신 분비가 촉진되므로, 티록신의 혈중 농도가 높게 유지된다. 따라서 A는 시상 하부에 이상이 생긴 사람이다.

B는 티록신의 혈중 농도가 높아 음성 피드백에 의해 TRH와 TSH의 혈중 농도는 낮아지는데, 갑상샘에서 티록신 분비가 계속 촉진되어 티록신의 혈중 농도가 높게 유지된다. 따라서 B는 갑상샘에 이상이 생긴 사람이다.

C는 티록신의 혈중 농도가 높으면 음성 피드백에 의해 TRH와 TSH 분비가 각각 억제되어야 하는데, 뇌하수체 전엽에서 TSH 분비가 계속 촉진되어 TSH와 티록신의 혈중 농도가 높게 유지된다. 따라서 C는 뇌하수체 전엽에 이상이 생긴 사람이다.

ㄱ. (가)는 시상 하부, (나)는 뇌하수체 전엽, (다)는 갑상샘이다.

바로알기 | ㄴ. 티록신의 혈중 농도가 높으면 음성 피드백에 의해 TRH와 TSH의 분비가 각각 억제되어 티록신의 혈중 농도가 감소한다. 그러나 B는 TRH와 TSH의 혈중 농도가 낮아도 갑상샘에 이상이 생겨 티록신이 과다 분비된다. 따라서 TRH의 혈중 농도인 ㉠은 '낮음'이다.

ㄷ. C는 뇌하수체 전엽(나)에 이상이 생긴 사람이다.

211

시상 하부 → TRH → 뇌하수체 → TSH → 갑상샘 → 티록신 → 표적 기관 (억제, 억제, 음성 피드백)

호르몬 \ 환자	(가) (갑상샘 이상)	(나) (뇌하수체 이상)	(다) (시상 하부 이상)
TSH ㉠	+	−	−
TRH ㉡	+	+	−
티록신 ㉢	−	−	−

(+: 정상인보다 높음, −: 정상인보다 낮음)

이상이 있는 부위에서는 정상인보다 적은 양의 호르몬이 분비된다고 하였으므로, 시상 하부에 이상이 생기면 TRH, TSH, 티록신의 혈중 농도가 모두 정상인보다 낮다. 뇌하수체에 이상이 생기면 TSH와 티록신의 혈중 농도가 정상인보다 낮고, 이로 인해 TRH의 혈중 농도는 정상인보다 높아진다. 갑상샘에 이상이 생기면 티록신의 혈중 농도가 정상인보다 낮고, 이로 인해 TRH와 TSH의 혈중 농도가 정상인보다 높아진다. 따라서 (가)는 갑상샘에 이상이 있는 환자, (나)는 뇌하수체에 이상이 있는 환자, (다)는 시상 하부에 이상이 있는 환자이며, ㉠은 TSH, ㉡은 TRH, ㉢은 티록신이다.

ㄱ. (가)는 갑상샘에 이상이 있어서 TSH(㉠), TRH(㉡)의 혈중 농도는 모두 정상인보다 높고, 티록신의 혈중 농도는 정상인보다 낮은 환자이다.

바로알기 | ㄴ. TRH(㉡)는 시상 하부에서 분비된다.

ㄷ. 티록신(㉢)의 분비는 음성 피드백에 의해 조절된다.

09 항상성 유지의 예

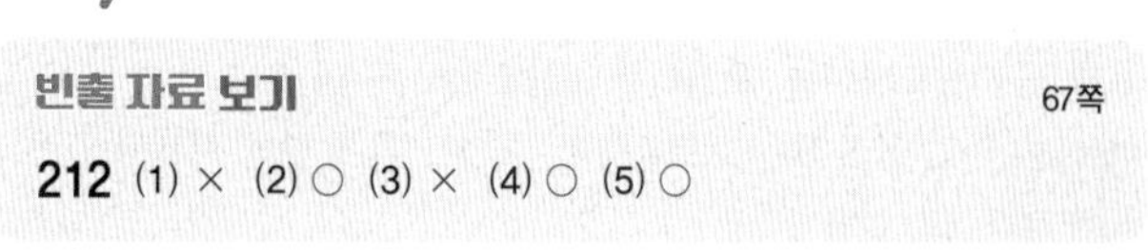

빈출 자료 보기 67쪽

212 (1) × (2) ○ (3) × (4) ○ (5) ○

212 인슐린은 혈당량이 높을 때 분비가 촉진되고, 글루카곤은 혈당량이 낮을 때 분비가 촉진된다. 따라서 그림 (가)에서 A는 글루카곤, B는 인슐린이다.

(2) 글루카곤(A)은 글리코젠이 포도당으로 분해되는 과정을 촉진하고, 인슐린(B)은 포도당이 글리코젠으로 합성되는 과정을 촉진한다. 따라서 (나)에서 ㉠은 글리코젠, ㉡은 포도당이다.

(4) 인슐린(B)은 혈당량이 정상 범위보다 높을 때 분비되어 포도당이 글리코젠으로 합성되는 과정과 체세포의 포도당 흡수를 촉진함으로써 혈당량을 감소시킨다.

(5) 이자에 연결된 교감 신경은 글루카곤(A)의 분비를 촉진하고, 이자에 연결된 부교감 신경은 인슐린(B)의 분비를 촉진한다.

바로알기 | (1) A는 글루카곤, B는 인슐린이다.
(3) 글루카곤(A)은 이자의 α세포에서, 인슐린(B)은 이자의 β세포에서 분비된다.

난이도별 필수 기출

68~72쪽

213 ③	214 ④	215 ⑤	216 ②	217 ④	218 ①
219 ⑤	220 ④	221 ①, ③		222 ④	
223 해설 참조		224 ④	225 ⑤	226 ⑤	227 ③
228 해설 참조		229 ⑤	230 ⑤	231 ③	232 ⑤
233 ①	234 ⑤				

213

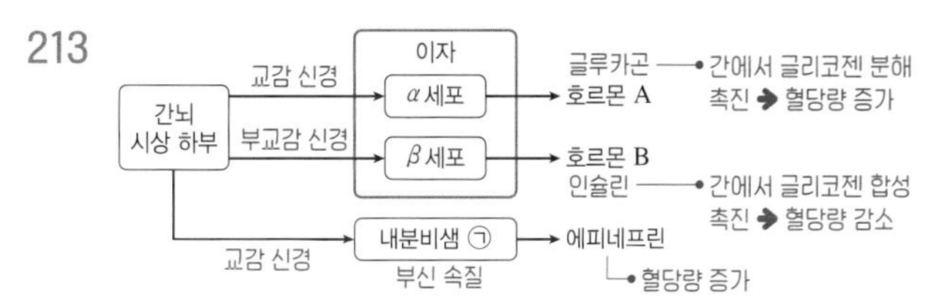

ㄱ. 호르몬 A는 이자의 α세포에서 분비되므로 글루카곤이다. 글루카곤(A)은 간에서 글리코젠이 포도당으로 분해되는 과정을 촉진하여 혈당량을 증가시킨다.
ㄴ. 호르몬 B는 이자의 β세포에서 분비되므로 인슐린이다. 인슐린(B)은 간에서 포도당이 글리코젠으로 합성되는 과정을 촉진하여 혈당량을 감소시킨다.

바로알기 | ㄷ. 에피네프린은 부신 속질에서 분비되므로, ㉠은 부신 속질이다.

214 혈당량을 감소시키는 호르몬 X는 인슐린, 혈당량을 증가시키는 호르몬 Y는 글루카곤이다. 이자에 연결된 부교감 신경(㉠)은 인슐린(X)의 분비를 촉진하고, 이자에 연결된 교감 신경(㉡)은 글루카곤(Y)의 분비를 촉진한다.
ㄴ. 인슐린(X)은 혈액에서 체세포로의 포도당 흡수를 촉진하여 혈당량을 감소시킨다.
ㄷ. 인슐린(X)과 글루카곤(Y)은 각각 간에 작용하여 서로의 효과를 줄이는 길항 작용으로 혈당량을 조절한다.

바로알기 | ㄱ. 자율 신경 ㉠은 신경절 이전 뉴런이 신경절 이후 뉴런보다 길므로 부교감 신경이고, 자율 신경 ㉡은 신경절 이전 뉴런이 신경절 이후 뉴런보다 짧으므로 교감 신경이다.

215 ㄱ. 고혈당일 때 분비가 촉진되는 호르몬 A는 인슐린, 저혈당일 때 분비가 촉진되는 호르몬 B는 글루카곤이다. 인슐린(A)은 이자의 내분비샘인 이자섬의 β세포에서, 글루카곤(B)은 이자의 내분비샘인 이자섬의 α세포에서 분비된다.
ㄴ. 인슐린(A)은 포도당이 글리코젠으로 합성되는 과정을 촉진하고, 글루카곤(B)은 글리코젠이 포도당으로 분해되는 과정을 촉진하므로, ㉠은 포도당, ㉡은 글리코젠이다.
ㄷ. 인슐린(A)과 글루카곤(B)의 표적 기관은 간으로, 간에서 인슐린(A)과 글루카곤(B)에 의한 포도당(㉠)과 글리코젠(㉡)의 전환이 일어난다.

216 ㄴ. (가)에서 이자의 α세포에서 분비되는 호르몬 ㉠은 글루카곤, 이자의 β세포에서 분비되는 호르몬 ㉡은 인슐린이다. (나)에서 혈당량이 높아질수록 호르몬 X의 혈중 농도가 높아지므로, 호르몬 X는 고혈당일 때 분비가 촉진되어 혈당량을 감소시키는 역할을 한다. 따라서 호르몬 X는 인슐린(㉡)이다.

바로알기 | ㄱ. ㉠은 이자의 α세포에서 분비되므로 글루카곤이다.
ㄷ. 이자에 연결된 교감 신경은 글루카곤(㉠)의 분비를 촉진한다.

217

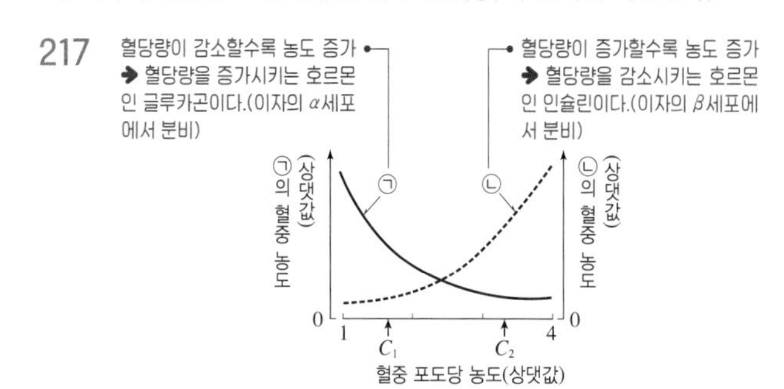

인슐린은 혈당량이 높을 때 분비가 촉진되고, 글루카곤은 혈당량이 낮을 때 분비가 촉진된다. 따라서 ㉠은 글루카곤, ㉡은 인슐린이다.
ㄴ. 인슐린(㉡)은 간에서 포도당을 글리코젠으로 합성하여 저장하는 과정을 촉진한다.
ㄷ. 인슐린은 혈당량을 감소시키는 역할을 하므로, 혈당량이 증가하면 혈중 인슐린 농도도 증가한다. 따라서 혈중 인슐린(㉡) 농도는 C_2일 때가 C_1일 때보다 높다.

바로알기 | ㄱ. 글루카곤(㉠)은 이자섬의 α세포에서 분비된다.

218 ㄱ. 이자에서 분비되는 혈당량 조절 호르몬은 인슐린과 글루카곤이다. 식사 후 혈당량이 증가하면 인슐린의 농도는 증가하고, 글루카곤의 농도는 감소하여 혈당량이 점차 정상 수준으로 낮아진다. 따라서 호르몬 ㉠은 인슐린, ㉡은 글루카곤이다.

바로알기 | ㄴ. 글루카곤(㉡)은 글리코젠이 포도당으로 전환되는 과정을 촉진하여 혈당량을 증가시킨다.
ㄷ. 인슐린(㉠)과 글루카곤(㉡)의 분비는 이자섬의 α세포와 β세포에서 직접 혈당량의 변화를 감지하여 이루어지거나 자율 신경의 조절을 받아 이루어진다. 인슐린(㉠)과 글루카곤(㉡)의 분비에는 뇌하수체 전엽이 관여하지 않는다.

219

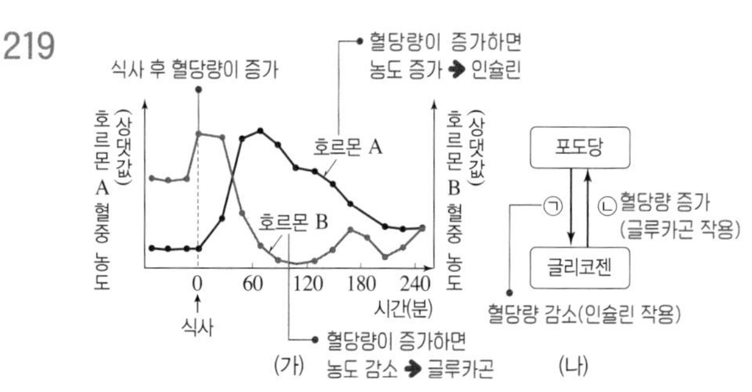

ㄴ. 식사 후 혈당량이 증가하므로 인슐린의 농도는 증가하고, 글루카곤의 농도는 감소한다. 따라서 A는 인슐린, B는 글루카곤이다. 인슐린(A)과 글루카곤(B)은 각각 간에 작용하여 혈당량을 조절하므로, 간은 인슐린(A)과 글루카곤(B)의 표적 기관이다.
ㄷ. (나)에서 ㉠ 과정으로 혈당량이 감소하고, ㉡ 과정으로 혈당량이 증가한다. 따라서 인슐린(A)은 ㉠ 과정을 촉진하여 혈당량을 낮추고, 글루카곤(B)은 ㉡ 과정을 촉진하여 혈당량을 높인다.

바로알기 | ㄱ. 인슐린(A)은 이자섬의 β세포에서, 글루카곤(B)은 이자섬의 α세포에서 분비된다.

220

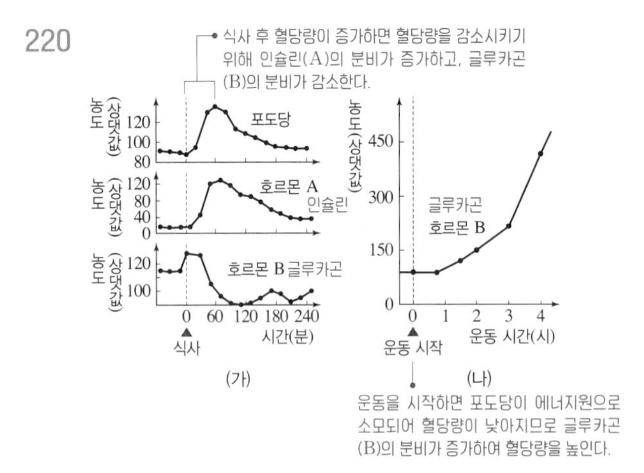

ㄴ, ㄷ. B의 혈중 농도는 식사 후 혈당량이 증가함에 따라 감소하고, 운동을 하는 동안 증가하므로, B는 혈당량을 증가시키는 역할을 하는 글루카곤이다. 글루카곤(B)은 글리코젠을 포도당으로 분해하는 과정을 촉진하여 혈당량을 증가시킨다.

바로알기 | ㄱ. (가)에서 A의 혈중 농도는 식사 후 혈당량이 증가함에 따라 증가하고, 혈당량이 감소함에 따라 감소하므로, A는 혈당량을 감소시키는 역할을 하는 인슐린이다. 인슐린(A)은 포도당을 글리코젠으로 합성하는 과정과 체세포의 포도당 흡수를 촉진함으로써 혈당량을 감소시킨다.

221 ①, ③ 더울 때 체온이 정상 범위보다 높아지면 땀 분비가 촉진되고, 피부 근처 혈관이 확장되어 피부 근처로 흐르는 혈액의 양이 증가함으로써 열 발산량이 증가한다.

바로알기 | ② 교감 신경의 작용 강화로 피부 근처 혈관이 수축하며, 이는 추울 때 일어나는 체온 조절 과정이다.

④, ⑥, ⑦ 티록신과 에피네프린의 분비가 촉진되어 간과 근육에서 물질대사가 촉진되면 열 발생량이 증가하며, 이는 추울 때 일어나는 체온 조절 과정이다.

⑤ 골격근을 수축시켜 몸을 떨리게 하면 열 발생량이 증가하며, 이는 추울 때 일어나는 체온 조절 과정이다.

222

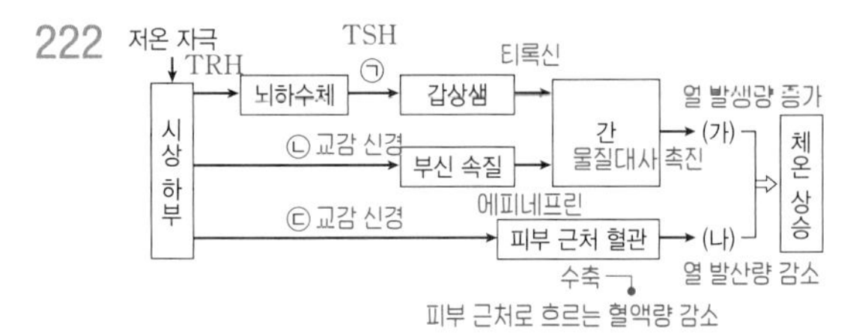

저온 자극이 주어졌을 때 ㉠ 과정에서 갑상샘 자극 호르몬(TSH) 분비가 촉진되어 갑상샘에서 티록신 분비가 증가하며, ㉡ 과정에서 교감 신경의 작용으로 부신 속질에서 에피네프린 분비가 증가한다. 티록신과 에피네프린에 의해 간에서 물질대사가 촉진됨으로써 열 발생량이 증가한다. 또한, ㉢ 과정에서 교감 신경의 작용 강화로 피부 근처 혈관이 수축하여 피부 근처로 흐르는 혈액의 양이 감소함으로써 열 발산량이 감소한다.

ㄱ. ㉠은 갑상샘 자극 호르몬(TSH)에 의한 자극 전달 경로이다.

ㄴ. (가)에서 티록신과 에피네프린에 의해 간에서 물질대사가 촉진되어 열 발생량이 증가한다.

바로알기 | ㄷ. 저온 자극이 주어졌을 때 체온을 상승시키기 위해 열 발산량을 감소시킨다. 따라서 (나)에서 피부 근처 혈관이 수축하여 피부 근처로 흐르는 혈액의 양이 감소한다.

223 경로 ㉠은 갑상샘 자극 호르몬(TSH)에 의한 자극 전달 경로이고, 경로 ㉡과 ㉢은 모두 교감 신경에 의한 자극 전달 경로이다.

모범 답안 ㉠, 신경에 의한 신호 전달 속도보다 호르몬에 의한 신호 전달 속도가 느린데, ㉠은 호르몬에 의해 신호가 전달되지만, ㉡과 ㉢은 모두 신경에 의해 신호가 전달되기 때문이다.

224 ㄱ. 열 발생량 증가, 열 발산량 감소는 체온을 정상 범위로 높이기 위한 것이므로, 자극 X는 저온 자극이다.

ㄷ. 교감 신경에 의해 부신 속질에서 에피네프린이 분비된다. 따라서 ㉠은 교감 신경에 의한 자극 전달 경로이다.

ㄹ. ㉡은 교감 신경의 작용 강화로 피부 근처 혈관이 수축하는 것이므로, 신경에 의한 신호 전달이다. ㉢은 부신 속질에서 분비된 호르몬(에피네프린)에 의해 물질대사가 촉진되는 것이므로, 호르몬에 의한 신호 전달이다. 따라서 신호의 전달 속도는 경로 ㉡이 경로 ㉢보다 빠르다.

바로알기 | ㄴ. 피부 근처 혈관이 수축하면 피부 근처로 흐르는 혈액의 양이 감소함으로써 열 발산량이 감소하고, 물질대사가 촉진되면 열 발생량이 증가한다. 따라서 (가)는 '열 발산량 감소', (나)는 '열 발생량 증가'이다.

225 (가)에서는 피부 근처 혈관이 확장되어 피부 근처로 흐르는 혈액의 양이 증가함으로써 열 발산량이 증가한다. (나)에서는 피부 근처 혈관이 수축되어 피부 근처로 흐르는 혈액의 양이 감소함으로써 열 발산량이 감소한다.

ㄴ. 피부 근처 혈관에 연결된 교감 신경이 흥분하면 피부 근처 혈관이 수축되므로, (나)와 같이 변한다.

ㄷ. 피부 근처 혈관이 확장되어 있을 때보다 수축되어 있을 때 피부 근처로 흐르는 혈액의 양이 적으므로 열 발산량이 적다. 따라서 열 발산량은 (가)일 때보다 (나)일 때 적다.

ㄹ. (가)에서 피부 근처 혈관이 확장되어 열 발산량이 증가한 결과 체온이 내려간다.

바로알기 | ㄱ. 저온 자극을 받으면 피부 근처 혈관이 (나)와 같이 변하여 열 발산량을 감소시킨다.

226

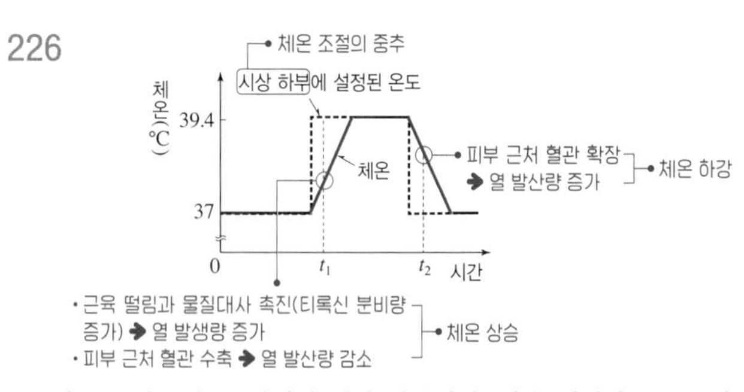

ㄱ. 체온 조절 중추는 간뇌의 시상 하부이며, 자율 신경과 호르몬의 작용으로 체온을 일정하게 유지시킨다.

ㄴ. 시상 하부에 설정된 온도가 39.4 ℃로 높은 상태를 유지하면, 체온을 39.4 ℃까지 높이기 위해 체내 열 발생량은 증가하고 열 발산량은 감소한다. 반면, 시상 하부에 설정된 온도가 37 ℃로 낮은 상태를 유지하면, 체온을 37 ℃까지 낮추기 위해 체내 열 발생량은 감소하고 열 발산량은 증가한다. 티록신의 분비량이 증가하면 물질대사가 촉진되어 열 발생량이 증가하므로, 티록신의 분비량은 체온이 상승하는 시점인 t_1일 때가 체온이 하강하는 시점인 t_2일 때보다 많다.

ㄷ. 피부에서의 열 발산량은 체온이 상승하는 시점인 t_1일 때보다 체온이 하강하는 시점인 t_2일 때가 많다.

227 ㄱ. 시상 하부의 온도를 38 ℃보다 낮추면 시상 하부에서 저온 자극을 감지하여 체온을 높이는 작용이 일어난다. 이때 체온을 높이기 위해 이 동물의 대사량이 증가한다.

ㄴ. 구간 Ⅱ에서 체온이 상승한 것은 구간 Ⅰ에 비해 열 발산량이 감소하고, 열 발생량이 증가하였기 때문이다. 따라서 단위 시간당 $\frac{\text{열 발산량}}{\text{열 발생량}}$은 구간 Ⅰ에서가 구간 Ⅱ에서보다 크다.

바로알기 | ㄷ. 구간 Ⅱ에서 체온이 상승한 것은 피부 근처 혈관이 수축하여 피부 근처 혈관에 흐르는 혈액량을 감소시켜 열 발산량을 감소시켰기 때문이고, 구간 Ⅲ에서 체온이 하강한 것은 피부 근처 혈관이 확장하여 피부 근처 혈관에 흐르는 혈액량을 증가시켜 열 발산량을 증가시켰기 때문이다. 따라서 단위 시간당 피부 근처 혈관에 흐르는 혈액량은 구간 Ⅲ에서가 구간 Ⅱ에서보다 많다.

228 짠 음식을 많이 먹으면 혈장 삼투압이 정상 범위보다 높아지게 되며, 간뇌의 시상 하부가 혈장 삼투압을 감지하여 항이뇨 호르몬의 분비량을 조절함으로써 혈장 삼투압을 정상 범위로 유지하게 한다.

모범 답안 간뇌의 시상 하부가 높아진 혈장 삼투압을 감지하여 뇌하수체 후엽을 자극하고, 뇌하수체 후엽에서 항이뇨 호르몬의 분비가 촉진된다. 항이뇨 호르몬은 콩팥에서 물의 재흡수를 촉진하므로 콩팥에서 재흡수되는 물의 양이 많아진다. 그 결과 혈장 삼투압은 낮아지고, 생성되는 오줌의 양은 감소하며, 오줌의 삼투압은 증가한다.

229 ①, ② 혈장 삼투압을 조절하는 호르몬 X는 항이뇨 호르몬이며, 항이뇨 호르몬을 분비하는 내분비샘 ㉠은 뇌하수체 후엽이다.

③ 항이뇨 호르몬(X)은 콩팥에서 물의 재흡수를 촉진하므로, 콩팥은 항이뇨 호르몬(X)의 표적 기관이다.

④ 항이뇨 호르몬(X)의 분비량이 증가하면 콩팥에서 물의 재흡수량이 증가하므로 생성되는 오줌의 양이 감소한다.

바로알기 | ⑤ 운동 시에는 평상시에 비해 땀 분비량이 많아 혈장 삼투압이 높아지므로, 항이뇨 호르몬(X)의 분비량이 증가하여 혈장 삼투압을 정상 범위로 낮춘다.

230 ㄱ. 항이뇨 호르몬(ADH)은 뇌하수체 후엽에서 분비된다.

ㄴ, ㄷ. 항이뇨 호르몬은 콩팥에서 물의 재흡수를 촉진하므로 항이뇨 호르몬의 농도가 높으면 콩팥에서 단위 시간당 물의 재흡수량이 많아지고, 생성되는 오줌의 양은 감소한다. 항이뇨 호르몬의 혈중 농도는 P_1일 때가 P_2일 때보다 낮으므로, 콩팥에서 단위 시간당 물의 재흡수량은 P_1일 때가 P_2일 때보다 적고, 생성되는 오줌의 양은 P_1일 때가 P_2일 때보다 많다.

231 ㄱ. 혈장 삼투압이 높아지면 혈중 ADH의 농도가 높아지고, 혈압이 높아지면 혈중 ADH의 농도가 낮아진다. 따라서 ㉠은 혈압, ㉡은 혈장 삼투압이다.

ㄴ. 혈중 ADH의 농도는 P_1일 때가 정상치일 때보다 높으므로, 콩팥에서 단위 시간당 물의 재흡수량도 P_1일 때가 정상치일 때보다 많다.

바로알기 | ㄷ. 혈중 ADH의 농도가 높아지면 콩팥에서 물의 재흡수가 촉진되므로 생성되는 오줌의 양은 감소하고 오줌의 삼투압은 증가한다. 혈중 ADH의 농도는 P_2일 때가 정상치일 때보다 높으므로, 오줌의 삼투압도 P_2일 때가 정상치일 때보다 높다.

232

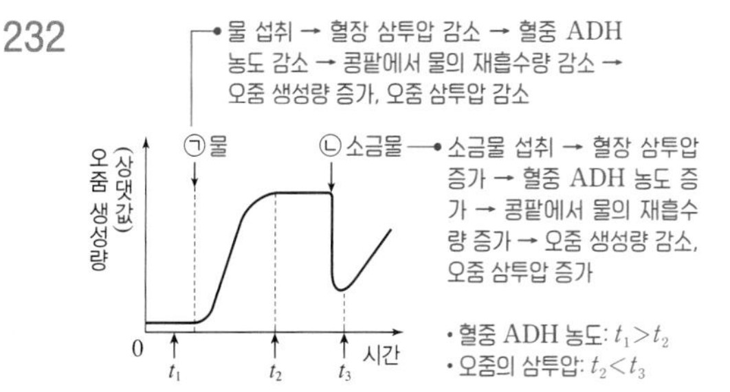

ㄱ. 물을 섭취하면 혈장 삼투압이 정상 범위보다 낮아지므로 항이뇨 호르몬의 분비량이 감소하여 콩팥에서 물의 재흡수량이 감소하게 되므로 단위 시간당 오줌 생성량이 증가한다. 소금물을 섭취하면 혈장 삼투압이 정상 범위보다 높아지므로 항이뇨 호르몬의 분비량이 증가하여 콩팥에서 물의 재흡수량이 증가하게 되므로 단위 시간당 오줌 생성량이 감소한다. ㉠을 섭취하면 단위 시간당 오줌 생성량이 증가하고, ㉡을 섭취하면 단위 시간당 오줌 생성량이 감소하므로, ㉠은 물, ㉡은 소금물이다.

ㄷ. 혈중 항이뇨 호르몬의 농도가 높아지면 콩팥에서 물의 재흡수가 촉진되므로 단위 시간당 오줌 생성량은 감소하고, 오줌의 삼투압은 증가한다. t_3일 때가 t_2일 때보다 단위 시간당 오줌 생성량이 적으므로 t_3일 때가 t_2일 때보다 오줌의 삼투압이 높다.

바로알기 | ㄴ. 혈중 항이뇨 호르몬의 농도가 낮아지면 단위 시간당 오줌 생성량이 증가한다. t_2일 때가 t_1일 때보다 오줌 생성량이 많으므로, t_2일 때가 t_1일 때보다 혈중 항이뇨 호르몬의 농도가 낮다.

233

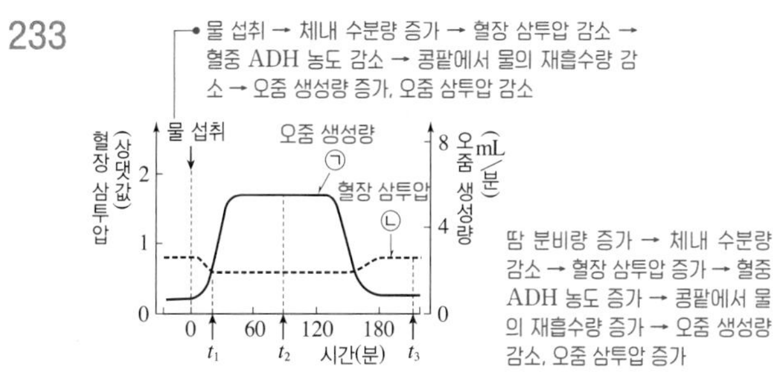

ㄱ. 건강한 사람이 물을 섭취하면 체내 수분량이 증가하여 혈장 삼투압이 정상 범위보다 낮아지므로 항이뇨 호르몬의 분비가 억제된다. 항이뇨 호르몬의 분비가 억제되면 콩팥에서 물의 재흡수량이 감소하므로 단위 시간당 오줌 생성량은 증가한다. 따라서 ㉠은 단위 시간당 오줌 생성량, ㉡은 혈장 삼투압이다.

바로알기 | ㄴ. t_1일 때가 t_2일 때보다 단위 시간당 오줌 생성량이 적으므로, 생성되는 오줌의 삼투압은 t_1일 때가 t_2일 때보다 높다.

ㄷ. t_3일 때 땀을 많이 흘린다면 체내 수분량이 감소하게 되므로 혈장 삼투압이 높아져 항이뇨 호르몬의 분비가 촉진된다. 항이뇨 호르몬의 분비량이 많아지면 콩팥에서 물의 재흡수가 촉진되므로 단위 시간당 오줌 생성량은 감소한다.

234

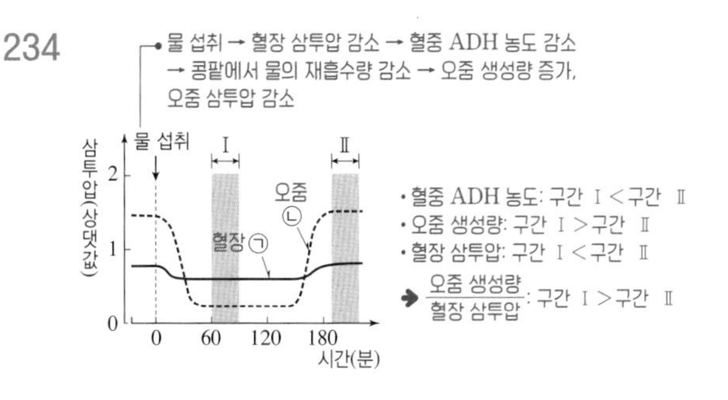

물을 섭취하면 체내 수분량이 증가하여 혈장 삼투압이 정상 범위보다 낮아지므로 항이뇨 호르몬의 분비가 억제된다. 항이뇨 호르몬의 분비가 억제되면 콩팥에서 물의 재흡수량이 감소하므로 오줌 생성량은 증가하고, 오줌 삼투압은 감소한다. 따라서 ㉠은 혈장, ㉡은 오줌이다.
ㄴ. 구간 Ⅰ에서가 구간 Ⅱ에서보다 오줌(㉡) 삼투압이 낮으므로 오줌 생성량은 많으며, 혈장 삼투압은 낮다. 따라서 $\frac{\text{오줌 생성량}}{\text{혈장 삼투압}}$은 구간 Ⅰ에서가 구간 Ⅱ에서보다 크다.
ㄷ. 혈장 삼투압이 정상 범위보다 높으면 항이뇨 호르몬의 분비량이 증가한다. 구간 Ⅱ에서가 구간 Ⅰ에서보다 혈장(㉠) 삼투압이 높으므로, 혈중 항이뇨 호르몬의 농도는 구간 Ⅱ에서가 구간 Ⅰ에서보다 높다.
바로알기 | ㄱ. ㉠은 혈장, ㉡은 오줌이다.

최고 수준 도전 기출 (08~09강)

73쪽

235 ④ 236 ③ 237 ② 238 ①

235

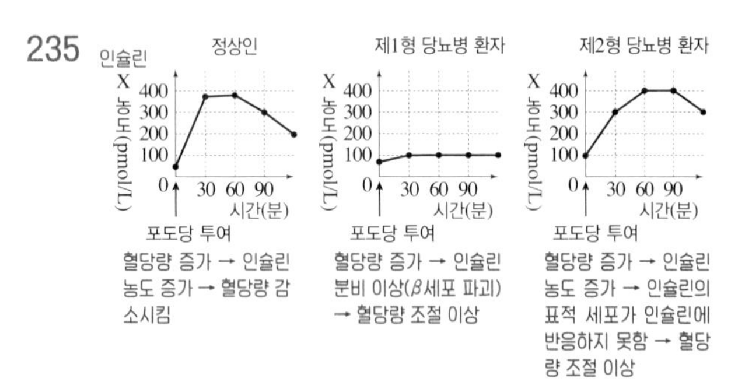

ㄱ. 정상인에게 포도당을 투여한 후 혈당량이 증가했을 때 혈액 속 X의 농도가 증가한다. 이를 통해 X는 혈당량을 감소시키는 인슐린이라는 것을 알 수 있다.
ㄴ. 제1형 당뇨병 환자에게 포도당을 투여한 후에도 혈액 속 인슐린(X)의 농도가 거의 증가하지 않는다. 이는 인슐린(X)의 분비 이상 때문으로, 제1형 당뇨병은 인슐린을 분비하는 이자의 β세포가 파괴된 것이 원인이다.
ㄷ. 제2형 당뇨병 환자에게 포도당을 투여하면 정상인과 같이 혈액 속 인슐린(X)의 농도가 증가한다. 제2형 당뇨병은 인슐린은 정상적으로 분비되지만 체세포와 간세포가 인슐린에 적절히 반응하지 못해 나타난다.
바로알기 | ㄹ. 제2형 당뇨병은 인슐린 부족보다는 인슐린의 표적 세포가 인슐린에 적절히 반응하지 못해 나타나는 질병이므로, 인슐린을 투여해도 완치되기 어렵다.

개념 보충

발생 원인에 따른 당뇨병의 구분

당뇨병은 혈액 내 포도당의 농도가 높게 지속되는 대사성 질환으로, 오줌으로 포도당이 빠져나간다. 당뇨병은 원인에 따라 제1형 당뇨병과 제2형 당뇨병으로 구분할 수 있다.

- 제1형 당뇨병(인슐린 의존성 당뇨병): 이자의 β세포가 파괴되어 인슐린을 생성하지 못하여 나타나는 질환으로, 인슐린을 처방하면 혈당량을 정상 범위로 유지할 수 있다.
- 제2형 당뇨병(인슐린 비의존성 당뇨병): 인슐린은 정상적으로 분비되지만 인슐린의 표적 세포인 체세포와 간세포가 인슐린에 정상적으로 반응하지 못하여 나타나는 질환으로, 음식물 섭취 조절이나 운동을 통해 치료하거나 예방할 수 있다.

236 ㄱ. 정상인이 소금물을 섭취하면 혈장 삼투압이 높아지므로 혈중 ADH의 분비량이 증가하게 된다. 혈중 ADH의 분비량이 증가하면 콩팥에서 물의 재흡수량이 증가하므로 오줌 생성량이 감소하고, 오줌 삼투압은 증가한다. t_1일 때 정상인의 오줌 삼투압이 높은 것은 ADH의 분비량이 많기 때문이며, A의 오줌 삼투압이 낮은 것은 ADH의 분비에 이상이 생겨 혈중 ADH의 분비량이 거의 증가하지 않았기 때문이다. 따라서 t_1일 때 A는 정상인에 비해 ADH의 분비량이 적다.
ㄴ. 정상인의 혈장 삼투압은 오줌 삼투압이 높은 t_1일 때가 오줌 삼투압이 낮은 t_2일 때보다 높다.
바로알기 | ㄷ. A의 경우 t_1일 때 오줌 삼투압이 낮은 것은 혈중 ADH 농도가 낮기 때문이고, ADH를 주사한 후인 t_3일 때 오줌 삼투압이 높은 것은 혈중 ADH 농도가 높기 때문이다. ADH는 콩팥에서 물의 재흡수를 촉진하므로, A의 콩팥에서 단위 시간당 물의 재흡수량은 혈중 ADH 농도가 낮은 t_1일 때보다 혈중 ADH 농도가 높은 t_3일 때가 많다.

237 소금물을 주입하면 혈장 삼투압이 높아지므로 혈중 ADH의 분비량이 증가하여 오줌 생성량은 감소한다. 반면, 증류수를 주입하면 혈장 삼투압이 낮아지므로 혈중 ADH의 분비량이 감소하여 오줌 생성량은 증가한다. 따라서 오줌 생성량이 증가하는 A는 증류수를 주입한 것이고, 오줌 생성량이 감소하는 B는 소금물을 주입한 것이다. 뇌하수체 호르몬 X가 포함된 액체를 주입한 C에서 오줌 생성량이 소금물을 주입한 B와 비슷한 양상으로 변화한다. 이때 소금물을 주입한 B에서 ADH가 증가하므로, 호르몬 X는 ADH라는 것을 알 수 있다.
ㄱ. ADH(X)는 콩팥에서 물의 재흡수를 촉진하므로, X의 표적 기관은 콩팥이다.
ㄹ. ADH 농도가 낮을수록 오줌 생성량이 많아지므로, t_1일 때 혈중 ADH 농도는 오줌 생성량이 많은 A에서가 B에서보다 낮다.
바로알기 | ㄴ. A는 증류수를, B는 소금물을 주입한 것이다.
ㄷ. 증류수를 주입하면 체내 수분량이 증가하므로 혈장 삼투압이 낮아진다. 따라서 혈장 삼투압은 주입 전보다 t_1일 때가 낮다.

238

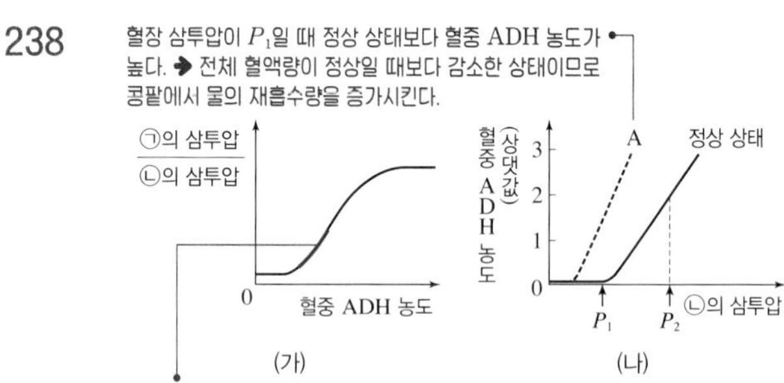

ㄱ. 혈중 ADH 농도가 증가하면 콩팥에서 물의 재흡수량이 증가하여 오줌 생성량은 감소하고 오줌 삼투압은 증가하며, 혈장 삼투압은 감소한다. (가)에서 혈중 ADH 농도가 일정 수준까지 높아질수록 $\frac{\text{㉠의 삼투압}}{\text{㉡의 삼투압}}$의 값은 증가하므로, ㉠은 오줌이고, ㉡은 혈장이다.
바로알기 | ㄴ. (나)에서 혈장(㉡)의 삼투압이 P_1일 때 A의 혈중 ADH 농도가 정상 상태의 혈중 ADH 농도보다 높으므로 A는 전체 혈액량이 정상보다 감소한 상태이다.
ㄷ. 정상 상태일 때 단위 시간당 오줌 생성량은 혈중 ADH 농도가 낮은 P_1일 때가 혈중 ADH 농도가 높은 P_2일 때보다 많다.

10 질병과 인체의 방어 작용

빈출 자료 보기 75쪽

239 (1) ○ (2) ○ (3) ○ (4) × (5) × (6) ○

239 (1) (나)에서 ㉠은 세균 X를 자신의 세포 안으로 끌어들여 분해하는 식균 작용(식세포 작용)을 하므로, 대식 세포이다. (라)에서 ㉢은 항체를 생산하는 형질 세포로 분화하므로, B 림프구이다.
(2) (다)에서 대식 세포가 세균 X를 분해하여 제시한 항원 조각을 ㉡이 인식하여 활성화되고, (라)에서 활성화된 ㉡이 B 림프구(㉢)의 증식과 분화를 촉진한다. 따라서 ㉡은 보조 T 림프구이다. 보조 T 림프구는 골수에서 만들어져 가슴샘에서 성숙한다.
(3) B 림프구(㉢)는 활성화된 보조 T 림프구(㉡)의 도움을 받아 형질 세포와 기억 세포로 분화한다.
(6) (라)에서 형질 세포로부터 만들어진 항체는 세균 X와 특이적으로 결합하여, 항원 항체 반응으로 X를 효율적으로 제거한다.
바로알기 | (4) (가)에서 세균 X가 침입한 부위의 비만 세포에서 화학 신호 물질(히스타민)이 분비되며, 화학 신호 물질은 모세 혈관을 확장시켜 혈관벽의 투과성을 증가시킴으로써 대식 세포와 같은 백혈구가 손상된 조직으로 유입되도록 한다.
(5) (나)에서 대식 세포(㉠)의 세균 X에 대한 식균 작용은 특정 병원체를 인식하지 않는 비특이적 방어 작용이다.

난이도별 필수 기출 76~81쪽

240 ④	241 변형 프라이온		242 ④	243 ⑤	244 ②
245 ②	246 ⑤	247 ④	248 ④	249 ⑤	250 ③
251 ②	252 ㉠ 라이소자임, ㉡ 세포벽			253 ②, ④	
254 ④	255 ④	256 해설 참조		257 해설 참조	
258 ⑤	259 ⑤	260 ④	261 ⑤	262 ⑤	263 ①
264 ④	265 ③	266 ④	267 ⑤		

240 병원체 중 바이러스에 대한 설명이다.
④ 감기는 바이러스에 의해 나타나는 질병이다.
바로알기 | ①, ③ 결핵과 콜레라는 세균에 의해 나타나는 질병이다.
② 무좀은 곰팡이에 의해 나타나는 질병이다.
⑤ 수면병은 원생생물에 의해 나타나는 질병이다.

241 변형 프라이온은 유전 물질이 없고 단백질로만 구성된 입자로, 뇌에 축적되면 신경 세포가 파괴된다. 변형 프라이온은 소의 광우병, 양의 스크래피, 사람의 크로이츠펠트·야코프병 등을 일으킨다.

242 ④ 말라리아는 매개 곤충인 모기를 통해 감염되며, 독감을 일으키는 독감 바이러스는 호흡기를 통해 감염된다. 당뇨병은 유전, 환경 등 여러 요인이 복합적으로 작용하여 나타나는 비감염성 질병이다.
바로알기 | ① 파상풍은 주로 상처를 통해, 감기는 주로 호흡기와 피부 접촉을 통해 감염되는 감염성 질병이다.
② 탄저병은 대부분 피부를 통해 감염되는 감염성 질병이다.

243 ① 외출 시 마스크를 착용하면 호흡기를 통한 병원체 감염을 예방할 수 있다.
② 특정 감염성 질병에 대한 백신을 접종하면 그 질병을 예방할 수 있다.
③ 손을 자주 올바르게 씻으면 손을 통해 감염되는 질병을 예방할 수 있다.
④ 기침을 할 때 팔꿈치 안쪽으로 코와 입을 가려서 공기 중에 병원체를 퍼뜨리거나 손이 오염되지 않게 한다.
바로알기 | ⑤ 물이나 음식에 있을지 모르는 병원체를 제거하기 위해 음식은 익혀 먹고, 물은 끓여 먹도록 한다.

244 A는 병원체의 감염 없이 나타나는 비감염성 질병이고, B는 곰팡이에 의해 나타나는 감염성 질병이며, C는 매개 곤충을 통해 감염되는 감염성 질병이다.
ㄷ. 말라리아(C)를 일으키는 병원체는 원생생물이며, 원생생물은 핵이 있는 진핵생물이다.
바로알기 | ㄱ. (가)는 피부 접촉과 호흡기를 통한 병원체 감염으로 나타나는 감염성 질병을 예방하기 위한 방법이다. 뇌졸중과 동맥 경화는 병원체의 감염 없이 나타나는 비감염성 질병이고, 말라리아는 모기와 같은 매개 곤충을 통해 감염되므로, (가)를 통해 A~C를 모두 예방할 수는 없다.
ㄴ. 무좀(B)은 곰팡이에 의해 나타나는 질병이다.

245

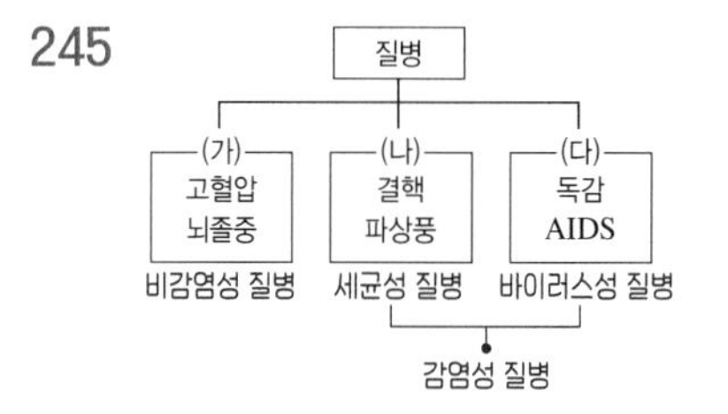

ㄴ. (나)는 세균에 의해 나타나는 감염성 질병이다. 세균은 단세포 원핵생물이므로 세포 분열을 통해 증식한다.
바로알기 | ㄱ. (가)는 병원체의 감염 없이 나타나는 비감염성 질병이므로, 다른 사람에게 전염되지 않는다.
ㄷ. (다)는 바이러스에 의해 나타나는 감염성 질병이다. 바이러스는 세포로 이루어져 있지 않다.

246 ㄱ. 결핵, 독감, 당뇨병 중 결핵과 독감은 감염성 질병이고, 당뇨병은 비감염성 질병이다. 따라서 '감염성 질병인가?'는 (가)에 해당한다.
ㄴ. 결핵의 병원체는 세균, 독감의 병원체는 바이러스이다. 따라서 ㉠은 결핵, ㉡은 독감이며, 결핵(㉠)과 같은 세균에 의한 질병은 항생제를 이용하여 치료한다.
ㄷ. 독감(㉡)은 병원체에 의해 나타나는 감염성 질병으로, 독감 백신을 주사하면 독감의 병원체에 대한 기억 세포가 형성되어 독감을 예방할 수 있다.

247

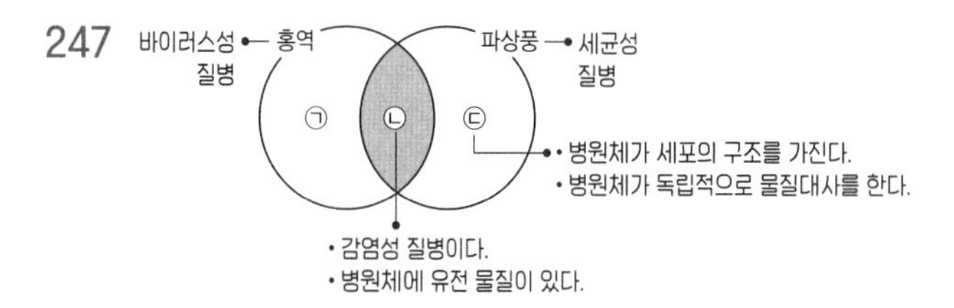

홍역과 파상풍은 모두 감염성 질병으로, 홍역의 병원체는 바이러스이고, 파상풍의 병원체는 세균이다.
ㄴ. 홍역과 파상풍은 모두 병원체에 의해 나타나는 감염성 질병이므로, '감염성 질병이다.'는 ㉡에 해당한다.
ㄷ. 홍역의 병원체인 바이러스는 독립적으로 물질대사를 할 수 없으며, 살아 있는 숙주 세포 내에서만 증식한다. 파상풍의 병원체인 세균은 독립적으로 물질대사를 할 수 있다. 따라서 '병원체가 독립적으로 물질대사를 한다.'는 ㉢에 해당한다.
바로알기 | ㄱ. 홍역의 병원체인 바이러스는 세포로 이루어져 있지 않으며, 파상풍의 병원체인 세균은 하나의 세포로 이루어진 단세포 원핵생물이다. 따라서 '병원체가 세포의 구조를 가진다.'는 ㉢에 해당한다.

248

질병 \ 특징	㉠	㉡	㉢
혈우병 A	×	×	○
감기 B	×	○	ⓐ ×
탄저병 C	? ○	○	×

(○: 있음, ×: 없음)

(가)

특징 ㉠~㉢
• 비감염성 질병이다. 혈우병 → ㉢ • 병원체가 핵산을 가지고 있다. 탄저병, 감기 → ㉡ • 병원체가 세포벽을 가지고 있다. 탄저병 → ㉠

(나)

ㄴ. 탄저병과 감기는 감염성 질병, 혈우병은 비감염성 질병이다. '병원체가 핵산을 가지고 있다.'는 탄저병과 감기에만 해당되는 특징이다. 따라서 ㉡은 '병원체가 핵산을 가지고 있다.'이다. 탄저병의 병원체인 세균은 세포로 이루어져 있으며 세포막 바깥에 세포벽이 있다. 독감의 병원체인 바이러스는 세포로 이루어져 있지 않으므로 세포벽이 없다. 따라서 '병원체가 세포벽을 가지고 있다.'는 탄저병에만 해당되는 특징이므로, ㉠은 '병원체가 세포벽을 가지고 있다.'이고, ㉢은 '비감염성 질병이다.'이다.
ㄷ. A는 혈우병, B는 감기, C는 탄저병이며, 탄저병(C)의 병원체는 세균이므로 항생제를 통해 증식을 억제할 수 있다.
바로알기 | ㄱ. 감기(B)는 감염성 질병이므로, 특징 ㉢을 갖지 않는다. 따라서 ⓐ는 '×'이다.

249
그림의 병원체는 세포의 구조를 갖춘 세균이다.
ㄱ. 세균은 핵막이 없는 단세포 원핵생물이다.
ㄴ. 세균은 인체에 침입하여 세포를 파괴하거나 독소를 분비하여 질병을 일으킨다.
ㄷ. 세균에 의한 질병은 항생제를 사용하여 치료할 수 있다.

250
ㄱ. 세균은 핵이 없는 원핵생물이고, 원생생물과 곰팡이는 모두 핵이 있는 진핵생물이다. 또한, 말라리아를 유발시키는 병원체는 원생생물이다. 따라서 A는 원생생물, B는 곰팡이, C는 세균이다.
ㄷ. 세균(C)에 감염되어 발생하는 질병의 치료에는 항생제를 사용한다.
바로알기 | ㄴ. 곰팡이(B)에 감염되어 발생하는 질병에는 무좀이 있다. 소의 광우병은 변형 프라이온에 감염되어 발생하는 질병이다.

251

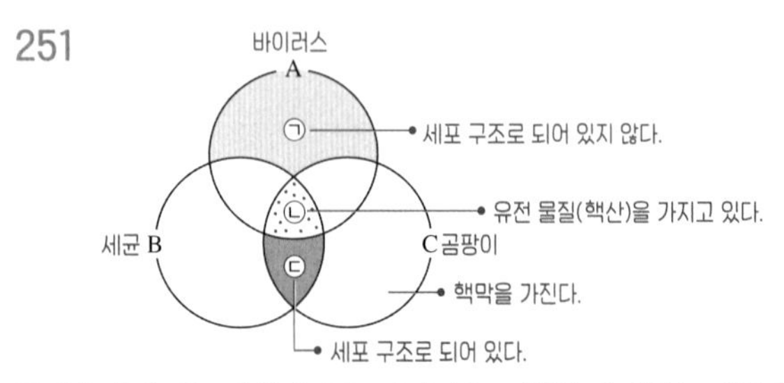

독감을 유발하는 병원체 A는 바이러스, 결핵을 유발하는 병원체 B는 세균, 무좀을 유발하는 병원체 C는 곰팡이이다.
ㄴ. 바이러스(A), 세균(B), 곰팡이(C)는 모두 유전 물질인 핵산을 가지고 있다. 따라서 '유전 물질을 가지고 있다.'는 ㉡에 해당한다.
바로알기 | ㄱ. 바이러스(A)는 세포로 이루어져 있지 않고, 단백질 껍질 속에 핵산이 들어 있는 구조로 되어 있다. 따라서 '세포 구조로 되어 있다.'는 ㉠에 해당하지 않는다.
ㄷ. 세균(B)은 원핵생물이므로 핵막으로 둘러싸인 핵이 없고, 곰팡이(C)는 진핵생물이므로 핵막으로 둘러싸인 핵이 있다. 따라서 '핵막을 가진다.'는 ㉢에 해당하지 않는다.

252
땀, 침, 눈물, 콧물과 점막에서 분비되는 점액에는 세균의 세포벽을 분해하는 라이소자임이 들어 있다.

253
① 비특이적 방어 작용은 병원체의 종류를 구분하지 않고 감염 발생 시 신속하게 반응이 일어난다. 특이적 방어 작용은 특정 병원체를 인식하여 제거하는 방어 작용으로, 병원체를 인식하고 반응하는 데 시간이 걸린다.
③ 비특이적 방어 작용은 광범위한 병원체에 대해 신속하게 반응하지만, 특이적 방어 작용은 특정 병원체에 대해 느리게 반응한다.
⑤ 피부와 점막은 병원체가 몸속으로 들어오는 것을 막는 1차 방어벽에 해당한다.
⑥ 항체는 항원 결합 부위가 있으며, 항원 결합 부위와 입체 구조가 맞는 항원하고만 결합할 수 있다. 따라서 항원 결합 부위는 항체의 종류에 따라 다르다.
바로알기 | ② 비특이적 방어 작용은 병원체의 종류와 관계없이 일어나는 반응으로, 이전에 침입한 병원체를 기억하지 않는다.
④ 대식 세포의 식균 작용(식세포 작용)은 비특이적 방어 작용이다.

254
상처 부위를 통해 세균이 몸속으로 침입하면 손상된 피부 부위의 비만 세포에서 화학 신호 물질(히스타민)을 분비하며, 백혈구(㉠)의 식균 작용(식세포 작용)으로 병원체가 제거된다.
ㄴ. 백혈구(㉠)는 식균 작용(식세포 작용)으로 병원체를 제거한다.
ㄷ. 염증 반응에서는 발열, 부어오름, 붉어짐, 통증 등의 증상이 나타난다.
바로알기 | ㄱ. 염증 반응은 병원체의 종류나 감염 경험의 유무와 관계없이 일어나므로 비특이적 방어 작용이다.

255
그림은 손상된 피부를 통해 세균 X에 감염되었을 때 일어나는 염증 반응을 나타낸 것이다.

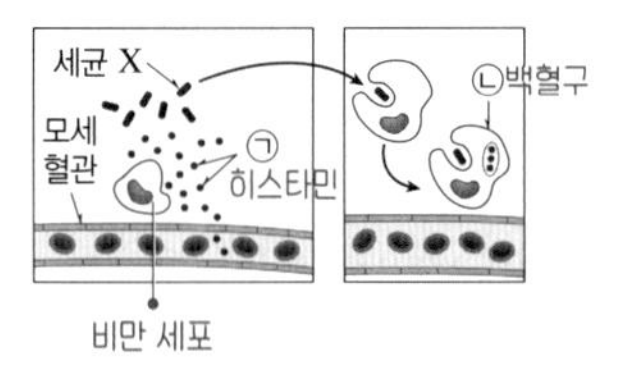

세균 X가 몸속으로 침입하면 손상된 부위의 비만 세포에서 히스타민 분비 → 히스타민에 의해 모세 혈관이 확장되어 혈관벽의 투과성 증가 → 혈액이 모임(붉어짐, 부어오름) → 백혈구가 손상 부위에 모여 식균 작용으로 세균 X 제거

ㄱ. ㉠은 손상된 부위의 비만 세포가 분비한 화학 신호 물질로, 히스타민이다.
ㄴ. 히스타민(㉠)은 모세 혈관을 확장시켜 혈관벽의 투과성을 증가시키며, 이로 인해 백혈구를 포함한 혈액 성분이 상처 부위로 모이게 되어 상처 부위가 붉게 부어오른다.
ㄷ. ㉡은 백혈구이며, 백혈구는 세균 X를 자신의 세포 안으로 끌어들여 분해하는 식균 작용(식세포 작용)으로 세균 X를 제거한다.

바로알기 | ㄹ. 염증 반응은 비특이적 방어 작용이므로, 세균 X뿐만 아니라 다른 병원체의 침입 시에도 일어난다.

256 **모범 답안** 손상된 피부로 세균이 침입하면 비만 세포에서 히스타민(화학 물질 A)을 분비한다. 히스타민은 모세 혈관을 확장시키고, 이로 인해 혈관벽의 투과성이 증가하여 백혈구(세포 B)와 혈장이 상처 부위로 유입된다. 상처 부위에 모인 백혈구는 식균 작용(식세포 작용)으로 세균을 제거한다.

257 항원은 체내에서 면역 반응을 일으키는 원인 물질이고, 항체는 항원과 결합하여 항원을 무력화시키는 면역 단백질이다. 특정 항체가 항원의 특정 부위에 결합하여 작용하는 것을 항원 항체 반응의 특이성이라고 한다.

모범 답안 항원 항체 반응의 특이성이란 항체가 자신의 항원 결합 부위와 입체 구조가 맞는 특정 항원하고만 결합하여 작용하는 것이다.

258 ① 세포성 면역과 체액성 면역은 모두 특이적 방어 작용에 해당한다.

②, ④ 세포성 면역은 활성화된 세포독성 T림프구가 병원체에 감염된 세포를 직접 제거하는 면역 반응이다.

③ 체액성 면역은 B 림프구로부터 분화된 형질 세포에서 항체를 생산하여 항원을 제거하는 면역 반응이다.

바로알기 | ⑤ 기억 세포는 B 림프구로부터 분화된 것이며, B 림프구가 관여하는 면역 반응은 체액성 면역이다.

259 골수에 있는 조혈 모세포로부터 만들어진 림프구 중 일부는 가슴샘으로 이동하여 T 림프구로 성숙(분화)하고, 다른 일부는 골수에 남아 B 림프구로 성숙(분화)한다.

ㄴ, ㄷ. 세포 (나)는 B 림프구이다. 보조 T 림프구가 B 림프구의 증식과 분화를 촉진하며, B 림프구는 형질 세포와 기억 세포로 분화한다.

바로알기 | ㄱ. 세포 (가)는 T 림프구이며, T 림프구 중 세포독성 T림프구는 세포성 면역에 관여한다.

260

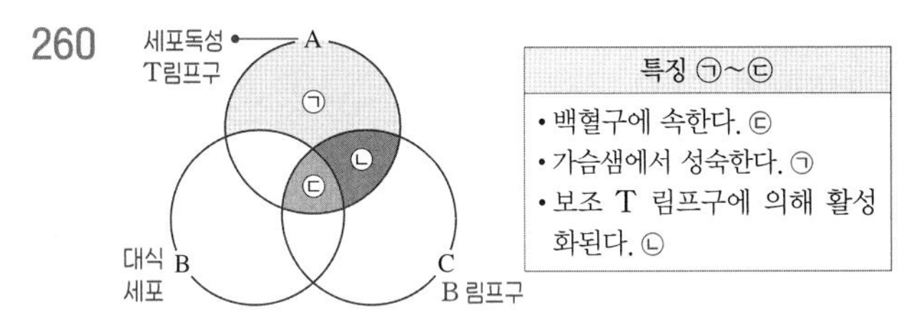

ㄱ. 대식 세포, B 림프구, 세포독성 T림프구는 모두 백혈구에 속하고, 세포독성 T림프구는 가슴샘에서 성숙하며, B 림프구와 세포독성 T림프구는 보조 T 림프구에 의해 활성화된다. 따라서 ㉠은 '가슴샘에서 성숙한다.', ㉡은 '보조 T 림프구에 의해 활성화된다.', ㉢은 '백혈구에 속한다.'가 되고, A는 세포독성 T림프구, B는 대식 세포, C는 B 림프구이다.

ㄴ. C는 B 림프구이고, 체액성 면역에서 B 림프구는 기억 세포와 형질 세포로 분화되며, 형질 세포는 항체를 생성한다.

바로알기 | ㄷ. ㉡은 '보조 T 림프구에 의해 활성화된다.'이다.

261

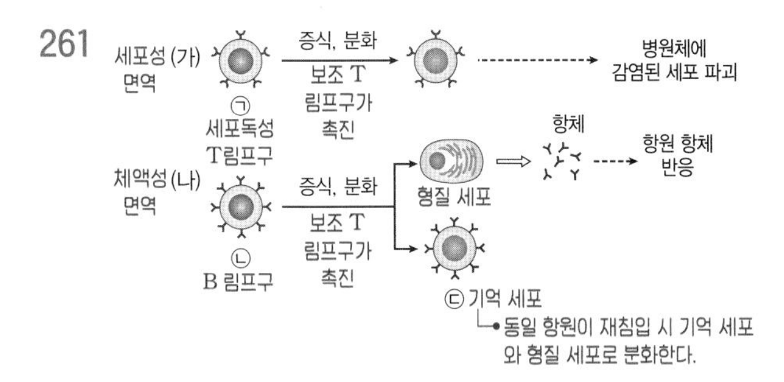

ㄱ. (가)는 병원체에 감염된 세포를 제거하는 과정이므로, 세포독성 T 림프구(㉠)가 관여하는 세포성 면역이다. (나)는 항원 항체 반응으로 항원을 제거하는 과정이므로, B 림프구(㉡)가 관여하는 체액성 면역이다.

ㄴ. 세포독성 T림프구(㉠)와 B 림프구(㉡)는 모두 보조 T 림프구에 의해 활성화된다. 활성화된 세포독성 T림프구(㉠)는 병원체에 감염된 세포를 제거하며, 활성화된 B 림프구(㉡)는 기억 세포와 형질 세포로 분화한다.

ㄷ. ㉢은 B 림프구(㉡)로부터 분화된 기억 세포이며, 동일한 항원의 재침입 시 기억 세포가 형질 세포로 빠르게 분화한다.

262 (가)는 대식 세포의 식균 작용(식세포 작용)으로 항원 X가 분해되어 생긴 항원 X 조각을 보조 T 림프구(㉠)가 인식하는 것을 나타낸 것이고, (나)는 항원 X에 감염된 세포를 세포독성 T림프구(㉡)가 인식하여 파괴하는 것을 나타낸 것이다.

ㄴ. 보조 T 림프구(㉠)는 대식 세포 표면에 제시된 항원 X 조각을 인식하여 활성화된다.

ㄷ. 보조 T 림프구는 대식 세포가 제시한 항원 조각을 인식하여 활성화되고, 활성화된 보조 T 림프구가 세포독성 T림프구를 활성화시켜 세포성 면역이 일어난다. 따라서 대식 세포의 항원 조각 제시(가)가 세포독성 T림프구에 의한 감염된 세포 제거(나)보다 먼저 일어난다.

ㄹ. (나)는 항원 X에 감염된 세포를 세포독성 T림프구(㉡)가 인식하여 파괴하므로 세포성 면역의 일부이다.

바로알기 | ㄱ. 보조 T 림프구(㉠)와 세포독성 T림프구(㉡)는 모두 골수에서 생성되어 가슴샘에서 성숙한다.

263 그림은 B 림프구(㉠)가 활성화된 보조 T 림프구(㉡)의 도움으로 형질 세포(㉡)와 기억 세포(㉢)로 분화하는 과정을 나타낸 것이다.

ㄱ. 보조 T 림프구(㉠)는 골수에서 만들어져 가슴샘에서 성숙한다.

ㄴ. 활성화된 보조 T 림프구(㉠)는 B 림프구를 활성화시켜 형질 세포(㉡)와 기억 세포(㉢)로 분화하도록 한다.

바로알기 | ㄷ. 항체를 생산하여 분비하는 ㉡이 형질 세포이고, ㉢은 항원을 기억하는 기억 세포이다.

ㄹ. 같은 항원이 재침입하면 이 항원에 대한 기억 세포(㉢)가 빠르게 증식하여 기억 세포와 형질 세포(㉡)로 분화한다.

264 그림 (가)는 세균 X의 침입으로 비만 세포에서 화학 신호 물질(히스타민)이 분비되고, 이 물질에 의해 모세 혈관이 확장되고 혈관벽의 투과성이 증가하여 혈관벽을 통과한 대식 세포가 식균 작용(식세포 작용)으로 세균 X를 잡아먹고 분해하는 모습이다.

(나)는 (가)의 대식 세포에서 제시한 항원 조각을 보조 T 림프구(㉠)가 인식하여 활성화되고, 활성화된 보조 T 림프구(㉠)가 B 림프구(㉡)를 활성화시켜 B 림프구가 항체를 생산하는 형질 세포로 분화하는 모습이다.

ㄴ. (나)에서 세균 X에 대한 항체가 생성되었으므로, 체액성 면역이 일어났다.

ㄷ. (나)에서 만들어진 항체의 항원 결합 부위는 세균 X의 특정 부위와 특이적으로 결합한다.

바로알기 | ㄱ. 림프구는 모두 골수에서 만들어지며, 림프구 중 일부는 가슴샘에서 성숙하여 T 림프구(㉠)로 되고, 다른 일부는 골수에서 성숙하여 B 림프구(㉡)로 된다.

265 ③ 활성화된 보조 T 림프구(㉠)가 B 림프구(㉡)를 활성화시켜 분화를 촉진한다.

④ B 림프구로부터 분화한 형질 세포에서 항체를 생산하여 분비한다. ➔ 항원 항체 반응으로 항원 A 제거(체액성 면역)

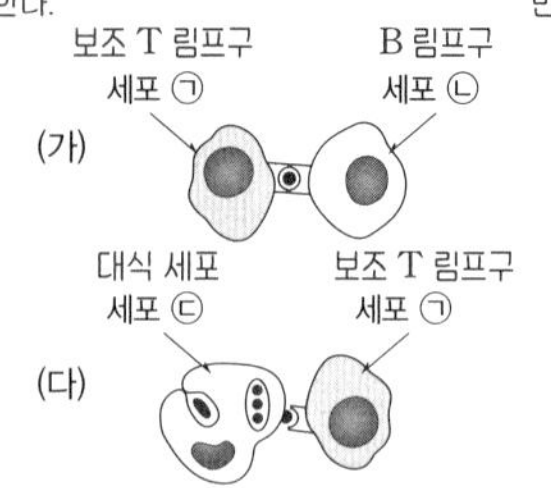

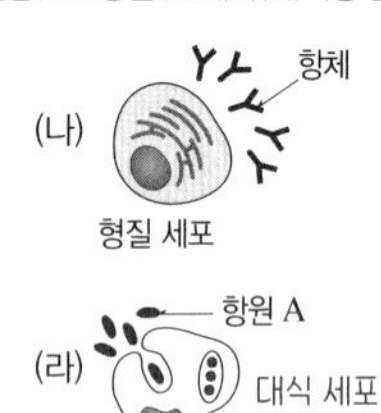

② 대식 세포의 표면에 제시된 항원 조각을 보조 T 림프구가 인식하여 활성화된다.

① 대식 세포(㉢)가 식균 작용(식세포 작용)으로 항원 A를 삼켜 분해한다.

ㄱ. 방어 작용은 다음과 같은 순서로 일어난다.
(라) 대식 세포(㉢)의 식균 작용 → (다) 대식 세포(㉢) 표면에 제시된 항원 조각을 보조 T 림프구(㉠)가 인식 → (가) 활성화된 보조 T 림프구(㉠)가 B 림프구(㉡)를 활성화 → (나) B 림프구(㉡)로부터 분화한 형질 세포에서 항체 분비
ㄴ. (나)는 특이적 방어 작용 중 체액성 면역에 해당한다.
바로알기 | ㄷ. 대식 세포(㉢)는 식균 작용으로 침입한 병원체를 삼킨 후 분해한다. 히스타민은 상처 부위의 비만 세포에서 분비된다.

266 ㄴ. 대식 세포는 항원 X를 삼킨 후 분해하여 항원 X 조각을 세포 표면에 제시하며, 보조 T 림프구(㉠)는 제시된 항원 X 조각을 인식하여 활성화된다.
ㄷ. 항원 X를 인식한 보조 T 림프구가 B 림프구를 활성화시켜 형성된 형질 세포에서 항체 Y가 만들어진 것이므로, 항체 Y는 항원 X와 특이적으로 결합한다.
바로알기 | ㄱ. (가)는 대식 세포가 항원 X를 자신의 세포 안으로 끌어들이는 식균 작용으로, 항원의 종류를 구별하지 않는 비특이적 방어 작용 중 하나이다.

267

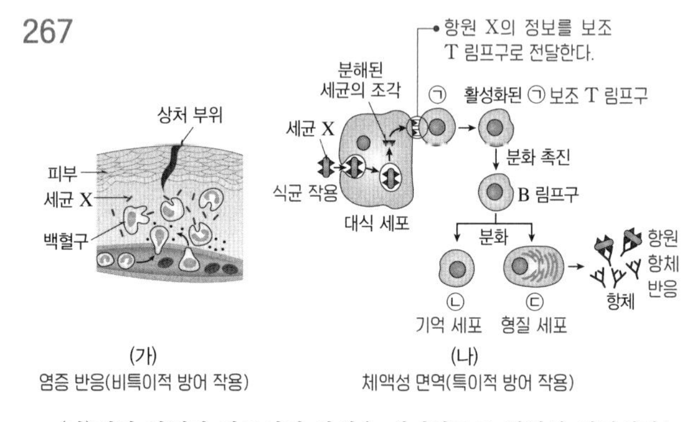

(가) 염증 반응(비특이적 방어 작용)　(나) 체액성 면역(특이적 방어 작용)

ㄴ. (나)에서 항체가 만들어져 항원을 제거하므로 체액성 면역이라는 것을 알 수 있다.
ㄷ. (나)에서 대식 세포가 제시한 항원 조각을 인식하는 ㉠은 보조 T 림프구이다. 활성화된 보조 T 림프구(㉠)는 B 림프구의 분화를 촉진하여, B 림프구는 기억 세포(㉡)와 형질 세포(㉢)로 분화한다.
바로알기 | ㄱ. (가)는 염증 반응, (나)는 체액성 면역이다. 1차 면역 반응은 항원의 1차 침입 시 활성화된 보조 T 림프구의 도움으로 B 림프구가 기억 세포와 형질 세포로 분화하며, 형질 세포에서 항체가 분비되는 것이다. 2차 면역 반응은 동일한 항원의 재침입 시 그 항원에 대한 기억 세포가 빠르게 증식하여 형질 세포로 분화하고, 형질 세포에서 항체를 생산하는 것이다.

11 면역 반응과 혈액의 응집 반응

빈출 자료 보기 83쪽

268 (1) ○ (2) ○ (3) ○ (4) × (5) ○ (6) ×

268 (1) 대식 세포의 식균 작용 등과 같은 비특이적 방어 작용은 항체를 생산하는 체액성 면역 반응보다 먼저 일어난다. 따라서 구간 Ⅰ에서 A에 대한 비특이적 방어 작용이 일어난다.
(2) 구간 Ⅱ에서 A에 대한 항체 농도가 감소한 것은 A에 대한 항체를 생산하는 형질 세포의 수가 감소하기 때문이다.
(3) 구간 Ⅲ에서 B에 대한 항체 농도가 증가하고 있으므로, B에 대한 체액성 면역이 일어난다.
(5) 구간 Ⅲ에서 A에 대한 2차 면역 반응이 일어나 기억 세포가 형질 세포로 분화하고, B에 대한 1차 면역 반응이 일어나 형질 세포와 기억 세포가 형성된다. 따라서 구간 Ⅲ에서 A와 B에 대한 기억 세포가 모두 존재한다.
바로알기 | (4) 항원 B는 1차 침입한 것이므로 구간 Ⅲ에서 B에 대한 1차 면역 반응이 일어난다.
(6) 형질 세포는 분화가 끝난 세포이므로 더 이상 분화하지 않는다. 구간 Ⅲ에서 B 림프구가 B에 대한 형질 세포와 기억 세포로 분화한다.

난이도별 필수 기출 84~90쪽

269 ①	270 해설 참조	271 ④	272 ③	273 ③
274 ②	275 ②	276 해설 참조	277 ⑤	278 ④
279 ②	280 ③	281 해설 참조	282 ③	283 ③
284 ③	285 ③	286 ①	287 ③	288 ③	289 ③
290 해설 참조	291 ①	292 ②	293 ①	294 ④
295 ②	296 ③	297 ①		

269 ㄱ. (가)에서 기억 세포가 형질 세포로 분화하는 과정 ㉠은 X가 재침입했을 때 일어나는 2차 면역 반응이므로, (나)의 구간 Ⅱ에서 일어난다. B 림프구가 형질 세포로 분화하는 과정 ㉡은 1차 면역 반응이므로, (나)의 구간 Ⅰ에서 일어난다.
바로알기 | ㄴ. 형질 세포에서 항체가 생성되므로, 항체 농도가 높은 구간일수록 형질 세포의 수가 많다. 따라서 X에 대한 형질 세포의 수는 구간 Ⅱ에서가 구간 Ⅰ에서보다 많다.
ㄷ. 구간 Ⅱ에서 기억 세포는 형질 세포로 분화한다.

270 구간 Ⅰ에서는 B 림프구가 형질 세포와 기억 세포로 분화하여 형질 세포에서 항체 a가 생성되는 1차 면역 반응이 일어난다. 구간 Ⅱ에서는 항원 A에 대한 기억 세포가 빠르게 분화하여 형질 세포에서 다량의 항체 a를 만드는 2차 면역 반응이 일어난다. 구간 Ⅱ에서 항원 B는 1차 침입하였으므로 항원 B에 대한 1차 면역 반응이 일어난다.

모범 답안 (1) 구간 Ⅰ에서는 항원 A에 대한 1차 면역 반응이 일어나 항체 생성 속도가 느리지만, 구간 Ⅱ에서는 항원 A에 대한 2차 면역 반응이 일어나 다량의 항체가 빠르게 생성되기 때문에 구간 Ⅰ보다 구간 Ⅱ에서 항체 a의 농도가 높다.
(2) 구간 Ⅱ에서 항원 A에 대해서는 2차 면역 반응이 일어나 항체 a의 농도가 높지만, 항원 B에 대해서는 1차 면역 반응이 일어나 항체 b의 농도는 낮다.

271

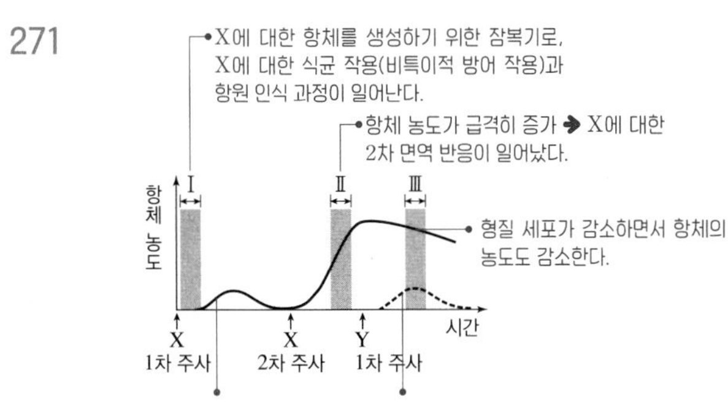
X에 대한 항체를 생성하기 위한 잠복기로, X에 대한 식균 작용(비특이적 방어 작용)과 항원 인식 과정이 일어난다.
항체 농도가 급격히 증가 ➔ X에 대한 2차 면역 반응이 일어났다.
형질 세포가 감소하면서 항체의 농도도 감소한다.
항체 농도
Ⅰ
Ⅱ
Ⅲ
시간
X 1차 주사
X 2차 주사
Y 1차 주사
X에 대한 1차 면역 반응이 일어났다.(X에 대한 기억 세포 형성)
Y에 대한 1차 면역 반응이 일어났다.(Y에 대한 기억 세포 형성)

ㄱ. 항원이 처음 침입 시 대식 세포의 식균 작용 등과 같은 비특이적 방어 작용이 먼저 일어난 후 체액성 면역이 일어난다. 따라서 구간 Ⅰ에서 비특이적 방어 작용이 일어난다.
ㄴ. X를 2차 주사한 후 X에 대한 항체 농도가 급격히 증가한 것을 통해 구간 Ⅱ에서 X에 대한 2차 면역 반응이 일어났음을 알 수 있다.
ㄹ. 구간 Ⅲ에서 X에 대한 항체 농도가 감소하는 것은 X에 대한 항체를 생산하는 형질 세포의 수가 감소하기 때문이다.
바로알기 | ㄷ. 구간 Ⅲ에서 Y에 대한 항체 농도가 증가한 것은 Y에 대한 1차 면역 반응이 일어나 기억 세포와 형질 세포가 만들어졌기 때문이다. 따라서 구간 Ⅲ에서 Y에 대한 기억 세포가 존재한다.

272

ㄷ. t_1 시기에 항원 Y가 침입했을 때 항체 Y가 생성되기까지 시간이 걸리고 항체 Y의 농도가 낮은 것을 통해 항원 Y에 대한 1차 면역 반응이 일어났음을 알 수 있다. t_2 시기에 항원 Y가 재침입했을 때 잠복기 없이 항체 Y의 농도가 급격히 증가하므로 t_2 시기 직후 항원 Y에 대한 2차 면역 반응이 일어났음을 알 수 있다.
바로알기 | ㄱ. t_1 시기에 항원 X가 침입한 직후 잠복기 없이 항체 X의 농도가 급격히 증가하므로 항원 X는 t_1 시기 이전에 침입한 적이 있음을 알 수 있다. t_1 시기에 항원 Y가 침입한 후 항체 Y가 생성되기까지 시간이 걸리고 항체 Y의 농도도 낮으므로 항원 Y는 t_1 시기에 처음 침입한 것임을 알 수 있다.
ㄴ. 항원 X는 t_1 시기 이전에 침입한 적이 있어 항원 X에 대한 기억 세포가 형성되어 있지만, 항원 Y는 t_1 시기 이전에 침입한 적이 없으므로 항원 Y에 대한 기억 세포가 형성되어 있지 않다. 따라서 t_1 시기에 항원 X에 대한 기억 세포는 존재하지만, 항원 Y에 대한 기억 세포는 존재하지 않는다.

273

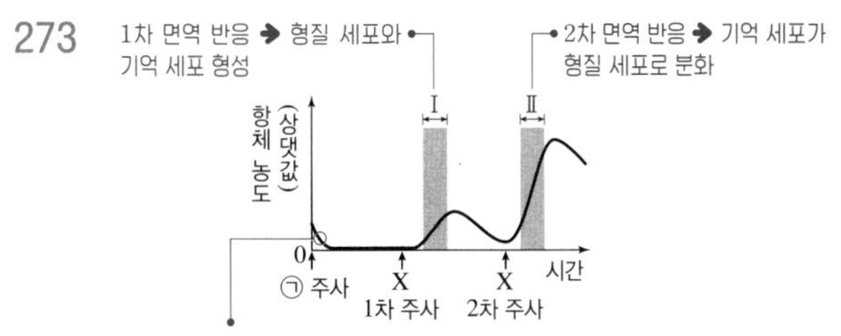
1차 면역 반응 ➔ 형질 세포와 기억 세포 형성
2차 면역 반응 ➔ 기억 세포가 형질 세포로 분화
항체 농도(상댓값)
Ⅰ
Ⅱ
0
㉠ 주사
X 1차 주사
X 2차 주사
시간
㉠에는 X에 대한 항체는 있지만 X에 대한 형질 세포는 없으므로 시간이 지나면서 항체의 농도가 감소한다.

ㄱ. (나)에서 생쥐 A에 항원 X를 주사하였으므로, 생쥐 A의 체내에서 체액성 면역이 일어나 X에 대한 항체가 만들어진다. 따라서 (다)에서 생쥐 A의 혈청에는 X에 대한 항체가 들어 있다.
ㄷ. 구간 Ⅰ에서는 X에 대한 혈중 항체 농도가 낮고, 구간 Ⅱ에서는 X에 대한 혈중 항체 농도가 급격히 증가한다. 따라서 구간 Ⅰ에서는 X에 대한 1차 면역 반응이, 구간 Ⅱ에서는 X에 대한 2차 면역 반응이 일어났다.
바로알기 | ㄴ. 구간 Ⅰ에서 체액성 면역이 일어나 B 림프구가 기억 세포와 형질 세포로 분화한다. 따라서 구간 Ⅰ에서는 X에 대한 기억 세포가 존재한다.

274

(가)는 체액성 면역 과정의 일부로, B 림프구는 형질 세포와 기억 세포로 분화하고, 형질 세포에서 항체가 생성된다. 따라서 ㉠은 형질 세포, ㉡은 기억 세포이다.
(나)의 실험 결과에서 ⓐ를 주사했을 때 X에 대한 항체 농도가 일정 수준으로 나타났다가 서서히 줄어들고, X를 주사했을 때 X에 대한 항체 농도가 서서히 증가하는 1차 면역 반응이 일어났다. 따라서 (나)에서 생쥐 B에 주사한 것은 혈청이다.
ㄷ. 구간 Ⅱ에서 X에 대한 항체 농도가 증가하고 있으므로, B의 체내에 X에 대한 항체를 생산하는 형질 세포(㉠)의 수가 증가하고 있다.
바로알기 | ㄱ. (나)에서 생쥐 B에게 주사한 것은 혈청이다. 만약 X에 대한 기억 세포(㉡)를 주사한 것이라면, 이를 주사한 직후 생쥐 B의 체내에 X에 대한 항체 농도는 0이어야 하고, X를 주사하면 X에 대한 2차 면역 반응이 일어나 X에 대한 항체 농도가 급격히 증가해야 한다.
ㄴ. 구간 Ⅰ에서 X에 대한 항체가 생쥐 B의 혈액 속에 있지만, 항원 X를 주사하기 전이므로 생쥐 B의 체내에서 항원 항체 반응은 일어나지 않는다.

275

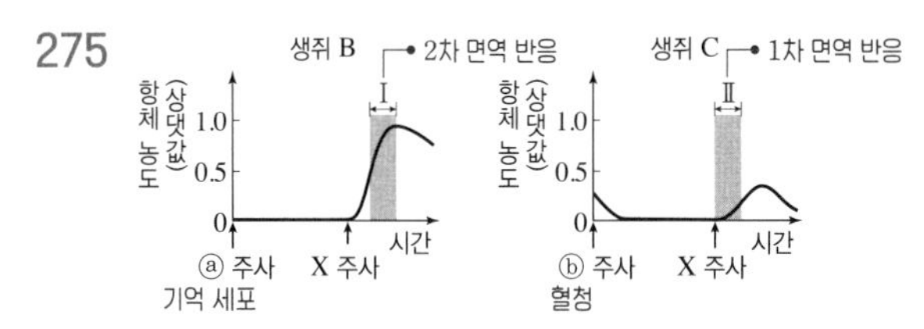
생쥐 B
2차 면역 반응
생쥐 C
1차 면역 반응
항체 농도(상댓값)
1.0
0.5
0
Ⅰ
Ⅱ
시간
ⓐ 주사
X 주사
기억 세포
ⓑ 주사
X 주사
혈청

ⓐ를 주사했을 때 X에 대한 항체 농도는 0이지만 X를 주사했을 때 2차 면역 반응이 일어난다. 따라서 ⓐ는 X에 대한 기억 세포이다.
ⓑ를 주사한 직후 X에 대한 항체 농도가 일정 수준으로 나타났다가 점차 감소한다. 따라서 ⓑ는 X에 대한 항체가 포함된 혈청이다.
ㄴ. 생쥐 B에 X에 대한 기억 세포(ⓐ)를 주사했으므로, X 주사 후 X에 대한 기억 세포(ⓐ)가 형질 세포로 빠르게 분화하여 다량의 항체를 생성하는 2차 면역 반응이 일어났다.
바로알기 | ㄱ. ⓐ는 기억 세포, ⓑ는 혈청이다.
ㄷ. 구간 Ⅰ에서는 X에 대한 기억 세포가 형질 세포로 분화하는 2차 면역 반응이 일어났다. 그러나 구간 Ⅱ에서는 1차 면역 반응이 일어나 B 림프구가 X에 대한 형질 세포로 분화한다.

276

모범 답안 백신이란 1차 면역 반응을 일으키기 위해 체내에 주입하는 항원을 포함하는 물질이다. 백신을 주사하면 1차 면역 반응이 일어나 주입한 항원에 대한 기억 세포가 형성되므로 동일한 항원이 재침입하였을 때 기억 세포에 의한 2차 면역 반응이 일어나 다량의 항체가 빠르게 생성되어 항원을 무력화시킴으로써 질병을 예방할 수 있다.

277

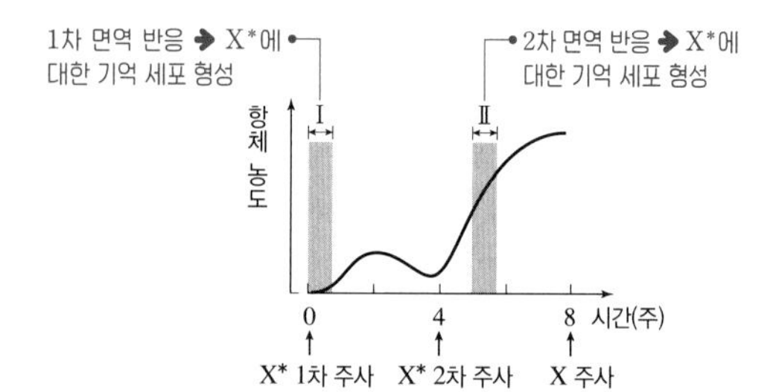

ㄱ. X의 병원성을 약화시켜 만든 X*를 (나)에서 생쥐 B에게 1차 주사했을 때 1차 면역 반응이, 2차 주사했을 때 2차 면역 반응이 일어났으며, (다)에서 생쥐 B에 X를 주사했을 때 생존하였다. 이를 통해 X*은 X에 대한 백신으로 작용하여 B의 체내에 X에 대한 기억 세포가 형성되었음을 알 수 있다.
ㄴ. 구간 Ⅰ에서 X*에 대한 항체가 생성되었다. 이를 통해 구간 Ⅰ에서 X*에 대한 체액성 면역 반응이 일어났음을 알 수 있다.
ㄷ. 구간 Ⅱ에서 X*에 대한 혈중 항체 농도가 빠르게 증가하는 것은 2차 면역 반응이 일어났기 때문이며, 이때 X*에 대한 기억 세포가 빠르게 분화하여 기억 세포와 형질 세포를 만든다. 따라서 구간 Ⅱ에서 X*에 대한 기억 세포가 만들어진다.

278 ㄱ, ㄴ. (가)에서 바이러스 A를 주사한 닭이 죽은 것을 통해 A는 병원성이 강하다는 것을 알 수 있다. (나)에서 닭에게 A에서 추출한 단백질(㉠)을 주사하고 10일 후 A를 주사했을 때 닭은 생존하였다. 이를 통해 A에서 추출한 단백질(㉠)은 백신으로 작용하여 1차 면역 반응을 일으켜 A에 대한 기억 세포가 형성되었음을 알 수 있다.
바로알기 | ㄷ. (가)에서 닭이 죽은 것은 A에 대한 1차 면역 반응이 일어났지만 시간이 오래 걸리고 항체의 양이 부족하였기 때문이다. (나)에서 닭에게 ㉠을 주사하고 10일 후 A를 주사하였을 때 닭이 생존한 것은 ㉠이 백신으로 작용하여 형성된 A에 대한 기억 세포에 의해 2차 면역 반응이 일어났기 때문이다. 따라서 A를 주사하였을 때 (나)에서만 2차 면역 반응이 일어났다.

279 ㄴ. (라)에서 생쥐 Ⅰ에서 얻은 혈청 ⓐ와 세균 A를 생쥐 Ⅳ에 함께 주사했을 때 생쥐 Ⅳ가 죽은 것은 혈청 ⓐ에 항체가 포함되어 있지 않았기 때문이고, 생쥐 Ⅱ에서 얻은 혈청 ⓑ와 세균 A를 생쥐 Ⅴ에 함께 주사했을 때 생쥐 Ⅴ가 생존한 것은 혈청 ⓑ에 항체가 포함되어 있기 때문이다. 혈청 ⓑ에 항체가 포함되어 있는 것은 물질 ㉡이 A에 대한 백신으로 작용하여 주사한 생쥐 Ⅱ에서 1차 면역 반응이 일어나 항체가 생성되고 기억 세포가 형성되었기 때문이다. 따라서 생쥐 Ⅱ에서 항원 항체 반응이 일어났다.
바로알기 | ㄱ. 혈청은 혈액 성분 중 세포와 혈액 응고 성분을 제외한 것이므로, 혈청 ⓑ에는 A에 대한 형질 세포가 포함되어 있지 않다.
ㄷ. A에 대한 2차 면역 반응은 A에 대한 기억 세포가 있어야 일어난다. (라)의 Ⅴ에는 기억 세포가 포함되지 않은 혈청 ⓑ를 주사한 것이므로 Ⅴ에서 2차 면역 반응은 일어나지 않는다.

280 (가) 특정 항원에 대해 면역계가 과민하게 반응하여 나타나는 질환은 알레르기이며, 이에 해당하는 질환으로 알레르기 비염이 있다.
(나) 면역계의 이상으로 면역 기능이 현저히 저하되어 나타나는 질환은 면역 결핍으로, 이에 해당하는 질환으로 후천성 면역 결핍증(AIDS)이 있다.
(다) 면역계가 자기 몸을 구성하는 세포나 조직을 공격하여 나타나는 질환은 자가 면역 질환으로, 이에 해당하는 질환으로 류머티즘 관절염이 있다.

281 **모범 답안** HIV는 보조 T 림프구를 파괴하므로 HIV에 감염되면 보조 T 림프구의 수가 크게 줄어든다. 보조 T 림프구의 도움 없이는 B 림프구가 형질 세포와 기억 세포로 분화되지 못하며, 그 결과 항체를 생성하지 못하기 때문에 보조 T 림프구의 수가 크게 줄어들면 병원체에 감염되었을 때 항체 생성 속도가 현저히 느려진다.

282

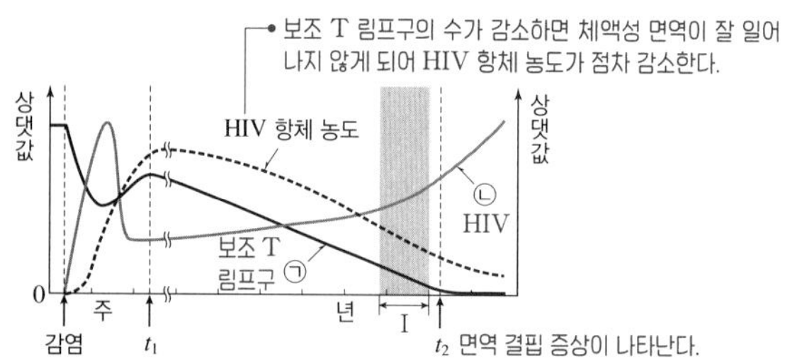

사람 면역 결핍 바이러스(HIV)는 보조 T 림프구를 파괴하여 세포성 면역과 체액성 면역을 모두 약화시킨다. 따라서 사람 면역 결핍 바이러스(HIV)에 감염되면 보조 T 림프구의 수는 점차 감소하고, 보조 T 림프구의 수가 감소하면 체액성 면역이 잘 일어나지 않게 되어 HIV 항체 농도가 점차 감소한다. 그 결과 사람 면역 결핍 바이러스(HIV)의 수가 증가하여 면역 결핍 증상이 나타난다. 따라서 ㉠은 보조 T 림프구, ㉡은 HIV이다.
ㄱ. t_1일 때 HIV 항체 농도가 높게 유지되고 있는 것은 HIV(㉡)에 대한 체액성 면역 반응이 일어나 형질 세포가 형성되었기 때문이다.
ㄷ. t_1일 때는 보조 T 림프구(㉠)의 수가 비교적 높게 유지되므로 체액성 면역과 세포성 면역이 일어나 병원체를 제거할 수 있지만, t_2일 때는 보조 T 림프구(㉠)의 수가 매우 적으므로 체액성 면역과 세포성 면역이 잘 일어나지 않아 면역 결핍 증상이 나타난다. 따라서 t_1일 때보다 t_2일 때 병원체에 의한 질병에 걸리기 쉽다.
바로알기 | ㄴ. 구간 Ⅰ에서 HIV(㉡)의 수는 증가하고, 보조 T 림프구(㉠)의 수는 감소하고 있다.

283

구분	응집원		응집소	
	A	B	α	β
㉠ B형	? ×	? ○	○	×
㉡ A형	○	×	? ×	? ○
㉢ O형	? ×	? ×	○	○
㉣ AB형	? ○	? ○	? ×	? ×

(○: 있음, ×: 없음)

ㄱ. ㉠은 응집소 α를 가지므로 응집원 B가 있고, ㉡은 응집원 A를 가지므로 응집소 β가 있으며, ㉢은 응집소 α와 β를 모두 가지므로 응집원이 없다. 따라서 ㉠의 혈액형은 B형, ㉡의 혈액형은 A형, ㉢의 혈액형은 O형이다. ㉠~㉣의 혈액형은 모두 다르다고 했으므로 ㉣의 혈액형은 AB형이다.
ㄷ. ㉢의 혈구에는 응집원 A와 B가 모두 없으므로, ㉢의 혈구와 ㉣의 혈장을 섞으면 응집 반응이 일어나지 않는다.
바로알기 | ㄴ. ㉣의 혈액형은 AB형이므로, ㉣의 혈구에는 응집원 A와 B가 모두 있다.

284 혈액형이 O형인 사람의 혈액에는 응집원 A와 B는 없고 응집소 α와 β가 있으며, A형인 사람의 혈액에는 응집원 A와 응집소 β가 있다. 따라서 ㉠은 응집원 A, ㉡은 응집소 α, ㉢은 응집소 β이다.
ㄱ. ㉠은 응집원 A이므로 A형인 사람의 적혈구 세포막에 존재한다.
ㄷ. ㉢은 응집소 β이므로, A형인 사람과 O형인 사람의 혈액 속에 모두 들어 있다.

바로알기 | ㄴ. ㉡은 응집원 A(㉠)와 응집 반응을 하므로, 응집소 α이다.

285

붉은털원숭이 / 적혈구 / ㉠적혈구를 토끼에게 주사한다. / Rh 응집원 있음 / 토끼 / 항체가 생성된다. / 혈액을 채취한다. / 토끼의 ㉡혈청 / Rh 응집소 있음 / 사람의 혈액 / 섞는다. / 응집이 일어나지 않는다. / Rh$^-$형 / Rh 응집원 없음 / Rh 응집소 없음 (응집원에 노출되면 생성) / 응집이 일어난다. / Rh$^+$형 / Rh 응집원 있음 / Rh 응집소 없음

구분	사람 (가) Rh$^+$형	사람 (나) Rh$^-$형
항 Rh 혈청	응집됨	응집 안 됨

Rh 응집소 포함

ㄱ. 그림에서 붉은털원숭이의 적혈구(㉠)를 토끼에게 주사하면 항체가 생성되므로, 적혈구(㉠)에 Rh 응집원이 있다.

ㄴ. 항체(Rh 응집소)가 생성된 토끼의 혈액으로부터 얻은 토끼의 혈청(㉡)에는 Rh 응집소가 있다. 따라서 Rh 응집원이 있는 적혈구(㉠)와 Rh 응집소가 있는 혈청(㉡)을 섞으면 응집 반응이 일어난다.

바로알기 | ㄷ. 항 Rh 혈청은 Rh 응집소가 있는 토끼의 혈청(㉡)으로 만든 것이다. 사람 (가)의 혈액은 항 Rh 혈청에 응집되므로 사람 (가)는 Rh 응집원이 있고, 사람 (나)의 혈액은 항 Rh 혈청에 응집되지 않으므로 사람 (나)는 Rh 응집원이 없다. 따라서 사람 (가)의 Rh식 혈액형은 Rh$^+$형이고, 사람 (나)의 Rh식 혈액형은 Rh$^-$형이다. Rh$^+$형인 (가)는 응집소가 없고, Rh$^-$형인 (나)도 응집원에 노출된 적이 없으므로 응집소가 없다. (가)의 혈액에는 Rh 응집원이 있지만 (나)의 혈액에는 Rh 응집소가 없으므로, (가)와 (나)의 혈액을 섞으면 응집 반응이 일어나지 않는다.

286 ㄱ. 아버지의 혈액은 항 A 혈청에 응집되고 항 B 혈청에 응집되지 않으므로, 아버지의 혈액형은 A형이다. 어머니의 혈액은 항 A 혈청에 응집되지 않고 항 B 혈청에 응집되므로, 어머니의 혈액형은 B형이다.

바로알기 | ㄴ. 어머니의 혈액형은 B형이므로, 어머니의 혈액에는 응집소 α가 있고 응집소 β는 없다.

ㄷ. 아버지의 혈액에 있는 응집원 A와 어머니의 혈액에 있는 응집소 α가 만나면 응집 반응이 일어나므로, 아버지의 혈액을 어머니에게 수혈할 수 없다.

287 철수의 혈액은 응집소 α가 포함된 항 A 혈청과 응집소 β가 포함된 항 B 혈청, Rh 응집소가 포함된 항 Rh 혈청에 모두 응집되므로, 철수의 혈액형은 AB형, Rh$^+$형이다. 영희의 혈액은 항 A 혈청에만 응집되므로, 영희의 혈액형은 A형, Rh$^-$형이다.

ㄱ. 철수의 Rh식 혈액형은 Rh$^+$형이므로, 철수는 Rh 응집원을 가지고 있고, Rh 응집소를 가지고 있지 않다.

ㄴ. 영희의 ABO식 혈액형은 A형이므로, 영희의 적혈구 표면에는 응집원 A가 있다.

바로알기 | ㄷ. 혈액을 주는 쪽의 응집원과 받는 쪽의 응집소 사이에 응집 반응이 일어나지 않으면 서로 다른 혈액형이라도 소량 수혈이 가능하다. 철수의 혈액에 있는 응집원 B와 영희의 혈액에 있는 응집소 β가 만나면 응집 반응이 일어나므로 철수의 혈액을 영희에게 수혈할 수 없다.

288 아버지의 혈액은 항 A 혈청과 항 B 혈청에 모두 응집되지 않고 항 Rh 혈청에 응집되므로, 아버지의 혈액형은 O형, Rh$^+$형이다. 민수의 혈액은 항 A 혈청에만 응집되므로, 민수의 혈액형은 A형, Rh$^-$형이다. 여동생의 혈액은 항 A 혈청에는 응집되지 않고 항 B 혈청과 항 Rh 혈청에 모두 응집되므로, 여동생의 혈액형은 B형, Rh$^+$형이다.

ㄱ. 아버지의 ABO식 혈액형은 O형이므로, 응집소 α와 β를 모두 가진다.

ㄴ. 민수의 혈액형은 A형, Rh$^-$형이다.

바로알기 | ㄷ. 아버지의 혈액형은 O형, 민수의 혈액형은 A형, 여동생의 혈액형은 B형인데, 민수네 가족의 ABO식 혈액형은 모두 다르다고 했으므로 어머니의 혈액형은 AB형이다. AB형인 혈액에는 응집소가 없으므로 민수의 적혈구와 어머니의 혈장을 섞으면 응집 반응이 일어나지 않는다.

289 아버지의 혈액은 항 A 혈청에는 응집되지 않고 항 B 혈청과 항 Rh 혈청에 모두 응집되므로, 아버지의 혈액형은 B형, Rh$^+$형이다. 어머니의 혈액은 항 A 혈청에는 응집되고, 항 B 혈청에는 응집되지 않으며, 항 Rh 혈청에는 응집되므로, 어머니의 혈액형은 A형, Rh$^+$형이다. 남동생의 혈액은 항 A 혈청, 항 B 혈청에는 모두 응집되고, 항 Rh 혈청에는 응집되지 않으므로, 남동생의 혈액형은 AB형, Rh$^-$형이다.

ㄱ. 아버지의 혈액형은 B형, 어머니의 혈액형은 A형, 남동생의 혈액형은 AB형인데, 영희네 가족의 ABO식 혈액형은 모두 다르다고 했으므로 영희의 혈액형은 O형이다. O형인 혈액에는 응집원이 없으므로, 영희의 혈액은 항 A 혈청과 항 B 혈청에 모두 응집되지 않는다. 따라서 ㉠은 '−'이다.

ㄴ. 어머니의 혈액형은 A형, Rh$^+$형이므로, 어머니의 혈액에는 응집원 A와 Rh 응집원이 있다.

바로알기 | ㄷ. 영희의 혈액형은 O형, Rh$^+$형이므로, 영희의 적혈구 표면에는 응집원 A, B는 없고 Rh 응집원은 있다. 남동생의 혈액형은 AB형, Rh$^-$형이고 수혈받은 적이 없으므로 남동생의 혈장에는 응집소가 없다. 따라서 영희의 적혈구와 남동생의 혈장을 섞으면 응집 반응이 일어나지 않는다.

290 어머니의 혈액형은 A형, Rh$^+$형이므로, 어머니는 응집소 β를 가지고 있다. 따라서 어머니에게 소량이라도 수혈을 해 줄 수 있으려면 응집원 B를 가지고 있지 않아야 하므로, A형 또는 O형이어야 한다.

모범 답안 **영희, 혈액을 주는 쪽의 응집원과 받는 쪽의 응집소 사이에 응집 반응이 일어나지 않으면 서로 다른 혈액형이라도 소량 수혈이 가능하다. 영희의 혈액형은 O형이므로 응집원 A와 B가 모두 없기 때문에 영희의 혈액을 어머니에게 소량 수혈해 줄 수 있다.**

291

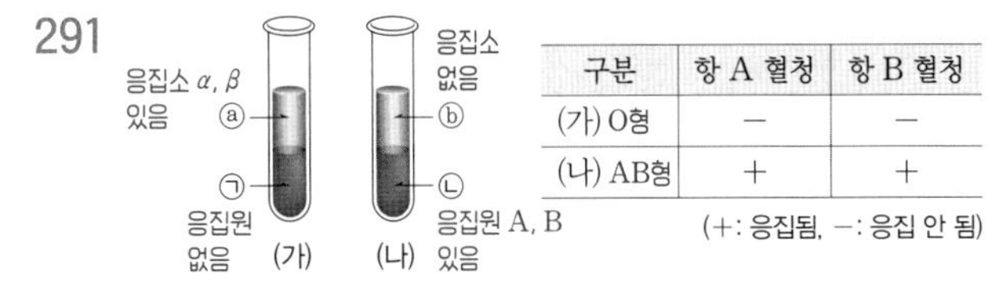

구분	항 A 혈청	항 B 혈청
(가) O형	−	−
(나) AB형	+	+

(가)의 혈액은 항 A 혈청과 항 B 혈청에 모두 응집되지 않으므로, (가)의 혈액형은 O형이다. (나)의 혈액은 항 A 혈청과 항 B 혈청에 모두 응집되므로, (나)의 혈액형은 AB형이다.

ㄱ. (가)의 혈액형은 O형이므로, ⓐ에는 응집소 α와 β가 모두 있고, ㉠에는 응집원이 없다. (나)의 혈액형은 AB형이므로, ⓑ에는 응집소가 없고, ㉡에는 응집원 A와 B가 있다.

바로알기 | ㄴ. 응집원 A와 B가 있는 ㉡과 응집소 α와 β가 있는 ⓐ를 섞으면 응집 반응이 일어난다.
ㄷ. ⓑ에는 응집원이 없으므로, ⓑ와 항 A 혈청을 섞으면 응집 반응이 일어나지 않는다.

292

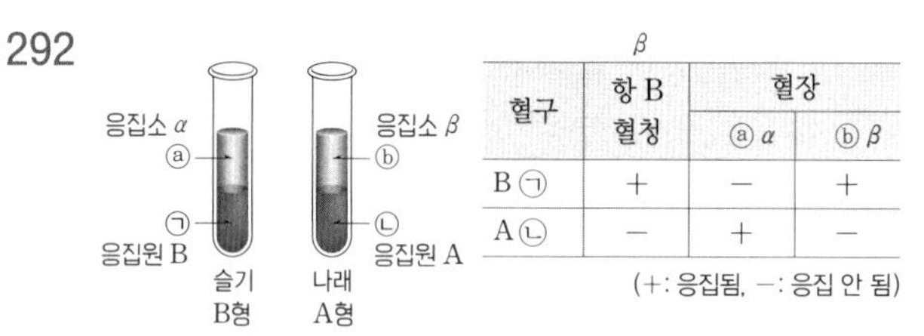

혈구	항 B 혈청	혈장 ⓐ α	혈장 ⓑ β
B ㉠	+	−	+
A ㉡	−	+	−

(+: 응집됨, −: 응집 안 됨)

슬기의 혈구(㉠)와 항 B 혈청을 섞었을 때 응집 반응이 일어났으므로 슬기의 혈구(㉠)에는 응집원 B가 있다. 나래의 혈구(㉡)와 항 B 혈청을 섞었을 때 응집 반응이 일어나지 않았으므로 나래의 혈구에는 응집원 B가 없다. 따라서 나래의 혈액형은 O형 또는 A형이다. 나래의 혈구(㉡)와 슬기의 혈장(ⓐ)을 섞었을 때 응집 반응이 일어났으므로, 나래의 혈구(㉡)에는 응집원이 있다. 따라서 나래의 혈액형은 A형이고, 나래의 혈구(㉡)에는 응집원 A가, 나래의 혈장(ⓑ)에는 응집소 β가 있으며, 슬기의 혈장(ⓐ)에는 응집소 α가 있다. 슬기는 응집원 B와 응집소 α를 가지므로, 슬기의 혈액형은 B형이다.
ㄴ. 나래의 혈구(㉡)에는 응집원 A가 있으므로, ㉡과 항 A 혈청을 섞으면 응집 반응이 일어난다.
바로알기 | ㄱ. 슬기의 혈액형은 B형이므로, 슬기의 혈장(ⓐ)에는 응집소 β가 없고 응집소 α가 있다.
ㄷ. 나래의 혈액형은 A형, 슬기의 혈액형은 B형이므로, 나래의 응집원 A와 슬기의 응집소 α가 만나 응집 반응이 일어난다. 따라서 나래는 슬기에게 소량 수혈해 줄 수 없다.

293

ㄱ. 그림은 (나)의 혈액과 (다)의 혈장을 섞은 결과이므로 응집소 α와 결합한 응집원 A가 있는 적혈구는 (나)의 적혈구이다. 따라서 (나)는 응집원 A와 응집소 β를 가진 A형이다. (다)는 응집소 α가 있는데, (다)의 적혈구와 (나)의 혈장(응집소 β)을 섞었을 때 응집 반응이 일어났으므로, (다)의 적혈구에는 응집원 B가 있다. 따라서 (다)는 응집소 α와 응집원 B를 가진 B형이다. (가)~(라)의 ABO식 혈액형은 모두 다르다고 했으므로 (가)와 (라) 중 한 사람의 혈액형이 AB형이면, 다른 사람의 혈액형은 O형이다. AB형의 혈액에는 응집원 A와 B가 있고 응집소가 없으며, O형의 혈액에는 응집원이 없고 응집소 α와 β가 있다. (가)의 혈장은 (다)의 적혈구, (라)의 적혈구를 섞었을 때 모두 응집 반응이 일어났으므로, (가)의 혈액형은 O형이고, (라)의 혈액형은 AB형이다.
바로알기 | ㄴ. (나)의 혈액형은 A형이므로, (나)의 혈액에는 응집소 α는 없고 응집소 β가 있다.
ㄷ. (나)의 혈구에는 응집원 A가 있지만, (라)의 혈장에는 응집소가 없다. 따라서 (나)의 혈구와 (라)의 혈장을 섞으면 응집 반응이 일어나지 않는다.

294

혈장 \ 혈구	(가) 응집원 A	(나) 응집원 A, B	(다) 응집원 B
응집소 β (가)	−	+	+
응집소 없음 (나)	−	−	−
응집소 α (다)	+	㉠ +	−

(+: 응집됨, −: 응집 안 됨)

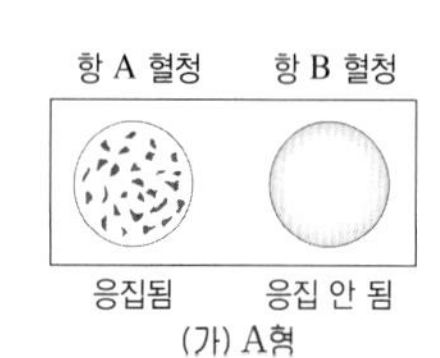

(가) A형

ㄱ. (가)의 혈액은 항 A 혈청에만 응집되므로 (가)의 혈액형은 A형이다. 따라서 (가)의 혈구에는 응집원 A가, 혈장에는 응집소 β가 있다.
ㄷ. 표에서 (나)와 (다)의 응집 여부가 다르므로 (나)와 (다)는 혈액형이 다르고, (나)와 (다)의 혈구를 각각 (가)의 혈장에 섞었을 때 모두 응집 반응이 일어났으므로, (나)와 (다) 중 한 사람은 B형, 다른 사람은 AB형이다. (가)의 혈구와 (나)의 혈장을 섞었을 때 응집 반응이 일어나지 않았으므로, (나)의 혈장에는 응집소 α가 없다. 따라서 (나)의 혈액형은 응집원 A와 B가 있고 응집소가 없는 AB형이고, (다)의 혈액형은 응집원 B와 응집소 α가 있는 B형이다. (나)의 혈구에는 응집원 A와 B가 있고, (다)의 혈장에는 응집소 α가 있으므로, (나)의 혈구와 (다)의 혈장을 섞었을 때 응집 반응이 일어난다. 따라서 ㉠은 '+'이다.
바로알기 | ㄴ. (나)의 혈액형은 응집소가 없는 AB형이고, (다)의 혈액형은 응집소 α가 있는 B형이다. 따라서 (나)와 (다)의 혈장에는 동일한 종류의 응집소가 없다.

295

자료를 분석하면 다음과 같다.

- (가)~(다)의 ABO식 혈액형은 모두 다르며, (다)는 응집원 A를 갖는다. (다)는 A형 또는 AB형
  (가)는 응집원 B를 가짐 ➔ B형
- (가)의 혈구를 (나)의 혈장과 섞으면 응집 반응이 일어나지 않고, (다)의 혈장과 섞으면 응집 반응이 일어난다. (다)는 응집소 β를 가짐 ➔ A형
- 표는 (나)와 (다)의 혈액에서 ㉠~㉣의 유무를 나타낸 것이다. ㉠~㉣은 응집원 A, 응집원 B, 응집소 α, 응집소 β를 순서 없이 나타낸 것이다.

구분	㉠ (응집소 α)	㉡ (응집소 β)	㉢ (응집원 A)	㉣ (응집원 B)
(나) AB형	×	×	○	○
(다) A형	×	○	○	×
(가) B형	○	×	×	○

(○: 있음, ×: 없음)

(다)는 응집원 A를 가지며, (가)의 혈구를 (다)의 혈장과 섞으면 응집 반응이 일어난다고 하였다. 이를 통해 (다)는 응집소 β를 가지고, (가)의 혈구에는 응집원 B가 있음을 알 수 있다. 따라서 (다)의 혈액형은 A형이다. (가)의 혈구를 (나)의 혈장과 섞으면 응집 반응이 일어나지 않는다고 하였으므로, (나)의 혈장에는 응집소 β가 없다. (나)에는 없고 (다)에는 있는 ㉡은 응집소 β이며, (다)에 있는 ㉢은 응집원 A이다. 따라서 (나)에는 응집소 α와 β가 모두 없고 응집원 A와 B가 모두 있다. 그러므로 (나)의 혈액형은 AB형이고, ㉠은 응집소 α, ㉣은 응집원 B이다. (가)의 혈구에는 응집원 B가 있는데, ABO식 혈액형이 서로 다르다고 했으므로 (가)의 혈액형은 B형이다.
ㄷ. (나)의 혈액형은 AB형이므로, (나)의 혈액에는 응집원 A와 B가 있다. 따라서 (나)의 혈액과 항 A 혈청을 섞으면 응집 반응이 일어난다.
바로알기 | ㄱ. ㉢은 AB형인 (나)와 A형인 (다)에 공통으로 있으므로 응집원 A이다.
ㄴ. (가)의 혈액형은 B형이므로, (가)의 혈액에는 응집소 β(㉡)가 없다.

296

ㄱ. 영수의 혈액은 항 A 혈청과 항 B 혈청에 모두 응집되므로, 영수의 혈액형은 AB형이다.
ㄴ. 응집원 ㉠을 응집원 A(응집원 B)라고 하면 응집소 ㉡은 응집소 β(응집소 α)이다. 따라서 응집원 ㉠이 있는 사람의 혈액형은 A형(B형)과 AB형이고, 응집소 ㉡이 있는 사람의 혈액형은 A형(B형)과 O형이다. 응집원 ㉠과 응집소 ㉡이 모두 있는 사람의 혈액형은 A형(B형)이다.

표에서 응집원 ㉠이 있는 사람의 수가 79이므로 A형(B형)+AB형=79이고, 응집소 ㉡이 있는 사람의 수가 111이므로 A형(B형)+O형=111이며, 응집원 ㉠과 응집소 ㉡이 모두 있는 사람의 수가 57이므로 A형(B형)=57이다. 따라서 AB형인 사람의 수는 79−57=22이고, O형인 사람의 수는 111−57=54이며, B형인 사람의 수는 200−(57+22+54)=67이다.
응집소 α와 β가 모두 없는 혈액형은 AB형이므로, AB형인 사람의 수는 22이다.
바로알기 | ㄷ. O형인 사람의 수는 54, AB형인 사람의 수는 22이므로, O형인 사람이 AB형인 사람보다 많다.

297 응집원 ㉠을 응집원 A(응집원 B)라고 하면 응집원 ㉡은 응집원 B(응집원 A)이며, 응집소 ㉢은 응집소 β(응집소 α)이다. 따라서 응집원 A(응집원 B)가 있는 사람의 혈액형은 A형(B형)과 AB형이고, 응집원 B(응집원 A)가 있는 사람의 혈액형은 B형(A형)과 AB형이며, 응집원 A(응집원 B)와 응집소 β(응집소 α)가 모두 있는 사람의 혈액형은 A형(B형)이다.
표에서 응집원 ㉠이 있는 사람의 수가 50이므로 A형(B형)+AB형=50이고, 응집원 ㉡이 있는 사람의 수가 36이므로 B형(A형)+AB형=36이며, 응집원 ㉠과 응집소 ㉢이 모두 있는 사람의 수가 32이므로 A형(B형)=32이다. 따라서 AB형인 사람의 수는 50−32=18이고, B형(A형)인 사람의 수는 36−18=18이며, O형인 사람의 수는 100−(32+18+18)=32이다.
ㄱ. 항 A 혈청과 항 B 혈청에 모두 응집하는 사람의 혈액형은 AB형이며, AB형인 사람의 수는 18이다.
바로알기 | ㄴ. ABO식 혈액형에 대한 응집원을 갖지 않는 사람의 혈액형은 O형이며, O형인 사람의 수는 32이다.
ㄷ. 응집소 ㉢은 응집소 β(응집소 α)므로, 응집소 ㉢이 있는 혈액형은 A형(B형)과 O형이다. A형(B형)과 O형인 사람의 수는 32(18)+32=64(50)이다.

최고 수준 도전 기출 (10~11강)

91쪽

298 ④ 299 ⑤ 300 ④

298

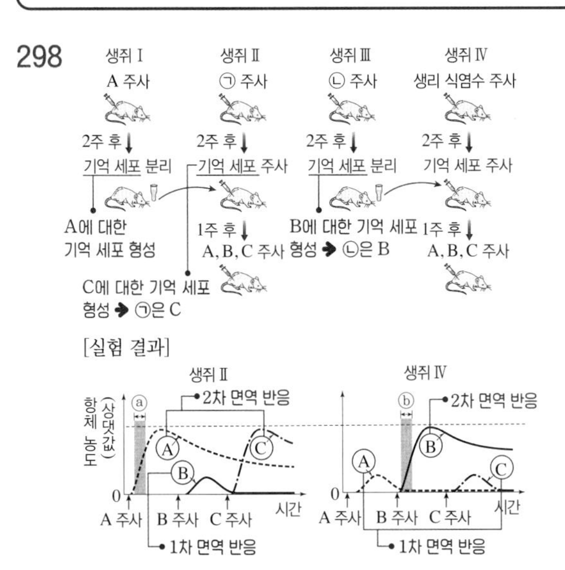

ㄱ. 생쥐 Ⅱ에서 A에 대한 2차 면역 반응, C에 대한 2차 면역 반응이 일어났다. A에 대한 2차 면역 반응은 A를 주사한 생쥐 Ⅰ에서 얻은 기억 세포에 의해 일어난 것이고, C에 대한 2차 면역 반응은 생쥐 Ⅱ에 주사한 ㉠에 대한 기억 세포에 의해 일어난 것이다. 따라서 ㉠은 C이고, ㉡은 B이다.
ㄷ. 구간 ⓑ에서 B에 대한 기억 세포에 의해 2차 면역 반응이 일어나 B에 대한 항체가 다량 생성되고 있으며, B에 대한 항체가 항원 항체 반응으로 B를 제거하는 체액성 면역이 일어난다. 체액성 면역은 특이적 방어 작용이다.
바로알기 | ㄴ. 형질 세포는 분화가 끝난 세포이므로, 기억 세포로 분화하지 않는다.

299 ㄱ. A의 표면에 항원 B에 대한 항체가 결합되어 있으므로, A는 비만 세포이다.
ㄷ. 화학 물질 C는 항원 B가 재침입하여 비만 세포(A) 표면의 항체와 결합하였을 때 분비되는 히스타민이다.
ㄹ. 히스타민(화학 물질 C)은 알레르기 증상을 유발한다.
바로알기 | ㄴ. B가 침입했을 때 B에 대한 항체가 결합된 비만 세포(A)가 이미 존재하므로 B는 재침입한 항원이다.

개념 보충

알레르기 반응
알레르기는 특정 항원에 대한 면역 반응이 과민하게 나타나는 현상이다. 꽃가루, 먼지, 곰팡이, 화학 물질 등이 항원으로 작용하며, 두드러기, 가려움, 콧물, 재채기 등의 알레르기 반응을 일으킬 수 있다.

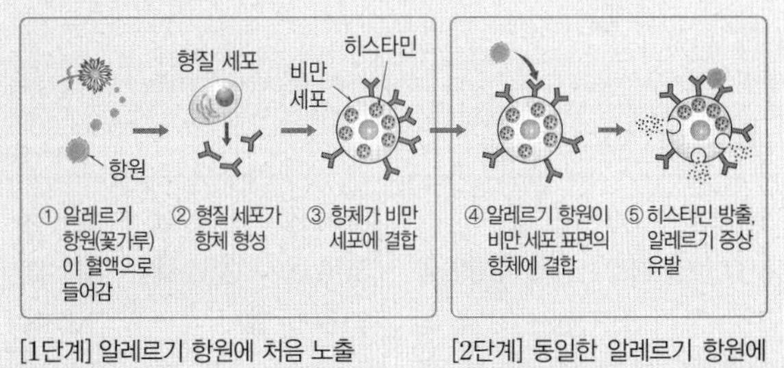

[1단계] 알레르기 항원에 처음 노출 [2단계] 동일한 알레르기 항원에 다시 노출

300

항 A 혈청 항 B 혈청
응집 안 됨 응집됨
주희: B형

구분	학생 수의 비율
$\dfrac{\text{B형+AB형 응집원 ㉠이 있는 사람}}{\text{A형+AB형 응집원 ㉡이 있는 사람}}$	$\dfrac{5}{6}=\dfrac{50}{60}$
$\dfrac{\text{A형+O형 응집소 ㉢이 있는 사람}}{\text{B형+O형 응집소 ㉣이 있는 사람}}$	$\dfrac{5}{4}=\dfrac{50}{40}$

주희의 혈액은 항 A 혈청에는 응집되지 않지만 항 B 혈청에는 응집되므로, 주희의 혈액형은 B형이다. 주희의 혈액에는 응집원 ㉠과 응집소 ㉣이 있다고 했으므로, 응집원 ㉠은 응집원 B, 응집소 ㉣은 응집소 α이다. 따라서 응집원 ㉡은 응집원 A, 응집소 ㉢은 응집소 β이다. 응집원 ㉠(응집원 B)이 있는 사람의 혈액형은 B형과 AB형이고, 응집원 ㉡(응집원 A)이 있는 사람의 혈액형은 A형과 AB형이다. 응집소 ㉢(응집소 β)이 있는 사람의 혈액형은 A형과 O형이고, 응집소 ㉣(응집소 α)이 있는 사람의 혈액형은 B형과 O형이다.
ㄴ. 항 B 혈청에 응집되는 혈액을 가진 사람은 응집원 B(응집원 ㉠)가 있는 사람이므로 50명이다.
ㄷ. 주희의 혈장을 섞었을 때 응집 반응이 일어나는 혈액을 가진 사람은 응집원 A(응집원 ㉡)가 있는 사람이므로 60명이다.
바로알기 | ㄱ. 100명의 학생으로 구성된 집단에서
$\dfrac{\text{응집소 ㉢이 있는 사람}}{\text{응집소 ㉣이 있는 사람}}=\dfrac{5}{4}$이므로, 응집소 ㉣이 있는 사람은 40명이다.

12 염색체와 세포 주기

빈출 자료 보기 93쪽

301 (1) ○ (2) ○ (3) ○ (4) ○ (5) × (6) ×

301 (1) ㉠은 M기(분열기)이다. M기에는 응축된 상태의 염색체(ⓐ)를 관찰할 수 있다.
(2) ㉠(M기)의 전기~후기에는 방추사가 나타나 염색체에 부착되어 염색체를 양극으로 끌고 간다.
(3) ㉡은 G_1기이고, ㉢은 S기이다. 간기인 G_1기, S기, G_2기에는 핵막이 존재한다.
(4) S기에 DNA가 복제되므로 핵 1개당 DNA양은 G_2기 세포가 G_1기(㉡) 세포의 2배이다.
바로알기 | (5) 염색체가 핵 속에 풀어진 상태(ⓑ)에서 응축된 상태(ⓐ)로 되는 시기는 M기(㉠)이다.
(6) ⓒ는 DNA이며, DNA의 기본 단위는 뉴클레오타이드이다. 뉴클레오솜은 DNA가 히스톤 단백질을 감싸고 있는 구조이다.

난이도별 필수 기출 94~99쪽

302 ④	303 ②, ⑥		304 ④	305 ④	306 ③
307 해설 참조		308 ④	309 ①	310 ③	311 ③
312 ③	313 ④	314 ⑤	315 ③, ⑦		316 ③
317 ②	318 ③	319 ⑥	320 ③	321 ①	322 ②
323 ③	324 ①	325 ⑤	326 ④	327 ②	

302 ④ 염색체 중 상염색체는 가장 길이가 긴 것부터 1, 2, 3 … 과 같이 번호를 붙인다. 따라서 1번 염색체가 길이가 가장 긴 상염색체이다.
바로알기 | ① 침팬지와 감자의 염색체는 48개로 같지만 같은 종이 아니다.
② 같은 종의 생물이라도 암수는 성염색체 구성이 달라서 핵형이 다를 수 있다.
③ 염색체는 분열기에 응축되어 막대 모양으로 관찰되고, 간기에는 핵 속에 실처럼 풀어져 있다.
⑤ 한 사람을 구성하는 신경 세포와 간세포에 들어 있는 DNA의 유전자 구성은 같다.

303 ① A는 방추사가 결합하는 동원체이다.
③ C는 DNA가 히스톤 단백질을 감싸고 있는 뉴클레오솜이다.
④ D는 히스톤 단백질이며, 단백질은 아미노산의 펩타이드 결합으로 이루어져 있다.
⑤ E는 DNA이며, 생물의 형질을 결정하는 유전 정보가 저장되어 있는 유전자가 있다.
바로알기 | ② B는 하나의 염색체를 구성하는 두 가닥의 염색 분체로, DNA가 복제되어 형성되므로 두 가닥의 유전자 구성은 같다.
⑥ 한 가닥의 DNA(E)에는 많은 수의 유전자가 일정한 위치에 있다.

304 ㄴ. 뉴클레오솜(㉡)은 히스톤 단백질과 DNA로 구성되어 있다.
ㄷ. DNA(㉢)에는 생물의 형질을 결정하는 유전자가 있다.
바로알기 | ㄱ. 하나의 염색체를 이루는 두 가닥의 염색 분체는 DNA가 복제되어 만들어져 유전자 구성이 같으므로 ㉠은 A이다.

305

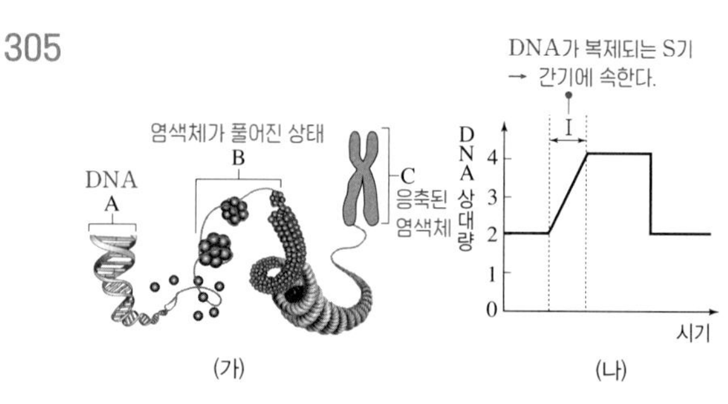

ㄱ. A는 이중 나선 구조의 DNA이다. DNA의 기본 단위는 뉴클레오타이드이며, 뉴클레오타이드는 염기, 당, 인산이 1 : 1 : 1로 결합되어 있다.
ㄷ. C는 응축된 염색체로, 세포 분열의 전기와 중기에 광학 현미경으로 관찰할 수 있다.
바로알기 | ㄴ. Ⅰ 시기에 DNA가 복제되며, 이 시기에 염색체는 핵 속에 B와 같이 풀어져 있다. B가 C로 응축되는 시기는 분열기이다.

306 ③ 하나의 염색체를 이루는 두 염색 분체는 유전자 구성이 같다. 따라서 ㉢과 ㉣에는 같은 유전자가 있다.
바로알기 | ①, ④ (가)와 (나)는 하나의 염색체를 구성하는 염색 분체이므로, 유전자 구성이 같다. 따라서 ㉠은 A이다.
② 상동 염색체의 동일한 위치에는 대립유전자가 있고, 이 사람의 어떤 형질에 대한 유전자형은 Aa이므로 ㉡은 a이다.
⑤ (가)와 (나)(염색 분체)는 체세포 분열 시 후기에 분리되어 양극으로 이동한다.
⑥ (가)와 (나)는 세포 분열이 일어나기 전 간기의 S기에 DNA가 복제되어 형성된 것이다. 상동 염색체는 부모에게서 하나씩 물려받는다.

307 상동 염색체의 동일한 위치에는 대립유전자가 있고, 상동 염색체는 부모에게서 하나씩 물려받은 것이므로 유전자 구성이 다를 수 있다. 그러나 하나의 염색체를 이루는 두 염색 분체는 DNA가 복제되어 형성되므로 유전자 구성이 같다.

모범 답안 ㉠ A와 b, ㉡ a와 B, 하나의 염색체를 이루는 두 염색 분체는 DNA가 복제되어 만들어져 유전자 구성이 동일하므로 ㉠에는 A와 b, ㉡에는 a와 B가 있다.

308

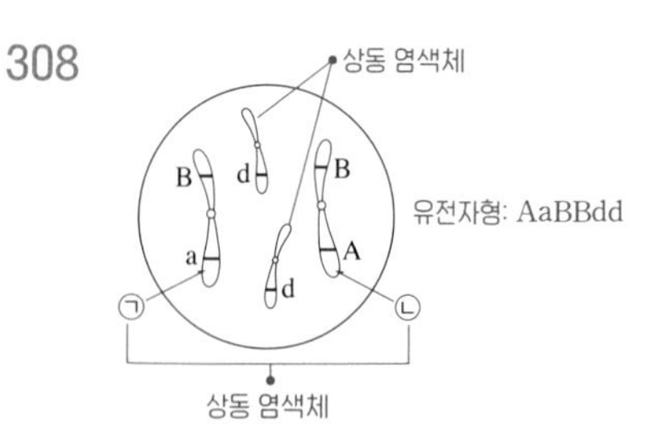

ㄱ. 생식세포를 형성할 때 상동 염색체는 서로 다른 세포로 분리되어 들어간다. 따라서 이 사람에게서 만들어지는 생식세포의 유전자형은 ABd, aBd 두 가지로 모든 생식세포는 B를 갖는다.
ㄷ. A와 B는 같은 염색체에 있으므로 생식세포 분열 과정에서 이들 유전자는 함께 행동하며, 다른 상동 염색체는 모두 d를 갖는다. 따라서 A, B, d를 모두 갖는 생식세포가 형성될 수 있다.

바로알기 | ㄴ. ㉠과 ㉡은 상동 염색체이다. 상동 염색체는 부모에게서 하나씩 물려받은 것이다.

309

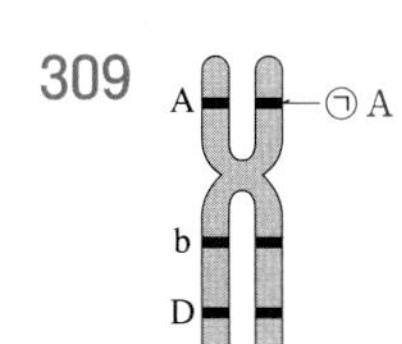

세포	DNA 상대량		
	a	B	D
(가)	ⓐ 2	2	ⓑ 4

유전자형이 AaBbDD이고, 세포 (가)는 중기 세포로 DNA가 복제된 상태이므로 유전자 구성은 AAaaBBbbDDDD이다.
하나의 염색체에 A, b, D가 함께 있으므로, 이 염색체와 상동 관계인 염색체에는 a, B, D가 함께 있다.
ㄱ. 하나의 염색체를 이루는 두 염색 분체는 DNA가 복제되어 형성되므로 유전자 구성이 같아 ㉠은 A이다.
바로알기 | ㄴ. 세포 (가)에서 a와 D의 DNA 상대량는 각각 2, 4이므로 ⓐ+ⓑ=2+4=6이다.
ㄷ. A와 b, a와 B는 같은 염색체에 있으므로 생식세포 분열 과정에서 이들 유전자는 함께 행동한다. 따라서 돌연변이나 교차가 일어나지 않는다면 A와 B는 항상 다른 딸세포로 들어간다.

310 ③ 체세포의 핵형 분석 결과 상동 염색체가 쌍을 이루고 있으므로 핵상은 $2n$이고, 염색체 수는 상염색체 22쌍과 성염색체 1쌍 총 46이다. 따라서 핵상과 염색체 수는 $2n=46$이다.
바로알기 | ① 이 사람의 성염색체 구성은 XY이므로 남자이다.
② 핵형 분석에는 염색체가 잘 관찰되는 분열기의 중기 세포를 주로 이용한다.
④ 핵형 분석으로는 특정 유전자의 존재 여부를 알아낼 수 없으므로 ABO식 혈액형은 알 수 없다.
⑤ 상염색체는 크기가 큰 것부터 1, 2, 3 … 번호가 부여되므로, 번호가 커질수록 염색체의 크기가 작아진다.
⑥ 상염색체는 1번에서 22번 염색체까지 있고 상동 염색체가 쌍을 이루고 있으므로 총 44개의 상염색체가 있다. 그런데 각 염색체는 2개의 염색 분체로 이루어져 있으므로 상염색체의 염색 분체 수는 $44\times 2=88$이다.

311 ㄷ. 사람 체세포는 22쌍, 44개의 상염색체와 2개의 성염색체를 갖는다($2n=46$). (가)는 성염색체를 XY로 갖는 남자이므로, 생식세포로 정자를 형성한다. 정자의 핵상과 염색체 수는 $n=23$이고, 그 중 22개가 상염색체이다.
ㄹ. (나)에서 X 염색체는 2개이다. (나)의 상염색체는 44개인데 각 염색체가 2개의 염색 분체로 이루어져 있으므로 상염색체의 염색 분체 수는 $44\times 2=88$이다. 따라서 $\frac{\text{상염색체의 염색 분체 수}}{\text{X 염색체 수}}=\frac{88}{2}=44$이다.
바로알기 | ㄱ. (가)의 성염색체 구성은 XY이고, (나)의 성염색체 구성은 XX로 다르므로 (가)와 (나)의 핵형은 다르다.
ㄴ. (가)의 특정 형질에 대한 유전자형은 Aa이고, 1번 염색체의 특정 위치에 A가 있으므로 이와 상동 관계인 ㉠에는 a가 있다.

312 ㄷ. A는 유전 물질인 DNA이며, DNA에는 당으로 디옥시리보스가 있다.
바로알기 | ㄱ. 핵형 분석을 통해 염색체의 수, 모양, 크기 등과 같은 특징은 알 수 있지만, 적록 색맹과 같은 특정 유전 형질 여부를 알 수는 없다.
ㄴ. ㉠과 ㉡은 염색 분체로 DNA가 복제되어 형성된다.

313 ㄱ. ⓐ와 ⓑ는 3번 염색체로, 부모에게서 하나씩 물려받아 쌍을 이루는 상동 염색체이다.
ㄴ. 마지막에 있는 2개의 염색체는 성염색체인데, 크기가 다른 것이 쌍을 이루고 있으므로 성염색체 구성은 XY이다. 2개의 성염색체 중 크기가 작은 ㉠은 Y 염색체이고, 이것은 부계로부터 물려받은 것이다.
바로알기 | ㄷ. 그림에서 상염색체 44개와 성염색체 2개, 총 46개의 염색체가 있으므로 이것은 B의 핵형이다. A~C 중 한 개체만 성염색체 구성이 XY이고, 나머지 두 개체의 성염색체 구성은 XX이므로 A와 C의 성염색체 구성은 XX이다. A~C의 상염색체 수는 '전체 염색체 수−2'로 구한다. 따라서 체세포 1개당 $\frac{\text{상염색체 수}}{\text{X 염색체 수}}$는 A는 $\frac{22}{2}=11$, B는 $\frac{44}{1}=44$, C는 $\frac{76}{2}=38$로 B가 가장 크다.

314 ㄱ. 벼와 토마토의 체세포의 핵상과 염색체 수는 $2n=24$로 같다.
ㄷ. 토끼의 체세포에 들어 있는 염색체 수는 44이고, 그중 성염색체가 2개이므로 총 42개의 상염색체가 있다. 생식세포에는 체세포 염색체 수의 절반이 들어 있으므로 생식세포 1개의 상염색체 수는 21이다.
바로알기 | ㄴ. 핵형은 염색체의 수, 모양, 크기 등의 특성을 모두 고려한다. 따라서 감자와 침팬지의 염색체 수는 48로 같지만 염색체의 모양과 크기가 달라 핵형이 다르다.

315 ㉠은 S기, ㉡은 G_2기, ㉢은 M기이다.
③ G_2기(㉡)는 DNA가 복제된 이후이므로 세포 1개당 DNA양이 G_1기의 2배이다. 따라서 세포 1개당 $\frac{\text{㉡의 DNA양}}{G_1\text{기의 DNA양}}=2$로 1보다 크다.
⑦ M기(㉢)의 전기에 방추사가 나타난다.
바로알기 | ① 핵막의 소실이 일어나는 시기는 M기(㉢)이다.
② DNA가 복제되는 시기는 S기(㉠)이다.
④, ⑥ 체세포 분열에서는 상동 염색체의 접합에 의한 2가 염색체의 형성이 일어나지 않는다.
⑤ M기(㉢)는 분열기이고, 간기에 속하는 시기는 G_1기, S기(㉠), G_2기(㉡)이다.

316

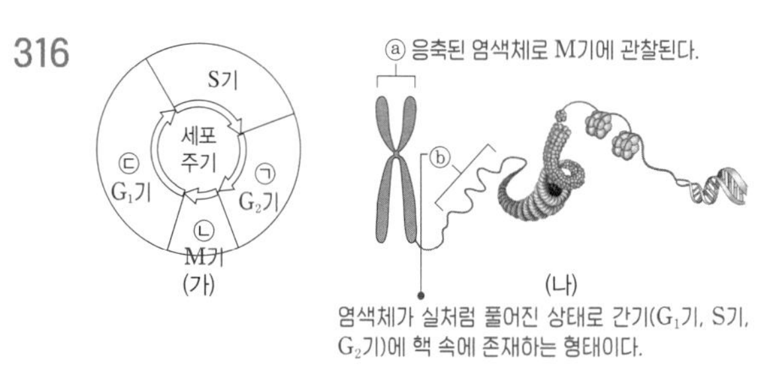

ㄱ. ㉠은 간기의 G_2기이고, 간기에는 핵막이 존재한다.
ㄴ. ⓑ가 ⓐ로 응축되어 염색체가 관찰되는 시기는 M기(㉡)이다.
바로알기 | ㄷ. 핵 1개당 DNA양은 G_1기(㉢) 세포가 G_2기(㉠) 세포의 $\frac{1}{2}$이다.

317

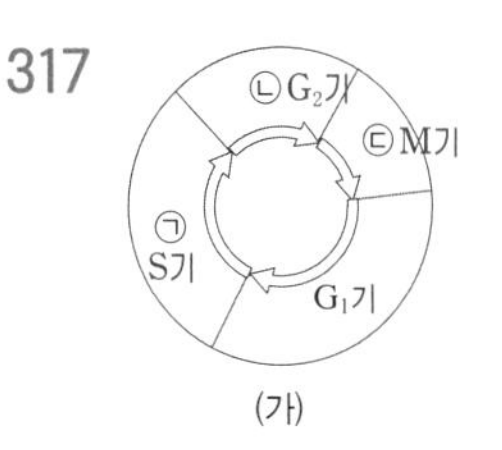

(가)

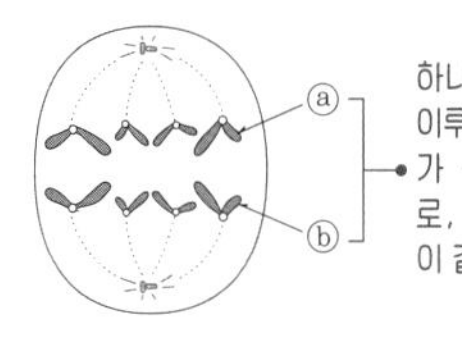

(나) M기(㉢)의 후기

ㄷ. ⓐ와 ⓑ는 하나의 염색체를 이루던 염색 분체로 DNA가 복제되어 만들어진 것이므로 유전자 구성은 같다.

바로알기 | ㄱ. (나)는 M기(㉢)의 후기이다.

ㄴ. 체세포의 핵상은 $2n$이고, DNA의 복제가 일어나거나 염색 분체가 분리되어 딸세포가 형성되었을 때도 세포의 핵상은 $2n$이다. 따라서 ㉠과 ㉢의 세포의 핵상은 $2n$으로 같다.

318

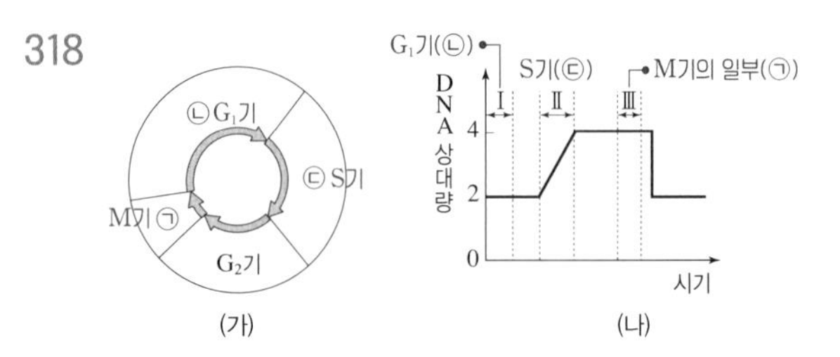

ㄱ. 구간 Ⅰ은 G_1기에 해당하므로 Ⅰ에는 G_1기(㉡)의 세포가 있다.

ㄴ. 구간 Ⅲ은 M기의 일부에 해당하며, 이때 방추사가 형성되어 염색체에 부착되어 있다. 따라서 구간 Ⅲ에서 방추사가 관찰된다.

바로알기 | ㄷ. 핵막은 간기에 관찰되며, M기에서는 말기에 형성되므로 간기의 S기(㉢)의 세포는 모두 핵막을 갖는 데 비해 M기(㉠)의 세포 중에는 일부만이 핵막을 가지며, 각 시기에 걸리는 시간도 S기가 M기보다 길다. 따라서 핵막을 갖는 세포의 수는 ㉠에서가 ㉢에서보다 적다.

개념 보충

세포 주기별 세포의 특징

- 핵막은 M기의 전기 때 소실되어 핵분열이 완료된 이후에 다시 생성되므로 핵막이 소실된 세포는 M기에만 있으며, G_1기, S기, G_2기에 해당하는 세포에는 핵막이 있다.
- 방추사는 M기의 전기 때 형성된 후 말기에 사라지므로 방추사를 관찰할 수 있는 세포는 M기에만 있다.

319 ① 구간 Ⅰ에는 분열 전의 G_1기 세포와 세포 분열이 끝나고 새로 형성된 딸세포(G_1기)가 있다.

② 구간 Ⅱ의 DNA 상대량은 1보다 크고 2보다 작으므로 DNA 복제가 일어나는 S기의 세포가 있다.

③ 구간 Ⅱ에는 S기의 세포가 있다. S기의 세포는 핵막을 가진다.

④ 방추사는 M기의 전기, 중기, 후기에 관찰되는데, 구간 Ⅲ에는 M기의 세포가 있으므로 방추사가 있는 세포가 있다.

⑤ 염색 분체의 분리는 M기의 후기에 일어나고 구간 Ⅲ에는 M기의 세포가 있으므로 염색 분체의 분리가 일어나는 시기의 세포가 있다.

바로알기 | ⑥ 세포당 DNA양이 1인 G_1기 세포 수가 세포당 DNA양이 2인 G_2기의 세포 수보다 많다. 따라서 $\frac{G_1\text{기 세포 수}}{G_2\text{기 세포 수}}$는 1보다 크다.

320

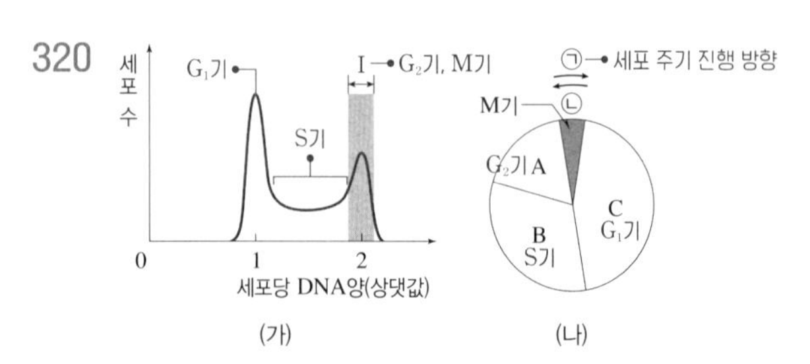

세포 수는 G_1기가 G_2기보다 많으므로 (나)에서 시간이 더 긴 C가 G_1기이고, 시간이 더 짧은 A가 G_2기이다.

ㄱ. 구간 Ⅰ에는 DNA가 복제된 후의 G_2기(A)와 M기의 세포가 있다.

ㄴ. B는 DNA가 복제되는 S기이다.

바로알기 | ㄷ. 세포 주기는 G_1기(C) → S기(B) → G_2기(A) → M기의 순으로 진행되므로 ㉠ 방향으로 진행된다.

321

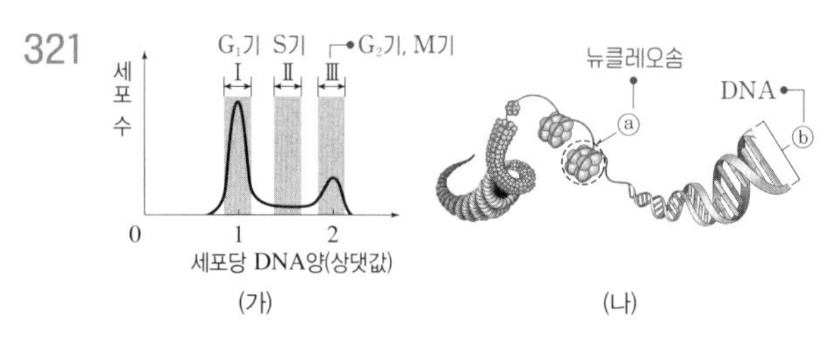

ㄱ. DNA는 핵 속에 있을 때나 응축되었을 때 히스톤 단백질을 감싼 뉴클레오솜(ⓐ)을 형성한 상태로 있으므로 구간 Ⅰ~Ⅲ의 모든 세포에 ⓐ가 들어 있다.

ㄴ. 구간 Ⅱ에는 DNA(ⓑ) 복제가 일어나는 S기의 세포가 있다.

바로알기 | ㄷ. 체세포 분열 과정에서는 상동 염색체의 접합과 분리가 일어나지 않는다. 구간 Ⅲ에는 염색 분체의 분리가 일어나는 M기 세포가 있다.

ㄹ. 간기의 세포는 핵막이 있으므로 구간 Ⅰ과 Ⅱ의 모든 세포와 구간 Ⅲ의 일부 세포가 핵막을 가진다. 그런데 세포의 수가 구간 Ⅰ에서가 구간 Ⅲ에서보다 많으므로 핵막을 갖는 세포의 수도 구간 Ⅰ에서가 구간 Ⅲ에서보다 많다.

322

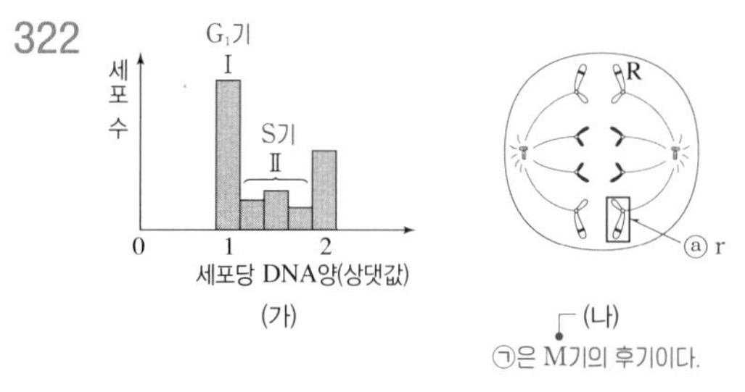

ㄷ. ⓐ는 R가 있는 염색체와 상동이므로 R의 대립유전자인 r가 있다.

바로알기 | ㄱ. 체세포 분열 과정에서는 세포의 핵상이 모두 $2n$으로 변하지 않으므로 구간 Ⅰ에는 핵상이 n인 세포가 없다.

ㄴ. 구간 Ⅱ는 세포당 DNA양이 1보다 크고 2보다 작으므로 DNA가 복제되는 S기의 세포가 있다. (나)는 염색 분체가 분리되어 양극으로 끌려가고 있으므로 M기의 후기이다. 따라서 구간 Ⅱ에는 ㉠ 시기의 세포가 없다.

323 체세포 분열 과정에서 핵막은 M기의 전기에 사라졌다가 말기에 다시 나타난다(A). 체세포 분열 과정에서 DNA가 복제되어 동일한 유전자 구성을 갖는 2개의 염색 분체가 형성된 후 염색 분체가 분리되어 각각 딸세포로 들어가므로 딸세포의 유전 정보는 모세포와 같다(B).

바로알기 | 체세포 분열 과정에서는 상동 염색체의 접합이나 분리가 일어나지 않는다(C).

324 A는 간기, B는 전기, C는 후기, D는 중기, E는 말기이다.

② 전기(B)에는 방추사가 형성된다.

③ 후기(C)에는 염색 분체가 분리되어 양극으로 이동한다.

④ 중기(D)에는 염색체가 가장 응축되어 잘 관찰되는 시기이므로 핵형 분석에는 중기의 염색체를 이용한다.

⑤ 말기(E)에 염색체가 다시 풀어지고 핵막이 나타나 딸핵이 만들어지며, 세포질 분열이 일어나 딸세포를 형성한다.

바로알기 | ① 간기(A)의 S기에 DNA가 복제되어 DNA양이 2배로 증가하는데, 간기 동안에는 핵막으로 둘러싸인 핵이 관찰된다. 핵막이 사라지는 것은 M기의 전기(B)에 일어난다.

개념 보충

체세포 분열 과정
- 간기: 핵막과 인이 관찰되며, 염색체는 핵 속에 실처럼 풀어져 있다.
- 전기: 염색체가 응축되고, 핵막과 인이 사라지며, 방추사가 형성되어 동원체에 붙는다.
- 중기: 염색체가 세포 중앙에 배열된다.
- 후기: 염색 분체가 분리되어 방추사에 의해 세포의 양극으로 이동한다.
- 말기: 염색체가 풀어지고 핵막이 형성되며 방추사가 사라지고 세포질 분열이 시작된다.

325 ㄱ. A와 B에는 모두 상동 염색체가 쌍으로 존재하므로 A와 B의 핵상은 $2n$으로 같다.

ㄴ. A와 B의 염색체 수는 4로 같다. A의 각 염색체는 2개의 염색 분체로 이루어져 있으므로 염색 분체 수는 8이다. 따라서 A의 염색 분체 수는 B의 염색체 수의 2배이다.

ㄷ. A는 체세포 분열 전기의 세포이고, B는 체세포 분열이 끝나고 만들어진 딸세포이다. 체세포 분열 과정에서 후기에 염색 분체가 분리된다.

326

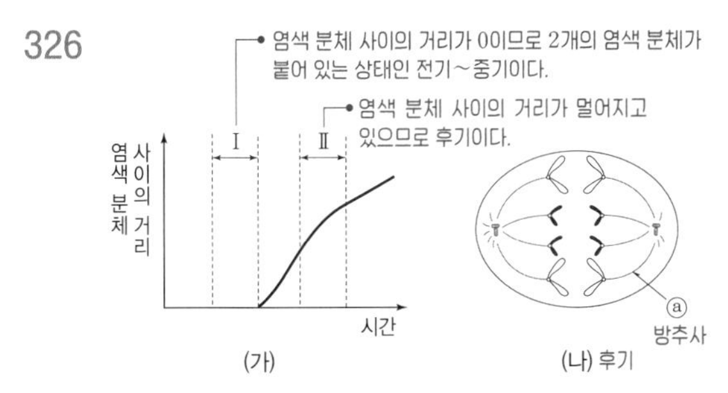

염색 분체 사이의 거리가 0이므로 2개의 염색 분체가 붙어 있는 상태인 전기~중기이다.
염색 분체 사이의 거리가 멀어지고 있으므로 후기이다.
Ⅰ
Ⅱ
염색 분체 사이의 거리
시간
ⓐ
방추사
(가)
(나) 후기

ㄴ. (나)는 염색 분체가 분리되어 양극으로 이동하는 중이므로 체세포 분열 후기의 세포이다.

ㄷ. (나)에서 시간이 지날수록 염색 분체 사이의 거리가 멀어지므로 (나)는 구간 Ⅱ의 세포에 해당한다.

바로알기 | ㄱ. 체세포 분열이 진행 중인 세포에서 구간 Ⅰ의 세포는 전기~중기에 해당한다.

327

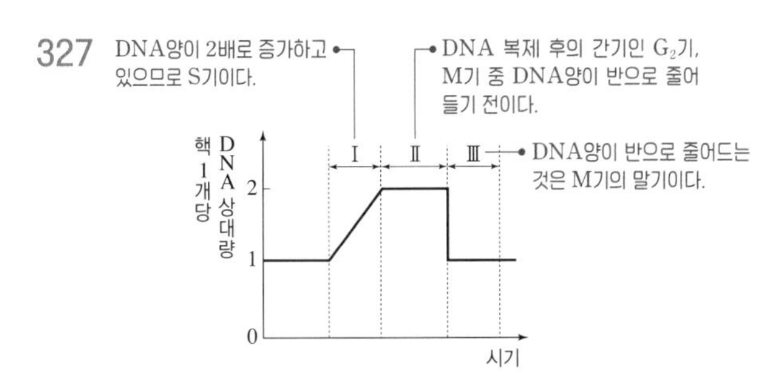

DNA양이 2배로 증가하고 있으므로 S기이다.
DNA 복제 후의 간기인 G_2기, M기 중 DNA양이 반으로 줄어들기 전이다.
DNA양이 반으로 줄어드는 것은 M기의 말기이다.
Ⅰ
Ⅱ
Ⅲ
핵 1개당 DNA 상대량
2
1
0
시기

ㄴ. 구간 Ⅱ에서 G_2기와 M기의 세포는 핵상이 $2n$이다.

바로알기 | ㄱ. 구간 Ⅰ은 간기의 S기이므로 모든 세포에서 핵막이 관찰된다. 구간 Ⅱ에서는 세포 분열이 진행 중인 세포가 있으므로 핵막이 사라진 세포가 관찰된다.

ㄷ. 구간 Ⅲ은 M기의 말기에 해당하며, G_2기의 세포는 구간 Ⅱ에서 발견된다.

13 생식세포 형성과 유전적 다양성

빈출 자료 보기 101쪽

328 (1) × (2) ○ (3) ○ (4) ○ (5) × (6) ○

328

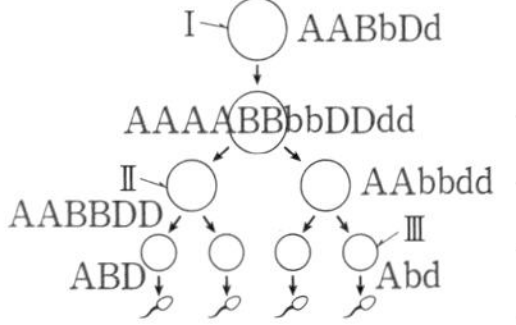

Ⅰ
AABbDd
AAAABBbbDDdd
Ⅱ
AABBDD
AAbbdd
Ⅲ
ABD
Abd

세포	DNA 상대량		
	A	b	d
(가) Ⅱ	2	0	0
(나) Ⅲ	㉠ 1	1	㉡ 1
(다) Ⅰ	2	1	1

감수 1분열이 일어날 때는 상동 염색체가 분리되어 대립유전자가 서로 다른 세포로 나뉘어 들어간다. 감수 2분열이 일어날 때는 염색 분체가 분리된다.

(2) (가)는 A의 DNA 상대량이 2이므로 Ⅰ 또는 Ⅱ이고, b와 d가 없으므로 상동 염색체가 없는 Ⅱ이다.

(3) 감수 분열이 완료된 후 형성된 Ⅲ은 A의 DNA 상대량이 1이므로 (나)이다.

(4) (나)의 유전자형은 Abd이므로 ㉠은 1이다.

(6) (나)는 Ⅲ이고, 감수 분열이 완료되어 형성된 딸세포이므로 핵상이 n이다. 감수 1분열에서 상동 염색체가 분리되므로 Ⅱ의 핵상은 n이다. 따라서 (나)(Ⅲ)와 Ⅱ의 핵상은 n으로 같다.

바로알기 | (1) (가)는 감수 2분열 중기 세포인 Ⅱ이므로, 상동 염색체가 없어 핵상은 n이다. 2가 염색체는 감수 1분열 전기와 중기에 있다.

(5) ㉡은 1이다.

난이도별 필수 기출 102~109쪽

329 ⑤ 330 ② 331 ① 332 ⑤ 333 ④
334 ②, ③ 335 ② 336 ⑤ 337 ③ 338 ⑤
339 ① 340 ① 341 ④ 342 ③ 343 ③ 344 ①
345 해설 참조 346 ③ 347 ② 348 ② 349 ③
350 ⑤ 351 해설 참조 352 ① 353 $\frac{1}{2}$
354 ABD, ABd, AbD, Abd, aBD, aBd, abD, abd 355 ②
356 ④ 357 ③ 358 ③ 359 ⑤ 360 ① 361 ②
362 ③

329 ① 감수 분열에서 DNA 복제는 간기에 1회 일어난다.

②, ③ 감수 1분열 전기에 상동 염색체가 접합하여 2가 염색체를 형성하고 후기에 상동 염색체가 분리되어 양극으로 이동한다. 그 결과 염색체 수와 DNA양이 모두 반감된다.

④ 감수 2분열에서는 염색 분체가 분리되어 양극으로 이동한다.

⑥ 핵상이 $2n$인 1개의 모세포가 감수 분열을 모두 마치면 핵상이 n인 4개의 딸세포가 형성된다.

바로알기 | ⑤ 감수 2분열 중기에 2개의 염색 분체로 이루어진 염색체가 세포의 중앙에 배열한다. 2가 염색체는 감수 1분열에서만 나타난다.

330 ㄴ. 제시된 세포에는 상동 염색체가 접합하여 형성된 2가 염색체가 세포 중앙에 배열되어 있다.

바로알기 | ㄱ. 이 세포는 2가 염색체가 세포 중앙에 배열되어 있으므로 감수 1분열 중기 상태이다.

ㄷ. 이 세포의 핵상과 염색체 수는 $2n=4$이다. 따라서 감수 분열을 통해 형성되는 생식세포의 핵상과 염색체 수는 $n=2$이다.

331 ㄱ. (가)에서 DNA 복제가 일어나 2개의 염색 분체로 이루어진 염색체가 되었다. 이 과정에서 A와 a도 각각 복제된다.

ㄴ. (나)는 상동 염색체가 분리되는 감수 1분열로, 이 과정에서 DNA양과 염색체 수가 모두 반감된다.

바로알기 | ㄷ. A와 a는 상동 염색체에 있으므로 이들이 분리되는 시기는 감수 1분열(나)이다. (다)는 염색 분체가 분리되는 감수 2분열로, 이 과정에서 DNA양은 반감되지만 염색체 수는 변화 없다.

ㄹ. 상동 염색체는 부모에게서 하나씩 물려받은 것이므로 ㉠과 ㉡의 유전자 구성은 다르다.

332

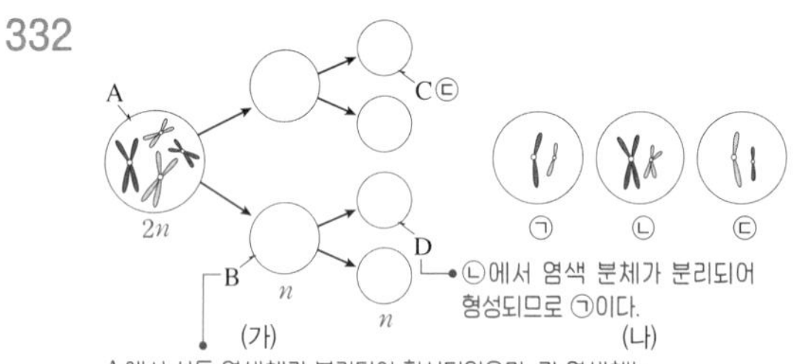

ㄴ. A에는 상동 염색체가 있으므로 A의 핵상은 $2n$이다. A가 감수 1분열을 거쳐 형성된 B(㉡)는 상동 염색체가 없으므로 핵상이 n이다. ㉠과 ㉢에도 상동 염색체가 없으므로 핵상은 n으로 B와 같다.

ㄷ. B가 ㉡이고, B에서 염색 분체가 분리되어 형성된 D는 ㉠이다. 따라서 C는 ㉢이다.

바로알기 | ㄱ. A가 2회 연속 분열하여 D가 형성되었다. 1회 분열할 때마다 DNA양은 반감하므로 A의 DNA 상대량은 D의 DNA 상대량의 4배이다.

333 ㄴ. (나)는 상동 염색체가 없고 2개의 염색 분체로 이루어진 염색체가 세포 중앙에 배열되어 있으므로 감수 2분열 중기의 세포이다. 따라서 (나)는 (가)의 M_2기에서 관찰된다.

ㄷ. 감수 2분열 중인 세포 (나)의 핵상과 염색체 수는 $n=2$이므로 이 동물의 체세포 염색체 수는 $2n=4$이다.

바로알기 | ㄱ. ㉠은 감수 분열이 완료되어 형성된 생식세포이다. G_1기 세포는 DNA 복제 전의 세포이므로 DNA 상대량이 ㉠의 2배이고, G_2기 세포의 DNA 상대량은 ㉠의 4배이다.

334

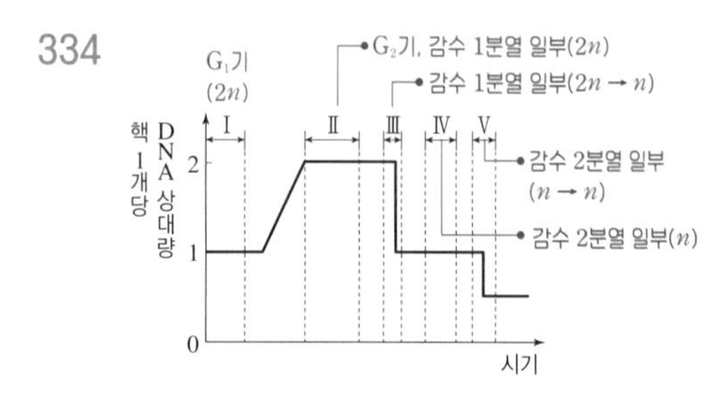

② 구간 Ⅱ에서 관찰되는 세포의 DNA 상대량은 2이고, 핵상은 $2n$이다. 구간 Ⅳ에서 관찰되는 세포의 DNA 상대량은 1이고, 핵상은 n이다. 따라서 $\frac{\text{핵 1개당 DNA 상대량}}{\text{염색체 수}}$은 구간 Ⅱ에서 관찰되는 세포와 구간 Ⅳ에서 관찰되는 세포에서 같다.

③ 구간 Ⅲ은 감수 1분열 일부로, 이 시기에 각각의 상동 염색체가 무작위로 분리되어 양극으로 이동한다.

바로알기 | ① 구간 Ⅰ과 Ⅳ에서 관찰되는 세포의 DNA 상대량은 1로 같다. 그러나 염색체 수는 구간 Ⅰ에서 관찰되는 세포가 구간 Ⅳ에서 관찰되는 세포의 2배이다.

④ 구간 Ⅳ는 감수 2분열 일부로 구간 Ⅳ에서 관찰되는 세포에는 상동 염색체가 없다.

⑤ 구간 Ⅴ는 감수 2분열 일부로, 이 시기에는 염색 분체가 분리되기 때문에 염색체 수는 변하지 않는다($n \rightarrow n$).

335

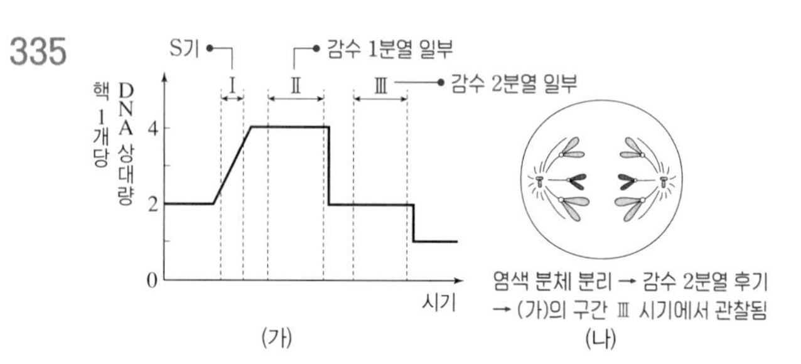

ㄷ. 구간 Ⅰ은 간기의 S기이며 이 시기의 세포의 핵상은 $2n$이다. 감수 2분열이 진행되는 구간 Ⅲ에서 관찰되는 세포는 감수 1분열에서 염색체 수가 반감되어 핵상이 n이다.

바로알기 | ㄱ. (가)의 구간 Ⅰ은 간기의 S기이므로 핵막으로 둘러싸인 핵은 관찰되지만, 방추사는 나타나지 않는다.

ㄴ. (나)는 염색 분체가 분리되어 양극으로 이동하고 있으므로 감수 2분열 후기이다. (나)는 (가)의 구간 Ⅲ에서 관찰된다.

336

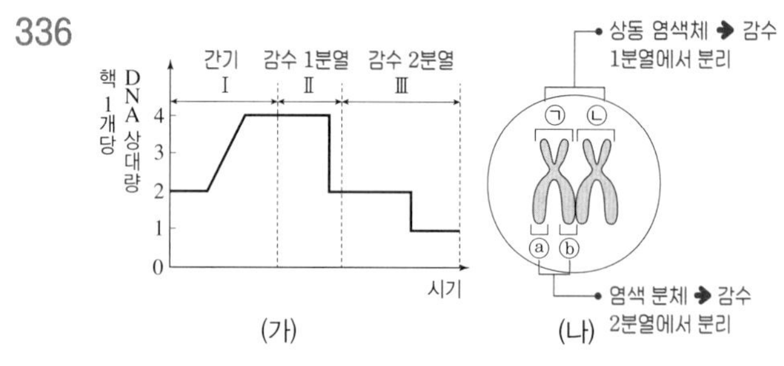

• Ⅰ: 간기=G_1기+S기+G_2기($2n$)

• Ⅱ: 감수 1분열, 상동 염색체가 분리됨 → DNA양 반감(4 → 2), 염색체 수 반감($2n \rightarrow n$)

• Ⅲ: 감수 2분열, 염색 분체가 분리됨 → DNA양 반감(2 → 1), 염색체 수 변화 없음($n \rightarrow n$)

ㄴ. (나)에는 상동 염색체가 있고, 각 염색체는 2개의 염색 분체로 존재하므로 (가)의 구간 Ⅱ에서 관찰된다.

ㄷ. 염색 분체(ⓐ와 ⓑ)는 감수 2분열, 즉 구간 Ⅲ에서 분리되어 양극으로 이동한다.

바로알기 | ㄱ. (가)의 구간 Ⅰ에서 DNA가 복제되어 하나의 염색체를 이루는 염색 분체(ⓐ와 ⓑ)가 만들어진다. ㉠과 ㉡은 상동 염색체로, 부모에게서 하나씩 물려받은 것이다.

337

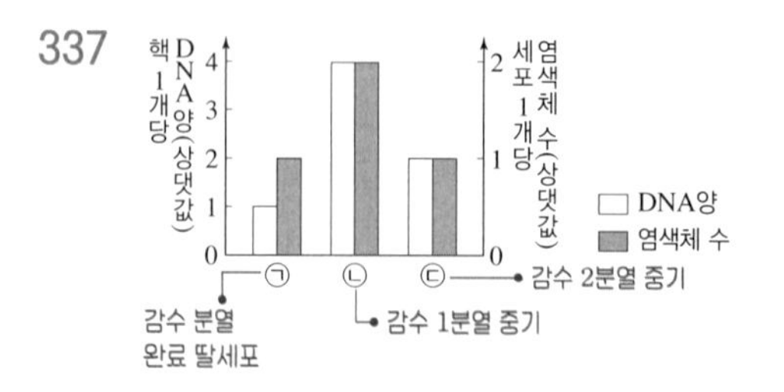

• ㉠: DNA 상대량 1로 ㉡의 $\frac{1}{4}$, 세포 1개당 염색체 수 1(n) ➡ 감수 분열이 완료되어 형성된 딸세포
• ㉡: DNA 상대량 4, 세포 1개당 염색체 수 2($2n$) ➡ 감수 1분열 중기
• ㉢: DNA 상대량 2, 세포 1개당 염색체 수 1(n) ➡ 감수 2분열 중기

ㄱ. ㉡은 감수 1분열 중기 세포이므로, 2가 염색체가 세포 중앙에 배열되어 있다.

ㄷ. 생식세포 분열은 감수 1분열(㉡) → 감수 2분열(㉢) → 딸세포(㉠) 형성 순으로 일어난다.

바로알기 | ㄴ. 염색 분체는 감수 2분열 후기에 분리되어 이동하므로 ㉢ → ㉠으로 되는 과정에서 분리된다.

338

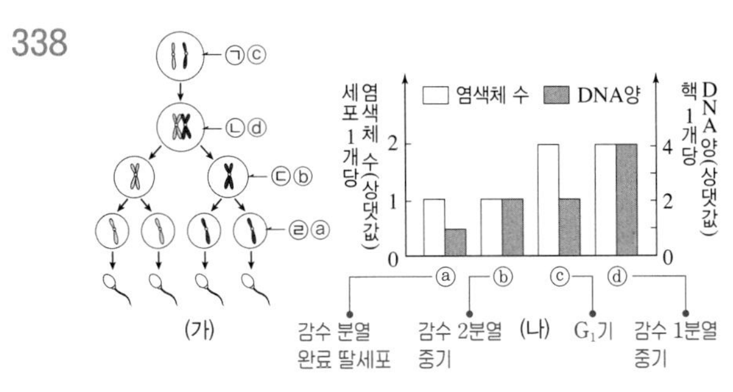

ㄱ. ⓐ는 염색체 수가 1로 핵상이 n이고, DNA 상대량은 1로 ⓓ의 $\frac{1}{4}$이므로 감수 분열이 완료되어 형성되는 딸세포(㉣)이다.

ㄴ. 상동 염색체는 감수 1분열 후기에 분리되어 이동하므로 ㉡ → ㉢, 즉 ⓓ → ⓑ 과정에서 분리된다.

ㄷ. ⓒ는 ㉠으로 핵 1개당 DNA 상대량은 2이다. ㉢은 ㉠이 DNA 복제한 후 감수 1분열을 거쳐 만들어진 감수 2분열 중기의 세포이므로 핵 1개당 DNA 상대량은 2로 ㉠(ⓒ)과 같다.

339

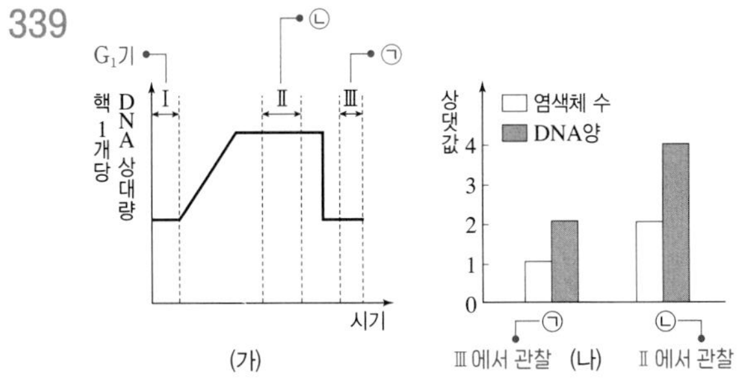

ㄱ. (가)는 생식세포 분열 과정에서 간기와 감수 1분열 동안의 핵 1개당 DNA양 변화를 나타낸 것이다. 감수 1분열이 일어나면 염색체 수와 DNA양이 모두 반감하므로 ㉡은 구간 Ⅱ, ㉠은 구간 Ⅲ에서 관찰된다.

바로알기 | ㄴ. 구간 Ⅰ에서 구간 Ⅱ로 될 때 DNA가 복제되는데, DNA가 복제되더라도 염색체 수는 변화 없다.

ㄷ. ㉡이 ㉠으로 되는 감수 1분열에서는 상동 염색체가 분리되어 염색체 수가 반감된다.

340

세포	세포 1개당 염색체 수	핵 1개당 DNA 상대량
감수 분열 완료 딸세포 A	4 n	1
감수 2분열 중기 B	4 n	2
감수 1분열 중기 C	8 $2n$	4

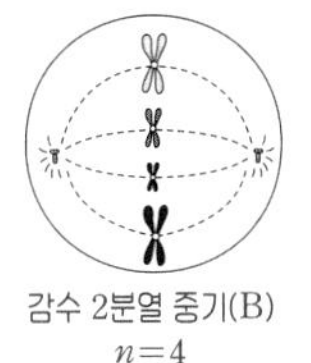
감수 2분열 중기(B)
$n=4$

ㄱ. 그림의 세포에는 상동 염색체가 없으므로 핵상은 n이고, 염색체 수는 4이다. 각 염색체는 2개의 염색 분체로 이루어져 있으므로 감수 2분열 중기의 세포로 DNA 상대량 2이므로 B의 염색체이다.

바로알기 | ㄴ. A는 감수 분열이 완료되어 형성된 딸세포로, 생식세포로 분화하기 때문에 DNA 복제나 세포 주기를 거치지 않는다.

ㄷ. B와 C는 모두 하나의 염색체가 2개의 염색 분체로 이루어져 있으므로 세포 1개당 $\frac{\text{염색 분체 수}}{\text{염색체 수}}=2$로 같다.

341

세포	세포 1개당 염색체 수	핵 1개당 DNA 상대량
감수 분열 완료 딸세포 (가)	? 2(n)	1
감수 1분열 중기 (나)	㉠ 4($2n$)	4
감수 2분열 중기 (다)	2 (n)	? 2
G_1기 (라)	4 ($2n$)	㉡ 2

감수 1분열 중기(나)
$2n=4$

(나)는 (가)보다 핵 1개당 DNA 상대량이 4배이므로 (가)는 감수 분열이 완료되어 형성된 딸세포(n), (나)는 감수 1분열 중기 세포($2n$)이다. (라)는 (다)보다 염색체 수가 2배이므로 (다)는 감수 2분열 중기 세포, (라)는 G_1기 세포이며, (다)와 (라)의 핵 1개당 DNA 상대량은 2이다.

ㄱ. 그림의 세포는 핵상과 염색체 수가 $2n=4$이고, 상동 염색체가 접합하여 형성된 2가 염색체가 세포 중앙에 배열되어 있으므로 감수 1분열 중기이다. 따라서 그림은 (나)의 염색체이다.

ㄷ. ㉠+㉡=4+2=6이다.

바로알기 | ㄴ. 생식세포 분열은 G_1기(라) → 감수 1분열 중기(나) → 감수 2분열 중기(다) → 딸세포(가) 순으로 일어난다.

342 체세포 분열은 1회 분열하여 염색체 수가 모세포($2n$)와 같은 딸세포($2n$) 2개를 형성한다. 생식세포 분열은 2회 연속 분열하여 염색체 수가 모세포($2n$)의 절반인 딸세포(n) 4개를 형성한다.

바로알기 | ③ 체세포 분열에서 G_1기의 세포와 딸세포의 DNA양은 같으므로 $\frac{\text{딸세포의 DNA양}}{G_1\text{기 세포의 DNA양}}=1$이다. 생식세포 분열에서는 G_1기 세포의 DNA양이 딸세포의 DNA양의 2배이므로 $\frac{\text{딸세포의 DNA양}}{G_1\text{기 세포의 DNA양}}=\frac{1}{2}$이다.

343 C. 감수 1분열에서는 상동 염색체가 접합하였다가 분리되어 서로 다른 세포로 들어간다. 상동 염색체는 부모로부터 하나씩 물려받은 것으로 염색체 구성이 다르므로, 감수 1분열 후 생성된 2개의 딸세포가 갖는 유전 정보는 서로 다르다.

바로알기 | A. 체세포 분열과 생식세포 분열 모두 DNA 복제는 1회 일어난다.

B. 상동 염색체의 접합은 체세포 분열에서는 일어나지 않고 생식세포 분열에서만 일어난다.

344 ㄱ. (가)는 상동 염색체가 접합한 2가 염색체가 있고, (나)는 염색체가 각각 배열되어 있지만 모양과 크기가 같은 상동 염색체가 있다. 따라서 (가)와 (나)의 핵상은 $2n$으로 같다.

바로알기 | ㄴ. (가)는 2가 염색체가 세포 중앙에 배열되어 있으므로 감수 1분열 중기, (나)는 (가)와 염색체 수는 4로 같지만 상동 염색체가 일렬로 세포 중앙에 배열되어 있으므로 체세포 분열 중기이다.

ㄷ. (가)와 (나) 둘 다 간기에 DNA가 복제된 상태이므로 DNA 상대량은 같다.

345 (1) (가)는 A와 분열 후 형성된 딸세포의 핵상과 염색체 수가 $2n=4$로 같으므로 체세포 분열이다. (나)는 B의 핵상과 염색체 수는 $2n=4$인데 딸세포의 핵상과 염색체 수는 $n=2$로 반감되었으므로

Ⅳ

감수 1분열이다. (다)는 C와 딸세포의 핵상과 염색체 수가 $n=2$로 같으므로 감수 2분열이다.

모범 답안 (1) (가) 체세포 분열, (나) 감수 1분열, (다) 감수 2분열
(2) (가)에서 딸세포의 염색체 수는 $2n=4$로 A와 같고, DNA 상대량은 A의 반으로 줄어든다. (나)에서 딸세포의 염색체 수는 $n=2$로 B의 반으로 줄어들고, DNA 상대량도 B의 반으로 줄어든다. (다)에서 딸세포의 염색체 수는 $n=2$로 C와 같고, DNA 상대량은 C의 반으로 줄어든다.

346

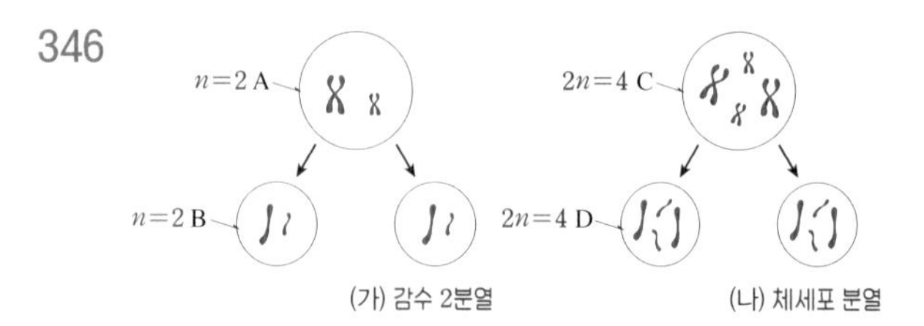

ㄱ. B의 DNA 상대량을 1이라고 하면 A의 DNA 상대량은 2, C의 DNA 상대량은 4, D의 DNA 상대량은 2이다. 따라서 A와 D의 DNA 상대량은 같다.
ㄴ. C의 염색체 수는 B의 2배이고, C의 DNA 상대량은 B의 4배이다. 따라서 $\frac{\text{염색체 수}}{\text{DNA 상대량}}$는 B는 $\frac{2}{1}=2$이고, C는 $\frac{4}{4}=1$로 B가 C의 2배이다.

바로알기 | ㄷ. (가)에서는 핵상이 $n \rightarrow n$으로 변화가 없고, (나)에서는 핵상이 $2n \rightarrow 2n$으로 변화가 없다.

347

ㄴ. 구간 Ⅱ는 감수 1분열이고, 전기와 중기에 상동 염색체가 접합한 2가 염색체가 관찰되며, 후기에 상동 염색체가 분리된다.

바로알기 | ㄱ. (가)는 체세포 분열 과정이므로 구간 Ⅰ에서 염색 분체가 분리된다.
ㄷ. 구간 Ⅰ에서는 핵상은 $2n \rightarrow 2n$으로 변하지 않지만 DNA 상대량은 반으로 감소한다. 구간 Ⅱ에서는 핵상이 $2n \rightarrow n$으로 감소하고 DNA 상대량도 반감된다.

348

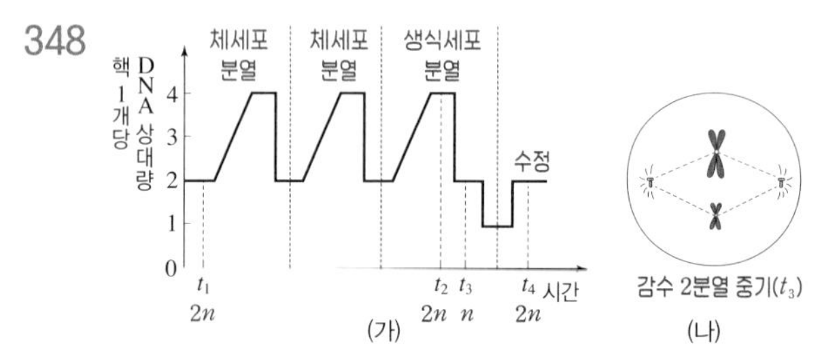

(가)에서 체세포 분열 2회 후 생식세포 분열이 일어났다. $t_2 \sim t_3$에서 감수 1분열이 일어났으며, 염색체 수와 DNA 상대량이 모두 반감되었다. t_4에서 DNA 상대량이 1에서 2로 된 것은 생식세포의 수정에 의한 것이다.
(나)의 세포는 상동 염색체가 없으므로 핵상은 n이고, 염색체가 세포 중앙에 배열되어 있으므로 감수 2분열 중기이다.
ㄷ. (나)는 감수 2분열 중기의 세포이며, (가)의 t_3에서 관찰된다.

바로알기 | ㄱ. t_1, t_2, t_4에서 관찰되는 세포의 핵상은 $2n$이지만, 감수 1분열이 일어난 후의 t_3에서 관찰되는 세포의 핵상은 n이다.
ㄴ. (가)에서 체세포 분열은 2회 일어났다.

349

ㄴ. 자손의 유전적 다양성은 부모의 생식세포 분열에서 상동 염색체의 무작위 배열과 분리, 암수 생식세포의 무작위 수정에 의해 증가한다.
ㄹ. 유전적 다양성이 높은 종은 환경이 급격하게 변하더라도 살아남는 개체가 있어 환경 변화에 대한 적응력이 높아 쉽게 멸종되지 않는다.

바로알기 | ㄱ. 한 사람이 만들 수 있는 생식세포의 염색체 조합은 2^n가지이다. 사람의 체세포의 핵상과 염색체 수는 $2n=46$이므로 $n=23$이다. 따라서 생식세포의 염색체 조합은 2^{23}가지이다.
ㄷ. 상동 염색체의 무작위 배열과 분리는 유전적 다양성을 증가시키는 요인이다.

350

ㄱ. (가)는 부모에서 생식세포 분열이 일어나 정자와 난자가 형성되는 과정이다. 감수 1분열에서 한 상동 염색체 쌍의 분리는 다른 상동 염색체 쌍의 분리와 독립적으로 일어난다.
ㄴ. (나)는 정자와 난자의 수정이며, 생식세포의 수정은 무작위적으로 일어나 자손의 유전적 다양성이 증가한다.
ㄷ. (가)에서 감수 분열이 일어나 염색체 수가 반감된 생식세포(n)를 형성하고, (나)에서 암수 생식세포가 수정($n+n \rightarrow 2n$)함으로써 자손의 염색체 수는 부모와 같게($2n$) 유지될 수 있다.

351

유성 생식을 하는 생물은 감수 분열에 의해 암수 생식세포를 형성하고, 이들 생식세포가 수정하여 자손이 만들어진다. 감수 분열 과정과 무작위적으로 수정하는 과정에서 자손의 유전적 다양성이 증가한다.

모범 답안 유성 생식을 하는 생물은 생식세포를 형성하는 과정에서 감수 1분열에 상동 염색체가 무작위로 배열한 후 독립적으로 분리됨으로써 유전적으로 다양한 생식세포를 형성하고, 암수 생식세포가 무작위적으로 수정함으로써 자손의 유전적 다양성이 증가한다.

352

ㄱ. (가)와 (나)는 감수 1분열에서 상동 염색체가 분리되어 들어간 서로 다른 세포가 감수 2분열을 거쳐 만들어졌다. 따라서 (가)의 유전자 조합이 AB이면 (나)의 유전자 조합은 ab이다.

바로알기 | ㄴ. (가)의 유전자 조합이 AB이면 (다)의 유전자 조합은 Ab이므로 (가)와 (다)의 유전자 조합은 다르다.
ㄷ. AaBb인 개체로부터 형성되는 생식세포는 AB, Ab, aB, ab의 4종류이다.

353

A와 b, a와 B가 같은 염색체에 있을 경우 유전자 조합이 Ab, aB인 2종류의 생식세포가 형성된다. 따라서 생식세포의 유전자형이 aB일 확률은 $\frac{1}{2}$이다.

354

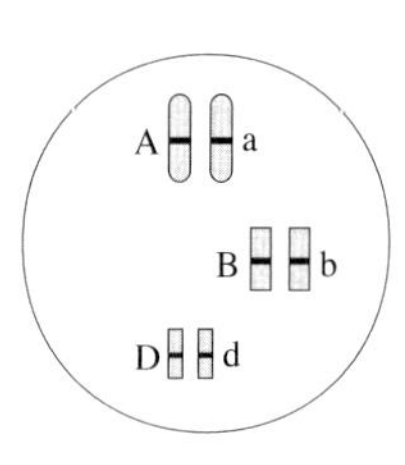

A와 a, B와 b, D와 d가 각각 3쌍의 상동 염색체에 있는 경우 생식세포 분열 과정에서 각기 다른 상동 염색체는 독립적으로 행동하므로 생식세포의 유전자형은 ABD, ABd, AbD, Abd, aBD, aBd, abD, abd의 8종류가 가능하다.

355

세포	핵상	DNA 상대량	
		A	b
감수 2분열 중기 ㉠	? n	0	2
감수 분열 완료 딸세포 ㉡	n	1	0
G_1기 ㉢	$2n$	1	1
감수 2분열 중기 ㉣	? n	2	0

㉢은 $2n$이고 A와 b의 DNA 상대량은 각각 1이므로 ㉢은 G_1기 세포이다. ㉠은 A가 없으므로 핵상은 n, b의 DNA 상대량이 2이므로 감수 2분열 중기 세포이다. ㉣은 b가 없으므로 핵상은 n, A의 DNA 상대량이 2이므로 감수 2분열 중기 세포이다. ㉡은 핵상이 n이고, A의 DNA 상대량이 1이므로 ㉣이 감수 2분열이 완료되어 형성되는 딸세포(생식세포)이다.

ㄷ. ㉢의 핵상은 $2n$이므로 표에 제시되어 있지 않은 a와 B의 DNA 상대량은 각각 1이다. ㉣은 감수 2분열 중기 세포이며, b가 없으므로 B가 있으며, 각 염색체는 2개의 염색 분체로 이루어져 있어 A의 DNA 상대량이 2이므로 B의 DNA 상대량도 2이다. 따라서 B의 DNA 상대량은 ㉣이 ㉢의 2배이다.

바로알기 | ㄱ. 핵상은 ㉠과 ㉡이 모두 n으로 같다.

ㄴ. ㉣은 감수 2분열 중기 세포이므로 2가 염색체가 없다.

356

㉠ HhTt
㉡ HHhhTTtt
HHTT ㉢ / hhtt
HT / ㉣ ht

세포	DNA 상대량	
	H	t
n ⓐ ㉢	? 2	? 0
$2n$ ⓑ ㉡	2	2
n ⓒ ㉣	0	1
$2n$ ⓓ ㉠	1	1

ㄴ. ㉡은 G_1기의 세포 ㉠이 DNA를 복제한 상태이므로 H와 t의 DNA 상대량이 ㉠의 2배씩이다. 따라서 ㉠은 ⓓ이고, ㉡은 ⓑ이다. 또한, ㉠(ⓓ)과 ㉡(ⓑ)은 핵상이 $2n$으로 같다.

ㄷ. ⓒ는 H가 없고 t의 DNA 상대량이 1이므로 감수 2분열이 완료되어 형성된 ㉣이며, 유전자형은 ht이다. ⓐ는 감수 1분열로 만들어진 ㉢인데, ㉣과는 다른 대립유전자를 가지므로 H와 T를 가지며 각 염색체가 2개의 염색 분체로 이루어져 있어 H와 T의 DNA 상대량은 각각 2이다.

바로알기 | ㄱ. ㉢은 ⓐ이다.

개념 보충

생식세포 분열에서의 대립유전자 DNA양 파악

감수 1분열 중기 세포에는 모든 대립유전자의 DNA양이 짝수, 감수 2분열 중기 세포에는 하나의 대립유전자의 DNA양이 짝수이다. 대립유전자의 DNA양이 홀수인 경우는 G_1기 세포이거나 생식세포일 경우이다.

357

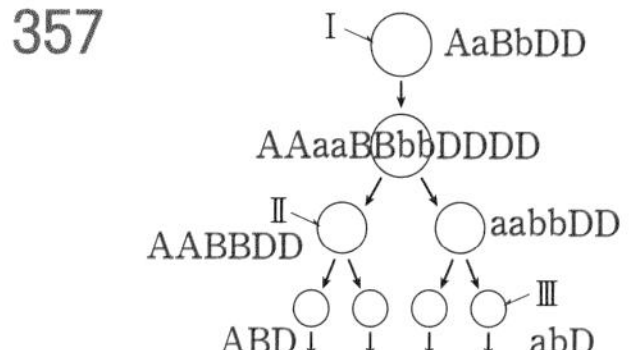

세포	DNA 상대량		
	a	b	D
n (가) Ⅱ	0	0	2
n (나) Ⅲ	㉠1	1	㉡1
$2n$ (다) Ⅰ	1	1	2

ㄱ. Ⅰ은 G_1기의 세포이므로 유전자형이 AaBbDD이다. 따라서 a와 b의 DNA 상대량은 각각 1이고, D의 DNA 상대량은 2인 (다)이다.

ㄷ. Ⅱ는 상동 염색체가 분리되어 형성되었으므로 대립유전자 중 한 가지만 가지지만 각 염색체는 2개의 염색 분체로 되어 있으므로 각 대립유전자의 DNA 상대량은 2이다. 따라서 Ⅱ는 D의 DNA 상대량이 2인 (가)이다. (가)에는 A와 a 중 한 가지만 있는데, a가 없으므로 A가 있다.

바로알기 | ㄴ. (나)는 Ⅲ이고, 유전자형은 abD이다. 따라서 ㉠+㉡ $=1+1=2$이다.

358

세포	DNA 상대량			
	H	h	T	t
G_1기㉠	1	? 1	1	1
감수 1분열 중기㉡	2	2	2	ⓐ2
감수 2분열 중기㉢	2	0	0	? 2
감수 분열 완료 ㉣ 딸세포	0	1	ⓑ1	0

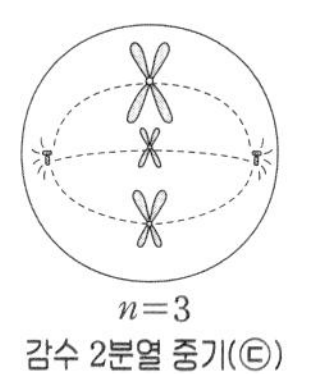
$n=3$
감수 2분열 중기(㉢)

ㄱ. P는 감수 2분열 중기 세포이다. 핵상이 n이므로 H와 h, T와 t 중 한 가지씩만 있고, 각 염색체가 2개의 염색 분체로 되어 있으므로 유전자의 DNA 상대량은 2이다. 따라서 P는 ㉢이다.

ㄷ. 이 동물 개체 Ⅰ의 체세포의 염색체 수는 $2n=6$이고, 체세포 분열 중기 세포 1개당 염색 분체 수는 $6\times2=12$이다. ㉡은 DNA가 복제된 후인 감수 1분열 중기 세포로, 핵상은 $2n$이고 각 염색체는 2개의 염색 분체로 이루어져 있으므로 염색 분체 수는 12이다.

바로알기 | ㄴ. ⓐ+ⓑ$=2+1=3$이다.

개념 보충

체세포 분열과 생식세포 분열에서의 염색체 수와 염색 분체 수 파악

체세포의 염색체 수를 x라고 했을 때 체세포 분열 중기 세포의 염색 분체 수는 $2x$, 감수 1분열 중기 세포의 염색체 수는 x, 감수 1분열 중기 세포의 염색 분체 수는 $2x$, 감수 2분열 중기 세포의 염색체 수는 $\frac{1}{2}x$, 감수 2분열 중기 세포의 염색 분체 수는 x이다.

359

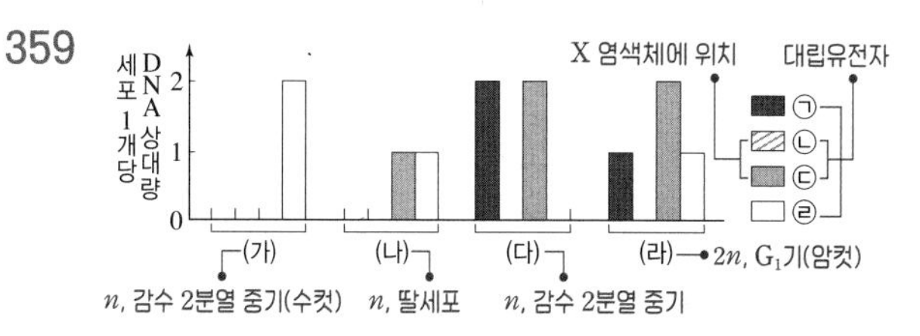

(라)는 ㉠과 ㉣의 DNA 상대량이 1이고, ㉢의 DNA 상대량이 2이므로 ㉠과 ㉣은 대립유전자이며, 나머지 ㉡과 ㉢이 대립유전자이다. 따라서 (라)의 핵상은 $2n$이다.

(가)는 대립유전자인 ㉡과 ㉢이 모두 없고 ㉣만 있다. 따라서 ㉡과 ㉢은 X 염색체에 있고, (가)에는 성염색체로 X 염색체는 없고 Y 염색체가 있으므로 핵상은 n이다. 그런데 ㉣의 DNA 상대량이 2이므로 (가)는 감수 2분열 중기 세포이며, 개체 Ⅰ은 수컷이다. 개체 Ⅱ의 (라)의 핵상은 $2n$이고, X 염색체에 있는 ㉢의 DNA 상대량이 2이므로 개체 Ⅱ는 암컷이다.

(나)에는 ㉢과 ㉣만 있으며 DNA 상대량이 각각 1이므로 감수 분열이 완료되어 형성된 딸세포이다. 핵상은 n이며, X 염색체가 있다.

(다)에는 ㉠과 ㉢이 있으며, DNA 상대량이 각각 2이다. (다)는 개체 Ⅰ과 Ⅱ로부터 공통으로 형성될 수 있는 세포이므로 감수 2분열 중기 세포이고 핵상은 n이며, X 염색체가 있다.

① Ⅰ은 성염색체 구성이 XY인 수컷이고, Ⅱ는 성염색체 구성이 XX인 암컷이다.

② ㉠과 ㉣은 대립유전자이며, 상염색체에 있다.

③ ㉡과 ㉢은 X 염색체에 있다.

④ 이 동물 종의 염색체 수는 $2n=6$이다. (가)와 (다)는 모두 감수 2분열 중기의 세포이므로 핵상은 n이고, 각 염색체는 2개의 염색 분체로 이루어져 있으므로 염색 분체 수는 6으로 같다.

바로알기 | ⑤ (나)의 상염색체 수는 2이고, X 염색체 수는 1이므로 $\frac{\text{X 염색체 수}}{\text{상염색체 수}}=\frac{1}{2}$이다. (라)의 상염색체 수는 4이고, X 염색체 수는 2이므로 $\frac{\text{X 염색체 수}}{\text{상염색체 수}}=\frac{2}{4}=\frac{1}{2}$로 (나)와 같다.

360

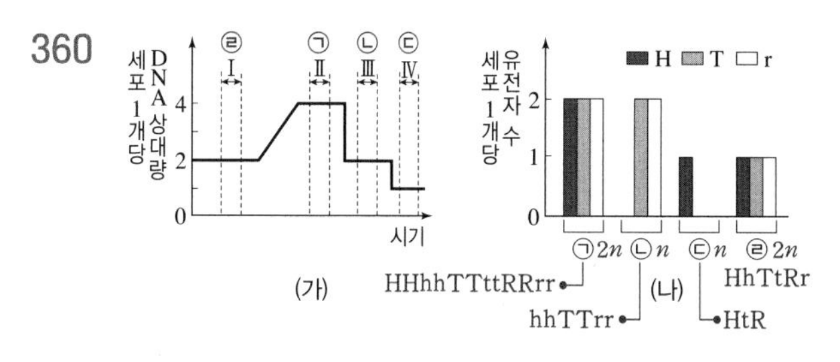

ㄱ. ㉢은 유전자형이 HtR로 감수 분열이 완료되어 형성된 딸세포이므로, (가)의 구간 Ⅳ의 세포이다.

바로알기 | ㄴ. ㉠은 구간 Ⅱ의 세포로 핵상이 $2n$이지만, ㉡은 구간 Ⅲ의 세포로 핵상이 n이다.

ㄷ. H와 r가 같은 염색체에 존재한다면 세포 분열 과정에서 항상 함께 행동하므로 같은 세포에 있어야 한다. 그런데 ㉢에서 H는 있지만 r는 없으므로 H와 r는 같은 염색체에 있지 않다.

361

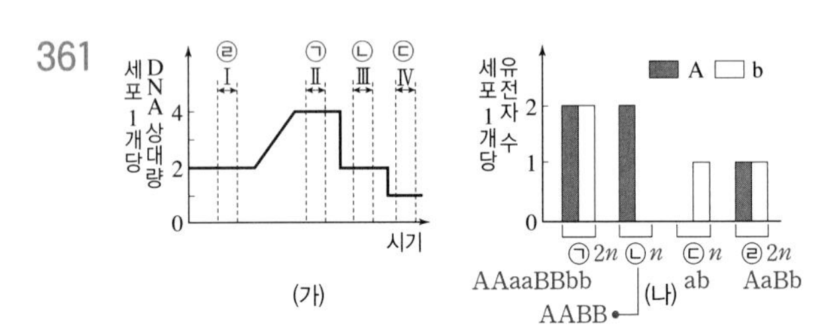

② ㉠과 ㉣은 유전자 구성은 같고 유전자 수가 ㉠이 ㉣의 2배이므로 ㉣에서 DNA 복제가 된 것이 ㉠이다. 따라서 ㉣은 G_1기 상태인 구간 Ⅰ의 세포이며 핵상은 $2n$이다.

바로알기 | ① ㉠은 G_1기에서 DNA가 복제된 상태인 구간 Ⅱ의 세포이다.

③ ㉡은 구간 Ⅲ인 감수 2분열 중기 세포로 2가 염색체가 없다. 2가 염색체는 감수 1분열 전기와 중기에 관찰된다.

④ ㉡의 유전자 구성은 AABB이고, ㉢의 유전자 구성은 ab이므로 ㉢은 ㉡과는 다른 세포가 분열하여 형성된 것이다.

⑤ 사람의 염색체 수는 $2n=46$인데, 구간 Ⅱ의 세포는 핵상은 $2n$이고 각 염색체가 2개의 염색 분체로 이루어져 있으므로 염색 분체 수는 $46\times2=92$이다.

362

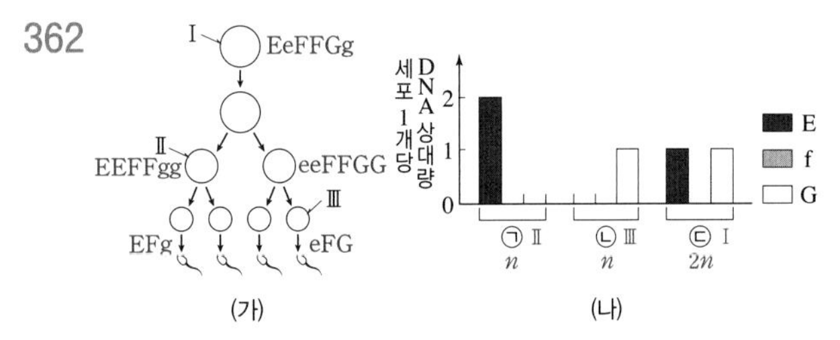

ⓐ를 결정하는 3쌍의 대립유전자는 서로 다른 3개의 상염색체에 있으므로 독립적으로 유전된다.

Ⅰ은 G_1기의 세포로 핵상은 $2n$이고, Ⅱ와 Ⅲ에 있는 대립유전자가 모두 있으므로 ㉢이다.

Ⅱ는 감수 2분열 중기의 세포이므로 핵상은 n이며, 염색체가 2개의 염색 분체로 이루어져 있어 각 대립유전자의 DNA 상대량은 2로 나타난다. 따라서 ㉠이다.

Ⅲ은 감수 분열이 완료되어 형성된 딸세포이므로 핵상은 n이며, Ⅱ와는 다른 대립유전자를 갖는다. 따라서 ㉡이다.

ㄱ. Ⅰ은 ㉢이며 핵상이 $2n$이므로 유전자형은 EeFFGg로 e를 갖는다.

ㄴ. Ⅱ는 ㉠이며, 각 염색체는 2개의 염색 분체로 되어 있으므로 유전자 구성은 EEFFgg이다. 따라서 세포 1개당

$$\frac{\text{E의 DNA 상대량}+\text{G의 DNA 상대량}}{\text{F의 DNA 상대량}}=\frac{2+0}{2}=1\text{이다.}$$

바로알기 | ㄷ. Ⅲ은 ㉡이다.

14 세포의 염색체 구성

빈출 자료 보기 110쪽

363 (1) ○ (2) ○ (3) × (4) × (5) ○ (6) ○

363

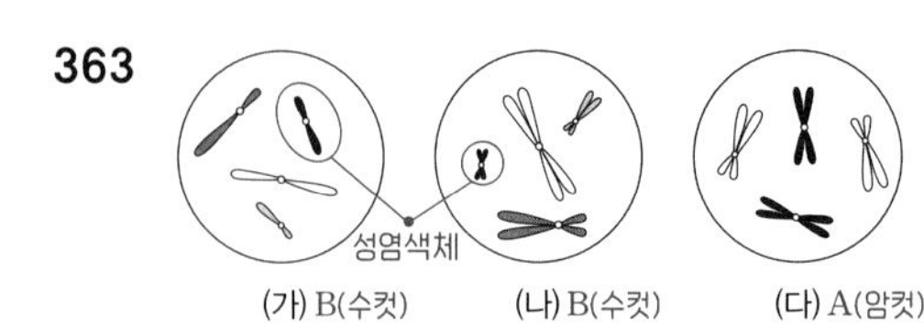

(가)($n=4$)는 B의 감수 분열이 완료되어 형성된 딸세포, B는 $2n=8$이다.

(나)($n=4$)는 B의 감수 2분열 전기의 세포, (가)와 (나)에서 크기가 다른 염색체는 성염색체, B는 성염색체 구성이 XY로 수컷이다.

(다)($2n=4$)는 A의 체세포 분열 전기의 세포, A는 성염색체 구성이 XX로 암컷이다.

(1) (가)와 (나)는 B의 세포이고, (가)와 (나)에 모양과 크기가 다른 성염색체가 있으므로 B는 수컷이다.

(2) (다)의 핵상과 염색체 수는 $2n=4$이므로 A의 세포이다.

(5) (가)와 (나)는 상동 염색체가 없으므로 핵상이 n이고, 염색체 수가 4이므로 둘 다 B의 세포이다.

(6) A의 감수 1분열 중기 세포($2n$)의 염색체 수는 4이고, 각 염색체는 2개의 염색 분체로 이루어져 있으므로 염색 분체 수는 8이다.

바로알기 | (3) (나)는 상동 염색체가 없으므로 핵상이 n이고, (다)는 상동 염색체가 쌍을 이루고 있으므로 핵상이 $2n$이다.

(4) B의 체세포 염색체 수는 8이다.

난이도별 필수 기출 111~113쪽

364 ⑤	365 ②	366 ③	367 ④	368 ⑤	369 ②
370 ④	371 ①	372 ④	373 ④	374 ①	375 ③

364 상동 염색체가 쌍으로 존재하며, 각 염색체는 염색 분체 2개로 구성되면서 한 쌍의 염색체는 모양과 크기가 다른 것은 ⑤이다.

바로알기 | ① $n=6$이다.

② $2n=6$이고, 한 염색체가 염색 분체 2개로 구성되어 있지만, 모양과 크기가 다른 염색체 쌍이 없으므로 성염색체 구성이 XX이다.

③ $n=6$이다.

④ $2n=6$이지만, 한 염색체가 염색 분체 2개로 구성되어 있지 않으며, 성염색체 구성은 XX이다.

365 ㄴ. 모양과 크기가 같은 염색체가 쌍을 이루고 있으므로 핵상은 $2n$이고 염색체 수는 8이다. 따라서 체세포 분열 중기의 세포의 핵상은 $2n$이므로 염색체 수는 8이다.

바로알기 | ㄱ. 세포 속의 상동 염색체 쌍은 각각 모양과 크기가 같아서 A는 암컷이고 성염색체 구성이 XX이다. 제시된 자료만으로는 ㉠이 상염색체인지 성염색체인지 알 수 없다.

ㄷ. 이 세포는 DNA가 복제된 후 분열이 진행 중인데 핵 1개당 DNA 상대량이 2이므로 G_1기 세포의 핵 1개당 DNA 상대량은 1이다.

366

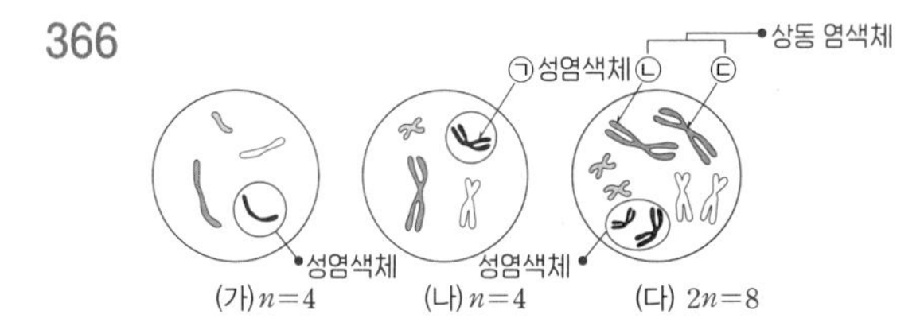

ㄱ. (가)와 (나)는 상동 염색체가 없으므로 핵상이 n으로 같다.
ㄴ. (다)에서 ㉠과 똑같은 염색체가 크기가 다른 염색체와 쌍을 이루고 있으므로 ㉠은 성염색체이다.
바로알기 | ㄷ. ㉡과 ㉢은 상동 염색체이며, 부계와 모계로부터 각각 1개씩 물려받은 것이다.

367

세포 \ 염색체	㉠	㉡	㉢
정자 A n	○	×	○
여자의 체세포 B $2n$	○	○	×
남자의 체세포 C $2n$	○	○	○

(○: 있음, ×: 없음)

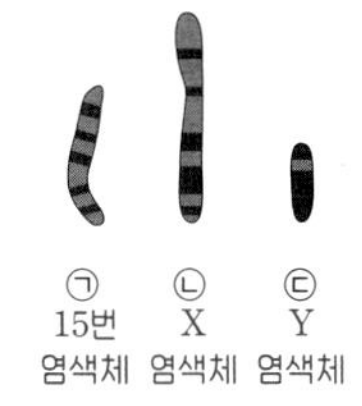

남자의 체세포에는 15번 염색체, X 염색체, Y 염색체가 모두 있다. 따라서 C이다. 15번 염색체는 정자, 남자의 체세포, 여자의 체세포에 공통적으로 있다. 따라서 ㉠이다. ㉡, ㉢은 성염색체이며, X 염색체는 Y 염색체보다 크므로 ㉡이 X 염색체이고 ㉢이 Y 염색체이다.
ㄱ. ㉠은 A, B, C에 공통적으로 있는 15번 염색체이고, ㉡과 ㉢ 중 길이가 긴 ㉡이 X 염색체이고 길이가 짧은 ㉢이 Y 염색체이다.
ㄷ. C는 X 염색체와 Y 염색체가 모두 있으므로 남자의 체세포이다.
바로알기 | ㄴ. B는 Y 염색체(㉢)가 없으므로 여자의 체세포이다. 체세포의 핵상은 $2n$이다.

368

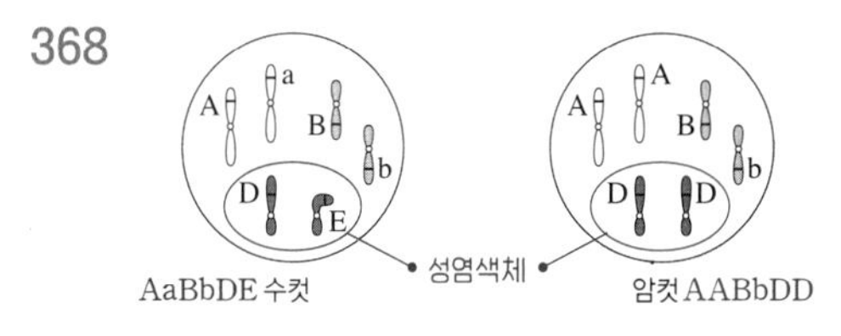

ㄱ. 암컷에서 생식세포 분열로 만들어지는 모든 난자는 X 염색체를 1개 갖는데, 암컷의 X 염색체 2개 모두 D를 가지므로 모든 난자는 D를 갖는다.
ㄴ. 수컷의 염색체 구성은 $2n=6$이고, 3쌍의 상동 염색체는 각각 다른 대립유전자 쌍을 가지고 있다. 따라서 수컷에서 생식세포 분열 결과 $2^3=8$종류의 생식세포가 형성된다.
ㄷ. aBE인 정자와 AbD인 난자가 수정하거나 abE인 정자와 ABD인 난자가 수정하면 유전자형이 AaBbDE인 자손이 태어날 수 있다.

369

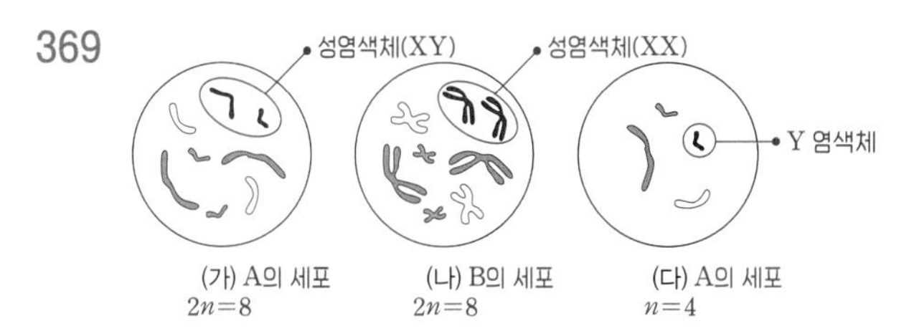

ㄷ. (가)의 상염색체 수는 6이고 X 염색체 수는 1이다. (나)의 상염색체 수는 6이고, X 염색체 수는 2이다. 따라서 $\frac{\text{상염색체 수}}{\text{X 염색체 수}}$는 (가)는 $\frac{6}{1}=6$이고 (나)는 $\frac{6}{2}=3$이다.

바로알기 | ㄱ. (가)와 (나)는 상동 염색체가 쌍을 이루고 있으므로 둘 다 핵상은 $2n$이다.
ㄴ. (다)는 Y 염색체가 있으므로 수컷인 A의 세포이다.

370

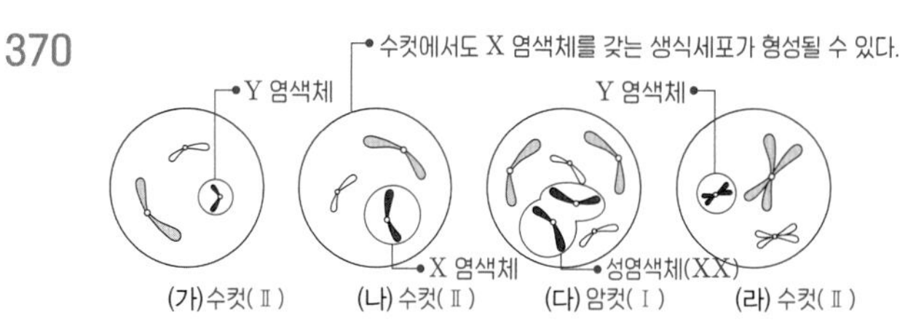

• (가) 감수 분열이 완료되어 형성된 딸세포, n, Y 염색체 ➔ 수컷의 세포
• (나) 감수 분열이 완료되어 형성된 딸세포, n, X 염색체
• (다) $2n$, XX ➔ 암컷의 세포
• (라) 감수 2분열 전기, n, Y 염색체 ➔ 수컷의 세포
Ⅰ은 1개, Ⅱ는 3개이므로 (가), (나), (라)는 Ⅱ의 세포이며 Ⅱ는 수컷, (다)는 Ⅰ의 세포이며, Ⅰ은 암컷이다.
ㄴ. (나)는 Ⅱ의 세포이고, Ⅱ는 Y 염색체를 가지고 있는 수컷이다.
ㄷ. (다)는 성염색체 구성이 XX로 암컷이며, Ⅰ의 세포이다.
바로알기 | ㄱ. (가)는 생식세포 분열이 완료되어 형성된 세포로, 생식세포로 분화되며 S기를 거치거나 세포 주기를 반복하지 않는다.

371

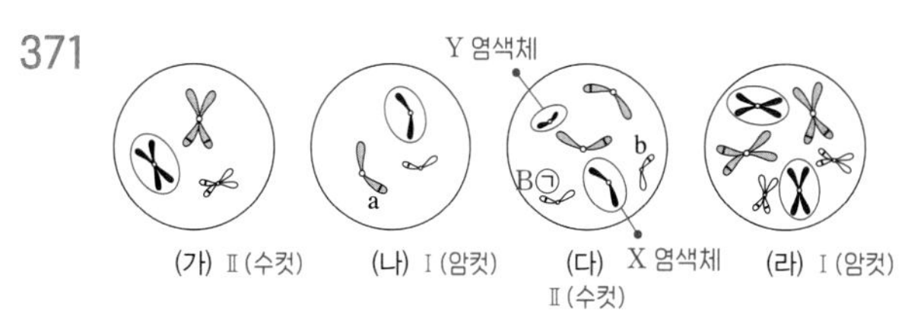

• (나) a가 있음 ➔ 유전자형이 AaBB인 Ⅰ의 세포
• (다) $2n$, XY이므로 수컷, b가 있으므로 AABb ➔ Ⅱ의 세포
• (라) $2n$, XX ➔ 암컷, Ⅰ의 세포
• (가) n, Ⅱ의 세포
② (가)와 (나)의 핵상은 n으로 같다.
③ (다)는 b가 있으므로 Ⅱ의 세포이다.
④ 성염색체 구성이 (다)는 XY이고 (라)는 XX이다. (다)가 Ⅱ의 세포이므로 (라)는 Ⅰ의 세포이다.
⑤ (다)의 유전자형은 AABb인데, ㉠과 b가 대립유전자이므로 ㉠은 B이다.
바로알기 | ① a가 있는 (나)는 유전자형이 AaBB인 Ⅰ의 세포이다. b가 있는 (다)는 유전자형이 AABb인 Ⅱ의 세포인데, (다)는 성염색체 구성이 XY이므로 Ⅱ는 수컷이다. (라)는 성염색체 구성이 XX로 암컷이므로 Ⅰ의 세포이고, Ⅰ은 암컷이다. Ⅰ과 Ⅱ의 세포가 2개씩 있으므로 (가)는 Ⅱ(수컷)의 세포이다.

372

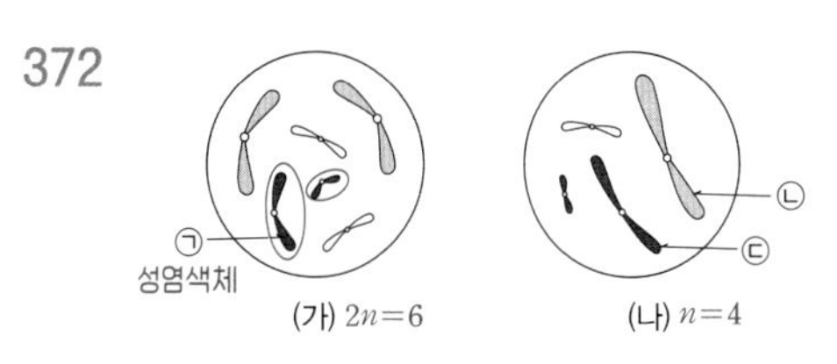

ㄱ. (가)의 핵상은 $2n$인데, 모양과 크기가 같은 염색체 쌍이 없는 ㉠은 성염색체이다.
ㄷ. (가)의 핵상은 $2n$이고, (나)의 핵상은 n으로 다르다.
ㄹ. (가)는 $2n=6$이고, (나)는 $n=4$이므로 A와 B의 생식세포의 염색체 수는 각각 3과 4로 다르다.

바로알기 | ㄴ. (나)의 핵상은 n이므로 상동 염색체 쌍이 없다. 따라서 ㉡과 ㉢은 상동 염색체가 아니다.

373

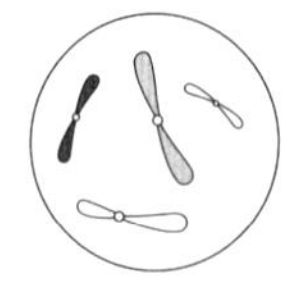

(가) B, $n=4$

(나) A, $2n=4$

ㄱ. (가)에는 상동 염색체 쌍이 없으므로 핵상은 n이고, 염색체 수가 4이므로 B의 세포이다. B의 핵상과 염색체 수는 $2n=8$이다.
ㄴ. (나)는 $2n=4$이므로 A의 세포이다.
ㄷ. (가)와 (나)의 염색체 수는 4로 같다.
바로알기 | ㄹ. B의 염색체 수는 $2n=8$이므로 감수 1분열 중기의 세포 1개당 염색 분체 수는 $8\times2=16$이다.

374

(가) A(암컷)

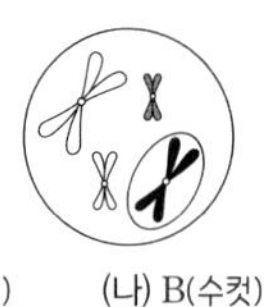

(나) B(수컷)

(다) C

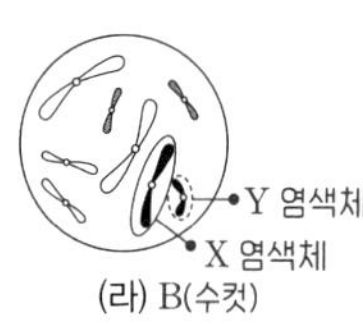

(라) B(수컷)

- (가) $2n$, 성염색체 구성은 XX, 암컷 ➧ A의 세포
- (나) n, X 염색체를 가짐 ➧ B의 세포
- (다) n, 감수 분열 완료 후 형성된 딸세포이며 염색체의 형태는 (가), (나)와는 다름 ➧ A, B와는 다른 종 C
- (라) $2n$, 성염색체 구성은 XY, 수컷 ➧ B의 세포

ㄱ. (가)는 암컷(A)의 세포이고 (라)는 수컷(B)의 세포이지만 성염색체를 제외한 나머지 상염색체의 모양과 크기가 같으므로 같은 종의 세포이다.
ㄴ. (다)는 나머지 세포와 염색체의 형태가 다르므로 다른 종인 C의 세포이다.
바로알기 | ㄷ. A는 암컷이고 B는 수컷으로 성이 다르다.
ㄹ. X 염색체 수는 (나)와 (라)에서 1로 같다.

개념 보충

암컷과 수컷의 염색체 구성

구분	암컷	수컷
$2n=6$ G_1기		
$2n=6$		
$n=3$		또는
$n=3$ 감수 분열 완료 딸세포 (생식세포)		또는

375

(가) A(암컷)

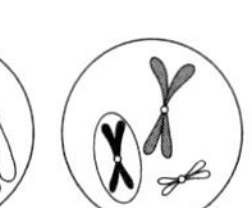

(나) B(수컷)

(다) B(수컷)

(라) C

(마) B(수컷)

- (가) $2n$, 성염색체 구성 XX, 암컷 ➧ A의 세포
- (나) n, 성염색체 구성 X ➧ B의 세포, A와 B는 상염색체 모양이 다르므로 다른 종
- (다) n, 성염색체 구성 Y ➧ B의 세포, 상염색체 모양이 (나)와 같음
- (라) n, 성염색체 구성 X ➧ C의 세포, 상염색체 모양이 (나)와는 다르므로 C의 세포, (가)와는 같으므로 A와 C는 같은 종
- (마) $2n$, 성염색체 구성 XY, 수컷 ➧ B의 세포

① (가)와 (라)는 염색체의 모양과 크기가 같으므로 같은 종의 세포이다.
② A는 암컷이고, B는 수컷으로 성이 다르다.
④ (가)는 A, (나), (다), (마)는 B, (라)는 C의 세포이다.
⑤ (나)와 (다)는 상동 염색체가 없으므로 핵상은 n으로 같다.
⑥ A와 C는 같은 종, B는 A, C와는 다른 종이다.
바로알기 | ③ (나)는 성염색체 X를 갖지만, (다), (마)와 함께 B의 세포이다. B는 (마)에서 알 수 있듯이 성염색체를 XY로 갖는 수컷이므로, (나)는 수컷의 세포이다.

최고 수준 도전 기출 (12~14강)

114~115쪽

376 ② 377 ④ 378 ② 379 ③ 380 ④ 381 ⑤

376

DNA 합성을 저해하는 물질(Y)을 처리하면 G_1기에서 G_2기로 제대로 진행되지 못한다. 따라서 대부분의 세포가 세포당 DNA양이 1~2 사이에 있는 집단 C와 같이 나타난다. 방추사 형성을 방해하는 물질(X)을 처리하면 M기의 후기로 진행되지 못한다. 따라서 대부분의 세포가 세포당 DNA양이 2인 집단 B와 같이 나타난다.
ㄴ. B는 방추사 형성을 방해하는 물질을 처리된 것이다. 방추사가 형성되지 않으면 염색 분체의 분리와 이동이 일어나지 않으므로 구간 Ⅰ에는 염색 분체가 분리되지 않은 채 M기의 전기나 중기에서 분열이 멈춘 세포들이 있다.
바로알기 | ㄱ. A에서 세포당 DNA양이 1인 구간에는 G_1기 세포가, 세포당 DNA양이 2인 구간에는 G_2기 세포와 M기 세포가 있다. 세포당 DNA양이 1인 세포의 수가 2인 세포의 수보다 많으므로 G_1기 세포가 G_2기 세포보다 수가 많다.
ㄷ. C는 DNA 합성을 저해하는 물질을 처리한 것이다. 따라서 세포들은 모두 G_2기로 진행되지 못하고 S기에서 멈춘 상태이다.

377

구분	염색체				유전자			
	㉠	㉡	㉢	㉣	ⓐ	ⓑ	ⓒ	ⓓ
n (가)	○	○	○	×	○	×	○	○
n (나)	×	×	?○	○	×	○	?×	○
n (다)	○	×	○	○	×	×	○	○
n (라)	?×	×	○	○	×	○	×	○

유전자형이 AaBbDd인데 (가)~(라) 중 핵상이 $2n$인 것이 있다면 ⓐ~ⓓ가 모두 있어야 하는데, 그렇지 않다. 따라서 (가)~(라)의 핵상은 모두 n이다. 핵상이 n인 세포에는 상동 염색체와 대립유전자가 함께 있을 수 없다.
(가)에서 ㉠, ㉡, ㉢이 있으므로 이들은 서로 상동 염색체가 아니고 (다)에서 ㉠, ㉢, ㉣이 있으므로 ㉢과 ㉣도 상동 염색체가 아니다. 따라서 ㉡과 ㉣이 상동 염색체이다.

ⓓ는 (가)~(라)에 모두 있으므로 ⓐ~ⓒ는 ⓓ의 대립유전자가 아니다. (가)에서 ⓐ와 ⓒ가 함께 있고, (다)에서 ⓐ와 ⓑ가 모두 없으므로 ⓐ는 ⓑ, ⓒ와 대립 관계가 아니다. 따라서 ⓑ와 ⓒ는 대립유전자이다. (가)와 (다)에서 ㉠이 있을 때 ⓒ가 공통적으로 있으므로 ⓒ는 ㉠에 있다. ⓓ는 (가)~(라)에 모두 있으므로 이들에 공통적으로 있는 ㉢에 있다.

ㄱ. ㉡과 ㉣은 상동 염색체이고, ⓒ와 ⓓ는 각각 ㉠과 ㉢에 있으므로 이들과 대립 관계가 아닌 ⓐ는 ㉡과 ㉣ 중 하나에 있다. ㉡이 있을 때 ⓐ가 있으므로 ㉡에 ⓐ가 있다.

ㄷ. (가)~(라) 4개의 세포 모두 핵상은 n이며, ⓐ~ⓓ는 3쌍의 대립유전자 중 하나이므로 이 중 2개는 대립유전자이다. ⓐ와 ⓓ는 대립유전자가 아니고, ⓐ와 ⓑ, ⓐ와 ⓒ도 대립유전자가 아니다. 따라서 ⓑ와 ⓒ가 대립유전자이다.

바로알기 | ㄴ. ㉠에는 ⓒ가 있는데 (라)에는 ⓒ가 없으므로 ㉠이 없다.

378

AABb Ⅰ, AAAABBbb, Ⅲ AAbb, AABB, Ab, Ⅴ AB (가)
AaBb, Ⅱ AAaaBBbb, Ⅳ aabb, AABB, ab (나)

세포	DNA 상대량			
	A	a	B	b
㉠ Ⅲ	2	ⓐ 0	? 0	? 2
㉡ Ⅴ	1	ⓑ 0	1	? 0
㉢ Ⅳ	0	2	ⓒ 0	2
㉣ Ⅰ	2	? 0	1	1
㉤ Ⅱ	2	2	2	ⓓ 2

• Ⅰ: $2n$, B와 b가 있으며 DNA 상대량이 1인 것 ➔ ㉣, 유전자형은 AABb

• Ⅴ: n, 감수 분열이 완료되어 형성된 생식세포이므로 대립유전자의 DNA 상대량 1 ➔ ㉡, 유전자형은 AB

• Ⅲ: Ⅰ의 유전자형이 AABb이고, Ⅴ의 유전자형이 AB이므로 Ab를 가지는데 각 염색체가 2개의 염색 분체로 이루어져 있으므로 A, b의 DNA 상대량은 각각 2 ➔ ㉠

• Ⅱ: $2n$, 대립유전자 쌍이 있으며, 각 대립유전자의 DNA 상대량은 2의 배수 ➔ ㉤

• Ⅳ: 대립유전자 중 한 개를 가지며, 각 염색체는 2개의 염색 분체로 이루어져 있으므로 DNA 상대량은 2 ➔ ㉢

ㄴ. ⓐ+ⓑ+ⓒ+ⓓ=0+0+0+2=2이다.

바로알기 | ㄱ. ㉢은 Ⅳ이다.

ㄷ. Ⅰ의 유전자형은 AABb이다.

379

유전자	여자 Ⅰ의 세포			남자 Ⅱ의 세포		
	(가) $2n$	(나) n	(다) n	(라) $2n$	(마) n	(바) n
㉠	○	○	○	○	○	×
㉡	○	○	×	○	×	○
㉢	○	×	○	×	×	×
㉣	×	×	×	○	×	○

(○: 있음, ×: 없음)

(가), (라) 3종류의 유전자를 가지므로 핵상 $2n$이다. (나), (다) 2종류의 유전자를 가지므로 핵상 n이므로 ㉠와 ㉡, ㉠과 ㉢은 대립유전자가 아니다. 따라서 ㉠과 ㉣, ㉡과 ㉢은 각각 대립유전자이다.

(마)에는 ㉠만 있으므로 ㉠과 ㉣은 상염색체인 9번에 있는 유전자이며, ㉡과 ㉢은 X 염색체에 있는 유전자인데 (마)에는 X 염색체가 없고 Y 염색체가 있다. 따라서 Ⅱ는 남자이다. (바)에는 ㉡이 있으므로 X 염색체가 있다.

ㄱ. ㉡과 ㉢은 X 염색체에 있는 F와 f로 대립유전자이다.

ㄴ. (마)는 ㉡과 ㉢이 모두 없으므로 X 염색체가 없다. 따라서 성염색체로 Y 염색체가 있다.

바로알기 | ㄷ. Ⅱ는 (마)에 Y 염색체가 있으므로 남자이다. (라)의 핵상은 $2n$이고, 9번 상염색체에 있는 ㉠과 ㉣이 모두 있으므로 ⓐ에 대한 유전자형은 EeFY 또는 EefY이다.

380

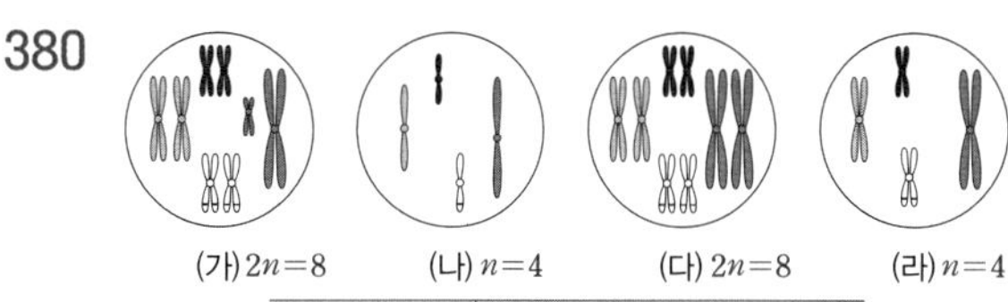

(가) $2n=8$　(나) $n=4$　(다) $2n=8$　(라) $n=4$

세포	DNA 상대량	
	H	h
A (가)	2	2
B (라)	0	2
C (나)	0	ⓐ 1
D (다)	ⓑ 0	ⓒ 4

A는 대립유전자를 모두 가지며($2n$) DNA 상대량이 2씩이므로 (가) 또는 (다)인데, 생식세포 분열로 정자가 형성되었으므로 성염색체 구성이 XY인 (가)이다. B는 상동 염색체가 없으며, 각 염색체는 2개의 염색 분체로 이루어진 (라)이다.

B가 분열하여 형성된 C는 (나)이며, C의 h의 DNA 상대량 ⓐ는 1이다. 정자와 난자가 수정된 후 형성된 D는 (다)이다. 몸 색깔에 대한 동일한 대립유전자를 가지는데(hh), (다)는 DNA가 복제된 상태이므로 h의 DNA 상대량 ⓒ는 4이고 H의 DNA 상대량 ⓑ는 0이다.

ㄴ. (다)는 D이다.

ㄷ. 세포 1개당 $\frac{\text{염색체 수}}{\text{h의 DNA 상대량}}$는 (다)는 $\frac{8}{4}=2$이고, (라)는 $\frac{4}{2}=2$로 같다.

바로알기 | ㄱ. ⓐ+ⓑ+ⓒ=1+0+4=5이다.

381

세포	대립유전자		
	h	R	t
$2n$ Ⅰ㉡	?○	○	×
n Ⅱ㉠	○	×	?×
n Ⅲ㉢	×	×	?×

(○: 있음, ×: 없음)

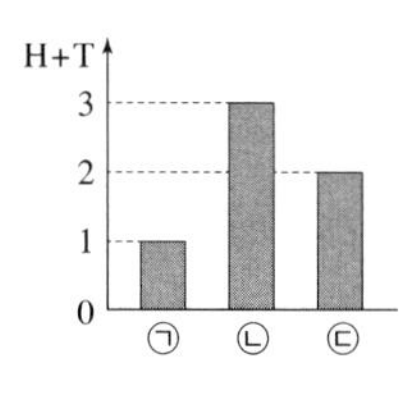

(가)의 세포 중에서 h와 R가 있는 세포도 있고 없는 세포도 있으므로 유전자형은 HhRrT□이고, R가 없는 Ⅱ와 Ⅲ의 핵상은 n이다.

Ⅱ는 H가 없으므로 H+T가 3이 될 수 없고, Ⅲ은 H가 있는데 T가 있다 하더라도 H와 T의 DNA 상대량은 같으므로 3이 될 수 없다.

Ⅰ은 H+T의 DNA 상대량이 3인 ㉡이고, Ⅰ은 핵상이 $2n$인 체세포이고 유전자형은 HhRrTT이다.

ㄴ. Ⅱ의 유전자형은 hrT로 H+T의 DNA 상대량이 1인 ㉠이다.

$\frac{\text{T의 DNA 상대량}}{\text{h의 DNA 상대량+R의 DNA 상대량}}=\frac{1}{1+0}=1$이다.

ㄷ. Ⅲ의 유전자형은 HrT로 H+T의 DNA 상대량이 2인 ㉢이다.

바로알기 | ㄱ. Ⅰ은 ㉡으로 H+T의 DNA 상대량이 3이 되므로, (가)의 ⓐ에 대한 유전자형은 HhRrTT이다.

15 상염색체 유전과 성염색체 유전

빈출 자료 보기 118쪽

382 (1) × (2) × (3) × (4) ○ (5) ○ (6) ○ (7) ○ (8) ×

382

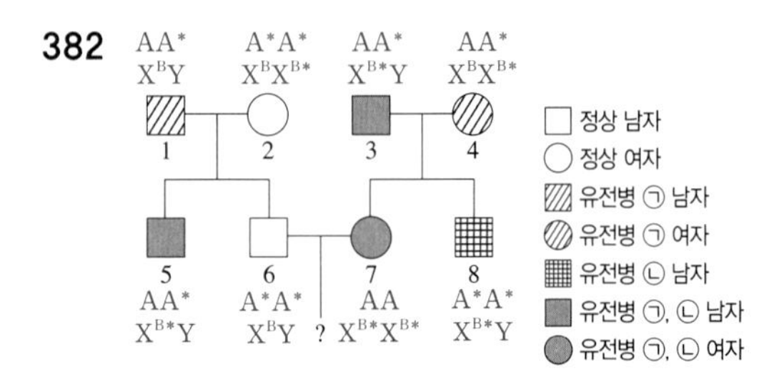

3과 4는 유전병 ㉠인데 8은 유전병 ㉠이 아니므로 유전병 ㉠은 우성 형질이다. 따라서 A는 ㉠ 대립유전자, A*는 정상 대립유전자이다. 2는 정상(A*A*)인데 아들 5는 우성 형질인 ㉠이므로 유전자형이 AA*이다. 따라서 ㉠의 유전자는 상염색체에 있다.

㉡의 유전자는 성염색체에 있으며, 남녀 모두에게 ㉡이 나타나므로 X 염색체에 있다. 2는 정상인데 아들 5는 ㉡이므로 ㉡은 열성 형질이다. 따라서 B는 정상 대립유전자, B*는 ㉡ 대립유전자이다.

(4) 1～8 중 A와 B를 모두 가진 사람은 1, 4로 2명이다.

바로알기 | (1) ㉠의 유전자는 상염색체에 있다.

(2) B와 B*는 성염색체인 X 염색체에 있다.

(3) ㉠은 우성 형질이고, ㉡은 열성 형질이다.

(8) 6과 7 사이에서 아이가 태어날 때, ㉠이 나타날 확률은 $A^*A^* \times AA \rightarrow AA^*$로 1이고, ㉡이 나타날 확률은 $X^BY \times X^{B*}X^{B*} \rightarrow X^BX^{B*}$, $\underline{X^{B*}Y}$로 $\frac{1}{2}$이다. 따라서 ㉠과 ㉡이 모두 나타날 확률은 $1 \times \frac{1}{2} = \frac{1}{2}$이다.

난이도별 필수 기출 119～129쪽

383 ④	384 ④	385 ④	386 (1) 4명 (2) $\frac{1}{2}$		387 ⑤
388 ④	389 ④	390 ③	391 ⑤	392 ②	393 ④
394 ④	395 ②	396 ④	397 ②	398 ①, ⑤	
399 ④	400 해설 참조		401 ④	402 ⑤	403 ⑤
404 ③	405 ④	406 ⑤	407 ③	408 ⑤	409 ③
410 ②	411 ③	412 (1) A, C (2) C, D		413 ①	414 ②
415 ④	416 ①	417 ③	418 ③	419 ⑤	420 ⑤
421 ③, ⑤		422 ④	423 ②	424 ③, ⑤	

383 사람은 한 세대가 길고, 자손의 수가 적으며, 자유로운 교배 실험이 불가능하고, 형질 발현에 환경적 요인의 영향을 많이 받으므로 우성과 열성을 구별하기도 어렵다.

바로알기 | ④ 사람은 유전자 수가 많고 복잡하며, 대립 형질이 뚜렷이 구분되지 않는 형질이 많아서 유전 연구가 어렵다.

384 집안 내에서 유전자의 유전 경로는 가계도 조사(가)를 통해 알 수 있고, (나)는 여러 집단의 자료를 통계 처리하는 집단 조사이며, 유전자와 환경이 형질에 미치는 영향은 쌍둥이 연구(다)를 통해 알아낸다.

385 분리형 부모로부터 부착형인 5가 태어났으므로 분리형이 우성 형질, 부착형이 열성 형질이다. 분리형 대립유전자를 A, 부착형 대립유전자를 a라고 할 때, 가계 구성원의 유전자형은 그림과 같다.

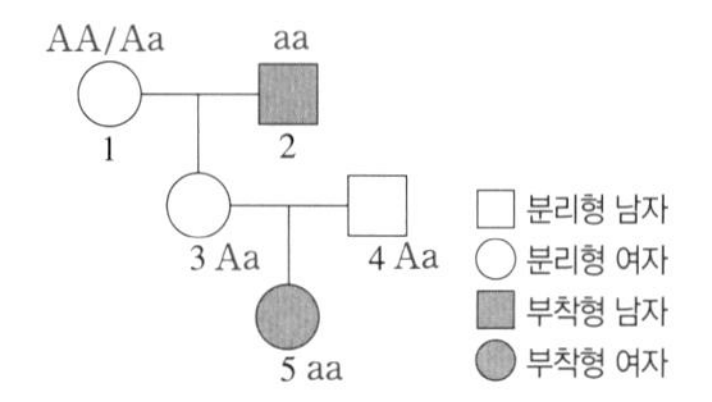

ㄴ. 분리형인 부모(3과 4)로부터 부착형인 딸(5)이 태어났으므로 부착형 귓불은 열성 형질이고, 유전자는 상염색체에 있다.

ㄷ. 5의 동생이 태어날 때, 이 아이가 분리형 귓불일 확률은 $Aa \times Aa \rightarrow \underline{AA}, \underline{Aa}, \underline{Aa}, aa$로 $\frac{3}{4}$이다.

바로알기 | ㄱ. 1의 유전자형은 AA 또는 Aa로 명확하지 않지만, 3의 유전자형은 Aa이다.

386 정상인 1과 2로부터 유전병 (가)인 4가 태어났으므로 유전병 (가)는 열성 형질이다. 정상 대립유전자를 A, 유전병 (가) 대립유전자를 a라고 할 때 가계도 구성원의 유전자형은 그림과 같다.

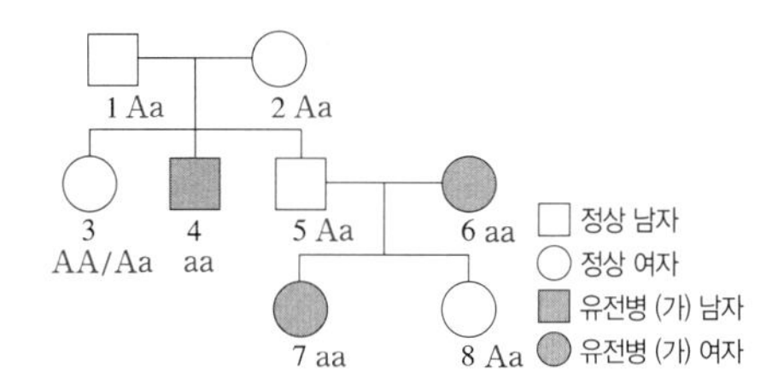

(1) 유전자형이 이형 접합성(Aa)임이 확실한 사람은 1, 2, 5, 8 모두 4명이다.

(2) 8의 동생이 태어날 때, 이 아이가 유전병 (가)일 확률은 $Aa \times aa \rightarrow Aa, \underline{aa}$로 $\frac{1}{2}$이다.

387

가족	아버지	어머니	누나	철수
보조개	있음	있음	없음	있음

→ 표현형이 같은 부모에게서 부모와는 다른 형질의 딸이 태어났다. ➔ 보조개 있음은 우성 형질이며, 보조개를 결정하는 유전자는 상염색체에 있다.

보조개 있음 대립유전자를 A, 보조개 없음 대립유전자를 a라고 할 때, 가계도와 유전자형은 그림과 같다.

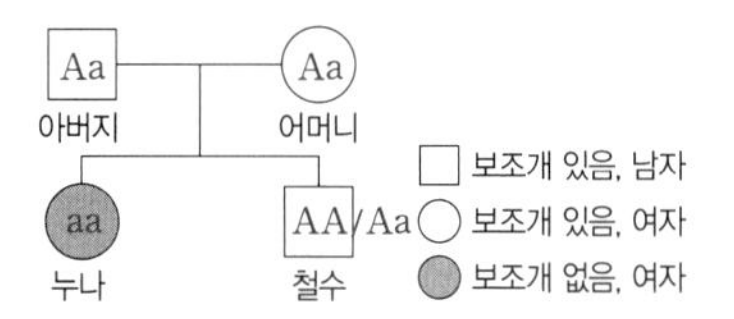

ㄱ. 부모님은 모두 보조개가 있는데 누나는 보조개가 없다. 따라서 보조개 있음은 우성 형질이고, 보조개를 결정하는 유전자는 상염색체에 있다.

ㄴ. 누나가 열성 형질이므로 아버지와 어머니는 열성 대립유전자(a)를 하나씩 가지므로 보조개 유전자형이 모두 이형 접합성이다.

ㄷ. 누나의 유전자형은 열성 동형 접합성(aa)이므로 아버지와 어머니로부터 각각 열성 대립유전자(a)를 물려받았다.

388 미맹과 눈꺼풀을 결정하는 유전자는 서로 다른 상염색체에 있으므로 독립적으로 유전한다.

가족 (나)에서 부모는 미맹 없음인데 자녀 B가 미맹 있음이다. 따라서 미맹 없음이 우성 형질이고, 미맹 있음이 열성 형질이다. 미맹 없음 대립유전자를 A, 미맹 있음 대립유전자를 a로 한다.

가족 (가)에서 부모는 쌍꺼풀인데, 자녀 A는 외까풀이다. 따라서 쌍꺼풀이 우성 형질이고, 외까풀이 열성 형질이다. 쌍꺼풀 대립유전자를 D, 외까풀 대립유전자를 d로 한다.

ㄴ. ㉠은 미맹 없음이지만 자녀 A가 미맹 있음(aa)이므로 유전자형은 Aa로 이형 접합성이다. ㉠은 쌍꺼풀이지만 자녀 A가 외까풀(dd)이므로 유전자형은 Dd로 이형 접합성이다. 따라서 ㉠은 미맹과 눈꺼풀의 유전자형이 모두 이형 접합성이다.

ㄷ. A와 B가 모두 미맹 있음이므로 미맹 유전자형은 각각 aa이다. 따라서 이들 사이에 태어나는 아이가 미맹일 확률은 1이다. 자녀 A는 열성 형질인 외까풀이므로 유전자형이 dd이고, B는 쌍꺼풀이지만 아버지가 외까풀(dd)이므로 유전자형이 Dd이다. 이들 사이에서 태어나는 아이가 외까풀일 확률은 Dd×dd → Dd, dd로 $\frac{1}{2}$이다. 따라서 아이가 미맹이며 외까풀일 확률은 $1\times\frac{1}{2}=\frac{1}{2}$이다.

바로알기 | ㄱ. 미맹 없음과 쌍꺼풀이 우성 형질이다.

389 ④ 대립유전자 I^A와 I^B 사이에는 우열 관계가 없어서 두 대립유전자 모두를 가지면 AB형이 된다.

바로알기 | ① ABO식 혈액형의 표현형은 A형, B형, AB형, O형의 4가지이다.

② 유전자형의 종류는 I^AI^A, I^Ai, I^BI^B, I^Bi, I^AI^B, ii의 6가지이다.

③ 혈액형을 결정하는 대립유전자는 I^A, I^B, i의 3가지이다.

⑤ 부모가 모두 A형이라도 부모의 유전자형이 모두 I^Ai일 경우에는 유전자형이 ii로 O형인 자녀가 태어날 수 있다.

390 자료를 분석하면 다음과 같다.

> • (가)는 1쌍의 대립유전자에 의해 결정되며, 대립유전자에는 D, E, F가 있다. → 단일 인자 유전, 복대립 유전
> • (가)의 유전자는 상염색체에 있다. → 이론적으로 남녀에 관계없이 발현 빈도가 같다.
> • (가)의 표현형은 4가지이며, 유전자형이 DD인 사람과 DE인 사람의 표현형은 같고, 유전자형이 EF인 사람과 FF인 사람의 표현형은 같다. → D는 E에 대해 우성, F는 E에 대해 우성이다. 표현형이 4가지이므로 DD, DE / DF / EE / EF, FF이고, D와 F는 우열 관계가 없고 E에 대해 공동으로 우성이라는 것을 알 수 있다.

① (가)는 대립유전자가 3가지이므로 복대립 유전 형질이다.

② (가)에 대한 유전자형은 DD, DE, DF, EE, EF, FF의 6가지이다.

④ 유전자형 EF와 FF는 표현형이 같으므로 공통으로 있는 대립유전자 F의 형질이 나타난 것이다. 따라서 F는 E에 대해 우성이다.

⑤ 부모의 유전자형이 DE와 EF인 경우 DE×EF → DE, DF, EE, EF로 이 아이에게서 나타날 수 있는 표현형은 최대 4가지이다.

바로알기 | ③ DF는 DD나 FF와는 다른 표현형을 나타내므로 D와 F 사이에는 우열 관계가 없다.

391 부모와 자녀 2명의 혈액형이 모두 다르면 2가지 경우가 가능하다.

(1) 부모의 혈액형이 A형과 B형이고, 자녀가 AB형과 O형이다. 이 경우 부모의 유전자형은 I^Ai와 I^Bi로 모두 이형 접합성이어야 한다.

(2) 부모의 혈액형이 AB형과 O형이고, 자녀가 A형과 B형이다. 이 경우 부모 중 O형인 사람의 유전자형은 ii로 동형 접합성이다.

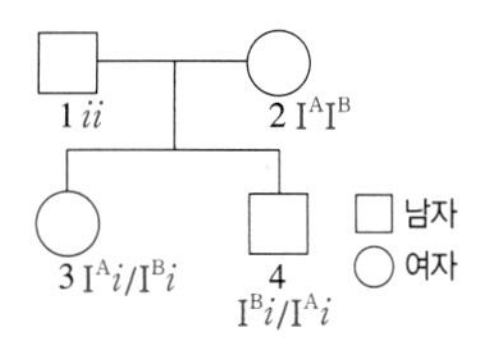

ㄱ. 1의 유전자형이 동형 접합성이므로 1은 O형이다. 따라서 2의 ABO식 혈액형은 AB형이다.

ㄴ. O형과 AB형 사이에서 태어나는 자녀 3과 4는 1로부터 i를 물려받으므로 ABO식 혈액형의 유전자형은 I^Ai 또는 I^Bi로 이형 접합성이다.

ㄷ. ABO식 혈액형은 대립유전자가 I^A, I^B, i의 3가지이므로 복대립 유전 형질이다.

392

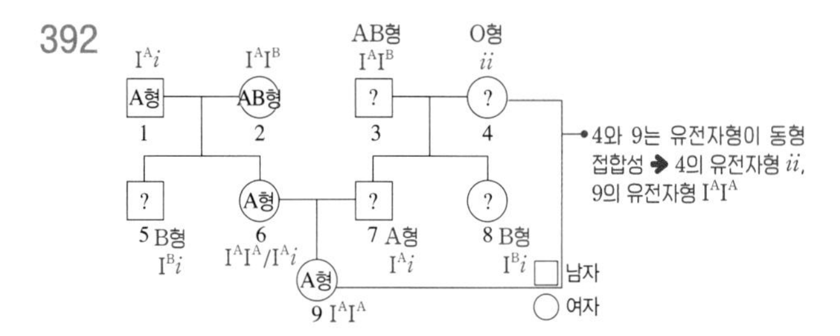

ㄴ. 1~9 중 유전자형을 정확히 알 수 없는 사람은 6으로 1명이다. 6의 유전자형은 I^AI^A 또는 I^Ai이다.

바로알기 | ㄱ. 5의 유전자형은 I^Bi 인데, AB형인 2로부터 I^B를 물려받으므로 1로부터 i를 물려받았다. 따라서 1은 A형이지만 i를 가지고 있으므로 유전자형은 이형 접합성이다.

ㄷ. 6과 7이 모두 A형이므로 9의 동생이 태어날 때, 이 아이가 B형일 확률은 0이다.

393

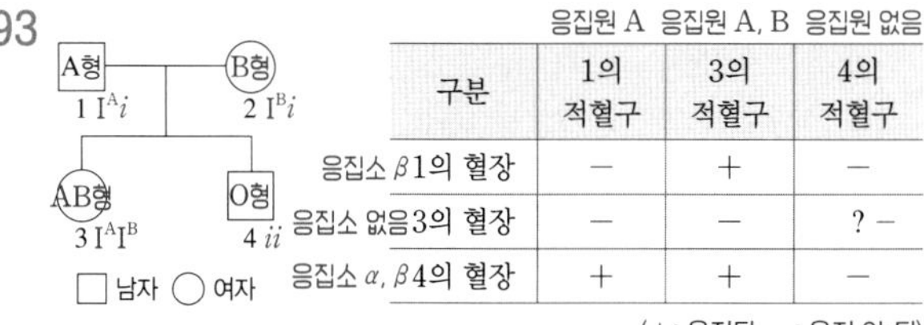

구분	1의 적혈구 (응집원 A)	3의 적혈구 (응집원 A, B)	4의 적혈구 (응집원 없음)
응집소 β 1의 혈장	−	+	−
응집소 없음 3의 혈장	−	−	? −
응집소 α, β 4의 혈장	+	+	−

(+: 응집됨, −: 응집 안 됨)

1은 A형이므로 적혈구에는 응집원 A가 있고 혈장에는 응집소 β가 있다. 1의 적혈구와 4의 혈장은 응집 반응이 일어났으므로 4의 혈장에는 응집소 α가 있다. 따라서 4의 혈액형은 B형이나 O형이다. 1의 혈장과 4의 적혈구는 응집 반응이 일어나지 않으므로 4의 적혈구에는 응집원 B가 없다. 따라서 4의 혈액형은 O형이다.

1의 혈장과 3의 적혈구가 응집 반응이 일어났으므로 3의 적혈구에는 응집원 B가 있다. 3의 혈액형은 B형이나 AB형인데, 1의 적혈구와 3의 혈장이 응집 반응이 일어나지 않았으므로 3의 혈액형은 응집소 α와 β가 없는 AB형이다.

ㄱ. 1이 A형인데, 3과 4는 AB형과 O형이므로 2는 B형이고 유전자형은 I^Bi이다.

ㄷ. 4의 동생이 태어날 때, $I^Ai\times I^Bi\to I^AI^B$, I^Ai, I^Bi, ii로 이 아이가 A형일 확률은 $\frac{1}{4}$이다.

바로알기 | ㄴ. 3의 ABO식 혈액형은 AB형이므로 유전자형은 I^AI^B로 이형 접합성이다.

394 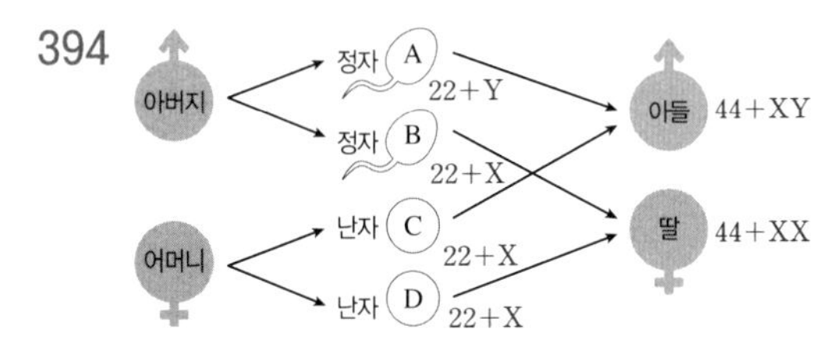

ㄱ. 정자 A와 난자 C가 수정하여 아들이 태어났으므로 정자 A에는 Y 염색체가 있다.

ㄷ. $\frac{\text{B에 들어 있는 상염색체 수}}{\text{D에 들어 있는 X 염색체 수}} = \frac{22}{1} = 22$이다.

바로알기 | ㄴ. 딸의 성염색체 구성은 XX이며, 아버지와 어머니에게서 X 염색체를 1개씩 물려받는다.

395 자료를 분석하면 다음과 같다.

> • ㉠정상 여자와 정상 남자 사이에서 A를 가진 아들이 태어난다.→정상이 우성 형질이고, 유전병 A가 열성 형질이다.
> • A를 가진 여자와 정상 남자 사이에서 태어난 아들은 항상 A를 가지고, ㉡딸은 항상 정상이다.→아버지의 정상 대립유전자는 딸에게만 전달되고, 어머니가 열성 형질인 A이면 아들이 항상 A이므로 A의 유전자는 X 염색체에 있다.

ㄱ. 정상인 부모 사이에서 A인 자녀가 태어났으므로 A는 정상에 대해 열성이다.

ㄷ. ㉠은 정상이지만 아들에게 A 대립유전자를 물려주었으므로 A 대립유전자를 갖는 보인자이다.

바로알기 | ㄴ. A의 유전자는 X 염색체에 있다.

ㄹ. ㉡은 정상이지만 어머니의 A 대립유전자를 물려받으므로 보인자이다. 정상 대립유전자를 R, A 대립유전자를 r라고 할 때 ㉡의 유전자형은 X^RX^r이다. 따라서 A인 남자와 결혼하여 아이가 태어날 때, $X^RX^r \times X^rY \rightarrow X^RX^r, X^RY, \underline{X^rX^r, X^rY}$로, 이 아이가 A일 확률은 $\frac{1}{2}$이다.

396 자료를 분석하면 다음과 같다.

> • 철수는 적록 색맹이다.→적록 색맹 대립유전자는 X 염색체에 있으며, 적록 색맹은 열성 형질이다. 철수의 적록 색맹 대립유전자는 어머니에게서 물려받은 것이다.
> • 철수의 누나는 적록 색맹이 아니다.
> • 철수의 고모는 적록 색맹이다.→할아버지는 적록 색맹이다.
> • 철수의 할머니는 적록 색맹이다.→철수의 아버지는 적록 색맹이다. 따라서 누나의 정상 대립유전자는 어머니에게서 물려받은 것이고, 어머니는 적록 색맹 보인자이다.

제시된 자료를 가계도로 나타내면 그림과 같다.

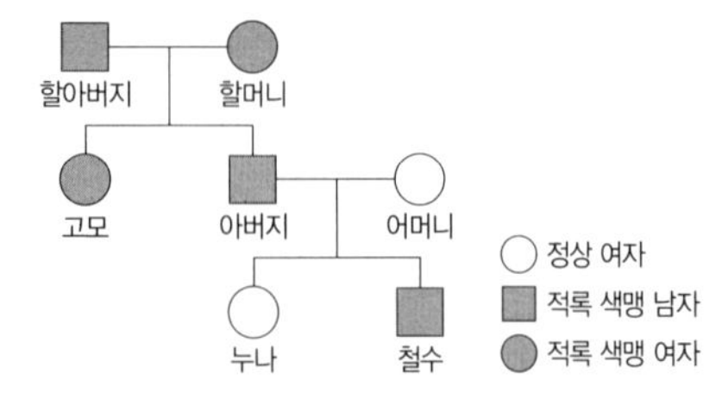

ㄱ. 할머니가 적록 색맹이므로 아버지도 적록 색맹이다.

ㄷ. 정상 대립유전자를 R, 적록 색맹 대립유전자를 r라고 할 때, 어머니는 보인자이고 아버지는 적록 색맹이므로 유전자형은 각각 X^RX^r, X^rY이다. $X^RX^r \times X^rY \rightarrow X^RX^r, X^RY, \underline{X^rX^r, X^rY}$로, 철수의 동생이 적록 색맹일 확률은 $\frac{1}{2}$이다.

바로알기 | ㄴ. 남자의 X 염색체는 어머니에게서 물려받은 것이므로 철수의 적록 색맹 대립유전자는 어머니로부터 물려받은 것이다.

397 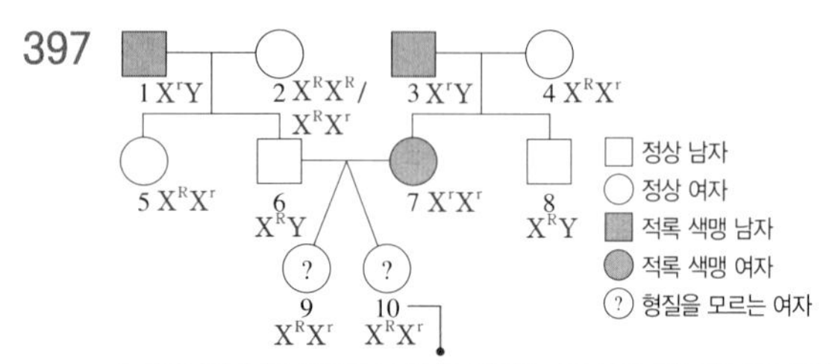

9, 10은 2란성 쌍둥이이다. 둘 다 여자이므로 6으로부터 정상 대립유전자(X^R)를, 7로부터 적록 색맹 대립유전자(X^r)를 물려받아 유전자형이 X^RX^r이다.

ㄴ. 9와 10은 유전자형이 X^RX^r이므로 표현형은 정상이다.

바로알기 | ㄱ. 6과 8은 적록 색맹 대립유전자를 갖지 않으므로 1~8 중 적록 색맹 대립유전자를 갖는 사람은 최대 6명이다.

ㄷ. 어머니 7이 적록 색맹(X^rX^r)이므로 10의 남동생은 어머니의 적록 색맹 대립유전자를 물려받아 적록 색맹일 확률이 1이다.

398 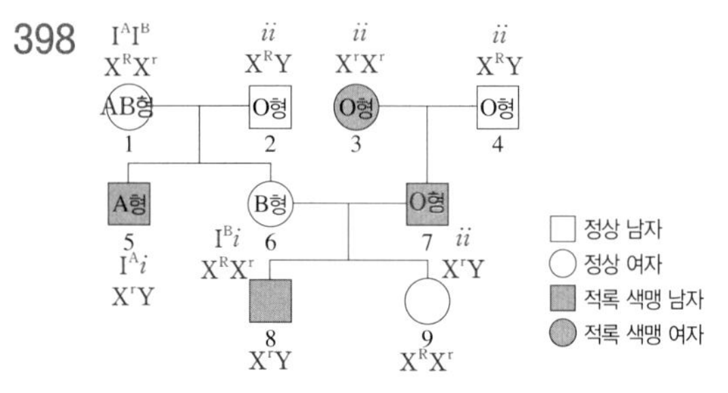

① 2는 O형인데 자녀 5와 6은 각각 A형과 B형이다. 따라서 1의 ABO식 혈액형은 AB형이다.

⑤ 6과 7로부터 O형인 아이가 태어날 확률은 $I^Bi \times ii \rightarrow I^Bi, \underline{ii}$로 $\frac{1}{2}$이다. 또한, 6과 7로부터 적록 색맹인 아이가 태어날 확률은 $X^RX^r \times X^rY \rightarrow X^RX^r, X^RY, \underline{X^rX^r, X^rY}$로 $\frac{1}{2}$이다. 따라서 9의 동생이 태어날 때, 이 아이가 O형이면서 적록 색맹일 확률은 $\frac{1}{2} \times \frac{1}{2} = \frac{1}{4}$이다.

바로알기 | ② 남자는 X 염색체를 1개 가지므로 정상인 4는 적록 색맹 대립유전자를 갖지 않는다.

③ 6은 B형이지만 아버지 2로부터 i를 물려받으므로 ABO식 혈액형의 유전자형은 I^Bi로 이형 접합성이다.

④ 남자 8의 적록 색맹 대립유전자는 어머니인 6으로부터 물려받은 것이고, 6의 적록 색맹 대립유전자는 1로부터 물려받은 것이다.

399 부모 1과 2는 정상인데 딸 3은 (가)이다. 따라서 정상이 우성 형질이고 (가)는 열성 형질이며, (가)의 유전자는 상염색체에 있다.

정상 대립유전자를 A, (가) 대립유전자를 a라고 할 때 가계도 구성원의 유전자형은 그림과 같다.

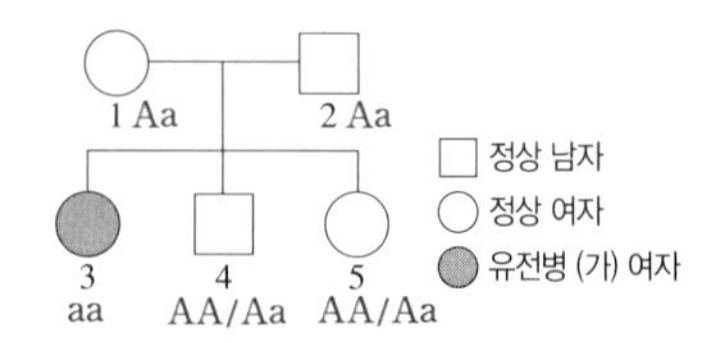

ㄱ. (가)의 유전자는 상염색체에 있다.

ㄷ. 3이 열성 형질인 (가)를 나타내므로(aa)이므로 1과 2는 모두 (가) 대립유전자를 갖는다(Aa).

바로알기 | ㄴ. 1의 유전자형은 Aa이지만, 5의 유전자형은 AA 또는 Aa이다.

400 부모는 A를 나타내는데 딸 1은 정상이다. 따라서 A가 우성 형질이고 정상이 열성 형질이며, A의 유전자는 상염색체에 있다.
A 대립유전자를 T, 정상 대립유전자를 T*라고 할 때 가계도 구성원의 유전자형은 그림과 같다.

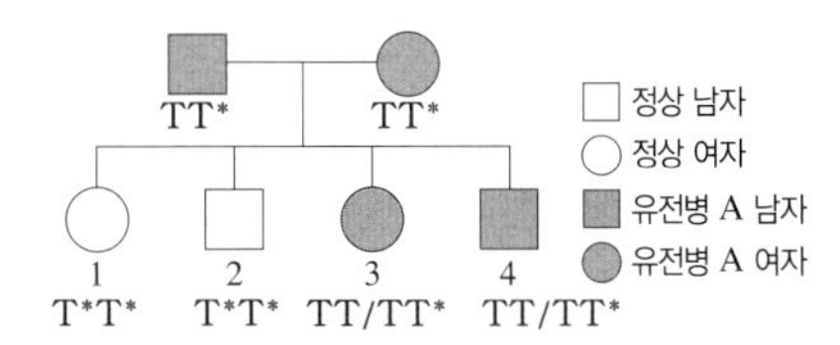

모범 답안 (1) 우성, 부모가 A인데 정상인 자녀가 태어났으므로 A는 우성 형질이다.
(2) 상염색체, 부모가 우성인데 열성인 딸이 태어났으므로 A의 유전자는 상염색체에 있다. (만일 A의 유전자가 Y 염색체에 있다면 A인 여자는 없고, X 염색체에 있다면 아버지가 우성 형질인 A일 때 딸은 반드시 A가 나타나야 하는데 그렇지 않으므로 A의 유전자는 상염색체에 있다.)

401 부모가 ㉠ 발현인데 1은 ㉠ 미발현이다. 따라서 ㉠ 발현이 우성 형질이고 ㉠ 미발현이 열성 형질이다. 아버지가 우성 형질인 ㉠ 발현인데 딸이 열성 형질인 ㉠ 미발현이다. 따라서 ㉠의 유전자는 X 염색체에 있지 않고 상염색체에 있다.
㉠ 발현 대립유전자를 A, ㉠ 미발현 대립유전자를 a라고 할 때 가계도 구성원의 유전자형은 그림과 같다.

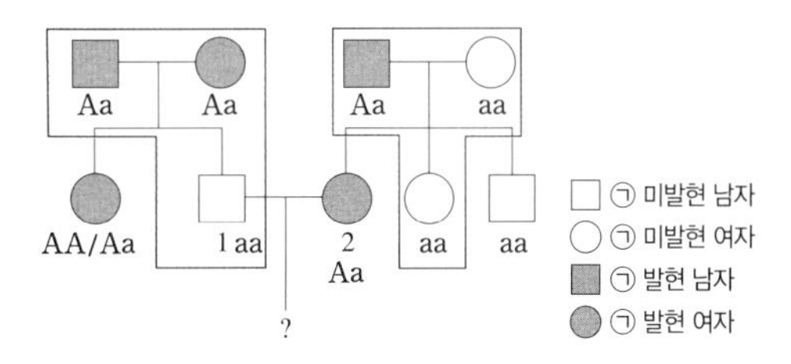

ㄱ. ㉠ 발현이 우성 형질이다. 만일 ㉠의 유전자가 X 염색체에 있다면 아버지가 우성인 ㉠ 발현이면 딸도 반드시 ㉠ 발현이어야 하는데 그렇지 않다. 따라서 ㉠의 유전자는 상염색체에 있다.
ㄷ. 1과 2 사이에서 아이가 태어날 때, aa×Aa → Aa, aa로 이 아이에게서 ㉠이 발현될 확률은 $\frac{1}{2}$이다.

바로알기 | ㄴ. ㉠ 발현 부모로부터 ㉠ 미발현 자녀가 태어났으므로 ㉠이 발현되는 것이 발현되지 않는 것에 대해 우성이다.

402 부모는 정상인데 아들이 (가)이다. 따라서 정상이 우성 형질이고, (가)는 열성 형질이다. 어머니 2가 (가)인데 아들 3이 정상이다. 따라서 (가)의 유전자는 상염색체에 있다.
정상 대립유전자를 A, (가) 대립유전자를 a라고 할 때 가계도 구성원의 유전자형은 그림과 같다.

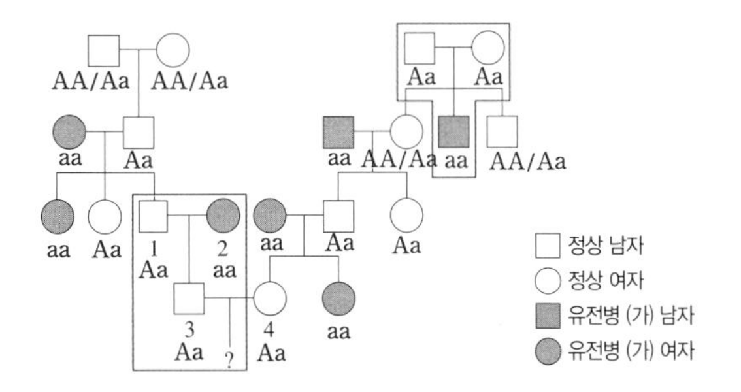

ㄴ. 1은 어머니로부터 물려받은 열성 대립유전자 a가 있고 4는 어머니로부터 물려받은 열성 대립유전자 a가 있다. 따라서 1과 4는 유전자형이 Aa로 모두 이형 접합성이다.
ㄷ. 3과 4는 모두 유전자형이 Aa이므로 이들 사이에서 아이가 태어날 때, Aa×Aa → AA, Aa, Aa, aa로 이 아이가 정상일 확률은 $\frac{3}{4}$이다.

바로알기 | ㄱ. (가)의 유전자는 상염색체에 있다.

403

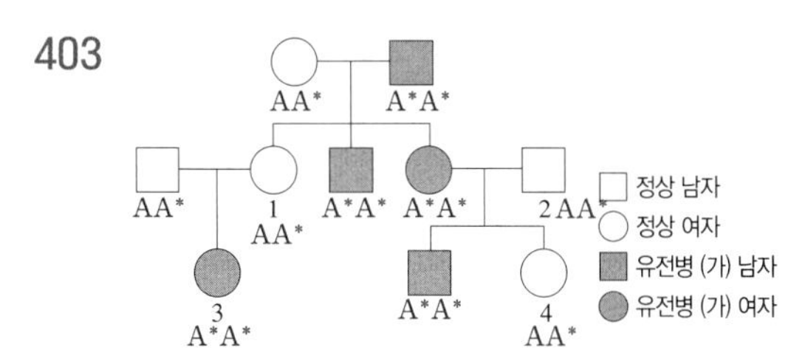

부모는 정상인데 딸이 유전병 (가)이다. 따라서 정상이 우성 형질이고, (가)는 열성 형질이며, 유전자는 상염색체에 있다.
A는 정상 대립유전자이고, A*는 (가) 대립유전자이다.
ㄴ. 가계도에 구성원의 유전자형을 써 보면 정상인 사람도 모두 A*를 가진 보인자이다. 즉, 구성원은 모두 A*를 가지고 있다.
ㄷ. 2는 아들이 (가)를 나타내므로 유전자형이 AA*이고, 4는 (가)인 어머니로부터 (가) 대립유전자인 A*를 물려받으므로 유전자형이 AA*이다. 즉, 2와 4의 유전자형은 모두 이형 접합성이다.
ㄹ. 부모는 정상이지만 딸 3이 (가)를 나타내므로(A*A*) 부모의 유전자형은 AA*이다. 3의 동생이 태어날 때, AA*×AA* → AA, AA*, AA*, A*A*이므로 이 아이가 (가)일 확률은 $\frac{1}{4}$이다.

바로알기 | ㄱ. 1의 유전자형은 AA*이고, (가)의 유전자는 상염색체에 있다.

404

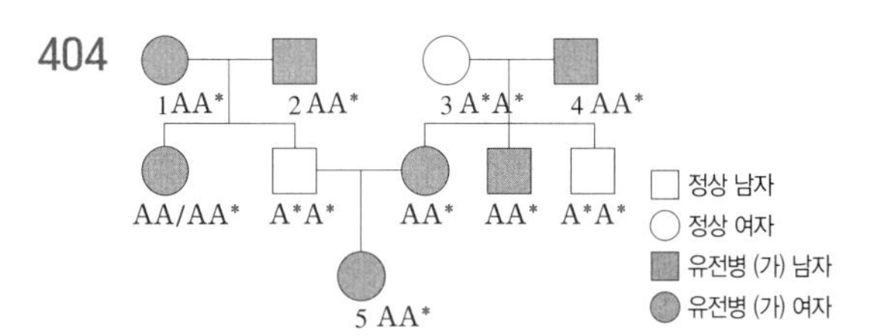

1과 2는 (가)인데 아들은 정상이다. 따라서 유전병 (가)는 우성 형질이다. 어머니 3이 열성 형질인 정상인데 (가)인 아들이 태어났다. 따라서 (가)의 유전자는 상염색체에 있다.
A는 (가) 대립유전자이고, A*는 정상 대립유전자이다.
ㄱ. 부모는 (가)인데 정상인 자녀가 태어났으므로 (가)는 우성 형질이다.
ㄴ. 1과 2의 유전자형은 AA*로 각각의 체세포 1개당 A의 수는 1이다. 3은 유전자형이 A*A*로 A의 수는 0이고, 4는 유전자형이 AA*로 A의 수가 1이다.

따라서 $\frac{\text{1, 2 각각의 체세포 1개당 A의 수를 더한 값}}{\text{3, 4 각각의 체세포 1개당 A의 수를 더한 값}} = \frac{1+1}{0+1} = 2$ 이다.

바로알기 | ㄷ. (가)는 우성 형질이므로 (가) 대립유전자 A가 있으면 유전병 (가)를 나타낸다. 5의 (가) 대립유전자는 어머니로부터 물려받은 것이고, 어머니는 (가)를 나타내는 4로부터 물려받은 것이다.

IV

405

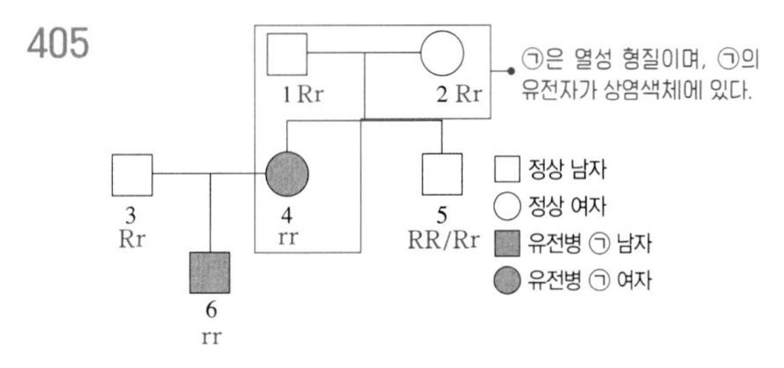

ㄱ. 정상인 부모 1과 2로부터 ㉠인 딸이 태어났으므로 ㉠은 열성 형질이고 ㉠의 유전자는 상염색체에 있다.

ㄷ. R는 정상 대립유전자이고 r는 ㉠ 대립유전자이다. 3과 4의 유전자형은 각각 Rr와 rr이다. 따라서 6의 동생이 태어날 때, Rr×rr → Rr, rr로 이 아이가 ㉠일 확률은 $\frac{1}{2}$이다.

바로알기 | ㄴ. 1과 2의 유전자형은 모두 Rr이고, 3의 유전자형은 Rr, 4의 유전자형은 rr이다.

따라서 $\frac{\text{1, 2 각각의 체세포 1개당 r의 수를 더한 값}}{\text{3, 4 각각의 체세포 1개당 r의 수를 더한 값}} = \frac{1+1}{1+2} = \frac{2}{3}$ 이다.

406

AA*　AA*

AA*　A*A*　철수 AA

□ 정상 남자　? 형질을 모르는 여자
■ 유전병 (가) 남자　● 유전병 (가) 여자

구분	DNA 상대량	
	A	A*
아버지	1	1
누나	1	1
형	0	2
철수	2	0

형의 유전자형은 A*A*이고 철수의 유전자형은 AA이다. ➜ 어머니는 A와 A*가 모두 있다.

ㄱ. 아버지와 누나의 유전자형이 AA*로 이형 접합성일 때 (가)이므로 (가)는 우성 형질이다.

ㄴ. (가)의 유전자가 X 염색체에 있다면 남자는 X 염색체를 1개 가지므로 A와 A*의 DNA 상대량 합이 1이 되어야 한다. 그런데 남녀 모두 A와 A*의 DNA 상대량 합이 2이므로 (가)의 유전자는 상염색체에 있다.

ㄷ. 어머니의 (가)의 유전자형은 AA*로 이형 접합성이다.

407

가족	유전병 (가)
어머니	○
형	×
누나	○
철수	○

(○: 있음, ×: 없음)

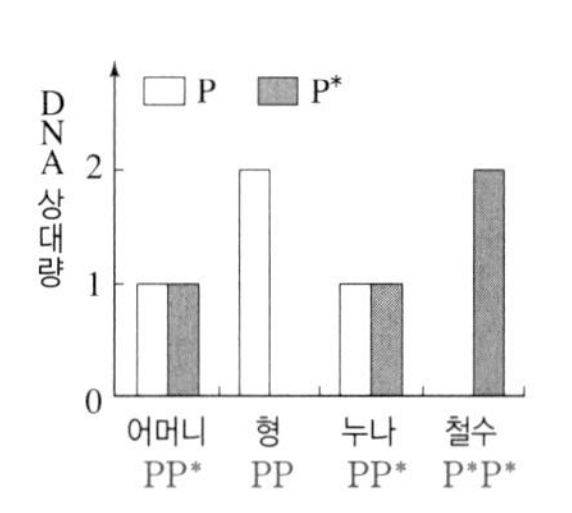

형의 유전자형이 PP인데 (가)를 나타내지 않고, 철수의 유전자형이 P*P*인데 (가)를 나타낸다. 따라서 P는 정상 대립유전자이고 P*는 (가) 대립유전자이다.

어머니와 누나의 유전자형이 PP*인데 (가)이므로 (가)는 우성 형질이다. 따라서 P는 열성 대립유전자이고 P*는 우성 대립유전자이다.

ㄷ. 형의 유전자형이 PP이고, 철수의 유전자형이 P*P*이므로 아버지에게 P와 P*가 모두 있다. 따라서 아버지의 유전자형은 PP*이고 (가)를 나타낸다.

바로알기 | ㄱ. 남녀 모두 P와 P* DNA 상대량의 합이 2로 같으므로 P와 P*는 상염색체에 있다.

ㄴ. P*는 P에 대해 우성이다.

408

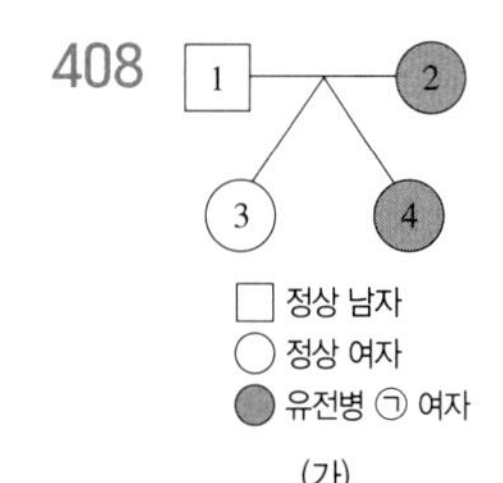

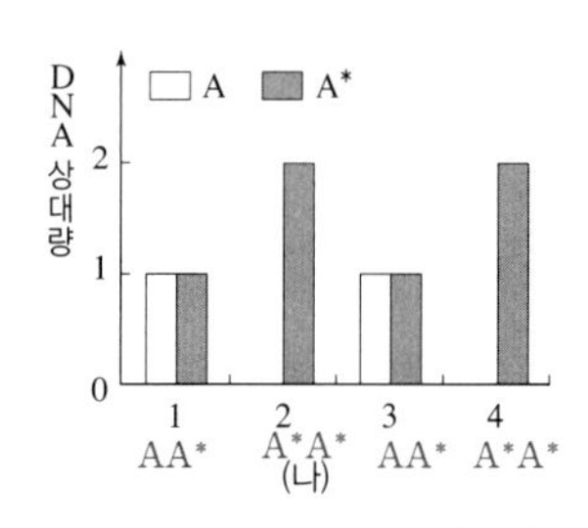

유전자형이 A*A*인 2와 4는 ㉠이지만 유전자형이 AA*인 1과 3은 정상이다. 따라서 A는 정상 대립유전자이고 A*는 ㉠ 대립유전자이며, ㉠은 열성 형질이다.

ㄱ. A는 정상 대립유전자이고 A*는 ㉠ 대립유전자인데, ㉠이 열성 형질이므로 A는 A*에 대해 우성이다.

ㄴ. 3의 유전자형은 AA*이다. 3의 A는 1로부터 물려받았고 A*는 2로부터 물려받은 것이다.

ㄷ. 3과 4는 유전자형이 AA*, A*A*로 다르므로 서로 다른 수정란으로부터 발생한 2란성 쌍둥이이다.

409 자료를 분석하면 다음과 같다.

- ㉠을 결정하는 1쌍의 대립유전자는 A와 a이며, A는 a에 대해 완전 우성이다. → ㉠은 단일 인자 유전 형질
- 영희네 가족 구성원의 ㉠ 발현 여부는 표와 같다.

구성원	아버지	어머니	오빠	영희	남동생
㉠ 발현 여부	○	×	○	×	×
유전자형	X^aY	X^AX^a	X^aY	X^AX^a	X^AY

(○: 발현됨, ×: 발현 안 됨)

- 영희와 오빠는 체세포 1개당 a의 DNA 상대량이 서로 같다. → 체세포 1개당 a의 DNA 상대량이 같은데 영희와 오빠의 ㉠ 발현 여부가 다른 것은 성별에 따른 것이다. 따라서 ㉠의 유전자는 성염색체인 X 염색체에 있다. ➜ 오빠의 ㉠ 발현 대립유전자는 어머니에게서 물려받은 것인데 어머니는 ㉠이 발현되지 않는다. 따라서 ㉠ 발현은 열성 형질이다.

ㄱ. ㉠을 결정하는 대립유전자 A와 a는 성염색체인 X 염색체에 있다.

ㄷ. ㉠ 발현 대립유전자는 열성이므로 a이고 ㉠ 미발현 대립유전자는 우성인 A이다. 가족 구성원 중 a를 갖지 않는 사람은 남동생이다.

바로알기 | ㄴ. 어머니는 ㉠ 대립유전자를 갖지만 ㉠이 발현되지 않았으므로 ㉠이 발현되는 것은 열성이다.

410

가족 구성원	DNA 상대량	
	H	h
아버지	1	0
누나	1	1
민수	0	1
남동생	1	ⓐ 0

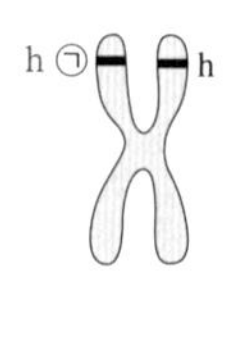

H와 h의 DNA 상대량 합이 남자(아버지, 민수)는 1이고, 여자(누나)는 2이므로 H와 h는 X 염색체에 있다.

ㄴ. 하나의 염색체를 구성하는 2개의 염색 분체는 DNA가 복제되어 형성되었으므로 유전자 구성이 동일하다. 따라서 ㉠은 h이다.

ㄷ. H와 h는 성염색체인 X 염색체에 있다.

바로알기 | ㄱ. 남자는 H와 h의 DNA 상대량 합이 1인데, 남동생의 H DNA 상대량이 1이므로 h DNA 상대량 ⓐ는 0이다.

ㄹ. 아들은 어머니에게서 X 염색체를 물려받는데, 민수는 h를, 남동생은 H를 물려받았으므로 어머니는 H와 h를 모두 가진다.

411 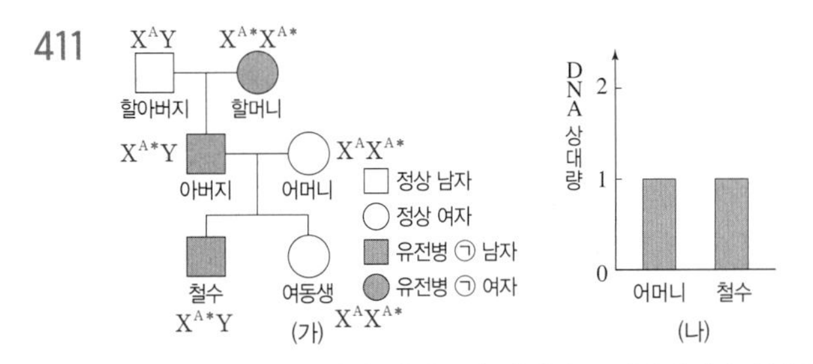

어머니와 철수는 A*를 1개씩 가지는데 어머니는 정상이지만 철수는 ㉠을 나타낸다. 따라서 ㉠의 유전자는 X 염색체에 있으며, A*는 ㉠ 대립유전자이고 정상 대립유전자 A에 대해 열성이다.

ㄴ. A와 A*는 성염색체인 X 염색체에 있다.

ㄹ. 여동생은 정상이지만 아버지에게서 ㉠ 대립유전자 A*를 물려받으므로 ㉠의 유전자형은 X^AX^{A*}로 이형 접합성이다.

바로알기 | ㄱ. A는 정상 대립유전자이다.

ㄷ. 철수의 A*는 X 염색체와 함께 어머니로부터 물려받은 것이다. 할머니의 A*는 아버지를 통해 여동생에게 전해졌다.

412 • A: 부모가 정상인데 딸이 A이므로 정상이 우성, A가 열성이고, 유전자는 상염색체에 있다.

• B: 부모가 B인데 딸이 정상이므로 B가 우성, 정상이 열성이고, 유전자는 상염색체에 있다.

• C: 아버지가 정상이면 딸이 모두 정상이고, 어머니가 C이면 아들이 모두 C이므로 정상이 우성, C가 열성이며, 유전자는 X 염색체에 있다.

• D: 아버지가 D이면 딸이 모두 D이고, 어머니가 정상이면 아들이 모두 정상이므로 D가 우성, 정상이 열성이며, 유전자는 X 염색체에 있다.

표현형이 같은 부모로부터 부모와는 다른 표현형을 가진 딸이 태어나면 부모의 형질이 우성이고 자녀의 형질이 열성이며 유전자는 상염색체에 있다. 유전자가 X 염색체에 있는 형질은 아버지가 우성이면 딸은 모두 우성이고, 어머니가 열성이면 아들은 모두 열성이다.

413 부모는 정상인데 아들 4가 (가)이므로 (가)는 열성 형질이다. R를 정상 대립유전자, r를 (가) 대립유전자라고 할 때, 가계도 구성원의 유전자형은 그림과 같다.

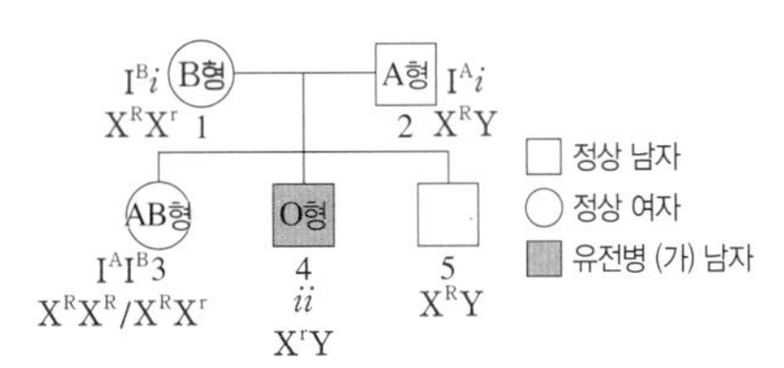

ㄱ. 2는 A형인데 자녀 3과 4가 각각 AB형과 O형이므로 1은 I^B와 i를 모두 가진다. 따라서 1의 ABO식 혈액형의 유전자형은 I^Bi이다.

바로알기 | ㄴ. (가)의 유전자는 X 염색체에 있으므로 아들 4의 (가) 대립유전자는 어머니인 1로부터 물려받은 것이다.

ㄷ. 1과 2로부터 O형인 아이가 태어날 확률은 $I^Bi \times I^Ai \rightarrow I^AI^B$, I^Ai, I^Bi, $\underline{ii}$로 $\frac{1}{4}$이고, (가)인 아이가 태어날 확률은 $X^RX^r \times X^RY \rightarrow X^RX^R$, X^RX^r, X^RY, $\underline{X^rY}$로 $\frac{1}{4}$이다. 따라서 5의 동생이 태어날 때, 이 아이가 O형이면서 (가)일 확률은 $\frac{1}{4} \times \frac{1}{4} = \frac{1}{16}$이다.

414 딸 3이 A형이므로 2는 I^A를 갖는다. 2의 ABO식 혈액형의 유전자형이 동형 접합성이므로 2의 유전자형은 I^AI^A이다.

2와 4는 ㉠ 대립유전자를 1개씩 가지는데 여자인 2는 정상이고 남자인 4는 ㉠이다. 따라서 ㉠의 유전자는 X 염색체에 있으며, ㉠은 열성 형질이다.

정상 대립유전자를 R, ㉠ 대립유전자를 r라고 할 때, 가계도 구성원의 유전자형은 그림과 같다.

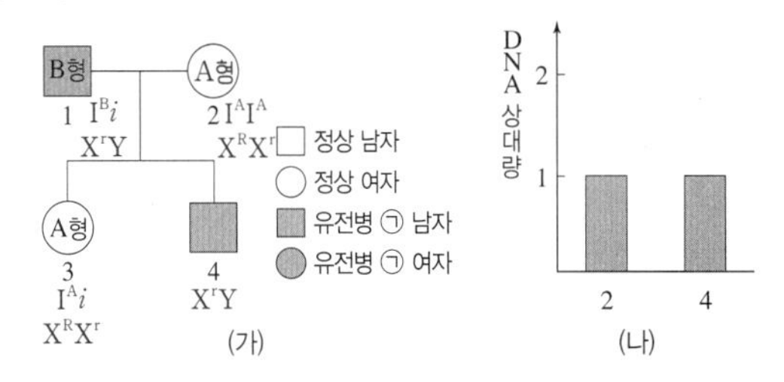

ㄷ. 1과 2로부터 AB형인 아이가 태어날 확률은 $I^Bi \times I^AI^A \rightarrow \underline{I^AI^B}$, I^Ai로 $\frac{1}{2}$이고, ㉠인 아이가 태어날 확률은 $X^rY \times X^RX^r \rightarrow X^RX^r$, $\underline{X^rX^r}$, X^RY, $\underline{X^rY}$로 $\frac{1}{2}$이다. 따라서 4의 동생이 태어날 때, 이 아이가 AB형이면서 ㉠일 확률은 $\frac{1}{2} \times \frac{1}{2} = \frac{1}{4}$이다.

바로알기 | ㄱ. ㉠ 대립유전자를 1개씩 가지더라도 남녀에 따라 ㉠의 발현 여부가 달라지므로 ㉠의 유전자는 X 염색체에 있다.

ㄴ. ㉠의 유전자가 X 염색체에 있으므로 아들 4는 어머니 2로부터 ㉠ 대립유전자를 물려받았다.

415 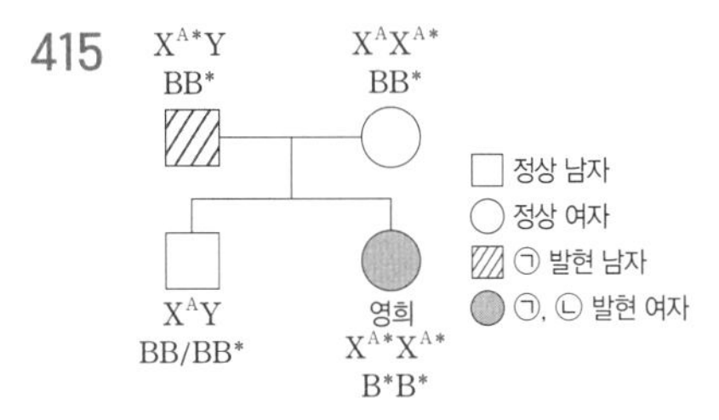

부모가 모두 정상인데 ㉡인 딸이 태어났다. 따라서 ㉡은 열성 형질이고 유전자는 상염색체에 있으며, B는 정상 대립유전자이고 B*는 ㉡ 대립유전자이다.

㉠은 X 염색체에 있으며, 영희의 유전자형은 동형 접합성이므로 열성 형질이다. 따라서 A는 정상 대립유전자이고 A*는 ㉠ 대립유전자이다.

ㄴ. 영희 어머니의 ㉠과 ㉡의 유전자형은 모두 이형 접합성이다.

ㄷ. 영희의 동생이 태어날 때, 이 아이가 ㉠이 발현될 확률은 $X^{A*}Y \times X^AX^{A*} \rightarrow X^AX^{A*}$, $\underline{X^{A*}X^{A*}}$, X^AY, $\underline{X^{A*}Y}$로 $\frac{1}{2}$이고, ㉡이 발현될 확률은 $BB^* \times BB^* \rightarrow BB$, BB^*, BB^*, $\underline{B^*B^*}$로 $\frac{1}{4}$이므로 ㉠과 ㉡이 모두 발현될 확률은 $\frac{1}{2} \times \frac{1}{4} = \frac{1}{8}$이다.

바로알기 | ㄱ. ㉠의 유전자는 X 염색체에 있고, ㉡의 유전자는 상염색체에 있다.

416 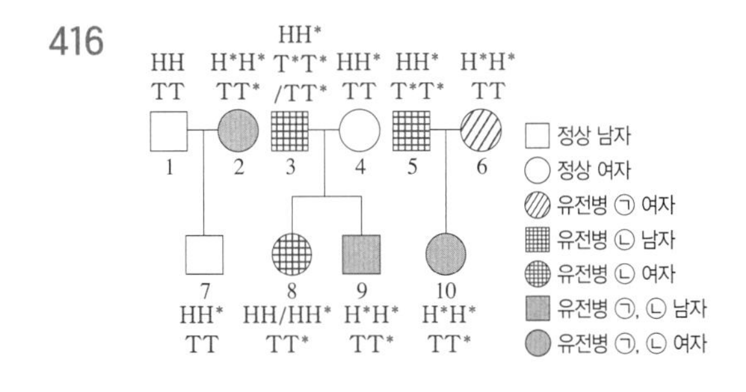

IV

남자 1은 ㉠의 유전자형이 동형 접합성이므로 정상 대립유전자 H를 2개 가지며 ㉠의 유전자는 상염색체에 있다. 3과 4는 정상인데 아들 9가 ㉠을 나타내므로 ㉠은 열성 형질이다.

5와 6은 T와 T* 중 한 가지만 가지므로 딸 10의 유전자형은 TT*인데 ㉡이 나타났으므로 ㉡은 우성 형질이다. 3의 ㉡ 대립유전자 T*가 아들 9에게 전달되어 ㉡이 나타났으므로 ㉡의 유전자는 상염색체에 있다.

ㄱ. ㉠과 ㉡의 유전자는 모두 상염색체에 있다.

바로알기 | ㄴ. ㉠은 열성 형질이지만 ㉡은 우성 형질이다.

ㄷ. ㉡이 우성 형질이므로 정상 대립유전자 T는 ㉡ 대립유전자 T*에 대해 열성이다.

417

자료를 분석하면 다음과 같다.

- ㉠과 ㉡의 유전자는 서로 다른 상염색체에 있다.→ ㉠과 ㉡은 독립적으로 유전된다.
- ㉠은 1쌍의 대립유전자 B와 B*에 의해 결정되며, B는 B*에 대해 완전 우성이다.
- ㉡은 복대립 유전 형질이고 대립유전자에는 D, E, F가 있다. 유전자형이 DF인 사람과 DD인 사람의 표현형은 같고, 유전자형이 EF인 사람과 EE인 사람의 표현형은 같다.→ D는 F에 대해 우성이고, E는 F에 대해 우성이다.
- ㉡의 유전자형이 DF인 여자와 EF인 남자 사이에서 아이가 태어날 때, 이 아이에게서 나타날 수 있는 표현형은 최대 4가지이다.→ DF × EF → DE, DF, EF, FF인데 표현형이 최대 4가지이므로 D와 E 사이에는 우열 관계가 없다.

ㄱ. 단일 인자 유전 형질은 1쌍의 대립유전자에 의해 형질이 결정되는 것으로, ㉠과 ㉡은 모두 단일 인자 유전 형질이다. ㉡은 대립유전자는 3가지가 있지만 한 사람이 갖는 유전자는 한 쌍이므로 단일 인자 유전 형질이다.

ㄷ. ㉠과 ㉡의 유전자형이 BB*DE인 여자와 BB*DF인 남자 사이에서 아이가 태어날 때, ㉠의 표현형은 (BB, BB*) (B*B*) 2가지이고, ㉡의 표현형은 (DD, DF) (DE) (EF)의 3가지이므로 이 아이에게서 나타날 수 있는 표현형은 최대 $2 \times 3 = 6$가지이다.

바로알기 | ㄴ. D와 E는 F에 대해서는 우성이지만 DE는 DF, EF와는 표현형이 다르므로 D와 E 사이에는 우열 관계가 없다.

개념 보충

복대립 유전에서 대립유전자 간의 우열 관계

- 대립유전자의 수가 3가지이고 표현형이 3가지인 경우: 대립유전자 간의 우열 관계가 분명하다.
- 대립유전자의 수가 3가지이고 표현형이 4가지인 경우: 대립유전자 중 2가지는 우열 관계가 분명하지 않다.

418

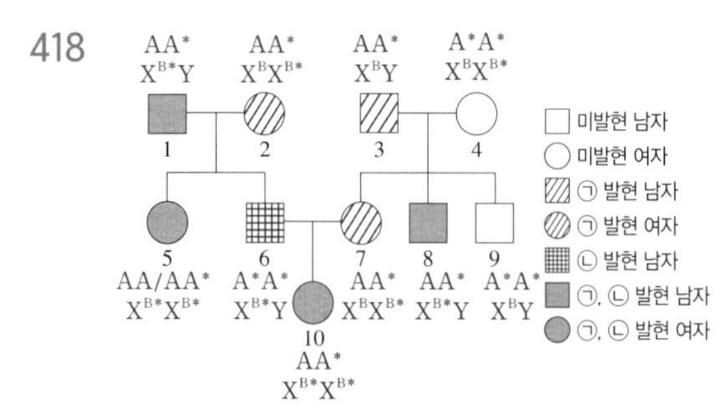

1과 2는 ㉠ 발현인데 6은 ㉠ 미발현이다. 따라서 ㉠은 우성 형질이며, A는 ㉠ 발현 대립유전자이고 A*는 ㉠ 미발현 대립유전자이다. 여자 4는 열성 형질인 ㉠ 미발현이데 아들 8은 우성 형질인 ㉠ 발현이다. 따라서 ㉠의 유전자는 상염색체에 있다.

㉡은 성염색체인 X 염색체에 있으며, 어머니 2는 ㉡ 미발현인데 아들 6은 ㉡ 발현이다. 따라서 ㉡은 열성 형질이며, B는 ㉡ 미발현 대립유전자이고 B*는 ㉡ 발현 대립유전자이다.

ㄱ. ㉠의 유전자는 상염색체에 있고, ㉡의 유전자는 X 염색체에 있다.

ㄴ. 3과 4의 ㉠의 유전자형은 각각 AA*와 A*A*이므로 3, 4 각각의 체세포 1개당 A*의 수를 더한 값은 3이다. 5와 6의 ㉡의 유전자형은 각각 $X^{B*}X^{B*}$와 $X^{B*}Y$이므로 5와 6의 체세포 1개당 B*의 수를 더한 값도 3이다.

바로알기 | ㄷ. 6과 7로부터 ㉠ 발현 아이가 태어날 확률은 A*A* × AA* → $\underline{AA^*}$, A*A*로 $\frac{1}{2}$이고, ㉡ 미발현 아이가 태어날 확률은 $X^{B*}Y \times X^{B}X^{B*} \rightarrow \underline{X^{B}X^{B*}}, X^{B*}X^{B*}, \underline{X^{B}Y}, X^{B*}Y$로 $\frac{1}{2}$이다. 따라서 10의 동생이 태어날 때, 이 아이에게서 ㉠은 발현되고 ㉡이 발현되지 않을 확률은 $\frac{1}{2} \times \frac{1}{2} = \frac{1}{4}$이다.

419

아버지와 누나 모두 A*를 2개 가지므로 A*는 상염색체에 있으며, 철수의 유전자형은 AA*인데 ㉠ 미발현이므로 ㉠은 열성 형질이다. A는 ㉠ 미발현 대립유전자이고 A*는 ㉠ 발현 대립유전자이다. 누나와 철수 모두 B*를 1개 갖는데 누나는 ㉡이 발현되지 않지만 철수는 ㉡ 발현이다. 따라서 B*는 X 염색체에 있으며, ㉡은 열성 형질이다. B는 ㉡ 미발현 대립유전자이고 B*는 ㉡ 발현 대립유전자이다.

ㄱ. ㉡을 결정하는 대립유전자 B와 B*는 X 염색체에 있다.

ㄴ. ㉠과 ㉡은 모두 열성 형질이다.

ㄷ. 아버지의 유전자형은 $A^*A^*X^{B}Y$이고, 누나, 형, 철수의 유전자형은 각각 $A^*A^*X^{B}X^{B*}$, $AA^*X^{B}Y$, $AA^*X^{B*}Y$이다. 누나의 A* 하나와, 형과 철수의 A는 어머니에게서 물려받은 것이다. 또한, 형의 X^{B}와 철수의 X^{B*}는 어머니에게서 물려받은 것이다. 따라서 어머니의 유전자형은 $AA^*X^{B}X^{B*}$이므로 ㉠과 ㉡이 모두 발현되지 않는다.

420

P와 P*의 DNA 상대량 합이 남자와 여자 모두 2이므로 P와 P*는 상염색체에 있다.

가족 구성원	P	P*	T	T*
아버지	0	2	0	ⓑ 1
언니	1	1	1	1
영희	0	ⓐ 2	? 1	1
남동생	1	1	0	1

T와 T*의 DNA 상대량 합이 남자(남동생)는 1이고, 여자(언니)는 2이므로 T와 T*는 X 염색체에 있다.

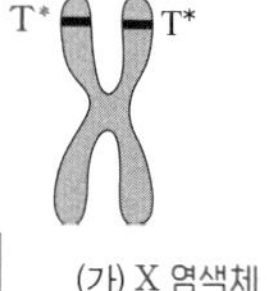

(가) X 염색체

ㄴ. ⓐ+ⓑ=2+1=3이다.

ㄷ. 아버지의 유전자형은 P*P*인데 언니와 남동생은 P를 가지며, 영희는 P*P*이므로 어머니의 유전자형은 PP*이다. 아버지의 유전자형은 $X^{T*}Y$인데 언니와 영희는 X^{T}를 가지며 남동생은 X^{T*}를 가지므로 어머니의 유전자형은 $X^{T}X^{T*}$이다. 따라서 어머니는 P와 T를 모두 가지고 있다.

바로알기 | ㄱ. (가)에는 T*가 있으므로 (가)는 X 염색체이다.

421

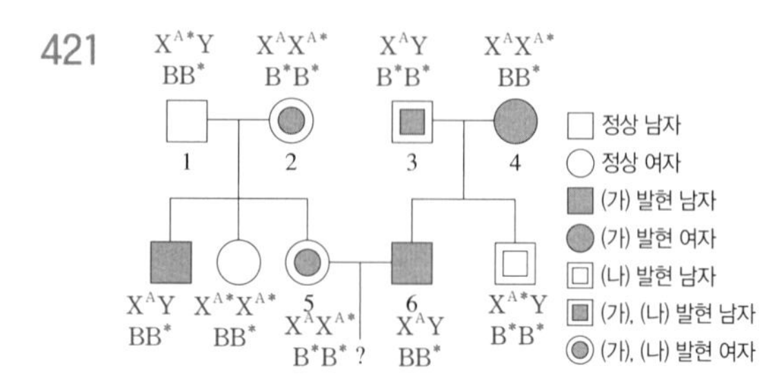

구성원		1	2	3	4
DNA 상대량	A*	ⓐ 1	1	0	1
	B*	1	2	ⓑ 2	1

2는 B*를 2개 가지며 (나) 발현이므로 B*는 (나) 발현 대립유전자이다. 1은 B*를 1개 가지는데 정상이므로 유전자형이 BB*이다. 따라서 (나)는 열성 형질이고 유전자는 상염색체에 있으며, B는 정상 대립유전자이고 B*는 (나) 발현 대립유전자이다.

(가)의 유전자는 X 염색체에 있으며, 여자 4는 (가) 발현인데 아들 중에 (가) 미발현이 있다. 따라서 (가)는 우성 형질이고 A는 (가) 발현 대립유전자, A*는 정상 대립유전자이다.

③ (가)의 유전자는 성염색체에 있고 (나)의 유전자는 상염색체에 있다.

⑤ 5, 6 각각의 체세포 1개당 A의 수를 더한 값은 2이고, 3, 4 각각의 체세포 1개당 B의 수를 더한 값은 1이다.

바로알기 | ①, ② (가)는 우성 형질, (나)는 열성 형질이다.

④ ⓐ+ⓑ=1+2=3이다.

⑥ 5와 6 사이에서 아이가 태어날 때, (가)가 발현될 확률은 $X^AX^{A*} \times X^AY \rightarrow \underline{X^AX^A, X^AX^{A*}, X^AY}, X^{A*}Y$로 $\frac{3}{4}$, (나)가 발현될 확률은 $B^*B^* \times BB^* \rightarrow BB^*, \underline{B^*B^*}$로 $\frac{1}{2}$이므로 (가)와 (나)가 모두 발현될 확률은 $\frac{3}{4} \times \frac{1}{2} = \frac{3}{8}$이다.

개념 보충

다양한 자료에서의 가계도 분석 TIP

- 정상인 부모 사이에서 유전병을 가진 딸이 태어났다면 이 유전병은 상염색체 유전이며 열성인 형질이다.
- 남녀에서 유전병 대립유전자의 DNA 상대량이 같지만 표현형이 다를 경우에는 이 유전병 대립유전자는 X 염색체에 있고 열성이다.
- 남자와 여자에서 각각 한 가지 대립유전자만 가지고 있는데, 자녀의 성별에 따라 형질이 다를 경우 유전자가 X 염색체에 있다.

422

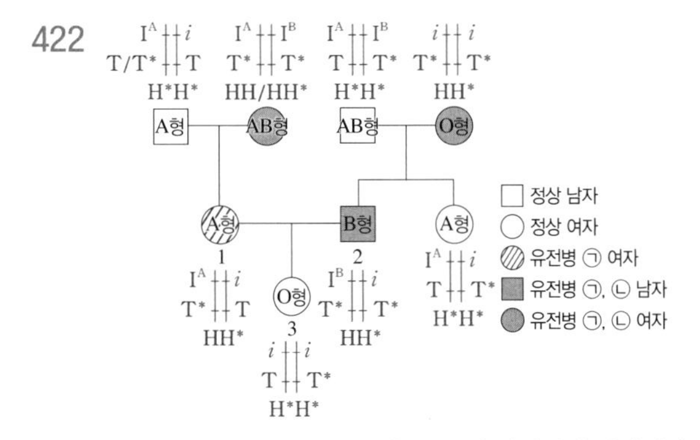

1과 2는 ㉠인데 딸은 정상이므로 ㉠은 우성 형질이며 상염색체에 있다. 따라서 H는 ㉠ 대립유전자이고, H*는 정상 대립유전자이다.

2의 I^B는 AB형인 아버지로부터 물려받은 것인데 아버지는 H* 밖에 없다. 만일 ㉠의 유전자가 ABO식 혈액형의 유전자와 같은 염색체에 있다면 2에게서 i와 H가 같은 염색체에 있어야 하고 3은 H를 가져야 하는데 그렇지 않으므로 ㉡의 유전자가 ABO식 혈액형의 유전자와 같은 염색체에 있다.

2는 어머니로부터 i와 ㉡ 대립유전자를 함께 물려받았고, 이것이 3에게 전달되었다. 그런데 3은 ㉡이 발현되지 않았으므로 ㉡은 열성 형질이다. 따라서 T는 정상 대립유전자이고 T*는 ㉡ 대립유전자이다.

ㄴ. ㉡은 열성 형질이므로 1은 어머니(T*T*)로부터 T*를 물려받지만 ㉡이 아니므로 유전자형은 TT*로 이형 접합성이다.

ㄷ. 1과 2 사이에서 ㉠인 아이가 태어날 확률은 $HH^* \times HH^* \rightarrow \underline{HH, HH^*, HH^*}, H^*H^*$로 $\frac{3}{4}$이고, ㉡이 미발현인 아이가 태어날 확률은 $TT^* \times T^*T^* \rightarrow \underline{TT^*}, T^*T^*$로 $\frac{1}{2}$이다. 따라서 3의 동생이 태어날 때, 이 아이에게서 ㉠과 ㉡ 중 ㉠만 나타날 확률은 $\frac{3}{4} \times \frac{1}{2} = \frac{3}{8}$이다.

바로알기 | ㄱ. ㉡의 유전자가 ABO식 혈액형과 같은 염색체에 있으므로 ㉠의 유전자는 ABO식 혈액형과 같은 염색체에 있지 않다.

423

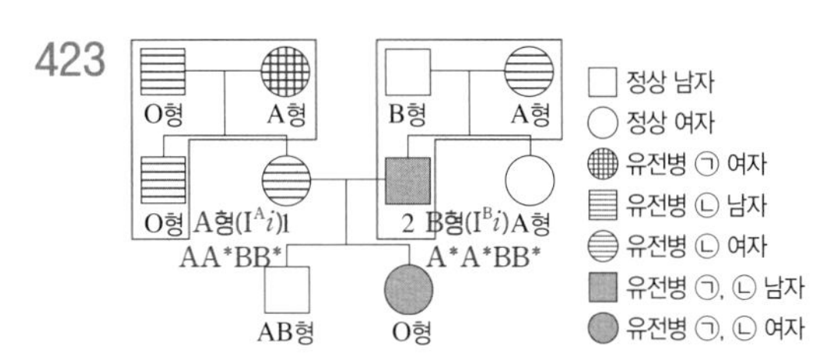

부모는 ㉠이 아닌데 아들 2는 ㉠이므로 ㉠은 열성 형질이다. 따라서 A가 우성, A*가 열성이다. 어머니는 ㉠인데 아들은 ㉠이 아니므로 ㉠의 유전자는 상염색체에 있다. 1과 2는 모두 ㉡인데 아들이 정상이므로 ㉡은 우성 형질이다. 따라서 B가 열성, B*가 우성이다. 어머니는 ㉡이 아닌데 아들은 ㉡이므로 ㉡의 유전자는 상염색체에 있다.

ㄷ. 1과 2 사이에서 O형인 아이가 태어날 확률은 $I^Ai \times I^Bi \rightarrow I^AI^B, I^Ai, I^Bi, \underline{ii}$로 $\frac{1}{4}$, ㉠인 아이가 태어날 확률은 $AA^* \times A^*A^* \rightarrow AA^*, \underline{A^*A^*}$로 $\frac{1}{2}$, ㉡인 아이가 태어날 확률은 $BB^* \times BB^* \rightarrow BB, \underline{BB^*, BB^*, B^*B^*}$로 $\frac{3}{4}$이다. 따라서 이 모든 형질이 모두 나타날 확률은 $\frac{1}{4} \times \frac{1}{2} \times \frac{3}{4} = \frac{3}{32}$이다.

바로알기 | ㄱ. ㉠의 유전자와 ㉡의 유전자는 모두 상염색체에 있다.

ㄴ. ㉡인 1과 2 사이에서 ㉡이 아닌 아들이 태어났으므로 ㉡은 우성 형질이다. 따라서 정상 대립유전자(B)는 ㉡ 대립유전자(B*)에 대해 열성이다.

424 자료를 분석하면 다음과 같다.

- ㉠과 ㉡은 각각 대립유전자 T와 T*, R와 R*에 의해 결정된다. T는 T*에 대해, R는 R*에 대해 각각 완전 우성이다.
- 가계도는 구성원의 ㉠과 ㉡의 유무를 나타낸 것이다.

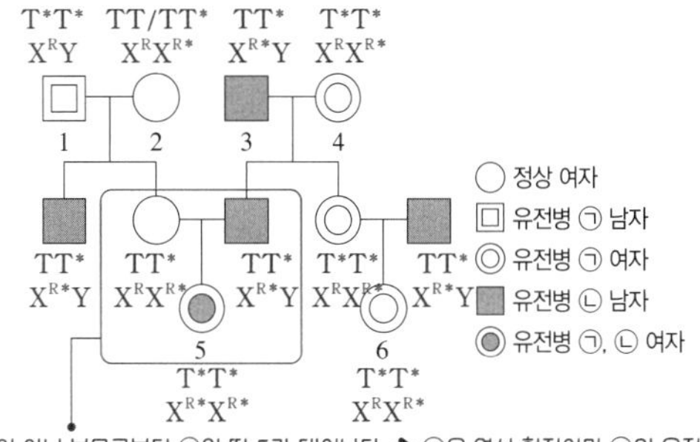

㉠이 아닌 부모로부터 ㉠인 딸 5가 태어났다. ➔ ㉠은 열성 형질이며 ㉠의 유전자는 상염색체에 있다. T는 정상 대립유전자이고 T*는 ㉠ 대립유전자이다.

- 1~4의 체세포 1개당 R개수의 합과 1~4의 체세포 1개당 R*개수의 합은 서로 같다. → 1과 2는 정상인데 아들이 ㉡이므로 ㉡은 열성 형질이다. R는 정상 대립유전자이고 R*는 ㉡ 대립유전자이다.

i) ㉡의 유전자가 상염색체에 있을 경우
1: RR^*, 2: RR^*, 3: R^*R^*, 4: RR^*로 R가 3개, R^*가 5개이므로 조건에 맞지 않다.
ii) ㉡의 유전자가 X 염색체에 있을 경우
1: RY, 2: RR^*, 3: R^*Y, 4: RR^*로 R와 R^*의 개수는 각각 3개로 같다.
• ㉢의 유전자는 X 염색체에 있으며, 이 유전병은 열성으로 유전된다.
→ ©의 유전자와 ㉡의 유전자는 X 염색체에 함께 있다.
• ㉢은 1에게서만 발현된다. → 1의 X 염색체에는 R와 © 대립유전자가 있다. 정상 대립유전자를 A, © 대립유전자를 A^*라고 가정한다.

③ 2는 정상이지만 아들이 ㉡이므로 R^*를 가지고 있으며, 6은 아버지로부터 R^*를 물려받는다. 따라서 2와 6의 ㉡의 유전자형은 X^RX^{R*}로 같다.
⑤ 6의 동생이 태어날 때, 이 아이에게서 ㉠이 나타날 확률은 $T^*T^* \times TT^* \to TT^*, \underline{T^*T^*}$로 $\frac{1}{2}$이고, ㉡이 나타날 확률은 $X^RX^{R*} \times X^{R*}Y \to X^RX^{R*}, \underline{X^{R*}X^{R*}}, X^RY, \underline{X^{R*}Y}$로 $\frac{1}{2}$이다. 따라서 ㉠과 ㉡이 모두 나타날 확률은 $\frac{1}{2} \times \frac{1}{2} = \frac{1}{4}$이다.
바로알기 | ① ㉠과 ㉡은 모두 열성 형질이다.
② ㉡의 유전자는 X 염색체에 있다.
④ 1에서 ㉢ 대립유전자(A^*)는 R와 함께 X 염색체에 있다. 이것은 5의 어머니에게 R와 함께 유전되었지만 5의 어머니는 ㉢이 나타나지 않았으므로 2로부터 R^*와 A가 있는 X 염색체를 물려받았다. 5는 ㉡을 나타내므로 어머니로부터 R^*가 있는 X 염색체를 물려받았으므로 A를 물려받았다. 또한, 5의 아버지는 ㉢을 나타내지 않으므로 X 염색체에 A가 있다. 따라서 5에게서 ㉢의 유전자형은 AA로 동형 접합성이다.

16 다인자 유전

빈출 자료 보기

130쪽

425 (1) × (2) ○ (3) × (4) ○ (5) ○

425 (2) AaBb인 개체에서 형성할 수 있는 생식세포의 종류는 AB, Ab, aB, ab 4가지이다.
(4) ㉠과 ㉡에서 형성하는 생식세포는 대문자로 표시되는 대립유전자의 수는 각각 (2, 1, 0) (1, 0)이므로 자손에서 대문자로 표시되는 대립유전자의 수는 (3, 2, 1, 0)이므로 털색의 종류는 최대 4가지이다.
(5) 자손의 털색이 ㉠과 같이 대문자로 표시되는 대립유전자의 수가 2일 확률은 다음과 같이 계산할 수 있다. 대문자로 표시되는 대립유전자의 수가 (난자 2×정자 0)+(난자 1×정자 1)$=\left(\frac{1}{4} \times \frac{1}{2}\right)+\left(\frac{1}{2} \times \frac{1}{2}\right)=\frac{3}{8}$이다.
바로알기 | (1) 털색은 2쌍의 대립유전자에 의해 결정되는 다인자 유전 형질이다.
(3) Aabb인 개체에서 형성할 수 있는 생식세포의 종류는 Ab, ab의 2가지이다.

난이도별 필수 기출

131~133쪽

426 ④ 427 ⑤ 428 ④ 429 ① 430 ③
431 (1) 8 (2) 4 (3) $\frac{3}{8}$ 432 ④ 433 ⑤ 434 ⑤ 435 ②
436 ③ 437 ④

426 ㄱ. 체중과 키처럼 연속적인 변이가 나타나는 형질은 다인자 유전 형질이다.
ㄴ. 다인자 유전은 형질의 발현에 환경의 영향을 받는다.
ㄹ. 형질의 발현에 여러 쌍의 대립유전자가 관여하는 것을 다인자 유전이라고 한다.
바로알기 | ㄷ. 다인자 유전 형질은 관여하는 유전자의 수가 많고 환경의 영향을 받으므로 표현형이 연속적인 변이로 나타난다.

427

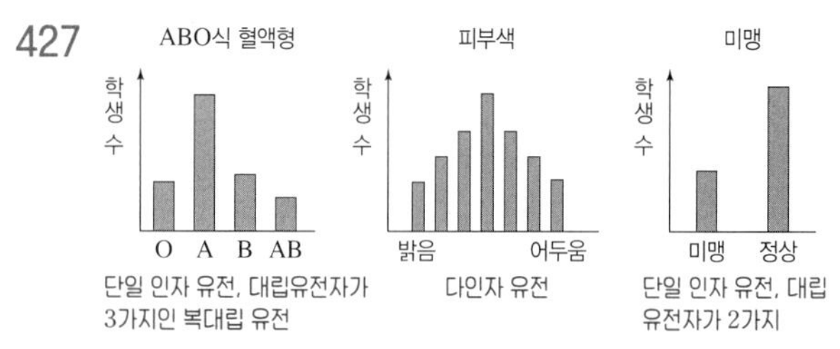

ㄴ. ABO식 혈액형과 미맹은 1쌍의 대립유전자에 의해 형질이 결정되는 단일 인자 유전에 해당한다.
ㄷ. 피부색은 다인자 유전 형질로, 형질을 결정하는 대립유전자가 2쌍 이상으로 1쌍의 대립유전자에 의해 형질이 결정되는 ABO식 혈액형보다 많다.
ㄹ. ABO식 혈액형과 미맹은 유전자에 의해서만 형질이 결정되고 환경의 영향을 받지 않으므로 유전자 구성이 동일한 1란성 쌍둥이는 ABO식 혈액형과 미맹 여부가 일치한다.
바로알기 | ㄱ. ABO식 혈액형은 대립 형질이 A형, B형, AB형, O형으로 뚜렷하게 구별된다.

428

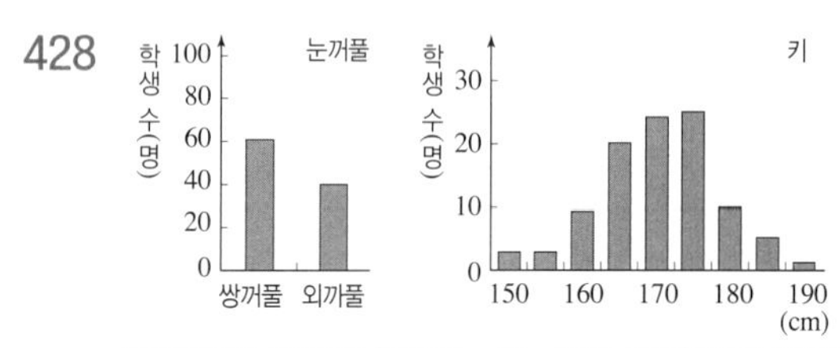

ㄱ. 눈꺼풀은 표현형이 두 가지이고 우열 관계가 뚜렷하므로 1쌍의 대립유전자에 의해 형질이 결정되는 단일 인자 유전 형질이다.
ㄷ. 키와 같은 다인자 유전 형질은 눈꺼풀보다 형질 발현에 환경의 영향을 많이 받기 때문에 변이가 매우 다양하게 나타난다.
바로알기 | ㄴ. 키는 여러 쌍의 대립유전자에 의해 형질이 결정되는 다인자 유전 형질로 우성과 열성을 뚜렷하게 구분하기 어렵다.

429

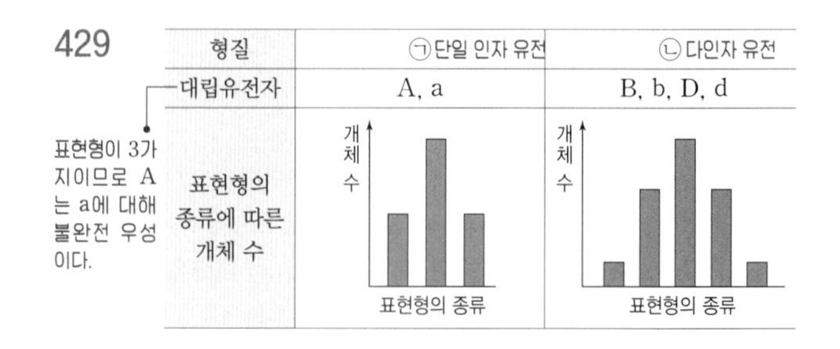

ㄴ. ㉠의 대립유전자는 A와 a의 2가지인데 표현형이 3가지이다. 따라서 A와 a 사이에 우열 관계가 불완전하여 유전자형이 AA, Aa, aa가 각각 다른 표현형을 나타낸다.

바로알기 | ㄱ. ㉡은 2쌍의 대립유전자에 의해 형질이 결정되므로 다인자 유전이다. 복대립 유전은 대립유전자의 종류는 3가지 이상이지만 1쌍의 대립유전자에 의해 형질이 결정되는 단일 인자 유전이다.

ㄷ. ㉡은 다인자 유전 형질이며, 유전자형이 BBdd인 사람과 BbDd인 사람은 대문자로 표시되는 대립유전자의 수가 2로 같으므로 표현형이 같다.

430 자료를 분석하면 다음과 같다.

- 피부색은 서로 다른 상염색체에 있는 3쌍의 대립유전자 A와 a, B와 b, D와 d에 의해 결정된다. → 다인자 유전
- A, B, D는 피부색을 어둡게 하는 유전자이고, a, b, d는 피부색을 밝게 하는 유전자이다.
- 피부색의 표현형은 유전자형에서 대문자로 표시되는 대립유전자의 수에 의해서만 결정된다. → 대문자로 표시되는 대립유전자의 수가 같으면 표현형이 같다.
- 유전자형이 AaBbDd인 부모에게서 태어난 ㉠ 자녀가 가질 수 있는 피부색의 표현형은 최대 ⓐ가지이다. → AaBbDd인 부모에서 형성될 수 있는 생식세포에서 대문자로 표시되는 대립유전자의 수는 각각 3, 2, 1, 0으로 4가지이다. 따라서 자녀에게서 대문자로 표시되는 대립유전자의 수가 6, 5, 4, 3, 2, 1, 0이므로 피부색의 표현형은 최대 7가지이다.

ㄱ. 피부색은 3쌍의 대립유전자에 의해 결정되므로 다인자 유전 형질이다.

ㄴ. 자녀가 가질 수 있는 표현형의 최대 가지 수 ⓐ는 7이다.

바로알기 | ㄷ. AaBbDd인 부모에게서 형성되는 생식세포에서 대문자로 표시되는 대립유전자의 수가 3(ABD)일 확률은 $\frac{1}{8}$, 2(ABd, AbD, aBD)일 확률은 $\frac{3}{8}$, 1(Abd, aBd, abD)일 확률은 $\frac{3}{8}$, 0(abd)일 확률은 $\frac{1}{8}$이다. 따라서 자손 ㉠에게서 대문자로 표시되는 대립유전자의 수가 3이 되는 경우는 (정자 3×난자 0)+(정자 2×난자 1)+(정자 1×난자 2)+(정자 0×난자 3)$=\left(\frac{1}{8}\times\frac{1}{8}\right)+\left(\frac{3}{8}\times\frac{3}{8}\right)+\left(\frac{3}{8}\times\frac{3}{8}\right)+\left(\frac{1}{8}\times\frac{1}{8}\right)=\frac{20}{64}$이다.

431 자료를 분석하면 다음과 같다.

- 피부색은 서로 다른 상염색체에 있는 3쌍의 대립유전자 A와 a, B와 b, C와 c에 의해 결정된다. → 다인자 유전
- A, B, C는 피부색을 어둡게 하는 유전자이고, a, b, c는 피부색을 밝게 하는 유전자이다.
- 피부색의 표현형은 유전자형에서 대문자로 표시되는 대립유전자의 수에 의해서만 결정된다. → 대문자로 표시되는 대립유전자의 수가 같으면 표현형이 같다.
- 검은색 피부(AABBCC)와 흰색 피부(aabbcc)를 가진 부모 사이에서 ㉠ 갈색 피부(AaBbCc)를 가진 개체가 태어났다. → ㉠에게서 나올 수 있는 생식세포의 유전자형은 ABC, ABc, AbC, Abc, aBC, aBc, abC, abc이다.
- ㉠과 흰색 피부(aabbcc) 개체 사이에서 ㉡ 자손을 얻었다. → ㉡의 표현형은 대문자로 표시되는 대립유전자의 수가 3, 2, 1, 0이므로 4가지이다.

(3) ㉡에게서 Aabbcc, 즉 대문자로 표시되는 대립유전자의 수가 1인 표현형이 나타날 확률은 ㉠이 대문자로 표시되는 대립유전자의 수가 1인 생식세포를 형성하는 확률과 같다. AaBbCc인 개체에서 대문자로 표시되는 대립유전자의 수가 1(Abc, aBc, abC)인 생식세포를 형성할 확률은 $\frac{3}{8}$이다.

432 자료를 분석하면 다음과 같다.

- (가)는 서로 다른 상염색체에 있는 2쌍의 대립유전자 A와 a, B와 b에 의해 결정된다. → 다인자 유전
- (가)는 유전자형에서 대문자로 표시되는 대립유전자의 수에 의해서만 결정되며, 대문자로 표시되는 대립유전자의 수가 다르면 (가)의 표현형이 서로 다르다. → 대문자로 표시되는 대립유전자의 수가 같으면 표현형이 같다.

ㄱ. 유전자형이 AaBb, AAbb, aaBB인 개체는 모두 대문자로 표시되는 대립유전자의 수가 2로 같으므로 표현형이 모두 같다.

ㄷ. 유전자형이 AaBb인 개체에서 형성하는 생식세포에서 대문자로 표시되는 대립유전자의 수가 2(AB)일 확률은 $\frac{1}{4}$, 1(Ab, aB)일 확률은 $\frac{1}{2}$, 0(ab)일 확률은 $\frac{1}{4}$이다. 따라서 같은 유전자형끼리 교배하였을 때 표현형이 AABb, 즉 대문자로 표시되는 대립유전자의 수가 3인 자손이 태어날 확률은 (정자 2×난자 1)+(정자 1×난자 2)$=\left(\frac{1}{4}\times\frac{1}{2}\right)+\left(\frac{1}{2}\times\frac{1}{4}\right)=\frac{2}{8}=\frac{1}{4}$이다.

바로알기 | ㄴ. 유전자형이 AaBb인 개체에서 형성할 수 있는 생식세포는 대문자로 표시되는 대립유전자의 수가 2, 1, 0의 3가지이며, 이들끼리 교배할 경우 자손은 대문자로 표시되는 대립유전자의 수가 4, 3, 2, 1, 0이 가능하므로 (가)의 표현형은 최대 5가지이다.

433 자료를 분석하면 다음과 같다.

- (가)는 서로 다른 상염색체에 있는 3쌍의 대립유전자 A와 a, B와 b, D와 d에 의해 결정된다. → 다인자 유전, A, B, D는 독립적으로 유전된다.
- (가)는 유전자형에서 대문자로 표시되는 대립유전자의 수에 의해서만 결정되며, 대문자로 표시되는 대립유전자의 수가 다르면 (가)의 표현형이 서로 다르다. → 대문자로 표시되는 대립유전자의 수가 같으면 표현형이 같다.
- 유전자형이 ㉠ AabbDd인 개체와 ㉡ AaBbDd인 개체 사이에서 ㉢ 자손이 태어났다. → ㉠이 만들 수 있는 생식세포는 AbD, Abd, abD, abd의 4가지이고, ㉡이 만들 수 있는 생식세포는 ABD, ABd, AbD, Abd, aBD, aBd, abD, abd의 8가지이다.

ㄱ. ㉡에게서 8가지 생식세포가 형성될 수 있으며, 그중에는 abD도 있다.

ㄴ. ㉠이 형성할 수 있는 생식세포는 대문자로 표시되는 대립유전자의 수가 2, 1, 0이고, ㉡이 형성할 수 있는 생식세포는 대문자로 표시되는 대립유전자의 수가 3, 2, 1, 0이다. 따라서 ㉠과 ㉡ 사이의 자손 ㉢은 대문자로 표시되는 대립유전자의 수가 5, 4, 3, 2, 1, 0으로 (가)의 표현형은 최대 6가지이다.

ㄷ. ㉠에게서 형성되는 생식세포에서 대문자로 표시되는 대립유전자의 수가 2일 확률은 $\frac{1}{4}$, 1일 확률은 $\frac{1}{2}$, 0일 확률은 $\frac{1}{4}$이다. ㉡에게서 형성되는 생식세포에서 대문자로 표시되는 대립유전자의 수가 3일 확률은 $\frac{1}{8}$, 2일 확률은 $\frac{3}{8}$, 1일 확률은 $\frac{3}{8}$, 0일 확률은 $\frac{1}{8}$이다. 이들의 자손 ㉢에게서 ㉠과 같이 대문자로 표시되는 대립유전자의 수가 2일 확률은 $(2\times0)+(1\times1)+(0\times2)=\left(\frac{1}{4}\times\frac{1}{8}\right)+\left(\frac{1}{2}\times\frac{3}{8}\right)+\left(\frac{1}{4}\times\frac{3}{8}\right)=\frac{10}{32}=\frac{5}{16}$이다.

434 자료를 분석하면 다음과 같다.

- ㉠은 3쌍의 대립유전자 A와 a, B와 b, D와 d에 의해 결정된다. → ㉠은 다인자 유전
- ㉠의 표현형은 유전자형에서 대문자로 표시되는 대립유전자의 수에 의해서만 결정되며, 이 대립유전자의 수가 다르면 ㉠의 표현형이 다르다. → ㉠은 대문자로 표시되는 대립유전자의 수가 같으면 표현형이 같다.
- ㉡은 대립유전자 E와 e에 의해 결정되며, E는 e에 대해 완전 우성이다. → ㉡은 단일 인자 유전
- A, B, D, E 유전자는 각각 서로 다른 상염색체에 있다. → A, B, D, E는 독립적으로 유전된다.

ㄱ. ㉠은 3쌍의 대립유전자에 의해 형질이 결정되므로 다인자 유전 형질이고, ㉡은 1쌍의 대립유전자에 의해 형질이 결정되므로 단일 인자 유전 형질이다.

ㄴ. x쌍의 상동 염색체를 가진 생물($2n=2x$)로부터 대립유전자 조합이 서로 다른 2^x종류의 생식세포가 형성된다.

A, B, D, E가 서로 다른 염색체에 있어서 독립적으로 유전되므로 AaBbDdEe인 개체에서 형성될 수 있는 생식세포의 유전자형은 최대 $2^4=16$가지이다.

ㄷ. 유전자형이 AaBbDdEe인 개체와 aabbddee인 개체 사이에서 자손이 태어날 때, ㉠의 표현형은 대문자로 표시되는 대립유전자의 수가 3, 2, 1, 0의 4가지이고, ㉡의 표현형은 2가지(Ee, ee)이므로 자손에게서 나타날 수 있는 표현형은 최대 $4\times2=8$가지이다.

435 자료를 분석하면 다음과 같다.

- ㉠은 1쌍의 대립유전자 A와 a에 의해 결정되며, 나타날 수 있는 표현형은 최대 3가지이다. → ㉠은 단일 인자 유전, 불완전 우성, 표현형은 AA, Aa, aa의 3가지
- ㉡은 2쌍의 대립유전자 B와 b, D와 d에 의해 결정된다. → ㉡은 다인자 유전
- ㉡의 표현형은 유전자형에서 대문자로 표시되는 대립유전자의 수에 의해서만 결정되며, 이 대립유전자의 수가 다르면 ㉡의 표현형이 다르다. → 대문자로 표시되는 대립유전자의 수가 같으면 표현형이 같다.
- A, B, D 유전자는 각각 서로 다른 상염색체에 있다. → A, B, D는 독립적으로 유전된다.

유전자형이 AaBbDd인 수컷과 암컷 사이에서 자손이 태어날 때, 이 자손에게서 ㉠의 표현형이 부모와 같을 확률은 Aa×Aa → AA, Aa, Aa, aa로 $\frac{1}{2}$이다. 또, ㉡의 생식세포의 유전자형은 BD, Bd, bD, bd의 4가지이고, 대문자로 표시된 대립유전자의 수가 2(BD)일 확률은 $\frac{1}{4}$, 1(Bd, bD)일 확률은 $\frac{1}{2}$, 0(bd)일 확률은 $\frac{1}{4}$이다. 자손에게서 ㉡의 표현형이 부모와 같은 대문자로 표시된 대립유전자의 수가 2일 확률은 (정자 2×난자 0)+(정자 1×난자 1)+(정자 0×난자 2) $=\left(\frac{1}{4}\times\frac{1}{4}\right)+\left(\frac{1}{2}\times\frac{1}{2}\right)+\left(\frac{1}{4}\times\frac{1}{4}\right)=\frac{6}{16}=\frac{3}{8}$이다. 따라서 자손에게서 ㉠과 ㉡의 표현형이 부모와 같을 확률은 $\frac{1}{2}\times\frac{3}{8}=\frac{3}{16}$이다.

436

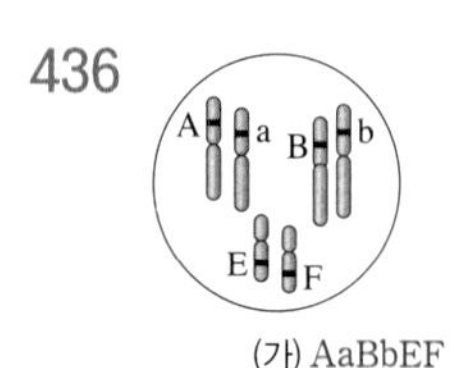

(가) AaBbEF

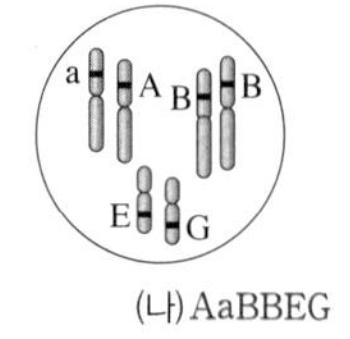

(나) AaBBEG

㉠은 2쌍의 대립유전자 A와 a, B와 b에 의해 결정된다고 했으므로 ㉠은 다인자 유전 형질이다.

㉡은 대립유전자 E, F, G에 의해 결정되며, E, F, G 사이의 우열 관계는 분명하다고 했고 그림에서 ㉡의 유전자는 1쌍이므로 ㉡은 단일 인자 유전 형질이며, 대립유전자가 3가지이므로 복대립 유전 형질이다.

ㄱ. ㉠은 2쌍의 대립유전자에 의해 형질이 결정되는 다인자 유전 형질이고, ㉡은 1쌍의 대립유전자에 의해 형질이 결정되는 단일 인자 유전 형질이며 대립유전자가 3가지이므로 복대립 유전 형질이다.

ㄴ. (가)와 (나) 사이에서 태어나는 자손의 ㉡의 유전자형은 EF×EG → EE, EG, EF, FG이다. E, F, G 사이의 우열 관계가 분명하므로 자손의 ㉡의 표현형이 최대가 되는 것은 자손에 공통으로 가장 많이 들어 있는 대립유전자가 열성이 되는 경우이다. 즉, E가 F와 G에 대해 열성이 되는 것이다. 대립유전자의 우열 관계가 F>G>E라면 자손의 표현형은 (EF, FG) (EG) (EE)의 3가지이고, G>F>E라면 자손의 표현형은 (EG, FG) (EF) (EE)의 3가지이다. 따라서 자손의 ㉡의 표현형은 최대 3가지이다. 만일 자손에게 공통으로 가장 많이 들어 있는 E가 우성이라면 자손의 표현형은 (EE, EG, EF) (FG) 2가지이다.

바로알기 | ㄷ. (가)와 (나)에서 형성하는 생식세포에서 ㉠의 대문자로 표시되는 대립유전자의 수는 각각 (2, 1, 0), (2, 1)이므로 이들 사이에 태어나는 자손의 ㉠의 표현형은 대문자로 표시되는 대립유전자의 수가 4, 3, 2, 1로 최대 4가지이다.

다른 해설 ㉠에 대해 형성되는 생식세포의 종류는 (가)에서는 AB, Ab, aB, ab이고, (나)에서는 AB, aB이다. 이들 사이에서 생기는 자손은 다음과 같다.

생식세포	AB(2)	Ab(1)	aB(1)	ab(0)
AB(2)	AABB(4)	AABb(3)	AaBB(3)	AaBb(2)
aB(1)	AaBB(3)	AaBb(2)	aaBB(2)	aaBb(1)

따라서 자손의 ㉠의 표현형은 대문자로 표시되는 대립유전자의 수가 4, 3, 2, 1로 최대 4가지이다.

437 자료를 분석하면 다음과 같다.

- (가)는 2쌍의 대립유전자 A와 a, B와 b에 의해 결정된다. → (가)는 다인자 유전
- (나)는 1쌍의 대립유전자에 의해 결정되며, (나)의 유전자에는 대립유전자 P, Q, R가 있으며, P, Q, R 사이의 우열 관계는 분명하다. PP와 PQ의 표현형이 같고 QR와 QQ의 표현형이 같다. → (나)는 단일 인자 유전, 복대립 유전, P는 Q에 대해 우성이며, Q는 R에 대해 우성(P>Q>R)
- (가)의 유전자와 (나)의 유전자는 서로 다른 상염색체에 있다. → (가)와 (나)는 독립 유전
- (가)의 표현형은 유전자형에서 대문자로 표시되는 대립유전자의 수에 의해서만 결정되며, 이 대립유전자의 수가 다르면 (가)의 표현형이 다르다. → 대문자로 표시되는 대립유전자의 수가 같으면 표현형이 같다.
- ㉠ 유전자형이 AaBbPQ인 수컷과 AaBbPR인 암컷 사이에서 ㉡ 자손이 태어날 때, 이 자손에서 나타날 수 있는 표현형은 최대 6가지이다. → (나)의 표현형은 2가지이므로 (가)의 표현형은 3가지이다. ➔ 염색체 상에 AB/ab로 배열되어 있다.

자손 ㉡에게서 나타날 수 있는 (나)에 대한 표현형은 PQ×PR → PP, PQ, PR, QR로 (PP, PQ, PR) (QR)의 2가지이고 ㉠과 같은 표현형일 확률은 $\frac{3}{4}$이다.

A와 B, a와 b가 같은 염색체에 있으므로 자손 ㉡에서 ㉠과 같이 (가)의 대문자로 표시된 대립유전자의 수가 2일 확률은 $\frac{1}{2}$이다.

생식세포	AB(2)	ab(0)
AB(2)	AABB(4)	AaBb(2)
ab(0)	AaBb(2)	aabb(0)

따라서 ㉡에게서 표현형이 ㉠과 같을 확률은 (가)가 같을 확률×(나)가 같을 확률$=\frac{1}{2}\times\frac{3}{4}=\frac{3}{8}$이다.

개념 보충

(가)의 유전자가 염색체에 위치하는 방식에 따른 자손의 표현형은 다음과 같다.

(1) A와 B가 서로 다른 염색체에 있어서 독립적으로 유전될 경우: AaBb인 개체에서 형성할 수 있는 생식세포의 대문자로 표시되는 대립유전자의 수는 2, 1, 0의 3가지가 되고, 이들의 교배로 생길 수 있는 자손의 (가)의 표현형은 대문자로 표시되는 대립유전자의 수가 4, 3, 2, 1, 0로 5가지이다.

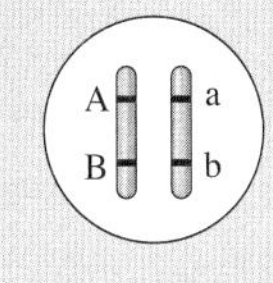

(2) A와 b, a와 B가 같은 염색체에 있을 경우: AaBb인 개체에서 형성할 수 있는 생식세포는 Ab, aB로 대문자로 표시되는 대립유전자의 수는 1이고, 이들의 교배로 생길 수 있는 자손의 (가)의 표현형은 대문자로 표시되는 대립유전자의 수가 2로 1가지이다.

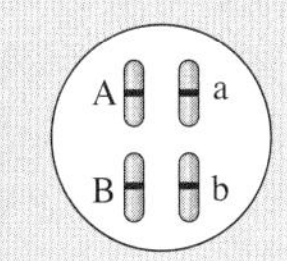

(3) A와 B, a와 b가 같은 염색체에 있을 경우: AaBb인 개체에서 형성할 수 있는 생식세포는 AB, ab로 대문자로 표시되는 대립유전자의 수는 2, 0의 2가지이고, 이들의 교배로 생길 수 있는 자손의 (가)의 표현형은 대문자로 표시되는 대립유전자의 수가 4, 2, 0으로 3가지이다.

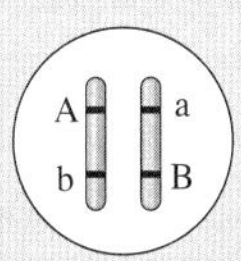

17 사람의 유전병

빈출 자료 보기 135쪽

438 (1) × (2) ○ (3) × (4) ○ (5) ○ (6) × (7) ○

438

세포	염색체 수	DNA 상대량	
		H	h
㉠ Ⅲ	ⓐ3	2	ⓑ0
㉡ Ⅱ	6	2	2
㉢ Ⅰ	ⓒ6	1	1
㉣ Ⅳ	ⓓ2	0	0

Ⅰ은 $2n$이고 DNA 복제가 일어나기 전이다. 대립유전자 H와 h가 모두 있으며 DNA 상대량은 각각 1이므로 ㉢이다.

Ⅱ는 $2n$이고 DNA 복제가 일어난 후이다. 대립유전자 H와 h가 모두 있으며 DNA 상대량은 각각 2이므로 ㉡이다.

Ⅲ은 n이므로 대립유전자 중 1가지만 있고 DNA 상대량은 2이므로 ㉠이다.

Ⅳ는 n이므로 대립유전자 중 1가지만 있고 DNA 상대량은 1이어야 한다. 그런데 감수 2분열에서 염색체 비분리가 일어났다면 DNA 상대량이 2이거나 0이므로 ㉣이다.

(2), (4) ㉡과 ㉢이 H와 h가 모두 있으므로 핵상이 $2n$인 Ⅰ과 Ⅱ 중 하나이고, ㉠은 H의 DNA 상대량이 2이므로 Ⅲ이다.

(7) Ⅳ는 H와 h 중 한 가지를 가져야 하는데 두 가지 모두 없으므로 Ⅳ가 형성될 때 염색체 비분리가 일어난 것이다. Ⅳ의 핵상은 $n-1$이고 염색체 수는 2이다.

바로알기 | (1) ⓐ+ⓓ=3+2=5이고, ⓑ+ⓒ=0+6=6이다.

(3) ㉢은 H와 h가 모두 있으므로 핵상이 $2n$이고, DNA 상대량이 각각 1이므로 복제되기 전의 상태인 Ⅰ이다.

(6) Ⅲ(㉠)은 H를 가지고 있으므로 이로부터 형성되는 정자는 H를 가진다.

난이도별 필수 기출 136~141쪽

439 ⑤ 440 ③ 441 ② 442 (1) (가) 감수 1분열, (나) 감수 2분열, (다) 감수 2분열 (2) ㉠ $n+1$, ㉡ n, ㉢ $n-1$ (3) 터너 증후군
443 ④ 444 ③ 445 ③ 446 ① 447 ③ 448 ②
449 ② 450 ⑤ 451 ④ 452 ③ 453 ㄴ, ㄷ
454 ㄱ, ㄷ 455 ②, ③, ⑤ 456 ③ 457 ③
458 ① 459 ⑤ 460 해설 참조 461 ④ 462 ③

439

(가) 터너 증후군 44+X

(나) 다운 증후군 45+XY

ㄱ. (가)에서 상염색체는 22쌍, 44개로 정상이지만 성염색체는 X 염색체 1개만 있으므로 A는 터너 증후군의 염색체 이상을 보인다.

ㄴ. (나)에서 21번 염색체가 3개이므로 B는 다운 증후군이다. 이와 같은 염색체 수 이상은 부모 중 한쪽에서 염색체 비분리가 일어난 생식세포와 정상 생식세포가 수정하는 경우 나타날 수 있다.

ㄷ. $\frac{\text{(나)의 상염색체 수}}{\text{(가)의 성염색체 수}}=\frac{45}{1}=45$이다.

440 ① (다)는 성염색체 구성이 XXY이므로 클라인펠터 증후군의 염색체 이상을 보인다.

② (나)는 성염색체인 X 염색체가 1개인 터너 증후군이다. 이것은 핵상이 $n-1$인 정자(22)와 핵상이 정상인 난자(22+X)의 수정(44+X)으로 태어날 수 있다.

④ (나)와 (다)는 모두 성염색체 비분리가 일어난 생식세포가 수정한 경우이다.

⑤ (가)~(다)와 같은 염색체 수 이상은 핵형 분석으로 알 수 있다.

바로알기 | ③ (가)는 상염색체인 21번 염색체가 3개이므로 상염색체 수가 45이다. (다)는 상염색체 수는 44로 정상이지만 성염색체 수가 3이다. 따라서 상염색체는 (가)가 (다)보다 1개 많다.

441

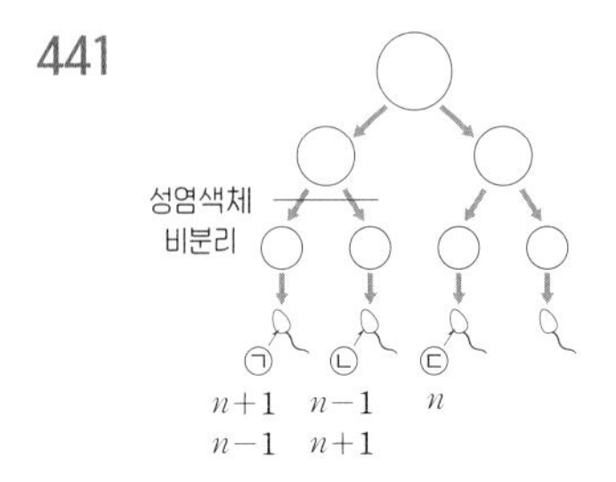

성염색체 비분리가 감수 1분열에 일어났다면 ㉠과 ㉡의 염색체 수는 같아야 한다. 따라서 감수 1분열에서 염색체 비분리가 일어나지 않았다.

성염색체 비분리가 ㉠과 ㉡이 형성되는 감수 2분열에 일어났다면 ㉠과 ㉡의 염색체 수는 각각 22와 24 중 하나이며, 정상적인 분열로 형성된 ㉢의 염색체 수는 23이다.

ㄷ. 감수 분열이 일어나는 과정에서 성염색체 비분리만 1회 일어났으므로 상염색체 수는 ㉠~㉢ 모두 정상인 22이다.

바로알기 | ㄱ. ㉠~㉢의 염색체 수가 모두 다르므로 ㉠과 ㉡을 형성하는 감수 2분열에서 염색체 비분리가 일어났다.

ㄴ. ㉠과 ㉡의 핵상은 각각 $n-1$과 $n+1$ 중 하나이며, ㉢의 핵상은 n이다.

442

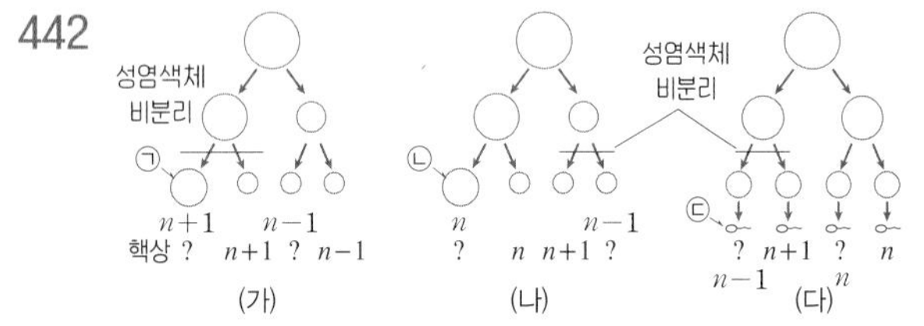

감수 1분열에서 염색체 비분리가 1회 일어나면 $n+1$, $n-1$인 생식세포를 형성한다. 감수 2분열에서 염색체 비분리가 1회 일어나면 n, $n-1$, $n+1$인 생식세포를 형성한다. 따라서 (가)는 감수 1분열에서 염색체 비분리가 일어났고, (나)와 (다)는 감수 2분열에서 염색체 비분리가 일어났다.

㉠의 염색체 구성은 22+XX, ㉡의 염색체 구성은 22+X, ㉢의 염색체 구성은 22이다. ㉡과 ㉢이 수정하면 (22+X)+22=44+X로 터너 증후군을 나타내는 아이가 태어난다.

443

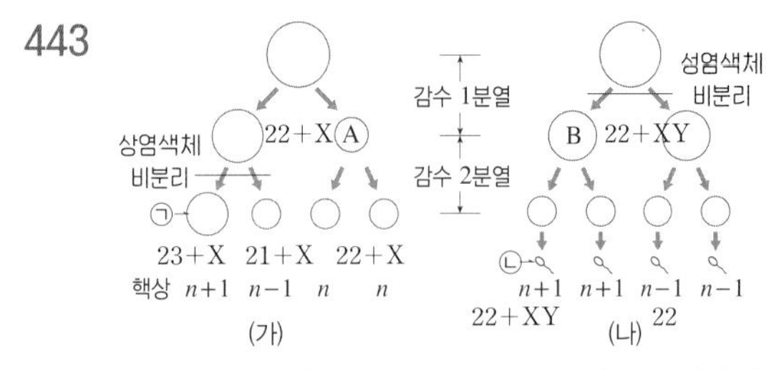

(가)에서 생식세포의 핵상이 $n+1$, $n-1$, n이므로 염색체 비분리는 감수 2분열에서 일어났다. 21번 염색체가 비분리되었으므로 핵상이 $n+1$인 ㉠(난자)의 염색체 구성은 23+X이다. (나)에서 생식세포의 핵상이 $n+1$, $n-1$로 핵상이 정상인 n인 것이 없으므로 염색체 비분리는 감수 1분열에서 일어났다. 성염색체가 비분리되었으므로 핵상이 $n+1$인 ㉡(정자)의 염색체 구성은 22+XY이다.

ㄴ. (가)에서는 감수 2분열에서 비분리가 일어났다. 감수 2분열에서는 염색 분체가 분리되므로 ㉠ 형성 과정에서 21번 염색체의 염색 분체가 비분리되었다.

ㄷ. ㉡의 염색체 구성은 22+XY이므로 정상 난자(22+X)와 수정하면 44+XXY로 클라인펠터 증후군을 나타내는 아이가 태어날 수 있다.

바로알기 | ㄱ. A는 정상적으로 감수 1분열이 일어나 형성되어 핵상이 n이므로 염색체 구성이 22+X이다. B는 감수 1분열에 성염색체가 비분리되어 2개 모두 있지만 상염색체는 정상적으로 분리되었으므로 핵상이 $n+1$이고 염색체 구성이 22+XY이다. 따라서 A와 B의 상염색체 수는 22로 같다.

444

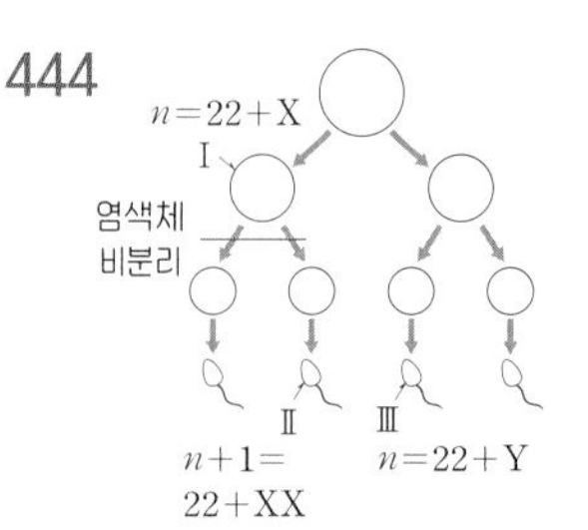

세포	총 염색체 수	X 염색체 수
㉠ Ⅱ	24	2
㉡ Ⅲ	23	0
㉢ Ⅰ	ⓐ23	1

감수 1분열에 염색체 비분리가 일어났다면 $n+1$, $n-1$인 세포가 형성되므로 n=23인 세포가 만들어지지 않는다. 그런데 ㉡이 23개의 염색체를 가졌으므로 염색체 비분리는 감수 2분열에 일어났다. 감수 1분열에 X 염색체와 Y 염색체가 서로 다른 세포로 들어가므로, X 염색체가 있는 ㉠과 ㉢은 각각 Ⅰ과 Ⅱ 중 하나이다. ㉡은 Ⅲ인데, X 염색체가 없고 Y 염색체가 있으므로 핵상과 염색체 수는 n=22+Y이다. Ⅰ의 핵상과 염색체 구성은 n=22+X이므로 ㉢이다. ㉠은 Ⅰ이 감수 2분열할 때 X 염색체의 염색 분체가 비분리되어 들어간 세포로부터 형성된 정자 Ⅱ이며 핵상과 염색체 구성은 $n+1$=22+XX이다.

ㄱ. ㉠은 Ⅱ, ㉡은 Ⅲ, ㉢은 Ⅰ이다.

ㄷ. Ⅲ은 ㉡이며 총 염색체 수가 정상인데 X 염색체가 없는 것은 성염색체로 Y 염색체를 가지고 있기 때문이다.

바로알기 | ㄴ. ㉢은 Ⅰ이며, Ⅰ은 정상적인 감수 1분열이 일어나 형성되었으므로 핵상이 n이고, 총 염색체 수는 23이다.

445

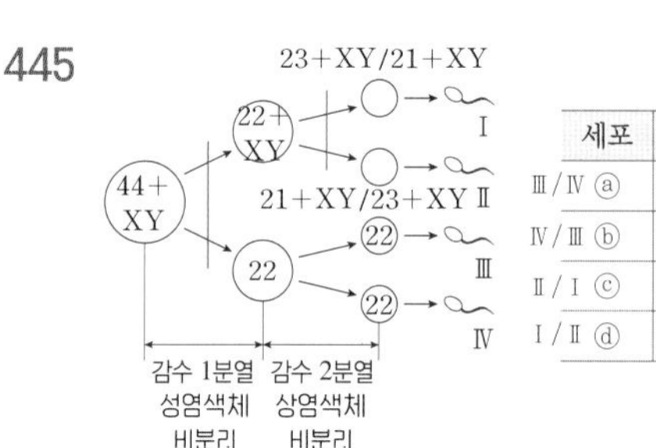

세포	총 염색체 수
Ⅲ/Ⅳ ⓐ	?22
Ⅳ/Ⅲ ⓑ	22
Ⅱ/Ⅰ ⓒ	23
Ⅰ/Ⅱ ⓓ	25

감수 1분열에 염색체 비분리가 1회 일어나면 $n+1$, $n-1$인 딸세포를 형성하므로 감수 1분열 후 만들어진 세포의 염색체 수는 24와 22이다. ⓓ와 같이 총 염색체 수가 25인 세포가 만들어지려면 염색체 수가 24인 세포가 감수 2분열 과정에서 염색체 비분리가 일어난 것이다.

Ⅰ의 성염색체 구성이 XY이므로 감수 1분열 때 성염색체가 비분리되었으며, 성염색체 구성이 그대로 유지된 것으로 보아 감수 2분열에서는 상염색체가 비분리되었다.

Ⅰ과 Ⅱ는 염색체 수가 각각 25와 23 중 하나이므로 각각 ⓒ와 ⓓ 중 하나이다. Ⅲ과 Ⅳ는 성염색체가 없고 상염색체만 있으므로 염색체 수가 22이며 각각 ⓐ와 ⓑ 중 하나이다.

ㄱ. 감수 1분열에서는 성염색체 비분리가 일어났고, 감수 2분열에서 상염색체 비분리가 일어났다.

ㄷ. ⓑ는 성염색체가 없고 상염색체 22개만 있는 정자이므로 정상 난자(22+X)와 수정하여 태어나는 아이는 염색체 구성이 44+X로 터너 증후군의 염색체 이상을 보인다.

바로알기 | ㄴ. ⓒ는 Ⅰ이나 Ⅱ이다.

446

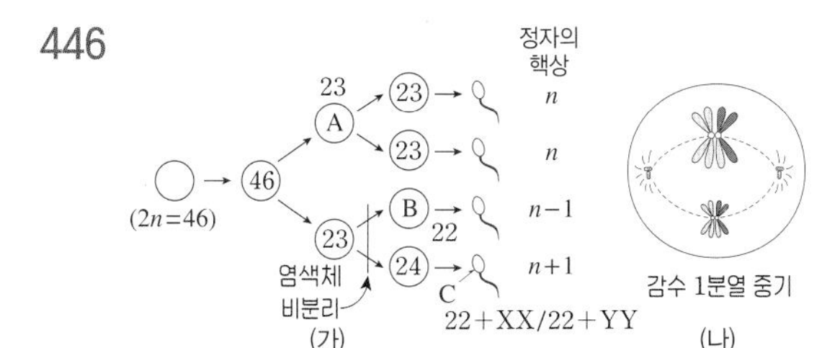

핵상이 n, $n-1$, $n+1$인 정자가 만들어졌으므로 염색체 비분리는 감수 2분열에 일어났다. 감수 2분열에 성염색체 비분리가 일어났으므로 핵상이 $n-1$인 B에서 만들어진 정자는 상염색체 22개만 가지며, 핵상이 $n+1$인 정자 C는 22+XX 또는 22+YY로 같은 성염색체 2개를 갖는다.

ㄱ. A의 상염색체 수와 B의 총 염색체 수는 22로 같다.

바로알기 | ㄴ. C의 염색체 구성은 22+XX 또는 22+YY이므로 정상 난자(22+X)와 수정되면 44+XXX 또는 44+XYY가 된다. 클라인펠터 증후군은 염색체 구성이 44+XXY인 경우이다.

ㄷ. (가)에서 염색체 비분리 현상은 (나)가 관찰되는 감수 1분열 시기가 아니라 감수 2분열 시기에 일어났다.

447

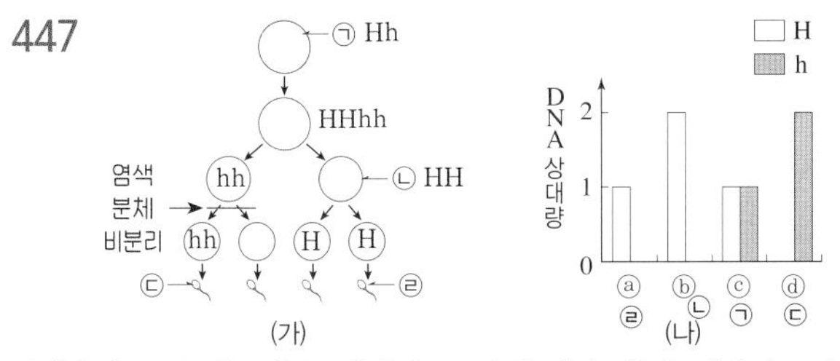

H와 h가 모두 있는 ⓒ는 핵상이 $2n$인 ㉠이다. ㉡은 핵상이 n이므로 H나 h만 있고 DNA 상대량이 2이므로 ⓑ나 ⓓ이다. ㉡이 감수 2분열하여 ㉣이 만들어졌으므로 ㉡과 ㉣은 같은 대립유전자를 가지므로 ⓑ가 ㉡이고, ⓐ가 ㉣이다. ㉢은 ⓓ인데 정상적으로는 h를 하나만 가져야 하는데 2개이므로 ㉢이 만들어지는 과정 중 감수 2분열에서 18번 염색 분체가 비분리되었다.

ㄱ. (가)에서 감수 2분열에 18번 염색체의 비분리가 일어났으므로 염색 분체가 정상적으로 분리되지 않은 것이다.

ㄷ. ㉢은 염색체 비분리로 형성된 18번 염색체가 1개 더 있으므로 상염색체 수는 23이다. ⓑ는 ㉡이고 핵상이 n이므로 총 염색체 수는 23이다.

바로알기 | ㄴ. ⓓ는 18번 염색체의 비분리로 형성된 ㉢이다.

448

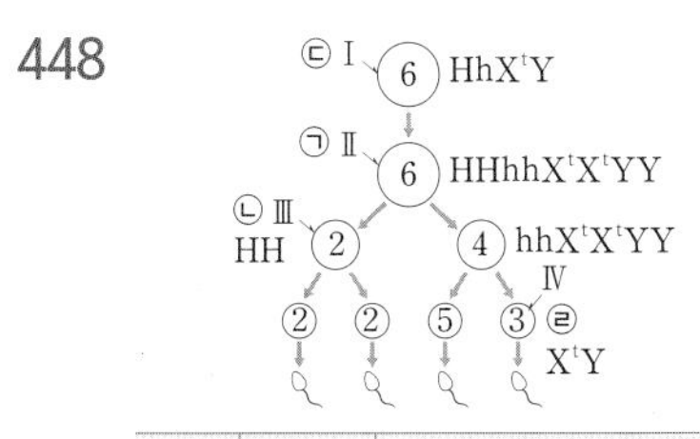

세포	염색체 수	DNA 상대량			
		H	h	T	t
㉠ Ⅱ	6	2	2	0	ⓑ2
㉡ Ⅲ	ⓐ2	2	0	0	0
㉢ Ⅰ	?6	1	?1	0	1
㉣ Ⅳ	3	ⓒ0	0	0	1

Ⅰ의 핵상과 염색체 수는 $2n=6$이므로 대립유전자가 모두 있고 DNA 상대량의 합은 2이다. 따라서 Ⅰ은 H와 h가 모두 있으며 DNA 상대량이 각각 1인 ㉢이며, T는 없고 t만 1개 있는 것으로 보아 t는 X 염색체에 있다. Ⅱ는 $2n$이고 DNA가 복제된 상태이므로 H, h, t의 DNA 상대량이 2인 ㉠이다. Ⅲ은 성염색체의 비분리로 형성된 것이므로 t DNA 상대량이 2이거나 0이다. 따라서 Ⅲ은 ㉡이고, t가 없으므로 성염색체가 없으며, 핵상과 염색체 수는 $n-1=2$이다. Ⅳ는 ㉣인데 성염색체 구성이 XY이므로 감수 2분열이 정상적으로 일어났다면 염색체 구성이 2+XY로 4개여야 하는데 3개만 있다. 따라서 Ⅳ는 감수 2분열에서 h가 있는 상염색체가 비분리되어 형성되었으며 염색체 구성은 1+XY이다.

ㄷ. ㉣은 Ⅳ이며, 상염색체 1개와 X 염색체, Y 염색체를 갖는다.

바로알기 | ㄱ. ⓐ+ⓑ+ⓒ=2+2+0=4이다.

ㄴ. ㉡(Ⅲ)은 감수 1분열에 성염색체가 비분리되어 성염색체를 갖지 못한 세포이므로 X 염색체와 Y 염색체가 모두 없다.

449

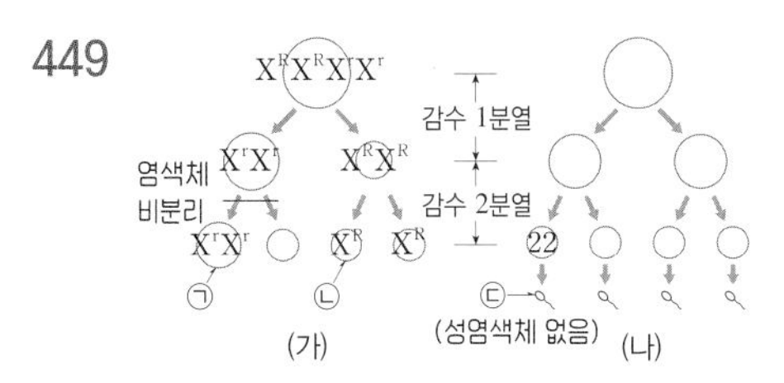

부모가 적록 색맹이 아닌데 자녀 중에 적록 색맹이 나타났다면 어머니가 보인자(X^RX^r)이다.

철수가 클라인펠터 증후군이고 적록 색맹이라면 성염색체와 유전자 구성이 X^rX^rY이므로 어머니로부터 X^rX^r를, 아버지로부터 Y를 물려받았다. 따라서 난자 ㉠은 감수 2분열에 성염색체 비분리로 형성되었다.

영희가 터너 증후군이고 적록 색맹이라면 성염색체와 유전자 구성이 X^r이므로 어머니로부터 X^r를, 아버지로부터는 성염색체를 물려받지 않았다. 따라서 정자 ㉢은 감수 1분열이나 감수 2분열에 성염색체 비분리가 일어나 성염색체가 없다.

ㄴ. ㉠은 적록 색맹 대립유전자를 가진 X 염색체가 2개이고, ㉡은 적록 색맹 대립유전자를 가진 X 염색체가 0개이다.

바로알기 | ㄱ. (가)에서는 감수 2분열에 염색체 비분리가 일어났고, (나)에서는 감수 1분열이나 감수 2분열에 염색체 비분리가 일어났다.

ㄷ. ㉢에는 성염색체가 없다.

450

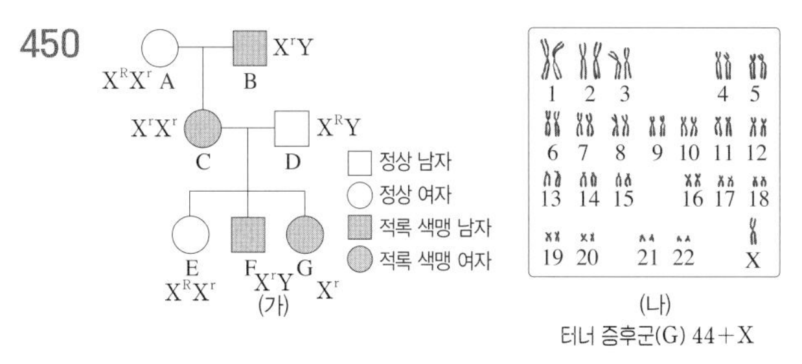

적록 색맹은 유전자가 X 염색체에 있고 정상에 대해 열성이므로 아버지가 정상일 경우 딸은 모두 정상이다. 그런데 아버지 D가 정상인데 딸 G가 적록 색맹이므로 G는 D의 정상 대립유전자를 물려받지 못하였다. 따라서 D에서 성염색체 비분리로 형성된 성염색체가 없는 정자(22)가 정상 난자(22+X)와 수정하여 G(44+X)가 태어났다.

(나)는 터너 증후군(44+X)으로 G의 핵형이다. X 염색체는 어머니 C로부터 물려받았으며 적록 색맹 대립유전자(X^r)가 있다.

ㄱ. (나)는 터너 증후군의 핵형이며, G의 핵형 분석 결과이다.

ㄴ. G가 터너 증후군이 된 것은 아버지 D에서 성염색체 비분리가 일어난 정자가 수정되어 태어났기 때문이다.

ㄷ. 어머니 C가 적록 색맹(X^rX^r)이고, C의 난자 형성은 정상적으로 일어났으므로 자녀는 모두 적록 색맹 대립유전자(X^r)를 물려받는다.

451

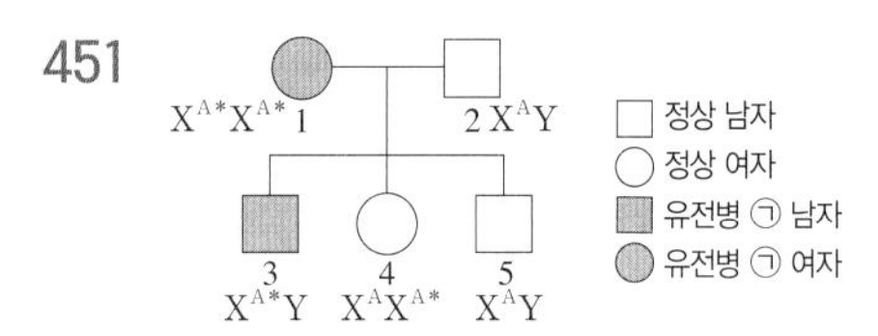

1과 2가 A와 A* 중 한 종류만 가지고 있는데 3과 4, 즉 성별에 따라 표현형이 다르므로 A와 A*는 X 염색체에 있다.

아버지 2가 정상일 때 딸 4는 정상이므로 정상이 우성 형질이고 ㉠이 열성 형질이다. 따라서 A는 정상 대립유전자이고, A*는 ㉠ 대립유전자이다.

가계도 구성원의 핵형은 모두 정상이므로 아들 5의 성염색체 구성은 XY이고, 정상 대립유전자 A와 Y 염색체는 모두 아버지 2로부터 물려받았다. 따라서 난자 ⓐ는 성염색체가 없고, 정자 ⓑ는 성염색체가 XY이다. 정자 ⓑ는 감수 1분열에 성염색체가 비분리되어 형성되었다.

ㄱ. 2는 X 염색체에 정상 대립유전자 A를 가지고 있다.

ㄷ. ⓑ는 X 염색체와 Y 염색체를 모두 가지므로 감수 1분열에서 성염색체 비분리가 일어나 형성된 것이다.

바로알기 | ㄴ. 3은 X 염색체를 1개만 가지므로 ㉠ 대립유전자 A*를 1개 가진다. 4는 어머니로부터 ㉠ 대립유전자 A*가 있는 X 염색체를 1개 물려받았다. 따라서 3과 4의 체세포 1개당 A*의 합은 2이다.

개념 보충

정자 형성 과정 중 성염색체 비분리

정자의 성염색체 구성을 통해 염색체 비분리 시기를 파악할 수 있다.

〈감수 1분열 비분리〉 〈감수 2분열 비분리〉 〈감수 2분열 비분리〉

비분리

XY	XY	없음	없음
모두 비정상			

XX	없음	Y	Y
비정상		정상	

X	X	없음	YY
정상		비정상	

452 자료를 분석하면 다음과 같다.

- 이 유전병은 대립유전자 H와 H*에 의해 결정되며, H는 H*에 대해 완전 우성이다.
- 아버지와 어머니는 각각 H와 H* 중 한 가지만 가진다. → 아버지는 H, 어머니는 H*를 가진다.
- 표는 영희네 가족 구성원의 유전병 유무를 나타낸 것이다.

구성원	아버지	어머니	오빠	영희	남동생
유전병	없음	있음	있음	없음	없음
	X^HY	$X^{H*}X^{H*}$	$X^{H*}Y$	X^HX^{H*}	$X^HX^{H*}Y$

→ 오빠와 영희, 즉 성별에 따라 유전병 유무가 다르므로 H와 H*는 X 염색체에 있다. 아버지가 유전병이 없으면 딸이 유전병이 없으므로 유전병 없음(H)이 우성이고, 유전병 있음(H*)이 열성이다.

- 감수 분열 시 ㉠ 염색체 비분리가 1회 일어나 형성된 정자가 정상 난자와 수정되어 남동생이 태어났으며, 남동생의 성염색체는 XXY이다. → 남동생은 클라인펠터 증후군이며, 아버지로부터 정상 대립유전자를 물려받았다. 따라서 아버지의 정자 형성 과정에서 감수 1분열에 성염색체가 비분리되어 XY를 가진 정자($22+X^HY$)가 만들어졌고 이것이 정상 난자($22+X^{H*}$)와 수정하여 남동생($44+X^HX^{H*}Y$)이 태어났다.

ㄱ. 아버지는 X 염색체에 H를 가지고 있다.

ㄴ. 오빠의 유전자형은 $X^{H*}Y$이고, 남동생의 유전자형은 $X^HX^{H*}Y$이므로 두 사람의 체세포 1개당 H*의 상대량은 1로 같다.

바로알기 | ㄷ. 정자가 X 염색체와 Y 염색체를 모두 가지므로 감수 1분열에서 성염색체가 비분리되어 형성된 것이다.

453 자료를 분석하면 다음과 같다.

- (가)는 대립유전자 B와 B*에 의해 결정된다.
- 표는 가족 구성원의 성별과 체세포 1개당 B와 B*의 DNA 상대량을 나타낸 것이다.

구성원		아버지	어머니	자녀 1	자녀 2	자녀 3
성별		남	여	? 여	? 남	남
DNA 상대량	B	1	? 1	1	0	1
	B*	0	? 1	2	1	0

아버지는 대립유전자 B와 B*의 DNA 상대량 합이 1이므로 (가)의 유전자는 X 염색체에 있다.

자녀 3은 남자이므로 B는 어머니로부터 물려받은 X 염색체에 있는 것이다. 따라서 어머니는 B를 가진다.

- 자녀 1은 감수 분열 시 염색체 비분리가 1회 일어나 형성된 ㉠ 비정상적인 난자와 정상 정자가 수정되어 태어났다. → 자녀 1의 B는 정상 정자를 통해 아버지로부터 물려받은 것이므로 B* 2개는 ㉠을 통해 어머니에게서 물려받은 것이다. 따라서 어머니는 B*를 가진다. 자녀 1의 성염색체 구성은 $X^BX^{B*}X^{B*}$이다.

ㄴ. ㉠의 염색체 구성은 22+XX이므로 ㉠에 들어 있는 염색체는 24개이다.

ㄷ. 어머니의 (가)의 유전자형은 X^BX^{B*}인데 ㉠의 유전자형은 $X^{B*}X^{B*}$이므로 감수 2분열에서 성염색체의 염색 분체 비분리가 일어났다.

바로알기 | ㄱ. 어머니는 B와 B*을 모두 가지고 있다.

454

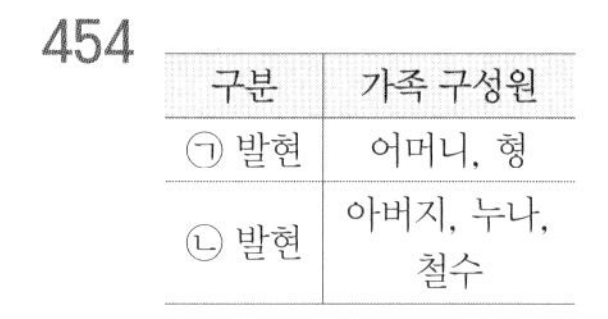

구분	가족 구성원
㉠ 발현	어머니, 형
㉡ 발현	아버지, 누나, 철수

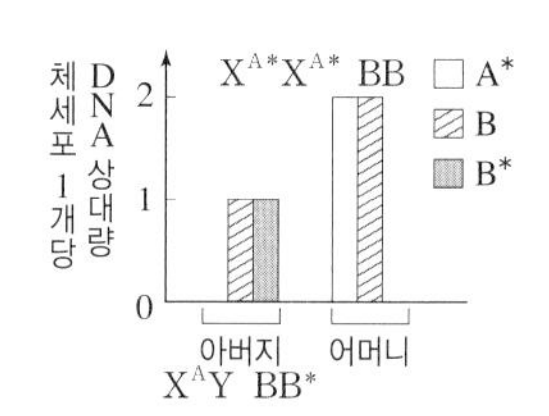

어머니의 유전자형은 A*A*일 때 ㉠이 발현되며, 누나는 어머니에게서 A*를 1개 물려받았지만 ㉠이 발현되지 않았다. 따라서 ㉠은 열성 형질이고, A는 ㉠ 미발현 대립유전자로 우성이고 A*는 ㉠ 발현 대립유전자로 열성이다.

아버지는 A*가 없고 A만 있는데, 형이 열성 형질인 ㉠이 발현되었으므로 ㉠ 유전자는 X 염색체에 있어서 아버지의 A는 형에게 유전되지 않았다.

아버지는 BB*이고 ㉡ 발현이므로 ㉡은 유전자가 상염색체에 있으며 우성 형질이다. 어머니의 유전자형이 BB인데 ㉡이 발현되지 않았으므로 B는 ㉡ 미발현 대립유전자이고 열성이며, B*는 ㉡ 발현 대립유전자이고 우성이다.

어머니의 유전자형이 $X^{A*}X^{A*}$이므로 아들은 모두 ㉠ 발현이어야 하는데 철수는 ㉠ 미발현이다. 따라서 철수는 아버지로부터 X^A를 물려받았으므로 정자 ⓐ는 감수 1분열에 성염색체 비분리가 일어나 X^AY를 가진다.

ㄱ. ㉠의 유전자는 X 염색체에 있고, ㉡의 유전자는 상염색체에 있다.

ㄷ. 정자 ⓐ는 X 염색체와 Y 염색체를 모두 가지므로 감수 1분열에서 성염색체가 비분리되어 형성된 것이다.

바로알기 | ㄴ. A는 우성 대립유전자이지만, B는 열성 대립유전자이다.

455 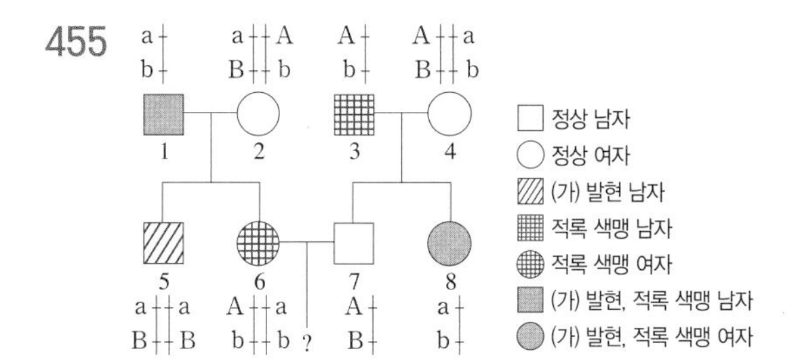

(가)와 적록 색맹을 결정하는 유전자는 X 염색체에 있다. 8은 터너 증후군이므로 성염색체 구성은 X이며, 3과 4는 (가) 미발현인데 8은 (가)와 적록 색맹 발현이므로 (가)와 적록 색맹은 열성 형질이다. A는 정상 대립유전자이고, a는 (가) 대립유전자이며, B는 정상 대립유전자이고, b는 적록 색맹 대립유전자이다.

8의 유전자형은 X^{ab}이고, 4에게서 물려받은 것이므로 3에게서 성염색체가 없는 정자와 4에게서 만들어진 정상 난자가 수정하여 8이 태어났다.

1의 X 염색체에는 a와 b가 있는데(X^{ab}), 딸 6은 적록 색맹만 발현되었다. 따라서 6은 $X^{Ab}X^{ab}$이며, X^{Ab}는 어머니인 2에게서 물려받은 것이다.

5의 성염색체 구성은 XXY이고, 적록 색맹 미발현이므로 B가 있으며 a와 B의 수가 같으므로 $X^{aB}X^{aB}Y$이다. 따라서 X 염색체의 유전자 구성이 같으므로 2의 감수 2분열 과정에서 X 염색체가 비분리된 것이다.

② 5의 유전자형은 $X^{aB}X^{aB}Y$이므로 1에게서는 Y 염색체를, 2에게서는 X 염색체 2개를 물려받았다. X 염색체의 유전자 구성이 동일하므로 2의 감수 2분열에서 성염색체 비분리가 일어났다.

③, ⑤ 8은 3의 감수 분열에서 성염색체가 비분리되어 성염색체가 없는 정자와 4의 정상 난자가 수정하여 태어났다. 따라서 8은 4로부터만 X 염색체를 1개 물려받았다.

바로알기 | ① (가)와 적록 색맹 모두 열성 형질이며 X 염색체에 유전자가 있다.

④ 5는 2로부터만 a를 2개 물려받았다.

⑥ 6과 7 사이에서 아이가 태어날 때, 이 아이에게서 (가)와 적록 색맹이 모두 발현되지 않을 확률은 $X^{Ab}X^{ab} \times X^{AB}Y \rightarrow \underline{X^{AB}X^{Ab}}$, $\underline{X^{AB}X^{ab}}$, $X^{Ab}Y$, $X^{ab}Y$이므로 $\frac{1}{2}$이다.

456 핵형 분석으로는 염색체 수 이상(다운 증후군, 클라인펠터 증후군, 터너 증후군 등)과 염색체 구조 이상(고양이 울음 증후군 등)과 같은 염색체의 수, 모양, 크기의 이상에 의한 유전 질환을 알 수 있다.

바로알기 | 핵형 분석으로는 유전자 이상에 의한 유전 질환(알비노증, 낫 모양 적혈구 빈혈증 등)은 알 수 없다.

457 A. 중복은 한 염색체의 일부분이 더 붙어서 그 부분의 유전자가 반복되는 것이다.

B. 고양이 울음 증후군은 5번 염색체 일부가 결실되어 나타난다.

바로알기 | C. 전좌는 염색체의 일부가 상동 염색체가 아닌 다른 염색체에 붙는 경우이다.

458 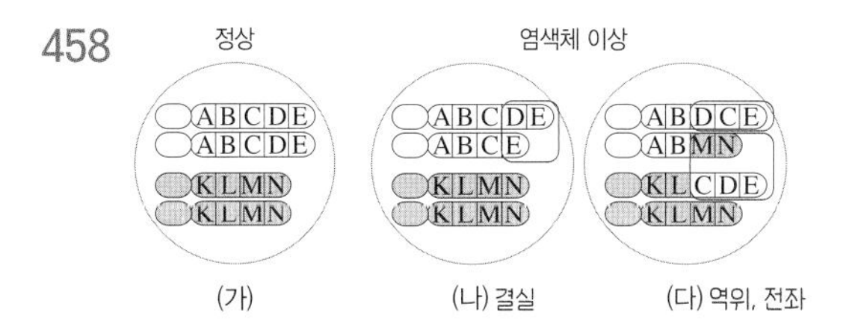

ㄱ. 결실(나)로 나타나는 유전병으로는 5번 염색체 일부가 결실된 고양이 울음 증후군이 있다.

ㄴ. (나)에서 결실이 일어나 상동 염색체의 길이가 달라졌으므로 핵형 분석을 통해 (나)와 같은 염색체 이상을 알 수 있다.

바로알기 | ㄷ. (다)는 역위와 전좌가 모두 일어난 결과이다.

ㄹ. 만성 골수성 백혈병은 (다)와 같은 전좌에 의한 유전 질환이다. 그러나 페닐케톤뇨증은 DNA의 염기 서열 이상에 의한 유전자 돌연변이가 원인이므로 (다)와 같은 돌연변이에 의한 것이 아니다.

459 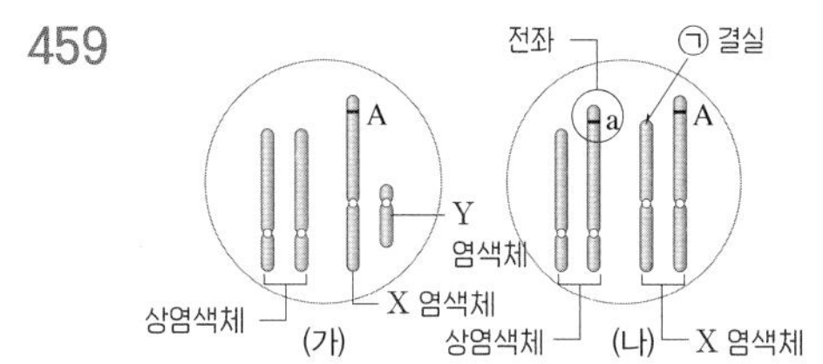

ㄴ. (나)에는 X 염색체의 일부가 옮겨와 붙은 상염색체가 있으므로 전좌가 일어난 염색체가 있다.

ㄷ. A와 a는 X 염색체에 있는 대립유전자이다.

바로알기 | ㄱ. ㉠은 X 염색체이고 염색체 일부가 떨어져 결실이 일어났다.

460 페닐케톤뇨증과 헌팅턴 무도병은 DNA의 염기 서열에 이상이 생긴 유전자 돌연변이로 나타난다. 염색체 수는 $2n=46$이고 핵형이 정상인과 같아서 핵형 분석으로는 알 수 없다.

만성 골수성 백혈병은 전좌가 일어난 염색체 구조 이상 돌연변이로 나타나며, 염색체 수는 $2n=46$이다. 터너 증후군과 에드워드 증후군은 염색체 비분리에 의한 염색체 수 이상 돌연변이로 나타난다. 터너 증후군은 44+X로 체세포의 염색체 수가 45이고, 에드워드 증후군은 18번 염색체가 3개인 경우로 체세포의 염색체 수는 47이며, 남녀 모두에게 나타날 수 있다. 염색체 수는 터너 증후군(45) < 페닐케톤뇨증, 만성 골수성 백혈병, 헌팅턴 무도병(46) < 에드워드 증후군(47)이다.

모범 답안 (1) 터너 증후군

(2) DNA 염기 서열에 이상이 생긴 유전자 돌연변이로 나타난다. 핵형 분석으로는 알 수 없다.

461 ㄱ. (가)와 같이 염색체 비분리가 원인이 되어 클라인펠터 증후군과 같은 염색체 수 이상에 의한 유전 질환이 나타날 수 있다.

ㄷ. 낫 모양 적혈구 빈혈증은 상염색체에 있는 특정 유전자의 DNA 염기 서열의 이상으로 나타나므로 남녀 모두에게 나타날 수 있다.

바로알기 | ㄴ. 체세포 1개당 염색체 수는 낫 모양 적혈구 빈혈증 환자와 정상인 모두 46으로 같다.

462

	유전 질환	핵형 분석	증상
알비노증 ➔ 유전자 이상	(가)	정상인과 같다.	눈, 피부 등에 색소가 결핍되어 하얗다.
고양이 울음 증후군 ➔ 염색체 구조 이상	(나)	5번 염색체의 일부가 결실되어 있다.	지적 장애를 보이며 유아 시절에 사망한다.
다운 증후군 ➔ 염색체 수 이상	(다)	21번 염색체가 3개이다.	일반적으로 머리가 작고 눈 사이가 멀며, 지적 장애를 보인다.

ㄱ. (가)는 멜라닌 색소를 합성하는 데 관여하는 효소 유전자의 이상에 의한 유전병이다.

ㄷ. 체세포의 염색체 수는 (가)와 (나)는 46으로 같다. 다운 증후군 (다)은 체세포의 염색체 수가 47이다.

바로알기 | ㄴ. 다운 증후군(다)은 상염색체인 21번 염색체가 3개인 경우이므로 이론적으로 출현 빈도는 남녀에서 같다.

최고 수준 도전 기출 (15~17강)

142~143쪽

463 ③ 464 ① 465 ② 466 ⑤

463

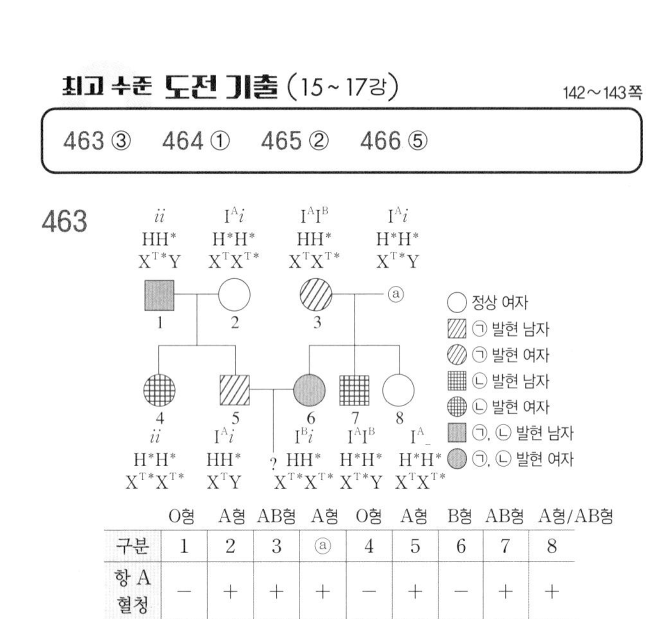

	O형	A형	AB형	A형	O형	A형	B형	AB형	A형/AB형
구분	1	2	3	ⓐ	4	5	6	7	8
항 A 혈청	−	+	+	+	−	+	−	+	+
항 B 혈청	−	? −	+	−	−	? −	+	+	?

(+: 응집함, −: 응집 안 함)

1과 4는 항 A혈청과 항 B 혈청에 모두 응집하지 않으므로 O형(ii)이다. 따라서 2는 A형이고 유전자형이 I^Ai이므로 5는 A형(I^Ai)이다. 3과 ⓐ는 각각 AB형과 A형인데 6이 B형이다. 따라서 ⓐ의 유전자형은 I^Ai이며, 6의 유전자형은 I^Bi이다.

ⓐ는 남자인데 ㉠에 대해 동형 접합성이므로 ㉠의 유전자는 상염색체에 있다. 만일 ⓐ의 유전자형이 HH라면 자손의 ㉠의 표현형은 모두 같아야 하는데 그렇지 않으므로 유전자형은 H*H*이고 정상이다. 따라서 ㉠은 우성 형질이며, H는 ㉠ 대립유전자이고 H*는 정상 대립유전자이다. 3의 ㉠의 유전자형은 HH*이고, 6, 7, 8은 ⓐ에게서 H*를 물려받으므로 유전자형은 각각 HH*, H*H*, H*H*이다. 2와 4는 ㉠ 미발현이므로 ㉠의 유전자형은 H*H*이며, 1은 4에게 H*를 물려주고, 5는 2에게서 H*를 물려받으므로 1과 5의 ㉠의 유전자형은 모두 HH*이다.

㉡의 유전자는 X 염색체에 있으며, 어머니 3이 ㉡이 발현되지 않는데 아들 7이 ㉡ 발현이므로 ㉡은 열성 형질이다. 따라서 T가 정상 대립유전자이고 T*는 ㉡ 발현 대립유전자이다. 1과 7은 $X^{T*}Y$이고, 5는 X^TY이다. 4가 ㉡ 발현($X^{T*}X^{T*}$)이므로 2의 ㉡의 유전자형은 X^TX^{T*}이다. 6이 $X^{T*}X^{T*}$이므로 3은 보인자이며(X^TX^{T*}) ⓐ는 $X^{T*}Y$이고 8은 ⓐ로부터 X^{T*}를 물려받아 보인자(X^TX^{T*})이다.

ㄱ. ⓐ의 ABO식 혈액형의 유전자형은 I^Ai로 A형이고, ㉠의 유전자형은 H*H*로 ㉠은 발현되지 않으며, ㉡의 유전자형은 $X^{T*}Y$로 ㉡은 발현된다.

ㄴ. 5와 ⓐ는 ABO식 혈액형의 유전자형이 I^Ai로 같다.

바로알기 | ㄷ. 5와 6 사이에서 아이가 태어날 때, 이 아이가 AB형일 확률은 $I^Ai \times I^Bi \rightarrow \underline{I^AI^B}, I^Ai, I^Bi, ii$로 $\frac{1}{4}$, ㉠이 발현될 확률은 $HH^* \times HH^* \rightarrow \underline{HH, 2HH^*}, H^*H^*$로 $\frac{3}{4}$, ㉡이 발현될 확률은 $X^TY \times X^{T*}X^{T*} \rightarrow X^TX^{T*}, \underline{X^{T*}Y}$로 $\frac{1}{2}$이므로 이들 형질이 모두 발현될 확률은 $\frac{1}{4} \times \frac{3}{4} \times \frac{1}{2} = \frac{3}{32}$이다.

464

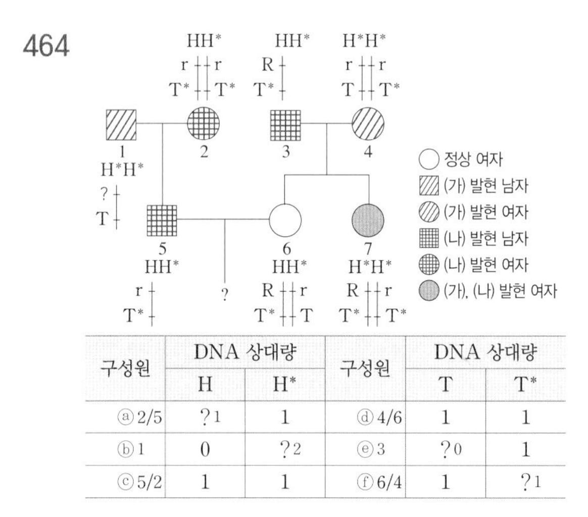

구성원	DNA 상대량		구성원	DNA 상대량	
	H	H*		T	T*
ⓐ 2/5	? 1	1	ⓓ 4/6	1	1
ⓑ 1	0	? 2	ⓔ 3	? 0	1
ⓒ 5/2	1	1	ⓕ 6/4	1	? 1

2와 4는 적록 색맹이므로 유전자형이 X^rX^r이고, 5는 유전자형이 X^rY로 적록 색맹이다. 7이 적록 색맹이 아니므로 유전자형이 X^RX^r이고, 7은 3에게서 정상 대립유전자를 물려받았으므로 3의 유전자형은 X^RY이다. 6은 3에게서 정상 대립유전자를 받아 유전자형이 X^RX^r로 적록 색맹이 아니다.

1은 (가) 발현이지만, 2와 3은 (가) 미발현이다. 만일 H와 H*가 X 염색체에 있다면 H와 H*를 모두 갖는 ⓒ는 여자 2가 되고, ⓐ와 ⓑ는 각각 1과 5 중 하나이며 둘 다 H*를 1개씩 갖는데 표현형이 다르므로 H와 H*는 X 염색체에 있지 않다. H와 H*가 상염색체에 있을 경우 대립유전자의 DNA 상대량 합은 2가 되어야 하므로 ⓐ와 ⓒ의 유전자형이 HH*로 같으므로 표현형도 같아야 한다. 따라서 ⓐ와 ⓒ는 각각 2와 5 중 하나이다. ⓑ는 1이고, 유전자형이 H*H*이며 (가) 발현이다. 즉, (가)는 열성 형질이고, H는 정상 대립유전자로 우성이고 H*는 (가) 발현 대립유전자로 열성이다.

3은 (나) 발현이고, 4는 (나) 미발현인데 6은 (나) 미발현이다. T와 T*가 상염색체에 있다면 ⓓ, ⓔ, ⓕ의 유전자형은 모두 TT*로 같은데 3만 (나) 발현이 되므로 옳지 않다. 따라서 T와 T*는 X 염색체에 있으며, (나) 발현이 우성이라면 6과 7은 모두 (나) 발현이어야 하는데 6은 정상이므로 (나)는 열성 형질이다. 따라서 3의 유전자형은 $X^{T*}Y$이고, 4와 6의 유전자형은 X^TX^{T*}이다. 따라서 ⓓ와 ⓕ는 각각 4와 6 중 하나이고, ⓔ는 3이다. 적록 색맹의 유전자와 (나)의 유전자가 모두 X 염색체에 있으므로 감수 분열 과정에서 하나의 염색체에 있는 유전자는 함께 이동한다.

② ⓑ는 1이다.

③ ⓔ는 3이다.

④ 1~7 중 H를 가진 사람은 (가) 미발현인 2, 3, 5, 6이고, T를 가진 사람은 (나) 미발현인 1, 4, 6이다. 따라서 (가)와 (나)의 우성 대립유전자 H와 T를 모두 가진 사람은 (가)와 (나)가 모두 미발현인 6이다.

⑤ 5와 6 사이에 아이가 태어날 때, 이 아이가 (가) 발현일 확률은 HH*×HH* → HH, HH*, HH*, $\underline{H^*H^*}$로 $\frac{1}{4}$이다. 적록 색맹과 (나)의 유전은 $X^{rT*}Y \times X^{RT*}X^{rT} \rightarrow \underline{X^{rT*}X^{RT*}}$, $X^{rT}X^{rT*}$, $\underline{X^{RT*}Y}$, $X^{rT}Y$로 아이가 적록 색맹이 아니고 (나)가 발현될 확률은 $\frac{1}{2}$이다. 따라서 5와 6 사이에서 태어나는 아이가 적록 색맹이 아니고 (가)와 (나)가 모두 발현될 확률은 $\frac{1}{4} \times \frac{1}{2} = \frac{1}{8}$이다.

바로알기 | ① H와 H*는 상염색체에 있다.

465 자료를 분석하면 다음과 같다.

- (가)를 결정하는 데 관여하는 3개의 유전자는 서로 다른 2개의 상염색체에 있으며, 3개의 유전자는 각각 대립유전자 A와 a, B와 b, D와 d를 갖는다. → (가)는 다인자 유전
- (가)의 표현형은 유전자형에서 대문자로 표시되는 대립유전자의 수에 의해서만 결정되며, 이 대립유전자의 수가 다르면 (가)의 표현형이 다르다. → 대문자로 표시되는 대립유전자의 수가 같으면 표현형이 같다.
- (나)의 유전자는 (가)의 유전자와 서로 다른 상염색체에 있다.
- (나)는 1쌍의 대립유전자에 의해 결정되며, 대립유전자에는 E, F, G가 있다. → (가)와 (나)는 독립 유전하며, (나)는 단일 인자 유전이고 복대립 유전이다.
- (나)의 표현형은 4가지이며, (나)의 유전자형이 EG인 사람과 EE인 사람의 표현형은 같고, 유전자형이 FG인 사람과 FF인 사람의 표현형은 같다. → E는 G에 대해 우성이고, F는 G에 대해 우성이다. 표현형이 4가지이므로 E와 F는 우열 관계가 없다(E=F>G).
- (가)와 (나)의 유전자형이 각각 ⓐ $\underline{\text{AaBbDdEF}}$인 부모 사이에서 ㉠이 태어날 때, ㉠에게서 나타날 수 있는 표현형은 최대 9가지이다. → EF×EF → EE, EF, EF, FF로 ㉠에게서 가능한 (나)의 표현형은 (EE) (EF, EF) (FF)의 3가지이다. ㉠에게서 나타나는 표현형은 최대 9가지이므로 (가)의 표현형은 3가지이다.

(1) A와 B(a와 b)가 같은 염색체에 있다면 AaBbDd인 개체에서 형성되는 생식세포는 ABD, ABd, abD, abd로 대문자로 표시되는 대립유전자의 수가 3, 2, 1, 0이고 유전자형이 같은 부모 사이에서 태어난 자손에서 나타날 수 있는 자손에서 대문자로 표시되는 대립유전자의 수는 (3, 2, 1, 0)×(3, 2, 1, 0) → 6, 5, 4, 3, 2, 1, 0으로 7가지이다.

(2) A와 b(a와 B)가 같은 염색체에 있다면 AaBbDd인 개체에서 형성되는 생식세포는 AbD, aBD, Abd, aBd로 대문자로 표시되는 대립유전자의 수가 2, 1이고 유전자형이 같은 부모 사이에서 태어난 자손에서 나타날 수 있는 자손에서 대문자로 표시되는 대립유전자의 수는 (2, 1)×(2, 1) → 4, 3, 2로 3가지이다. 따라서 (가)의 표현형은 3가지가 가능하므로 오른쪽 그림과 같이 A와 b(a와 B)가 같은 염색체에 있고 D(d)는 다른 염색체에 있다.

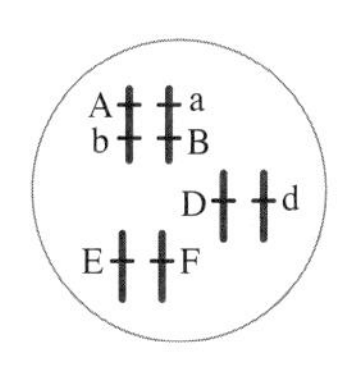

ㄷ. 부모에게서 (가)에 대한 생식세포에서 대문자로 표시되는 대립유전자가 2(AbD, aBD)일 확률은 $\frac{1}{2}$, 1(Abd, aBd)일 확률은 $\frac{1}{2}$이다. 자손에게서 (가)의 표현형이 부모와 같은 대문자로 표시되는 대립유전자의 수가 3일 확률은 (정자 2×난자 1)+(정자 1×난자 2)= $\left(\frac{1}{2} \times \frac{1}{2}\right) + \left(\frac{1}{2} \times \frac{1}{2}\right) = \frac{1}{4} + \frac{1}{4} = \frac{1}{2}$이다. ㉠에게서 (나)의 표현형이 부모와 같을 확률은 EF×EF → EE, $\underline{\text{EF}}$, $\underline{\text{EF}}$, FF로 $\frac{1}{2}$이다.

따라서 ㉠에게서 (가)와 (나)의 표현형이 부모와 같을 확률은 $\frac{1}{2} \times \frac{1}{2} = \frac{1}{4}$이다.

바로알기 | ㄱ. E와 F 사이에는 우열 관계가 없고 G에 대해 공동으로 우성이다.

ㄴ. ⓐ는 A와 b(a와 B)가 같은 염색체에 있으므로 유전자형이 ABD인 생식세포가 형성되지 않는다.

466

구성원	유전 형질		DNA 상대량	
	(가)X 염색체	(나)상염색체	A*	B*
㉠ 아버지	○	○	1	1
㉡ 누나	○	×	2	0
㉢ 어머니	×	○	1	1
형	○	×	1	0
철수	×	○	1	2

(○: 발현됨, ×: 발현 안 됨)

㉠과 ㉢은 A*가 1개로 같지만 (가) 발현이 다르므로 (가)의 대립유전자 A와 A*는 X 염색체에 있으며, ㉠은 A* 1개만으로 (가) 발현이므로 남자인 아버지이다. 만일 ㉡이 어머니라면 누나는 아버지와 어머니로부터 각각 A*를 1개씩 받아 A*가 2개가 되어야 하는데 ㉢은 A*를 1개만 가졌으므로 ㉡이 누나이고, ㉢이 어머니이다. 어머니(㉢)는 AA*를 가지며 이 경우 (가)가 발현되지 않으므로 (가)는 열성 형질이다. 따라서 A는 (가) 미발현 대립유전자로 우성이고, A*는 (가) 발현 대립유전자로 열성이다.

B와 B*가 X 염색체에 있다면 누나(㉡)는 아버지에게서 X 염색체와 함께 B*를 물려받는데 B*의 DNA 상대량이 0이므로 B와 B*는 상염색체에 있다. 따라서 (가)와 (나)는 독립적으로 유전된다. 아버지와 어머니의 (나)에 대한 유전자형은 BB*이고 (나)가 발현되며, 누나와 형의 유전자형은 BB이고 (나) 미발현이다. 따라서 (나)는 우성 형질이며, B는 (나) 미발현 대립유전자로 열성이고 B*는 (나) 발현 대립유전자로 우성이다.

철수는 남자이고 A*가 있는데 (가) 미발현이므로, A도 있다. 따라서 철수의 성염색체 구성은 $X^AX^{A*}Y$로 클라인펠터 증후군이다. 철수는 아버지에게서 감수 1분열에 성염색체 비분리가 일어나 $X^{A*}Y$를 가진 정자 ⓐ가 형성된 후 X^A를 가진 정상 난자와 수정하여 태어났다.

제시된 자료를 가계도로 나타내면 그림과 같다.

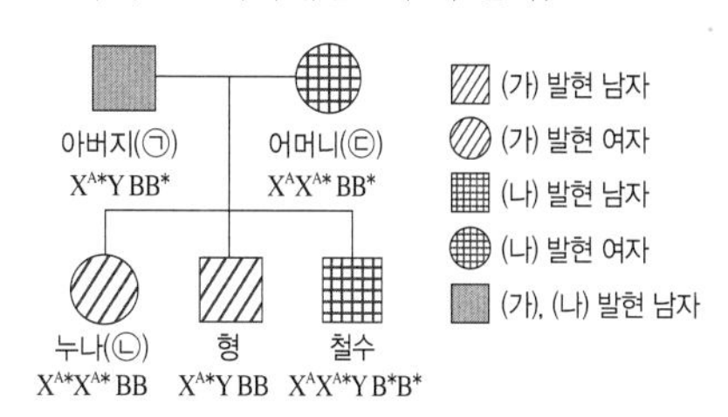

ㄴ. ㉠은 아버지, ㉡은 누나, ㉢은 어머니이다.

ㄷ. 누나의 (가)의 유전자형은 $X^{A*}X^{A*}$이고, (나)의 유전자형은 BB이므로 어머니와 아버지에게서 각각 A*와 B를 1개씩 물려받았다.

ㄹ. 철수는 A와 A*를 모두 가지고 있는데, A는 정상 난자를 통해 어머니에게서 물려받은 것이다. 따라서 A*가 있는 X 염색체와 Y 염색체는 ⓐ를 통해 아버지에게서 물려받았다. ⓐ에 X 염색체와 Y 염색체가 모두 있으므로 정자 형성 과정의 감수 1분열에서 성염색체 비분리가 일어났다.

바로알기 | ㄱ. (가)의 대립유전자 A와 A*는 X 염색체에 있다.

18 생태계

빈출 자료 보기 145쪽

467 (1) × (2) × (3) ○ (4) ○ (5) ○ (6) ×

467 (3) 텃세는 개체군 내의 상호 작용이므로 ㉠에, 분서는 군집 내 다른 개체군 간의 상호 작용이므로 ㉡에 해당한다.
(4) 여왕개미, 병정개미, 일개미는 같은 개체군에 속하므로 이들의 역할 분담은 ㉠에 해당한다.
(5) 강수량(비생물적 요인)이 옥수수(생물적 요인)의 생장에 영향을 주는 것은 ㉢ 작용에 해당한다.
바로알기 | (1) 뿌리혹박테리아는 생물적 요인 중 분해자에 속한다.
(2) 개체군은 일정한 지역에 사는 같은 종의 무리이므로 개체군 A는 한 종으로 이루어진다.
(6) 빛의 파장(비생물적 요인)이 해조류(생물적 요인)의 분포에 영향을 주는 것은 ㉢ 작용에 해당한다.

난이도별 필수 기출 146~149쪽

468 ④ 469 ④, ⑤ 470 ② 471 ② 472 ①
473 ⑥ 474 ③ 475 ⑤ 476 ⑤ 477 ③ 478 ⓐ 빛 있음, ㉠ 개화함 479 ①, ④ 480 ① 481 ⑤
482 ④ 483 해설 참조 484 ③ 485 ④

468 ㄴ. 개체군(나)은 일정한 지역에서 같은 종의 생물이 무리를 이루어 생활하는 집단이다.
ㄷ. (다)는 여러 개체군으로 이루어진 군집이므로 (다)를 구성하는 생물종은 다양하다.
바로알기 | ㄱ. (가)는 독립적으로 생활하는 하나의 생물인 개체, (나)는 일정한 지역에 사는 같은 종의 생물 집단인 개체군, (다)는 일정한 지역에 사는 여러 개체군의 무리인 군집이다.

469 ④ 식물과 같이 빛에너지를 이용하여 유기물을 스스로 합성하는 생물은 생산자이다.
⑤ 생물적 요인은 생태계 내에서 담당하는 역할에 따라 생산자, 소비자, 분해자로 구분된다.
바로알기 | ① 토끼는 생산자를 먹고 살아가는 소비자이다.
② 빛, 온도는 비생물적 요인이지만, 세균은 생물적 요인 중 분해자에 속한다.
③ 1차 소비자는 생산자를 먹이로 하고, 2차 소비자는 1차 소비자를 먹이로 한다.
⑥ 생태계에서 생물적 요인과 비생물적 요인은 서로 영향을 주고받는다.

470 ㄱ. (가)의 물, 토양, 공기는 비생물적 요인이다.
ㄹ. (라)의 푸른곰팡이, 대장균, 표고버섯은 생물의 사체나 배설물을 무기물로 분해하는 분해자이다.
바로알기 | ㄴ. (나)의 사슴, 여우, 호랑이는 다른 생물을 먹어서 양분을 얻는 종속 영양 생물이다.
ㄷ. (다)의 조류, 소나무, 민들레는 광합성을 하여 유기물을 합성하는 독립 영양 생물이다.

471 ㄷ. (가)는 생산자와 소비자의 사체나 배설물을 분해하는 분해자로, 예로는 곰팡이와 세균이 있다.
바로알기 | ㄱ. 생산자와 (나)로부터 유기물을 받는 (가)는 분해자로, 생물적 요인에 속한다.
ㄴ. 광합성을 하여 스스로 양분을 합성하는 생물은 생산자이며, (나)는 다른 생물을 먹이로 하는 소비자이다.

472 지렁이와 두더지(생물적 요인)가 토양(비생물적 요인)의 통기성에 영향을 주는 것은 반작용이다.
① 나무(생물적 요인)가 습도(비생물적 요인)에 영향을 주는 것은 반작용의 예이다.
바로알기 | ②, ③, ④는 비생물적 요인이 생물적 요인에 영향을 주는 작용의 예이다.
⑤ 회충, 요충과 같은 기생충과 숙주 동물의 관계는 군집 내 개체군 간의 상호 작용의 예이다.

473 ① 하나의 개체군 A는 한 종으로 구성된다.
② 위도에 따른 온도와 강수량(비생물적 요인)에 따라 식물 군집(생물적 요인)이 달라지는 것은 ㉠ 작용에 해당한다.
③ 수온(비생물적 요인)이 돌말 개체군(생물적 요인)의 크기에 영향을 주는 것은 ㉠ 작용에 해당한다.
④ 일조량(비생물적 요인)이 식물(생물적 요인)의 광합성량에 영향을 주는 것은 ㉠ 작용에 해당한다.
⑤ 식물의 낙엽(생물적 요인)이 떨어져 토양(비생물적 요인)이 비옥해지는 것은 ㉡ 반작용에 해당한다.
바로알기 | ⑥ 빛의 세기(비생물적 요인)에 따라 잎(생물적 요인)의 두께가 달라지는 것은 ㉠ 작용에 해당한다.

474 ㄱ. 지의류(생물적 요인)에 의해 암석의 풍화가 촉진되어 토양(비생물적 요인)이 형성되는 것은 ㉡ 반작용에 해당한다.
ㄴ. 외래종이 토종 생물의 수에 영향을 주는 것은 군집 내 개체군 간의 상호 작용(㉢)에 해당한다.
바로알기 | ㄷ. 탈질산화 세균(생물적 요인)에 의해 토양과 공기(비생물적 요인)의 성분이 변하는 것은 ㉡ 반작용에 해당한다.

475 ㄱ. 텃세는 개체군 내의 상호 작용인 ㉠에 해당한다.
ㄴ. 분서와 같이 서로 다른 종으로 이루어진 개체군 사이의 상호 작용은 ㉡에 해당한다.
ㄹ. 숲의 나무(생물적 요인)가 토양(비생물적 요인)에 영향을 주는 것은 ㉣ 반작용에 해당한다.
바로알기 | ㄷ. 스라소니가 눈신토끼를 잡아먹는 것은 서로 다른 종으로 이루어진 개체군 사이의 상호 작용인 ㉡에 해당한다.

476 ㄱ. 울타리 조직과 해면 조직이 발달하여 잎이 두꺼운 (가)는 양엽이고, 잎이 얇은 (나)는 음엽이다.
ㄴ. 양엽(가)이 음엽(나)보다 두꺼운 것은 울타리 조직이 두껍게 발달하였기 때문이다.
ㄹ. 빛의 세기는 식물 잎의 조직 발달에 영향을 주어 잎의 두께에 영향을 미친다.
바로알기 | ㄷ. 빛을 많이 받는 나무의 윗부분에는 양엽(가)이, 빛을 적게 받는 나무의 아랫부분에는 음엽(나)이 주로 분포한다.

477 ㄷ. 바다의 깊이에 따른 해조류의 분포는 비생물적 요인인 빛의 파장의 영향을 받는다.

바로알기 | ㄱ. 파장이 긴 적색광보다 파장이 짧은 청색광이 바다 깊은 곳까지 투과된다.

ㄴ. 녹조류는 적색광이 투과되는 수심이 얕은 바다에 주로 서식하는 것으로 보아 광합성에 주로 적색광을 이용한다.

478 식물 종 A가 개화하기 위해서는 최소한의 연속적인 빛 없음이 10시간 이상이 되어야 한다. 따라서 개체 I이 개화한 것은 12시간 동안 처리한 ⓑ가 '빛 없음'이기 때문이며, ⓐ는 '빛 있음'이다. 개체 Ⅳ도 '빛 없음(ⓑ)'을 12시간 처리하였으므로 ㉠은 '개화함'이다.

479 ① 변온 동물의 겨울잠과 ④ 서식하는 지역에 따라 포유류의 몸집과 말단부의 크기가 다른 것은 온도에 대한 적응 현상이다.

바로알기 | ② 선인장의 가시는 물에 대한 적응 결과이고, ③ 수심에 따른 해조류의 분포는 빛의 파장에 대한 적응이며, ⑤ 평지에 사는 사람보다 고산 지대에 사는 사람의 혈액 속에 적혈구가 많은 것은 공기 중의 산소 농도의 영향을 받은 것이다.

480 (나) 연잎은 물에 젖지 않도록 발달되어 있어 물 위에 떠 있을 수 있다.

바로알기 | (가) 잎의 두께는 양엽이 음엽보다 두껍다.

(다) 사막여우는 몸집이 작고 몸의 말단부가 커서 열을 몸 밖으로 방출하는 데 유리하다.

(라) 생물의 호흡에 따라 공기의 조성이 달라지고, 두더지와 지렁이는 흙 속을 파헤쳐 토양의 통기성을 높이는 등 생물의 활동은 공기와 토양에 영향을 준다.

(마) 상록수는 추운 겨울에 녹말을 포도당으로 분해하여 삼투압을 높임으로써 잎이 얼지 않게 한다.

481 (가)는 물, (나)는 일조 시간, (다)는 빛의 세기이다.

ㄱ. 선인장에 물을 저장하는 저수 조직이 있는 것은 물(가)의 영향이다.

ㄴ. 국화의 꽃이 하루 중 밤의 길이가 길어지는 계절에 피는 것은 일조 시간(나)의 영향이다.

ㄷ. 음지 식물과 양지 식물의 적응 현상은 빛의 세기(다)의 영향으로 나타난다.

482 빛의 세기가 0일 때 식물은 호흡만 하며, 이산화 탄소 방출량은 호흡량을 의미한다. ➔ 호흡량은 A<B

외관상 이산화 탄소의 출입이 없다. ➔ A의 보상점은 2000 lx이다.

	빛의 세기(lx)	0	2000	4000	6000	8000
음지 식물	CO_2 출입량 A	−2.0	0	1.6	3.4	3.4
양지 식물	B	−8.2	−4.3	−1.1	3.4	7.5

이산화 탄소 흡수량이 3.4로 같다. ➔ 순광합성량은 A=B

이산화 탄소 흡수량이 3.4로 같으므로 A의 광포화점은 4000 lx보다 높고 6000 lx 이하이다.

ㄱ. 양지 식물은 음지 식물보다 보상점과 광포화점이 높다. 표에서 A의 보상점은 2000 lx이지만 B의 보상점은 4000 lx보다 높으며, A의 광포화점은 6000 lx 이하이지만 B의 광포화점은 6000 lx보다 높다. 따라서 A는 음지 식물, B는 양지 식물이다.

ㄴ. 순광합성량은 이산화 탄소 흡수량으로 알 수 있다. 6000 lx에서 A와 B의 이산화 탄소 흡수량이 같으므로 둘의 순광합성량이 같다.

ㄷ. 빛의 세기가 2000 lx로 계속 유지되면 A는 총광합성량=호흡량으로, 생존은 하지만 생장하지는 못한다.

바로알기 | ㄹ. 총광합성량은 순광합성량+호흡량이다. 빛의 세기가 6000 lx일 때 순광합성량은 A와 B에서 같지만, 호흡량은 A보다 B가 많다. 따라서 총광합성량은 A보다 B가 많다.

483 보상점에서는 외관상 이산화 탄소의 출입량이 0이고, 광포화점 이상에서는 이산화 탄소 출입량이 일정하다.

모범 답안 B, 양지 식물은 음지 식물보다 보상점과 광포화점이 높은데, A의 보상점은 2000 lx이지만 B의 보상점은 4000 lx보다 높으며, A의 광포화점은 6000 lx 이하이지만 B의 광포화점은 6000 lx보다 높기 때문이다.

484

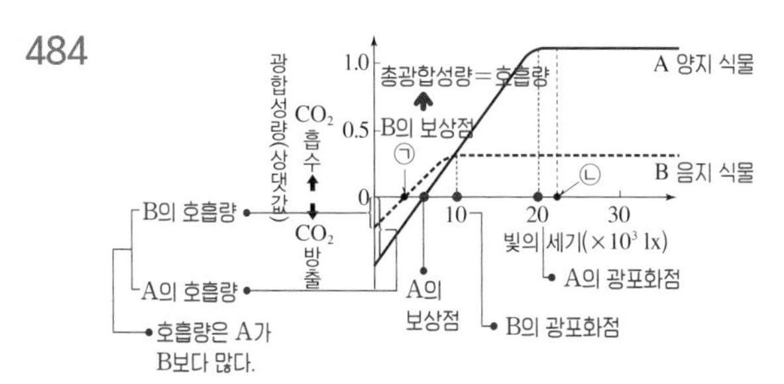

③ 보상점은 총광합성량이 호흡량과 같은 빛의 세기로, 식물이 생존하기 위한 최소한의 빛의 세기이다. ㉠은 A에게는 보상점 미만의 빛의 세기이지만 B에게는 보상점이므로 빛의 세기 ㉠이 지속되면 A는 B보다 생존에 불리하다.

바로알기 | ① A는 보상점과 광포화점이 B보다 높으므로 양지 식물이다.

② ㉠은 B의 보상점으로, 총광합성량이 호흡량과 같은 빛의 세기이다.

④ 광포화점은 광합성량이 더 이상 증가하지 않는 최소한의 빛의 세기로, B의 광포화점은 약 10×10^3 lx이다. 따라서 ㉡은 B의 광포화점보다 훨씬 강한 빛의 세기이다.

⑤ 순광합성량은 '총광합성량−호흡량'으로, 외관상 이산화 탄소를 흡수하는 양으로 나타난다. 따라서 빛의 세기가 ㉡일 때 순광합성량은 A가 B보다 많다.

485

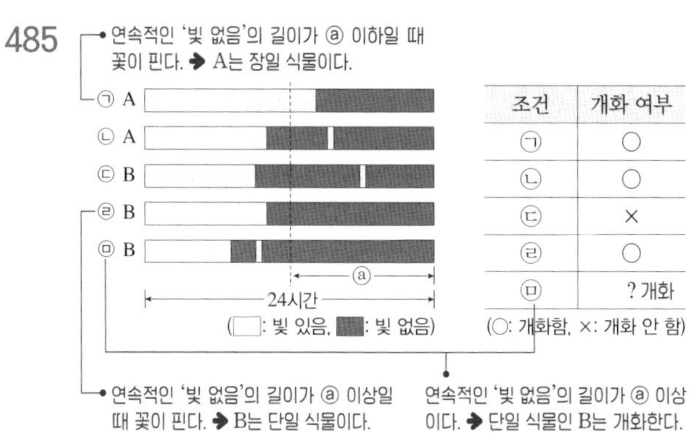

연속적인 '빛 없음'의 길이가 ⓐ 이상인 ㉣일 때 꽃이 피는 B는 단일 식물이고, 그렇지 않은 ㉠과 ㉡에서 꽃이 피는 A는 장일 식물이다.

ㄴ. B는 연속적인 '빛 없음' 시간이 ⓐ보다 긴 ㉣에서 꽃이 피는 단일 식물이다.

ㄷ. 조건 ㉤에서 연속적인 '빛 없음' 시간이 ⓐ보다 길므로 단일 식물인 B는 개화한다.

바로알기 | ㄱ. A는 장일 식물로 '빛 없음' 시간의 합이 ⓐ보다 긴 ㉡에서도 꽃이 핀다. 이것은 연속적인 '빛 없음' 시간이 ⓐ보다 짧았기 때문이다.

19 개체군

빈출 자료 보기 151쪽

486 (1) ○ (2) × (3) ○ (4) × (5) ○ (6) ○

486 (1) A는 환경 저항이 없는 상태에서의 이론상의 생장 곡선이다.
(5) 개체군의 밀도는 $\frac{\text{개체 수}}{\text{서식 면적}}$이고, 서식 면적이 같을 경우 개체 수에 비례한다. 따라서 B에서 이 개체군의 밀도는 구간 Ⅰ에서보다 개체 수가 많은 구간 Ⅱ에서 더 크다.
(6) (가)는 주어진 환경 조건에서 서식할 수 있는 개체군의 최대 크기인 환경 수용력이다.
바로알기 | (2) 구간 Ⅰ에서 증가한 개체 수는 기울기가 큰 A에서가 B에서보다 많다.
(4) B에서의 환경 저항은 개체 수의 증가가 있는 구간 Ⅰ에서보다 개체 수의 증가가 더 이상 없는 Ⅱ에서가 크다.

난이도별 필수 기출 152~155쪽

487 ③ 488 ④ 489 ③ 490 ⑤ 491 해설 참조
492 ④ 493 ③ 494 ④ 495 (1) (가) 발전형, (나) 안정형, (다) 쇠퇴형 (2) ㉠ (가), ㉡ (다) 496 ⑤ 497 A: 영양염류의 양, B: 빛의 세기 498 ③ 499 해설 참조 500 ④
501 ③ 502 ③ 503 ③

487 ④ 개체군의 밀도는 일반적으로 이입과 이출보다 출생과 사망의 영향을 더 크게 받는다.
⑤ 빛, 서식 공간, 온도 등의 비생물적 요인의 영향에 의해 개체 수가 달라지므로 개체군의 밀도도 영향을 받는다.
바로알기 | ③ 경쟁, 기생, 포식 등에 따라 개체 수가 달라지므로 개체군의 밀도는 생물적 요인의 영향을 받는다.

488 ㄱ. ㉠은 환경 저항이 없을 때의 이론상의 생장 곡선이다.
ㄴ. ㉡은 먹이 부족, 노폐물 축적, 경쟁 심화 등과 같은 환경 저항이 있을 때의 실제 생장 곡선이다.
바로알기 | ㄷ. ㉢은 주어진 환경 조건에서 서식할 수 있는 개체군의 최대 크기로, 환경 수용력이라고 한다.

489 ㄷ. (가)는 환경 수용력으로, 주어진 환경 조건에서 서식할 수 있는 개체군의 최대 크기이다. 따라서 서식 공간이 증가하면 환경 수용력도 증가한다.
바로알기 | ㄱ. A는 개체 수가 기하급수적으로 증가하는 이론상의 생장 곡선이다.
ㄴ. 환경 저항이 클수록 개체 수의 증가율이 낮다. 따라서 B에서의 환경 저항은 개체 수의 증가가 없는 구간 Ⅱ에서가 구간 Ⅰ에서보다 크다.

490 ㄱ. A의 구간 Ⅱ에서 더 이상 개체 수의 증가가 없는 것은 출생률과 사망률이 같기 때문이다.
ㄴ. 환경 수용력은 A에서는 140으로 B에서의 70보다 크다.
ㄷ. 서식지의 면적이 같으므로 구간 Ⅰ에서 개체군의 밀도는 개체 수가 많은 A에서가 B에서보다 크다.

491 모범 답안 (1) $D_A : D_B = 2 : 1$
(2) 개체군의 밀도 $= \frac{\text{개체 수}}{\text{서식하는 면적}}$이다. 개체군 A와 B의 서식지 면적이 같으므로 이를 S라고 할 때, t_1에서 개체군 A의 밀도 $D_A = \frac{200}{S}$이고, t_2에서 개체군 B의 밀도 $D_B = \frac{100}{S}$이므로 $D_A : D_B = 2 : 1$이다.

492 ㄱ. 사람은 초기 사망률이 낮고 대부분의 개체가 성체로 자라며 수명이 길므로 생존 곡선은 (가)와 가장 가깝다.
ㄴ. 히드라와 다람쥐는 출생 이후 일정한 비율로 사망하므로 생존 곡선은 (나)와 가장 가깝다.
바로알기 | ㄷ. (다)는 초기 사망률이 매우 높은데, 이것은 새끼 때 부모의 보호를 거의 받지 못하기 때문이다.

493

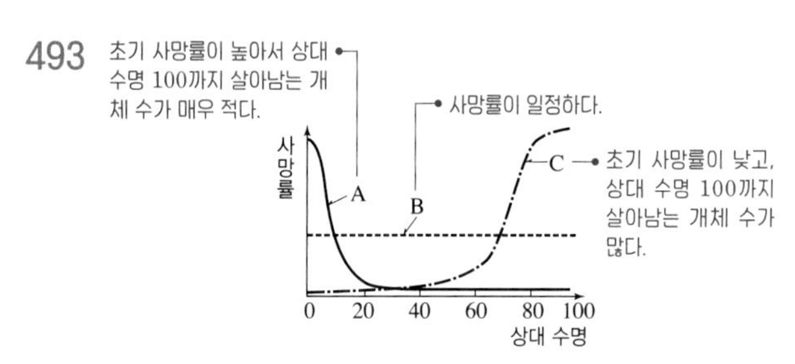

ㄴ. B는 각 연령대에서 사망률이 비교적 일정하게 유지된다.
ㄷ. 기러기와 같은 조류는 사망률이 B와 같은 형태를 나타낸다.
바로알기 | ㄱ. A는 C보다 초기 사망률이 높다.
ㄹ. 일반적으로 초기 사망률이 높은 A는 초기 사망률이 낮은 C보다 많은 수의 자손을 낳는다.

494

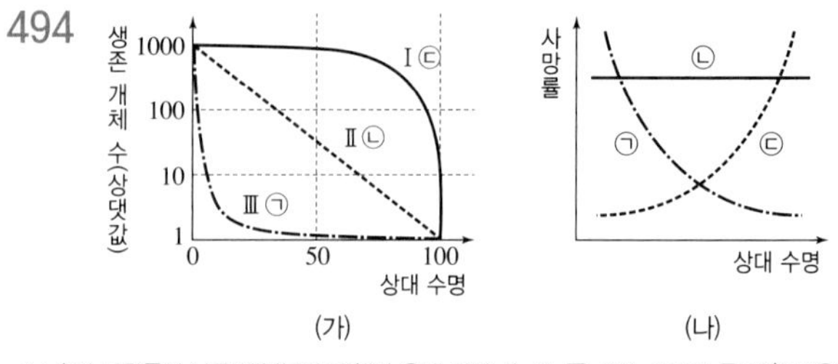

• Ⅰ: 초기 사망률이 낮고 대부분의 개체가 오래 살아남는다. 예 사람, 코끼리 등 대형 포유류 ➔ ㉢
• Ⅱ: 각 연령대에서 사망률이 비교적 일정하다. 예 다람쥐, 기러기, 히드라 등 ➔ ㉡
• Ⅲ: 초기 사망률이 높아 일부 개체만이 성체가 된다. 예 고등어, 굴 등의 어패류 ➔ ㉠

① 생존 곡선은 상대 수명에 따른 생존 개체 수를 나타낸 것이다.
② Ⅰ형은 초기 사망률이 낮은 ㉢이다.
③ Ⅱ형은 각 연령대에서 사망률이 일정한 ㉡이며, 출생 이후 개체 수가 일정한 비율로 줄어든다.
⑤ 굴은 초기 사망률이 높으므로 생존 곡선은 Ⅲ형이고, 사망률 곡선은 ㉠이다.
바로알기 | ④ Ⅰ형은 후기 사망률이 높고, Ⅲ형은 초기 사망률이 높다. 따라서 $\frac{\text{후기 사망률}}{\text{초기 사망률}}$은 Ⅰ형이 Ⅲ형보다 크다.

495 (1) (가)는 생식 전 연령층의 개체 수가 많은 발전형, (나)는 생식 전 연령층과 생식 연령층의 개체 수가 비슷한 안정형, (다)는 생식 전 연령층의 개체 수가 적은 쇠퇴형이다.
(2) (가)와 같이 생식 전 연령층의 개체 수가 많은 경우 생식 전 연령층이 생식 연령층이 되면서 개체군의 크기가 점점 커진다. 반면 (다)와 같이 생식 전 연령층의 개체 수가 적은 경우에는 시간이 지나면서 개체군의 크기가 점점 작아진다.

496 (가)에서 A는 시간이 지나면서 개체 수가 줄어들고 있으므로 A의 연령 피라미드는 (나) 쇠퇴형이고, B는 시간이 지나면서 개체 수가 늘어나고 있으므로 B의 연령 피라미드는 (다) 발전형이다.
ㄱ. A는 시간이 지나면서 개체 수가 줄어들고 있으므로 개체군의 크기가 점점 작아질 것이다.
ㄴ. B와 같이 시간이 지나면서 개체 수가 늘어나는 것은 (다)와 같이 생식 전 연령층의 개체 수가 많기 때문이다.
ㄷ. $\frac{\text{생식 전 연령층의 개체 수}}{\text{생식 후 연령층의 개체 수}}$가 크면 시간이 지나면서 개체 수가 증가하므로 $\frac{\text{생식 전 연령층의 개체 수}}{\text{생식 후 연령층의 개체 수}}$는 B에서가 A에서보다 크다.

497 겨울에 높고 여름에 낮은 A는 영양염류의 양이고, 그와는 반대로 여름에 높고 겨울에 낮은 B는 빛의 세기이다.

498 ㄱ. 돌말의 개체 수는 빛의 세기, 수온, 영양염류의 양의 계절적 변화에 따라 1년을 주기로 변한다.
ㄷ. 봄에 돌말 개체 수가 증가하는 까닭은 영양염류의 양(A)이 충분한 상태에서 빛의 세기(B)와 수온이 증가하여 돌말의 증식이 활발하게 일어났기 때문이다.
바로알기 | ㄴ. 여름에 돌말 개체 수가 증가하지 못하게 하는 제한 요인은 영양염류의 양이다.

499 모범 답안 겨울에는 영양염류의 양은 충분하지만, 빛의 세기가 약하고 수온이 낮기 때문에 돌말의 생장에 적합하지 않다.

500 (가) 혈연관계의 개체가 모여 생활하는 것을 가족생활이라고 한다. (나)는 불필요한 경쟁을 줄일 수 있는 순위제이고, (다)는 개체를 분산하여 밀도를 알맞게 조절하는 텃세이다.

501 ① 우두머리가 있는 것은 리더제, ② 힘의 세기로 순위를 정하는 것은 순위제, ④ 일정한 지역을 차지하고 다른 개체의 접근을 막는 것은 텃세, ⑤ 개체군에서 역할을 나누는 것은 사회생활이다.
바로알기 | ③ 가족생활은 혈연관계의 개체가 모여 생활하는 것이고, 꿀벌 개체군에서 역할을 나누는 것은 사회생활이다.

502 암탉에서 힘의 서열에 따라 순위를 정하는 것은 순위제이다. 이러한 예로는 ③ 큰뿔양의 순위제가 있다.
바로알기 | ①, ②, ④는 군집 내 개체군 간의 상호 작용으로 ①은 포식과 피식, ②는 기생, ④는 분서의 예이다. ⑤는 리더제, ⑥은 가족생활의 예이다.

503 (가) 뿌리혹박테리아와 콩과식물은 서로 다른 종의 개체군이며, 서로에게 이익이 되는 관계이다. ➜ 상리 공생
(나) 같은 종 내에서 한 개체가 우두머리가 된다. ➜ 리더제
(다) 같은 종 내에서 각 개체가 일정한 지역을 차지하고 다른 개체의 침입을 막는다. ➜ 텃세
ㄷ. (다) 텃세에서 각 개체가 확보한 생활 구역을 세력권이라고 한다.
바로알기 | ㄱ. (가)는 군집 내 서로 다른 개체군 사이에서 일어나는 상호 작용이다.
ㄴ. (나)는 리더제로 리더를 제외한 나머지 개체들의 서열은 없으며, 모든 개체에 서열이 정해지는 순위제와 다르다.

20 군집의 구조와 식물 군집의 천이

빈출 자료 보기 157쪽

504 (1) ○ (2) × (3) ○ (4) × (5) ○ (6) ○ (7) ×

504 (3) A는 첫 번째 천이를 시작하는 개척자로 지의류이다.
(6) 천이가 진행될수록 나무가 높이 자라 숲이 우거지면서 지표면에 도달하는 빛의 양은 감소한다.
바로알기 | (2) 그림은 토양이 형성되지 않은 불모지에서 시작되는 1차 천이를 나타낸 것으로, (가)와 (나)가 연속된 과정이다.
(4) B는 양수림이고, C는 음수림이다.
(7) 극상은 천이 과정에서 마지막 단계의 안정적인 상태로, 이 지역에서의 극상 단계는 C(음수림)이다.

난이도별 필수 기출 158~161쪽

505 ②	506 (가) 우점종, (나) 지표종		507 ④	508 ⑤
509 ⑥	510 해설 참조	511 ④	512 ⑤	513 ②
514 ②	515 ⑤	516 ①	517 ①	518 ④	519 ⑤
520 ⑥	521 ①	522 ④		

505 ① 군집은 일정한 지역 내에서 생활하는 여러 개체군의 집단이다.
③, ④ 생태적 지위란 개체군이 생태계에서 차지하는 구조적·기능적 역할로, 먹이 지위와 공간 지위가 있다.
⑤ 삼림 군집은 여러 식물이 햇빛을 최대한 활용할 수 있는 수직적인 몇 개의 층으로 구성된 층상 구조로 되어 있다.
바로알기 | ② 먹이 사슬을 이루는 생물종의 수가 많을수록 먹이 사슬이 복잡하게 얽혀 먹이 그물을 형성하며 군집이 안정적으로 유지된다.

506 (가) 개체 수가 많거나 많은 면적을 차지하여 군집을 대표하는 종을 우점종이라고 한다.
(나) 지표종은 특정 환경 조건에서 서식하여 환경 상태를 추정할 수 있는 종으로, 지의류는 이산화 황의 농도가 높지 않은 조건에서만 서식할 수 있으므로 지의류의 존재 여부를 통해 이산화 황의 오염 정도를 예측할 수 있다.

507 ㄱ. 식물 군집의 층상 구조에서 아래로 갈수록 교목층이나 아교목층에 의해 빛이 차단되어 빛의 세기가 감소한다.
ㄴ. 교목층은 강한 빛에 적응한 식물들로 이루어지며, 강한 빛에서 광합성이 활발하게 일어난다.
바로알기 | ㄷ. 지중층에는 낙엽이나 생물의 사체 등이 부패한 부식질이 많고, 세균류, 균류, 지렁이 등이 서식한다. 이끼류가 서식하는 층은 선태층이다.

508 ㄴ. 아교목층(가)과 관목층(나)을 이루는 식물의 잎에서는 광합성이 활발히 일어나므로 교목층과 함께 광합성층에 해당한다.
ㄷ. (다)는 지중층으로 지렁이와 같은 동물과 분해자인 균류, 세균류가 많이 서식하며, 이들의 분해 작용으로 형성된 부식질이 많다.

바로알기 | ㄱ. 교목층에서는 광합성이 활발하게 일어나므로 교목층에서 상대량이 감소한 ㉠은 CO_2이고, 상대량이 증가한 ㉡은 O_2이다. O_2는 지표 쪽으로 갈수록 생물들의 호흡에 사용되어 상대량이 감소한다.

509

종	밀도 (개체 수/25 m^2)	빈도 (수/수)	상대 밀도(%)	상대 빈도(%)
질경이	5	$\frac{4}{25}=0.16$	$\frac{5}{15}\times100=33.3$	$\frac{0.16}{0.4}\times100=40$
민들레	4	$\frac{3}{25}=0.12$	$\frac{4}{15}\times100=26.7$	$\frac{0.12}{0.4}\times100=30$
토끼풀	6	$\frac{3}{25}=0.12$	$\frac{6}{15}\times100=40$	$\frac{0.12}{0.4}\times100=30$

⑥ 상대 밀도가 가장 작은 식물은 개체 수가 가장 적은 민들레이다.

바로알기 | ① 우점종은 '상대 밀도+상대 빈도+상대 피도'의 중요치가 가장 큰 종이다. 세 종의 피도는 동일하므로 우점종은 상대 밀도와 상대 빈도의 합이 가장 큰 질경이이다.

② 질경이의 빈도는 0.16이다.

③ 토끼풀의 상대 밀도는 40 %이다.

④ 민들레와 토끼풀은 모두 3개의 방형구에서 나타나므로 빈도가 같다.

⑤ 질경이의 중요치가 가장 크고, 민들레의 중요치가 가장 작다.

510

지역	종	상대 밀도 (%)	상대 빈도 (%)	피도	상대 피도(%)
(가)	A	31	㉠ 42	2	50
	B	40	26	1	25
	C	㉡ 29	32	1	25
(나)	A	5	45	1	25
	B	㉢ 24	13	1	25
	C	71	㉣ 42	2	50

(1) 한 지역에 서식하는 모든 식물 종의 상대 밀도의 합, 상대 빈도의 합, 상대 피도의 합은 각각 100 %이다. 따라서 ㉠은 42, ㉡은 29, ㉢은 24, ㉣은 42이다.

(2) A~C의 피도 합은 (가)와 (나) 모두에서 4이므로 각 종의 상대 피도는 (가)의 A와 (나)의 C는 $\frac{2}{4}\times100=50$ %이고, (가)의 B, C, (나)의 A, B는 $\frac{1}{4}\times100=25$ %이다.

모범 답안 (1) ㉠ 42, ㉡ 29, ㉢ 24, ㉣ 42

(2) 우점종은 상대 밀도, 상대 빈도, 상대 피도를 모두 더한 값인 중요치가 가장 높은 종이다. 각 종의 중요치를 구하면 (가)에서 A는 123, B는 91, C는 86으로 A가 우점종이고, (나)에서 A는 75, B는 62, C는 163으로 C가 우점종이다.

511

ㄱ. (가)~(다)의 면적은 동일하고, B의 개체군 밀도는 (가)에서와 (나)에서 같으므로 ㉠은 3이다.

ㄷ. D의 상대 밀도는 (나)에서는 $\frac{6}{18}\times100=33.3$ %이고, (다)에서는 $\frac{6}{30}\times100=20$ %이다.

바로알기 | ㄴ. 종 다양성은 군집 내 종의 수가 많을수록, 각 종이 고르게 분포할수록 높다. (가)와 (나)의 종 수는 4로 같지만, 종 다양성은 각 종이 더 고르게 분포하는 (가)에서가 (나)에서보다 높다.

512

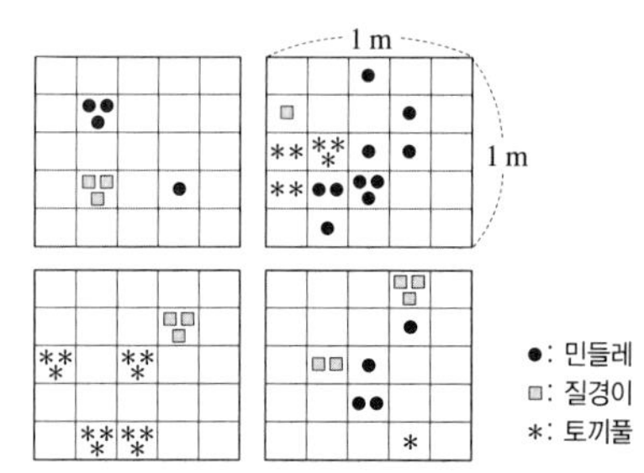

종	밀도 (개체 수/4 m^2)	빈도 (수/수)	피도 (m^2/m^2)	상대 밀도(%)	상대 빈도(%)	상대 피도(%)
민들레	18	0.75	0.12	$\frac{18}{50}\times100=36$	$\frac{0.75}{2.5}\times100=30$	$\frac{0.12}{0.25}\times100=48$
질경이	12	1	0.05	$\frac{12}{50}\times100=24$	$\frac{1}{2.5}\times100=40$	$\frac{0.05}{0.25}\times100=20$
토끼풀	20	0.75	0.08	$\frac{20}{50}\times100=40$	$\frac{0.75}{2.5}\times100=30$	$\frac{0.08}{0.25}\times100=32$

ㄱ. 토끼풀은 개체 수가 가장 많으므로 밀도가 가장 크다.

ㄴ. 중요치는 민들레는 36+30+48=114, 질경이는 24+40+20=84, 토끼풀은 40+30+32=102이므로 이 군집의 우점종은 중요치가 가장 큰 민들레이다.

ㄷ. 민들레는 3개의 방형구에서 나타나고, 질경이는 4개의 방형구에서 나타나므로 민들레가 질경이보다 빈도가 낮다.

513

(가)

종	밀도 (개체 수/25 m^2)	빈도 (수/수)	상대 밀도(%)	상대 빈도(%)
A	6	$\frac{6}{25}=0.24$	$\frac{6}{25}\times100=24$	$\frac{0.24}{0.84}\times100=28.6$
B	6	$\frac{5}{25}=0.2$	$\frac{6}{25}\times100=24$	$\frac{0.2}{0.84}\times100=23.8$
C	10	$\frac{7}{25}=0.28$	$\frac{10}{25}\times100=40$	$\frac{0.28}{0.84}\times100=33.3$
D	3	$\frac{3}{25}=0.12$	$\frac{3}{25}\times100=12$	$\frac{0.12}{0.84}\times100=14.3$

(나)

종	밀도 (개체 수/25 m^2)	빈도 (수/수)	상대 밀도(%)	상대 빈도(%)
A	3	$\frac{3}{25}=0.12$	$\frac{3}{15}\times100=20$	$\frac{0.12}{0.44}\times100=27.3$
B	0	0	0	0
C	8	$\frac{5}{25}=0.2$	$\frac{8}{15}\times100=53.3$	$\frac{0.2}{0.44}\times100=45.4$
D	4	$\frac{3}{25}=0.12$	$\frac{4}{15}\times100=26.7$	$\frac{0.12}{0.44}\times100=27.3$

ㄱ. (가)와 (나)에서 우점종은 상대 밀도와 상대 빈도가 가장 높은 C로 같다.

ㄷ. (가)에서 종 B의 빈도는 0.2이고, (나)에서 종 C의 빈도도 0.2이다.

바로알기 | ㄴ. 종 A의 상대 밀도는 (가)에서는 24 %이고, (나)에서는 20 %이다.
ㄹ. (나)에서 종 D의 상대 빈도는 27.3 %이다.

514 강수량이 매우 적은 지역에서는 식물이 서식하기 어려워 사막이 형성된다.

515 ㄴ. 삼림은 강수량이 많아 목본 식물이 잘 자라는 지역에 형성된다. 따라서 우점종도 목본 식물이다.
ㄷ. 육상 군집은 지역에 따라 기온과 강수량의 차이로 삼림, 초원, 사막 등이 나타난다.
바로알기 | ㄱ. 강수량이 매우 적고 건조하여 식물이 자라기 어려운 지역에는 사막이 형성되는데, 기온에 따라 열대 사막, 온대 사막, 한대 사막이 형성된다. 사바나는 열대 초원으로, 기온이 높고 삼림보다는 강수량이 적지만 사막보다는 강수량이 많은 지역에 형성된다.

516 ㄱ. (가)는 위도에 따른 분포로 기온과 강수량에 따라 다르게 나타나는 수평 분포이고, (나)는 고도에 따른 수직 분포이다.
바로알기 | ㄴ. (가)에서 온도가 높고 강수량이 적은 지역에서는 사막이 나타난다. 열대 우림은 온도가 높고 강수량이 많은 지역에서 나타난다.
ㄷ. 수직 분포(나)는 고도에 따른 기온 차이로 나타난다.

517 ㄱ. 연평균 기온이 낮고 비교적 강수량이 많은 지역에는 침엽수림(C)이 형성된다.
바로알기 | ㄴ. 열대 우림(A)은 낙엽 활엽수림(B)보다 연평균 기온이 높고 강수량이 풍부한 지역에서 발달한다.
ㄷ. 연평균 기온이 매우 낮고 강수량이 적은 지역에는 툰드라(D)가 형성된다.

518 ㄱ. A는 토양이 거의 없는 곳에서 첫 번째 천이를 시작하는 생물(개척자)인 지의류이다.
ㄴ. B는 빛이 강한 곳에서 빠르게 생장하는 양수가 우점종인 양수림이고, C는 그늘진 곳에서도 생장하는 음수가 우점종인 음수림이다.
바로알기 | ㄷ. 건조한 용암 대지에서 시작하므로 건성 천이의 과정을 나타낸 것이다.

519 ㄱ. 토양이 없는 호수에서 시작하고 있으므로 1차 천이 중 습성 천이를 나타낸 것이다.
ㄷ. 이 지역의 식물 군집은 음수림(C)에서 안정된 상태의 극상을 이룬다.
ㄹ. 양수림(B)의 단계에서 산불이 나면 토양 내에 살아남은 종자나 식물 뿌리 등에 의해 일반적으로 초원(A)부터 천이가 시작된다.
바로알기 | ㄴ. 건성 천이 과정에서는 지의류가 개척자이지만, 습성 천이 과정에서는 물속에 다양한 수생 식물이 서식하고 습지에서는 이끼류가 잘 자라므로 지의류가 개척자가 아니다.

520 ① 기존의 식물 군집이 있던 곳에 산불이 난 후 진행되는 2차 천이를 나타낸 것이다.
② 2차 천이는 일반적으로 초원(A)부터 시작한다. 따라서 이 천이 과정의 개척자는 초본 식물이다.
③ C는 음수림으로, 천이의 마지막 단계로서 안정적인 상태(극상)이다.
④ B는 양수림이고, C는 음수림이다. B에서 양수림이 형성된 것은 지표면에 도달하는 빛의 세기가 강하여 강한 빛에서 잘 자라는 양수가 우점종이 되었기 때문이다. 양수림이 형성된 후에는 지표면에 도달하는 빛의 세기가 약해져 약한 빛에서도 생존할 수 있는 음수가 자라게 되고, 그 결과 음수가 우점종인 음수림이 형성된다.
⑤ 혼합림은 지표면에 도달하는 빛의 세기가 약한 조건이므로 혼합림에서 음수림(C)의 우점종(음수) 묘목은 양수림(B)의 우점종(양수) 묘목보다 잘 생장한다.
바로알기 | ⑥ 음수림(C)의 단계에서 산사태가 나면 토양이 형성되어 있고 식물의 종자나 뿌리가 있으므로 초원부터 시작되는 2차 천이가 일어난다.

521 ㄱ. (가)는 식물 군집이 형성되어 있을 때 산불이 나서 초원부터 시작되는 2차 천이 과정이다.
ㄴ. (나)는 용암 대지와 같이 토양이 거의 없는 상태에서 시작되는 1차 천이이다. 이 경우 초기에는 토양 형성 정도가 천이 속도를 결정하고, 초원과 관목림이 형성된 이후 양수림, 음수림으로의 천이는 빛이 주요 환경 요인으로 작용한다.
바로알기 | ㄷ. 군집 A(양수림)의 우점종은 양수이고, C(음수림)의 우점종은 음수로 다르다.
ㄹ. (나)에서 천이가 진행될수록 토양 속 영양염류의 양은 증가한다.

522 ㄱ. ㉠은 군집의 높이가 매우 낮고 이 지역에 처음 들어오는 생물이므로 개척자인 지의류이다.
ㄷ. 초원 이전에 지의류(㉠)에 의한 군집이 먼저 형성되는 것으로 보아 1차 천이가 일어났다.
ㄹ. 지표면에 도달하는 빛의 세기는 군집의 높이가 높은 t_2일 때가 군집의 높이가 낮을 때인 t_1일 때보다 약하다.
바로알기 | ㄴ. 군집의 높이가 높은 ㉡과 ㉢의 우점종은 목본 식물이며, 천이가 진행되면서 먼저 숲을 이루는 ㉡은 양수림이고, 이후 형성되는 ㉢은 음수림이다.

21 군집 내 개체군 간의 상호 작용

빈출 자료 보기 163쪽

523 (1) ○ (2) × (3) ○ (4) ○ (5) × (6) ○ (7) ×

523 (1) (가)에서 A, B, C를 단독 배양했을 때 세 종 모두 S자 모양의 생장 곡선을 나타냈으므로 환경 저항을 받는다는 것을 알 수 있다.
(3) (나)에서 A와 B를 혼합 배양했을 때 A와 B 모두 개체 수가 감소하고 B는 도태되었으므로 A와 B 사이에 종간 경쟁이 일어났다.
(4) (나)에서 A와 B 사이에 경쟁이 일어나는 것은 생태적 지위가 비슷하기 때문이다.
(6) (나)에서 B가 경쟁에 의해 도태되었으므로 경쟁·배타 원리가 적용되었다.

바로알기 | (2) (가)에서 환경 수용력이 가장 큰 종은 최대 개체 수가 가장 많은 A이다.
(5) 포식과 피식의 관계의 경우 포식자와 피식자의 개체 수가 주기적인 변동 곡선으로 나타난다.
(7) A와 C 모두 혼합 배양했을 때(다)가 단독 배양했을 때(가)에 비해 개체 수가 증가하였으므로, 함께 사는 것이 둘 모두에게 이익이 되는 상리 공생 관계이다.

난이도별 필수 기출

164~167쪽

524 ③	525 ⑤	526 해설 참조	527 ⑤	528 ③
529 ④	530 ③	531 ⑤ 532 ⑤	533 ②	534 ④
535 ①	536 ①	537 사람과 기생충, 개와 벼룩, 나무와 겨우살이 등		
538 ⑤	539 ①	540 ③	541 ⑤	542 ⑤

524 ③ 말미잘은 흰동가리에게 숨을 곳을 제공해 주고, 흰동가리는 말미잘이 먹이를 얻거나 병든 촉수를 제거하는 데 도움을 준다. 이와 같이 서로 이익을 얻는 관계를 상리 공생이라고 한다.
바로알기 | ① 포식자와 피식자는 먹이 지위가 다르므로 포식과 피식은 생태적 지위가 다른 관계에서 발생한다.
② 호랑이가 배설물로 자기 영역을 표시하는 것은 다른 개체의 침입을 막기 위한 것으로, 텃세의 예이다.
④ 따개비는 혹등고래에 붙어 살면서 쉽게 이동하는 이익을 얻지만 혹등고래는 이익도 손해도 없는데, 이와 같은 상호 작용을 편리공생이라고 한다.
⑤ 종간 경쟁은 두 종 모두 손해를 입는 관계이다.
⑥ 나무와 겨우살이는 겨우살이가 나무에 피해를 주는 기생 관계이다.

525 포식과 피식, 상리 공생은 군집 내 개체군 간의 상호 작용으로, 두 집단 모두 이익을 얻는 A는 상리 공생이다. B는 포식과 피식으로 한 집단은 이익을 얻고 다른 한 집단은 손해를 본다. 텃세, 순위제는 개체군 내의 상호 작용이다.
ㄱ. 상리 공생(A)의 예로는 콩과식물과 뿌리혹박테리아, 말미잘과 흰동가리, 개미와 진딧물 등이 있다.
ㄴ. 포식과 피식(B)에 의한 먹이 사슬은 생태계 평형을 유지하는 데 중요하다.
ㄷ. ㉠은 텃세와 순위제의 차이점이며, 만일 '힘의 강약에 따라 서열이 정해지는가?'가 된다면 C가 순위제이고 D가 텃세이다.

526 포식과 피식(B)의 경우 피식자의 개체 수가 증가하면 먹이가 풍부해지므로 포식자의 개체 수가 증가하고, 포식자의 개체 수 증가에 따라 피식자의 개체 수가 감소하면 먹이 부족으로 포식자의 개체 수도 감소한다.
모범 답안 피식자의 개체 수가 증가하면 포식자의 개체 수도 증가하고, 그에 따라 피식자의 개체 수가 감소하면 포식자의 개체 수가 감소하므로 주기적으로 두 종의 개체 수가 증가하고 감소하게 된다.

527 • B, C: (가)와 (나) 모두 생존 가능한 범위로, (가)와 (나) 사이에 경쟁이 일어나므로 경쟁·배타 원리가 적용될 수 있다.
• A, D: (가)만 서식하므로 (나)와 경쟁하지 않는다.
ㄴ. C에서는 (가)와 (나)의 생태적 지위가 중복되어 경쟁을 피할 수 없다. 즉, 경쟁·배타 원리가 적용될 수 있다.
ㄷ. (가)와 (나) 사이의 경쟁은 생태적 지위가 겹치는 B에서가 생태적 지위가 겹치지 않는 A, D에서보다 심하게 일어난다.
바로알기 | ㄱ. (가)와 (나) 모두 생존 가능한 범위에서 (가)와 (나)의 생태적 지위가 중복된다.

528 ㄱ. A와 B를 혼합 배양하면 경쟁이 일어나므로 두 종의 생태적 지위는 유사하다.
ㄴ. (나)에서 A의 개체수는 감소하고, B가 도태된 것으로 보아 경쟁·배타 원리가 적용되었다.
바로알기 | ㄷ. (나)의 구간 Ⅰ에서 A의 개체 수가 더 이상 증가하지 않으므로 A도 환경 저항을 받는다.

529 ④ (가)와 (나)에서 솔새와 은어가 각각 서식 공간을 달리하는 것은 모두 경쟁을 피하기 위한 것이다.
바로알기 | ① (가)에서 여러 종의 솔새가 서식 공간을 달리하는 것은 경쟁을 피하기 위한 나누어살기, 즉 분서이다.
② A와 E는 서로 다른 종이므로 각기 다른 개체군을 이룬다.
③ (나)는 개체군 내에서 각 개체가 세력권을 형성하여 경쟁을 피하는 것으로 텃세이다.
⑤ (가)는 군집 내 개체군 사이의 상호 작용이고, (나)는 개체군 내에서의 상호 작용이다.

530 ㄷ. 혼합 배양 시 t_1일 때 A의 개체 수가 증가하는 것은 출생률이 사망률보다 높기 때문이다.
바로알기 | ㄱ. 환경 저항이 클수록 개체 수의 증가율은 작아진다. 단독 배양 시 A가 받는 환경 저항은 더 이상 개체 수가 증가하지 않는 t_2에서가 개체 수가 증가하는 t_1에서보다 크다.
ㄴ. 단독 배양했을 때보다 혼합 배양했을 때 A와 B의 개체 수가 모두 증가하므로 A와 B는 서로에게 이익을 주는 상리 공생 관계이다.

531 ⑤ 상리 공생의 예로는 말미잘과 흰동가리가 있다.
바로알기 | ① 황로는 들소를 타고 이동하며 곤충을 잡지만, 들소는 이익도 손해도 없으므로 황로와 들소는 편리공생 관계이다.
② 기생충은 동물의 체내에서 서식지와 양분을 제공받으므로 이익을 얻지만, 동물은 기생충에게 양분을 빼앗기는 손해를 본다. 이는 기생 관계이다.
③ 스라소니는 눈신토끼를 먹이로 잡아먹으므로 스라소니와 눈신토끼는 포식과 피식의 관계이다.
④ 숨이고기는 해삼을 피난처로 삼아 이익을 얻지만, 해삼은 이익도 손해도 없으므로 숨이고기와 해삼은 편리공생 관계이다.

532 ㄱ. 개체 수는 A가 B보다 많고, A의 개체 수가 먼저 증가한 후 B의 개체 수가 증가하므로 A는 피식자인 눈신토끼이고, B는 포식자인 스라소니이다.
ㄴ. 피식자인 A의 개체 수가 증가하면 먹이가 풍부해지므로 포식자인 B의 개체 수도 증가한다.
ㄷ. A의 개체 수가 증가하면 먹이가 풍부해져 B의 개체 수가 증가하고, A의 개체 수가 감소하면 먹이 부족으로 B의 개체 수가 감소한다. 이처럼 A와 B의 개체 수는 포식과 피식 관계에 의해 주기적으로 변화한다.

533 (가)에서 A와 B의 개체 수는 주기적으로 변동한다. 따라서 A와 B의 상호 작용은 포식과 피식이며, 개체 수가 더 많은 ㉠은 피식자이다. (나)에서 Ⅰ에서 A가 감소하면 Ⅱ에서 B가 감소하고, Ⅲ에서 A가 증가하면 Ⅳ에서 B가 증가한다. 따라서 A가 피식자, B가 포식자이다.
ㄴ. 포식과 피식에서 피식자의 개체 수가 포식자의 개체 수보다 많아야 생태계가 유지된다. 따라서 ㉠은 피식자인 A의 개체 수 변화를 나타낸 것이다.
바로알기 | ㄱ. (가)의 P 구간은 포식자인 B가 감소하자 피식자인 A가 증가하는 (나)의 Ⅲ에 해당한다.
ㄷ. A는 피식자, B는 포식자이다.

534

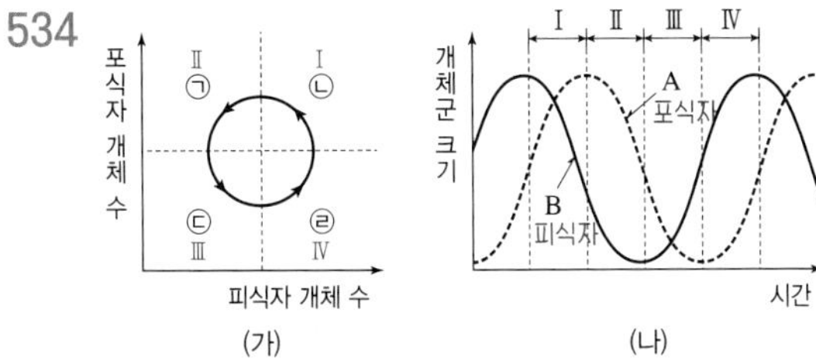

(나)에서 B의 개체 수가 감소하면 A의 개체 수가 감소하고, B의 개체 수가 증가하면 A의 개체 수가 증가한다. ➔ B가 피식자, A가 포식자
㉠ 피식자 개체 수 감소, 포식자 개체 수 감소 → Ⅱ
㉡ 피식자 개체 수 감소, 포식자 개체 수 증가 → Ⅰ
㉢ 피식자 개체 수 증가, 포식자 개체 수 감소 → Ⅲ
㉣ 피식자 개체 수 증가, 포식자 개체 수 증가 → Ⅳ
ㄱ. (나)에서 A는 포식자, B는 피식자이다.
ㄴ. 구간 Ⅲ은 포식자의 감소로 피식자가 증가하는 ㉢이다.
바로알기 | ㄷ. A와 B 사이의 상호 작용은 포식과 피식이고, 개미와 진딧물 사이의 상호 작용은 상리 공생이다.

535 A는 따로 심었을 때와 혼합하여 심었을 때 분포 범위에 차이가 없지만, B는 따로 심었을 때보다 혼합하여 심었을 때 분포 범위가 감소하며, A의 분포 한계인 수심 80 cm에서 생물량이 가장 높게 바뀐다. 이로부터 A와 B의 경쟁에서 B가 불리함을 알 수 있다.
ㄱ. 생태적 지위는 공간 지위와 먹이 지위로 결정되는데, (가)와 (나)를 비교해 보면 혼합하여 심었을 때 A는 서식 범위가 변하지 않고 B는 서식 범위(공간 지위)가 많이 변한 것으로 보아 B가 A보다 생태적 지위가 더 크게 변했다.
바로알기 | ㄴ. (나)의 구간 Ⅰ에서 B가 생존하지 못한 것은 A와의 경쟁에서 도태되었기 때문이다.
ㄷ. B가 서식하는 수심의 범위는 (나)보다 (가)에서 넓다.

536 ㄱ. ㉠은 종 2가 손해를 입으므로 기생이고, 종 1은 이익을 얻는다. 이익을 얻는 종 1이 기생 생물이고, 손해를 입는 종 2가 숙주 생물이다.
바로알기 | ㄴ. ㉠이 기생이므로 ㉡은 편리공생이다. 편리공생에서 종 1은 이익을 얻으므로 종 2의 ⓐ는 '이익도 손해도 없음'이 된다.
ㄷ. 피라미는 하천의 중앙에서 녹조류를 먹으며 살다가 은어와 함께 살게 되면 하천의 가장자리로 이동해 수서 곤충을 먹는다. 이것은 경쟁을 피해 서식 공간과 먹이를 바꾸는 분서에 해당한다.

537 기생(㉠)의 관계에 있는 생물의 예로는 사람과 기생충, 개와 벼룩, 나무와 겨우살이 등이 있다.

538 종 1과 2 모두 이익인 (나)는 상리 공생이고, 종 1과 2 모두 손해인 (라)는 종간 경쟁이다. (다)는 종 2가 이익도 손해도 없으므로 편리공생이고, 종 1은 이익(㉡ +)이다. (가)는 기생이고, 종 1이 이익이므로 종 2는 손해(㉠ −)이다.
ㄴ. (다)는 편리공생이며, 예로는 황로와 들소, 숨이고기와 해삼 등이 있다.
ㄷ. (라)는 종간 경쟁이며, 경쟁은 종 1과 2의 먹이 지위와 공간 지위, 즉 생태적 지위가 비슷할 때 일어난다.
바로알기 | ㄱ. ㉠은 '−', ㉡은 '+'이다.

539 ㄱ. 종 1과 2가 모두 이익인 B는 상리 공생이고, 종 2가 이익인 A는 기생이므로 종 1은 손해(ⓐ −)이다. 종 1과 2 모두 손해(ⓑ −)인 C는 종간 경쟁이다. 따라서 ⓐ와 ⓑ는 모두 '−'이다.
바로알기 | ㄴ. 토끼풀은 뿌리혹박테리아에게 서식 공간과 양분을 공급하고, 뿌리혹박테리아는 토끼풀에게 질소를 공급하므로 토끼풀과 뿌리혹박테리아는 상리 공생 관계이다. 빨판상어는 거북의 몸에 붙어 쉽게 이동하는 이익을 얻지만, 거북은 손해도 이익도 없으므로 빨판상어와 거북은 편리공생 관계이다.
ㄷ. ㉠에서 토끼풀과 잔디의 상호 작용은 종간 경쟁(C)의 예이다.

540 ㄱ. (가)에서 A와 B는 경쟁을 하며, B가 도태된다. 경쟁은 생태적 지위가 더 많이 중복될수록 심하게 나타난다.
ㄷ. (나)에서 C와 D는 포식과 피식 관계이며, 예로는 치타와 톰슨가젤이 있다.
바로알기 | ㄴ. (가)는 종간 경쟁이며, 경쟁이 일어날 때는 두 종 모두 손해를 입는다. 따라서 B가 없다면 A의 개체 수는 더 많아질 것이므로 A의 환경 수용력은 더 커질 것이다.

541 ㄱ. (나)에서 A와 B는 경쟁·배타 원리가 적용되므로 A와 B의 생태적 지위가 비슷하다.
ㄴ. (나)에서 B는 A와의 경쟁에서 져서 도태되었다.
ㄹ. (다)에서 A와 C는 모두 단독 배양할 때보다 개체 수가 증가한 것으로 보아 환경 저항이 줄어들었다고 볼 수 있다.
바로알기 | ㄷ. (다)에서 A와 C는 모두 단독 배양할 때보다 개체 수가 증가한 것으로 보아 서로에게 이익이 되는 상리 공생 관계임을 알 수 있다. 분서의 경우 서식 공간이 줄어들므로 두 종 모두 단독 배양할 때보다 개체 수가 감소한다.

542 ㄱ. (가)에서 A와 B가 함께 서식하면 B가 사라지므로 경쟁·배타 원리가 적용된다.
ㄴ. (나)에서 A와 C는 함께 서식하면 따로 서식할 때보다 개체 수가 줄기는 했지만 S자형 생장 곡선을 나타낸다. 이는 A와 C가 분서를 한 결과이다.
ㄷ. (가)에서는 종간 경쟁에 의해 A와 B 둘 다 손해를 입고 B는 군집에서 도태되었으며, (나)에서 A와 C는 경쟁을 피하기 위해 분서가 일어나 도태되지는 않았지만 둘 다 손해를 입는다. 따라서 (가)와 (나)에서 공통으로 경쟁이 일어난다.

최고 수준 도전 기출 (18 ~ 21강)

168 ~ 169쪽

543 ④ 544 ② 545 ② 546 ③ 547 ⑤ 548 ⑤
549 ④ 550 ⑤

543 ㄴ. 분해자(나)는 유기물을 무기물로 분해하여 비생물 환경으로 돌려보내는 역할을 한다.
ㄷ. 질소 고정 세균(생물적 요인)에 의해 토양(비생물적 요인)의 암모늄 이온(NH_4^+)이 증가하는 것은 ㉡에 해당한다.
바로알기 | ㄱ. 생산자(가)와 소비자(다)는 서로 다른 종이므로 각각 다른 개체군을 이룬다.

544 ㄷ. 9월보다 1월에 세포액의 삼투압이 높으므로 어는점이 더 낮다.
바로알기 | ㄱ. 물에 녹는 포도당의 농도가 높을 때 삼투압이 높으며, 세포액의 삼투압이 높으면 잘 얼지 않는다. 겨울에 함량이 낮아지는 A는 녹말이고, 함량이 높아지는 B는 포도당이다.
ㄴ. 상록수가 계절에 따라 잎 세포액의 삼투압을 달리하여 얼지 않게 하는 것은 온도에 적응한 결과이다.

개념 보충

상록수의 온도 적응
동백나무, 사철나무와 같은 상록수는 잎의 큐티클 층이 두껍고, 온도가 내려가도 잎의 삼투압을 높여 어는 것을 막기 때문에 잎이 떨어지지 않은 상태에서도 겨울을 날 수 있다.
온도가 내려감 → 잎의 녹말을 포도당으로 전환 → 삼투압 높아짐 → 어는점 낮아짐

545

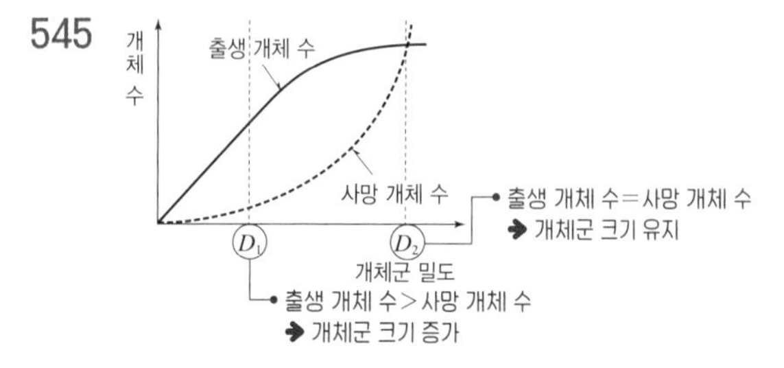

ㄴ. 개체군 밀도가 점차 증가할수록 출생 개체 수의 증가율은 감소하고 사망 개체 수의 증가율은 증가하므로 이 개체군의 생장 곡선은 환경 저항이 있는 S자 모양이다.
바로알기 | ㄱ. 개체군 밀도가 D_1일 때 출생 개체 수가 사망 개체 수보다 많아 개체군 크기가 증가하면서 경쟁이 생기므로 환경 저항이 있다.
ㄷ. 개체군 밀도가 D_2일 때는 출생 개체 수와 사망 개체 수가 같으므로 개체군의 크기 증가율이 0이며, 총 개체 수는 0이 아닌 상태로 유지된다.

546 ㄱ. A는 환경 저항이 없는 이론상의 생장 곡선이다. 따라서 구간 Ⅰ에서 A는 환경 저항을 받지 않는다.
ㄷ. B의 구간 Ⅰ에서는 개체 수가 증가하고 있으므로 $\frac{\text{사망률}}{\text{출생률}}<1$이고, 개체 수가 일정한 구간 Ⅲ에서는 $\frac{\text{사망률}}{\text{출생률}}=1$이다. 따라서 $\frac{\text{사망률}}{\text{출생률}}$은 구간 Ⅲ에서가 Ⅰ에서보다 크다.
바로알기 | ㄴ. 서식하는 공간이 일정할 때, 개체군의 밀도는 개체 수에 비례한다. B에서 개체군의 밀도는 구간 Ⅰ에서보다 개체 수가 많은 Ⅱ에서 크다.

547

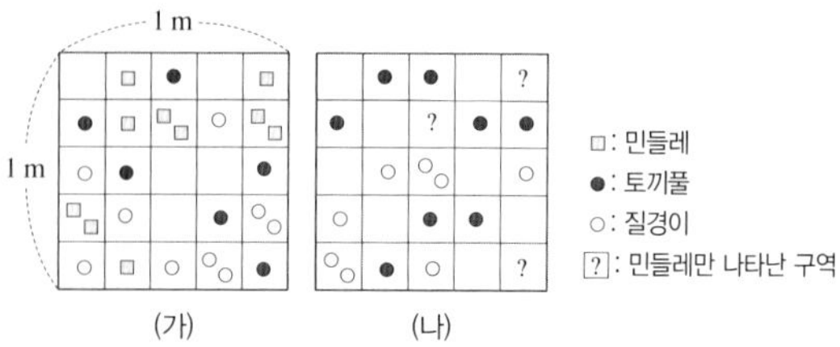

종	밀도 (개체 수/m^2)	상대 밀도 (%)
민들레	10	40
토끼풀	6	24
질경이	9	36

(가)

종	밀도 (개체 수/m^2)	상대 밀도 (%)
민들레	4	20
토끼풀	8	40
질경이	8	40

(나)

ㄴ. 민들레의 상대 밀도는 (가)에서 $\frac{10}{25}\times100=40$ %이고, 이는 (나)에서의 2배이므로 (나)에서 민들레의 상대 밀도는 $\frac{a}{a+8+8}\times100=20$ %이다. 따라서 (나)에서 민들레의 개체 수 $a=4$이다.
ㄷ. 상대 밀도는 $\frac{\text{특정 종의 밀도}}{\text{모든 종의 밀도 합}}\times100$으로 계산한다. (가)에서 민들레의 상대 밀도는 $\frac{10}{25}\times100=40$ %이고, (나)에서 토끼풀의 상대 밀도는 $\frac{8}{20}\times100=40$ %로 같다.
바로알기 | ㄱ. (가)에서 토끼풀의 밀도는 6이고, 질경이의 밀도는 9이다.

548 표에서 보상점을 보면 ㉠은 5 klx, ㉡은 20 klx이며, 광포화점은 ㉠이 20 klx 이하이고, ㉡이 40 klx 이하이다. 따라서 보상점과 광포화점이 낮은 ㉠이 음지 식물이고, ㉡이 양지 식물이다.
ㄴ. 혼합림(B)의 그늘에서는 음지 식물(㉠)의 묘목이 양지 식물(㉡)의 묘목보다 더 잘 생장한다.
ㄷ. 그림은 식물 군집이 있던 곳에 산불이 나서 초원부터 시작하는 2차 천이 과정이다. 2차 천이의 개척자는 초본 식물이다.
바로알기 | ㄱ. A는 양수림이므로 우점종은 보상점과 광포화점이 높아 강한 빛에서 잘 자라는 양지 식물(㉡)이다.

549

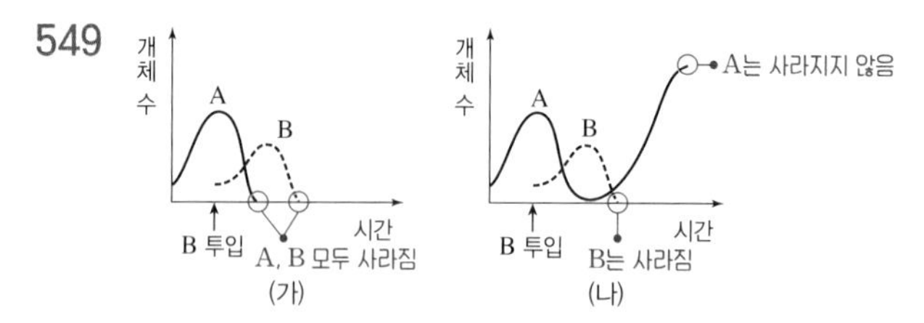

(가) 자갈이 없을 때 B를 투입하면 A의 개체 수가 줄어들고 B의 개체 수는 늘어나다 A가 사라지면 B도 사라진다. ➜ B는 A의 포식자이다.
(나) 자갈이 있을 때 B를 투입하면 A의 개체 수가 줄어들고 B의 개체 수는 늘어나다가 사라지며, A의 개체 수는 다시 증가한다. ➜ 자갈은 A의 은신처를 제공하여 A가 살아남았고 B는 먹이 부족으로 사라졌다.
ㄴ. (가)에서 B를 투입하면 B에 의해 A가 피식되어 A의 개체 수가 감소한다.
ㄷ. (가)에서와 달리 (나)에서 A가 사라지지 않은 것은 자갈이 A의 은신처 역할을 하기 때문이다.
바로알기 | ㄱ. (가)에서 B를 투입했을 때부터 A가 감소하고, A가 감소하면 B가 따라서 감소하므로 A와 B 사이의 상호 작용은 포식과 피식이다.

550 (가)에서 한 종은 이익을, 다른 종은 손해를 보는 ㉠은 포식과 피식이고, 두 종 모두 이익을 얻는 ㉡은 상리 공생이며, 두 종 모두 손해를 보는 ㉢은 종간 경쟁이다.
ㄱ. (나)에서 A와 B 모두 함께 살 때가 따로 살 때보다 개체 수가 증가하므로 이들 사이에서 일어나는 상호 작용은 상리 공생(㉡)이다.
ㄴ. ㉢은 두 개체군 모두 손해를 입는 종간 경쟁으로, 두 개체군의 생태적 지위가 비슷할 때 일어난다.
ㄷ. 환경 수용력은 주어진 환경 조건에서 서식할 수 있는 개체군의 최대 크기로, 따로 살 때와 같이 살 때 모두 A가 B보다 크다.

22 에너지 흐름과 물질 순환

빈출 자료 보기 171쪽

551 (1) × (2) ○ (3) ○ (4) × (5) × (6) ○

551 (2) (가)는 대기 중의 질소가 공중 방전에 의해 질산 이온(NO_3^-)으로 전환되는 과정이다.
(3) (나)는 질산 이온(NO_3^-)이 탈질산화 세균에 의해 질소 기체로 환원되는 탈질산화 작용이다.
(6) 생산자로 흡수된 암모늄 이온(NH_4^+)과 질산 이온(NO_3^-)은 단백질 합성과 같은 질소 동화 작용에 이용된다.
바로알기 | (1) 생산자는 대기 중의 질소를 직접 이용하지 못하고 토양 속의 암모늄 이온(NH_4^+)이나 질산 이온(NO_3^-)을 흡수하여 이용한다.
(4) (다)는 대기 중의 질소가 암모늄 이온(NH_4^+)으로 전환되는 질소 고정 작용으로, 뿌리혹박테리아, 아조토박터 등과 같은 질소 고정 세균에 의해 일어난다.
(5) (라)는 암모늄 이온(NH_4^+)이 질산 이온(NO_3^-)으로 전환되는 질산화 작용으로, 질산화 세균에 의해 일어난다.

난이도별 필수 기출 172~177쪽

552 ①, ②		553 ⑤	554 ④	555 해설 참조
556 ④	557 ⑤	558 해설 참조		559 ⑤	560 ④
561 ③	562 ①	563 ①	564 ④	565 ⑤	566 ④
567 ③	568 ②	569 ②	570 ⑤	571 ③
572 해설 참조		573 ③	574 ③	575 해설 참조

552 ① 생태계 에너지의 근원은 태양의 빛에너지이다. 생태계에서 에너지는 순환하지 않고 한 방향으로 이동하여 생태계 밖으로 빠져나가므로 생태계가 유지되려면 외부에서 태양 에너지가 끊임없이 공급되어야 한다.
② 1차 소비자에서 2차 소비자로 이동하는 에너지의 형태는 생물체에 저장된 유기물의 화학 에너지이다.
바로알기 | ③ 생태계에서 물질은 생물과 비생물 사이를 순환하지만, 에너지는 먹이 사슬을 따라 한 방향으로 이동한다.
④ 생태계의 에너지는 생물의 호흡을 통해 열에너지 형태로 방출된다.
⑤ 에너지는 각 영양 단계에서 생물의 호흡을 통해 생명 활동에 사용되고 일부만이 다음 영양 단계로 이동하므로 상위 영양 단계로 갈수록 에너지 이용 총량은 감소한다.
⑥ 생태계로 유입되는 에너지양과 생태계 밖으로 방출되는 에너지양은 같다.

553 ㄱ. (가)는 생산자를 먹이로 하는 1차 소비자이고, (나)는 생물의 사체와 배설물 속의 유기물을 무기물로 분해하여 비생물 환경으로 돌려보내는 분해자이다.
ㄴ. 에너지는 각 영양 단계에서 생명 활동에 사용되고 일부만이 다음 영양 단계로 이동하므로 상위 영양 단계로 갈수록 이동하는 에너지의 양은 적어진다. 따라서 생산자에서 1차 소비자(가)로 전달되는 에너지양은 1차 소비자(가)에서 2차 소비자로 전달되는 에너지양보다 많다.
ㄷ. 1차 소비자(가)에서 분해자(나)로는 사체나 배설물의 유기물 형태로 에너지가 이동한다.

554

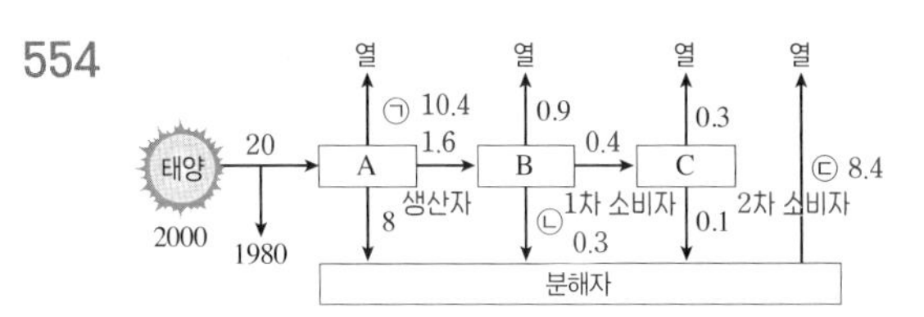

• B에서 C로 전달된 에너지양$=0.3+0.1=0.4$
• A에서 B로 전달된 에너지양$=0.4\times4=1.6$
• 태양에서 A로 전달된 에너지양$=2000-1980=20$
㉠$=20-(1.6+8)=10.4$
㉡$=1.6-(0.9+0.4)=0.3$
㉢$=8+0.3+0.1=8.4$
ㄱ. 생산자(A)는 광합성을 통해 태양의 빛에너지를 유기물의 화학 에너지로 전환한다.
ㄴ. ㉡과 ㉢의 합은 $0.3+8.4=8.7$로, ㉠ 10.4보다 작다.
바로알기 | ㄷ. C의 에너지 효율은 $\frac{0.4}{1.6}\times100=25$ %이다.

555 A는 1차 소비자, B는 2차 소비자이며, 각 영양 단계의 에너지양=그 영양 단계의 호흡으로 방출된 에너지양+다음 영양 단계로 이동한 에너지양+분해자로 이동한 에너지양으로 구할 수 있다.
모범 답안 (1) 2차 소비자(B)의 에너지양은 $16+4=20$이고, 에너지 효율은 20 %이므로 1차 소비자(A)의 에너지양은 100이다. 1차 소비자의 호흡으로 방출된 에너지양 ㉡$=100-(20+35)=45$이다. 생산자로 유입된 에너지양은 $100000-99000=1000$이므로 생산자로부터 사체·배설물의 형태로 분해자로 이동한 에너지양 ㉠$=1000-(850+100)=50$이다.
(2) $\frac{100}{1000}\times100=10$ %
(3) 분해자의 호흡으로 방출되는 에너지양은 각 영양 단계 생물에서 사체·배설물 형태로 이동한 에너지양의 합과 같으므로 $50(㉠)+35+4=89$이다.
다른 답안 (3) 분해자의 호흡으로 방출되는 에너지양은 생산자의 에너지양에서 각 영양 단계 생물의 호흡으로 방출된 에너지양의 합을 뺀 값이므로 $1000-(850+45(㉡)+16)=89$이다.

556 ㄱ. 안정된 생태계에서 상위 영양 단계로 갈수록 에너지양은 감소하므로 D는 생산자, C는 1차 소비자, B는 2차 소비자, A는 3차 소비자이다.
ㄷ. 상위 영양 단계로 갈수록 에너지양은 1000 → 100 → 20 → 5로 감소하지만, 에너지 효율은 10 % → 20 % → 25 %로 증가한다.

바로알기 | ㄴ. 에너지 효율을 구하면 A는 $\frac{5}{20}\times100=25$ %, B는 $\frac{20}{100}\times100=20$ %, C는 $\frac{100}{1000}\times100=10$ %이다. 따라서 에너지 효율은 A가 C의 2.5배이다.

557

3 A 3차 소비자
15 B 2차 소비자
100 C 1차 소비자
1000 D 생산자

영양 단계	에너지 효율(%)
(가) B	㉠ 15
(나) D	1
(다) A	20
(라) C	10

A~C의 에너지 효율을 구하면 A는 $\frac{3}{15}\times100=20$ %, B는 $\frac{15}{100}\times100=15$ %, C는 $\frac{100}{1000}\times100=10$ %이다. ➔ A는 (다), B는 (가), C는 (라), D는 (나)이고, ㉠은 15이다.

ㄷ. A의 에너지 효율(20 %)은 C(10 %)의 2배이다.

ㄹ. 2차 소비자(B)가 보유한 에너지의 일부는 열에너지 형태로 생태계 밖으로 방출되고, 일부는 3차 소비자로 이동하며, 나머지는 사체와 배설물의 형태로 분해자로 이동한다.

바로알기 | ㄱ. A는 에너지 효율이 20 %이므로 (다)이다. B의 에너지 효율은 15 %인데, (나)~(라)의 에너지 효율은 15 %가 아니므로 B는 (가)이며 ㉠은 15이다.

ㄴ. (나)는 에너지 효율이 1 %이므로 D이다.

558 모범 답안 (1) 안정된 생태계에서는 생산자의 에너지양이 가장 많고, 상위 영양 단계로 갈수록 에너지양이 점차 감소한다. 따라서 C가 생산자이고, A는 1차 소비자, D는 2차 소비자, B는 3차 소비자이다.

(2) 3차 소비자(B)의 에너지 효율 ㉠은 $\frac{30}{150}\times100=20$ %이고, 2차 소비자(D)의 에너지 효율 ㉡은 $\frac{150}{1000}\times100=15$ %이다.

559 주어진 단서를 이용하여 각 단계의 에너지 효율을 구하면 다음과 같다.

(나)의 1차 소비자의 에너지 효율: $\frac{㉡}{1000}\times100=5$ %, ㉡=50

(나)의 2차 소비자의 에너시 효율: $\frac{10}{50}\times100=20$ %

(가)의 1차 소비자의 에너지 효율: $\frac{200}{4000}\times100=5$ %

(가)의 2차 소비자의 에너지 효율: $\frac{㉠}{200}\times100=10$ %, ㉠=20

ㄱ. ㉠은 20, ㉡은 50이다.

ㄴ. 안정된 생태계에서는 생산자의 에너지양이 가장 많으므로 (나)의 A는 생산자이다.

ㄷ. 1차 소비자와 2차 소비자의 에너지 효율이 (가)에서는 5 % → 10 %로, (나)에서는 5 % → 20 %로 증가한다. 즉, (가)와 (나) 모두 상위 영양 단계로 갈수록 에너지 효율이 증가한다.

560 ㄱ. A는 생산자가 광합성을 통해 생산한 유기물 총량, 즉 총생산량이다.

ㄷ. 순생산량=피식량+고사량·낙엽량+생장량이므로 C는 피식량이다. 피식량은 1차 소비자인 초식 동물이 먹이로 섭취한 양이다.

바로알기 | ㄴ. B는 총생산량−순생산량이므로 생산자가 생명 활동에 필요한 에너지를 얻기 위해 호흡으로 소비한 유기물량, 즉 호흡량이다.

561 ㄷ. 1차 소비자의 에너지 효율은 $\frac{x}{300}\times100=10$ %이고, $x=30$이다. 따라서 2차 소비자(ⓐ)의 에너지 효율은 $\frac{6}{30}\times100=20$ %이다.

바로알기 | ㄱ. ㉡은 피식량, 고사량, 생장량(㉢)을 포함하므로 순생산량이고, ㉠은 총생산량−순생산량(㉡)이므로 호흡량이다.

ㄴ. 1차 소비자의 에너지 효율이 10 %라고 하였으므로 ⓐ는 2차 소비자이고, ⓑ는 1차 소비자이다. 따라서 ⓑ의 호흡량은 생산자에서 1차 소비자에게 먹힌 피식량에 포함되어 있던 것이다. ㉢은 생산자에 남아 있는 유기물 양으로 소비자에게 전달되지 않은 것이다.

562

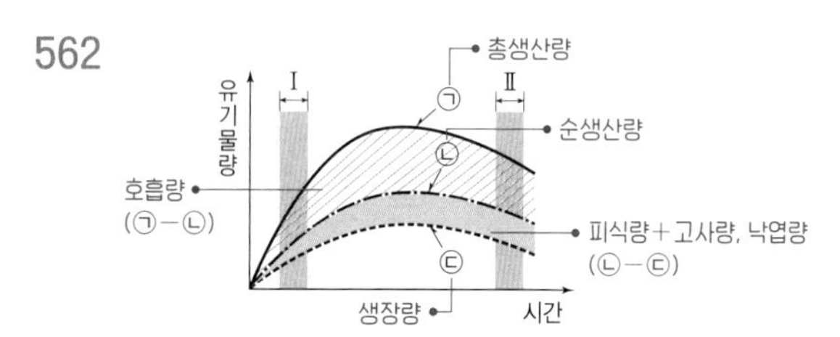

ㄱ. 호흡량은 총생산량(㉠)−순생산량(㉡)으로, 구간 Ⅰ에서 시간에 따라 증가한다.

바로알기 | ㄴ. 생체량(생물량)은 현재 식물 군집이 가지고 있는 유기물의 총량이다. 생체량은 생장량이 0일 때는 더 이상 증가하지 않지만 생장량이 0보다 크면 증가한다. 구간 Ⅱ에서 시간에 따른 생장량(㉢)이 감소하고 있기는 하지만 양(+)의 값을 가지므로 생체량은 증가한다.

ㄷ. 피식량, 고사량, 낙엽량은 순생산량(㉡)−생장량(㉢)으로, 구간 Ⅱ에서 생장량(㉢)보다 작다.

563 ㄱ. 순생산량=피식량+고사량·낙엽량+생장량이므로 낙엽량은 순생산량인 ㉡에 포함된다.

바로알기 | ㄴ. 호흡량은 총생산량(㉠)−순생산량(㉡)으로, 구간 Ⅰ에서보다 구간 Ⅱ에서가 많다.

ㄷ. 구간 Ⅱ는 양수림이 출현한 후 아직 음수림이 출현하기 전이다. 식물 군집 A는 음수림에서 극상을 이루므로 구간 Ⅱ는 천이가 진행 중인 양수림이지 극상은 아니다.

564 ㄱ. (가)를 기반으로 살아가는 초식 동물은 생산자를 먹이로 하므로 이들의 섭식량은 식물 군집의 피식량과 같다.

ㄷ. 순생산량은 총생산량−호흡량이다. 총생산량에 대한 순생산량의 백분율은 (가)에서는 $100-74=26$(%)이고, (나)에서는 $100-66.8=33.2$(%)이다. 그러나 총생산량은 (가)가 (나)의 2배이므로 순생산량은 (가)가 (나)보다 많다.

바로알기 | ㄴ. (나)에서 총생산량에 대한 순생산량의 백분율은 $100-66.8=33.2$ %이다.

다른 해설 ㄷ. (나)의 총생산량을 100이라고 할 때, (가)의 총생산량은 200이다. (가)의 순생산량은 200의 26 %인 52이고, (나)의 순생산량은 100의 33.2 %인 33.2이다. 따라서 (가)의 순생산량이 (나)의 순생산량보다 크다.

565 ㄴ. (가)의 B는 순생산량에 포함되는 피식량, 낙엽량, 고사량이고, (나)에서 순생산량은 총생산량(㉠)−호흡량(㉡)이다. 따라서 (가)의 B는 (나)의 ㉠−㉡에 포함된다.

ㄷ. $\frac{순생산량}{생체량}$의 값은 순생산량이 클수록, 생체량이 작을수록 크다. 순생산량은 구간 Ⅰ에서가 구간 Ⅱ에서보다 크고, 생체량은 구간 Ⅰ에서보다 구간 Ⅱ에서가 크다. 따라서 $\frac{순생산량}{생체량}$은 구간 Ⅰ에서가 구간 Ⅱ에서보다 크다.

바로알기 | ㄱ. (나)의 ㉠은 총생산량이고, 호흡량인 ㉡이 (가)의 A에 해당한다.

566 ㄴ. C는 사체와 배설물의 유기물을 무기물로 분해하여 비생물 환경으로 방출하는 분해자이며 세균, 버섯 등이 있다.

ㄷ. 생태계를 구성하는 생물 A~C는 유기물을 무기물로 분해하는 호흡을 통해 생명 활동에 필요한 에너지를 얻는다.

바로알기 | ㄱ. 광합성을 통해 이산화 탄소를 고정할 수 있는 생물은 대기 중의 이산화 탄소를 이용할 수 있는 생산자(B)이다.

567 ㄱ. 대기 중의 이산화 탄소를 흡수하여 광합성을 통해 유기물을 합성하는 생물 A는 생산자이고, 생물의 사체와 배설물의 유기물을 무기물로 분해하는 생물 C는 분해자이다.

ㄷ. 생물 A, B, C 사이에서는 탄소가 생물체, 사체, 배설물 등에 포함된 유기물 형태로 이동한다.

바로알기 | ㄴ. (가)는 광합성으로 동화 작용이고, (나)와 (다)는 호흡으로 이화 작용이지만, (라)는 연소로 이화 작용에 해당하지 않는다.

568 ② 식물은 토양 속의 질산 이온과 암모늄 이온을 뿌리를 통해 흡수하여 질소 동화 작용에 이용한다.

바로알기 | ① 대기 중의 질소는 질소 고정 세균의 질소 고정 작용으로 암모늄 이온으로 전환된다.

③, ⑤ 토양 속 암모늄 이온은 질산화 작용을 거쳐 질산 이온이 되며, 질산 이온의 일부가 대기 중의 질소 기체로 전환되는 과정을 탈질산화 작용이라고 한다.

④ 토양 속의 암모늄 이온을 질산 이온으로 전환시키는 과정을 질산화 작용이라고 하며, 질산화 세균에 의해 일어난다.

569 ㄱ. 토양 속의 암모늄 이온이나 질산 이온을 흡수하여 질소 동화 작용을 하는 B는 생산자이고, 먹이 사슬에 의해 생산자를 이용하는 A는 소비자이며, 생산자와 소비자의 사체와 배설물을 이용하는 C는 분해자이다.

ㄹ. 토양 속의 질산 이온을 공기 중의 질소로 전환하는 (다)는 탈질산화 작용이다.

바로알기 | ㄴ. 질산화 세균은 암모늄 이온을 질산 이온으로 전환하는 질산화 작용(나)에 관여한다.

ㄷ. 뿌리혹박테리아, 아조토박터 등은 질소 고정 작용(가)에 관여하며, 질산화 작용(나)에는 질산화 세균이 관여한다.

570 ㄴ. 질소 동화 작용은 생산자가 흡수한 암모늄 이온과 질산 이온을 이용하여 아미노산과 같은 질소를 포함한 유기물을 합성하는 작용이므로, 과정 (나)는 질소 동화 작용에 포함된다.

ㄷ. 생물의 사체나 배설물에 포함된 아미노산을 분해하여 암모늄 이온으로 전환하는 과정 (다)는 분해자에 의해 일어난다.

바로알기 | ㄱ. 대기 중의 질소를 암모늄 이온으로 전환하는 과정 (가)는 질소 고정 작용이다. 이 과정에는 뿌리혹박테리아, 아조토박터 등의 질소 고정 세균이 관여한다.

571

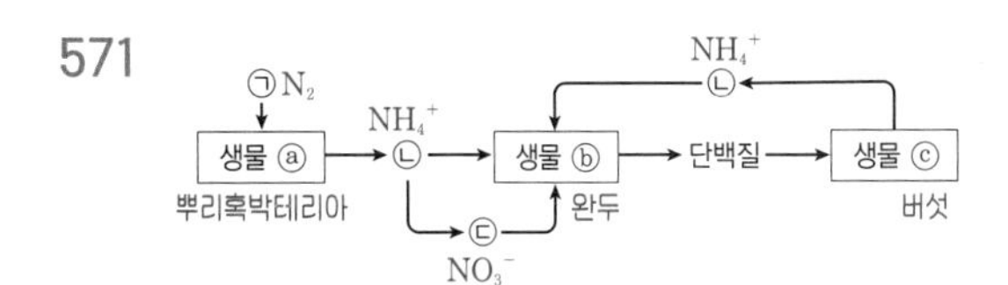

뿌리혹박테리아는 공기 중의 질소(N_2)를 암모늄 이온(NH_4^+)으로 전환하고, 완두는 암모늄 이온이나 질산 이온(NO_3^-)을 흡수하여 질소 동화 작용에 이용한다. 질소 동화 작용을 통해 아미노산이 만들어지고 단백질이 합성된다. 또 버섯과 같은 분해자가 단백질과 같은 질소를 포함한 유기물을 분해하는 과정에서 암모늄 이온이 생성된다. 따라서 생물 ⓐ는 뿌리혹박테리아, ⓑ는 완두, ⓒ는 버섯이고, ㉠은 N_2, ㉡은 NH_4^+, ㉢은 NO_3^-이다.

ㄴ. 질산화 세균은 암모늄 이온(㉡ NH_4^+)을 질산 이온(㉢ NO_3^-)으로 전환하는 과정에 관여한다.

ㄷ. ⓐ는 공기 중의 질소(㉠ N_2)를 암모늄 이온(㉡ NH_4^+)으로 전환할 수 있는 질소 고정 세균인 뿌리혹박테리아이다.

바로알기 | ㄱ. ㉠은 공기 중의 N_2, ㉡은 암모늄 이온(NH_4^+)이다.

ㄹ. 뿌리혹박테리아(ⓐ)와 완두(ⓑ)는 서로 공생하며, 뿌리혹박테리아는 완두에게 질소 화합물을, 완두는 뿌리혹박테리아에게 유기물을 제공한다.

572 **모범 답안** (1) 질소 동화 작용

(2) A는 대기 중의 질소가 암모늄 이온으로 전환되는 질소 고정 작용으로, 뿌리혹박테리아와 아조토박터와 같은 질소 고정 세균에 의해 일어난다.

573 ㄴ. A와 C는 먹이 사슬에 의해 식물에서 동물로 유기물이 전달되는 것이다. A에서는 탄수화물, 단백질, 지방과 같은 탄소를 포함한 유기물이고, C에서는 단백질과 같은 질소를 포함한 유기물이다.

ㄷ. B는 분해자가 생물의 사체와 배설물의 유기물을 이산화 탄소와 물로 분해하는 호흡을 포함한다.

바로알기 | ㄱ. 식물은 잎의 기공을 통해 대기 중의 이산화 탄소를 흡수하여 광합성에 이용한다. 그러나 대기 중의 질소는 직접 이용하지 못하고, 토양 속의 암모늄 이온이나 질산 이온을 뿌리를 통해 흡수하여 질소 동화 작용에 이용한다.

ㄹ. D 과정(질산화 작용)에는 질산화 세균이, E 과정(탈질산화 작용)에는 탈질산화 세균이 관여한다.

574 ㄱ. 1차 소비자의 증가에 의해 생태계 평형이 파괴된 후에 평형을 회복하는 과정은 1차 소비자의 일시적 증가(D) → 2차 소비자의 증가, 생산자의 감소(C) → 1차 소비자의 감소(B) → 2차 소비자의 감소, 생산자의 증가(A)이다.

ㄷ. A에서 2차 소비자의 개체 수가 감소하는 것은 먹이가 되는 1차 소비자의 개체 수 감소로 인한 것이다.

바로알기 | ㄴ. 1차 소비자의 개체 수가 일시적으로 증가하면 먹이 증가로 2차 소비자의 개체 수도 일시적으로 증가하지만, 생산자는 많이 피식되어 개체 수가 일시적으로 감소한다.

575 **모범 답안** 1차 소비자의 개체 수가 일시적으로 감소하면 2차 소비자의 개체 수는 감소하고 생산자의 개체 수는 증가한다. 먹이가 증가하고 천적이 감소함에 따라 1차 소비자의 개체 수가 증가하면 2차 소비자의 개체 수도 증가하고 생산자의 개체 수는 감소하여 생태계의 평형이 회복된다.

V

23 생물 다양성

빈출 자료 보기

179쪽

576 (1) × (2) ○ (3) × (4) × (5) ○ (6) ×

576

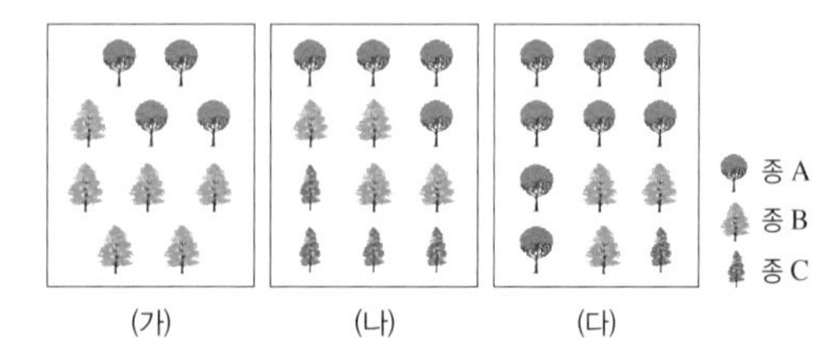

구분	A	B	C	계
(가)	4	6	0	10
(나)	4	4	4	12
(다)	8	3	1	12

(2) (가)~(다)의 면적은 모두 같으므로 A의 밀도가 가장 큰 지역은 A의 개체 수가 가장 많은 (다)이다.
(5) 종 균등도는 각 생물종의 분포 비율이 고른 (나)에서 가장 높다.
바로알기 | (1) A~C는 서로 다른 종이므로 각각 다른 개체군에 속한다.
(3) 상대 밀도는 $\frac{\text{특정 종의 밀도}}{\text{모든 종의 밀도 합}} \times 100$으로 계산한다. A의 상대 밀도는 (가)에서는 $\frac{4}{10} \times 100 = 40$ %이고, (나)에서는 $\frac{4}{12} \times 100 = 33.3$ %로 (가)에서가 (나)에서보다 높다.
(4) 생물종 수는 (가)는 2, (나)와 (다)는 3이므로 (가)는 종 풍부도가 가장 낮다.
(6) 식물의 종 다양성은 종 풍부도와 종 균등도로 판단한다. 식물의 종 풍부도는 (나)와 (다)가 같은 정도로 높지만 종 균등도는 (나)가 (다)보다 높으므로 종 다양성이 가장 높은 지역은 (나)이다.

난이도별 필수 기출

180~183쪽

577 ④ 578 ④ 579 ③ 580 ⑤ 581 ⑤ 582 ②
583 해설 참조 584 ③ 585 ③ 586 ②
587 해설 참조 588 서식지 파괴, 서식지 단편화, 남획, 외래 종 도입, 환경 오염 589 ② 590 ④ 591 해설 참조
592 ④ 593 해설 참조 594 ③ 595 ④ 596 ①

577 ④ 종 다양성은 일정 지역에 얼마나 많은 종이(종 풍부도) 균등하게 분포하여(종 균등도) 살고 있는가를 나타낸 것이다.
바로알기 | ① 종 다양성은 동물과 식물뿐 아니라 미생물 등 생태계를 구성하는 모든 생물종을 포함한다.
② 종 다양성이 높을수록 먹이 사슬이 복잡해진다.
③ 고양이의 털 색깔과 무늬가 다양하게 나타나는 것은 유전적 다양성의 예이다.
⑤ 유전적 다양성이 낮은 종은 환경이 급격히 변했을 때 살아남는 개체가 있을 확률이 적어 멸종될 위험이 높다.
⑥ 삼림, 초원, 사막, 습지 등이 다양하게 나타나는 것은 생태계 다양성에 해당한다.

578 (가)는 유전적 다양성, (나)는 종 다양성, (다)는 생태계 다양성이다.
ㄱ. 유전적 다양성(가)이 높은 종은 급격한 환경의 변화에도 살아남는 개체가 있어 멸종 위험이 낮다.
ㄷ. 생태계 다양성(다)이 높으면 서로 다른 환경에 적응한 다양한 종이 존재할 수 있다.
바로알기 | ㄴ. 같은 종의 달팽이에서 껍데기의 무늬가 다양하게 나타나는 것은 유전적 다양성(가)의 예이다.

579 ㄱ. (나)는 종 다양성이고, (다)는 유전적 다양성이다. 따라서 (가)는 생태계 다양성이다. 생태계 다양성이 높으면 생물이 다양한 환경에 적응하여 종 다양성과 유전적 다양성도 높아진다.
ㄴ. 종 다양성(나)이 높을수록 먹이 사슬이 복잡해져 생태계의 평형이 잘 유지된다.
바로알기 | ㄷ. 대립유전자의 종류가 적을수록 유전적 다양성(다)이 낮아진다.

580 (가)는 종 다양성, (나)는 생태계 다양성, (다)는 유전적 다양성이다.
ㄱ. 한 군집에서 서식하는 생물종의 다양한 정도는 종 다양성(가)이다.
ㄴ. 지역에 따라 강수량과 기온이 다르고, 그에 따라 다양한 생태계가 형성된다.
ㄷ. 같은 종의 무당벌레가 개체마다 무늬가 다른 것은 대립유전자가 다양하기 때문으로, 이는 유전적 다양성(다)에 해당한다.

581 ㄱ. 습지는 육상 생태계와 수생태계를 잇는 완충 지역으로 다양한 생물이 서식하여 종 다양성이 높다.
ㄴ. ㉠은 습지에 다양한 생물종이 서식하는 것을 설명하고 있으므로 종 다양성에 해당한다.
ㄷ. 생태계(㉡)가 다양할수록 다른 환경에 적응하여 살아가는 생물종이 다양해지므로 생물 다양성이 증가한다.

582 ㄴ. 생태계를 구성하는 생물종이 다양할수록 먹이 사슬이 복잡해져 생태계의 평형이 잘 유지된다.
바로알기 | ㄱ. 생태계의 종류가 삼림으로 같더라도 침엽수림이나 활엽수림처럼 생태계를 구성하는 생물종이 다르고 개체 수와 분포도 다르므로 종 다양성이 다르다.
ㄷ. 종의 수가 많고, 각 생물종의 분포 비율이 비슷할수록 종 다양성이 높다.

583 일반적으로 포식자의 종 수가 피식자의 종 수보다 적으므로 ㉠은 곤충류, ㉡은 조류이다.
모범 답안 (1) ㉠ 곤충류, ㉡ 조류
(2) 삼림 면적이 증가할수록 조류와 곤충류의 종 다양성이 높아지므로 생물 다양성도 높아진다.

584 ㄱ. ㉠에서는 6종, ㉡에서는 4종이 서식하고 있으므로 종 풍부도는 ㉠이 ㉡보다 높다. ㉠에서는 A~F가 고르게 분포하는 데 비해 ㉡에서는 A의 개체 수가 C의 개체 수의 6배 이상 많으므로 종 균등도 역시 ㉠이 ㉡보다 높다. 따라서 식물의 종 다양성은 종 풍부도와 종 균등도가 모두 높은 ㉠이 ㉡보다 높다.
ㄴ. 뒤쥐의 대립유전자 구성을 나타낸 그림은 유전적 다양성과 관련이 깊다. 사람의 홍채의 색이 다양한 것은 유전적 다양성의 예이다.
바로알기 | ㄷ. 뒤쥐의 대립유전자 구성이 다양한 것은 유전적 다양성의 예이다.

585

구분	A	B	C	D	계
(가)	6	11	2	1	20
(나)	6	4	4	6	20

ㄱ. (가)와 (나)는 면적이 같고, 서식하는 식물 종의 개체 수도 20으로 같다. (가)와 (나)에서 A의 개체 수는 6으로 같으므로 A의 상대 밀도는 $\frac{6}{20} \times 100 = 30$ %로 같다.
ㄴ. (가)와 (나)에는 모두 4종이 서식하므로 종 풍부도는 같다.
바로알기 | ㄷ. (가)와 (나)에서 서식하는 식물 종 수는 4로 같지만, (가)에서는 (나)에서보다 각 종의 분포가 고르지 않다. 따라서 종 다양성은 (가)에서가 (나)에서보다 낮다.

586

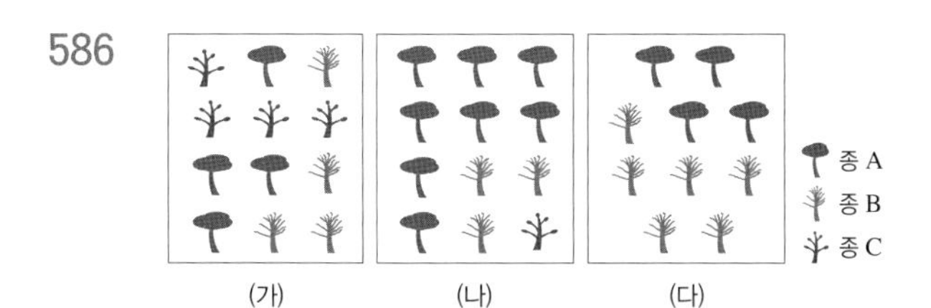

구분	A	B	C	계
(가)	4	4	4	12
(나)	8	3	1	12
(다)	4	6	0	10

ㄴ. 상대 밀도는 $\frac{\text{특정 종의 밀도}}{\text{모든 종의 밀도 합}} \times 100$으로 계산한다. A의 상대 밀도는 (가)에서는 $\frac{4}{12} \times 100 = 33.3\,\%$, (나)에서는 $\frac{8}{12} \times 100 = 67\,\%$, (다)에서는 $\frac{4}{10} \times 100 = 40$ %이다. 따라서 A의 상대 밀도는 (나)에서 가장 높고, (가)에서 가장 낮다.
바로알기 | ㄱ. B와 C는 서로 다른 종이므로 각각 다른 개체군을 이룬다.
ㄷ. (가)~(다)의 면적은 모두 같으므로 개체군의 밀도는 개체 수에 비례한다. 따라서 B의 개체군 밀도는 (다) > (가) > (나)이다.

587 **모범 답안** (가), (가)는 3종이 서식하므로 2종만 분포하는 (다)보다 종 풍부도가 크고, A~C 각 종이 고르게 분포하므로 (나)보다 종 균등도가 높기 때문이다.

588 생물 다양성은 서식지 파괴에 의해 크게 감소한다. 또한, 큰 서식지가 작게 나누어지는 것이나 과도하게 생물을 포획하는 남획, 외래종의 도입과 환경 오염 역시 생물 다양성을 감소시키는 요인이 된다.

589 ① 화석 연료 사용 감소, ③ 쓰레기 배출 감소를 통한 환경 오염 감소, ④ 불법 포획이나 남획 금지, ⑤ 국립 공원이나 보호 구역 지정을 통한 생물 서식지 보전은 생물 다양성을 보전하는 데 도움이 된다.
바로알기 | ② 외래종은 고유종의 서식지를 차지하고 먹이 사슬을 변화시킴으로써 생태계를 교란할 수 있으므로 생물 다양성을 감소시키는 요인이다.

590 지속 가능한 발전이란 환경을 고려한 건전한 경제 발전을 의미한다. 비료와 농약을 적정량 사용하거나 환경 보전과 경제 개발이 균형을 이룰 수 있는 정책을 수립하는 것은 지속 가능한 발전을 위한 방안이다.
바로알기 | ㄱ. 콘크리트로 하천 변을 직선화하는 과정에서 많은 생물의 서식지가 파괴되므로 생물 다양성이 감소한다.

591 **모범 답안** 국가 연구 기관을 통해 생물 다양성을 보전·관리한다. 야생 생물 보호 및 관리에 관한 법률을 제정한다.

592 ㄱ. 도로로 서식지가 단편화되면 야생 동물이 도로를 건너다 자동차에 치여 죽는 로드킬이 발생할 확률이 높아진다.
ㄷ. 서식지가 단편화되면 서식지 면적은 줄어들고 가장자리 면적은 늘어나므로 큰 서식지의 중앙에 살던 생물종은 가장자리에 살던 생물종보다 더 큰 영향을 받는다.
바로알기 | ㄴ. 큰 서식지가 도로와 철도 등에 의해 단편화되면 서식지의 중앙에 살던 일부 종은 멸종할 확률이 높아 종 다양성은 감소할 것이다.

593 **모범 답안** 야생 동물이 이동할 수 있는 생태 통로를 설치하여 단편화된 서식지를 연결한다.

594 ㄱ, ㄷ. 붉은귀거북과 꽃매미는 본래 살고 있던 지역을 벗어나 다른 지역으로 옮겨 서식하게 된 외래종으로, 먹이 사슬을 변화시켜 생태계를 교란한다.
바로알기 | ㄴ. 외래종은 고유종의 서식지를 차지하고 먹이 사슬을 변화시켜 생태계를 교란시킴으로써 생물 다양성을 감소시킨다.

595 ㄱ. 뉴트리아는 새로운 포식자로서 기존에 서식하던 토종 생물을 잡아먹고 개체 수에 큰 영향을 주므로 먹이 사슬에 변화를 일으킨다.
ㄴ. 뉴트리아의 개체 수가 급격하게 증가한 원인 중 하나는 새로 도입된 지역에 천적이 없기 때문이다.
바로알기 | ㄷ. 뉴트리아와 같은 외래종은 기존 생태계를 교란하여 생물 다양성을 감소시키는 원인이 된다.

596 ㄱ. (가)에서 도로 건설 후에는 서식지 내부 면적은 감소하고 가장자리 면적은 증가하므로 $\frac{\text{가장자리 면적}}{\text{내부 면적}}$은 증가한다.
바로알기 | ㄴ. (나)에서 서식지 면적이 50 % 감소하면 그 지역에 살던 생물종 수는 90 %가 되므로 10 % 감소한다.
ㄷ. 생물 다양성을 높이기 위해서는 서식지를 잘게 분리하지 않고 보존하는 것이 좋다.

최고 수준 도전 기출 (22 ~ 23강)

184쪽

597 ⑤ 598 ① 599 ④ 600 ①

597

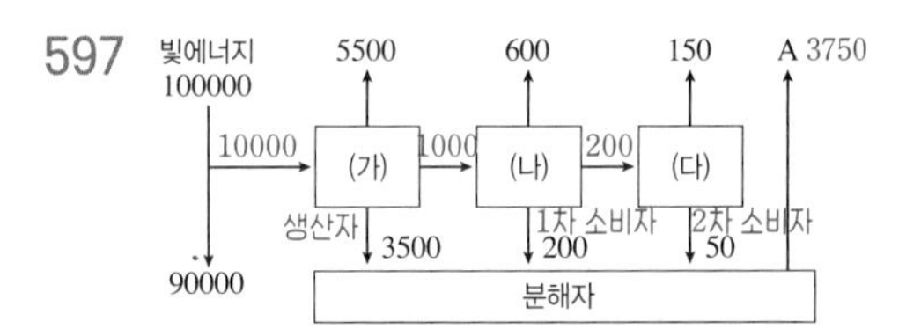

ㄱ. 생산자의 총생산량은 빛에너지 중 생산자로 유입된 10000이고, 순생산량은 총생산량에서 호흡량을 제외한 값이므로 10000−5500 =4500이다. 따라서 $\frac{순생산량}{총생산량}=\frac{4500}{10000}$으로 $\frac{1}{2}$보다 작다.

ㄴ. (다)는 2차 소비자로, 에너지 효율은 $\frac{200}{1000}\times100=20$ %이고, (나)는 1차 소비자로, 에너지 효율은 $\frac{1000}{10000}\times100=10$ %이다. 따라서 에너지 효율은 (다)가 (나)의 2배이다.

ㄷ. A는 분해자로 유입된 에너지의 합이므로 3500+200+50 =3750이다.

598 (가)에서 Ⅰ은 소비자, Ⅱ는 생산자이고, ⓐ는 질소 고정 작용, ⓑ는 질산화 작용이다.

ㄱ. 아조토박터, 뿌리혹박테리아는 공기 중의 질소를 암모늄 이온으로 전환하는 질소 고정 작용(ⓐ)에 관여하는 질소 고정 세균이다.

바로알기 | ㄴ. ⓑ는 암모늄 이온을 질산 이온으로 전환하는 질산화 작용이다. 탈질산화 작용은 질산 이온을 공기 중의 질소로 전환하는 작용이다.

ㄷ. 총생산량=순생산량+호흡량이고, 순생산량=피식량+낙엽량·고사량+생장량이다. 따라서 시간에 따른 유기물량이 많은 것부터 차례대로 ㉠은 총생산량, ㉡은 순생산량, ㉢은 생장량이다. ㉡−㉢=순생산량−생장량=피식량+고사량·낙엽량이므로 Ⅱ(생산자)에서 Ⅰ(소비자)로 전달되는 유기물량인 피식량보다 크다.

599 ㄴ. 개체군의 크기가 감소하면 유전자 변이의 수가 작아지는데, 이는 유전자 구성이 단순해진다는 것을 의미한다.

ㄷ. 개체군의 크기가 10^2일 때보다 10^5일 때 유전자 변이의 수가 커서 환경 변화에 적응하는 개체가 있을 확률이 높으므로 멸종될 위험이 낮다.

바로알기 | ㄱ. 개체군 크기에 따른 유전자 변이, 즉 유전적 다양성을 나타낸 것이다.

600 ㄱ. 서식지가 단편화된 후 E가 사라져서 생물종의 수가 5에서 4로 감소하였다.

바로알기 | ㄴ. 상대 밀도는 $\frac{특정\ 종의\ 밀도}{모든\ 종의\ 밀도\ 합}\times100$으로 계산한다. 서식지 분할 전후에 A의 개체 수는 변하지 않았지만 다른 종의 개체 수가 감소하여 모든 종의 밀도 합이 감소하였으므로 A의 상대 밀도는 증가하였다.

ㄷ. 내부에 서식하는 종 D와 E에서 감소한 개체 수는 각각 40, 40으로 총 80개체가 감소하였고, 가장자리에 서식하는 종 A, B, C에서 감소한 개체 수는 각각 0, 20, 40으로 총 60개체가 감소하였다.

Memo

Memo

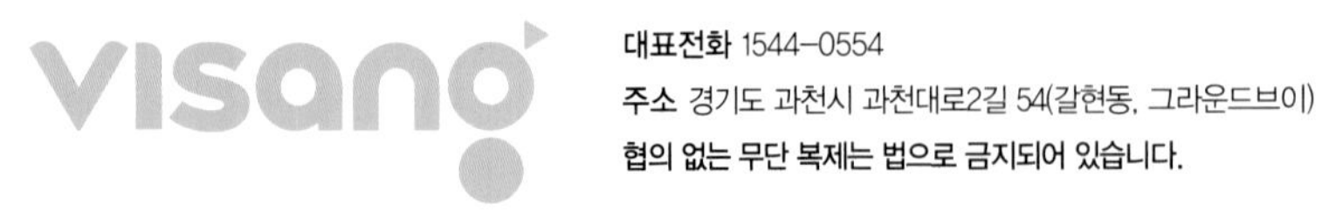
visang
대표전화 1544-0554
주소 경기도 과천시 과천대로2길 54(갈현동, 그라운드브이)
협의 없는 무단 복제는 법으로 금지되어 있습니다.